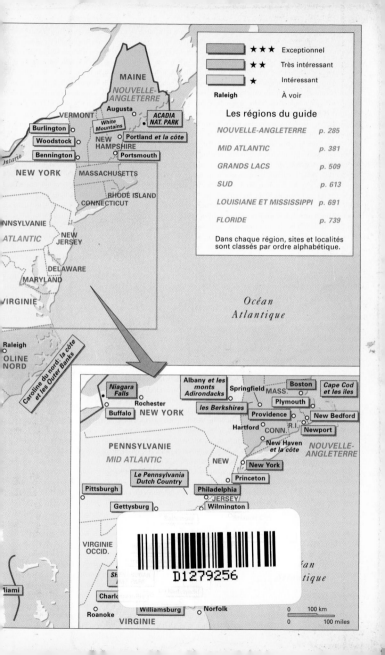

	★★★	Exceptionnel
	★★	Très intéressant
	★	Intéressant
Raleigh		À voir

Les régions du guide

Dans chaque région, sites et localités sont classés par ordre alphabétique.

MAINE
NOUVELLE-ANGLETERRE
VERMONT — Augusta
ACADIA NAT. PARK
Burlington — White Mountains
Woodstock — NEW HAMPSHIRE — Portland et la côte
Bennington — Portsmouth
Ontario
NEW YORK — MASSACHUSETTS
RHODE ISLAND
CONNECTICUT
PENNSYLVANIE
MID ATLANTIC — NEW JERSEY
DELAWARE
MARYLAND
VIRGINIE

Océan Atlantique

Raleigh
CAROLINE DU NORD
Caroline du nord: la côte et les Outer Banks

Niagara Falls — Albany et les monts Adirondacks — Springfield MASS. — Boston — Cape Cod et les îles
Rochester — les Berkshires — Plymouth
Buffalo — NEW YORK — Providence — New Bedford
Hartford — CONN. — R.I. — Newport
PENNSYLVANIE — New Haven et la côte — NOUVELLE-ANGLETERRE
MID ATLANTIC — NEW — New York
Le Pennsylvania Dutch Country — Princeton
Pittsburgh — Philadelphia
Gettysburg — JERSEY — Wilmington

VIRGINIE OCCID.

Océan Atlantique

Sh...
Charl...
Roanoke — Williamsburg — Norfolk
VIRGINIE

D1279256

| 0 | | 100 km |
| 0 | | 100 miles |

Miami

Etats-Unis
Est et Sud

À nos lecteurs

Aussi soigneusement qu'il ait été établi, ce guide n'est pas à l'abri des changements de dernière heure. Faites-nous part de vos remarques, informez-nous de vos découvertes personnelles : nous accordons la plus grande attention au courrier de nos lecteurs.

Etats-Unis
Est et Sud

Direction :	Isabelle Jeuge-Maynart
Direction éditoriale :	Isabelle Jendron
Direction littéraire :	François Monmarché
Rédaction en chef :	Jean-Jacques Fauvel
Édition :	Laurence Gaveau-Lombard, Françoise Dupont
Préface :	Gérard Chaliand
Introductions :	Michèle Dujany, Claude Fohlen, Élisabeth de Kerret, Daniel Rivière, Hélène Lassale, Dominique Rouillard
Rédaction générale :	Christine Ausseur, Yves Bridault, Aliette de Crozet, Jean-Louis Ferrier, Béatrice Massenet, Odile Perrard, Henri Pierre, Aude Simon Mark S. Kline (V.O. G. Visions of Gatsby Inc.)
Avec la collaboration de :	Brigitte Bontemps, Catherine Boucher, Béatrice Hemsen-Vigouroux, Florence Lagrange, Henri Le More, Astrid Lorber, Muriel Lucas
Documentation :	Florence Guibert
Cartographie :	Alain Mirande
Illustrations :	Pierre Golfier, Valérie Malpart, Agnès Vair
Lecture-correction :	Claire Boucher, Sandrine Couprie, Isabelle Kersimon, Yolaine de Montlivault, Mariane Ravel
Fabrication :	Gérard Piassale, Denis Schneider, Caroline Garnier
Couverture, maquette intérieure :	Calligram
Maquette des encadrés illustrés :	Irène de Moucheron

Régie exclusive de publicité : Hachette Tourisme, 43, quai de Grenelle, 75905 Paris Cedex 15.

Hachette Tourisme, 43, quai de Grenelle, 75905 Paris Cedex 15.

Sommaire

■ Le Sud (613)

■ La Louisiane et le Mississippi (691)

■ La Floride (739)

En savoir plus

■ Bibliographie (785)

■ Carnet d'adresses (791)

Pour vous aider à choisir un hôtel ou un restaurant, connaître les équipements de l'endroit où vous séjournez, le numéro de téléphone d'un office de tourisme.

■ Index (891)

- Index thématique des encadrés
- Index général (noms de lieux et de personnages, mots-clés).

Table des cartes, plans et illustrations

■ Illustrations

ABRÉVIATIONS

1st	First, premier	mer.	mercredi
2nd	Second, second	mi	mile
3rd	Third, troisième	mn	minute
4th	Fourth, quatrième	N.	nord, North
5th	Fifth, cinquième	nov.	novembre
alt.	altitude	O.	ouest
a.-m.	après-midi	oct.	octobre
AR	aller-retour	ouv.	ouvert
Ave.	avenue	Pkwy	Parkway
Aves	Avenues	P.O.Box	Port Office Box
avr.	avril	prom.	promenade
bd	boulevard	rens.	renseignement
ch.	chambre	réserv.	réservation
cm.	centimètre	Rd.	Road
déc.	décembre	s.	siècle
dim.	dimanche	S.	sud, South
dr.	droite	sam.	samedi
E.	est, East	sem.	semaine
env.	environ	sep.	septembre
ex.	exemple	seul.	seulement
f.	fermé	sf	sauf
fév.	février	spéc.	spécialités
g.	gauche	St.	Street
h.	heure	Sts	Streets
ha	hectare	t.a.	toute l'année
hab.	habitant	t.l.j.	tous les jours
Hwy	Highway	v.	vers
inf.	information	ven.	vendredi
j.	jour	vis.	visite
J.-C.	Jésus-Christ	W.	West
jan.	janvier	→	se reporter à
jeu.	jeudi		
juil.	juillet		
km	kilomètre		
lun.	lundi		
m.	mètre		
mar.	mardi		
mat.	matin		

Classification des sites, monuments, musées...

★	intéressant
★★	très intéressant
★★★	exceptionnel

SYMBOLES

Vous trouverez ci-dessous les symboles et signes conventionnels utilisés dans l'ensemble des Guides Bleus. Ils ne figurent donc pas tous nécessairement dans cet ouvrage.

ⓘ	Office de Tourisme, information
☎	Téléphone, indicatif téléphonique
⊠	Code postal

Classification des hôtels

★★★★★	Grand luxe
★★★★	Luxe
★★★	Très confortable
★★	Confortable
★	Simple

Classification des restaurants

★★★★	Grand Luxe
★★★	Très bonne table
★★	Bonne table
★	Simple, bon marché

Équipement

♟	Table recommandée
♥	Coup de cœur de la rédaction
⊟	Facilités pour hommes d'affaires
⊐	Salle de bains
✕	Restaurant
☎	Téléphone dans les chambres
♿	Facilités pour handicapés
📺	Télévision dans les chambres
🛗	Ascenseur
▦	Air climatisé
♨	Chauffage
⚘	Jardin
▭	Piscine
⚲	Tennis
⌇	Golf
🐎	Équitation
🚐	Minibus de l'hôtel
℗	Parking
⑥	Garage
⚘	Animaux interdits
⌒	Parc
⏋	Plage privée

VOYAGER AUX ÉTATS-UNIS

Voyager aux États-Unis:
index des rubriques

Découvrir l'Est et le Sud des États-Unis

L'Est et le Sud des États-Unis se divisent en sept grandes régions : tout d'abord New York, véritable métropole qui constitue un monde à part, puis la Nouvelle-Angleterre, le Mid Atlantic, les Grands Lacs, le Sud, Louisiane et Mississippi, et enfin la Floride. Malgré des distances souvent importantes (1 600 km du N. au S. dans les Grands Lacs), ces régions constituent des aires géographiques et culturelles bien marquées. Mais il serait vain de vouloir « tout voir » en un seul voyage. Le mieux est encore de choisir une ou deux régions et de se limiter à quelques grandes villes, en essayant d'y louer une voiture pour partir à la découverte de leur arrière-pays ; achetez alors un « pass » aérien qui vous permettra de circuler en avion à l'intérieur des États-Unis à moindre frais.

Les régions

■ New York

Bien des voyageurs débarquent à New York pour prendre un premier contact avec le pays. Il est vrai que la ville justifie à elle seule un séjour de plusieurs jours : trois musées de réputation mondiale, des gratte-ciel qui pourraient résumer un siècle d'architecture, des galeries à la pointe de l'art moderne et surtout une bouillonnante mosaïque de culture… Mais n'oubliez pas que c'est aussi la plus atypique des métropoles américaines et que New York, ça n'est pas l'Amérique !

Voir aussi p. 141.

■ La Nouvelle-Angleterre

Le pays des Pères Pèlerins, ces pionniers qui débarquèrent du *Mayflower* décidés à prendre racine sur une terre inconnue. De ces premiers temps, la Nouvelle-Angleterre a conservé une certaine austérité. Mais c'est aussi une terre merveilleusement belle. De longues plages de sable blanc, de vieilles demeures en bois qui rappellent celles des quakers, des défilés impressionnants au cœur des White Mountains, une côte déchiquetée au bord de l'Acadia National

Park... Voilà quelques images qui suffisent à évoquer les splendeurs de la Nouvelle-Angleterre. Au S. s'éparpillent de grosses agglomérations comme New Haven, Springfield ou Providence ; autour de Boston et Portland de luxueuses stations balnéaires ; dans les Berkshires, des villages campagnards. Et surtout ne manquez pas l'été indien (au mois d'octobre), quand les forêts du Vermont s'embrasent de sompteuses couleurs rouges.

Voir aussi p. 285.

■ Le Mid Atlantic

Les États-Unis sont nés ici, entre Philadelphie et Washington, sur la terre de Pennsylvanie et de Virginie. Le Mid Atlantic pourrait résumer à lui seul toute l'épopée américaine. Celle des premiers immigrants, celle des colons qui construisirent Jamestown et Williamsburg, celle de George Washington et du général Lee. De très belles routes longent le parc de Shenandoah. Les monts Adirondacks restent un havre et Chesapeake Bay, la plus grande rade naturelle du pays.

Voir aussi p. 381.

■ Les Grands Lacs

La région des Grands Lacs est souvent négligée des voyageurs et pourtant elle possède bien des attraits. Tout d'abord Chicago, le berceau de l'architecture moderne. La nature aussi, superbe, sauvage, surprenante : dès qu'on se dirige vers le N., bouleaux, érables, conifères s'éparpillent dans un dédale d'eaux argentées. L'hiver, ces forêts deviennent le paradis du ski de fond ; l'été, les rives de l'Huron et du Michigan se réchauffent et accueillent les touristes américains à la recherche de tranquillité.

Des pionniers ont façonné cette terre : sites et petits musées historiques, voilà ce que vous découvrirez derrière les villes industrielles et les plaines du Middle West.

Voir aussi p. 509.

■ Le Sud

Il commence en Virginie mais s'arrête aux portes de la Floride, la Louisiane constituant un monde à part. C'est le pays des grandes plantations et d'*Autant en emporte le vent*, mais aussi celui de la musique et des grandes villes noires turbulentes. Savannah, Charleston, Asheville et Chattanooga restent de vieilles cités pleines de charme, tandis qu'Atlanta et Memphis ont tourné leur visage vers l'Amérique de demain. D'immenses champs de tabac se déploient dans le Kentucky et la Caroline du Nord ; de superbes forêts couvrent les sommets du Great Smoky Mountains National Park, au cœur des Appalaches ; au bord de l'Océan règne le parfum des magnolias ; dunes et marais sont le refuge des oiseaux... ou des baigneurs. L'ancienne terre des sudistes apparaît encore bien douce et séduisante.

Voir aussi p. 613.

■ Louisiane et Mississippi

Bayous, cyprès, orchidées... La basse vallée du Mississippi est une région fascinante. La région des bayous, immense marécage dans lequel se dilue le Mississippi, offre un paysage unique où prolifère une luxuriante végétation semi-tropicale. Partez à la découverte des grandes plantations créoles du Pays cajun. Ne manquez pas New Orleans, Vicksburg et surtout Natchez qui plus que toute autre a su préserver son ambiance d'autrefois. Et n'oubliez jamais que dans les terres du delta, le Mississippi est un roi que les Indiens avaient justement surnommé le « père des fleuves ». Enfin, laissez-vous bercer par cette sensualité, cette joie de vivre qui caractérisent la Louisiane.

Voir aussi p. 691.

■ La Floride

Tout ici parle de détente. Plages et cocotiers s'étendent à perte de vue.

Oiseaux et alligators s'amusent à effrayer les touristes perdus entre les mangroves des Everglades. Divertissements et parcs d'attractions sont si nombreux qu'on ne sait plus lesquels choisir : Walt Disney World, Universal Studios ou Sea World of Florida ? Et quand on redevient sérieux, il reste à voir Saint Augustine, la plus vieille ville des États-Unis, ou Key West, la « patrie » d'Hemingway.

Voir aussi p. 739.

Que voir ?

■ Les villes d'art

New York* (p. 141), la plus captivante mais aussi la plus déroutante des métropoles de l'Est : 400 galeries et plus de 150 musées (le Metropolitan Museum of Art***, le Guggenheim Museum*** et le Museum of Modern Art***), des gratte-ciel délirants, un croisement de cultures unique (chinoise, italienne, hispanique, juive…).

● **Nouvelle-Angleterre**

Boston* (p. 303), qui associe art (avec deux superbes musées de peinture, le Museum of Fine Arts*** et l'Isabella Gardner***), histoire (le Freedom Trail*** qui raconte la lutte pour l'Indépendance du pays) et culture (la prestigieuse Harvard University*).

● **Mid Atlantic**

Washington* (p. 461), « l'aristocratique », qui concentre bon nombre d'institutions et d'édifices officiels. On y vient pour prendre une leçon d'architecture néo-classique mais aussi pour visiter ses musées qui n'ont rien à envier à ceux de New York : la National Gallery of Art*** et le National Air and Space Museum***, de réputation mondiale.

Philadelphie* (p. 415), plus intime et plus accessible. Vous y marcherez sur les pas des premiers héros de la nation (Independence Park***) et y découvrirez quelques superbes témoignages de l'architecture du début du siècle, sans oublier ses musées (le Museum of Art*** et la Barnes Foundation***).

● **Grands Lacs**

Chicago* (p. 520), la métropole du Middle West et la cité qui a vu naître le gratte-ciel dans les années 1890. On y verra l'un des plus beaux musées de peinture du pays : l'Art Institute***.

■ Les cités américaines

● **Mid Atlantic**

Baltimore** (p. 397), l'un des grands ports de l'Atlantique et un centre culturel dynamique.

● **Grands Lacs**

Detroit* (p. 576), la capitale de l'automobile, qui possède de beaux musées (Institute of Arts*** et Henry Ford Museum**)

● **Sud**

Atlanta* (p. 623), l'ancienne sudiste, a resurgi de ses cendres : cette métropole dynamique (patrie de Coca-Cola et de CNN, la célèbre chaîne cablée) est étroitement associée à l'histoire du combat pour l'émancipation des Noirs (Martin Luther King Memorial) ; elle accueillera les Jeux Olympiques en 1996.

Memphis* (p. 662), le berceau du blues et surtout la ville du King (Elvis Presley).

Nashville (p. 674), tout entière vouée à la country music et à ses fans.

● **Louisiane-Mississippi**

New Orleans*** (p. 714), avec son perpétuel air de fête, ses bars à jazz et sa douce mélancolie.

● **Floride**

Miami** (p. 751), « l'Espagnole », la ville de toutes les folies architecturales (Art déco et villas de milliardaires). Sa douceur de vivre et ses plages sont légendaires… ainsi que sa violence et ses problèmes liés à une immigration massive.

Orlando (p. 764), le plus vaste terrain de jeux du pays avec, entre autres, les parcs de **Walt Disney World*****.

■ Les belles demeures du passé

● **Nouvelle-Angleterre**

Newport** (p. 360) et **Providence**** (p. 373), qui doivent toutes deux leur fortune à la prospérité des armateurs du XVIIIe s. Newport est aujourd'hui la capitale du yachting (America's Cup) et une villégiature très touristique, tandis que Providence a conservé de jolies demeures fédérales.

● **Mid Atlantic**

Williamsburg** (p. 502), village du XVIIIe s. reconstitué et transformé en musée vivant.
Richmond** (p. 453), la capitale du Sud durant la guerre de Sécession.
Monticello** (p. 403), l'ancienne plantation de Thomas Jefferson.
Annapolis* (p. 393), qui a conservé bon nombre d'édifices de l'époque coloniale.

● **Sud**

Charleston** (p. 638) et **Savannah**** (p. 678), les deux joyaux du Sud : deux ports, remarquablement bien conservés, qui ont bâti leur fortune sur le commerce du coton et du riz. Les derniers vestiges de la splendeur du vieux Sud.

● **Louisiane-Mississippi**

Natchez** (p. 708) et **Vicksburg*** (p . 734), toutes deux réputées pour leurs demeures *ante bellum* (d'avant la guerre de Sécession).
Les plantations dipersées autour de **Baton Rouge*** (p. 699), **New Orleans***** (Old River Road**, p. 731) et en **pays cajun*** (p. 701).

● **Floride**

Key West** (p. 747), la douce, qui depuis plus d'un siècle enchante peintres et artistes par sa végétation et son atmosphère de séduction.

Saint Augustine** (p. 767), la première installation espagnole du pays, célèbre aujourd'hui pour ses vieilles maisons en « coquina ».

■ Les petits ports et les stations balnéaires

● **Nouvelle-Angleterre**

Nantucket** (p. 353), au large du Cape Cod, l'un des derniers authentiques ports de pêche de Nouvelle-Angleterre.
Portland** (p. 366) et les ports du Maine : **Boothbay Harbor**** et **Camden****, réputés pour leurs homards et leurs villas de vacances.

● **Floride**

Les plages de la côte atlantique (**Miami Beach**,** p. 761) et du golfe du Mexique (**Sarasota**, p. 771 et **Saint Petersburg**, p. 770).

■ Les sites naturels

● **Nouvelle-Angleterre**

L'**Acadia National Park**** (p. 296), avec ses falaises sauvages et déchiquetées.
Cape Cod** (p. 351), dont les kilomètres de dunes ont séduit les riches Bostoniens en quête de solitude.
Les paysages des **Berkshires**** (p . 301), parsemés de villages qui conservent pieusement les traditions de Nouvelle-Angleterre.
Les défilés des **White Mountains*** (p. 377), où vous découvrirez le plus haut sommet du N. des États-Unis.

● **Mid Atlantic**

Les célèbres **Niagara Falls***** (p. 407), extraordinaires cataractes partagées entre les États-Unis et le Canada.
Shenandoah National Park* (p. 459), paysage de forêts et de moyenne montagne que traverse la très belle Skyline Drive.

Les **monts Adirondacks*** (p. 391), perdus aux confins de l'État de New York et des Grands Lacs.

● **Grands Lacs**

Les territoires sauvages et forestiers du grand Nord, ponctués de lacs : l'arrière-pays de **Duluth*** (p. 585), **Voyageurs National Park*** (p. 611), **Isle Royale National Park*** (p. 591).

● **Sud**

Mammoth Cave National Park** (p. 660) et son immense grotte : un labyrinthe de plus de 160 km accessible au public.
Les cimes et les forêts luxuriantes du **Great Smoky Mountains National Park*** (p. 651).
Les **Outer Banks*** (p. 637) et leurs dunes battues par les tempêtes.

● **Louisiane-Mississippi**

Les bayous du **pays cajun*** (p. 701) et leurs étendues d'eaux stagnantes.

● **Floride**

Les marais de l'**Everglades National Park**** (p. 749), dernières traces des marécages qui envahissaient autrefois la Floride.

■ Les sites historiques

● **Nouvelle-Angleterre**

Plymouth* (p. 363), qui reste étroitement associée à l'histoire du *Mayflower* et des premiers colons qui débarquèrent en Nouvelle-Angleterre.

● **Mid Atlantic**

Le **Pennsylvania Dutch Country**** (p. 413), où les Amish perpétuent des us et coutumes d'un autre âge.
Gettysburg* (p. 406) et **Fredericksburg*** (p. 405), théâtre de combats décisifs durant la guerre de Sécession.
Jamestown*, première colonie anglaise de la côte Est, et **Yorktown*** (p. 504), où les Anglais ont perdu la guerre d'Indépendance.

Que faire ?

● **Marcher**

En Nouvelle-Angleterre, allez dans les **Berkshires** (p. 301) et, l'été dans les **White Mountains** (p. 377). Dans le Mid Atlantic : faites de la randonnée dans le **Shenandoah National Park** (p . 459) et, dans le Sud, dans le **Great Smoky Mountains National Park** (p. 651).

● **Faire du vélo**

En Nouvelle-Angleterre : sur le **Cape Cod** (p. 351).

● **Naviguer**

En Nouvelle-Angleterre : le long de la côte du **Maine** (p. 366). Dans le Mid Atlantic : dans la **baie de Chesapeake** (p. 393). Dans les Grands Lacs : prenez un canoë sur les lacs du **Minnesota** (près de Duluth) et du **Wisconsin**, ou découvrez en bateau **Voyageurs** et **Isle Royale National Parks** (p. 611, 591). En Louisiane-Mississippi, vous aurez peut-être l'occasion de faire une croisière sur le **Mississippi** (de plus en plus rare) ou de visiter les bayous du **pays cajun** en barque (p. 703). En Floride, vous pourrez pratiquer tous les sports balnéaires et visiter l'**Everglades National Park** en *Air Boat*.

● **Skier**

En Nouvelle-Angleterre : dans les stations du **Vermont** (autour de Burlington, p. 350) et des **White Mountains** (p. 377). Dans le Mid Atlantic : à **Lake Placid** où se sont déroulés les Jeux Olympiques d'hiver en 1980 (Monts Adirondacks, p. 391).

Dans les Grands Lacs : sur la péninsule supérieure du **Michigan** (ski de fond et *snowmobile*).

● **Propositions d'itinéraires**

Reportez-vous aux itinéraires placés à la fin de chaque introduction régionale.

Partir

◼ Adresses utiles

● **En France :**

Office du tourisme des États-Unis (USTTA) : par téléphone (☎ 1/42.60.57.15) ou par courrier (2, av. Gabriel, 75008 Paris). Le Minitel 3615 code USA permet de consulter la banque de données de l'office du tourisme et de commander de la documentation.

Consulat américain : 2, rue Saint-Florentin, 75001 Paris (☎ 1/42.96.14.88) ; service des visas ouv. de 8 h 45 à 11 h du lun. au ven. sf jours fériés français et américains ; 22, cours du Maréchal-Foch, 33000 Bordeaux (☎ 56.52.65.95) ; 12, bd Paul-Peytral, 13286 Marseille Cedex 6 (☎ 91.54.92.00, répondeur 91.54.92.01).

L'association ***France-Louisiane :*** 17, quai de Grenelle, 75015 Paris (☎ 1/45.77.09.68) ; ouv. du lun. au ven. de 14 h 30 à 18 h. Vous y trouverez quantité d'informations précieuses pour préparer votre voyage en Louisiane.

American Library in Paris : 10, rue du Général-Camou, 75007 Paris (☎ 1/45.51.46.82) ; accès payant.

● **En Belgique :**

Ambassade des États-Unis : service des visas ; 27, bd du Régent, Bruxelles 1000 (☎ 2/513.38.30).

● **En Suisse :**

Ambassade des États-Unis : Jubilaeumstrasse 93, 3005 Berne (☎ 31/43.70.11).

◼ Quand partir ?

Le climat américain est continental, avec des hivers très froids et enneigés dans le N.-E., et des étés très chauds et très humides sur les côtes de l'E. et du S. Dans le N. (Grands Lacs, État de New York, Maine), mieux vaut donc éviter l'hiver, même si passer Noël à New York est plein de charme. En revanche, l'automne est splendide (c'est l'été indien) ; la nature se pare de superbes couleurs rouges ou mordorées. Sachez que, dans le S. ainsi qu'en Floride et en Louisiane, l'été est vraiment étouffant et humide.

Températures moyennes (en °C)
Atlanta : jan. 7°, avr. 16°, juil. 25°, sep. 23°, déc. 7°.
Boston : jan. -1°, avr. 9°, juil. 23°, sep. 18°, déc. 0°.
Chicago : jan. -3°, avr. 9°, juil. 24°, sep. 18°, déc. -2°.
Miami : jan. 20°, avr. 24°, juil. 28°, sep. 27°, déc. 20°.
New Orleans : jan. 13°, avr. 20°, juil. 28°, sep. 26°, déc. 13°.
New York : jan. 0°, avr. 11°, juil. 25°, sep. 21°, déc. 2°.
Washington (DC) : jan. 2°, avr. 13°, juil. 26°, sep. 21°, déc. 4°.

■ Formalités

● **L'entrée aux États-Unis.** — Un passeport en cours de validité est suffisant pour les touristes français, belges, canadiens ou suisses, sous réserve qu'ils soient munis d'un billet aller-retour, que leur séjour ne dépasse pas 90 jours, qu'ils soient solvables et remplissent la demande d'exemption de visa ainsi que le formulaire I-94 à leur arrivée à l'aéroport. Les voyageurs qui désirent rester plus de 90 jours ou qui sont d'une autre nationalité devront se renseigner auprès du consulat.

Ceux qui arrivent aux États-Unis par la route (par le Canada ou le Mexique) peuvent entrer sans visa ni billet aller-retour. Enfin, le permis de conduire français est valable pour les visiteurs temporaires, à condition qu'il ait été obtenu depuis plus d'un an.

● **Douane.** — Les adultes peuvent emporter une valeur totale de 100 dollars à titre de cadeaux, dont 1 l de vin ou d'alcool (pour les plus de 21 ans) et 200 cigarettes (50 cigares ou 2 kg de tabac) ; les sommes plus importantes doivent être déclarées. Il est cependant interdit d'importer des matières biologiques, certains produits pharmaceutiques, des fruits, légumes, plantes et produits végétaux, de la viande et tout article dangereux (armes à feu, couteaux à cran d'arrêt, substances toxiques…). En cas de traitement médical, n'emportez que la quantité dont vous aurez besoin pendant votre séjour, ainsi qu'une ordonnance écrite en anglais.

Une fois votre séjour terminé, vous êtes autorisés à ramener en France des achats pour une valeur totale n'excédant pas 300 F par personne — c'est l'usage pour les pays hors CEE —, ainsi que 200 cigarettes (100 cigarillos, 50 cigares ou 250 g de tabac) et 1 l d'alcool (ou 2 l de vin).

Renseignements douaniers : 23 bis, rue de l'Université, 75007 Paris (☎ 1/40.24.65.10).

● **Devises.** — L'unité monétaire est le dollar (US $), qui se divise en 100 cents. Il existe des pièces de 1 cent (*penny*, en cuivre), 5 cents *(nickel)*, 10 cents *(dime)*, 25 cents *(quarter)* et 50 cents. Les billets sont verts et… tous de format identique. Il est conseillé d'acheter ses dollars avant de partir, sous forme de chèques de voyage, car toutes les banques n'acceptent pas l'argent étranger.

● **Cartes de crédit et chèques de voyage.** — La carte de crédit est pratiquement indispensable aux États-Unis. La Visa internationale est acceptée partout ; elle vous permettra aussi de retirer de l'argent dans la plupart des distributeurs automatiques. L'American Express est surtout diffusée dans les établissements de standing ; pour les autres cartes, demandez conseil à votre banque.
Les chèques de voyage *(traveller's checks)* sont acceptés dans les banques et les hôtels, ainsi que dans certains restaurants et magasins. Notez bien leurs numéros pour pouvoir en déclarer la perte ou le vol sur place auprès de la banque d'émission. Les chèques seront alors remplacés (et non remboursés).

● **Vaccins.** — Aucune vaccination n'est exigée.

● **Santé et assurances.** — La Sécurité sociale rembourse, sur présentation de factures, les frais médicaux engagés aux États-Unis lors de vos congés payés (renseignements : ☎ 1/40.23.70.70 à Paris). Les frais médicaux étant très élevés, nous vous conseillons de contracter une assurance individuelle. L'annulation d'un billet d'avion ou d'un voyage organisé sera couverte par une assurance annulation, toujours proposée par le vendeur, et qui peut s'avérer fort utile. Mais attention, pour en bénéficier, il faut des motifs valables, listés sur le contrat. Il est aussi indispensable de prendre une assurance couvrant la responsabilité civile, les accidents (soins médicaux, chirurgicaux, hospitalisation), le rapatriement et le décès.

Renseignements :
AVA, 26, rue de la Rochefoucauld, 75009 Paris (☎ 1/48.78.11.88), couvre les frais médicaux avec la « Carte Santé ».
AVI, 90, rue de la Victoire, 75009 Paris (☎ 1/44.63.51.01), propose des forfaits à la semaine ou au mois.
Contact Assistance, 13, rue Sainte-Cécile, 75009 Paris (☎ 1/44.79.12.12), s'occupe de l'assistance, de l'annulation, de la responsabilité civile, des bagages.
Elvia, 66, Champs-Élysées, 75381 Paris Cedex 08 (☎ 1/42.99.02.99).
Europ-Assistance, 1, promenade de la Bonnette, 93633 Gennevilliers Cedex (☎ 1/41.85.85.85).
Mondial Assistance, 2, rue Fragonard, 75807 Paris Cedex 17 (☎ 1/40.25.52.04).

● **Voyageurs handicapés.** — Une brochure éditée par l'office du tourisme, en anglais seulement, précise les nombreuses facilités offertes aux handicapés dans ce pays qui est, dans ce domaine, le mieux équipé de tous.

● **Animaux.** — Pour l'importation d'animaux domestiques, des réglementations sanitaires précises existent ; les chats sont examinés à l'arrivée et pour les chiens, un vaccin contre la rage datant de plus d'un mois et de moins d'un an est obligatoire. Renseignements complémentaires au service de l'agriculture de l'Ambassade. Sur place, chaque État possède ses réglementations particulières. Le passage même de l'E. vers l'O. (Arizona,

Californie) correspond à une frontière végétale où s'effectue un contrôle d'importation d'une zone vers l'autre. Renseignez-vous auprès de l'office du tourisme.

■ À emporter

● **Habillement.** — Les vêtements nécessaires sont les même que ceux que vous portez en France ; prévoyez seulement des effets plus chauds pour l'hiver, qui peut être très rude dans le N.-E. et même à New York. En été, des habits légers en coton sont conseillés ; cependant, n'oubliez pas de prévoir un lainage pour affronter l'air conditionné. Les shorts, bermudas et chaussures de sport sont d'un usage courant partout, même à New York ou à Washington. Mais attention, mesdames, votre maillot de bain devra cacher autant le haut que le bas... Ni string, ni monokini outre-Atlantique. Sinon, vos voisins de plage n'hésiteront pas à appeler la police, qui pourra vous donner une amende (légère) pour attentat à la pudeur ! Dans les restaurants élégants, une veste sera de rigueur.

● **Appareils électriques.** — Si vous voulez utiliser des appareils électriques français (rasoir, sèche-cheveux...), pensez à vous munir d'un adaptateur pour prise plate (en vente chez tous les électriciens).

■ Le voyage par avion

AIR FRANCE ////

● **Air France.** — La compagnie dessert cinq villes de l'E. américain : New York (durée du trajet : 8 h, ou 3 h 45 avec le Concorde ; 7 h au retour) ; Chicago et Washington (8 h 30 de voyage), Miami (10 h) et Boston (8 h). En été, des liaisons directes vers New

York sont proposées depuis Lille, Lyon, Mulhouse, Nice et Strasbourg. Les avions décollent tous de Roissy-Charles-de-Gaulle pour atterrir à Kennedy Airport, sauf un, qui part d'Orly Sud et arrive à Newark.

Il existe trois classes : première classe, classe « club » (classe affaires) et classe économique. Des tarifs spéciaux offrent des prix plus intéressants mais ne permettent pas de modifications de dates (« Apex », « Spécial Apex », « Visite », « Jeunes »). Faites attention à la haute saison (du 15 juin au 30 septembre), toujours plus chère.

L'aéroport de Roissy est desservi depuis Paris par des cars Air France (départ : Étoile/angle de l'av. Carnot, toutes les 15 mn de 5 h 40 à 23 h ; pl. de la Porte-Maillot, toutes les 15 mn de 6 h 40 à 23 h ; Montparnasse/bd de Vaugirard, toutes les h de 7 h à 21 h), par le RER (ligne B ; toutes les 15 mn de 5 h à 24 h) et par les bus RATP n° 350 (départ : gare de l'Est/gare du Nord ; toutes les 15 mn, 30 mn le dim., de 5 h 50 à 23 h), n° 351 (départ : place de la Nation ; toutes les 15 à 30 mn de 6 h 55 à 20 h 25) et n° 352 (départ : place de l'Opéra ; toutes les 15 mn de 5 h 45 à 23 h).

Renseignements et réservations AIR FRANCE : Minitel 3615 et 3616, code AF. Service central de réservations : ☎ 1/44.08.22.22 ; renseignements ☎ 1/44.08.24.24.

● **Autres compagnies.** — Plusieurs compagnies aériennes internationales exploitent des lignes régulières entre l'Europe et les États-Unis. Elles proposent toutes des correspondances qui permettent d'atteindre à peu près n'importe quel point des États-Unis, à des tarifs variables. Il est toujours préférable de confirmer par téléphone votre vol trois jours avant le départ.

Les transports aériens américains sont en pleine mutation : certaines compagnies américaines sont en train de se regrouper. Des modifications risquent donc d'intervenir. Voici les compagnies qui proposent des vols directs au départ de Paris (les fréquences sont multipliées l'été) ; le troisième numéro de téléphone indiqué est le numéro d'appel gratuit à l'intérieur des États-Unis :

American Airlines, 109, rue du Faubourg-Saint-Honoré, 75008 Paris ; ouv. du lun. au ven. de 9 h à 18 h (☎ 1/42.89.05.22, numéro vert pour la province ☎ 05.23.00.35 et 800/433.7300). Vols quotidiens pour New York, Chicago, Miami, Raleigh-Durham (en Caroline du N.).

Delta Airlines, 4, rue Scribe, 75009 Paris ; ouv. du lun. au ven. de 9 h à 18 h, 17 h le sam. (☎ 1/47.68.92.92, numéro vert ☎ 05.35.40.80 et 800/241.4141). Vols vers New York, Atlanta et Orlando. Delta a absorbé Pan Am en 1992.

United Airlines, 34, av. de l'Opéra, 75001 Paris ; ouv. du lun. au ven. de 9 h à 18 h (☎ 1/48.97.82.82, numéro vert ☎ 05.01.91.38). Vols quotidiens pour Chicago et Washington.

Continental Airlines, 92, av. des Champs-Élysées, 75008 Paris ; ouv. du lun. au ven. de 9 h à 18 h, le sam. de 9 h à 12 h (☎ 1/42.99.09.09, numéro vert province ☎ 05.25.31.81 et 800/525.0280). Vols directs vers New York (aéroport de Newark, avec de nombreuses correspondances possibles dans le même aéroport, mais dans des terminaux différents) et Houston.

Northwest Airlines, 16, rue Chauveau-Lagarde, 75008 Paris ; ouv. du lun. au ven. de 9 h à 18 h 30, le sam. de 9 h à 13 h (☎ 1/42.66.90.00, numéro vert province ☎ 05.00.02.80) : Boston et Detroit ; correspondances pour Nashville, St Louis, Memphis, New Orleans, etc.

Trans World Airlines (TWA), 6, rue Christophe-Colomb, 75008 Paris ; ouv. du lun. au sam. de 9 h à 18 h (☎ 1/49.19.20.00) : New York, Washington, Boston et St Louis.

US Air, réservations par téléphone uniquement (☎ 1/49.10.29.00, numéro vert province ☎ 05.00.30.00) : Philadelphie uniquement, avec des correspondances vers plus de 55 destinations.

Au départ de la Suisse, **Swissair** assure des vols directs quasi quotidiens au départ de Genève ou de Zurich pour New York, Boston, Chicago, Philadelphie et Atlanta, avec de nombreuses correspondances.
Swissair, 38, av. de l'Opéra, 75002 Paris (☎ 1/47.42.15.96) ; 15, rue de Lausanne et 1, rue de la Tour-de-l'Ile, Genève (☎ 22/799.31.11) ; Zurich (☎ 1/812.12.12).
TWA, 1-3, rue de Chantepoulet, Genève (☎ 22/738.52.50) ; Beckenhostrasse 6, Zurich (☎ 1/361.41.11).

Au départ de la Belgique, **Sabena** relie Bruxelles à New York et Atlanta en vol direct quotidien, Chicago et Boston en vol direct quasi quotidien, Detroit avec escale (à New York, Boston ou Chicago).
Sabena, 35, rue du Cardinal-Mercier, Bruxelles (☎ 2/723.31.11).
TWA, 5, bd de l'Empereur, Bruxelles (☎ 2/513.79.16).

● **Vols à prix réduits.** — Il existe également des tarifs réduits sur vols réguliers, des charters (vols affrétés) et des places en *stand by* (pas de réservations, on monte à bord dans la limite des places disponibles). Toutes ces formules économiques sont proposées par le biais des agences de voyages. Il existe aussi des spécialistes des vols à bas prix :

Access Voyages, 6, rue Pierre-Lescot, 75001 Paris (☎ 1/40.13.02.02).
Any Way, 46, rue des Lombards, 75001 Paris (☎ 1/40.28.00.74) : outre de bons tarifs, ils proposent aussi la formule *stand by* sur les vols Air France.
La Compagnie des Voyages, 28, rue Pierre-Lescot, 75001 Paris (☎ 1/45.08.44.88).

Vente de billets en solde :
Charters & Compagnies (soldes sur répondeur, ☎ 1/49.59.09.09 et Minitel 3615 SOS CHARTER).
Degriftour (☎ 1/34.46.70.00 et Minitel 3615 Degriftour) : du billet d'avion au

séjour complet ; prix très intéressants sur des départs quasi immédiats.
Go Voyages (soldes sur répondeur, ☎ 1/48.06.94.94) : prix défiant toute concurrence.

■ Le voyage par bateau

Se rendre aux États-Unis par bateau est encore possible mais cela coûte plus cher que l'avion. De mai à décembre, le **Queen Elizabeth II** effectue en cinq jours la traversée entre Southampton et New York, avec parfois un départ de Cherbourg. Certaines traversées ont un thème. C'est une véritable croisière de luxe, chère mais inoubliable. À bord, le client est en pension complète. Il existe des forfaits combinant bateau et avion dans un sens ou dans l'autre ; un voyage de neuf jours dont quatre à New York avec l'aller en bateau et le retour en avion coûte moins de 10 000 F à certaines dates.
Renseignements dans la brochure de la **Compagnie générale de croisières,** agent général pour la France de **Cunard,** disponible dans les agences de voyages.

■ Le voyage organisé

Outre des billets d'avion et des circuits en groupe, les agences proposent quantité de formules individuelles, à des prix souvent intéressants : réservation d'hôtels, location de voitures, séjours sportifs, etc. Le choix offert par les différentes marques est vaste. La plupart des formules sont vendues dans les agences de voyages, mais certains organisateurs possèdent leur propre réseau de distribution.

En agence :

Council Travel Service (catalogue par téléphone au ☎ 1/46.34.02.90 et 1/44.55.55.44) est à conseiller aux jeunes, mais possède aussi une brochure consacrée aux hôtels à la carte valable pour tous.

Flâneries américaines propose des vols American Airlines ou Air France, des forfaits train et des tarifs hôteliers qui couvrent toute la gamme des prix ; bonnes formules de séjours à thème : ranch, golf, tennis, *rafting*, croisières…

Go Voyages (Minitel 3615 code GO et répondeur « bonnes affaires » au ☎ 1/48.06.94.94) offre à certaines périodes de bons prix pour des formules à la carte ; on retiendra, entre autres, les nuits dans les plantations de Louisiane.

Jet Am (vendu aussi dans les agences Air France) : c'est la marque USA de Jet Tours. Séjours classiques, bien organisés.

Jumbo America, filiale d'Air France, reste fidèle à sa vocation des vacances en individuel. Choix original d'hôtels à bons prix ; circuits camping.

Jetset propose, hiver comme été, toutes sortes de circuits à la carte ou accompagnés. Spécialisé dans les séjours sportifs (golf et tennis) et les excursions à New York.

Kuoni : trois formules de voyages haut de gamme : « à la carte », « avion + voiture + hôtels », « circuits accompagnés ». La brochure *Kuoni Diffusion* offre toutefois un circuit de base avec un excellent rapport qualité-prix.

Look America : filiale de ***Charters & Compagnies*** (vols à prix réduits). Une agence qui innove avec des *trekkings* et des circuits en Jeep. Possibilité de réserver un spectacle et même un restaurant.

Rev'Amérique présente des circuits classiques en groupe ou en individuel, mais aussi une carte de fidélité avec privilèges et crédit.

Sirocco présente un choix varié de circuits à la carte. Pour un voyage de rêve et de luxe en Floride, demandez la brochure *Moving* du même groupe.

Travel'Am : un bon choix de compagnies aériennes intérieures, de circuits accompagnés, de stages sportifs dans les ranches ou même de circuits en avion privé ; six catégories de forfaits hôteliers.

Vacances Air Transat : ce spécialiste du Canada se lance sur les États-Unis avec des vols et des forfaits hôteliers inté-ressants ; idéal pour combiner un circuit avec le Québec.

Vacances fabuleuses : les États-Unis en roue libre ; avions, séjours, circuits, locations (villas, ranches). Fréquents forfaits promotionnels sur la Floride.

Zénith : spécialiste du sur-mesure, il peut réserver nuit par nuit le circuit choisi parmi les 2 000 hôtels de sa brochure ; formules variées, dont un circuit en moto, en camping, plusieurs *pass* aériens.

Organisateurs indépendants :

Forum Voyages, 1, rue Cassette, 75006 Paris (☎ 1/45.44.38.61), et 140, rue du Faubourg-Saint-Honoré, 75008 Paris (☎ 1/42.89.07.07) ; Minitel 3615 code FV. Vous pouvez demander la liste des points de vente au ☎ 1/47.27.77.07. Quantité de vols et forfaits ; *pass* hôtelier dans les motels 6 très bon marché ; brochure spéciale Floride.

ITS, 103, rue La Boétie, 75008 Paris (☎ 1/42.25.92.90). Prix charter sur vols réguliers et séjour « à la carte » ; vols sur l'intérieur ainsi que Hawaii et les Caraïbes.

Nouvelles Frontières, 87, bd de Grenelle, 75015 Paris ; renseignements et réservations par téléphone au ☎ 1/41.41.58.58 et par Minitel 3615 ou 3616 code NF ; promotions au ☎ 1/42.66.92.00. Vols charter et réguliers, bons d'hôtels et un très large choix de circuits : individuels, en groupe, en minibus, en bateau. Les prix sont toujours excellents ; pas de formule haut de gamme.

Voyageurs du monde, 5, place André-Malraux, 75001 Paris, ☎ 1/42.86.17.30. Toutes les formules d'hébergement et de voyages avec un grand choix de vols. Une agence qui sait répondre à vos questions.

En Belgique :

Acotra, 51, rue de la Madeleine, Bruxelles 1000 (☎ 2/512.86.07).

Nouvelles Frontières, 2, bd Lemonnier, Bruxelles 1000 (☎ 2/547.44.44).

En Suisse :

Nouvelles Frontières, 10, rue Chantepoulet, 1201 Genève (☎ 22/732.04.03).

Séjourner

■ Urgences

Composez le 0 sur n'importe quel téléphone, et l'opératrice vous mettra en rapport avec le service d'urgence qui vous concerne.

Police, pompiers, ambulance: ☎ 911.

■ Se déplacer

Le pays est immense : cela paraît une évidence, mais trop de touristes ont tendance à l'oublier dans la préparation de leur voyage. Par exemple, de New York à Chicago, il faut compter au moins 16 h en voiture, 17 h en train et seulement 2 h 15 en avion. Des chiffres qui expliquent le succès de ce moyen de transport à l'intérieur du pays. Toutefois, n'hésitez pas à faire quelques trajets en voiture (le réseau est généralement excellent et la route rarement fatigante) : cela vous permettra de voir quelques « coins » d'Amérique…

● **En avion.** — Les liaisons sont fréquentes et nombreuses ; il existe par exemple une quarantaine de vols directs quotidiens entre New York et Chicago, et une navette toutes les demi-heures entre Washington et New York. Des services d'hélicoptères relient souvent les aéroports à la ville, ainsi que, bien sûr, des autobus, des navettes et des taxis.

Forfaits et « pass ». — Les tarifs les plus avantageux sont ceux des *pass* réservés aux non-résidents américains ; il faut impérativement les acheter avant de partir, car ils ne sont pas vendus sur place. Des accords de partenariat lient certaines compagnies entre elles. Renseignez-vous auprès d'une agence de voyages pour savoir si votre vol transatlantique est compatible avec le *pass* intérieur que vous souhaitez. Les réservations sont à faire en France pour les périodes chargées (l'été ou pendant les vacances scolaires) et à confirmer sur place par téléphone.
Formules intéressantes chez : ***American Airlines, US AIR, TWA, Continental, Northwest Airlines, Delta, Discover America.***

● **En voiture.** — L'idéal est de pouvoir utiliser à la fois l'avion pour les grands trajets et la voiture pour les petites distances : la vitesse est en effet strictement limitée sur toutes les autoroutes, ce qui allonge de beaucoup les temps de transport.

Réseau routier. — Le réseau routier est excellent. Le système d'orientation est simple, les routes, autoroutes et bretelles de sortie étant numérotées. En revanche, il existe assez peu de panneaux mentionnant les distances entre les villes.
Par ordre d'importance : les *interstates*, grandes autoroutes gratuites, traversent tout le pays ; elles sont signalées par des numéros sur pan-

neaux rouge-blanc-bleu en forme de blason ; les nombres impairs désignent celles de direction N.-S., les nombres pairs, celles de direction E.-O. Les *US highways,* autoroutes d'État, changent de numéro d'un État à l'autre. Certains tronçons deviennent payants, dans l'E. surtout : ce sont alors les *toll roads* ou *turnpikes,* autoroutes à péage. Les autres routes rapides *(highways, expressways, freeways)* sont indiquées par un panneau d'une seule couleur.

Location de voitures. — Les tarifs varient d'un État à l'autre, ainsi que la taxe qui s'ajoute au prix. Si les prix sont très bon marché en Floride, ils grimpent en flèche à New York. Pour louer une voiture, il faut avoir 18, 21 ou même 25 ans minimum, selon les compagnies. Pour les Français, un permis national de plus d'un an suffit. En outre, l'usage d'une carte de crédit est quasiment indispensable : elle vous servira de caution et vous permettra de régler la location. À défaut, les chèques de voyage sont généralement acceptés (mais pas toujours), le paiement en liquide rarement.

Vous pouvez réserver votre voiture en Europe, mais les tarifs sont généralement bien meilleurs aux États-Unis. La location se fait avec kilométrage illimité si l'on rend la voiture dans la ville où on l'a prise *(round trip).* Dans le cas contraire, il faut payer les km parcourus et/ou un retour à vide *(drop off charges).* L'assurance de responsabilité civile est comprise, celle de collision ou tous risques est facultative *(collision damage waiver : CDW* et *full collision damage waiver : FCW).*

N'oubliez pas que les gabarits sont supérieurs à ceux des voitures européennes et que la plupart des véhicules sont automatiques.

Principales agences de location :
Avis, numéro d'appel gratuit aux États-Unis : ☎ 800/331.1084 et 800/331.1212

(en anglais), 800/331.3652 (en français) ; réservations internationales : ☎ 46.10.60.60.
Budget, numéro d'appel gratuit aux États-Unis : ☎ 800/527.0700 ; réservations internationales : ☎ 05.10.00.01.
Hertz, en France : ☎ 1/47.88.51.51.
National (Europcar), en France : ☎ 1/30.43.82.82.

Il existe aux États-Unis de nombreuses autres compagnies de location bien représentées à l'échelon fédéral ou régional, telles que ***Payless, Thrifty Rent a Car, Compacts Only.*** Consultez les pages jaunes des annuaires téléphoniques pour en trouver la liste complète.

Drive away

Ces compagnies se chargent du transport des voitures de particuliers d'un bout à l'autre du pays. Les étudiants ou les touristes qui acceptent de les livrer doivent avoir plus de 21 ans, posséder un permis de conduire international depuis plus d'un an, respecter un itinéraire et un horaire et verser une caution. L'essence et les péages sont à leurs frais. Les arrangements se font uniquement sur place. Consulter l'annuaire téléphonique des professions *(yellow pages)* sous la rubrique « *Automobile and truck transporting* ».

Location de camping-cars. — Intéressants pour les familles ou les groupes de quatre à six personnes, les *campers* ou *motor-homes* se conduisent avec un permis tourisme. Ils sont généralement bien équipés. Le plus économique est de ramener le camping-car à son point de départ. Il ne faut pas négliger le fait qu'un tel véhicule consomme beaucoup d'essence (plus de 20 l aux 100 km) et que les terrains pour le garer et séjourner sont souvent payants. En pleine saison, pensez à réserver votre camping-car à l'avance.

Code de la route

Circulation : on circule à dr. et on double à g. Mais il ne faudra pas s'étonner de voir certains conducteurs doubler à dr. ou franchir une ligne blanche continue : cela est permis dans certains États. En revanche, il est interdit de franchir les doubles lignes blanches continues. La priorité à dr. ne s'impose que si deux voitures arrivent en même temps à un croisement : la voiture de dr. a alors la priorité. Dans tout autre cas, le premier arrivé est le premier à passer. Les panneaux *Stop* et *Yield* indiquent qu'il faut céder le passage.

La ceinture de sécurité est obligatoire ; l'auto-stop est interdit.

Feux : attention aux feux de signalisation en ville, ils sont souvent placés après le carrefour. Si vous voulez éviter de vous retrouver au milieu d'un croisement, dans un vrai tourbillon, arrêtez-vous au moins 4 ou 5 m avant…

Croisements : contrairement à l'usage en France, un tournant à g. (à un croisement) se fait au plus court. Autrement dit, si un véhicule vient en sens opposé et veut également tourner sur sa g., vous passerez l'un devant l'autre, au lieu de tourner autour d'un rond-point imaginaire situé au centre de l'intersection.

Il est souvent possible de tourner à dr. à l'arrêt au feu rouge : ceci est alors indiqué par une flèche. Si c'est interdit, vous verrez fréquemment le panneau *no right turn* .

Stationnement : il est interdit de se garer sur la route en pleine campagne. Si vous tombez en panne, stationnez à la dr. du véhicule, ouvrez le capot et attendez. La police routière vous aidera. Il est interdit de stationner sur les trottoirs, devant les bouches d'incendie, devant un arrêt d'autobus. À noter également les *tow away zones*, zones à l'intérieur desquelles la voiture sera enlevée par la fourrière (amendes élevées). Beaucoup de panneaux de signalisation et d'interdiction sont internationaux.

Alcool : la conduite en état d'ébriété est sévèrement punie (le taux critique d'alcool dans le sang varie selon les États).

Limitation de vitesse : La vitesse maximale est de 55 à 65 miles (de 88 à 100 km)/heure sur toutes les routes et autoroutes ; en général de 20 à 25 miles en ville (panneau à l'entrée). La limitation de vitesse est sévèrement contrôlée, et les amendes sont élevées. On doit ralentir à l'approche des bus scolaires (jaunes) sur le point de s'arrêter ou à l'arrêt. Pendant que les enfants montent et descendent, il est interdit de passer, même lorsqu'on se trouve en sens inverse.

Essence. — Elle s'appelle *gas* (gasoline) et se vend au gallon (3,785 l). Son prix reste moins élevé que dans les pays européens. On peut se procurer de l'essence ordinaire *(regular)*, supérieure *(hightest)*, mais les voitures de location utilisent généralement de l'essence sans plomb *(unleaded)*. On trouve également du gasoil.

Quelques mots utiles :

mile : 1,6 km
alt (alternate route) : déviation portant même numéro de route que l'itinéraire principal
beware of : attention à
byp (bypass) : voie de contournement
caution : attention
crossing : croisement
divided highway : route avec bande médiane
exit : sortie
jct (junction) : embranchement
keep off : circulez
merge (merging traffic) : raccordement de deux voies circulant dans le même sens
no U turn(s) : demi-tour interdit
ped xing (pedestrian crossing) : passage pour piétons
signal ahead : attention, feux tricolores
slippery when wet : chaussée glissante en cas d'humidité
slow : roulez lentement
soft shoulder : bas-côté instable
speed limit : vitesse limite
toll : péage

xing (crossing) : croisement
yield : donnez la priorité

Cartes routières. — Aux États-Unis, on les obtient gratuitement auprès des compagnies pétrolières telles que **Mobil** et **Exxon**. L'éditeur américain **Rand McNally** publie de très bons ouvrages annuels : l'*Interstate Road Atlas* et le *Road Atlas*, plus gros, avec les plans de villes et une carte générale au 1/400 000. Les cartes mentionnées ci-dessus sont en vente notamment dans les librairies suivantes :

L'Astrolabe, 46, rue de Provence, 75009 Paris (☎ 1/42.85.42.95) et 14, rue Serpente, 75006 Paris (☎ 1/46.33.80.06).
Brentano's, 37, av. de l'Opéra, 75002 Paris (☎ 1/42.61.52.50).
Espace Hachette Évasion, 77, bd Saint-Germain, 75006 Paris (☎ 1/46.34.89.51).
IGN, 107, rue La Boétie, 75008 Paris (☎ 1/42.56. 06. 68) ; ouv. du lun. au ven. de 9 h 30 à 19 h, le sam. de 10 h à 12 h et de 14 h à 17 h.
Librairie Itinéraires, 60, rue Saint-Honoré, 75001 Paris (☎ 1/42.36.12.63).
Ulysse, 26, rue Saint-Louis-en-l'Ile, 75004 Paris (☎ 1/43.25.17.35).

● **En autocar.** — C'est un moyen de transport très populaire et bon marché, beaucoup plus utilisé que le train. Idéal pour parcourir une très grande distance à peu de frais, en voyageant de nuit... à condition de pouvoir dormir dans l'autocar. Les gares routières sont toujours situées dans les centres-villes. On y enregistre ses bagages à l'avance comme dans un avion (30 mn avant le départ), avec deux sacs ou valises au maximum par personne.

Greyhound dessert l'ensemble du pays et propose des coupons forfaitaires de 4, 7, 15 ou 30 jours, avec extension possible à la journée à condition d'en faire l'achat impérativement en France car ils sont réservés aux non-résidents.
Americom, représentante de *Grey-*

hound en France, 208, av. du Maine, 75014 Paris (☎ 1/40.44.81.29) et sur Minitel 3615 AMERICOM.
Pour les excursions locales en autocar, la principale compagnie est **Gray Line** (agences dans toutes les villes). Les excursions peuvent être de quelques heures dans la journée ou le soir, d'une journée pour une ville et ses environs, ou constituer de petits voyages de deux jours ou plus.

● **En train.** — Le réseau est peu étendu. Les trains de la compagnie **Amtrak** relient seulement les grandes villes, mais les liaisons sont peu fréquentes, sauf entre Boston, New York et Washington. La plupart des trajets sont longs, et les tarifs plus élevés que ceux de l'autocar. Mais les wagons sont confortables. À vous de choisir entre l'efficacité et le confort.

■ Se loger

● **Hôtels et motels.** — Hôtels et motels offrent des chambres climatisées, équipées d'une salle de bains, d'une radio, d'une télévision en couleurs, parfois d'un mini-bar. Les chambres sont *single* (une personne) ; *double* (un grand lit), garnie de *twin beds* (lits jumeaux) ou d'un *king size bed* (lit immense). Des lits complémentaires peuvent être ajoutés pour un supplément modique. Il faut savoir que le prix d'une chambre n'inclut pas le petit déjeuner *(european plan)* mais que souvent, le prix est le même entre une et quatre personnes, surtout dans les motels. La demi-pension et la pension complète ne se trouvent que dans les hôtels de villégiature *(resort).*
Les **motels** *(motor hotels, motor lodges* ou *motor inns)*, situés en périphérie des villes, sont les moins chers ; ils offrent un parking, mais leur service est réduit (ni porteur, ni restaurant) et leur situation n'est pas toujours idéale. Le *check out time*

(heure de départ) se situe généralement entre 10 h et 12 h.

Les **resorts,** grands centres de villégiature, proposent en général un hébergement en pavillons ou bungalows, avec un bon équipement de loisirs (piscines, terrains de jeux, etc.). Nombreuses formules à la semaine.

Les chaînes. — La plupart des hôtels et motels appartiennent à des chaînes. La réservation est conseillée dans les grandes villes, et de mai à septembre. Elle est facile avec le numéro de téléphone gratuit (indicatif 800) de la chaîne ou d'un hôtel à l'autre. Prévenez à l'avance si vous prévoyez une arrivée tardive *(late arrival),* en général après 18 h *(6.00 p. m.).*

Best Western, ☎ 05.90.44.90, aux États-Unis ☎ 800/528.1234.
Four Seasons, ☎ 05.34.91.31.
Golden Tulip, ☎ 1/48.97.84.74, aux États-Unis ☎ 800/344.1212.
Discover America Marketing représente plusieurs chaînes (☎ 1/45.77.10.74) : **La Quinta, Vagabond Inns, Hampton Inn.**
Hilton, ☎ 05.90.75.46 ; aux États-Unis ☎ 1.800/445-866.
Holiday Inn, ☎ 05.90.59.99 ; aux États-Unis ☎ 800/HOLIDAY.
Howard Johnson, ☎ 1/44.77.88.00.
Hyatt, ☎ 05.90.85.29.
ITT Sheraton, ☎ 05.90.76.35.
Marriott Hotels, ☎ 05.90.83.33.
Motels 6, aux États-Unis ☎ 505/891.6161.
Quality, ☎ 05.90.85.36.
Walt Disney Hotels, ☎ 49.41.49.04.
Westin, ☎ 05.90.85.67.

En outre, la chaîne **Méridien,** gérée par la compagnie Air France, possède quatre hôtels dans l'E. des États-Unis : à New York (118 W. 57th St., NY 10019 ; ☎ 212/245 5000), Chicago (21 E. Bellevue Place, IL 60611 ; ☎ 312/266 2100), Boston (250 Franklin St., MA 02110 ; ☎ 617/451 1900) et New Orleans (614 Canal St., LA 70130 ; ☎ 504/525 6500).

● **Logements pour personnes handicapées.** — La plupart des hôtels en

sont équipés et, notamment, les chaînes suivantes : **Best Western, Days Inns, Hilton, Holiday Inns, Howard Johnson, Hyatt, Intercontinental, Marriott, Quality Inns, Ramada, Sheraton, Travelodge.**

● **« Bed and Breakfast ».** — Cette formule, qui ne cesse de s'étendre, comprend l'hébergement et le petit déjeuner, mais elle n'est pas toujours bon marché. Le mieux est de se renseigner auprès du syndicat d'initiative de chaque ville (Convention & Visitors Bureau) ou à l'office du tourisme avant de partir.

● **Hébergement pour les jeunes.** — Les jeunes, mais aussi les touristes de tous âges, trouveront un logement à des prix raisonnables (mais parfois supérieurs à ceux d'un motel bon marché) dans les **YMCA** *(Young Men Christian Association)* et les **YWCA** *(Young Women Christian Association)* situés le plus souvent au centre des villes ; ils contiennent parfois jusqu'à 2 000 lits, dortoirs et chambres (individuelles ou doubles). Liste disponible auprès de **YMCA** c/o **UCJG** *(Union chrétienne des jeunes gens),* c/o Rencontre et Voyage, 5, place de Vénétie, 75013 Paris (☎ 1/45.83.24.97).

Les auberges de jeunesse sont plutôt situées à l'extérieur des villes. Liste auprès de la **Fédération unie des auberges de jeunesse,** 27, rue Pajol, 75018 Paris (☎ 1/44.89.87.27), qui publie un *Guide international des auberges de jeunesse* (t. 2), à consulter sur place ou à acheter avec la carte obligatoire.

Il est possible de résider dans un campus universitaire pendant l'été : s'adresser à la **Commission franco-américaine,** 9, rue Chardin, 75016 Paris (☎ 1/45.20.46.54).

● **Campings.** — Ils offrent toutes les facilités de confort, avec plusieurs niveaux de qualité et de prix. En général, on paie l'emplacement plus une somme par personne. Il existe deux types de terrain : les campings nationaux et d'État, et les campings privés dont certains offrent des services luxueux. Chaque emplacement comporte une table, un barbecue, l'eau courante. Sur le terrain, on peut même trouver, outre les installations sanitaires, des machines à laver, des aires de jeux pour les enfants et des piscines.

Un conseil toutefois : évitez de camper l'été en Louisiane et en Floride, à cause de la trop grande moiteur et des insectes, et d'octobre à avril dans le N., à cause de la rigueur du climat. Le camping sauvage est interdit. Il est conseillé de réserver dans les endroits touristiques et d'y arriver dès le matin. On ne réserve pas dans les parcs nationaux (premier arrivé, premier servi), où la durée du séjour est limitée.

■ Se restaurer

● **La cuisine.** — Le visiteur s'apercevra bien vite que l'on peut déjeuner à bon prix aux États-Unis, mais aussi y faire d'excellents repas.

Le **petit déjeuner** américain *(american breakfast)*, que l'on trouve dans les hôtels du monde entier, à tout d'un vrai repas : jus de fruit, céréales mélangées à du lait froid, œufs accompagnés de bacon, de jambon ou de saucisses, toasts, viennoiseries, petits gâteaux à la farine de maïs *(muffins)*, toasts à la cannelle *(cinnamon toasts)*, gaufres *(waffles)* ou *pancakes* (crêpes épaisses arrosées de sirop d'érable, *maple syrup)*. Café ou thé à volonté. Les œufs pourront être accommodés de multiples façons : brouillés *(scrambled)*, à la coque *(over easy boiled)*, mollets *(boiled)*, durs *(hard boiled)*, sur le plat *(fried)*. Mais, dans ce cas, il faut aussi dire si on les veut cuits des deux côtés *(over)* ou d'un seul *(sunny side up)*. On

peut aussi y ajouter des pommes de terre sautées *(fried potatoes)* ou râpées et cuites en galette *(hash browns)*.

Après un tel petit déjeuner, vous comprendrez aisément pourquoi le **déjeuner** *(lunch)* est habituellement rapide et léger ! Le **dîner,** plus copieux, se prend traditionnellement plus tôt qu'en France, entre 18 h et 19 h.

Les **desserts** peuvent être un gâteau au fromage blanc *(cheese cake)*, la tarte aux pommes *(apple pie)* américaine — recouverte de pâte —, le gâteau au chocolat quasi national, *(brownie)*, qui peut être fourré de noix *(wallnuts)* ou de noisettes *(nuts)*, ou encore une glace crémeuse *(ice cream)*. Il existe aussi le gâteau aux carottes, délicieux *(carrott cake)*, le gâteau aux noix de pécan, spécialité de Louisiane *(pecan pie)*, et la tarte à la citrouille *(pumpkin pie)* en octobre et en novembre.

La **viande** : essayez le *T-bone steak*, c'est-à-dire la double entrecôte avec l'os en « T ». On commande la viande bien cuite *(well done)*, à point *(medium)* ou saignante *(rare)*. Mais il faut savoir que les Américains font beaucoup plus cuire la viande que les Français ; tenez-en compte à la commande et insistez bien sur votre souhait.

Les **spécialités locales** : elles sont variées, surtout en Nouvelle-Angleterre et en Louisiane. Vous trouverez quelques recettes régionales dans les chapitres concernant ces régions.

Les **cuisines étrangères** : les États-Unis sont une terre d'immigrants où chaque communauté a voulu conserver ses habitudes culinaires au sein de son quartier. C'est pourquoi les restaurants foisonnent : juifs, chinois, italiens, mexicains, cubains, grecs, français (ce sont les plus chics !).

À noter, les *doggy-bags* : au restaurant, il est courant d'emporter ses restes ; on demande un sac pour le chien, et on part avec le paquet… même si l'on n'a pas de chien.

● **Les boissons.** — Autant vous prévenir : les Américains servent généralement leurs boissons avec beaucoup (trop !) de glaçons. Dans un restaurant, on vous offrira d'emblée un verre d'eau glacée, ce qui ne vous empêchera pas de commander de l'eau minérale. Les *soft drinks* désignent les boissons non alcoolisées. Les gourmands commanderont un *milk-shake* ou un *ice-cream soda* (boule de glace battue dans un verre de lait ou de boisson gazeuse). Le café léger, qui désespère tant les Français et les Italiens, est servi à volonté au prix de la première tasse.

Alcool. — La législation en matière d'alcool varie d'un État à l'autre. Mais il est interdit de boire de l'alcool dans la rue ou d'avoir des bouteilles ou canettes ouvertes en voiture, sous peine d'amende. En général, l'âge minimal est de 21 ans pour consommer.

L'Américain est un grand consommateur de **bière**. Celle-ci surprend par sa légèreté. Il en existe aussi sans alcool et sans calories. On y prend rapidement goût, et le nom de Milwaukee, capitale américaine de la brasserie, est célèbre.

Le **bourbon**, le whisky américain, le plus souvent originaire du Kentucky, a ses lettres de noblesse, ses grandes marques, ses subtiles différences. Quant à la vodka et au gin, ils sont à la base d'innombrables recettes de cocktails ; un domaine qui vaut, lui aussi, la peine d'être exploré. Presque tous les établissements possèdent une *happy hour*, une « heure heureuse », qui en général dure de une à trois heures, entre 17 h et 20 h, et pendant laquelle les boissons alcoolisées sont proposées à moitié prix ou deux pour le prix d'une.

Quant au **vin** américain, il provient en grande partie de Californie et, à moindre proportion, des Grands Lacs et de l'État de New York. Le vin de provenance étrangère reste cher. Beaucoup de restaurants pratiquent le BYO *(Bring your own)*, c'est-à-dire : « apportez votre propre bouteille » ; on vous ouvrira celle-ci sans supplément de prix.

■ Vivre au quotidien

Une langue en mille morceaux

Existe-t-il une langue américaine et laquelle ? « Le *WASP language* (White Anglo Saxon Protestant) peut-être », souffleront les puristes. Pourtant, bien que dominante, celle-ci n'est une langue ni officielle ni officialisable au sein d'un pays riche de tant d'influences linguistiques. Le *melting pot* a fait naître une langue créative, bigarrée et vivante. Ici, de bonnes connaissances d'anglais ne sont pas toujours adéquates pour se faire entendre et peuvent même se révéler parfois trompeuses.

Évitez de perdre votre temps, ne demandez pas le « centre » pour rejoindre le centre-ville mais plutôt le *downtown*, et n'imaginez pas que le trottoir de vos déambulations est un *pavement*, c'est un *sidewalk*. Cependant, ces risques de cafouillage se feront peut-être moins sentir dans une ville telle que Boston où les tonalités empruntées de l'*upper class* se rapprochent de celles d'Oxford.

L'« américain » est un curieux foisonnement de langages particuliers. Ainsi, à New York, espérons que personne n'ait à vous qualifier de *schlemiel* (terme yiddish qui signifie « pauvre type »), mais n'hésitez pas à avoir du *chutzpah*, du culot. Ce n'est pas du chewing-gum comme tout le monde que mâchent les Acadiens, ces Français venus du Canada au XVIIIe s., mais bien de la *chique de gomme*. Enfin, vous perdrez tout à fait votre anglais en vous initiant à la langue argotique rythmée des Afro-Américains, la *jive* ou *soul*.

« *It's a damn language* », « *pardon my French* », conclurait un Américain pour se donner bonne conscience d'avoir osé une grossièreté !

● **La langue.** — Les Américains parlent l'*American English*, qui n'est ni une langue particulière ni un dialecte, mais plutôt la variante d'une langue de base, l'anglais. Vocabulaire, grammaire et prononciation ont plus de points communs que de différences. Ces dernières concernent essentiellement l'utilisation de certains mots.

De l'anglais à l'américain. — Des différences de prononciation caractéristiques existent entre les voyelles a et o : *glass* (l'anglais prononce *glâss*, l'américain *glass*) ou *hot* (*hot* en anglais, son proche de *hat* en américain) ; en outre, le *r* final doit être prononcé en recourbant la pointe de la langue. Les Américains prennent aussi un vrai plaisir à utiliser des abréviations, des néologismes publicitaires ou des jeux de mots. Au premier abord, certaines abréviations paraissent incompréhensibles, comme *Xing* pour *crossing* (croisement), *Xmas* pour *Christmas* (Noël) ou *U-haul* pour *you-haul* (slogan publicitaire d'un loueur de remorques). Certaines contractions surprendront aussi comme *Amtrak (American + Track)* ; *TraveLodge (Travel + Lodge)* ou *Scenicruiser (Scenic + Cruiser)*, etc.

● **Heure locale.** — Le décalage horaire entre la France et la côte E. des États-Unis est de 6 h en moins : quand il est midi à Paris, il est 6 h du matin à New York *(Eastern time)*. Le territoire des États-Unis comptant quatre fuseaux horaires, le décalage sera de 7 h *(Central time)* dans une partie du Michigan, l'Illinois, l'Indiana, le Kentucky, le Tennessee, l'Alabama, la Louisiane, le Mississippi et la Floride. Mais, les choses se compliquent car ce fuseau horaire ne suit pas rigoureusement les frontières des États…
L'heure est indiquée par des chiffres allant de 1 à 12 complétés par les lettres a.m. (*ante meridiem* signifie avant midi), p.m. (*post meridiem*, après-midi) : 11 a.m. signifie 11 h du matin ; 1 p.m. : 13 h. On ne se fera jamais comprendre en disant : il est 20 h 30 !
L'horaire d'été *(daylight saving time)* est en vigueur du dernier dim. d'avr. au dernier dim. d'oct. : les montres sont alors avancées d'une heure.

● **Jours fériés.** — Les administrations, bureaux de poste, banques, bibliothèques, et parfois les musées (toujours f. les 25 déc. et 1er jan.), restaurants, lieux de distractions et magasins sont fermés les jours fériés nationaux suivants :

New Year's Day (Nouvel An) : 1er jan.
Martin Luther King's Birthday (anniversaire de la naissance de M. L. King) : le 3e lun. de jan.
President's Day (anniversaire de la naissance de Washington) : le 3e lun. de fév.
Memorial Day (Decoration Day ; fête du Souvenir) : le dernier lun. de mai
Independence Day (fête de l'Indépendance ; Fête nationale) : 4 juil.
Labor Day (fête du Travail) : premier lun. de sep.
Columbus Day (fête de Christophe Colomb) : le 2e lundi d'oct.
Veteran's Day/Armistice Day (fête des Anciens Combattants/journée de l'Armistice) : le 11 nov.
General Election Day (Élections générales : tous les quatre ans pour l'élection présidentielle et les élections générales ; pas partout) : le mar. qui suit le premier lun. de nov.
Thanksgiving Day (journée d'action de grâces) : le 4e jeu. de nov.
Christmas Day (Noël) : 25 déc.

En outre, **Halloween** (31 oct. ; non férié) est la fête de la magie et des enfants, qui se déguisent et vont frapper aux portes pour réclamer des sucreries. On creuse aussi des citrouilles pour y mettre des bougies.

● **Argent.** — Les banques sont ouvertes de 9 h à 15 h, du lun. au ven. La carte Visa internationale est acceptée partout et permet aussi de retirer de l'argent dans la plupart des distributeurs automatiques.

● **Poste.** — L'*US Postal Service* est un service public. Il existe aussi quelques services postaux privés concurrents — pour l'envoi de paquets notamment — qui sont rapides (et chers).

Les bureaux de poste sont ouverts de 9 h à 17 h du lun. au ven. Dans certaines grandes villes, ils sont ouverts le sam. ou 24 h sur 24. On peut se faire adresser son courrier en poste restante ; il doit être libellé de la manière suivante : nom en capitales, prénom ensuite en minuscules, *c/o General Delivery, Main Post Office*, ville, État, code postal.

On peut également se procurer des timbres dans les distributeurs automatiques des hôtels, drugstores, gares ou aéroports. Les boîtes aux lettres sont bleues et portent l'inscription : *US mail.*

Les **télégrammes** s'envoient non pas depuis une poste, mais par l'intermédiaire de compagnies privées, telle la *Western Union.* Votre hôtel peut s'en charger ou vous indiquer le bureau le plus proche. Le texte pourra être rédigé en français. Pour la France, demandez le service de nuit *(night letter).*

● **Téléphone.** — Rapporté au nombre d'habitants, le réseau téléphonique américain est le plus dense du monde. Il est exploité par des compagnies privées, *ITT* et *AT & T* étant les plus puissantes. Il existe un annuaire général alphabétique et un annuaire par professions et services (pages jaunes). À noter également que les appels interurbains sont moins coûteux la nuit.

Appel depuis un téléphone public. — Pour un appel interurbain, composez le 0 pour obtenir l'opératrice (pour l'étranger, demandez l'*overseas operator),* à laquelle vous donnerez le numéro de votre correspondant, précédé de l'indicatif régional (3 chiffres) ; elle vous indiquera la somme à mettre dans l'appareil. Munissez-vous de monnaie.

Pour un appel en PCV, composez le 0 et demandez un *collect call* ; pour un PCV avec préavis, demandez un *person to person call.*

Appel depuis un téléphone privé. — Pour obtenir la France, composer le 011 33 suivi de l'indicatif de la ville et du numéro. Il est aussi possible de passer par « France Direct » (accès gratuit et sans abonnement) en composant le 18009 372623 ou 18005 372623 pour obtenir un numéro par une opératrice française ; le montant de la communication sera alors pris en charge par votre correspondant. Avec une carte France Télécom (anciennement carte Pastel), composer 18007 278350, 1800 47 372623 ou 18009 372623, puis indiquez à l'opératrice votre numéro de carte, votre code confidentiel et le numéro de téléphone de votre correspondant ; la facturation sera établie sur le compte associé à votre carte, mais au prix de la communication France/États-Unis.

● **Achats.** — Les États-Unis sont un véritable paradis pour le shopping, mais pas pour tous les produits : par exemple, les cigarettes sont plus chères outre-Atlantique. Tout ce qui touche à l'optique, à la vidéo et au son est moins cher qu'en France. Attention cependant aux problèmes de courant et de fréquence : il faudra un adaptateur. Quant aux radios, elles ne capteront pas les grandes ondes, et les cassettes vidéo ne seront pas au bon format.

N'oubliez pas d'ajouter au prix affiché la taxe locale (de 4 à 8 % selon l'État).

D'une façon générale, les magasins sont ouverts du lun. au sam. de 9 h à 18 h avec un ou deux nocturne(s) par semaine. Dans les grandes villes, l'achat des produits d'alimentation est encore plus facile qu'en France : l'épicerie *(drugstore)* du coin, qui vend aussi des médicaments, est ouverte sans interruption à l'heure du déjeuner, très souvent jusqu'à 21 h ou 22 h et sept jours par semaine.

Tableau comparatif entre les tailles américaines et européennes

Hommes								
Complets	USA	36	38	40	42	44	46	48
	Eur.	46	48	50	52	54	56	58
Chemises	USA	14	14 1/2	15	15 1/2	16	16 1/2	17
	Eur.	36	37	38	39	41	42	43
Chaussures	USA	6 1/2	7	8	9	10	10 1/2	11
	Eur.	39	40	41	42	43	44	45
Femmes								
Blouses	USA	32	34	36	38	40	42	44
et cardigans	Eur.	40	42	44	46	48	50	52
Tailleurs	USA	10	12	14	16	18	20	
et robes	Eur.	38	40	42	44	46	48	
Bas ou	USA		8	8 1/2	9	9 1/2	10	10 1/2
chaussettes	Eur.	0	1	2	3	4	5	
Chaussures	USA	5 1/2	6	7	7 1/2	8 1/2	9	
	Eur.	36	37	38	39	40	41	

● **Poids et mesures.** — Aux États-Unis, ce n'est pas le système métrique qui est en usage, mais le système duodécimal ; en revanche, le Canada a adopté le système métrique. Voici les conversions des mesures utiles pour le voyage :

Longueurs
1 yard=0,914 m ; 1 foot=30,48 cm ; 1 inch=2,54 cm.

Poids
1 pound=0,436 kg ; 1 ounce=28,35 g.

Capacités
1 gallon=3,785 l ; 1 quart=0,946 l ; 1 pint=0,473 l.

Distances

Miles	1	25	50	100	1 000
Km	1,609	40,225	80,45	160,9	1 609

Température

degrés Celsius	degrés Fahrenheit
40	104
35	95
30	86
20	68
15	59
10	50
0	32

Pour convertir :
de °F en °C : soustrayez 32, puis divisez par 9 et multipliez par 5 ;

de °C en °F : multipliez par 9, puis divisez par 5 et ajoutez 32.

● **Courant électrique.** — 110-115 V et 60 Hz (en France, 50 Hz). Achetez un adaptateur pour prise plate (chez un électricien, dans un aéroport ou dans certains grands magasins). Les appareils en 220 V fonctionnent mais au ralenti ! Si vous avez un appareil bitension, n'oubliez pas que, s'il reste réglé sur 110 V, il sautera lorsque vous le brancherez sur le 220 à votre retour en France !

● **Taxis.** — À New York et dans la plupart des grandes villes, on les voit venir de loin : ils sont jaunes. Une lumière sur le toit indique s'ils sont disponibles. Ils doivent porter sur le capot un médaillon dont le numéro est inscrit sur le toit (permis officiel). Dans les aéroports, des *dispatchers* de taxis en uniforme aident les voyageurs à obtenir un taxi aux heures de pointe. Les prix sont sensiblement les mêmes qu'en France.

● **Pourboires.** — Le service n'est jamais compris, et il est d'usage de donner un pourboire (sauf au réceptionniste, au garçon d'ascenseur, dans les stations-service — à moins d'un service particulier —, dans les théâtres et les cinémas) :

– au serveur dans un restaurant : 15 à 20 % ; il est d'usage de laisser en plus quelques pièces près de son assiette ou d'ajouter sur le bordereau de paiement par carte de crédit, dans la case prévue à cet effet, le montant du pourboire souhaité (ou de barrer prudemment cette case si on ne désire pas en laisser !) ;

– à l'hôtel au porteur de bagages, au chasseur qui appelle un taxi (un dollar) ;

– au porteur à l'aéroport : de 50 cents à 1 $ par sac ou valise ;

– au chauffeur de taxi : 15 à 20 %.

● **Médias.** — Chaque grande ville possède plusieurs journaux : les plus importants sont nettement plus volumineux que les grands quotidiens européens ; il sort même une édition du dimanche avec magazine incorporé, qui peut peser jusqu'à 2 kg ! *The New York Times, The Chicago Tribune, The Washington Post, Detroit News, Christian Science Monitor, Wall Street Journal* (plus financier et boursier) comptent parmi les principaux. Ajoutez à cela les publications hebdomadaires et mensuelles, européennes et asiatiques notamment. En dehors des grandes villes, il est plus difficile de se procurer les quotidiens et magazines européens.

● **Télévision et radio.** — Des dizaines de chaînes sont disponibles 24 h sur 24. En fait, trois grandes sociétés *(networks)* se taillent la part du lion : *ABC (American Broadcasting Company), CBS (Columbia Broadcasting System)* dont on capte en France le journal télévisé chaque matin sur Canal + sans décodeur, et *NBC (National Broadcasting Company)* ; elles offrent même, dans les plus grandes villes, la possibilité de choisir son programme cinématographique. Ajoutez toutefois la *PBS (Public Broadcasting System)*, la plus riche en émissions culturelles et qui ne s'appuie sur aucune publicité, et *CNN*, la chaîne d'informations de Ted Turner. Il existe aussi des chaînes spécialisées : météo, vente par correspondance, sports, cours, etc. Les trois principales chaînes regroupent également la majeure partie des 6 500 stations de radio qui se contentent la plupart du temps de diffuser de la musique et des informations entrecoupées de nombreuses pages publicitaires. En Louisiane, on peut entendre des émissions en langue française patronnées par le **Codofil,** qui a pour mission de défendre notre langue dans cette région.

● **Photo.** — On trouve tous les types de film (le développement n'est pas inclus pour les diapositives). Il est plus intéressant d'acheter ses films en France ou, mieux encore, en détaxe à l'aéroport de départ. Il est possible de faire développer ses photos en 24 h, parfois même en quelques heures.

● **Vidéo.** — Faites attention au standard américain qui n'a rien à voir avec le procédé français. Les cassettes aux États-Unis sont en NTSC, plus rarement en PAL, jamais en SECAM, procédé utilisé en France.

● **Sécurité.** — Comme dans toute grande ville, il est conseillé d'éviter les lieux à l'écart et les parcs, surtout lorsqu'il fait nuit : métros aux heures creuses, ascenseurs, parcs, parkings, ruelles. Il est préférable de traverser les *slums* (quartiers misérables) dans des véhicules fermés, par mesure de précaution. On ne transportera pas sur soi d'objets de valeur, ni d'importantes sommes d'argent liquide. Il y a des coffres-forts dans les hôtels.

■ Se divertir

● **Manifestations culturelles**

La musique. — Elle existe sous toutes ses formes, depuis la *country music* jusqu'à la musique classique en passant par le jazz et la musique d'avant-garde. Pourquoi ne pas écouter une messe en *gospel* à New York, à Washington ou à La Nouvelle-Orléans ? Les orchestres symphoniques tournent à travers le pays. Les festivals de Newport (Rhode Island), Tanglewood (Massachusetts), Vienna (Virginie) sont les plus célèbres.

Le théâtre. — Certaines salles ou certains espaces en plein air accueillent représentations théâtrales ou spectacles musicaux. Les nouveautés sont souvent lancées à Broadway (New York), où le prix des places reste élevé. Mais en faisant la queue quelques heures avant le début du spectacle, il est possible de se procurer des billets moins chers, lorsqu'il reste des places. Sinon, il vaut mieux réserver.

Les fêtes, festivals et manifestations diverses. — Chaque année, des milliers de manifestations ont lieu à travers les États-Unis. Certaines sont des spectacles historiques, commémorations de l'esprit pionnier ou de l'héritage ethnique de l'Amérique, d'autres concernent la musique : jazz, blues, reggae, rock, musique latino-américaine, musique classique, opéra.

Téléphonez à l'office du tourisme des États-Unis à Paris (☎ 1/42.60.57.15 ou Minitel 3615 code USA) pour obtenir la brochure *Festival USA* qui répertorie les principales manifestations culturelles ou sportives, classées par mois. Dans les grandes villes américaines, adressez-vous au *Convention and Visitors Bureau* (syndicat d'initiative) ; dans les autres villes, auprès des chambres de commerce ; dans les États, auprès du *Tourism and Travel Division* (bureau du tourisme).

Quelques exemples :
Mardi gras à La Nouvelle-Orléans, en février, Festival de jazz, courses automobiles à Daytona Beach et à Indianapolis, foire artisanale à Baltimore (ACC Craft Fair) en février, ouverture des demeures de la guerre de Sécession en Louisiane, festival culturel et hommage à Elvis Presley à Memphis, musique *country* à Nashville, *gospel* à Chicago, jazz à New York, Festival du lilas à Rochester, tennis et marathon à New York, Festival des lumières à Niagara Falls, fête des Voiliers à Boston, fête historique et commémoration des 50 sapins de Noël (un par État) à Washington DC.

Le sport spectacle. — Le sport occupe une place très importante dans la vie américaine. Deux spécialités surtout : le football américain (plus proche de notre rugby) et le base-ball, subtil. Dérivé du cricket britannique, ce dernier est le sport roi ; il draine dans les stades gigantesques ou sur les pelouses des parcs les familles entières qui le pratiquent sous sa forme simplifiée, le *softball*. Ce sport n'est pas facile à suivre car les règles en sont complexes, mais il est intéressant pour le *show*, aussi bien sur le terrain que dans les gradins, et aussi pour la passion qu'il provoque dans le public.

À voir également le hockey sur glace, les courses automobiles (les circuits les plus connus sont Indianapolis, Daytona et Sebing en Floride, Watkins Glenn dans l'État de New York), mais aussi les courses de stock-cars, très populaires et nombreuses ; le football (tel que nous l'entendons), qui s'appelle *soccer*, le basket-ball, la boxe, la lutte *(wrestling)*. Les paris sont permis par la loi et les paris mutuels sont des événements sportifs : courses de lévriers, courses de chevaux et l'ancien sport basque de *jai alai* (pelote basque).

Les sports d'hiver. — Toutes les disciplines sont pratiquées dans les stations de montagne. Outre le ski, les activités proposées sont variées : patinage, luge, luge à moteur *(snow mobiles, snow coaches)*... Feuilletez les brochures des agences de voyages pour choisir de préférence un *resort* où sports et animations seront prévus. Sachez toutefois que ce n'est pas dans l'E. que vous verrez les plus belles stations ni la meilleure neige, mais dans les Rocheuses, à l'O., près de Denver, où l'on peut skier de nov. à

juin ! A l'E., les régions de sports d'hiver se trouvent dans les Appalaches du N., dans l'État de New York (Adirondack Mountains), dans le Vermont, (régions de Stowe, Sugar Bush, Killington et Mount Show), dans le New Hampshire (White Moutains avec le Mount Washington), et dans quelques régions du Maine.

Les autres sports. — Le tennis et le golf sont les deux sports les plus pratiqués aux États-Unis. Dans l'E., ils le sont plus particulièrement en Floride, paradis également des amateurs de ski nautique. Le squash se joue avec une balle que l'on fait rebondir contre un mur : c'est un jeu plus rapide et plus violent que le tennis. Extrêmement populaires sont la marche et le *jogging*, que l'on pratique à la campagne comme en ville. Toutes les formes de sport sont pratiquées : bowling, badmington, hockey, tir, *jai alai*.

Pour la chasse et la pêche, les permis sont obtenus sur place ; la durée de la saison varie d'un État à l'autre, en fonction des conditions climatiques.

Les sports nautiques comme le *surf* et la planche à voile sont en vogue. Des milliers de voiliers sont amarrés dans les ports de plaisance *(marinas)* le long des côtes, sur les fleuves et les lacs.

Informations :
Presque toutes les agences proposent des stages sportifs d'une ou plusieurs journée(s) : *Jetset, Zénith, Comitour, Council, Look America, Jumbo, Vacances fabuleuses.* Sans oublier les spécialistes comme *Terres d'Aventures* (16, rue Saint-Victor, 75005 Paris ; ☏ 1/43.29.94.50, audiophone 1/43.29.20.40) et *Explorator* (16, place de la Madeleine, 75008 Paris ; ☏ 1/42.66.66.24).

COMPRENDRE
LES ÉTATS-UNIS

Du mythe à la réalité

par **Gérard Chaliand**
Écrivain

Aucun pays au monde n'est plus familier aux Européens que les États-Unis ; aucun pays mieux ancré dans notre imaginaire. Le cinéma et la musique avant tout ont été les véhicules de nos modèles: Chaplin et Garbo, le jazz et le roman noir, les westerns et le rock, Marilyn Monroe et Michael Jackson.

Et si nous avons en commun avec les Américains non seulement un héritage historique ancien mais aussi une culture de masse toute récente, rien n'est toutefois plus trompeur que ce sentiment du déjà connu. Longtemps méprisée par les intellectuels européens, cette culture de masse, dont on ne peut sous-estimer l'impact, s'est exercée avant et surtout après la Seconde Guerre mondiale à travers le son et l'image : radio, cinéma, disques, bandes dessinées, télévision. Elle n'a aucune prétention élitiste : démocratique, fabriquée industriellement, sa fonction est marchande. Faut-il rappeler qu'avant d'être une république politique, les États-Unis sont une société marchande ? Véhiculée d'abord en Europe puis dans le monde entier, cette culture de masse ouvre de nouveaux horizons à un public qui jusque-là n'avait que sa culture traditionnelle. Au centre de cet imaginaire se situe l'idée de bonheur et de réussite, avec comme thème principal l'amour heureux. Autour de ces sujets, gravitent le leitmotiv de la violence et une philosophie individualiste qui triomphe de toutes les forces du mal grâce au courage et à la volonté.

Ce sont les États-Unis qui ont le plus largement contribué à diffuser l'image de l'individu moderne, homme ou femme : jeune, beau, plein de santé et d'initiative. Tandis que la vieillesse, chère aux sociétés d'hier pour sa sagesse, est totalement dévaluée, l'adulte devient juvénile. Surgit alors un phénomène nouveau : l'adolescent. James Dean en symbolisa le prototype. Les adolescents représentent un nouveau marché de consommation. Très vite, ils possèdent leurs signes de reconnaissance : musique, chansons, motos ou vêtements, autant de modes qui prennent naissance aux États-Unis puis se diffusent régulièrement vers les deux tiers du monde. Alors que le jazz avait conquis une partie de l'Europe, le folklore de l'Ouest américain a envahi la planète, comme les courants musicaux plus récents. Fondée sur la consommation, la culture de masse transmise par les États-Unis est d'ordre individuel : l'amour, l'aventure, la réussite, le bien-être (y compris par les drogues).

À ces modèles que nous avons intégrés dans notre société —consciemment ou non— s'ajoutent des images proprement américaines. En France, cette imagerie n'est pas celle d'un pays d'immigrants, car les Français n'ont pas connu une immigration aussi importante que les autres pays d'Europe. Mais celle des pionniers de l'espace, celle de la conquête de l'Ouest par l'élimination des Indiens, ou celle du Sud fondée sur l'esclavage rendue célèbre par *Autant en emporte le vent.*

Aujourd'hui, d'autres éléments participent à ce rayonnement américain : le prestige d'être le monde industriel le plus moderne —dont Chaplin a naguère caricaturé l'organisation fondée sur la productivité—, le pays de la technologie de pointe, de la production de masse, du *marketing* et de la libre entreprise.

Que cache le mythe américain ?

Le voyageur qui se rend pour la première fois aux États-Unis peut être certain d'y retrouver des images très familières : les gratte-ciel de New York, les rues en pente raide gravies par les *cable-cars* de San Francisco, les motels le long d'autoroutes sans fin. Mais il est peu probable qu'il s'attende, dans certains quartiers des grandes villes, à ce degré de misère et de saleté ; à la carence des transports publics, à la proportion importante d'obèses, au nombre assez limité d'individus qui ressemblent au modèle américain (type Redford). Il est vrai que l'Amérique s'adapte à une population de moins en moins nordique. D'origine italienne, Rambo —ni mafioso, ni gangster, ni chanteur— efface, comme par magie, les frustrations américaines venues après le syndrome vietnamien. Enfin, le voyageur, qui observe dans son pays les effets d'une américanisation accrue —symbolisée aujourd'hui par la multiplication des *fast food*— notera à sa grande surprise le phénomène inverse. Dans les catégories relativement aisées, les goûts se tournent vers l'Europe : certains adoptent sa nourriture, ses boissons et sa douceur de vivre que l'on retrouve sur les terrasses de cafés et les restaurants en plein air autrefois inconnus.

Pourtant, l'étonnement du visiteur ne vient pas de cet écart entre le mythe et la réalité, mais de l'extrême différence des conceptions qui apparaît derrière ces images familières. « C'est la religion qui a donné naissance aux sociétés anglo-américaines, il ne faut jamais l'oublier : aux États-Unis, la religion se confond donc avec toutes les habitudes nationales et tous les sentiments que la patrie fait naître ; cela lui donne une force particulière », écrivait Tocqueville dans *De la démocratie en Amérique*, ouvrage qui reste une introduction inégalée aux États-Unis. Tandis qu'en France, à la Révolution, la liberté a été arrachée contre le clergé, aux États-Unis la liberté va de pair avec le libre exercice de la foi —peu importe la secte— et le clergé n'y détient pas un véritable pouvoir.

La France est un vieil État de tradition catholique, monarchique et paysanne. Son héritage administratif est fondé sur la centralisation et la toute-puissance de l'État, au point que le citoyen a tendance à détester celui-ci tout en y cherchant recours. Rien ne prépare l'héritier d'une telle matrice, plus volontiers sédentaire que mobile, plus fonctionnaire qu'entrepreneur, à appréhender aisément un pays de fondation protestante et puritaine, forgé par des pionniers, des marchands et des industriels, composé de minorités —même si le modèle originel de l'Anglo-Saxon protestant (WASP) reste la référence fondamentale. L'organisation même de cet État, par son gouvernement fédéral dont les pouvoirs ont longtemps été très limités, par ses institutions locales très présentes et effectives, diffère totalement de la tradition française.

Aux « coteaux mesurés » tant célébrés par certains écrivains français, la géographie américaine oppose l'espace et le sens de l'espace. L'acquisition de la fortune, tenue en suspicion dans les sociétés catholiques, est au contraire, dans l'héritage protestant, comme la preuve même de la récompense divine pour celui qui travaille et fait fructifier. L'esprit de compétition prime et l'Américain doit réussir de lui-même. L'idée qu'un travail puisse être une « planque » reste exceptionnelle.

Tout donc aux États-Unis est à redécouvrir derrière les apparences familières, les stéréotypes et la communication immédiate favorisée par une langue qu'on parle peu ou prou. Tout, jusqu'à une évaluation sereine, après la première impression de jovialité des relations humaines et de qualité de la vie quotidienne. Car pauvreté, vieillesse et maladie y sont ressenties plus durement qu'en Europe. Certains enfin seront frappés par cette « virginité historique perpétuellement renouvelée » dont parle Stanley Hoffmann, qui est une sorte d'absence de mémoire historique où les Européens se reconnaissent mal.

D'où cette originalité provient-elle ?

Résolument fondé sur la souveraineté populaire —en 1776 l'idée est d'une nouveauté extrême, tout comme le concept d'individu —, le pays est créé une trentaine d'années avant que ne soit tranchée la question de savoir s'il y aura ou non un gouvernement central (1805). De toute façon, la république américaine conçoit la tâche de l'État comme limitée —jusqu'à Roosevelt— et destinée à assurer le fonctionnement d'institutions dont la finalité est la sauvegarde de la liberté de chacun.

L'essence de la tradition américaine repose sur l'idée de liberté par rapport à toute domination politique —ce qui n'empêche pas l'usage de la force à l'extérieur— et sur l'égalité des chances —réelle ou supposée— de parvenir à la fortune dans le cadre d'une frontière ouverte. En l'absence d'aristocratie et de toute autre institution sociale privilégiée, la fortune est le signe de la réussite et la source du pouvoir social et politique.

La frontière est officiellement atteinte en 1890. Mais quelques années plus tard (1898), la défaite de l'Espagne donne à l'Amérique Porto Rico et les Philippines, sans compter une présence sur tout le Pacifique Nord. La république impériale est née, mais se plaît à l'isolationnisme à condition de pouvoir librement commercer. Après la Seconde Guerre mondiale, sans avoir recherché l'hégémonie, elle a pour empire la presque totalité du monde et de loin la première place.

Pays d'immigrants, les États-Unis accueillent ceux-ci généreusement —à l'exception des Japonais— jusqu'en 1920. Malgré les quotas, l'immigration (toujours officiellement ouverte pour ceux du continent américain) reprend à la fin des années 60. Si le *melting-pot* n'engendre pas tout à fait la perte de la mémoire, les retours à l'ethnicité n'empêchent pas un extraordinaire consensus dont la caractéristique est d'être à la fois minimal et unanime : égalité devant la liberté et la loi, égalité dans la compétition, conscience des droits civiques et minimum d'intervention politique. S'y ajoute aussi le sentiment d'être le citoyen du pays le plus ouvert, le plus démocratique et le plus extraordinaire du monde.

Et c'est peut-être vrai.

La formation d'une nation

par **Michèle Dujany**
Professeur agrégé d'histoire

et **Claude Fohlen**
Professeur à la Sorbonne

Amérique, Indiens, Nouveau Monde, outre-Atlantique : voilà bien des termes issus de la vision européenne d'un continent découvert par hasard par des aventuriers de l'Ancien Monde méditerranéen. Le Génois Christophe Colomb, dans la dernière décennie du XVᵉ s., aborde en différents points des Caraïbes ; en 1513, un Espagnol, Ponce de Léon, établit le premier contact avec l'Amérique du Nord.

■ « Les Indes occidentales »

Le peu d'intérêt porté par l'Ancien Monde à ce sous-continent de latitudes pourtant familières s'explique par le faible attrait d'une terre vierge occupée par des indigènes au caractère asiatique évident, jugés primitifs et sauvages. Cheveux noirs, teint mat, pommettes saillantes et yeux bridés constituent la preuve visible de l'origine géographique de ces peuples. Leurs ancêtres, chasseurs du Paléolithique supérieur, vinrent en plusieurs vagues d'Asie du Nord par le détroit de Béring. Vivant de chasse et de cueillette, ils progressèrent vers le centre et le sud du continent où les conditions naturelles permirent l'éclosion des grandes civilisations indiennes. Sur le territoire actuel des États-Unis, leur implantation hétérogène fit naître des types culturels moins brillants.

Les premières civilisations. — Si la chronologie européenne garde un sens dans ces terres encore inconnues, l'Antiquité vit s'y développer deux foyers distincts. Dans la région des canyons du sud-ouest, des chasseurs semi-nomades ont laissé pour seules traces des momies et de la vannerie fine découverte dans le sud de l'Utah. Au sud des Grands Lacs, entre Appalaches et Mississippi, s'étendait la zone Lamoka où l'on vivait de chasse et de pêche avant d'assimiler une civilisation agraire imitée des Toltèques.

La période médiévale voit s'installer de la Floride au Wisconsin un ensemble de petites cités fortifiées où des pratiques religieuses, des rites collectifs et le travail des métaux précieux témoignent d'une organisation sociale élaborée. Dans les régions méridionales, l'influence mexicaine est précocement sensible : au Nouveau-Mexique, en Arizona, dans l'Utah, des poteries rudimentaires du début de notre ère ont été mises au jour. Puis, au VIIIe s., se constitue une civilisation qui se fonde sur des activités villageoises, organisées autour de la chasse, de la pêche, mais aussi de la culture du maïs, du coton et du haricot.

Diversité et complexité du monde indien. — À l'arrivée des Européens, le monde indien dément dans sa diversité le regard simplificateur des futurs colons. L'immensité des espaces naturels a engendré plusieurs nations indiennes distinctes par la langue, les croyances, l'organisation sociale et par là même potentiellement ennemies.

Les Indiens de l'Est appartenaient aux groupes algonquins, dont les Iroquois sont une des tribus les plus connues. Ils étaient essentiellement chasseurs et pêcheurs mais pratiquaient quelques cultures, dont celle du maïs (indian corn), qu'ils transmirent aux colons, et celles des haricots et du potiron ; ils connaissaient aussi l'élevage des volailles (la dinde, « poule d'Inde »). Les Indiens des plaines, et en particulier les Sioux, vivaient de la chasse aux bisons qui leur fournissaient leur nourriture, leur abri (la peau), leurs vêtements. Mais les Sioux n'ayant pas d'animaux domestiques, sauf le chien qui servait occasionnellement d'animal de trait, cette chasse restait limitée. Sur les plateaux du Sud vivaient des Indiens sédentaires — appelés Pueblos par les Espagnols — qui cultivaient le maïs. Ils en furent chassés par l'invasion de nomades, Apaches et Navajos. Les sites abandonnés de Mesa Verde sont un témoignage de leur implantation et de leurs migrations forcées. Sur la côte du Pacifique voisinaient des groupes anciennement établis dans les plaines intérieures ou le long des fleuves (Nez Percé) et des tribus plus récemment arrivées, comme les Tlingits et les Haidas, gens de la mer

apparentés aux Esquimaux, célèbres par leurs canots en bois et leurs mâts totems.

Les premiers colons trouvèrent donc de nombreuses tribus indiennes, mais chacune était trop faible pour organiser une défense efficace. Rien ne pouvait s'opposer au déploiement d'une civilisation matériellement supérieure.

■ Le Nouveau Monde

● Les découvreurs : les Vikings

Les sagas scandinaves attestent non seulement de la découverte du Groenland par Éric Le Rouge proscrit d'Islande, en 982, mais aussi du « Vinland » (Pays du Vin), situé plus à l'est, où le blé, la vigne sauvage et le bois attiraient ces navigateurs norvégiens. Des fouilles récentes ont mis au jour des fondations, des outils de pierre et de fer de fabrication viking au nord de Terre-Neuve et dans l'Ontario. La reconnaissance solennelle de ces racines nord-européennes et médiévales a été offerte au peuple américain par le président L. Johnson. Depuis 1964, le 9 octobre commémore le souvenir de Leif Eriksson, découvreur de l'Amérique du Nord.

● La colonisation espagnole

L'Église au service de l'armée. — Du XVIe au XVIIIe s., le prolongement vers le nord de l'empire espagnol ne rencontre qu'une résistance indienne sans cohésion et techniquement inférieure. Avant 1550, c'est la quête d'un Eldorado imaginaire qui entraîne Vasquez de Coronado en Arizona, au Nouveau-Mexique et au Texas. Hernando de Soto poursuit plus à l'est les mêmes chimères et explore la vallée du Mississippi et le sud des Grandes Plaines. Saint Augustine, en Floride, est le premier établissement permanent fondé par les Espagnols (1565). Un demi-siècle plus tard, en 1609, Santa Fe (Nouveau-Mexique) devient la capitale des colonies espagnoles dans cette portion du Nouveau Monde. À partir de leurs points d'appui, les Espagnols développent une forme de colonisation, impliquant une collaboration entre l'armée et l'Église catholique. Si la première est chargée de faire régner l'ordre, la seconde multiplie les missions pour implanter une civilisation catholique et hiérarchisée parmi les Indiens. Jusqu'au milieu du XVIIIe s., les jésuites ont la charge de ces missions constituées d'une église, d'une école, de locaux communautaires et de terres agricoles. L'évangélisation va de pair avec une instruction destinée à apprendre aux Indiens à vivre en « civilisés » par la culture du sol. Ces missions couvrent une partie du Texas et du Nouveau-Mexique, avant de s'étendre au XVIIIe s. en Californie (San Diego, Los Angeles, San Luis Obispo, San Francisco). Les franciscains ont alors remplacé les jésuites expulsés d'Espagne et de leurs colonies.

Résistances indiennes. — Les méthodes de colonisation espagnoles rencontrent l'opposition des Indiens du Nouveau-Mexique, qui se révoltent en 1680 à l'appel de leur chef Po-Pé. Les Espagnols ont de grandes difficultés à reprendre la situation en main, et le pays n'est pacifié qu'en 1682.

À côté des missions, les Espagnols développent des postes militaires (les *presidios*), reliés entre eux par des routes (le *camino real*), afin de mieux surveiller le pays. Grâce au cheval, les Indiens ont gagné en mobilité et harcèlent plus facilement les occupants espagnols. Au moment de sa plus grande extension, à la fin du XVIIIe s., l'empire espagnol s'étend du golfe du Mexique au Pacifique, sur le Texas, le Nouveau-Mexique, l'Arizona et la Californie.

● **Les Français : des colonisateurs originaux**

Du Saint-Laurent au Mississippi. — L'intérêt des Français pour l'Amérique du Nord naît avec les voyages d'exploration du navigateur florentin Giovanni da Verrazano, chargé par François Ier en 1523 de découvrir le passage du nord-ouest en direction des Indes. Verrazano aborde les côtes de Caroline du Sud, remonte vers le nord, découvre le site du futur port de New York, longe le Maine et revient en Europe.

Parti de Saint-Malo le 20 avril 1534, sur ordre de François Ier, avec deux navires et soixante et un hommes, Jacques Cartier met à profit son premier voyage outre-Atlantique pour reconnaître méthodiquement le golfe du Saint-Laurent. Mais sa mission était autre : remplir le trésor royal. Il ramène donc en France deux Indiens qui affirment l'existence vers l'ouest d'un royaume fabuleux, le Saguenay. Cela justifie une deuxième expédition dont la richesse est purement scientifique grâce à l'exploration du Saint-Laurent jusqu'à Hochelaga (Montréal). Au diable l'avarice ! En 1541 Jacques Cartier appareille de nouveau avec le titre de capitaine et pilote général des navires que le roi envoie au Saguenay. Près de Stadaconé (Québec) sur les rives du fleuve, on découvre alors or et diamants à profusion. Le retour en France est aussi précipité que joyeux mais la gloire est capricieuse : les joyaux se révèlent n'être que pyrites et micas. « Faux comme diamants du Canada » : le proverbe allait faire fortune ! Mais la colonisation française tarde à s'organiser dans ces terres froides ; Québec n'est fondée qu'en 1608. Par contre, des missions d'exploration utilisent le Saint-Laurent pour gagner les Grands Lacs et le bassin du Mississippi, plus accueillants et prometteurs. Louis XIV devient en 1682 parrain et roi de ces vastes territoires par la proclamation de Cavelier de la Salle : la Louisiane inscrit le sceau français en terre américaine, confirmé en 1718 lors de la fondation de La Nouvelle-Orléans. L'étendue du domaine royal et sa maîtrise des deux fleuves majeurs masquent sa fragilité : il additionne en réalité deux pôles éloignés, dissemblables et difficiles à gérer en profondeur.

Négociants et « coureurs des bois ». — Aussi la colonisation française consiste-t-elle moins à établir des colons — même si c'est le cas avec la « peuplade » au Canada — qu'à tirer profit du commerce avec les Indiens. Des relations amicales s'instaurent avec eux, des rencontres régulières ont lieu pour l'échange des marchandises, comme dans l'île de Mackinaw, à la jonction des lacs Michigan et Huron. Les contacts entre Indiens et négociants sont assurés par les coureurs des bois qui n'hésitent pas à épouser des Indiennes : ainsi apparaît un métissage demeuré caractéristique des régions colonisées par les Français. Si les missionnaires sont présents, leur rôle est moins important que chez les Espagnols. La marchandise la plus recherchée au nord reste la peau de castor et, dans le sud, les produits tropicaux. Point d'épices ni de métaux précieux, ce qui rend ce commerce singulièrement moins attrayant que celui des colonies espagnoles. À défaut d'une importante immigration, les bonnes relations avec la population locale assuraient la solidité de la présence française.

● **Les fondateurs des colonies atlantiques**

Les premières tentatives hollandaises et suédoises. — En 1609, l'Anglais Henry Hudson, agissant pour le compte de la Compagnie hollandaise des Indes orientales, qui recherchait elle aussi un passage vers le nord-ouest, jette l'ancre à l'embouchure de la rivière qui porte aujourd'hui son nom. Il revendique la vallée de l'Hudson et Long Island pour le compte du gouvernement néerlandais, et les appelle Nouvelle-Hollande. En 1626, Peter Minuit achète l'île de Manhattan aux Indiens pour la somme de soixante florins et y crée une ville, Nieuw Amsterdam, rebaptisée New York après sa capture par les Anglais en 1664.

En 1638, des Suédois et des Finnois établissent la Nouvelle-Suède dans l'estuaire du Delaware. Mais cette colonie éphémère est bientôt victime de l'efficacité de l'occupation anglaise.

Les Anglais : envers et contre tout. — Dès la fin du XVIᵉ s. les Britanniques témoignent d'une ferme volonté d'acculturation des nouvelles terres. Si la tentative de Sir Walter Raleigh, envoyé de la reine Élizabeth vers la Caroline, s'avère malheureuse, c'est peut-être par incapacité à briser les barrières économiques, politiques et religieuses du Vieux Monde.

En 1607, des colons anglais débarquent dans la baie de la rivière James, y fondent la ville de Jamestown en l'honneur du roi Jacques Stuart et appellent la colonie Virginie, en souvenir de la reine Elizabeth. Là aussi, les colons rencontrent de grandes difficultés pour survivre, dans une région marécageuse et chaude, où le travail du sol est particulièrement pénible. Ils sont sauvés d'une part par la culture du tabac, qu'ils ont apprise des Indiens et qui leur fournit une monnaie d'échange, d'autre part par l'introduction d'esclaves venus d'Afrique (le premier contingent débarque en 1619).

À peu près simultanément, des puritains venus des Pays-Bas et d'Angleterre, déroutés par le mauvais temps, débarquent du Mayflower à Plymouth, dans le Nord, et y jettent les fondements de ce qui devient, en 1630, la colonie du Massachusetts. Aidés par les Indiens, les pères-pèlerins assurèrent leur subsistance en apprenant à cultiver le maïs et en consommant des dindes sauvages. Pour rendre grâce à Dieu de leur survie, ils décidèrent de fêter, le dernier jeudi de novembre, l'anniversaire de leur installation. Cette date est devenue *Thanksgiving Day*, la plus importante commémoration aux États-Unis, célébrée en famille.

● **Les colons construisent leur Amérique**

La réalité historique des treize colonies atlantiques et la conscience de leur unité au moment de leur rébellion patricide ne doit pas masquer un des éléments constitutifs des États-Unis d'hier et d'aujourd'hui : l'apparition d'un Nord où la rigueur et le travail individuel méritent tous les succès, et d'un Sud où les grandes fortunes foncières se sont appuyées sur le système colonial, socialement plus statique.

De la réussite des grands planteurs...
— Les États du Sud naissent autour de la Virginie, comprenant le Maryland, les deux Carolines et la Géorgie en 1732. Terres de colonisation agricole, ces colonies pratiquent les cultures tropicales (tabac, riz, canne à sucre, indigo et coton), assurées de trouver dans une Europe des Lumières de plus en plus riche, un marché important. L'exploitation s'organise dans de grandes plantations, avec des esclaves noirs dont la force de travail constitue la marchandise du fructueux commerce triangulaire entre Angleterre, Afrique équatoriale et Amérique. Ces colonies du Sud éclipsent par leur prospérité les autres régions du domaine britannique.

... à l'intransigeance des puritains. — Dans le Nord, les puritains ont développé un genre de vie tout à fait différent. Très austères, dévoués à la foi qu'ils n'ont pu défendre dans l'Ancien Monde mais entendent bien préserver dans le Nouveau, ils créent un type de gouvernement civil directement lié à leurs églises, en général presbytériennes ou issues du calvinisme. Les puritains pratiquent un gouvernement direct, démocratique en apparence, fondé sur la surveillance étroite des individus, pour éviter tout écart de doctrine. L'épisode des sorcières de Salem demeure le meilleur témoignage de l'intolérance qui a régné dans les colonies du Nord. Pour s'y soustraire, des dissidents, comme Roger Williams, fondent le Rhode Island, le Connecticut, le New Hampshire, où la discipline est un peu moins rigoureuse. Économiquement, ces colonies vivent d'une agriculture familiale (qui rappelle celle de l'Europe du Nord-Ouest), de la pêche, du commerce, des constructions navales et, accessoirement, des profits que certains armateurs — ceux de Newport en particulier — retirent de la traite des Noirs. Pour les puritains, l'orthodoxie religieuse s'accompagne de la recherche du profit.

Terre de transition, de contact et de tolérance : voilà la définition et la justification de la Pennsylvanie selon William Penn, fondateur de la colonie et, en 1682, de sa capitale, Philadelphie, cité de l'amour fraternel. Adepte de la secte quaker de George Fox, il applique les principes de tolérance et d'accueil qui assureront le succès de cet État. Son exemple est suivi au Delaware, au New Jersey et à New York, naturellement ouverts aux échanges grâce à leurs excellents sites portuaires.

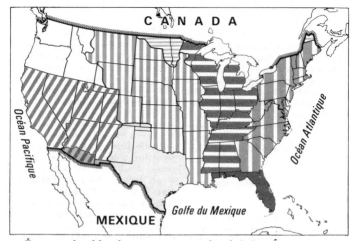

Étapes du développement territorial des États-Unis

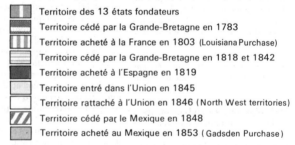

Territoire des 13 états fondateurs

Territoire cédé par la Grande-Bretagne en 1783

Territoire acheté à la France en 1803 (Louisiana Purchase)

Territoire cédé par la Grande-Bretagne en 1818 et 1842

Territoire acheté à l'Espagne en 1819

Territoire entré dans l'Union en 1845

Territoire rattaché à l'Union en 1846 (North West territories)

Territoire cédé par le Mexique en 1848

Territoire acheté au Mexique en 1853 (Gadsden Purchase)

Au milieu du XVIIIᵉ s., les treize colonies atlantiques reflètent la force de la présence britannique et l'ampleur des résultats économiques nés des efforts des transfuges du Vieux Monde.

Le recul des Français face à l'hégémonie anglaise. — L'existence des colonies françaises gêne l'expansion des sujets britanniques, colons et agents royaux, installés en Amérique du Nord. Ainsi, les conflits franco-anglais du XVIIIᵉ s., nés de l'affrontement hégémonique des deux

royaumes en Europe, suscitent des ondes de choc outre-Atlantique. L'effacement français est progressif mais inéluctable : en 1713 au traité d'Utrecht, Louis XIV abandonne Terre-Neuve, l'Acadie et la baie d'Hudson. En 1755, les Anglais expulsent 8 000 Acadiens dont certains, ancêtres des Cajuns actuels, se réfugient en Louisiane.

En 1759, les armées françaises de Montcalm subissent une défaite définitive dans les plaines d'Abraham, aux portes de Québec. C'est la fin de la présence française en Amérique du Nord : le Canada est cédé à l'Angleterre, la Louisiane passe à l'Espagne, seules les Antilles demeurent françaises. Les Anglais avaient réussi à instaurer leur hégémonie du Saint-Laurent au golfe du Mexique.

● **La Révolution pour l'indépendance**

Les guerres anti-françaises ont montré l'unité des intérêts du monde anglophone. Mais, s'ils ont été fidèles à leur roi, les colons attendaient en échange la reconnaissance de leur spécificité.

La tension monte : les incidents de Boston. — Dès 1760, les Anglais multiplient ce que les colons ont considéré comme des brimades. Pour payer les dettes de la guerre, le Parlement vote des impôts nouveaux : droit de timbre, taxe sur le sucre, sur le thé, sur le papier. Les colons n'ont pas été consultés sur ces impôts, alors qu'il existait un principe : pas de taxation sans législation. Le Parlement représentait les îles Britanniques, mais non les colonies. Ce malentendu s'accroît à la suite des maladresses commises par le gouvernement de George III, et débouche sur un conflit. En 1770, un incident banal se produit à Boston entre des civils et des soldats britanniques qui tirent sur la foule. Trois colons sont tués et deux blessés : c'est le massacre de Boston. Trois ans plus tard, pour protester contre les droits sur le thé, des colons déguisés en Indiens jettent à la mer trois cent quarante-deux caisses de thé arrivées sur trois bateaux de la Compagnie des Indes, au cours de la « partie de thé de Boston ». En représailles, en 1774, le gouvernement britannique promulgue les Lois Intolérables qui sont considérées comme une déclaration de guerre.

Les colons se préparent à la lutte, en réunissant à Philadelphie un congrès continental, le premier, qui rompt les relations commerciales avec l'Angleterre. En même temps, ils entraînent leurs milices à affronter les troupes britanniques. Le premier engagement sérieux a lieu à Lexington en 1775, près de Boston, entre des troupes régulières anglaises (les *redcoats*) et des miliciens (les *minutemen*) au bénéfice de ces derniers. Les Britanniques se retirent vers Boston, mais sont délogés de leurs positions lors de l'affrontement de Bunker Hill. L'abandon de Boston prend effet en mars 1776. Une suite de maladresses et d'incidents, peu importants en réalité, ont ainsi conduit à la rupture : les colonies luttent maintenant pour leur indépendance.

La fin de l'ère coloniale. — Précédant de cinq ans la défaite britannique, la *Déclaration d'Indépendance*, rédigée par Thomas Jefferson, est proclamée le 4 juillet 1776. Cette date, devenue la fête nationale américaine, marque la naissance des États-Unis. Polémique, le texte de la déclaration s'appuie sur la légitimité des nouveaux États : le roi « ... amène présentement des armées de mercenaires étrangers pour achever son œuvre de mort, de désolation et de tyrannie, qui a débuté dans des circonstances de cruauté et de perfidie à peine égalées aux âges barbares, totalement indignes du chef d'un État civilisé ». C'est aussi un texte philosophique, premier énoncé d'une théorie appliquée des droits naturels. « Nous tenons ces vérités pour évidentes par elles-mêmes : que tous les hommes naissent égaux, que leur créateur les a dotés de certains droits inaliénables, parmi lesquels la vie, la liberté et la recherche du bonheur. » Enfin, ce texte politique affirme le bien-fondé d'un gouvernement non héréditaire :

« Que ces colonies unies sont et doivent être en droit des États libres et indépendants. [...] Les hommes instituent des gouvernements dont le juste pouvoir émane du consentement des gouvernés. »

La guerre d'Indépendance. — La direction militaire de la rébellion revient à George Washington, planteur virginien déjà distingué par les Anglais qui l'ont nommé colonel en 1754. Organiser les milices, obtenir des aides matérielles : la tâche est à sa mesure. Mais ce serait trop peu sans le savoir-faire diplomatique de Benjamin Franklin qui signe à Paris le 6 février 1778 un traité d'amitié et d'alliance avec la France, prompte à saisir cette occasion de revanche sur l'Angleterre. Cependant le front des treize nouveaux États manque de cohésion : autant d'États, autant d'institutions différentes et d'affirmations de souveraineté particulière. L'établissement d'une confédération est longuement débattu et finalement accepté par tous en 1781 ; mais elle ne garantit pas encore la solidité de l'édifice, incarnée dans un chef unique. C'est le hasard des victoires (Saratoga) et des défaites (New York), le découragement des camps retranchés (Valley Forge près de Philadelphie) et l'attente des renforts français (les troupes de Rochambeau à Newport en 1780 et les vaisseaux des amiraux d'Estaing et de Grasse) qui cimentent l'unité vitale des insurgés. La bataille de York Town, le 19 octobre 1781, montre la force de l'union et consacre le départ définitif des Anglais.

■ La formation d'une nation

La victoire des armes remportée, il reste à imposer la reconnaissance de cet État sur la scène internationale. En 1783, par le traité de Versailles,

l'Angleterre admet l'indépendance des États-Unis et leur droit de propriété sur les territoires au sud des Grands Lacs et à l'est du Mississippi. Elle garde le Canada, comme l'Espagne conserve la Floride, et la France se contente de la gloire militaire.

● **Les premiers pas du nouvel État**

La Constitution de 1787. — Les premières années après la guerre s'avèrent difficiles. Les articles de la Confédération ont légalisé l'anarchie sans créer un vrai gouvernement. Les Américains refusent de payer leurs impôts, des fermiers se rebellent devant l'obligation de rembourser leurs dettes, les pays étrangers infligent des humiliations au nouvel État, l'inflation ruine la valeur de la monnaie. En mai 1787 une convention se réunit à Philadelphie pour étudier les moyens de rendre « le gouvernement adéquat aux exigences de l'Union ». La Constitution de 1787 en est le résultat. Elle se fonde sur une stricte séparation des pouvoirs et un exécutif fort, confié à une personne, le président des États-Unis. Le principe fédératif est consacré par l'existence de deux chambres, dont l'une, le Sénat, représente les États, sur la base d'une égalité parfaite, quelle que soit leur importance. Enfin l'équilibre nécessaire entre l'exécutif et le législatif est assuré par la Cour suprême, qui réunit les fonctions d'un Conseil constitutionnel, d'un Conseil d'État et d'une Cour de cassation.

Le vote de la Constitution est presque immédiatement suivi par celui de dix amendements constituant la Déclaration des Droits, qui garantit des droits aussi fondamentaux que ceux d'expression, de réunion, de conscience, et la liberté individuelle. Ratifiée en 1788, la Constitution entre en application en 1789, et le premier président, George Washington, prend ses fonctions le 30 avril 1789 en même temps que le vice-président, John Adams.

La vie politique s'organise. — Sous la double présidence de Washington (1789-1797) apparaissent, dans l'élite politique récemment dégagée, diverses sensibilités qui se cristallisent en partie. La conquête de l'indépendance n'a pas vraiment effacé les références européennes : Thomas Jefferson (1743-1826), planteur virginien et lecteur de Rousseau, ambassadeur en France puis secrétaire d'État (Affaires étrangères), établit le programme du Parti républicain démocrate, fondé sur un pouvoir décentralisé assuré par tous les citoyens d'une société encore très rurale. Il est élu président en 1801, et sa réélection en 1804 démontre la vivacité du particularisme de cette jeune Amérique, fière de ses réalisations locales. Alexandre Hamilton (1757-1804) est une personnalité très différente : avocat très brillant, né aux Antilles, aide de camp de Washington puis secrétaire au Trésor, il fonde le Parti fédéraliste, favorable au renforcement du pouvoir fédéral à l'image des modèles européens. Ces deux mouvements engagent les États-Unis dans un bipartisme politique qui se manifeste aussi à l'occasion des guerres révolutionnaires sur le Vieux Continent. Mais George Washington réussit à maintenir une stricte neutralité. Dans son message d'adieu, en 1797, il conseille aux États-Unis d'éviter de créer des liens formels permanents avec d'autres puissances et de se contenter de développer leurs relations commerciales. La doctrine de Monroe est déjà en germe dans cet avertissement prophétique. Le seul accroc à cette théorie est de courte durée mais violent : durant la seconde guerre d'Indépendance, Américains et Anglais s'affrontent de 1812 à 1814 ; le premier et tout récent Capitole, à Washington, est incendié.

● **Une priorité : l'extension du territoire**

Terres à conquérir ! — L'appel existait implicitement dans la Constitution qui envisageait la création d'États nouveaux sur les terres encore vierges de l'intérieur. Conquête de l'Ouest, recul progressif de la frontière, voilà la mission des Pères Fondateurs et de leurs fils qui allaient composer mythes et épopées de la nation américaine en devenir. La démographie contribue largement aux succès de cet élan géographique : la population reçoit tout au long du XIXe s. les secours imprévisibles et massifs de l'immigration venue d'Europe. De Grande-Bretagne, d'Irlande, d'Allemagne arrivent par millions des agriculteurs ruinés, des ouvriers miséreux, des réfugiés politiques après les mouvements de 1848. De 13 millions en 1830, la population américaine est passée à 30 millions en 1860.

D'un océan à l'autre. — De nouveaux États font reculer la frontière : Kentucky (1792) et Tennessee (1796) marquent le franchissement des Appalaches. La vente inespérée de la Louisiane par Bonaparte en 1803 pour 15 millions de dollars élargit considérablement le domaine vers l'ouest. L'année suivante, Jefferson envoie une mission vers le Pacifique : les Rocheuses sont franchies et la terre promise aux migrants passe d'un océan à l'autre. Vers le sud, la guerre victorieuse contre le Mexique (1846-1848) rapporte un énorme territoire : le Texas, la Californie, l'Arizona, le Nouveau-Mexique entrent dans l'Union. C'est l'occasion saisie par les mormons de Brigham Young pour fonder Salt Lake City dans le désert d'Utah, vite fécondée par un système d'irrigation. Plus au nord, un accord avec l'Angleterre fixe les frontières entre le Canada et les États-Unis, le long du 49° de latitude. Si l'on ajoute l'achat en 1853, par Gadsden, de territoires entre le bas Colorado et le Rio Grande, on peut dire qu'à cette date les États-Unis ont réalisé leur destinée en occupant les limites qui sont les leurs depuis.

La période la plus célèbre de cette colonisation, la ruée vers l'or de Californie, source inépuisable d'images et de légendes, conjugue marche vers l'Ouest, poursuite de l'Eldorado et fondation de microcosmes qui résument toute la dynamique américaine, par-delà les désillusions et les difficultés des chercheurs d'or, dont bien peu firent fortune.

● **L'esclavage, sujet de discorde**

La suprématie du coton dans le Sud. — L'expansion territoriale allait de pair avec celle de l'esclavage. La Constitution de 1787 ne s'était pas prononcée sur ce point, tout en reconnaissant son existence dans les dispositions de vote qui s'appliquaient aux États esclavagistes. Le rêve de certains Pères Fondateurs, tels Washington ou Jefferson, de voir l'esclavage disparaître de lui-même s'était évanoui avec l'extension de la culture du coton à la fin du XVIIIe s. (pour répondre aux besoins des pays industriels de l'Europe) et avec l'invention de l'égreneuse par Whitney. Le coton supplante alors toutes les autres cultures tropicales, réclame de nouvelles terres, exige de nombreux bras. L'esclavage accompagne, et parfois même précède la marche vers l'Ouest dans les États voisins du golfe du Mexique. Il n'est pas question de supprimer une institution aussi profitable. Tout au plus le Congrès se borne-t-il à interdire la traite, et cette clause est incorporée dans les traités

de Vienne en 1815, avec mission pour la flotte britannique de l'appliquer. Même ainsi, la population noire fait plus que doubler entre 1790 et 1820, passant de 757 000 à 1 770 000.

Un équilibre fragile. — L'esclavage devient une question politique et met en jeu l'avenir de l'Union. Jusqu'en 1820, l'équilibre a pu être maintenu dans le Congrès par l'admission simultanée d'un État esclavagiste et d'un État non esclavagiste. En 1819, deux États, le Maine et le Missouri, demandent leur admission. Tous deux se trouvent au nord de ce qu'on considère comme la ligne de séparation, bien que le Missouri possède des esclaves. Pour éviter une rupture, ils sont admis simultanément, le Maine comme non esclavagiste, le Missouri comme esclavagiste, et il est décidé d'instaurer désormais une ligne de démarcation légale, correspondant au 36°35' de latitude Nord. Le compromis du Missouri, loin de résoudre la question, excite les passions, alors que commence peu après, dans les États du Nord-Est, une campagne violente et souvent haineuse pour l'abolition de l'esclavage. Avec la présidence d'Andrew Jackson (1829), une nouvelle génération d'hommes politiques, qui n'a pas connu la guerre d'Indépendance, arrive au pouvoir. Les progrès de l'industrie (implantée surtout dans le Nord) et la poussée vers l'Ouest jouent contre le Sud qui, de plus en plus, en est réduit à la défensive.

La conquête de l'Ouest, marquée par l'admission de la Californie en 1850 comme État non esclavagiste, accentue l'isolement des États du Sud et projette au premier plan de l'actualité politique, une fois de plus, la question de l'esclavage. Les idées des abolitionnistes font leur chemin ; l'immense succès, aux États-Unis et ailleurs, du roman de Harriet Beecher-Stowe, *La Case de l'oncle Tom*, en témoigne dès sa parution en 1852. L'auteur pourtant n'avait aucune expérience directe de l'esclavage, mais le thème est à la mode.

Des perspectives opposées. — Nombreux sont ceux qui se demandent comment l'esclavage peut subsister dans un pays démocratique, en pleine transformation industrielle. La différence ne cesse de s'accentuer. Le Nord est bien pourvu en chemins de fer dès 1850, riche de ses industries textiles (alimentées par le coton produit dans le Sud) et de ses usines métallurgiques (qui fabriquent des machines, des locomotives, des wagons), très largement urbanisé (à part La Nouvelle-Orléans, toutes les grandes villes se trouvent alors dans le Nord). En revanche, le Sud se consacre quasi exclusivement à la culture et s'appuie sur un régime social très hiérarchisé, avec la classe dominante des planteurs, la classe intermédiaire des Petits Blancs, et une population servile d'environ 4 millions d'individus vers 1860. Le Sud dépend presque entièrement du Nord pour les produits industriels, bien qu'il soit lui-même producteur de coton, et de l'Ouest pour le blé et la viande.

■ La guerre de Sécession

La crise. — L'élection de Lincoln à la présidence, en 1860, est non la cause mais l'occasion d'une crise qui couvait depuis plusieurs décennies. Pourquoi Lincoln ? Parce qu'il appartient à un nouveau parti politique, celui des républicains, qui se proclame ouvertement anti-esclavagiste. Les États du Sud considèrent l'élection de Lincoln comme une provocation délibérée, comme le signal de l'abolition de l'esclavage. Que feraient-ils sans leurs esclaves ? Que deviendraient les plan-

tations ? Oui, le parti républicain demande l'abolition de l'esclavage, mais Lincoln est sincère quand il proclame que son but est le maintien de l'union envers et contre tout. Ce n'est pas ainsi que le comprend la Caroline du Sud qui, dès décembre 1860, donne le signal de la sécession et oblige, en avril 1861, le fort fédéral de Sumter, dans la baie de Charleston, à capituler. C'est le *casus belli*.

Des forces inégales. — La guerre, qui commence en 1861, va durer quatre ans. Pour les nordistes, c'est la guerre civile ; pour les sudistes, la guerre entre les États ; pour les Français, la guerre de Sécession. Quel que soit son nom, c'est une guerre atroce, à laquelle seule peut être comparée la guerre civile espagnole de 1936 à 1939. Les États confédérés (du Sud), onze en tout, défendent leurs biens et leur existence, avec une population de 9 millions d'habitants (y compris les esclaves) contre vingt-trois États du Nord et de l'Ouest, représentant 22 millions d'individus, et la presque totalité du potentiel industriel du pays.

On peut s'étonner que le Sud ait pu résister quatre ans malgré des effectifs humains et des moyens matériels à ce point disproportionnés. Mais il est décidé à vaincre ou mourir, car il joue son avenir dans cette lutte. Il a pour lui, aussi, le génie militaire qui a toujours fait défaut au Nord : le Sud, pays de tradition, a des généraux de valeur, Robert E. Lee, Stonewall Jackson, face auxquels même Grant et Sherman ne font pas le poids. Pourtant, cette guerre a été la première à reposer sur un armement moderne : fusils à répétition, mitrailleuses, canons se chargeant par la culasse, utilisation stratégique du chemin de fer et du télégraphe, sans oublier les cuirassés dont les deux marines ont été pourvues.

Etats en présence lors de la guerre de Sécession

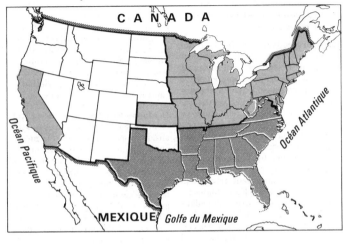

Etats de l'Union (Nordistes; USA)

Etats de la Confédération (Sudistes; CSA)

La défaite : les blessures du Sud. — La guerre est menée avec détermination de part et d'autre. Le Nord ne peut venir à bout du Sud qu'en appliquant une vieille tactique, utilisée par les Russes pour vaincre Napoléon : celle de la terre brûlée. De Chattanooga à Savannah, en passant par Atlanta, Sherman brûle tout sur son passage, semant la terreur et la mort, réduisant en cendres la ville d'Atlanta, n'épargnant que Savannah, car elle se trouve en bout de course et il y est bien accueilli. Plus que les batailles, cette marche de Sherman a laissé chez les sudistes des ferments de haine qui ne sont pas encore tous apaisés. La reddition de Lee, à Appomattox, en avril 1865, met fin à la guerre, mais non à l'humiliation du Sud. Quelques jours plus tard, Lincoln, conciliateur par tempérament, est assassiné, et les passions se donnent libre cours dans la période que l'on appelle la Reconstruction (1865-1878).

De l'esclavage à la ségrégation. — L'effet immédiat de la guerre de Sécession est l'abolition de l'esclavage, proclamée par le 13e amendement. La condition des esclaves n'est pas réglée pour autant. Ils sont libres désormais, mais pour la plupart incapables de prendre en main leur destinée. Certains troquent leur statut d'esclave contre celui, guère plus enviable, de péon et de métayer sur les anciennes plantations démembrées ; d'autres choisissent de s'établir dans les villes. Une fois la Confédération écrasée, les nordistes ne se préoccupent guère de la cause des Noirs, qui les intéressait probablement moins que l'exploitation des vaincus. En principe, les droits civiques de tous les citoyens, y compris les Noirs, sont assurés par les 14e et 15e amendements qui donnent à tous les Américains le droit de vote et leur ouvrent les charges publiques. En fait, après une période variable selon les États mais rarement supérieure à vingt ans, les Noirs furent traités comme une communauté séparée et inférieure, sujette aux lois Jim Crow les écartant de la vie publique et légalisant la ségrégation raciale dans les quartiers résidentiels comme dans les cimetières et les églises.

■ La conquête de la puissance

L'Union des États s'imposant à tous, l'unification du pays et la croissance de la nation s'édifient sur le progrès économique dont les facteurs caractérisent la dynamique américaine.

Une terre d'immigration. — L'ensemble du territoire est reconnu et dominé politiquement depuis 1850 ; il reste à le féconder par le travail des hommes. Ceux-ci ne vont pas faire défaut ; le *melting pot* grandit et se diversifie : de 1860 à 1912 la population triple et atteint 92 millions d'habitants. Plus que l'accroissement naturel, l'immigration explique ce phénomène historique. Plusieurs milliers par jour, un million durant l'année 1905, les candidats à l'immigration affrontent la dernière épreuve de leur voyage : la quarantaine, subie à Ellis Island en baie de New York. Le peuplement britannique, scandinave et germanique est dépassé après 1890 par les Latins et les Slaves ; cet afflux incessant, véritable courant de sang neuf, suscite périodiquement des réactions de xénophobie. Mais comment refuser cette main-d'œuvre pour l'industrie, ces futurs clients de la production nationale et des occupants pour les territoires encore vides ?

● **L'expansion**

Les grandes victoires du chemin de fer. — Unifier le pays, c'est vaincre les distances. La route utilisée par les Britanniques joignait les anciennes colonies ; en 1815, le gouvernement fédéral lance une grande voie de pénétration à l'Ouest, de Baltimore à Saint Louis via les Appalaches et l'Ohio. La voie d'eau, plus avantageuse pour les transports lourds, est ensuite utilisée : en 1825 le canal de l'Érié s'ouvre à la navigation d'Albany à Buffalo ; tous les ports de l'Est essaient de suivre cet exemple. Pourtant c'est du chemin de fer que naît la solution.

La première compagnie, le Mohawk and Hudson RR, reçoit sa charte en 1826. Une grande émulation règne parmi les villes qui, toutes, veulent posséder leur ligne. En 1855, New York est reliée à Chicago par le rail qui, à la veille de la guerre de Sécession, atteint Saint Joseph, sur le Missouri. Toutes ces lignes sont dues à l'initiative privée, parfois avec des fonds des États ; l'écartement des rails est donc différent, et le matériel hétéroclite. Au lendemain de la guerre de Sécession s'ouvre la conquête de l'Ouest. La ligne de l'Union and Central Pacific est ouverte en 1869 (le 10 mai, la jonction entre les équipes de San Francisco et des Grandes Plaines, dans le nord de l'Utah, prend une signification nationale), suivie de celles du Northern Pacific (de Chicago à Portland, Oregon, 1883), de l'Atchison, Topeka and Santa Fe (de Kansas City à Los Angeles, 1883), du Southern Pacific (de La Nouvelle-Orléans à Los Angeles, 1882) et du Great Northern (de Minneapolis à Seattle, 1893).

Certaines de ces compagnies ont reçu des terres fédérales, se transformant ainsi en agences de colonisation au grand dam des Indiens qui sont déportés dans l'Oklahoma, ou parqués dans des réserves — celle de Pine Ridge (Dakota du Sud) par exemple, où fut abattu Sitting Bull.

L'avènement des petits propriétaires. — La colonisation des terres quasi vierges de l'Ouest bénéficie d'une nouvelle forme de propriété, le *homestead* : en 1862, le Congrès alloue 160 acres de terrain (64 ha) à quiconque les aurait cultivés pendant cinq ans. Cette mesure, ajoutée à l'abolition de l'esclavage, renforce le fermage, le métayage et la petite propriété : le farmer américain est fort différent du paysan européen. Il produit pour vendre, et dangereuse est sa dépendance à l'égard des autres agents économiques, courtiers en grains, acheteurs de bétail et dirigeants des compagnies ferroviaires. Victime d'un efficace protectionnisme industriel (1890, tarifs Mc Kinley) et d'un lourd endettement créé par la modernisation, il se distingue souvent dans la société par son radicalisme politique et ses suffrages acquis aux démocrates.

L'essor de la libre entreprise. — C'est donc l'expansion industrielle qui manifeste le plus brillamment l'avènement économique des États-Unis dans le monde. La variété et l'abondance des ressources naturelles assurent très vite le développement des Appalaches et du Middle West. Pittsburgh draine le charbon et le fer et devient capitale industrielle vers 1860. Le pétrole jaillit pour la première fois le 27 août 1859 près de Titusville (Pennsylvanie) d'un puits foré sous la direction de Edwin L. Drake ; c'est le début de la ruée vers l'or noir. Les activités industrielles traditionnelles (textiles, métallurgie) profitent d'un marché de consommation de plus en plus large et d'une totale liberté de circulation intérieure des produits et des biens. La deuxième moitié du XIXe s. est le temps de la libre entreprise et du *big business* : d'une multitude de petites sociétés, on glisse, après 1880, vers la constitution de grandes organisations assez puissantes pour dominer le marché et acquérir un quasi-monopole dans les secteurs clés.

L'image du *self made man* commence à apparaître. Né en Écosse, Andrew Carnegie (1835-1919) a 12 ans quand il débarque à New York avec son père. À 14 ans, employé dans une fabrique de coton de Pittsburgh, il gagne moins de 5 dollars par mois. Puis il entre au Pennsylvania Railroad où il se fait apprécier et s'initie aux affaires. À la fin de la guerre son revenu annuel est de 50 000 dollars. Il se spécialise dans le fer puis dans l'acier, achète des sociétés de construction ferroviaire, des gisements, une flotte de transport sur les Grands Lacs et ses propres lignes de chemin de fer. Le premier grand trust vertical est né ; il dégage vers 1900 un bénéfice net de 40 millions de dollars.

L'envers du décor : une croissance inégale. — Face à des noms aussi prestigieux que Rockefeller, Morgan et bientôt Ford, les petits industriels réclament des lois anti-trusts tandis que se créent tardivement les premiers syndicats (Knights of labor, 1869 ; American Federation of labor 1886). Résolument réformiste, c'est un syndicalisme d'élite, limité à une aristocratie professionnelle d'ouvriers qualifiés. Pendant cette période, la vie politique passe au second plan : elle devient le reflet de la volonté des milieux d'affaires. Seule, la littérature dresse un constat particulièrement pessimiste des effets sociaux de l'expansion : Frank Norris, Theodore

Dreiser, Upton Sinclair décrivent les réalités brutales, inhumaines, dégradantes, de la vie dans les conserveries de Chicago, dans les mines de Pittsburgh, dans les taudis de Philadelphie. La réponse politique arrivera dans les premières années du XXe s.

Les idées progressistes trouvent en Theodore Roosevelt un avocat inattendu et convaincant : il est le premier président réformiste, le premier à prendre parti pour des mineurs en grève, le premier à favoriser des réformes en faveur des consommateurs et à considérer la loi Sherman contre les trusts comme autre chose qu'un chiffon de papier. Cet intérêt de Roosevelt pour l'homme de la rue, combiné avec sa vigoureuse politique extérieure, lui a valu une popularité qui a rejailli sur le prestige, jusque-là très réduit, de la présidence. L'action de Roosevelt fut élargie par Wilson, élu président en 1913 sur un programme spécifique de réformes, la Nouvelle Liberté. Le 16e amendement crée l'impôt fédéral sur le revenu, premier impôt direct au profit de l'État. Le système bancaire, secoué par la crise de 1907, est réorganisé sous l'égide du Federal Reserve board, supervisant douze banques fédérales de réserves chargées de l'émission de la monnaie. Les syndicats sont mis à l'abri des poursuites engagées contre eux en vertu de la loi sur les trusts. Malgré ces réformes et d'autres, Wilson, de tempérament froid et réservé, ne connut jamais la popularité de Roosevelt.

● **La puissance américaine devient mondiale**

L'ouverture sur le monde. — Les dernières années du XIXe s. voient se produire un important changement. La conquête du continent est terminée, les États-Unis commencent à s'intéresser au monde extérieur. Le discours de Monroe, en 1823, reprenant en partie les idées de Washington dans son message d'adieu de 1797, définissait les grandes lignes de la politique extérieure américaine sur la base d'un partage : les États-Unis se désintéressaient des affaires en Europe, à condition que les Européens n'interviennent pas dans l'hémisphère occidental. En réalité, la « doctrine de Monroe » ne se forme que progressivement. En 1867, les États-Unis rachètent l'Alaska à la Russie. Au début des années 1880, ils se montrent inquiets des desseins de la Compagnie universelle du canal de Panama, qui pourraient rétablir l'influence européenne en Amérique centrale. Ils prennent alors conscience de ce qu'ils considèrent comme une mission : écarter les Européens du continent américain pour y établir leur hégémonie. Ils sont poussés dans cette voie par leur avance économique et le dynamisme de leur population.

Vers le Pacifique et les Caraïbes. — Le Pacifique offre encore quelques possibilités, et les Caraïbes sont bien tentantes. L'explosion du cuirassé américain *Maine* dans la baie de La Havane, en 1898, fournit un prétexte facile. La guerre hispano-américaine qui suit marque l'entrée fracassante des États-Unis dans la politique internationale : elle les consacre grande puissance et confirme leur rapide développement économique. L'Espagne cède les Philippines, Porto Rico, Guam, contre une compensation financière ; l'indépendance de Cuba est garantie contre des avantages substantiels pour les Américains. Les États-Unis annexent les îles Hawaï qu'ils surveillaient depuis quelques années, et une partie de l'archipel des Samoa.

Du coup, les États-Unis établissent leur influence dans le Pacifique, où ils heurtent les intérêts du Japon. Ces acquisitions leur donnent une position prédominante dans les Caraïbes et montrent la nécessité de percer le canal de Panama abandonné par la Compagnie universelle. Devant l'opposition de la Colombie, sur le territoire de laquelle est situé le futur canal, le président Theodore Roosevelt soutient une révolte dans l'isthme et favorise la création d'une république de Panama indépendante qui cède aux États-Unis ses droits sur la zone du canal. Les travaux reprennent sous la direction du génie militaire américain, qui creuse un canal à écluses inauguré en 1914.

Fort de ses succès qui lui confèrent un prestige que n'avait possédé aucun président depuis Lincoln, Roosevelt sert d'intermédiaire entre le Japon et la Russie dans le conflit qui les oppose en 1904-1905 et les amène à signer la paix. Les États-Unis ont réussi à asseoir leur hégémonie sur le continent américain, où ils relaient peu à peu les investisseurs européens. Ils ont su se créer une place dans le concert des grandes puissances.

Les États-Unis défendent l'Europe.
— Le conflit européen de 1914 devient mondial après l'intervention des États-Unis. Profondément attaché à la paix, Wilson se trouve entraîné dans cette guerre par les inquiétudes nées des activités allemandes sur le territoire américain et les menaces officieuses sur les droits des pays neutres.

Le torpillage du *Lusitania*, paquebot britannique, n'est qu'un des nombreux épisodes qui braquent l'opinion américaine contre les méthodes utilisées par les sous-marins allemands. Malgré des efforts de médiation et la volonté de Wilson de maintenir son pays hors d'un conflit qu'il considère comme essentiellement européen, les États-Unis déclarent la guerre à l'Allemagne le 6 avril 1917. Leurs buts de guerre, qui serviront de base aux négociations de paix, sont définis dans les *Quatorze Points* du président Wilson.

Avant leur intervention armée, les États-Unis ont aidé financièrement et matériellement les Alliés. Leur rôle va être décisif malgré leur manque de préparation militaire, car leur arrivée coïncide avec la défaite russe et le fléchissement du moral sur le front occidental. Ils envoient un corps expéditionnaire de 2 millions d'hommes sous le commandement du général Pershing, qui s'est illustré dans la guerre au Mexique en 1914, et participent aux grandes offensives de 1918, amenant la chute des empires centraux.

Les tentations isolationnistes.
— Contrairement à toute attente, les États-Unis retournent aussitôt à leur isolationnisme. Que s'est-il passé ? Un conflit a surgi entre Wilson et le Sénat qui refuse de ratifier à la majorité des deux tiers, comme le requiert la Constitution, les clauses concernant la Société des Nations dans le traité de Versailles. Wilson refuse toute conciliation, par tempérament, et en raison de sa mauvaise santé. Les États-Unis se tiennent donc hors de la Société des Nations, signent un traité avec l'Allemagne et rappellent leurs troupes d'Europe. Mais les États-Unis continuent de s'intéresser de très près à ce qui se passe en Europe, leur économie en dépendant étroitement. Ils ont participé à sa reconstruction en investissant des capitaux en Allemagne, en France et en Angleterre. Débiteurs avant 1917, ils se retrouvent créditeurs à la suite des emprunts consentis aux Alliés. Ils ne peuvent donc plus se retirer et proposent les plans Dawes et Young, destinés à remettre en marche l'économie européenne. Plus prudents sur le plan politique,

ils ont pourtant accepté le pacte Briand-Kellogg, d'une portée très générale.

Le boom des années 20. — L'essentiel, cependant, c'est l'activité débridée des Américains, l'explosion de vitalité qui marque les années 20. Tout semble désormais possible. On assiste à une véritable libération et à la chute de tous les tabous ; les Américains des années 20 ne ressemblent guère aux anciens puritains ou planteurs. Il est vrai que, dans l'intervalle, des millions d'immigrants ont gagné le Nouveau Monde. Ce qui caractérise le mieux cette fureur des années 20, c'est la vogue du jazz qui, du Sud où il est né, gagne Chicago, New York, la Californie et même l'Europe. La prohibition, dernier vestige du puritanisme, cède devant les exploits des *bootleggers*, l'audace des gangsters de Chicago et la vogue des *speakeasies*. En Europe, les Années folles marquent le succès du modèle américain : le monde des arts et du cinéma se met au diapason d'outre-Atlantique. Les milieux d'affaires suivront plus lentement les innovations économiques réellement révolutionnaires : le travail à la chaîne, appliqué dans les usines Ford, a mis l'automobile à la portée des classes moyennes (le modèle T ne coûte que quelques centaines de dollars). L'*american way of life* utilise de nouvelles machines : la voiture raccourcit les distances entre centres-villes et banlieues résidentielles, les équipements ménagers électriques (réfrigérateurs, machines à laver) modifient le rôle et l'image de la femme. Le cinéma et la radio vont développer dans la population le désir de partager le rêve d'une vie matérielle plus facile, en faisant appel au crédit, si nécessaire. La montée irrésistible des cours à Wall Street n'est que l'expression de cette confiance dans l'avenir.

■ L'entrée sur la scène internationale

En quinze ans, les États-Unis affrontent deux chocs, l'un économique, l'autre militaire, dont le retentissement mondial repose en partie sur des drames et des initiatives mûris sur leur territoire.

● La Dépression

Les durs lendemains de 29. — Le krach de Wall Street, en ce triste Jeudi noir du 24 octobre 1929, manifeste brutalement les fragilités de la prospérité américaine diffusée jusqu'en Europe et fondée sur la confiance et l'expansion illimitée. Une infernale réaction en chaîne est déclenchée : baisse des prix, chute de la production, affaissement des revenus, augmentation du chômage, chute du commerce international. Jamais les Américains n'avaient connu une telle catastrophe, jamais ils n'avaient été aussi conscients de leur déchéance : 8 millions de chômeurs en 1930 (15 millions en 1932) se retrouvent sans protection, excepté la charité et n'ont plus qu'à vendre des pommes dans les rues pour quelques sous. Brusquement la Terre promise s'éloigne. Hoover a beau affirmer que « la prospérité est au coin de la rue », personne ne le croit.

Le *New Deal*. — Un homme réussit à galvaniser le peuple américain et à inspirer confiance, par son sourire, son charme, sa façon directe de s'adresser à ses concitoyens, et son énergie dans la lutte contre la paralysie qui l'a terrassé en 1921, à trente-neuf ans : Franklin D. Roosevelt. Élu président en 1932, il lance un programme très pragmatique, le *New Deal*, la « nouvelle donne », dont l'objet est de remettre sur pied l'économie américaine et de tranquilliser la société.

Le dollar est dévalué de 40%, les banques placées sous un contrôle plus strict, les marchés financiers surveillés par une commission, la production agricole limitée et la production industrielle cartellisée sur une base volontaire. Des agences sont créées pour employer les jeunes, les chômeurs, les écrivains... Toutes ces mesures, très empiriques, inspirent suffisamment confiance pour que l'économie reprenne peu à peu son activité, non sans mal. En 1937, on assiste à une rechute ; en 1938 on compte encore des millions de chômeurs, mais l'essor était donné : Roosevelt réalisa son meilleur score aux élections de 1936.

Par contre l'Europe ne réussit pas à vaincre la crise qui ébranle, définitivement semble-t-il, les bases séculaires de sa domination économique. Les premiers échos du conflit préparé par les puissances de l'Axe y accaparent les esprits mais ne résonnent pas vraiment aux États-Unis, essentiellement tournés vers les problèmes intérieurs. Nul accroc à leur neutralité de 1933 à 1938 malgré les menées japonaises en Chine.

● **La Seconde Guerre mondiale**

Un engagement progressif. — Pour secouer l'opinion américaine et la confronter aux réalités, il faut attendre la défaite française de 1940. L'Angleterre reste le dernier rempart de la défense européenne, mais elle n'est pas prête à résister efficacement à la machine de guerre nazie. Sans intervenir, les États-Unis soutiennent de tous leurs moyens la lutte de la Grande-Bretagne, en lui vendant des armes, des munitions, des approvisionnements, en lui fournissant 50 contre-torpilleurs contre des bases navales aux Bahamas, en votant la loi prêt-bail (1941) par laquelle le matériel est cédé pour la durée de la guerre sans paiement. La loi est appliquée à l'URSS quand l'Allemagne l'attaque en juin 1941. Le Congrès vote des crédits massifs pour accélérer le réarmement du pays et en faire l'arsenal de la démocratie. La position de Roosevelt est renforcée en 1940 par sa réélection pour un troisième mandat, fait sans précédent dans l'histoire américaine. Le conflit paraît inéluctable, mais Roosevelt est décidé à tout faire pour retarder les hostilités.

Le conflit devient mondial. — L'attaque surprise du Japon contre Pearl Harbor, le 7 décembre 1941, entraîne *ipso facto* l'entrée en guerre des États-Unis, et cimente l'unité mondiale plus que ne l'aurait fait une initiative du président. Certes, les États-Unis ne sont pas prêts ; la perte de la plus grande partie de la flotte du Pacifique est un coup rude, et la cascade de défaites, des Philippines aux Salomons, crée une situation difficile. Mais l'économie américaine demeure intacte, avec un potentiel de production supérieur à celui de tous les autres belligérants. La mobilisation fournit plus de 10 millions de soldats. Les Américains ont la volonté de vaincre.

La priorité à l'Europe. — La stratégie américaine consiste à privilégier l'Europe et à opérer une reconquête méthodique des archipels du Pacifique. La préférence va aux attaques frontales afin de réduire la durée du conflit, une véritable hantise pour les Américains qui voient les *boys* servir à des milliers de kilomètres de chez eux. Pour diminuer la pression sur le front russe, les États-Unis promettent à Staline d'ouvrir un second front dès que possible. Cette stratégie est élaborée au cours de conférences répétées entre Churchill et Roosevelt, et des deux grandes conférences tripartites de Téhéran (1943) et de Yalta (février 1945).

Les Anglo-Américains débarquent en Afrique du Nord (novembre 1942), qu'ils contrôlent six mois plus tard. En juillet-août 1943, ils prennent pied en Sicile, et commencent une invasion de l'Italie qui dure plus d'un an. La troisième étape, la plus importante, est un double débarquement en France : en Normandie (6 juin 1944, *Overlord*), et en Provence (15 août 1944, *Dragoon*). Après l'effondrement de la résistance allemande, les deux armées foncent vers le nord-est, en direction de l'Allemagne, pour opérer leur jonction avec les troupes russes. Une contre-attaque allemande tente de stopper cette offensive dans les Ardennes (bataille de Bastogne, décembre 1944) ; les Alliés continuent ensuite leur marche vers l'est. Le 25 avril 1945, Russes et Américains opèrent leur jonction à Torgau, sur l'Elbe ; le 7 mai, les Allemands signent une capitulation sans condition ; le 8 mai, les opérations sont terminées sur le front européen.

Sur le front du Pacifique. — La direction des opérations est partagée entre le général McArthur et l'amiral Nimitz. Au terme de six mois de défaites continues, la bataille de Midway en juin 1942 marque le tournant de la guerre. Les Japonais avaient alors développé leur influence en Asie du Sud-Est et stoppé leur avance. La reconquête des positions perdues s'avère pour les Américains un véritable cauchemar : à l'obstination japonaise s'ajoutent la chaleur, les moustiques, l'humidité et l'épaisseur des forêts.

La tactique appliquée est celle du saut de puces, consistant à ménager des opérations aéroportées d'un point vers un autre. Peu à peu, les États-Unis reprennent les Mariannes, les Marshalls, les Palaos ; en juin 1944, ils débarquent aux Philippines qu'ils mettent huit mois à reconquérir. Qu'en serait-il s'ils attaquaient le Japon ?

L'arme atomique. — En 1939, Roosevelt avait lancé un projet secret en vue de la fission de l'énergie atomique, qui est réalisée en 1942 à l'Université de Chicago. Les ingénieurs militaires reprennent alors le projet *Manhattan* et mènent des recherches à Oak Ridge dans le Tennesse, à Hanford dans l'État de Washington et à Los Alamos dans le désert du Nouveau-Mexique. En juillet 1945, la première bombe atomique est testée au Nouveau-Mexique ; au même moment se réunit la conférence de Potsdam, qui doit décider de l'avenir de l'Allemagne et de la guerre contre le Japon. Roosevelt étant mort depuis trois mois, le nouveau président, Harry Truman, prend la décision d'utiliser la bombe atomique pour amener le Japon à capituler, en dépit de l'opposition des savants qui ont participé à sa mise au point. Le 6 août, une bombe est lancée sur la ville de Hiroshima, causant la mort d'au moins 80 000 personnes ; une autre atteint Nagasaki le 9 août, faisant 40 000 morts. Dès le lendemain, le Japon demande la cessation des hostilités, qui a lieu officiellement le 2 septembre. La guerre est terminée.

Ce conflit, qui avait d'abord relevé d'un impérialisme territorial en Europe et en Asie, a finalement redistribué les cartes, consacrant deux grandes puissances mondiales : les États-Unis et l'URSS. À Yalta (février 1945), le monde est coupé en deux blocs, répondant chacun à une idéologie différente.

● **L'ange gardien du monde occidental**

L'Europe est exsangue, mais l'opinion américaine veut oublier les contraintes imposées par la guerre : 9 millions de soldats sont rapidement démobilisés (300 000 ont péri aux combats) et rendus à leurs foyers. Pourtant, l'isolationnisme a moins de succès qu'en 1918. En décembre 1946, le Sénat approuve l'entrée des États-Unis dans l'ONU dont 51 pays ont signé la charte à San Francisco le 26 juin 1945.

La reconstruction de l'Europe. — Par le plan Marshall les États-Unis apportent un soutien efficace à la reconstruction de l'Europe. À Harvard, le 5 juin 1947, George Marshall (chef d'État-major de l'armée en 1939 et secrétaire d'État de 1947 à 1949, futur prix Nobel de la paix en 1953), lance ces propositions : « Il est logique que les États-Unis fassent tout ce qui est en leur pouvoir pour aider le monde à retrouver la santé économique normale sans laquelle il ne peut y avoir ni stabilité politique ni paix assurée. Notre action n'est dirigée contre aucun pays, ni contre aucune doctrine, mais contre la faim, la pauvreté, le désespoir et le chaos... À mon avis, c'est l'Europe qui doit prendre l'initiative, le rôle des États-Unis consistant à fournir leur aide amicale dans la rédaction du programme et, par la suite, un soutien pratique aux plans élaborés, dans la mesure de leurs possibilités. » En avril 1948 le Congrès vote les crédits nécessaires, soit 14 milliards de dollars dont les effets seront spectaculaires, voire miraculeux pour certains États de la nouvelle Europe de l'Ouest.

La guerre froide. — À partir de 1947, se dessine un nouveau front, idéologique cette fois. Face à Staline, le président Truman, successeur de Roosevelt en avril 1945 et confirmé par l'élection de 1948, s'engage résolument à endiguer le communisme là où il menace des nations libres. La doctrine de Truman s'applique immédiatement en Grèce et en Turquie, tandis qu'aux États-Unis la hantise de l'infiltration marxiste suscite une chasse aux sorcières : le procès Hiss en 1948 suivi de l'exécution des Rosenberg marque le début du maccarthysme. La création de l'OTAN, en réponse au « coup de Prague », le 4 avril 1949, fournit à l'Europe occidentale une assurance militaire préventive. Le rideau de fer est tombé sur la scène.

La tension s'étend aussi à l'Extrême-Orient. Sous le commandement du général McArthur, les États-Unis occupent le Japon. En Chine, la situation est particulièrement instable entre les nationalistes et les communistes de Mao Tsé-toung qui imposent, en 1949, une démocratie populaire soutenue par l'URSS. En 1950, la guerre de Corée comporte tous les germes d'une troisième guerre mondiale : la Corée du Nord, pro-soviétique, envahit la Corée du Sud soutenue par les États-Unis. Avec l'accord de l'ONU, Truman engage immédiatement ses forces stationnées au Japon et conduites par McArthur jusqu'en avril 1951. La guerre, difficile et longue, se termine par une paix de compromis en 1953. L'image mondiale des États-Unis devient alors celle de l'ange gardien de la civilisation occidentale.

■ D'Eisenhower à Reagan

Du vainqueur de l'Allemagne à la star politique des années 80, trente ans d'histoire se sont écoulés : dissemblables, ces deux hommes n'ont en commun qu'une double victoire républicaine à la présidence. Cette période, courte, est remplie de crises et de succès, de drames et de progrès dont il appartiendra aux générations futures de dresser le bilan pour l'insérer à sa juste place dans l'histoire.

● **Prospérité et tensions**

Les deux « grands » en concurrence. — Les deux élections triomphales du général Eisenhower (en 1952 et 1956) marquent la volonté d'un changement politique et la reconnaissance d'un héros national dont l'esprit de conciliation inspire confiance. Après la mort de Staline, commence la coexistence pacifique entre les deux supergrands. En réalité, il ne s'agit que d'un équilibre indispensable : depuis 1952 le secret de la bombe à hydrogène est partagé à la fois par Américains et Soviétiques. La guerre de Corée se termine en 1953, mais la victoire des communistes au Viêt-nam du Nord soulève de nouvelles tensions : après le retrait des Français, les États-Unis deviennent les seuls défenseurs des pays libres d'Extrême-Orient groupés dans l'OTASE en septembre 1954.

Un autre danger apparaît lors de l'installation d'un nouveau gouvernement à Cuba le 1er janvier 1959 : la présence soviétique est aux portes de la Floride. La compétition avec l'URSS va se diversifier et prendre les voies insoupçonnées de la conquête spatiale. Le lancement du premier spoutnik russe secoue brutalement les États-Unis trop confiants dans leur avance technologique militaire : des mesures sont prises pour aider l'enseignement des sciences dans les écoles et les universités, des crédits massifs sont débloqués pour équiper des laboratoires, un programme spatial ambitieux est lancé par la NASA. En 1958, le premier satellite, Explorer, reflète encore une fois l'efficacité de l'esprit pionnier et fondateur des Américains.

Le réveil des Noirs. — La politique intérieure d'Eisenhower satisfait son électorat mais le problème noir va venir perturber la paix sociale. Des tensions raciales apparaissent, marquant la naissance d'une conscience politique chez les Noirs, et leur volonté de mettre fin à la ségrégation dont ils souffrent. La décision de la Cour suprême, en 1954, de considérer comme illégale la ségrégation dans les écoles fournit le point de départ d'une agitation qui culmine en 1957 avec les émeutes de Little Rock. Dans le Sud se multiplient les *sit-in*, les *boycotts*, les marches de la liberté, pour en terminer avec une ségrégation humiliante dans les transports, les lieux publics, les restaurants... et obliger les autorités locales à donner effectivement le droit de vote aux Noirs. Dans cette lutte se distingue le pasteur Martin Luther King, partisan d'une résistance passive. Mais la violence a fait son apparition. Quand Eisenhower se retire, le pays est inquiet.

• **Kennedy et Johnson**

Le temps des réformes. — Les démocrates reviennent au pouvoir en 1961, avec un président jeune, doté d'une forte personnalité, ambitieux et animé d'une volonté de changement, John F. Kennedy, le premier catholique à parvenir à la tête de l'État. Son style a compté au moins autant que ses réalisations. Sur le plan intérieur, reprenant la tradition de ses prédécesseurs démocrates, il lance un programme de réformes appelé Nouvelle Frontière. Il propose une extension de la sécurité sociale, l'assistance médicale gratuite aux personnes âgées, des allégements fiscaux, la création d'« agences » inspirées de celles du *New Deal* et destinées à mettre la jeunesse américaine au service des pays en voie de développement. La réforme la plus connue est le *Peace Corps*, chargé d'aider les républiques africaines à alphabétiser leurs populations et à améliorer leur hygiène. Kennedy se heurte à l'opposition du Congrès qui ne vote qu'un nombre limité des réformes proposées. Après l'assassinat, encore mystérieux aujourd'hui, de Kennedy à Dallas, le 22 novembre 1963, son œuvre est habilement poursuivie. Son successeur, Lyndon Johnson, substitue à la Nouvelle Frontière la Grande Société. Depuis F. D. Roosevelt, les États-Unis n'avaient pas connu pareille activité réformatrice.

La révolution noire. — Loin de calmer l'agitation, ces réformes paraissent la relancer. Peu de périodes ont été aussi agitées que les années 60. La lutte des Noirs contre la ségrégation se mue en révolte, pacifique jusque vers 1965, violente ensuite. Une énorme manifestation, à la fin d'août 1963, rassemble à Washington, au pied du monument de Lincoln, plus de 200 000 manifestants qui écoutent M. L. King leur prédire un avenir meilleur. En 1964, le pasteur reçoit le prix Nobel, mais les Noirs s'impatientent, estimant les méthodes de M. L. King inefficaces. Stoke Carmichael lance le slogan du « pouvoir noir » et conseille à ses frères de prendre le pouvoir par la violence. Des émeutes raciales éclatent à Detroit, Newark (New Jersey), Watts (Los Angeles), Harlem. De véritables milices noires, armées, se créent, dont celle des Panthères noires. Quand M. L. King est assassiné, le 4 avril 1968, à Memphis, il est un peu oublié et déjà dépassé.

La jeunesse en mouvement. — Les universités sont, à leur tour, agitées, pour des raisons plus difficiles à analyser. Le choc du spoutnik a favorisé le développement des universités ; elles ont ouvert généreusement leurs portes à des jeunes gens qui découvrent brusquement un abîme entre leurs aspirations, l'enseignement qu'ils reçoivent, et les situations que leur propose la société. En 1964, à Berkeley, naît le mouvement pour la liberté d'expression, le *free speech movement*, qui demande pour tous les groupes politiques la possibilité de s'exprimer sur le campus. Le mouvement de protestations s'étend à la plupart des grandes universités, dans le Middle West, à Ann Arbor (Michigan), à Chicago dans l'Est, à Cornell, Harvard, Columbia, sans oublier Kent State (Ohio) où plusieurs étudiants sont tués par la garde nationale en 1970. Le mouvement n'aurait jamais atteint cette ampleur s'il n'avait été relayé par la protestation contre l'intervention américaine au Viêt-nam.

La montée des tensions extérieures. — En politique extérieure, Kennedy et Johnson ont connu quelques succès et beaucoup d'échecs. Kennedy s'est trouvé confronté avec le problème de Cuba, craignant l'influence soviétique : après l'échec retentissant du débarquement dans la baie des Cochons en 1961, la situation se tend entre les États-Unis et l'URSS en 1962, au sujet de l'installation de missiles soviétiques dans l'île. La fermeté de Kennedy oblige les Russes à faire marche arrière et évite ainsi une conflagration mondiale.

Le Viêt-nam : « la sale guerre ». — Le Viêt-nam ouvre un épisode encore plus dramatique. Kennedy développe la politique d'aide amorcée par Eisenhower, remplaçant des conseillers par des militaires. À la suite de l'incident du golfe du Tonkin, le 2 août 1964, Johnson se lance dans l'escalade qui va amener, par étapes, l'envoi de plus de 700 000 Américains au Viêt-nam. Cette guerre divise profondément l'opinion : certains considèrent le Sud-Vietnam comme l'un des derniers remparts contre l'expansion du communisme en Asie ; d'autres estiment l'intervention coûteuse, inutile et dangereuse. En dépit d'une aide massive, les Américains ne peuvent pas empêcher l'infiltration des Nord-Vietnamiens dans le Sud, ni la décomposition du Sud-Vietnam. Le Viêt-nam devient la « sale guerre », que Johnson lègue à son successeur.

• Grandeur et désillusions

Politique extérieure : le temps des apaisements. — La paix est inscrite au programme du candidat républicain Richard Nixon ; les électeurs de 1968 s'en remettent à lui pour apaiser les tensions intérieures et en finir avec l'épuisant conflit vietnamien. Au cours de ses deux mandats successifs, le président Nixon va habilement régler les questions de politique étrangère. Il est parvenu à établir des relations confiantes avec Brejnev et l'Union soviétique, poursuivant l'œuvre de ses prédécesseurs démocrates qui avaient mis fin à la guerre froide et amorcé la détente. Sous Nixon, la détente s'accentue et s'élargit grâce au rétablissement des relations diplomatiques aves la Chine communiste. Au Moyen-Orient, les États-Unis deviennent le défenseur d'Israël, auquel ils apportent une aide substantielle durant la guerre de Kippour.

La pacification au Viêt-nam exige de longues et difficiles négociations qui s'étendent sur plusieurs mois et aboutissent seulement le 24 janvier 1973. Deux ans plus tard, le régime sud-vietnamien s'écroule et toute la péninsule passe sous contrôle communiste.

Politique intérieure : morosité. — Le bilan intérieur est moins positif. Les émeutes raciales ont cessé ; une sorte de modus vivendi s'est instauré entre Noirs et Blancs mais des tensions persistent, telle la question du transport des écoliers par bus dans les écoles intégrées. La jeunesse s'est calmée, mais subsistent l'amertume et les inquiétudes devant un avenir trop terne. La loi et l'ordre sont loin de régner dans les villes, où la violence augmente parmi les *teenagers* (adolescents) et les membres des minorités raciales. L'Amérique doit affronter des difficultés économiques auxquelles son président n'était guère

préparé : une dépression économique, qui commence dès 1970, multiplie les faillites (comme celle de la plus grande compagnie de chemins de fer, le Penn central), gonfle les effectifs des chômeurs (8 millions), met en danger la monnaie (dévaluée en 1971, puis à nouveau en 1973). Partout, la confiance dans l'Amérique et dans son dollar faiblit.

La crise du Watergate. — À cette crise économique s'ajoute une crise constitutionnelle, unique dans les annales de l'histoire américaine. Le vice-président, impliqué dans une affaire de pots-de-vin, est obligé de se retirer en 1973, et le président, indirectement mêlé au vol de documents au siège du parti démocrate, dans l'immeuble de Watergate à Washington, risque une accusation d'*impeachment* devant le Sénat. Après une résistance de plusieurs mois, il démissionne à son tour en août 1974.

Carter : illusions et désenchantement. — Le mécontentement contre l'administration républicaine ramène au pouvoir les démocrates après les élections de 1976. Jimmy Carter, ancien gouverneur de Géorgie, alors peu connu, s'impose contre les instances de son propre parti. Il symbolise en effet l'apolitisme, et le retour à la pureté dont rêvent encore nombre d'Américains. Les espoirs mis dans cet homme sont en grande partie déçus, dans la mesure où l'honnêteté de son administration s'accompagne d'une totale inexpérience tant à l'intérieur qu'à l'extérieur. Certes, il réussit à sceller la réconciliation entre Israéliens et Égyptiens dans les accords de Camp David, par lesquels les Israéliens évacuent la péninsule du Sinaï (évacuation effective en avril 1982).

Mais la paix n'est pas rétablie au Moyen-Orient ; de nouveaux périls apparaissent : la révolution iranienne est marquée par la prise de l'Ambassade américaine à Téhéran, en novembre 1979, et la séquestration de soixante-trois otages américains, libérés seulement en janvier 1981. Carter signe un traité avec la république de Panama, qui remplace celui de 1903 et reconnaît la souveraineté de cet État sur la zone du canal. Mais les relations avec les autres républiques d'Amérique centrale ne s'améliorent pas : les sandinistes s'emparent du pouvoir au Nicaragua et la guerre civile ravage le Salvador.

Sur le plan intérieur, les Américains réagissent contre l'emprise croissante du pouvoir en se lançant dans une nouvelle forme de contestation, la révolte fiscale, symbolisée par le passage de la Proposition 13 en Californie, limitant le plafond des impôts. La concurrence du Japon, de la Corée, de la Malaisie aggrave le malaise économique et le chômage. Le dollar, monnaie de réserve mondiale, se met à fléchir, tandis que certains secteurs essentiels, comme l'automobile et l'électronique, sont sur la défensive.

● **Les années 80**

L'ère Reagan. — En 1980, Ronald Reagan, acteur de son métier et ancien gouverneur de Californie, se présente à la présidence. Homme de l'Ouest, partisan d'un néo-conservatisme des classes moyennes, c'est surtout un candidat dynamique et un expert en communication. Cette image séduit 51% des électeurs. Le programme du candidat annonce le retour à l'expansion économique par des voies ultra-libérales, la baisse des impôts et le renforcement de la puissance militaire et diplomatique du pays. La réalisation partielle de ces objectifs justifie le deuxième mandat en 1984. La prime au sortant, l'enthousiasme suscité par les manifestations du prestige américain lors de l'anniversaire de la libération de l'Europe et des Jeux olympiques de Los Angeles appuient une réélection triomphale (59% des votants) à laquelle contribuent des Américains de tout âge et de tout milieu, excepté les minorités noires, juives et syndicalisées.

La réalité des faits est moins univoque : le budget américain ne cesse d'être lourdement déficitaire et le Congrès (à majorité démocrate) impose, en décembre 1985, une restriction importante des dépenses. Ces mesures touchent les pays étrangers : les taux d'intérêt élevés et les cours très chaotiques du dollar (4,50 F en décembre 1980 ; 10,80 F en février 1985) perturbent les flux économiques des pays endettés et des pays exportateurs. La reprise de la production entraîne des créations d'emplois mais incite à des mesures protectionnistes mal comprises par la CEE, partenaire commerciale des États-Unis.

Désengagement à l'étranger. — La politique extérieure reste marquée par le syndrome vietnamien. La marge de manœuvre du président est étroite. Au Salvador, au Nicaragua, l'engagement américain n'est pas total ; le débarquement à Grenade en octobre 1983 constitue une brève exception, tandis que les États-Unis retirent leurs marines du Liban. La diplomatie semble plus propice aux actes spectaculaires. En URSS, l'arrivée au pouvoir en mars 1985 de Mikhaïl Gorbatchev va rétablir le dialogue direct entre les deux super-grands dans le cadre des conférences de Genève et des discussions sur le désarmement.

Dès mars 1983, le président Reagan proposait aux alliés des États-Unis une nouvelle forme de coopération militaire : la guerre des étoiles (pour les médias), ou IDS (Initiative de Défense Stratégique — pour les spécialistes de la dissuasion). Il s'agit d'un programme, financé par le Congrès jusqu'en 1991, pour mettre au point un bouclier spatial multicouches capable de neutraliser les missiles intercontinentaux et, par là, débarrasser le peuple américain du cauchemar nucléaire. Les partenaires européens marquent leur réticence à y participer pleinement.

Le deuxième mandat de Ronald Reagan s'est achevé fin 1988. L'élection de George Bush, considéré comme l'héritier de Reagan, a marqué le succès de la politique conservatrice menée par les républicains depuis le début des années 80. Pourtant, cette victoire reste partielle : en élisant un Congrès à majorité démocrate, le peuple américain a choisi de répartir équitablement les pouvoirs entre les deux grands partis.

■ Monopole ou déclin de la superpuissance ?

● George Bush, dernier président de la guerre froide

Le successeur de R. Reagan représente parfaitement l'aristocratie américaine des WASP : riche famille, études à Yale, fructueuses affaires pétrolières au Texas. Son cursus est éloquent : président du GOP en 1973-74, directeur de la CIA en 1976 et vice-président des États-Unis pendant les deux mandats de Reagan. Façonné par la Deuxième Guerre mondiale, qui en fait l'un des héros du Pacifique, et par la guerre froide, cet homme discret et pragmatique va affronter le plus grand bouleversement diplomatique de l'après-guerre : l'effondrement du bloc communiste.

Un nouvel ordre international. — La géopolitique bipolaire née en 1945 perd ses points de repère avec la chute du mur de Berlin (novembre 1989), la réunification allemande (octobre 1990) et l'éclatement de l'URSS. Les États-Unis restent donc la seule superpuissance mondiale. L'URSS, avant d'être relayée maladroitement par la CEI, accepte en juillet-août 1991 la signature de l'accord START de désarmement mutuel : Américains et Soviétiques s'engagent à réduire de 25 à 30 % leurs arsenaux. Les États-Unis mettent fin à l'alerte permanente de leurs bombardiers et proposent à leur ex-ennemi privilégié de créer une défense antimissile commune. L'URSS annonce le retrait progressif mais total de ses forces militaires des territoires de ses anciens satellites européens pendant que les Américains font de même en RFA.

Les États-Unis ont donc gagné —à l'usure et par défaut de l'adversaire— la guerre froide. Mais au triomphalisme succède l'inquiétude, justifiée par la destruction de l'ordre ancien et par de nombreuses incertitudes. Ainsi, le Tiers-Monde, bien inégalement engagé dans la croissance et le développement, peut inopinément remettre en cause la « pax americana ». L'opération armée au Panama en décembre 89 —fondée sur la nécessité absolue de contrôler le canal indispensable aux échanges des États-Unis— réussit à écarter Noriega, dictateur corrompu, sans résoudre les problèmes d'un pays à la dérive. La reconquête idéologique du Nicaragua et du Salvador comporte les mêmes limites.

La guerre du Golfe. — Les stratèges du Pentagone ne relâchent pas leur vigilance à l'égard du Tiers-Monde et en particulier du Moyen-Orient : l'économie américaine dépend en partie de la sécurité des routes maritimes du pétrole dans le golfe Persique. La réaction de George Bush à l'invasion du Koweit par Saddam Hussein le 2 août 1990 est directement liée à ce contexte. D'autre part, l'effacement de l'URSS a redonné au Conseil de Sécurité de l'ONU une efficacité oubliée depuis la guerre de Corée et les avis des États-Unis y pèsent lourd : l'opération « Tempête du Désert » est venue signifier au monde la suprématie stratégique et technologique des États-Unis. Déclenchée le 17 janvier 1991, elle a abouti à la libération du Koweit le 27 février. Ce conflit, présenté par les médias comme une sorte de « jeu de guerre » électronique et sans risques humains (on déplore tout de même 115 morts américains), ne va pas tourner, à terme, à l'avantage des États-Unis et surtout de la popularité du président Bush : Saddam Hussein est resté à la tête de l'Irak avec toutes ses convictions et ses ambitions régionales. Bien des critiques se sont élevées contre les médias américains, et la chaîne CNN en particulier, qui ont couvert l'événement de façon peu objective. Enfin, cette guerre éclair a soulevé des interrogations quant au coût exorbitant des produits utilisés par l'armée. La suprématie des États-Unis n'est pas exempte de fragilités et le peuple américain ne peut se satisfaire des carences de la politique intérieure.

● **Le déclin relatif des États-Unis**

L'expression, extraite d'un ouvrage de réflexion historique de Paul Kennedy publié en 1988 *(Naissance et déclin des grandes puissances)* ébranle les certitudes américaines : les années Reagan avaient permis de restaurer la confiance dans les valeurs politiques, morales et économiques de la grande Amérique. Celle-ci serait-elle vouée à l'échec, victime d'une « surexpansion impériale » et de la distorsion de plus en plus grande entre les impératifs stratégiques, le dynamisme économique et les besoins sociaux ?

De fait, les années Bush ont connu les plus faibles taux de croissance depuis 1945 et le peuple américain ne peut que constater l'aggravation des problèmes. Les États-Unis sont devenus le pays le plus débiteur ; le déficit fédéral de 1993 devrait atteindre 350 millions de dollars. Les taux d'intérêts élevés ont ralenti l'investissement et l'espoir d'une reprise de la croissance, sans cesse augurée, ne se concrétise pas. La dépendance énergétique et même industrielle dans les secteurs de pointe fragilise la production et encourage des mesures protectionnistes mal venues dans la patrie du libéralisme. L'agriculture souffre de mévente sur les marchés mondiaux. Autant de signes d'érosion de la superpuissance américaine, longtemps exprimée dans la puissance agricole et le quasi-monopole informatique d'IBM aux incidences politiques mondiales. La politique néolibérale menée depuis 1981 ne fait donc plus recette et George Bush a dû consentir à augmenter la pression fiscale en 1990.

Les difficultés sociales s'imposent comme une priorité nationale : le système scolaire ne remplit plus sa mission ; la gestion des villes américaines est désastreuse et génératrice d'insécurité ; le chômage redevient une menace grave avec un taux de 7,5 % pour 1992 ; enfin le *melting pot* ne fonctionne plus et les affrontements inter-ethniques se multiplient (comme à Los Angeles en mai 1992). La société américaine révèle donc des inégalités de plus en plus criantes et l'État endetté ne peut répondre à ses besoins. La pauvreté augmente, mal consolée par l'appel de George Bush à un Nouvel Ordre International.

Candidat à sa réélection en novembre 1992, le président n'a pas partie gagnée même si son bilan de mandature peut s'enorgueillir d'avoir offert aux États-Unis le rôle maintenant incontesté d'arbitre international.

● **Bill Clinton : l'Amérique d'abord ?**

Premier baby-boom porté à la Maison Blanche, Bill Clinton renoue le fil des présidences démocrates. Les Américains ont élu celui qui promettait de secourir les déshérités et de restaurer les services publics laissés-pour-compte par l'administration Bush.

Les pesanteurs de la politique intérieure américaine et les urgences extérieures ont notablement modifié le programme électoral du président. Le Congrès et le Sénat ont parcimo-nieusement voté les crédits et les mesures annoncées : le bilan social provisoire de Bill Clinton reste donc décevant. Cependant, la reprise économique amorcée en 1993 redonne espoir aux Américains.

Les États-Unis n'ont pas cédé à l'isolationnisme en dépit du retrait de Somalie et de la plus grande prudence dans la crise bosniaque. Les liens bilatéraux avec la Russie de Boris Eltsine demeurent prioritaires et Bill Clinton a largement tiré profit de sa médiation entre l'OLP et Israël, co-signataires de l'accord de Washington en septembre 1993.

La société

par **Élisabeth de Kerret**

et **Daniel Rivière**
Professeur agrégé d'histoire

« Au commencement le monde entier était l'Amérique »
John Locke

Avec 248 millions d'habitants (recensement de 1990), les États-Unis possèdent l'une des sociétés les plus originales du monde. À la différence d'autres nations, cette société est faite de strates d'origines différentes, arrivées progressivement depuis deux ou trois siècles, et superposées à des éléments indigènes très clairsemés, incapables d'opposer une résistance aux nouveaux occupants. L'hétérogénéité de cette société, même si elle reste de majorité blanche, s'accroît sous la pression des populations noire, latino-américaine et asiatique, qui sont en train de changer le visage de l'Amérique.

■ Un pays multinational

On a utilisé souvent l'expression de *melting pot* —le creuset où s'élabore la société américaine— pour rendre compte de son évolution. Mais il suffit de se promener dans une grande ville américaine pour s'apercevoir rapidement que les clivages ethniques demeurent. Les Noirs vivent dans leurs ghettos, les Jaunes dans leurs Chinatowns (New York, San Francisco, Los Angeles, mais aussi Boston).

Même les Blancs continuent à pratiquer une sorte de ségrégation volontaire : à Manhattan, il existe une *little Italy* près de Washington Square, un quartier juif dans le Lower East Side, des poches hispano-portoricaines ailleurs. À Boston, le North Side est un quartier entièrement italien. Les Irlandais continuent à fêter avec ostentation la Saint-Patrick. Bref, même établis depuis longtemps, les Américains se regroupent volontiers par pays d'origine. Depuis une vingtaine d'années, il est même devenu normal d'accentuer les différences d'origine : les Noirs se proclament afro-américains, et non plus américains, et les Indiens ont retrouvé leur conscience ethnique. Les États-Unis sont un pays multinational, qui affirme avec vigueur sa diversité au moment des grandes consultations politiques : on parle alors du « vote juif », du « vote italien », du « vote irlandais » et, bien entendu, du « vote noir », qui a pourtant plus de mal à s'organiser. Les candidats courtisent ces divers votes, sans lesquels ils ne pourraient se faire élire. La pression de juifs, plus d'un million dans la ville de New York, explique en grande partie la politique américaine en faveur d'Israël. Il est bon de rappeler aussi que John Kennedy fut le premier Irlandais catholique à parvenir à la présidence, et cela se passait en 1960...

Les ancêtres anglais. — Sur les 248 millions d'Américains, le recensement considère que 199 millions sont blancs (80%). La communauté hispanique (22,3 millions d'habitants) est considérée comme constituée de toutes les races. À ce titre, elle est en partie —mais pas entièrement— incluse dans la population blanche. On estime à 43 millions le nombre d'immigrants blancs arrivés entre 1820 et 1977. La croissance de la population s'explique à la fois par cette forte immigration et par l'excédent des naissances sur les décès, grâce à une meilleure hygiène et à l'amélioration des conditions de travail.

Les émigrants blancs de la première génération (Anglo-Saxons et protestants), majoritaires jusqu'au XIXᵉ s., ne représentent plus que 11% de la population américaine. Pourtant, 50 millions d'Américains estiment qu'ils ont des ancêtres anglais. Venus pour faire fortune, ces premiers émigrants ont formé une aristocratie austère, puritaine et conservatrice que Henry James a décrite dans son roman *les Bostoniens*. On les a appelés les WASP *(White Anglo-Saxon Protestants)*. Leur influence reste importante, surtout dans certaines régions de l'Est où ils détiennent encore une grande part des affaires immobilières et des postes déterminants dans les banques. Mais en politique, les Irlandais, les Italiens, les juifs et, avec plus de difficultés, les Noirs, les ont supplantés.

Le flot germanique. — La plupart des Allemands arrivèrent au XIXᵉ s., par vagues successives : les premiers

Les Amish : foi et tradition

Dès le XVIIIᵉ s. s'étaient établies en Pennsylvanie des communautés d'origine germanique, mennonites ou anabaptistes qui refusaient le baptême des enfants. Ils forment aujourd'hui une population très particulière, les Amish, en Pennsylvanie ou dans le Middle West, qui regroupe 12 500 personnes. Pacifistes et non-violents, toujours coiffés d'un feutre noir, ils n'ont en trois siècles rien changé à leur mode de vie. Imprégnés de leur foi, ils ne se marient qu'entre eux, ne divorcent jamais, ne prennent ni drogue, ni alcool, ni médicaments, et n'utilisent que des carrioles pour se déplacer.

entre 1820 et 1840, d'autres vers 1850 pour des raisons essentiellement politiques ; le grand flot vint après la guerre de Sécession. Certains d'entre eux étaient protestants, mais d'autres catholiques. Ceux de religion juive introduisirent aux États-Unis les ferments d'un judaïsme rénové. Les émigrants allemands s'établirent surtout dans les villes de l'Est, à La Nouvelle-Orléans et dans le Middle West. Saint Louis et Chicago sont, en grande partie, leur création.

L'exil de la pomme de terre. — Au milieu du XIXᵉ s., les Irlandais déferlèrent sur le continent américain, chassés de leur pays par la famine consécutive à la maladie de la pomme de terre (entre 1845 et 1860). Bien que d'origine rurale, ces Irlandais s'installèrent dans les grandes villes de l'Est (Philadelphie, New York, Boston), où ils fournirent la main-d'œuvre bon marché pour les travaux pénibles. Ils furent très mal vus des Américains parce que catholiques, querelleurs et ivrognes. Toutefois leur sens politique leur permit de noyauter et de conquérir les administrations locales pour finalement dominer la machine du parti démocrate. L'immigration irlandaise semble reprendre aujourd'hui en raison de la crise économique qui sévit en Irlande. Les liens particuliers qui unissent les deux pays (40 millions d'Américains estiment avoir du sang irlandais) facilitent l'assimilation de ces nouveaux émigrants.

L'exploitation des nouveaux émigrants. — Vers la fin du XIXᵉ s. et au début du XXᵉ s., l'immigration atteignit son apogée et changea de nature. Les nouveaux immigrants venaient en majorité des pays méditerranéens (Italie, Grèce), de l'Europe centrale (Polonais) ou orientale (Russes, Ukrainiens, juifs). Ils s'installèrent dans les bas quartiers des villes (Lower East Side à New York, par exemple), et se chargèrent à leur tour des besognes répugnantes et mal payées que les anciens immigrants ne voulaient plus accomplir. Les immigrants d'Europe centrale fournirent la main-d'œuvre pour le *sweating-system* (littéralement : système de la sueur) qui régnait dans les industries à domicile, la confection en particulier. Les femmes furent contraintes de travailler dans des conditions épouvantables, quatorze ou seize heures par jour, dans des locaux à peine aérés et dépourvus de tout confort (les sinistres *tenements* de Philadelphie). Vers 1910, 58% des ouvriers de l'industrie américaine étaient d'origine étrangère, les deux tiers venant de l'Europe du Sud-Est. Les Polonais alors effectuaient des travaux pénibles et insalubres aux abattoirs de Chicago, dénoncés par Upton Sinclair dans *La Jungle*.

Le lait scandinave. — La plupart des immigrants d'origine rurale se sont installés dans les villes, parce que la terre n'était pas libre. Seuls les Scandinaves firent exception. Ils se fixèrent dans la région proche des Grands Lacs (Wisconsin et Minnesota), dont les conditions climatiques étaient voisines de celles de leurs pays d'origine. Ils y acquirent des terres, construisirent des fermes et introduisirent l'élevage des vaches laitières. Cette région devint ainsi le principal producteur de beurre, de lait et de fromage.

Ouvrir ou fermer les frontières ? — Les Américains n'ont pas toujours été favorables à l'arrivée de nouveaux immigrants susceptibles de leur prendre des emplois. Ainsi l'hostilité des travailleurs blancs à l'encontre des Jaunes venus chercher un emploi, en particulier dans la construction du chemin de fer sur la côte Ouest, fut telle que le Congrès vota la loi d'exclusion des Chinois en 1882. Le thème du « péril jaune » inspira en 1907 et en 1908 des mesures restreignant de façon draconienne l'entrée des Japonais aux États-Unis. L'importance de l'immigration en provenance d'Europe amena les Républicains isolationnistes et méfiants à l'égard du Vieux Monde à voter les très sévères lois sur les quotas de 1921 et de 1924. L'immigration tomba alors à un niveau annuel de 300 000 personnes environ contre 1,2 million en 1914, mais les Philippins, alors ressortissants américains, et les Latino-Américains avaient toujours des facilités pour entrer. En 1942, après Pearl Harbour, l'administration fédérale fit interner sans ménagement la quasi-totalité (100 000 personnes) de la communauté japonaise installée aux États-Unis. Après la Seconde Guerre mondiale, la législation s'assouplit légèrement et permit aux épouses de guerre (1,5 million) et aux « personnes déplacées » victimes du conflit d'entrer aux États-Unis. Le

Maccarthysme et le climat détestable créé par la chasse aux sorcières provoquèrent un nouveau tour de vis. La loi Mac Carran (1952) rétablit et renforça jusqu'à l'absurde les quotas. La loi autorisait ainsi l'installation annuelle de... 105 Chinois et de 185 Japonais ! Il devint impossible aux communistes de s'installer aux États-Unis. En 1965 Johnson assouplit cette législation. Il mit fin aux quotas par pays (conservant un maximum annuel de 20 000 personnes par pays d'origine) et permit d'admettre 120 000 immigrants du continent américain, 170 000 du reste du monde.

Futurs « Nobel ». — Les parents étrangers de citoyens américains et surtout les travailleurs très qualifiés (artistes, écrivains, chercheurs, ingénieurs, médecins, diplômés...) sont admis hors quota et prioritairement. Ce « Brain Drain » alimente les universités en chercheurs de renom, souvent récompensés par le prix Nobel, et contribue à la vitalité globale de l'économie et de la société.

Reprise et modification de l'immigration. — À partir des années 70, on note une reprise d'une immigration massive en direction des États-Unis. On enregistre 467 000 entrées officielles en 1976 mais 808 000 en 1980 et 861 000 en 1984. Il faudrait peut-être multiplier ces chiffres par 1,5 ou 2 pour tenir compte des entrées illégales. la chute du Sud-Vietnam en 1975, puis l'exode des *boat people* fuyant le communisme obligent moralement les Américains à accueillir un nombre sans cesse grandissant d'Asiatiques (loi sur les réfugiés, 1980). Seul grand pays développé au monde à avoir une frontière terrestre de 2 000 km avec le tiers-monde, les États-Unis attirent de plus en plus de Mexicains et de Latino-Américains qui quittent des pays pauvres, à fort potentiel démographique (la fécondité

moyenne des Mexicaines est de 4, celle des Américaines de 1,8).

La poussée du Sud vers le Nord. — Elle semble irrésistible. L'importance des entrées illégales de Latinos a poussé le gouvernement fédéral à réagir en cherchant un moyen de canaliser ces flux par les lois de 1982 et de 1986 (sanctions contre les employeurs de clandestins, renforcement des contrôles aux frontières, amnistie et légalisation d'une partie des clandestins...). Ces mesures semblent peu efficaces. La multiplication des contrôles et des arrestations à la frontière du Mexique (1,1 million d'arrestations de clandestins en 1983 !) ne décourage pas vraiment les candidats au départ. La conclusion avec le Mexique d'un accord de marché commun en 1992 amènera peut-être des investissements industriels américains au S. du Rio Grande, ce qui devrait créer des emplois.

Cette reprise d'une immigration massive vers les États-Unis s'accompagne d'une profonde modification dans les origines géographiques des immigrants. Reconstruite et prospère, l'Europe, qui a longtemps fourni la plus forte part des immigrants, alimente désormais peu les flux (33% des immigrants en 1961-1970, 13% en 1977-1979) en attendant un possible renouveau après l'effondrement du bloc communiste en Europe. Désormais, la majorité des immigrants viennent d'Amérique latine et d'Asie. La reprise de l'immigration renforce sensiblement le poids des minorités ethniques aux États-Unis d'autant que la fécondité des nouveaux immigrants est beaucoup plus élevée que celle des « vieux Américains ». La poussée asiatique et latino-américaine contribue à rééquilibrer ces minorités. Désormais, les Hispaniques (22,4 millions d'individus) et les Asiatiques (7,3 millions) réunis sont aussi nombreux que les Noirs (30 millions). Enfin, la reprise de l'immigration tend à accentuer le poids démographique des États de la Sun Belt car les immigrants s'installent dans ces régions proches du Pacifique ou du Mexique en priorité. Il est possible que la Californie ne soit plus à majorité blanche après l'an 2000.

■ Clivages et contrastes de la société blanche

Les États-Unis : une société sans classes ? C'est une idée complètement abandonnée par les sociologues américains. « E pluribus unum », « Out of many one » : c'est le rêve oublié de l'Amérique des années 50. Ces dernières décennies ont coïncidé avec une révolte de la jeunesse et une crise d'identité qui ont engendré le retour de la moral majority. L'élection de Ronald Reagan, en 1980, a symbolisé ce retour vers des valeurs traditionnelles. Si les notions de hiérarchie paraissent moins frappantes qu'en Europe, elles demeurent présentes dans la vie quotidienne. Pour le citoyen américain un homme doit réussir de lui-même. On jugera de son succès en fonction de sa place dans la société et de son avenir. La société blanche reste donc divisée par des facteurs matériels, mais s'y ajoutent aussi des clivages religieux et ethniques.

Le poids de l'Église. — La religion joue un rôle social important. L'Américain affirme son appartenance religieuse avec conviction, tout en considérant la fréquentation du culte comme un devoir civique. Ainsi, il est très généreux à l'égard de son église, car il sait qu'elle ne peut vivre que grâce aux dons.
130 millions d'Américains fréquentent une Église (en ne retenant que celles de 50 000 adhérents au minimum). La majorité est protestante. Sur les 72,8 millions de protestants, on compte : 26,4 millions de baptistes, 13,1 millions de méthodistes, 4,8 millions de disciples chrétiens, 4,1 millions de presbytériens. Viennent ensuite les catholiques (53 millions) ; leur nombre progresse constamment car ils mènent une politique active au sein de la société américaine. La forte croissance de la communauté hispanique aux États-Unis tend à renforcer le groupe des catholiques. En 3e position se trouvent les juifs avec un effectif de plus de 6 millions, groupés surtout dans les grandes villes de l'Est et divisés en trois branches : orthodoxe, conservatrice et réformée. Il faut mentionner les orthodoxes de l'Église orientale (4,9 millions). En Californie, dans le Sud ou en Géorgie, les évangélistes (comme Billy Graham ou Oral Roberts) prêchent souvent à la télévision et occupent une place de plus en plus importante.

L'abandon des villes. — L'image d'une société blanche aisée et « affluente » a besoin d'être nuancée. En traversant les banlieues résidentielles et les villes, on prend conscience des différences entre les niveaux de vie. Les banlieues sont devenues le domaine des familles riches, vivant dans des maisons particulières, vastes, aérées, au milieu de pelouses amoureusement entretenues. Les familles un peu moins aisées vivent aussi dans des maisons particulières, mais plus rapprochées les unes des autres. La ville est abandonnée aux minorités et aux blue collars, c'est-à-dire aux travailleurs manuels (par opposition aux white collars, les employés de bureau). Il se produit ainsi une ségrégation de fait dans la résidence, qui traduit les différences entre les fortunes. Actuellement, les villes tentent de favoriser le retour des milieux aisés au centre des cités. Il est peu probable qu'une telle expérience réussisse. Car la possession d'une maison et de plusieurs automobiles, jugées indispensables pour ceux qui habitent dans les banlieues, est un signe d'aisance. Les Américains se déplacent plus facilement d'une banlieue à l'autre que vers les villes, jugées dangereuses et abandonnées à elles-mêmes (comme Detroit ou Cleveland). Pourtant à New York, à Chicago ou à San Francisco, les centres-villes restent très vivants.

Croissance et misère. — Même si l'on tient compte de l'érosion monétaire consécutive à l'inflation, le revenu familial continue d'augmenter. En 1984 le revenu familial des Blancs s'élevait à 27 686 $ pour 56% de la communauté, alors que 16,9% seulement gagnaient plus de 50 000 $ par an. On estime qu'entre 1980 et 1995, les revenus les plus élevés devraient tripler. Ces chiffres reflètent l'amélioration du niveau de vie (grâce à la forte croissance économique), mais paradoxalement la misère continue d'être présente dans tous les groupes ethniques, qu'il s'agisse des Blancs, des Hispaniques ou des Noirs. On estime à 35 millions le nombre de pauvres aux États-Unis. Endémique dans les Appalaches et certains comtés du Sud, la pauvreté s'est étendue aux grandes villes. Les États-Unis souffrent d'un chômage chronique et incompressible, qui touche aujourd'hui plus de 5% de la population (à la fin des années 70, ce chiffre atteignait presque 10%). La population noire compte deux fois plus de chômeurs que la population blanche (en 1985, 20% chez les adultes noirs et 45% chez les jeunes noirs de moins de vingt ans). Le taux de chômage est particulièrement élevé dans les aires économiques déprimées (Virginie-Occidentale, N. de la Nouvelle-Angleterre, certaines parties du Sud).

Des retraites insuffisantes. — Les personnes âgées souffrent aussi de la pauvreté. En principe, la Sécurité sociale fournit une pension à tous les Américains ayant cotisé pendant leurs années d'activité, et le programme Medicare rembourse les frais médicaux et hospitaliers pendant 90 jours. Mais aucun de ces programmes ne suffit à assurer une vieillesse sans souci à des millions d'Américains, car la médecine est très chère dans ce pays et l'inflation ronge lentement les revenus. Les Américains ont découvert que, même dans un pays prospère, la misère est incompressible à partir d'un certain point. Aujourd'hui, les personnes âgées possèdent un niveau un peu plus élevé qu'autrefois, mais les retraites restent faibles : 3,8 millions de vieillards sont en dessous du seuil de pauvreté.

■ La lutte des Noirs contre la ségrégation

Les Noirs représentent 30 millions d'habitants au recensement de 1990 soit 12% de la population totale. Alimentée par une fécondité supérieure à la moyenne nationale, la communauté noire est en expansion rapide (+ 15% entre 1980 et 1990). Cependant les Hispaniques (+ 53% entre 1980 et 1990) et les Asiatiques (+ 108%), bénéficiant de larges flux migratoires, connaissent une expansion encore plus rapide.

Les Noirs demeurent la principale minorité ethnique des États-Unis. Leur présence sur le sol américain est fort ancienne et s'explique par l'effondrement démographique des Indiens et par leur résistance acharnée à toute forme de travail forcé dans les plantations. Très tôt, les colons imaginent de faire venir par l'intermédiaire de négriers européens des Noirs sur le sol américain pour prendre la place des Indiens. Dès le XVIIᵉ s. le système de la traite se met en place. En deux siècles (début XVIIᵉ-début XIXᵉ), on estime à 520 000 le nombre de Noirs déportés vers l'Amérique du Nord par les négriers. Il faut noter que les déportations par la traite furent beaucoup plus importantes durant la même période en direction des Antilles françaises (1,6 million d'individus), des Antilles anglaises (2,4 millions), du Brésil (4,1 millions), de l'Amérique espagnole (1,6 million).

Quatre millions d'esclaves. — Sur le sol américain, dès 1661 paraît le premier code de l'esclavage, avec son cortège d'interdictions dégradantes et ses conditions de vie inhumaines. En 1860, 4 millions de Noirs travaillent comme esclaves, et un demi-million vivent libres dans le Nord, sous un régime qui annonce déjà la ségrégation. 1863 correspond à la signature de l'Acte d'émancipation des esclaves par Abraham Lincoln, mais des incidents éclatent à New York, à Boston et à Chicago : les Blancs accusent les Noirs de les forcer à se battre pour eux et de leur prendre leurs emplois. Le Sud refuse ouvertement d'appliquer la loi. En 1864, 300 prisonniers noirs sont massacrés par les troupes du général confédéré Nathan Forrest (qui devient l'un des fondateurs du Ku Klux Klan). Après l'assassinat de Lincoln et la fin de la guerre de Sécession en 1868, les Noirs deviennent des citoyens à part entière par les 13ᵉ, 14ᵉ et 15ᵉ amendements de la Constitution. On ouvre des écoles publiques dans le Sud, mais un dixième de la population noire sait déjà lire et écrire.

Toutefois les Noirs ne purent guère exercer leurs droits avant une époque récente : en 1896, certains États du Sud ont légalisé la discrimination. Par l'arrêt *Plessus versus Ferguson*, les États ont alors le droit de fournir aux citoyens noirs des commodités égales mais séparées et légitiment la ségrégation scolaire. Dans la première moitié du XXᵉ s., malgré des émeutes raciales à Chicago et des lynchages dans le Sud, la situation des Noirs ne s'améliore pas.

« No negro here ». — Entre 1920 et 1930, le quartier de Harlem à New York se vide de ses habitants appartenant aux classes moyennes, souvent d'origine juive, et en quelques années devient un quartier presque exclusivement noir. De nos jours, une forte communauté latino habite aussi à Harlem, d'où parfois des tensions entre minorités.

Le racisme et la ségrégation ont persisté ouvertement aux États-Unis jusqu'aux années 50. L'US Navy et de grandes entreprises ont longtemps refusé d'employer des Noirs. L'affichette « no negro here » a pendant de longues années « orné » la vitrine de nombreuses boutiques, dans le Sud en particulier. L'émancipation des Noirs n'a longtemps été qu'un principe théorique. Dans les faits, les Noirs sont restés des citoyens de deuxième catégorie, cantonnés dans des emplois peu payés, privés d'ascension sociale, souvent empêchés de voter.

À partir de la fin de la Seconde Guerre mondiale, les choses évoluent. En 1948, Truman lance la première mesure contre la ségrégation : il supprime toute distinction raciale dans l'armée. La mesure a été efficace. L'armée a permis une réelle promotion sociale à beaucoup de Noirs qui ont pu devenir sous-officiers, officiers (on en compte 10 000 de nos jours). 7% des généraux américains sont noirs à l'heure actuelle. Le cas le plus célèbre est celui de Colin Powell qui assurait les fonctions de chef d'état-major durant la guerre du Golfe.

L'égalité civique. — En 1954, la Cour suprême renverse la jurisprudence *Plessus versus Ferguson*. La ségrégation scolaire n'est plus conforme à la Constitution. Faire appliquer la mesure sur le terrain —particulièrement dans le vieux Sud— est difficile. Le pasteur Martin Luther King engage dès 1955 un mouvement non violent en faveur du respect des droits civiques dans le Sud. À Little Rock (Arkansas), le président Eisenhower doit envoyer en 1957 la garde nationale pour assurer la protection des premiers étudiants noirs qui s'étaient inscrits à l'université de cet État traditionnellement ségrégationniste. Les grandes marches pour le respect des droits civiques organisées par Martin Luther King au début des années 60 impressionnent le pays. L'opinion publique se prononce majoritairement pour l'égalité civique. L'apparition d'une aile g. du mouvement noir, marquée par les idéaux du tiers-monde et de la lutte révolutionnaire (Malcolm X, le mouvement des Black Panthers), les émeutes urbaines des années 60 amènent le gouvernement fédéral à prendre conscience de l'urgence d'une réforme. Votées sous le mandat du président Johnson, la loi sur les droits civiques (1964) interdit strictement toute discrimination raciale, la loi sur le droit de vote (1965) met fin à la pratique de certains États du Sud qui consistait, afin de décourager les Noirs, à imposer à ceux-ci un examen et le paiement d'une taxe pour être inscrits sur les listes électorales. Les grandes lois sociales votées par les démocrates dans les années 60 (loi contre la pauvreté, lois Medicaid et Medicare) ont également favorisé une certaine amélioration de la condition des Noirs. En 1967, le président Johnson nomma le premier juge noir à la Cour suprême. L'assassinat de Martin Luther King montre cependant que les tensions racistes ont longtemps persisté. Certaines manifestations récentes du Ku Klux Klan témoignent vingt ans après la bataille des droits civiques de la persistance chez une minorité d'une tension raciste.

Avec le temps, la communauté noire s'est dotée de représentants politiques qui siègent dans les assemblées, dans les tribunaux, à la Cour suprême. De nombreuses villes étant à majorité noire (Gary, Washington, Atlanta, Detroit…), il n'est pas surprenant de trouver des Noirs occuper le fauteuil de maire. C'est en particulier le cas de Washington. L'élection en 1990 d'un maire noir à New York a fait figure de symbole. Le pasteur Jesse Jackson a été deux fois candidat à l'investiture démocrate à la présidence (1974 et 1988).

Non pas une mais des communautés noires. — Si l'intégration civique et politique des Noirs a progressé depuis les années 60, leur situation matérielle et morale semble —du moins globalement— avoir peu évolué. Prise dans son ensemble, la communauté noire des années 90 apparaît toujours comme une minorité défavorisée et à la traîne. Les images des très graves émeutes de Los Angeles (avril 1992) ont ému l'opinion.

Une série d'indicateurs négatifs caractérisent toujours la communauté noire prise dans son ensemble : mortalité infantile élevée, espérance de vie plus courte (69 ans contre 73 ans pour la moyenne nationale), revenu inférieur de moitié à celui des Blancs, taux de chômage deux fois plus élevé que celui des Blancs, accès encore restreint aux catégories socio-professionnelles élevées, persistance de la pauvreté (35% des familles noires vivent en dessous du seuil de 10 000 dollars de revenu annuel pour quatre), délinquance, structures familiales éclatées (43% des familles noires sont dirigées par une femme seule), concentration hyperurbaine dans des quartiers souvent délabrés (85% des Noirs sont citadins…).

Cela dit, il faut considérer que les 30 millions de Noirs ne constituent pas un bloc homogène mais sont divisés en plusieurs communautés. En gros, on peut estimer que les grandes lois civiques et sociales des années 60 ont permis une évolution sensible de leur condition pour environ 60% d'entre eux. Le problème se situe pour les 40% qui restent et qui constituent un sous-prolétariat. Un fossé tend à séparer les Noirs en voie d'intégration des Noirs en voie de marginalisation.

En effet, on discerne clairement de nos jours l'existence d'une bourgeoisie noire qui constitue une élite dont les artistes, les avocats, les pasteurs, les hommes d'affaires, les officiers, les professeurs d'université… sont les meilleurs représentants. Ainsi à Washington —dont le maire est une jeune avocate noire—, il existe une vieille bourgeoisie noire descendante d'hommes libres ou d'esclaves affranchis. Elle vit dans l'aisance, envoie ses enfants dans les meilleures écoles, fait la fine bouche devant les parvenus, etc.

Une bourgeoisie déterminée. — La bourgeoisie noire reste prudente et garde ses distances à l'égard des Blancs. Elle apprécie le chemin parcouru depuis vingt ans, mais garde présent à l'esprit, surtout depuis l'avènement du reaganisme, qu'il subsiste un risque permanent qu'on lui enlève ses avantages durement acquis. Malgré les aspirations conservatrices de certains, la majorité des Noirs n'a pas oublié les enseignements de Martin Luther King et de Malcolm X. Le magazine *Ebony* de J. Johnson, qu'on a accusé un peu vite d'être une sorte

de « magazine noir peint en blanc », reflète un peu cette pensée. Aujourd'hui les Noirs sont décidés à obtenir ce qui leur est dû : des chances vraiment égales à celles de la communauté blanche dans la vie sociale, économique et politique.

À côté de cette bourgeoisie noire, beaucoup de petits fonctionnaires, d'employés et d'ouvriers noirs ont également tiré profit de la loi sur les droits civiques. Ils bénéficient désormais des mêmes salaires et rémunérations que leurs collègues blancs.

La culture du ghetto. — Un fossé désormais existe entre ces Noirs en voie d'intégration, qui souvent ont quitté les grands ghettos (Harlem à New York, Watts à Los Angeles…), et un sous-prolétariat à la situation de plus en plus précaire, en cours de marginalisation. Ce groupe qui représente près de 40% de la communauté noire est resté dans les ghettos en se heurtant parfois avec violence à d'autres minorités fraîchement installées (les Latinos à Harlem, les Coréens et Vietnamiens à Los Angeles). Ce sous-prolétariat se caractérise par des structures familiales éclatées et par une grande fidélité à ce qu'on peut appeler la « culture du ghetto ». Les familles, souvent nombreuses et dirigées par une femme seule, vivent dans la précarité : travail intermittent, recours à l'assistance, conditions de logement médiocres ou sordides, échec scolaire pour les enfants laissés très vite à eux-mêmes et à la loi de la rue, tentation précoce de la délinquance (vol et surtout trafic de drogue). Très vite, les adolescents font la connaissance des mauvais garçons, de la police, des tribunaux, voire des prisons. Une sorte de spirale de l'échec se met en place. Jadis, les ghettos possédaient leurs notables noirs (pasteurs, policiers, fonctionnaires, employés, ouvriers assez aisés...) qui contribuaient à structurer, à encadrer la communauté. La présence de ces notables constituait un frein à la délinquance en imposant, surtout aux jeunes, le respect de certaines règles. Ils étaient le ciment du ghetto et sa conscience.

Le retour des vieilles habitudes. — La loi sur les droit civiques de 1964 a permis à ces notables de quitter le ghetto pour s'installer dans des banlieues plus agréables. Le ghetto, privé de ses élites modérées, a connu une forte désorganisation sociale dont ont profité les trafiquants et chefs de bande. Les habitants les plus pauvres sont restés ; les conditions de vie se sont fortement dégradées. Ils ont renoué avec la culture, les habitudes des esclaves du Sud profond. Le respect de la « culture du ghetto » accentue la marginalisation de ce groupe. On travaille peu comme jadis dans le Sud. On est volontiers dépendant de l'aide sociale ou d'un trafiquant, comme on dépendait jadis du planteur. On respecte fort peu le mariage, on a beaucoup d'enfants, comme autrefois dans le Sud : les plus pauvres ont renoué avec ces vieilles habitudes tout en les adaptant à un mode de vie urbain et violent.

■ Les Indiens

La communauté la plus défavorisée de l'Union. — Ethniquement, les Indiens se rattachent au groupe asiatique. Venus d'Asie sur le continent américain en passant par le détroit de Béring, ils ont très longtemps vécu dans un cadre tribal et principalement nomade. L'arrivée des colons blancs au mode de vie sédentaire et possédant une forte avance technique a constitué un choc pour les tribus indiennes. L'alcool, les armes à feu, mais surtout les chocs microbiens introduits par les Blancs provoquent un effondrement démographique considérable cependant que les colons venus d'Europe s'appliquent à les repousser sans cesse vers l'Ouest. Dès 1828, les principales tribus sont rejetées au-delà du Mississippi. L'accélération de la conquête de l'Ouest provoque les grands soulèvements indiens de la fin du XIXe s. Si les Sioux l'emportent sur Custer et ses hommes à Little Big Horn (1876), les colons réagissent par le massacre systématique des bisons dans l'espoir de contraindre les Indiens affamés à entrer dans les réserves fédérales. 10 millions de bisons ont été massacrés dans ce dessein entre 1872 et 1874, contribuant ainsi à la gloire de Buffalo Bill et de quelques autres. Peu à peu, la cavalerie impose sa loi. En 1877, Sitting Bull est contraint de s'enfuir au Canada. Le chef apache Géronimo dépose les armes en 1886. Le massacre de Wounded Knee fait 200 morts, principalement des femmes et des enfants, chez les Sioux en 1890.

Une meilleure image. — Après un long déclin, la communauté connaît un certain réveil dans les dernières décennies du XXe s. : celui-ci a une dimension idéologique. À partir des années 60, les intellectuels et surtout les gens de cinéma redécouvrent les Indiens ; ils en proposent une image positive, plus respectueuse de la vérité historique et de l'anthropologie. À l'Indien fourbe et cruel des westerns des années 30 et 40 succède l'Indien courageux, souvent idéalisé, victime de la cupidité des Blancs. John Ford *(Les Indiens)*, l'actrice Jane Fonda, Kevin Costner *(Danse avec les loups)*, 1991) ont fait beaucoup pour réhabiliter l'image de l'Indien.

Ce réveil est également démographique. On comptait 248 000 Indiens en 1890, près de 2 millions en 1990. On estime que la moitié de la communauté a gagné les villes où les hommes exercent des métiers dans le bâtiment car ceux-ci ne sont pas sujets au vertige : laveurs de carreaux, maçons, constructeurs de buildings... L'autre moitié continue à résider dans les 260 réserves indiennes localisées surtout dans l'Ouest (Arizona, Californie, Nouveau-Mexique, Oklahoma...). Certains sociologues ont mis en accusation l'existence de ces réserves pour expliquer la pauvreté et la profonde crise morale que connaît la communauté. Le système de la réserve tend en effet à déresponsabiliser l'individu qui est pris en charge par le bureau des affaires indiennes du berceau à la tombe (soins médicaux gratuits, allocations d'argent, de nourriture, de vêtements, assistance judiciaire, petits privilèges commerciaux...). Enfin, les chefs tribaux, en s'opposant à toute réforme, favorisent ce système de dépendance et de déresponsabilisation.

Pour l'instant, la situation des Indiens est médiocre, voire franchement mauvaise. Ils ont les revenus les plus bas de la société américaine (40% des Indiens des réserves vivent en dessous du seuil de pauvreté). C'est dans la communauté indienne que l'on trouve le taux de mortalité infantile le plus élevé, l'espérance de vie la plus courte, les conditions de logement les plus déplorables, le taux de chômage le plus élevé (49% chez les Indiens des réserves en 1985 !), le taux de suicide le plus élevé... L'alcoolisme, véritable fléau de la communauté, affecte cinq fois plus d'Indiens que la moyenne fédérale.

■ La poussée latino-américaine

Le poids des Hispaniques est désormais considérable : 22,3 millions d'individus selon le recensement de 1990. Leur fécondité étant très forte, on s'attend à 40 millions vers 2015. À ce rythme et à cette date, ils dépasseront sans doute les Noirs. On distingue souvent les Hispanos, descendants des anciens colons établis dans le Sud-Ouest avant l'annexion de ces territoires en 1848, des Chicanos ou Mexico-Américains arrivés depuis un demi-siècle. La poussée latino-américaine s'explique en partie par l'existence d'une forte immigration légale et illégale. On appelle *wetbacks* (dos mouillés) les immigrants clandestins qui tentent de franchir le Rio Grande. Malgré le contrôle des frontières terrestres et des côtes américaines, les Latinos clandestins sont de plus en plus nombreux aux États-Unis (plusieurs millions sans doute). Depuis 1986, l'administration fédérale cherche à légaliser la présence d'une partie des clandestins et à limiter les flux migratoires. Les Hispaniques sont originaires de toute l'Amérique latine mais principalement du Mexique (63% en 1988), de Porto Rico (13% en 1988) et de Cuba (5%).

90% des Hispaniques vivent dans neuf États, dont les principaux sont la Californie, le Texas, l'État de New York, la Floride. À l'exception du cas de New York, les Hispaniques s'installent en priorité dans les États de la Sun Belt, proches de la frontière mexicaine. On en compte plus de deux millions à Los Angeles, un million et demi à New York où ils sont fortement implantés à Harlem, plus d'un demi-million à Miami.

L'action des *braceros*. — Les Chicanos fournissent, dans l'Ouest, la main-d'œuvre bon marché que les Noirs et les immigrants récents offrent dans l'Est. Ils travaillent dans les usines de la région de Los Angeles, de Dallas, de San Diego, mais sont surtout connus pour leur participation aux travaux agricoles, à titre de *braceros*. Ce sont des travailleurs temporaires, migrants, qui vont se placer au gré des besoins et des récoltes. Connaissant mal la langue anglaise, peu qualifiés, ils ont longtemps été exploités par les propriétaires fonciers et les conserveries de Californie. John Steinbeck a évoqué leur présence dans plusieurs de ses romans, qui ont pour cadre la vallée de Salinas où il vécut lui-même. Depuis 1965, Cesar Chavez essaie d'organiser ces *braceros* à l'intérieur d'un syndicat, l'United Farmers Workers Organization. L'effort de Chavez est exemplaire : il a lancé une série de grèves et de boycotts dirigés contre les propriétaires, surtout des viticulteurs, qui refusent le contrat proposé par son syndicat. Il lutte aussi contre les *teamsters* (camionneurs) de l'AFL-CIO qui cherchent à « unioniser » les *braceros* selon des lignes différentes. Grâce à sa ténacité, Chavez a remporté, en 1975, un grand succès sur les *teamsters*.

L'action des Chicanos se situe aussi sur le plan politique. Ils ont créé leurs propres organisations politiques qui, sous des noms différents, défendent leurs droits. Leur programme (celui de la Raza, la race mexico-américaine) demande une certaine autonomie, le droit d'avoir ses écoles, de parler sa langue au sein de la communauté américaine.

La résistance à l'intégration. — Les Hispaniques constituent une minorité qui s'intègre mal et qui inquiète l'Américain moyen. Comme les Noirs, les Hispaniques se caractérisent par un ensemble de facteurs négatifs. Leur revenu moyen est juste légèrement supérieur à celui des Noirs. Ils vivent souvent dans des taudis au cœur des ghettos. Ils ont beaucoup d'enfants et les jeunes tombent souvent dans la délinquance. Des bandes latinos existent et jouent un rôle important dans la prostitution et surtout le trafic de drogue. Peu diplômés, parlant mal ou très mal l'anglais, les Hispaniques pris globalement réussissent mal. Ils exercent surtout des métiers manuels à la ville comme à la campagne. S'il existe à Miami et à Los Angeles une bourgeoisie latino-américaine (les Chuppies, les Yucas), il s'agit là d'un phénomène limité.

Beaucoup d'Américains conservateurs voient d'un mauvais œil cette poussée latino-américaine. La croissance démographique du groupe inquiète. On leur reproche de ne pas vouloir se fondre dans la communauté nord-américaine, de rester fidèles à la langue espagnole, au catholicisme et à leurs coutumes. 80% des Latinos se marient entre eux, vivent dans des quartiers homogènes. Les enfants sont souvent élevés dans la langue espagnole. Beaucoup de Latinos tardent à solliciter la citoyenneté américaine. Le problème de la langue espagnole en forte progression devient crucial aux États-Unis. Des chaînes de télévision (c'est le cas à New York) émettent en espagnol. On recensait 200 stations de radios hispaniques en 1988. Des publicités en espagnol apparaissent. Beaucoup de magasins —en particulier en Californie— sont désormais bilingues. D'où l'impression pour certains Américains d'une sorte d'invasion, d'une possible atteinte à l'identité nationale. Des réactions d'inquiétude apparaissent. Ainsi, en Californie, un mouvement américaniste a fait adopter en 1986 une loi faisant officiellement de l'anglais la langue de l'État.

La traversée de la peur. — Les réfugiés politiques venant des Caraïbes et d'Amérique centrale forment un cas à part (Cubains fuyant le régime castriste, Nicaraguayens chassés par la révolution sandiniste, Haïtiens victimes de la dictature…). Ils entrent aux États-Unis en contrebande, en utilisant des moyens de fortune (radeaux, voiliers, canots à moteur), et leur voyage se termine souvent tragiquement par un naufrage ou l'affrontement avec les garde-côtes américains au large de la Floride. Ces dernières années, Miami est devenu un véritable centre de transit pour tous ces réfugiés, souvent mal accueillis. Mais, fidèles à leur tradition d'hospitalité, les États-Unis leur ont entrouvert leurs portes, un peu malgré eux.

■ Les Asiatiques, une minorité modèle ?

À partir de la seconde moitié du XIXe s., on trouve trace de Chinois puis de Japonais sur la côte Ouest. Ce sont le plus souvent de pauvres *coolies* venus d'Asie pour construire le chemin de fer dans les Rocheuses. Leur présence suscite très vite l'hostilité des travailleurs blancs qui obtiennent la fin de cette immigration. Les Nippo-Américains sont internés en 1942. L'assouplissement de la loi sur l'immigration (1965) et surtout l'effondrement du Sud-Vietnam (1975) provoquent une reprise vigoureuse de l'immigration asiatique. Désormais, les flux migratoires en provenance d'Asie du Sud-Est se placent en 2e position par leur ampleur derrière les flux en provenance d'Amérique latine. En 1990, la communauté asiatique regroupe 7,2 millions de personnes. Sa croissance a été spectaculaire (+ 108% entre 1980 et 1990). Constituant 3% de la population totale de l'Union, les Asiatiques sont principalement originaires de Chine, des Philippines, du Japon, du Viêt-nam, du Laos, de l'Inde et de Corée.

La population asiatique se caractérise par un mode de vie très urbanisé et en particulier une présence encore importante dans les centres-villes (phénomène des *chinatowns*). On estime qu'il y a plus de 130 000 Chinois à New York. Cette population est également fortement concentrée géographiquement. Plus de la moitié des Asiatiques résident dans les États de l'Ouest, en particulier la Californie et les îles Hawaii. En ce sens, ils contribuent comme les Latinos à accentuer le poids démographique de la Sun Belt. Cependant le second foyer de population asiatique demeure la mégalopolis du Nord-Est.

La force du réseau familial. — Il convient de distinguer au sein de cette communauté les Asiatiques installés depuis plusieurs générations et qui ont globalement bien —voire très bien— réussi, des Asiatiques arrivés récemment. Ces derniers, Philippins, réfugiés du Viêt-nam, du Cambodge, du Laos, maîtrisent mal l'anglais, sont souvent peu diplômés et exercent des métiers manuels ou dans le commerce peu payés. Ils sont parfois impliqués dans des affaires délictueuses. Un tiers des Vietnamiens vivent en dessous du seuil de pauvreté. À l'opposé, les Asiatiques installés depuis longtemps (Chinois et Japonais surtout) bénéficient de revenus supérieurs de 10 à 20% à la moyenne nationale parce qu'il y a très souvent plusieurs salaires par ménage. Ils travaillent beaucoup, souvent en famille élargie, et réussissent dans le commerce. 22% des Asiatiques exercent des professions libérales (moyenne nationale 13%). La communauté compte beaucoup de banquiers et d'hommes d'affaires. Très attachés au modèle familial —à la différence des Noirs—, les Asiatiques divorcent peu mais ont peu d'enfants qu'ils élèvent très bien. Ils utilisent souvent leur réseau familial pour monter des affaires ou renouer des liens commerciaux avec la

Chine, Hong Kong, Taïwan, le Japon.

Des succès remarquables. — Élevés selon les préceptes confucéens ou bouddhistes, leurs enfants sont obéissants, respectueux des aînés et réussissent très bien à l'école. Les succès des jeunes Asiatiques dans les universités américaines sont remarquables et provoquent en retour l'inquiétude sourde des Blancs. En 1987, à Berkeley, 25% des étudiants admis étaient asiatiques, dont 40% en technologie. À l'Université de Californie, 21% des étudiants admis sont asiatiques. Leur succès universitaire crée parfois un certain sentiment d'infériorité chez les Blancs qui découvrent tardivement le délabrement du système scolaire américain et son contenu scientifique faible, du moins jusqu'à l'entrée à l'université. L'analphabétisme est en effet devenu un problème national aux États-Unis. En 1989, on estimait que 20% des Américains étaient illettrés ou semi-illettrés.

Immigration et identité. — Le flux incessant des Asiatiques et leur réussite prouvent aux Américains que les cultures étrangères peuvent s'épanouir chez eux. Par cet exemple, les États-Unis montrent que l'immigration ne conduit pas nécessairement à l'exclusion ou à la discrimination. Résister à l'assimilation complète, conserver les valeurs, faire comprendre aux Américains qu'il n'existe pas un exemple type d'Asiatique, mais des Chinois, des Coréens, des Japonais, des Vietnamiens, des Indiens, avec leurs cultures différentes et leur complexité : la devise des immigrants d'Asie pourrait se résumer ainsi.

■ Une société complexe

Une mosaïque multiraciale. — Cette société américaine est étonnamment composite, et il n'y a pas lieu de s'en étonner, car les États-Unis sont un pays jeune, formé d'immigrants venus, volontairement ou de force, de toutes les parties du monde. Toutes les races se côtoient, cohabitent et finalement vivent dans une relative harmonie. Certes, il y a des tensions, mais elles ont toujours existé. Au XIXᵉ s., les protestants se battirent contre les Irlandais catholiques, les Italiens furent considérés comme des réprouvés, et les juifs longtemps exclus de la bonne société et des universités. Chaque groupe ethnique a dû lutter, et continue à lutter, pour se faire admettre sur un pied d'égalité avec les autres. Les tensions ne sont pas dues à la couleur, comme on le pense généralement dans un désir de simplification, mais aux différences de statut et d'image dont chaque groupe jouit dans le pays. Les États-Unis se présentent comme une mosaïque multiraciale. La garantie de ce pluralisme racial et ethnique, sans cesse renouvelé par des apports nouveaux de population, est inscrite dans la Constitution américaine à laquelle cette société ne cesse de se référer, notamment depuis les commémorations de son bicentenaire. La statue de la Liberté, dont le centenaire a été célébré en 1986, reste un symbole vivant, à la fois pour les immigrants et pour les citoyens américains. La liberté d'expression n'est pas un vain mot : le pouvoir de la presse peut faire trembler les hommes politiques, et chaque citoyen peut avoir accès aux documents officiels les plus secrets au nom de la transparence de l'information.

La vie économique

par **Michèle Dujany**
Professeur agrégé d'histoire

À la convention républicaine d'août 1992, George Bush a affirmé : « Nous sommes toujours la plus grande économie du Monde. » Mais il a dû aussi reconnaître que « le nouveau défi de l'Amérique est de gagner la bataille de la concurrence économique ». Voici posé le paradoxe de la superpuissance des États-Unis, forte de quarante ans de productions et de consommations records mais vulnérable sur les marchés internationaux.

On évoque depuis 1988, face à la perte de compétitivité persistante des entreprises américaines, le spectre du déclin relatif d'un pays confronté au dynamisme asiatique, surtout japonais, mais aussi européen. La crise et la guerre du Golfe ont apporté la récession dont l'issue reste encore très improbable si l'on considère la croissance annuelle inférieure à 1,5% en 1990 et en 1991, l'énorme déficit fédéral de 350 milliards de dollars pour 1992 et la dérive de la monnaie qui a atteint en août 1992 son plus bas niveau depuis 1945. Les fondements de la puissance économique des États-Unis seraient-ils irrémédiablement atteints ? La faculté d'adaptation aux crises de ce pays serait-elle prise en défaut ?

■ Les bases de la puissance

● D'énormes ressources énergétiques

Si les États-Unis ont été capables de fournir 1/5 de l'énergie produite et 1/4 de l'énergie consommée dans le monde en 1991, c'est grâce à leurs ressources naturelles qui proposent de larges possibilités.

La première ressource : le charbon. — L'avenir du charbon est assuré : au 2e rang mondial après la Chine (810 Mt de houille en 1991), la production peut s'intensifier au XXIe s., puisque les États-Unis possèdent 30% des réserves de la planète. Leur facilité d'accès diminue les frais d'exploitation : 60% du tonnage est extrait de mines à ciel ouvert.

Dans les Rocheuses, comme au Wyoming et au Montana, les gisements ressemblent à d'énormes carrières où l'abattage est totalement mécanisé. Dans les Appalaches (Kentucky, Virginie), les mines souterraines peu profondes permettent, grâce à la robotisation, d'atteindre une très forte productivité (près de 20 t par mineur et par jour), soit 5 fois plus qu'en Europe). Les chocs pétroliers ont valorisé ce potentiel énergétique et le prix, modéré depuis plusieurs années, du baril n'a pas renversé l'évolution : 57% de l'électricité américaine provient du charbon ; ses usages industriels (chimie, cimenteries) progressent, contrairement au marché du coke sidérurgique. Les exportations affrontent une concurrence de plus en plus sévère et sont passées au 2e rang mondial après celles de l'Australie.

Le pétrole : les dangers d'une dépendance accrue.

— Le pétrole constitue depuis 1859 un repère essentiel du dynamisme économique des États-Unis. En 1929, le pays assurait les 2/3 de la production mondiale. Aujourd'hui, le Texas est le 4e « État » producteur ; l'ensemble des gisements américains, avec 410 Mt en 1991, occupe le 2e rang, juste derrière l'ex-URSS dont la production devenue anarchique ne cesse de diminuer. Cependant, gros consommateurs de carburants et de dérivés pétrochimiques, les Américains importent 40% de leurs besoins en pétrole et possèdent la plus importante capacité de raffinage du globe.

Les ressources naturelles sont variées mais les réserves apparaissent trop limitées pour les exigences de l'économie américaine des prochaines décennies. Les vieux gisements des Appalaches s'épuisent tandis que le Mid Continent et la bordure du golfe du Mexique regroupent la plupart des puits. Le Texas et la Louisiane réalisent 40% de la production. La Californie et les Rocheuses comptent de très nombreux forages, mais c'est en Alaska que l'avenir paraît le mieux assuré malgré les difficultés de la prospection et de l'exploitation en milieu polaire.

Ainsi, les coûts de revient de ces gisements terrestres off-shore sont peu compatibles avec les prix de vente mondiaux du baril qui restent très moyens depuis 1983 (de 16 à 18 dollars). On comprend donc la dangereuse incertitude du marché pétrolier américain, encouragé à importer davantage plus qu'à développer les capacités nationales de production. La dépendance à l'égard du Moyen-Orient risque de s'accroître, confortée par la victoire militaire sur l'Irak en février 1991. Une nouvelle explosion mondiale des prix du pétrole pourrait conclure ce scénario de pénurie américaine. En effet, les grandes compagnies (les cinq « majors » : Exxon, Mobil, SO of California, Texas et Gulf Oil) limitent les forages de prospection et réduisent leurs unités de raffinage. La production pétrolière des États-Unis stagne donc depuis quelques années.

Le gaz : une exploitation coûteuse.

— La production de gaz naturel ne représente plus le même monopole qu'autrefois : 90% en 1950, 26% actuellement malgré un accroissement des quantités extraites. La géographie et les problèmes du gaz sont calqués sur ceux du pétrole. Texas et Louisiane assurent les 2/3 de la production et l'exploitation des réserves de l'Alaska suppose la construction d'un gazoduc (voisin de l'oléoduc existant), très coûteux à ces latitudes, pour transférer la matière première via la côte pacifique (port de Valdez) vers les régions consommatrices.

Un bon réseau hydraulique.

— Après avoir été l'une des actions motrices du *New Deal*, l'aménagement hydraulique des grandes artères fluviales américaines permet aujourd'hui de couvrir 16% des besoins du pays en électricité. Mais l'éloignement entre les régions potentiellement productrices et consommatrices freine le développement des installations. Trois ensembles regroupent les plus grandes réalisations, où irrigation et production d'électricité ont fait naître des pôles économiques majeurs. Depuis 1961, le Saint-Laurent est équipé de gigantesques centrales le long du Seaway : l'usine Robert Moses capture les eaux en amont des chutes du Niagara et produit en aval plus de 4 milliards de kWh par an. La Tennessee Valley Authority gère 33 barrages et a restructuré l'agriculture locale : depuis 1933, le revenu régional a été multiplié par 17. À l'Ouest, les travaux sur le Colorado, la Columbia et la Snake River complètent cet impressionnant bilan.

Le nucléaire : un avenir compromis.
— Les États-Unis occupent le 1er rang mondial des pays producteurs d'énergie nucléaire grâce à 97 réacteurs, mais le 7e rang seulement pour la production par habitant. En effet, depuis 1975, 87 projets d'implantations de centrales ont été annulés dans des régions de forte consommation d'électricité comme le Tennessee et le Michigan ; l'accident de Three Miles Island, près de Washington en 1979, n'a fait qu'accentuer une tendance à la réduction des programmes : la rentabilité des centrales est compromise par les exigences des compagnies d'assurance et les normes de sécurité draconiennes imposées par la très gouvernementale Nuclear Regulatory Commission. Curieux spectacle que ces usines fantômes, construites puis abandonnées depuis peu, froides à jamais, dans le Missouri, l'Oklahoma et le Tennessee.

• Le premier réseau mondial de transport

Vaincre l'espace, surmonter des distances : ce fut l'une des missions américaines du XIXe s., la première condition pour peupler et mettre en valeur le pays. Aujourd'hui, la mobilité de la population et l'ampleur des échanges commerciaux expliquent la variété des moyens de transport.

La prépondérance de l'automobile. —
Le réseau routier (6,3 M de km) et autoroutier (77 000 km) supporte le trafic le plus intense du monde (160 M de véhicules). En très bon état —les autoroutes sont postérieures à 1945—, il assure une large part du trafic des marchandises et vient au 1er rang pour celui des voyageurs (la compagnie Greyhound réalise 40% des déplacements par autocar).

Le chemin de fer est de plus en plus réservé au transport des marchandises (surtout des pondéreux et du fret en conteneurs). Le réseau couvre 330 000 km, avec un matériel robuste et puissant, et est exploité par quelques compagnies privées comme la Norfolk Southern. Les infrastructures sont souvent médiocres et réduisent les vitesses commerciales. Aussi le trafic voyageur décroît-il régulièrement, sauf sur les lignes de banlieue et sur l'axe Boston-Washington où domine la société Amtrak. Mais en 1999, le Texas devrait être le 1er État doté d'un TGV reliant Dallas, Houston et San Antonio.

Le trafic fluvial se limite aux canaux parallèles aux côtes atlantique et pacifique, au Mississippi, aux Grands Lacs et au Saint-Laurent canalisé depuis 1959.

Un espace aérien en mutation. —
Pour un Européen, l'originalité américaine réside dans l'intensité du trafic aérien qui assure 4/5 des relations intérieures. En 1978, la déréglementation des tarifs a entraîné une baisse des prix d'environ 20% mais aussi un engorgement du réseau et des « hubs », ces grands aéroports locaux dévolus souvent à une compagnie. Depuis 1988, des faillites retentissantes (Eastern, Delta Airlines) ont

conduit à une nouvelle concentration où dominent United et American Airlines.

■ Vers un nouveau dynamisme industriel

Aux États-Unis, les secteurs secondaires (industrie) et tertiaires (services de plus en plus développés) sont animés par plus de 4 millions d'entreprises privées. La liberté d'entreprendre, cause et conséquence de la guerre d'Indépendance, n'y a jamais été contestée mais le « nouvel État industriel » défini par J. K. Galbraith en 1967, a mis en évidence les structures de plus en plus concentrées du capitalisme américain.

L'ère des « Géants ». — De grosses sociétés, les « corporations » représentent 20% des entreprises mais réalisent 90% du chiffre d'affaires total. Ce gigantisme touche le secteur bancaire enfin sorti, semble-t-il, d'une très mauvaise passe grâce à une nouvelle concentration, à la forte baisse du taux d'escompte de la Réserve fédérale depuis 1990 et à l'assainissement des bilans (Citicorp, Bank America, Chemical Bank constituent les 3 premiers groupes).

Le secteur industriel est depuis longtemps symbolisé par des très grosses entreprises, qui appliquent des stratégies différentes : dominer une activité (IBM ou USX) ou diversifier une gamme de produits (Dupont de Nemours, General Electric et General Foods). On assiste, dans le cadre de ces firmes géantes, à des mouvements de concentration verticale ou horizontale : apparaissent alors des conglomérats qui aspirent à devenir des multinationales. Ainsi ITT est aussi présent dans l'industrie alimentaire, la construction, les assurances, les cosmétiques (Payot) et l'enseignement (Pigier). Chaque secteur jouit d'une large autonomie mais reste astreint au contrôle financier de la société mère. Les chiffres d'affaires de ces entreprises à l'échelle du monde sont étourdissants : 140 milliards de dollars en 1991 pour General Motors ; leurs sièges sociaux demeurent surtout implantés dans la mégalopolis et près des Grands Lacs, mais Atlanta reste pour beaucoup la cité de Coca-Cola et Seattle celle de Boeing.

Le retour en force des PME. — La récession américaine depuis 1990, cumulée à la concurrence sévère des pays asiatiques, a fait douter de l'efficacité longtemps admirée des techniques du « management » et du marketing. Le déclin économique des États-Unis s'est en effet nourri de la faiblesse des investissements, d'une baisse de la productivité et de lacunes en matière d'innovation. Les entreprises ont entamé une profonde restructuration sur des bases plus dynamiques, assorties de licenciements massifs (automobile, sidérurgie, informatique) pour les grands groupes mais aussi de création de PME peut-être plus flexibles à la conquête de nouveaux marchés. On a ainsi inventé des couveuses *(incubators)* destinées à favoriser l'éclosion d'entreprises compétitives. De fait, depuis vingt ans, la plupart des emplois créés l'ont été par des PME et aujourd'hui 1/3 des sociétés américaines ont moins de dix ans et ce sont des PME qui ont grandi.

L'empreinte de l'État. — Le rôle de l'État, par définition absent d'un pays d'économie libérale et même néo-libérale depuis 1981, est cependant multiple. La Réserve fédérale décide de la politique monétaire et le cours du dollar influe directement sur les prix de revient des entreprises et sur leurs résultats à l'exportation : la baisse historique de 1992 —du taux d'escompte et du billet vert— est censée relancer la croissance. Le Congrès surveille le respect des lois anti-trusts : en 1984 AT&T (American Telephone Telegraph) a dû se fragmenter en 7 sociétés. Des agences fédérales, comme le Pentagone, exercent sur de nombreuses firmes une action déterminante : l'avionneur Mac Donnell-Douglas dépend à 60% du budget de la Défense, General Dynamics à 70% ; la dotation de la NASA équivaut au budget du Portugal et ses commandes sont vitales pour des dizaines d'entreprises.

Enfin, l'État fédéral, au gré des priorités économiques du moment, alterne mesures protectionnistes et libérales vis-à-vis de ses partenaires commerciaux. Ainsi, en août 1992, la signature du traité de libre-échange NAFTA liant aux États-Unis le Canada et le Mexique, a été très bien accueilli par les milieux d'affaires américains sûrs d'en tirer profit.

■ Forces et incertitudes du « pouvoir vert »

L'agriculture américaine exprime actuellement, de la façon la plus paradoxale, les tiraillements douloureux entre la fidélité aux fondements ruraux historiques de l'Union —c'est-à-dire au cadre de l'exploitation familiale— et les nécessités liées aux marchés internationaux de plus en plus concurrentiels. Entre le *farmer* de l'Iowa et l'agri-businessman de Chicago, les besoins, les horizons et les contraintes diffèrent totalement. Bien qu'il ne représente que 2% de la population active, le monde agricole est peu homogène. Le nombre des actifs continue à diminuer car les milieux économiques favorisent les complexes agro-industriels, qui assurent aujourd'hui 10% des emplois.

● **Deux atouts : les céréales et l'élevage**

Malgré une stagnation et même un recul volontaire des surfaces cultivées à l'E. du Mississippi, les États-Unis apparaissent encore comme le grenier de la planète : la SAU recouvre 1/5 du territoire et les cultures de zone tempérée et tropicale s'étendent sur 177 millions d'ha.

Les céréales : le triomphe du maïs. — La répartition géographique traditionnelle entre *wheat-belt* (blé) et *corn-belt* (maïs) tend à devenir moins rigide du fait des progrès agronomiques (semences plus résistantes et adaptables aux divers milieux, engrais performants). La monoculture du blé reste importante au Nord et au centre des Grandes Plaines (le Kansas est le 1er État producteur), mais le blé gagne aussi la *corn-belt* et les plateaux de la Columbia et de la Snake River. Le rendement moyen (25 q par habitant) est plus faible qu'en Europe : la sécheresse endémique freine les progrès dans de nombreuses régions malgré les techniques qui respectent la minceur et la fragilité des sols. En 1990, les États-Unis ont produit 75 millions de t de blé.

Le maïs occupe des surfaces plus réduites dans le Middle West, au S. des Grandes Plaines, mais les récoltes (200 Mt en 1990) représentent près de la moitié du tonnage mondial. Ses multiples utilisations (graines, fourrage, huile, isoglucose) en font la céréale reine de l'alimentation américaine. Depuis les années 30, le soja est souvent associé au maïs : il est l'élément de base du « pouvoir vert » américain, puisque la récolte de 52 Mt en 1990 couvrait 48% du total mondial et assurait l'essentiel des transactions du marché.

De plus, les autres céréales fourragères (sorgho, orge et avoine) placent toujours les États-Unis à un excellent

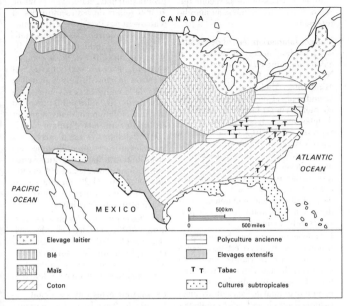

L'Amérique agricole.

rang. Le riz est cultivé avec succès dans les régions irriguées du Sud-Est et dans la plaine de Sacramento en Californie.

Difficultés des cultures industrielles. — La betterave à sucre et la canne à sucre souffrent d'une régression de la consommation intérieure (liée à de larges campagnes d'éducation nutritionnelle) et d'un prix de vente très bas, donc décourageant. Le coton, inséparable de l'image traditionnelle du vieux Sud, reste un point fort (en 2e position après la production chinoise) mais il est maintenant devenu une culture de l'Ouest : dans les oasis du Sud-Ouest, du bassin de Phoenix et dans les plaines irriguées de l'extrême S. californien.

Fruits et légumes à la conquête de l'Ouest. — La culture des fruits et légumes, partout présente, répond à la consommation nationale et débouche sur les marchés internationaux avec des produits chers mais de grande qualité, bénéficiant de transports rapides et de nombreuses usines de conditionnement et de transformation. La récolte d'agrumes (2e rang après le Brésil) provient en partie de la Californie qui a su renforcer ses atouts climatiques par de gigantesques travaux d'irrigation, dans le cadre d'énormes exploitations de type industriel. Quant au vignoble américain, situé lui aussi pour l'essentiel au-delà des Rocheuses, il suscite l'inquiétude des Européens devant l'ampleur croissante de la récolte qui répond de mieux en mieux au marché intérieur.

Une consommation record de viande. — La localisation des activités agricoles a déterminé une *milk* ou *dairy-belt* au N. des Grandes Plaines (Wisconsin, Minnesota, Michigan), autour des Grands Lacs et vers la mégalopolis. Le cheptel bovin est fort de 110 millions de têtes, mais le troupeau laitier n'en représente que 1/10. La production de lait (65 Mt) est renforcée par une sélection attentive des races et des rendements élevés (plus de 5,5 t/vache/lactation). De nouvelles zones laitières existent en Floride et en Californie où d'excellents résultats sont obtenus dans des *dry-lots*, puissants ateliers de plusieurs milliers de têtes.

L'Américain consomme beaucoup de produits laitiers, mais c'est aussi le plus gros mangeur de viande bovine du monde. L'élevage d'embouche contribue à lui seul à plus du cinquième du revenu brut total de l'agriculture américaine. Il associe les États éleveurs des Grandes Plaines et des Rocheuses, et les zones d'engraissement des régions céréalières, mais aussi du piémont des Rocheuses (Colorado, N. du Texas). Les unités de production *(feed-lots)*, véritables complexes intégrés, agro-industriels, associent élevage, abattage, conditionnement et commercialisation de la viande. L'élevage porcin (3e rang mondial) coïncide avec les zones laitières mais se développe partout, tandis que le cheptel ovin reste plus effacé.

● **Contrastes et problèmes du monde agricole**

La faillite des fermes familiales. — Les structures américaines de production dérangent les critères de mesure européens. Ce vaste pays ne compte que 2 millions d'exploitations dont les 3/4 ne fournissent qu'une production marginale, avec moins de 40 000 dollars de ventes annuelles, et n'assurent pas l'essentiel des revenus de leurs titulaires. Les fermes familiales, très répandues dans le Middle West, ont un chiffre de vente compris entre 40 000 et 150 000 dollars. C'est la raison de leurs difficultés actuelles, nées de la course aux revenus, de la sollicitation des aides publiques, d'un très fort endettement et des menaces de faillite. Au-delà d'un revenu de 150 000 dollars, il s'agit d'entreprises agricoles efficaces qui utilisent les services de travailleurs migrants venus d'Amérique centrale : 31 000 exploitations géantes (1,2% du total) assurent 30% du chiffre d'affaires de l'agriculture américaine.

Ainsi les capitaux et les moyens techniques distinguent deux mondes agricoles ; le plus faible —celui où famille et exploitation se confondent— dépend, pour sa survie, d'aides gouvernementales terriblement lourdes.

Le soutien croissant de l'État. — Depuis le New Deal, les pouvoirs publics n'ont pas cessé d'améliorer, de protéger les terres et de soutenir les prix et les revenus agricoles. Le département de l'Agriculture voit ses fonctions et son budget s'accroître (plus de 50 milliards de dollars en 1986) : en 1985, la part des aides fédérales dans le revenu de l'agriculture dépassait 75%.

Tous les cinq ans, une nouvelle loi agricole tente par divers moyens de maîtriser la production : quotas quantitatifs, relance des exportations, ce qui rend difficile les relations avec la CEE, et les programmes pour geler des terres (depuis octobre 1986, on accorde des subventions aux agriculteurs qui réintroduisent la jachère sur 20 à 35% des surfaces cultivables). Ce sont les producteurs de céréales et les éleveurs laitiers du Middle West qui reçoivent les 2/3 des aides. Ces tentatives de réponse aux difficultés d'écoulement de la production sont accompagnées par la recherche de marchés extérieurs. La nécessité de vendre a suscité le lancement de plans d'exportation à bas prix vers le tiers-monde (Food for Peace des années 50 et 60, BICEP en 1985) et des ventes régulières de céréales à l'URSS depuis 1973. Pourtant, depuis 1982 la puissance agricole des États-Unis s'est affaiblie, secouée par la flambée du dollar et la concurrence croissante du Canada, de l'Australie, de l'Amérique latine et de la CEE. La baisse actuelle de la monnaie américaine est bien accueillie par les agriculteurs mais ils restent vigilants.

■ Les remises en cause industrielles

Depuis quelques années, aux États-Unis et à l'étranger, on s'inquiète des bilans médiocres, voire négatifs de grands groupes industriels, des pertes de productivité et de compétitivité constatées dans tous les secteurs. On évoque même, à l'annonce répétée de licenciements massifs à Detroit ou à Pittsburgh, la réalité d'une désindustrialisation américaine à contrecourant de toute l'histoire de ce pays. La Manufacturing Belt du Nord-Est serait à jamais gelée *(frost belt)* ou rouillée *(rust belt)*. Les États-Unis, qui abritent les meilleurs savants et qui restent la première puissance industrielle de la planète, connaissent en effet depuis plus de vingt ans une situation nouvelle : la mondialisation de la production leur impose de profondes restructurations à la fois sectorielles et géographiques.

● **Une industrie lourde inégalement touchée**

Faiblesses de la métallurgie… — La sidérurgie cherche à s'adapter à la concurrence étrangère qui l'a contrainte, depuis dix ans, à réduire sa production (132 Mt d'acier en 1974, 88 Mt en 1990). Elle garde le 3e rang mondial grâce à de puissantes sociétés : USX, LTV et Bethlehem Steel. Leurs usines sont implantées autour des Grands Lacs et dans les Appalaches, près des anciens gisements de fer (Erié, Detroit, Chicago-Gary, Pittsburgh, Buffalo), ainsi que sur les côtes atlantique (Baltimore), texane (Houston) et pacifique où sont traitées de grosses quantités de fer importé du Canada, du Brésil et du Venezuela. Depuis 1985, une importante récession touche tous les centres sidérurgiques affaiblis par la concurrence, par des coûts salariaux élevés, des effectifs trop nombreux et des installations souvent dépassées. L'essentiel a pu être sauvegardé grâce à la restructuration des sociétés (fermetures d'usines, réduction de capacités, 250 000 licenciements), à l'introduction de capitaux japonais et à des investissements dans d'autres domaines de l'industrie (USX réalise les 2/3 de son chiffre d'affaires dans ses activités pétrolières). Les accords laborieux, signés en 1982 et en 1986 avec la CEE pour limiter ses exportations, relèvent de ce sauvetage.

La métallurgie de l'aluminium connaît des problèmes identiques : concurrence, incertitude des cours mondiaux et difficultés des entreprises (Alcoa, Reynolds, Kayser). Les États-Unis assurent néanmoins le quart de la production mondiale. La bauxite est extraite en Géorgie et dans l'Arkansas, ou importée de Jamaïque et de Guinée. Les centres industriels sont implantés près des grands barrages et des centrales thermiques.

…et supériorité de la chimie. — L'industrie chimique reste un secteur puissant, dynamique et exportateur : six sociétés américaines (dont Dupont de Nemours, Union Carbide, Dow

Chemical) comptent parmi les vingt principales entreprises mondiales. La chimie minérale et la chimie organique bénéficient de matières premières abondantes ; les usines occupent le littoral et le bord des Grands Lacs. Les productions sont diversifiées et les firmes connues dans le monde entier : Exxon, Mobil, Kodak, Procter, Johnson.

● **La surabondance de biens de consommation**

Depuis le début du XXe s., les industriels américains ont suscité et satisfait la demande d'une population au niveau de vie élevé, pour qui la possession d'objets industriels témoignait d'une belle ascension sociale.

L'automobile : un secteur sinistré. — Le secteur automobile, symbolique de tous les succès américains du XXe s., a été le plus spectaculairement touché par la crise des années 70, la concurrence japonaise et la récession des années 90. Dominé par les « Big Three » (General Motors, Ford et Chrysler) et largement localisé dans le Michigan et surtout à Detroit, il a dû affronter de sévères pertes de marchés extérieurs et intérieurs. 30% des immatriculations annuelles concernent des produits japonais fabriqués au Japon (mais depuis 1983, celui-ci applique un accord d'autolimitation volontaire des importations) ou sur le territoire même des États-Unis. Ces « implants », Toyota, Nissan, Honda, Mazda, Suzuki et Mitsubishi, ont créé des emplois dans les États en crise tels l'Ohio, le Tennessee et le Kentucky. La production américaine tient encore le 2e rang mondial. Mais les constructeurs, avec l'aide de l'État fédéral, ont entrepris une sévère cure de modernisation socialement pénible : General Motors (marques Buick, Chevrolet, Cadillac, Pontiac, GMC) a annoncé en

février 1991 qu'il allait supprimer 6 000 emplois par an d'ici à 1995. D'autre part, la reprise des investissements et l'augmentation des dépenses de recherche et de développement ont amélioré la qualité et la compétitivité des voitures américaines mais leur coût de production reste supérieur à celui des produits japonais.

Les « transplants » d'Amérique latine. — L'électronique grand public et les produits de consommation courante en faible valeur ajoutée ont gravement subi la concurrence asiatique et européenne. Certaines fabrications ont cessé aux États-Unis au profit des « transplants », usines délocalisées dans le tiers-monde, surtout dans les pays latino-américains. Ainsi, les *maquilladoras* sont des unités d'assemblage, installées le long de la frontière Sud en territoire mexicain.

Forte concentration du textile. — L'industrie textile, implantée depuis le XVIIIe s. en Nouvelle-Angleterre, a essaimé vers le vieux Sud et vers San Francisco pour y développer le travail des textiles naturels ; la production de fibres chimiques (1/4 du total mondial) suit la géographie du pétrole. Les entreprises tendent à répondre à la concurrence étrangère par la concentration en conglomérats. Ces sociétés emploient près de 2 millions de salariés, si l'on compte la confection, très présente à New York au Garment Center de Manhattan.

● **La prééminence disputée des industries de pointe**

En 1991, le Conseil de compétitivité (organisme constitué d'économistes et de scientifiques) fit état d'un « glissement technologique » des États-Unis dont le déclin relatif déjà démontré ne pourrait que s'accentuer au XXIe s. Sur une centaine de secteurs industriels de pointe, 1/3 était maîtrisé par des non-Américains. La diminution également constatée des dépenses de recherche-développement ne peut qu'aggraver cette tendance dans les domaines du futur comme les biotechnologies, les matériaux de synthèse et la nanotechnologie. Cependant la capacité de production des États-Unis et son rayonnement mondial demeurent très impressionnants.

L'électronique en perte de vitesse. — Les constructions électriques et électroniques constituent le terrain d'action d'énormes groupes tels ITT, AT&T, IBM et General Electric. AT&T assure 13% de la recherche mondiale pour les télécommunications mais perd du terrain en volume de ventes. Le géant de l'informatique IBM a signé en juillet 1992 un accord historique avec Toshiba et Siemens pour pouvoir maintenir ses parts de marché. La gamme des productions est étendue : gros matériels d'équipement électrique et de télécommunication, composants, ordinateurs (IBM, Data, Burroughs), équipement robotique et bureautique (Xerox, Wang), micro-informatique. Les centres de fabrication, souvent proches des grandes universités, se dispersent dans l'ensemble du territoire et se développent comme un espoir de résurrection dans certaines régions malmenées par les restructurations industrielles (Pittsburgh, Dallas, Houston, Atlanta).

Les plus célèbres restent Boston et la route 128, l'Arizona (Phoenix, Tucson) et surtout la Silicon Valley de San Francisco à San José. Le bilan global est néanmoins préoccupant puisque la concurrence étrangère sévit sur les marchés intérieurs et extérieurs. Les États-Unis ont perdu le 1er rang de la production des puces et des circuits intégrés, ils encourent le même risque pour les ordinateurs et ils ont dû accepter des « transplants » japonais en micro-électronique.

L'aéronautique et l'aérospatiale au ralenti. — L'industrie aéronautique américaine garde le 1er rôle mondial mais l'âge d'or est révolu et les constructeurs américains d'avions civils et militaires subissent les effets de la récession et de la concurrence internationales. Le fleuron du secteur reste Boeing (150 000 salariés) qui doit répondre aux assauts d'Airbus-Industrie. Avec deux autres entreprises, Lockheed et Mac Donnell Douglas, il a élargi ses fabrications aux engins spatiaux, aux matériels militaires, aux hélicoptères, etc. Les ateliers, implantés à l'origine dans le Nord-Est, ont gagné le Sud (Saint-Louis, Dallas, Atlanta) et surtout la côte pacifique depuis 1945. La région de Seattle est le premier centre mondial de construction aéronautique grâce aux deux usines Boeing (Renton et Everett), suivi par Los Angeles (dans le désert Mojave, l'Aerospace Valley sert de terrain d'essai pour les nouvelles technologies militaires).

L'industrie spatiale dépend essentiellement de l'État fédéral par l'intermédiaire de deux organismes : la NASA, qui dirige les programmes spatiaux des États-Unis, et le département de la Défense qui a lancé le programme de l'IDS (la guerre des Étoiles). Les sommes engagées sont considérables (20 milliards de dollars pour Apollo) et elles bénéficient en partie aux firmes privées de l'aéronautique et de l'électronique. Les missions de ce secteur sont multiples : lancement de satellites techniques (pour la météo, la navigation et la communication), de sondes aux destinations lointaines (Pioneers, Voyagers), la conquête de la Lune et la construction de stations orbitales reliées à la Terre par des navettes. Ce dernier programme, actuellement ralenti, subit les conséquences de plusieurs échecs (explosion de Challenger en février 1986), et des restrictions des crédits alloués à la NASA par le Congrès.

Très connus du public, les centres d'envol et de contrôle des vols se situent surtout dans le Sud pour des raisons climatiques (Houston au Texas, Cape Canaveral en Floride), mais les usines impliquées dans la fabrication sont localisées dans le Nord-Est et près des centres aéronautiques de Californie.

■ L'économie américaine face au monde

La puissance des États-Unis est évidente : quantitatives et qualitatives, ses performances agricoles et industrielles demeurent souvent inégalées. Mais depuis les années 80, la mondialisation de l'économie a dégagé de nouveaux dynamismes productifs et de nouvelles ambitions commerciales. La population américaine a augmenté, les entreprises ont voulu se moderniser pour accroître leur production et leur productivité : la consommation a donc suscité des importations massives tandis que les exportations devenaient plus difficiles.

● **Les problèmes du commerce extérieur**

Un fort déficit commercial. — Les années Reagan ont vu l'extension maximale du déficit commercial, avec 140 milliards de dollars en 1986. Ensuite, les efforts conjugués de l'administration fédérale et des entrepreneurs ont réussi à l'abaisser à 65 milliards de dollars en 1991. Mais en réalité, il s'agit plus d'un fléchissement des importations dû à un arsenal de mesures protectionnistes que d'une augmentation substantielle des ventes à l'étranger.

La prépondérance américaine sur le marché international. — Toutefois, ces chiffres ne doivent pas occulter la place et le rôle des États-Unis dans le commerce international ; premiers exportateurs et premiers importateurs, ils réalisent 13% des échanges mondiaux. Le commerce extérieur américain représente plus de 8% du PIB. Aux importations, les produits énergétiques (13%) et manufacturés (78%) dominent, ce qui traduit bien une dépendance dans les domaines où l'Amérique régnait en maître en 1945. Aux exportations, l'essentiel concerne les produits agricoles (16%) et industriels (80%).

En 1990, les États-Unis comptaient parmi leurs principaux fournisseurs les pays asiatiques (42%) et en particulier le Japon (18%) au même rang que l'ensemble de la CEE. Cette dernière (pour 25%), l'Asie (pour 30%) et l'Amérique latine constituaient les clients essentiels.

Ces données permettent de dégager les trois grands flux du commerce américain, d'abord pacifique puis atlantique et enfin intra-américain, de même qu'un grave déficit commercial avec l'Europe et le Japon. La doctrine commerciale officielle est celle qui est défendue au GATT, notamment l'interminable Uruguay Round : libéralisation progressive puis totale des échanges et lutte contre toute pratique déloyale, c'est-à-dire protectionniste. En fait, les États-Unis, qui ont accepté la constitution d'un bloc économique européen, viennent de créer en août 1992 une zone de libre-échange avec le Canada et le Mexique (NAFTA ou ALENA). Le succès de cet accord sera peut-être à l'origine d'une aire tarifaire unique du Labrador à la Terre de Feu, pour répondre au souhait formulé par le président Bush lorsqu'il a lancé en juin 1990 son « Initiative pour les Amériques ».

Une économie mondiale. — Pour achever de définir le profil commercial des États-Unis, il faut souligner les effets de la politique d'implantation de filiales des grandes « corporations ». La logique des multinationales passe par des liens réciproques entre maison-mère et sociétés du groupe à l'étranger, ce qui gonfle le volume des importations. Ces filiales sont très nombreuses en Europe et beaucoup plus rares dans le tiers-monde non américain : elles sont souvent exportatrices, ce qui bénéficie seulement à la balance commerciale du pays d'accueil. Ainsi, en 1990, le 1/4 des exportations des États-Unis se dirigeait vers la CEE, mais les ventes sur place des seules filiales majoritaires y étaient deux fois plus élevées. Il faut donc pondérer les résultats bruts du commerce extérieur américain et les nuancer dans le sens d'une large interpénétration de l'économie mondiale.

● **Les fluctuations du dollar**

Depuis 1971, le dollar flotte et ses variations obéissent à deux critères opposés. La baisse des cours est recherchée par les exportateurs américains qui profitent de taux de change avantageux pour leurs produits. La hausse du dollar est liée, depuis la guerre du Viêt-nam, au déficit fédéral sans cesse croissant (on prévoit 350 milliards de dollars pour 1993) : pour financer ce déficit, le taux d'escompte de la Réserve fédérale a été fortement relevé de 1980 à 1985. Depuis les accords du Plazza (1985) et du Louvre (1987) entre les partenaires du G7, et surtout depuis 1990, la rétribution des emprunts auprès des pays étrangers est plus modérée (3,5% à court terme en 1992). Ainsi le dollar ne fait que reculer relativement au yen, au franc et au mark allemand. En janvier 1980, il fallait dépenser 4 F pour acheter un billet vert, 10,60 F en février 1985 et 4,80 F en août 1992. Ces fluctuations concernent toute l'économie mondiale dans la mesure où aucune monnaie n'a réussi à remplacer le dollar dans les transactions internationales de produits agricoles, énergétiques et industriels. Les États-Unis continuent donc à définir les grands flux mondiaux même si ce sont leurs faiblesses internes qui expliquent les variations de leur monnaie.

La vie politique

par **Daniel Rivière**
Professeur agrégé d'histoire

et **Claude Fohlen**
Professeur à la Sorbonne

Le système politique des États-Unis est régi par la Constitution écrite la plus ancienne du monde. Rédigée en 1787 et influencée par la philosophie des Lumières, cette Constitution définit un régime à la fois démocratique, fondé sur la séparation des pouvoirs, et fédéral, avec partage des compétences entre les États et les autorités de l'Union. Vingt-six amendements ont permis d'adapter ce texte aux circonstances.

La diversité des institutions. — D'un État à l'autre il existe de nombreuses différences de législation ou de fiscalité. Ces variations trouvent leur origine dans l'histoire. Au XVIIIe s., chacune des treize colonies dépend directement de Londres et est indépendante de sa voisine. Devenues États souverains après la Déclaration d'Indépendance, les treize colonies rédigent des constitutions. Les États-Unis ne doivent donc leur existence qu'à la décision prise librement par ces premiers États de se fédérer. En 1787, les rédacteurs de la Constitution fédérale ont veillé à ménager la susceptibilité des États, en procédant à un partage équitable des attributions et des compétences entre les États et le pouvoir fédéral. De ce fait, la souveraineté de l'Union est limitée par celle des États.

Chaque habitant des États-Unis est à la fois citoyen de son État et citoyen de l'Union ; il doit obéir aux lois et constitutions de l'un et de l'autre. Parfois plus grand que la France (tels l'Alaska ou le Texas), l'État dispose d'une importante autonomie. Un gouverneur, élu pour une durée de deux ou quatre ans, le dirige. Cette fonction confère une certaine popularité et peut permettre à un homme politique de faire ses preuves avant de tenter sa chance à Washington. Le gouverneur est généralement entouré de collaborateurs élus, donc très indépendants. Avec l'appui du congrès de l'État, il peut augmenter ou réduire les impôts, couper les crédits aux universités, renvoyer les fonctionnaires. Il commande la garde nationale de l'État qu'il peut utiliser en cas de troubles, comme ce fut le cas dans les années 60 lors de l'agitation universitaire et des émeutes urbaines liées à la question noire.

Dans chaque État (excepté le Nebraska) existe un congrès composé de deux assemblées. Élus au suffrage universel, les sénateurs et représentants de l'État votent les lois et les impôts locaux. Aussi, les lois sur le mariage, le divorce, les modalités d'inscription sur les listes électorales, les règles de circulation routière ou les programmes scolaires varient d'un État à l'autre. En matière criminelle, treize États ont aboli la peine de mort, trente-sept l'appliquent mais selon des modalités différentes. Des référendums peuvent être organisés.

Les États équilibrent leur budget avec leurs propres recettes, l'impôt sur le revenu et la *sale tax* (taxe sur les ventes), suivant des taux d'imposition différents. Certains États sont connus comme très prodigues (New York, Massachusetts, Californie) en raison d'une politique sociale hardie, tandis que d'autres semblent plus économes. Chaque État possède ses universités ; celles de Californie, du Michigan, d'Illinois, du Wisconsin comptent parmi les meilleures. La justice est rendue par des tribunaux qui appliquent la législation de l'État mais les sentences peuvent faire l'objet d'un appel à la Cour suprême de l'État, ou même à la Cour suprême des États-Unis. Il n'y a pas un droit américain au même titre que le droit français, mais cinquante droits d'État auxquels s'ajoutent le droit fédéral et quelques cas particuliers (district de Columbia et Porto Rico). Cela complique ou rallonge beaucoup de procédures.

Des élections locales nombreuses. —
À l'intérieur de l'État, la première division administrative est le comté, dont les responsables sont élus, comme le shérif, choisi pour deux ans. Viennent ensuite les municipalités, gouvernées par un conseil municipal élu pour deux ou quatre ans et présidé par un maire désigné au suffrage universel (et non par la majorité du conseil comme en France). Le maire dirige la police locale, les services d'incendie, la voirie, l'enseignement, les organismes d'assistance et hospitaliers. Il peut opposer son veto aux décisions du conseil. La ville lève ses impôts et lance des emprunts. Les pouvoirs et l'autonomie du maire américain dépassent ceux de son homologue français. Dans les grandes villes comme New York, Chicago, San Francisco, le maire dispose d'une véritable clientèle politique qui en fait le patron, le *boss* des affaires locales.

Le pouvoir exécutif: un monopole du président. —
Le pouvoir fédéral repose sur le principe de la séparation stricte des pouvoirs : le président de l'Union ne peut pas dissoudre le Congrès, et celui-ci ne peut pas renverser le cabinet présidentiel. Le président ne peut être renvoyé que dans le cas très exceptionnel de trahison. Élu pour un mandat de quatre ans, le président réside à la Maison Blanche de Washington. Le 22e amendement, adopté en 1951, précise que le président n'est rééligible qu'une fois et ne peut pas demeurer en fonction plus de huit ans. Ses pouvoirs sont considérables : il cumule les fonctions françaises du chef de l'État et du premier ministre. Chef de l'Union, premier personnage du pays, il dirige la diplomatie, nomme les ambassadeurs, et signe les traités que le Sénat est libre (ou non) de ratifier. Commandant en chef des armées, il déclare la guerre avec l'accord du Sénat. Dans les périodes de tension, après avoir informé le Congrès, il peut envoyer des troupes à l'étranger pour une durée de soixante jours. Il signe et promulgue les lois, possède le droit de grâce, nomme les juges et fonctionnaires fédéraux. Le président possède un veto suspensif sur les lois votées par le Congrès.

Chef du gouvernement fédéral, le président désigne librement les treize membres qui constituent le cabinet.

Ceux-ci portent le titre significatif de secrétaires : ils ne rendent compte qu'au président et le Congrès ne peut pas les renverser. Ils exercent en fait les fonctions de chefs d'administration. Les plus connus sont le secrétaire d'État (affaires étrangères), le secrétaire à la Défense, l'Attorney général (justice). Contrairement à ce qui se passe en France, le cabinet ne forme pas un véritable gouvernement, il ne délibère pas. Le président réunit rarement le conseil des secrétaires, il préfère avoir des entretiens réguliers avec chacun. Depuis le New Deal qui a vu un renforcement de la fonction présidentielle, il existe en outre de nombreuses agences exécutives placées directement sous l'autorité du président. C'est le cas de l'Agence centrale de renseignements (la CIA) créée en 1947.

Les citoyens élisent non pas un homme mais une équipe, un *ticket*. Le président est toujours assisté d'un vice-président qui a pour tâche de présider le Sénat et de le remplacer en cas de démission (Ford succéda à Nixon en 1974) ou de décès (Truman succéda à Roosevelt en 1945, Johnson à Kennedy en 1963). Dans ce cas, le vice-président achève le mandat du président.

La souveraineté du Congrès. — Le pouvoir législatif appartient au Congrès qui comprend le Sénat et la Chambre des représentants, tous deux installés au Capitole de Washington, majestueux bâtiment à coupole et colonnade. La Chambre des représentants, élue pour deux ans, symbolise l'ensemble de la population de l'Union. Ses 435 sièges sont répartis entre les États au prorata de leur population et réajustés tous les dix ans en fonction du résultat des recensements. À l'heure actuelle, c'est la Californie qui possède le plus grand nombre de sièges (45). Le

Les hommes du président

Confronté à la grande crise des années 30, le président Roosevelt avait jugé utile de s'entourer de collaborateurs privés recrutés dans les meilleures universités — le *brain trust* — pour préparer ses décisions et le conseiller utilement. Roosevelt a permis ainsi à la présidence de se moderniser pour faire face à la gestion d'affaires de plus en plus complexes tant au plan national que mondial. Créé en 1939, l'Executive Office of the President réunit des informations préalables aux décisions et contrôle l'exécution de celles-ci. Deux mille personnes sont employées dans les bureaux et conseils de l'Office. Le cabinet personnel (White House Office), qu'il ne faut pas confondre avec le cabinet fédéral des secrétaires, a été étoffé : Wilson disposait de trois collaborateurs privés, Reagan d'une cinquantaine. Ceux-ci portent le titre de conseillers ou d'assistants. Très proches du président, ils disposent d'un pouvoir important. Il arrive souvent qu'un conseiller du président (tel Kissinger sous Nixon) devienne plus puissant que le secrétaire en fonction, d'où l'existence de frictions. Certains présidents ont été prisonniers de leurs conseillers : Sherman Adams, principal conseiller d'Eisenhower (1953-1958) fut un véritable président adjoint des États-Unis ; Nixon, quant à lui, accorda trop de confiance à Haldeman et Ehrlichmann qui l'entraînèrent dans le scandale du Watergate.

Sénat représente les cinquante États sur une stricte base d'égalité : chaque État choisit deux sénateurs. Il y a donc cent sénateurs élus au suffrage universel direct pour six ans et renouvelables par tiers tous les deux ans.

Le Parlement fédéral américain exerce des pouvoirs supérieurs à ceux du Parlement français. Souverain dans son domaine, il ne peut pas déléguer ses pouvoirs au président qui n'a d'ailleurs pas le droit de le dissoudre. Les deux assemblées détiennent des pouvoirs comparables, mais seul le Sénat ratifie les traités à la majorité des deux tiers, et approuve les nominations d'ambassadeurs ou de juges à la Cour suprême prononcées par le président. Seul le Congrès dispose de l'initiative des lois. D'abord étudiées au sein des commissions (15 commissions spécialisées au Sénat, 22 à la Chambre des représentants), les lois doivent être votées en termes identiques dans les deux assemblées. Si le président oppose son veto, le Congrès peut imposer la loi en la votant une seconde fois à la majorité des deux tiers. Les membres du Congrès désignent, si nécessaire, des commissions d'enquête dont les auditions sont publiques et retransmises par la télévision. Elles peuvent gêner ou mettre en difficulté le président, comme celle dirigée en 1953-1954 par McCarthy, ou encore celles créées par le Sénat à propos du scandale du Watergate en 1973 ou des ventes d'armes à l'Iran en 1987.

L'exercice du pouvoir : la concertation entre le président et le Congrès. — La mentalité pragmatique anglo-saxonne et la logique même des institutions impliquent une consultation entre le président et le Congrès. Le président ne possède pas l'initiative des lois. Pour proposer un vote, il a besoin du soutien d'un représentant ou d'un sénateur, et doit obtenir la majorité dans les deux assemblées. Tous les deux ans un tiers du Sénat et la totalité des représentants sont renouvelés. La majorité peut varier rapidement : au cours de son mandat, le président doit souvent travailler avec plusieurs types de majorité. La cohabitation entre un président républicain et un congrès démocrate est un cas assez fréquent aux États-Unis. Reagan et Bush se sont trouvés dans cette situation. La grande liberté de vote dont jouissent les membres du Congrès, l'appui de l'opinion publique dont bénéficie souvent le président qui utilise adroitement les conférences de presse, et son éventuel talent de persuasion permettent le plus souvent de trouver un compromis entre la présidence et le Congrès.

L'ange gardien de la Constitution. — La Cour suprême veille au strict respect de la Constitution et à la bonne interprétation des lois. Principale institution judiciaire, elle joue un rôle équivalent à trois juridictions françaises : la Cour de cassation, le Conseil d'État, le Conseil constitutionnel. Elle constitue un solide contrepoids à l'exécutif et au législatif. Neuf membres la composent : un président, le *Chief Justice*, et huit juges, les *Associate Justices*. Ils sont nommés à vie par le président après consultation du Sénat qui peut s'opposer à une nomination. Dans ce choix, l'appartenance politique compte plus que la compétence juridique. La tradition veut qu'il y ait un équilibre géographique entre les régions des États-Unis, le Sud ne devant pas être oublié. Il faut au moins un catholique et un juif. En 1967 Johnson a nommé le premier juge noir de la Cour suprême.

Les décisions de la Cour, prises à la majorité, avec possibilité pour les juges qui ne partagent pas l'avis majoritaire de formuler des objections, revêtent souvent une importance capitale dans la vie de la nation. La Cour suprême se substitue parfois au pouvoir législatif : ainsi en 1954 une décision de la Cour suprême, condamnant la ségrégation raciale dans les écoles, a permis de faire évoluer le problème noir. Les positions de la Cour ne sont jamais figées, elles varient en fonction des idées des juges nouvellement nommés et de l'opinion publique. Libérale au début des années 70, elle qualifia la peine de mort de châtiment cruel (1972) et autorisa l'avortement (1973). Aujourd'hui, plus conservatrice, elle déclare que la peine de mort est « la sanction appropriée et nécessaire d'un crime » (1976), et elle reconnaît le droit des États (1977) et du Congrès fédéral (1980) à refuser le remboursement de l'avortement. Sur cette dernière question, elle a décidé de laisser toute liberté de légiférer aux États (1989).

Le règne de deux grands partis. — Le bipartisme est à la base de la vie politique américaine. Deux grands partis se présentent au suffrage des électeurs. Dans les premières années de l'Union, ce furent d'abord les fédéralistes et les républicains démocrates, puis les démocrates et les whigs. Depuis 1854, le parti démocrate s'oppose régulièrement au parti républicain. Le bipartisme américain diffère cependant du bipartisme anglais. Au Royaume-Uni, l'opposition entre conservateurs et travaillistes recouvre des différences profondes. Tel n'est pas le cas aux États-Unis où la différence entre un républicain et un démocrate conservateur du Sud semble bien faible. Les critères français de droite et de gauche ne conviennent guère mieux : aucune opposition idéologique profonde ne sépare les deux grands partis américains ; ils sont d'accord sur l'essentiel. On peut toutefois discerner des tendances. Les démocrates incarnent une conception plutôt libérale de la vie politique américaine, soutenant généralement les réformes sociales et l'extension du pouvoir fédéral. Ils

attirent le vote des minorités ou des classes populaires et moyennes dans les villes, et bénéficient de l'appui des syndicats. Le regain conservateur des années 80 les a un peu affaiblis, mais ils restent majoritaires en voix. En effet, une partie de l'électorat démocrate traditionnel a rejoint les républicains. C'est le cas des ouvriers catholiques polonais ou italiens hostiles à l'avortement, des habitants du Sud, de certains intellectuels. Les républicains représentent une tendance plus conservatrice. Opposés à l'extension du pouvoir fédéral, sceptiques à l'égard des lois d'assistance, protecteurs des valeurs traditionnelles, ils bénéficient du soutien des milieux d'affaires, d'une partie des classes moyennes, des fermiers et de la majeure partie de la presse écrite. Dans la réalité, ces deux partis ne possèdent pas d'organisation structurée ; ils désirent seulement gagner les élections et de multiples courants les divisent.

La percée des indépendants. — Il a toujours existé des partis secondaires : les populistes à la fin du XIXe s., les progressistes avec Henry Wallace au lendemain de la Seconde Guerre mondiale, les indépendants avec George Wallace en 1968. Aux élections de novembre 1980, à côté de Carter et Reagan, se présentaient Anderson (indépendant) et Clark (libertaire). Les socialistes et les communistes présentent régulièrement des candidats mais ne parviennent guère à sortir de leur isolement. Si aucun de ces petits partis n'a pu faire une percée sur la scène politique, ils ont assez souvent contribué à brouiller les cartes en attirant des suffrages qui font défaut aux « grands » candidats. Beaucoup d'Américains — en particulier les jeunes et la population blanche aisée et diplômée — prennent leurs distances vis-à-vis du bipartisme. En 1980, 47% des électeurs se disaient proches des démocrates, 23% proches des républicains, mais 30% se déclaraient indépendants. Beaucoup de citoyens panachent leur vote en votant républicain pour les présidentielles et démocrate pour le Congrès par exemple. Le courant indépendant est donc la seconde force politique aux États-Unis. La campagne présidentielle de 1992 a d'ailleurs été marquée par la percée imprévue d'un indépendant, le milliardaire texan Ross Perot.

Les caprices de la majorité au Congrès. — Les élections au Congrès favorisent généralement les démocrates. Depuis 1954 ils dominent la Chambre des représentants tandis que les républicains détiennent la majorité au Sénat dans des circonstances exceptionnelles, comme en 1946 ou de 1980 à 1986. En novembre 1986, les démocrates obtiennent 260 représentants et 55 sénateurs ; les républicains, 175 représentants et 45 sénateurs. À première vue, un président républicain aurait du mal à gouverner dans de telles conditions, mais ce serait oublier que la discipline de vote est inconnue aux États-Unis. Il n'y a pas de majorité automatique au Capitole. Les textes soumis aux *congressmen* sont approuvés ou repoussés par des majorités de rencontre. Les démocrates mêlent souvent leurs voix à celles des républicains et vice versa. L'esprit de parti n'existe guère. Cela a permis à Reagan et Bush, présidents républicains, de bénéficier de l'appui de certains démocrates du Sud, conservateurs, suffisamment proches des républicains pour voter avec eux. En revanche, on a déjà vu un président démocrate, comme Carter, être tenu en échec au Sénat.

Un taux d'abstention très élevé. — Outre les fonctions politiques dans le

La toute-puissance des *lobbies*

La pratique du *lobbying* accentue le caractère imprévisible des majorités du Congrès. *Lobby* signifie couloir. La législation américaine admet que les conversations de couloir peuvent être utiles aux membres du Congrès pour les aider à prendre leur décision. Réglementé, le *lobbying* permet à de puissants groupes de pression (les agriculteurs, les constructeurs aéronautiques, les fabricants d'armes, d'automobiles, les consommateurs...) de déléguer des représentants officiels, rémunérés et chargés de rencontrer dans les couloirs du Capitole les sénateurs et les représentants pour les convaincre de voter ou de repousser une loi. Certains *lobbies* défendent les intérêts étrangers : Taïwan, la Corée du Sud, Israël. Les trois mille *lobbyists* recensés entourent les parlementaires de prévenances. Rendant de menus services, les conviant à des séjours de détente, ils espèrent faire naître chez leurs interlocuteurs une obligation morale, le jour du vote décisif. Les congressmen doivent être vigilants s'ils veulent éviter de tomber dans le piège des pots-de-vin.

cadre de l'Union ou de l'État, de très nombreuses fonctions administratives sont électives. D'une durée courte, ces mandats arrivent souvent à terme en même temps. Les électeurs votent donc fréquemment et plusieurs fois le même jour.

Les conditions d'inscription sur une liste électorale varient suivant les États. Le 26e amendement (1971) fixe à 18 ans l'âge minimum. Certains États exigent une durée de résidence d'au moins un ou deux ans avant d'inscrire les citoyens sur leurs listes électorales. Avant 1965, quelques États du Sud obligeaient les Noirs à passer un examen et à payer une taxe avant de les inscrire. Les élections se déroulent en semaine et les employeurs accordent à leur personnel des facilités pour voter. Pourtant, l'absentéisme atteint des taux impressionnants : 62,7% d'abstentions lors des élections au Congrès fédéral en novembre 1986 ! Malgré l'énorme publicité qui entoure l'élection présidentielle, 47% des Américains se sont abstenus en novembre 1980 et autant en novembre 1984. La plupart des abstentionnistes appartiennent aux minorités pauvres et défavorisées. Il faut toutefois préciser que ce taux d'abstention n'est pas calculé par rapport au nombre de citoyens inscrits sur les listes, mais d'après la population en âge de voter.

Des élections primaires à la présidence. — La campagne pour l'élection présidentielle s'échelonne sur plus d'un an. Dans un premier temps, les deux grands partis doivent désigner un candidat officiel. Un an avant l'élection, une pré-campagne commence. Ceux qui aspirent à la candidature parcourent le pays et se font connaître. Trente-cinq États et le district de Columbia organisent à partir de mars des élections primaires pour permettre au peuple, et non à la direction du parti, de désigner les délégués du parti qui vont siéger à la convention nationale et ainsi choisir le candidat. Ces primaires permettent à des candidats peu connus de faire parler d'eux en battant des hommes politiques connus. C'est ainsi que Kennedy et Carter ont procédé. Dans les primaires fermées, seuls les électeurs ayant déclaré à l'avance leur intention de vote sont autorisés à voter. Ils départagent alors les candidats d'un seul parti. Dans les primaires ouvertes, les électeurs désignent les candidats des deux partis. Dans les États où il n'y a pas de primaire, l'état-major du parti désigne les délégués à la convention nationale. Celle-ci se réunit durant l'été, dans un hôtel de luxe d'une grande ville ; dans une atmosphère de kermesse, les délégués à la convention votent et désignent — souvent après tractations avec les notables du parti — le candidat officiel. Celui-ci choisit ensuite le candidat à la vice-présidence en respectant une règle d'équilibre. Si le candidat à la présidence est un libéral du Nord, il désignera un vice-président plutôt conservateur, du Sud ou de l'Ouest, ou inversement. Il faut que les deux hommes forment une équipe — un *ticket* — susceptible d'attirer le plus grand nombre d'électeurs.

La véritable campagne commence à partir de l'été. Les candidats organisent des *meetings* dans tout le pays, serrent d'innombrables mains, s'affrontent en septembre et octobre dans de grands débats télévisés pendant que les sondages se multiplient. L'élection ou plutôt les élections, car les Américains élisent en même temps les représentants et un tiers du Sénat, ont lieu le premier mardi de novembre des années bissextiles. Cette campagne, qui dure un an, et l'organisation du scrutin, étalée sur deux mois (le président élu en novembre n'entre à la Maison Blanche qu'en janvier), apparaissent beaucoup trop longues et créent des périodes d'affaiblissement du pouvoir. Un président qui ne se représente pas ne dispose, dans la dernière année de son mandat, que d'une autorité limitée.

Des campagnes électorales ruineuses. — L'argent joue un rôle considérable dans la vie politique américaine. La proportion importante d'électeurs indépendants ou indécis, qu'il faut

Un mode de scrutin ancestral

Le mécanisme de l'élection présidentielle est teinté d'archaïsme ; ses règles remontent à la fin du XVIIIe s. Les suffrages sont décomptés État par État, et non globalement. Selon une élection à deux degrés, les électeurs désignent d'abord 538 grands électeurs qui doivent impérativement, dans la deuxième quinzaine de décembre, choisir « tel » candidat. Le nombre de grands électeurs dans un État équivaut à celui de ses sénateurs et de ses représentants. Par exemple, le Nord Dakota, peu peuplé, ne désigne que deux sénateurs et un représentant, il n'aura donc que trois grands électeurs. En plus, le district de Columbia élit trois grands électeurs. Le scrutin étant majoritaire, si un candidat l'emporte de quelques voix dans un État, il obtient tous les sièges. Si personne n'obtient la majorité absolue, la Chambre des représentants vote et choisit le président comme cela s'est passé en 1800 et 1824. Ce système apparaît de nos jours excessivement compliqué et suscite souvent des critiques. Il peut arriver qu'un candidat, majoritaire en voix au sein de l'Union, soit minoritaire au sein du collège présidentiel.

convaincre, explique que les candidats à la présidence, au Congrès fédéral ou de l'État, voire à un mandat électif local, aient recours aux services d'agences spécialisées en publicité politique. Ces agences organisent la campagne, prennent en main le candidat dont elles cherchent à donner une image flatteuse. Les thèmes des affiches et des spots télévisés sont soigneusement choisis. Le candidat achète auprès des chaînes privées de télévision des plages horaires pour diffuser ses messages et ses spots. De la petite ville au grand centre — en suivant une stratégie savante — le candidat multiplie les apparitions, anime galas et *meetings*. Son entourage prépare les thèmes qu'il évoquera le jour du débat télévisé où son art de la repartie et sa présence devront convaincre la fraction d'électeurs qui hésite encore. Cette organisation coûte cher. Un candidat à un siège de sénateur fédéral doit débourser plusieurs millions de dollars, un candidat à la présidence plusieurs dizaines de millions. On estime qu'en 1980, l'ensemble des campagnes électorales pour la présidence, le Congrès fédéral et les congrès des cinquante États a coûté environ un milliard de dollars. En novembre 1986, les divers candidats au Congrès fédéral et aux congrès des États ont dû débourser 500 millions.

Le coût de plus en plus élevé de ces campagnes inquiète l'opinion. Depuis quelques années, des mesures législatives cherchent à limiter et à rendre transparent le financement de ces campagnes. Les résultats sont inégaux. Seule la campagne présidentielle est prise en charge par des fonds fédéraux. Pour les autres campagnes, les hommes politiques doivent utiliser leur fortune personnelle et avoir recours à l'argent collecté par leurs sympathisants. Une partie de ces fonds vient des quatre mille comités d'action politique *(political action committee)* apparus depuis 1974. Les dons individuels aux comités ne peuvent pas, en principe, excéder mille dollars par personne, mais aucune réglementation ne limite le nombre des comités ni les dépenses des candidats. Si l'argent n'est pas toujours source de succès, il reste cependant le nerf de la guerre de toute élection aux États-Unis.

L'art américain

par **Hélène Lassalle**
Conservateur en chef du patrimoine

Vue par l'Europe, la peinture américaine a traditionnellement été qualifiée de « réaliste » et de « primitive ». Il est vrai qu'elle est née avec la colonisation. Ses premières productions étaient celles d'hommes frustes, sans mémoire culturelle. La lutte pour la vie était leur seul but, l'efficacité leur principale valeur. La pratique artistique avait une fonction utilitaire : une représentation reconnaissable, bien identifiable, sur les portraits et les enseignes, paraissait seule nécessaire. À travers tout l'art américain, jusqu'à nos jours, il en est resté une persistante fascination pour la réalité. « L'art pour l'art » n'apparaît que par intervalles, tardivement. De même les spéculations esthétiques ne se développent qu'au XXe s., au contact de l'Europe. Il ne faut pas pour autant voir les œuvres abstraites des dernières décennies comme un art instinctif. Une caractéristique constante de l'art américain pourrait être dégagée : à la différence des artistes européens, les créateurs américains n'ont pas à compter avec le poids de l'histoire, le respect des règles de l'École, de la tradition. Comme les pionniers de la Nouvelle Frontière, les artistes n'ont jamais craint d'aller le plus loin possible.

■ Un art colonial

La peinture américaine éclôt dans les colonies septentrionales. En Virginie et en Caroline, régions agricoles et commerçantes, les colons mènent une vie mondaine et élégante. Ils font élever leurs enfants en Angleterre et c'est là qu'ils commandent leur mobilier, leur garde-robe. Pour leurs portraits, ils s'adressent aux artistes en vogue à Londres. Le premier art américain est donc populaire. C'est en Nouvelle-Angleterre que l'on trouve les premiers peintres, les *limners* (enlumineurs), artisans itinérants anonymes. Ils peignent des enseignes, avec maladresse mais non sans charme, et des portraits dans la tradition des *costume pieces* élisabéthains *(Mrs. Freake and Baby Mary*, et son pendant *Mr. Freake*, 1674). À New York, le réalisme des Pays-Bas vient apporter son souci d'individualité à la tradition hiératique élisabéthaine. Lorsque les Anglais conquièrent en 1664 New Amsterdam (qui deviendra New York), fondée par les Hollandais quarante ans auparavant, ils trouvent sur place les objets et les œuvres d'art que les émigrants ont apportés de leur pays d'origine. L'art qui est en train de naître en conserve la marque.

● **Le portrait et le grand genre**

Les artistes sont livrés à eux-mêmes. Aucune école, aucun atelier où se former. Des peintres européens s'installent : Gustavus Hesselius vient de Suède (il s'établit à Philadelphie en 1711), **John Smibert** (1688-1751) d'Écosse. Ce dernier accompagne **George Berkeley** pour fonder un collège dans les Bermudes destiné à convertir et à éduquer les Indiens. Faute d'argent, ils s'arrêtent à Rhode Island.

The Bermuda Group, le doyen Berkeley et sa famille, peint en 1729, peu après leur arrivée, servira de modèle à des générations d'artistes américains ; portrait de groupe à la hollandaise, il possède une élégance britannique encore jamais vue. Par ailleurs Smibert a rassemblé dans son atelier une véritable collection d'œuvres d'art européennes, la première collection privée de l'histoire des États-Unis.

Les gravures apportées d'Europe par les voyageurs font connaître les modes d'outre-Atlantique. Le portrait est le seul genre admis ; encore malhabile et naïf, il cherche à s'inspirer des modèles européens. Seuls six ou sept artistes anonymes, qui travaillent dans l'Hudson Valley de 1715 à 1730, les *patroon painters*, ébauchent une vision plus personnelle. **Robert Feke**, disciple de John Smibert, est le premier peintre connu, né sur le nouveau continent. Son art a également la candeur des *limners* et des *patroon painters*.

Avec l'autodidacte **John Singleton Copley** (1738-1815), l'art du portrait prend une autre dimension. Ses per-

sonnages ont une présence expressive. Leur regard laisse deviner une vie intérieure, une personnalité qui leur est propre. Copley nous révèle une société d'artisans et de bourgeois moins austères que les pionniers puritains, même s'ils n'ont pas le naturel de leurs homologues européens. Le climat politique se détériore (après la fameuse Boston tea party, Copley a tenté de réconcilier les partis opposés, les whigs indépendantistes auxquels il appartient par ses origines populaires et les tories fidèles à la couronne auxquels le lient son épouse et ses riches clients). Vers 1774-1775, Copley quitte son pays et part pour l'Angleterre. Les thèmes modernes et contemporains de ses tableaux d'histoire, dramatiques, volontiers véhéments, déjà romantiques, choquent ses pairs et séduisent le public : *Watson et le requin*, 1778 ; *La Mort du major Pearson*, 1782 ; ou *Le Siège de Gibraltar*, 1791.

Avec Copley, l'Amérique vient concurrencer l'Europe sur son propre terrain.

C'est le cas également du jeune **Benjamin West** (1738-1820) qui quitte l'Amérique à 22 ans pour n'y jamais revenir. West fait à Londres une carrière officielle comme peintre de la cour et président de la Royal Academy. Tout comme les autres artistes néoclassiques du continent, il se tourne vers l'Italie et l'Antiquité. Mais, comme Copley, il bouscule les canons de l'époque. Drame, mouvement (voire gesticulation), pittoresque, effets fantastiques, profondeur et couleurs dénotent une sensibilité nouvelle. Autre nouveauté : l'apparition chez les deux peintres d'Indiens et de Noirs. Définitivement installés en Angleterre, Copley et West ne créent pas un style américain, mais l'atelier de Benjamin West accueille tous les jeunes artistes venus du Nouveau Monde pour se former en Europe et faire le Grand Tour. Tous deux se heurtent à l'échec dans leur propre pays.

Seul **Washington Allston** (1779-1843) parvient à faire reconnaître le « grand genre » en Amérique.

Samuel F. B. Morse (1791-1872), fondateur en 1823 de la National Academy of Design à New York dont il devient le premier président, tente de s'imposer comme peintre de l'histoire contemporaine, mais, devant son insuccès, il se consacre après 1833 à des recherches techniques... et invente le télégraphe. La bourgeoisie de la toute jeune nation préfère plutôt investir dans les affaires que dans l'art. Aucune grande commande publique ou privée, excepté les portraits, seul genre apprécié : l'élite locale, déçue par la révolution et nostalgique du mode de vie anglais, se complaît dans une image d'elle-même à l'européenne. Le portrait est aussi le genre officiel, par excellence, pour les hommes d'État soucieux de s'immortaliser.

Parallèlement, les héritiers des *limners* maintiennent une tradition naïve et réaliste : **Winthrop Chandler** ou **Joshua Johnston**.

Charles Wilson Peale (1741-1827) est l'un des personnages marquants de cette période. Ami de Washington, Jefferson, Franklin, La Fayette, il mène une vie pittoresque et variée, bien caractéristique de l'esprit américain de l'époque. Apprenti-sellier, Peale veut devenir peintre, rencontre Copley et va à Londres suivre l'enseignement de Benjamin West ; de retour aux États-Unis, il devient tour à tour orfèvre, taxidermiste, dentiste, naturaliste, conférencier et peintre. En 1786, à Philadelphie, il fonde le premier musée d'art et d'histoire naturelle du pays. *Le Groupe dans l'escalier* (vers 1795), portrait de deux de ses dix-sept enfants, traité en trompe-l'œil (Washington aurait lui-même été abusé) n'a jamais perdu de sa célébrité. Son fils aîné, **Raphaelle Peale** (1774-1825) a laissé un petit chef-dœuvre de trompe-l'œil et d'humour : *Vénus sortant des eaux, une duperie* (1823, baptisé récemment par erreur *Après le bain*).

Le portraitiste le plus réputé est **Gilbert Stuart** (1755-1828). Il emprunte sa technique aux portraitistes en vogue à la fin du XVIIIᵉ s., Gainsborough ou Romney. C'est à lui que l'on doit l'image la plus populaire de George Washington. Selon son habitude, Stuart, qui préfère capter la vie de ses modèles plutôt que les installer dans un décor, peint un portrait du président mais le laisse inachevé. Sur les 115 portraits de Washington qui sont commandés à Stuart, il n'y a pas moins de 60 copies du portrait inachevé, appelé bientôt *La Tête Athenaeum* du nom de l'institution pour laquelle elle est finalement acquise par souscription publique.

Dès cette première phase de son histoire, les traits caractéristiques de la vie artistique américaine apparaissent. Ils ne cesseront de se développer jusqu'à nos jours. Le rôle des mécènes compte dès l'origine : de riches citoyens se cotisent pour permettre à un jeune artiste d'aller se former en Europe (ce fut le cas de Peale) ou pour acquérir des œuvres d'art en faveur de leur ville. Les musées sont créés à l'instigation de particuliers : le musée de Charleston en 1773, l'Academy Columbianum de Philadelphie, de courte durée (elle va devenir la Pennsylvania Academia of Fine Arts en 1805). Enfin, art et science, loin de s'exclure mutuellement, attirent les mêmes attentions. Samuel Morse ou Charles Wilson Peale mènent parallèlement des recherches scientifiques et une carrière artistique.

■ Un art national

Jusqu'aux premières années du XIXᵉ s. l'art américain s'est conformé à la peinture européenne. Après la victoire de 1812 contre l'Angleterre, s'amorce l'indépendance culturelle. Boston, ville coloniale, décline au profit de New York. À travers les États, dans chaque ville se créent des académies, lieux d'enseignement et d'exposition : l'American Academy of Fine Arts à New York en 1802, celle de Philadelphie en 1805, l'Athenaeum de Boston en 1807, la National Academy of Design à New York en 1826. En littérature comme en peinture l'art américain s'identifie avec son pays. Pour le roman, le meilleur exemple de cette tendance reste *Le Dernier des Mohicans* de James Fenimore Cooper paru en 1826. En peinture, le paysage devient un art national.

● Le paysage

Thomas Cole (1801-1848), premier paysagiste américain, fait de ce genre un art autonome et incontesté. Après avoir accompli le classique Grand Tour, il s'installe à son retour d'Europe dans les monts Catskill, au nord de New York. Non sans analogie avec les poèmes de son ami W. C. Bryant, ses œuvres célèbrent la grandeur et la sauvagerie de la terre américaine ; il confère à certains paysages une résonance symbolique, dans de vastes narrations allégoriques en plusieurs tableaux compréhensibles par tous, sans références littéraires ni savantes (*Le Cours de l'empire*, 1833-1836, ou *Les Âges de la vie*, 1842).

Asher B. Durand, proche de Cole, codifie les théories de **l'école de l'Hudson,** mais c'est la deuxième génération qui donne à celle-ci sa véritable dimension.

Vers 1840 les artistes s'affranchissent totalement de l'Europe. Plus de Grand Tour ni de formation à Londres, à Rome ou à Paris. Avec des thèmes toujours plus grandioses **Frederic Edwin Church** (1826-1900) exalte l'immensité de la terre américaine encore vierge. Il est considéré comme le successeur de Cole, dont il a été l'élève. Il brosse des panoramas énormes, intensément colorés, d'amples couchers de soleil flamboyants, des sites spectaculaires : chutes du Niagara, pics des Andes, icebergs du pôle Nord, déserts glacés du Labrador, cascades de l'équateur. Ses tableaux répondent à une quête de l'Être divin dans une nature encore en fusion, à peine émergée du chaos originel. Albert Bierstadt (1830-1902) révèle au public new-yorkais fasciné les splendeurs de l'Ouest tout juste exploré : la Sierra Nevada, Yosemite, le lac Tahoe, les montagnes Rocheuses.

Les paysagistes américains se distinguent de leurs émules européens par leur sens de l'espace, avec une prédilection pour les sites aux proportions colossales (*Le Colorado* de Thomas Moran, 1873, en est un exemple), et par leur goût des couleurs violentes, presque criardes, saturées sous la lumière des soleils couchants, les reflets et les effets de ciel. Ils diffèrent des impressionnistes, tant par leur sens du grandiose que par leur technique d'un réalisme précis et détaillé.

Parallèlement, le courant naturaliste s'attache aux descriptions minutieuses, illusionnistes jusqu'au trompe-l'œil, d'une flore et d'une faune miniatures vues à la loupe. Fleurs et insectes, agrandis et chatoyants, fabuleux et terribles, prennent les dimensions de la fable chez **John James Audubon** (1785-1851) ou **Martin Johnson Heade** (1819-1904).

Heade est l'auteur de vastes paysages traités selon la même technique précise immobilisant chaque détail, tout comme **Fitz Hugh Lane** (1804-1865) décrit avec une minutie figée les immensités plates et miroitantes de la même région, le Maine. L'atmosphère est toujours sereine alors que la guerre de Sécession fait rage. Les effets de lumière limpide, glacée, posée en aplat, sont caractéristiques de ces peintres qui n'ont jamais formé une école véritable mais que l'on a regroupés sous le nom de luministes (aux côtés de John F. Kensett, Stanford R. Gifford).

Un artiste solitaire comme **George Inness** (1825-1894) donne à ses paysages une dimension spirituelle qui préfigure le Symbolisme.

● Les Indiens

L'Amérique n'est pas seulement caractérisée par ses sites, sa flore et sa faune, mais aussi par les Indiens. La plupart des tribus ont disparu, aux alentours de 1830, quand des peintres, suivant l'exemple de Fenimore Cooper, font de leurs derniers survivants un symbole romantique de pureté idéale, une société modèle. **George Catlin** (1796-1872) leur consacre sa vie. Il décrit, en plus de 500 tableaux, leurs activités quotidiennes et fait les portraits de leurs chefs (*Buffalo Bull's Back Fat*, 1832). À la fin du siècle, avec la nostalgie d'une ère révolue —la frontière est déclarée close en 1890—, **Charles Russel** et **Frederic Remington** (1861-1909), retracent l'épopée des pionniers et les combats des cow-boys contre les Indiens, en sculpture comme en peinture, sur un fond de vastes paysages. L'observation fait place à la légende.

● La scène de genre

Les années de 1830 à 1880 constituent l'âge d'or de la peinture américaine.

Comme dans tous les autres domaines aux États-Unis, à cette époque, le développement artistique progresse et se transforme avec une rapidité extrême. Structures d'enseignement, expositions, collectionneurs, diffusion par la gravure ou la lithographie par la firme Currier and Ives assurent à l'art un véritable essor. À partir de 1839, l'American Art Union organise une loterie dont les lots sont des tableaux. Cet organisme connaît un vif succès et joue un rôle de mécène, achetant des œuvres pour en éditer des gravures qu'il diffuse largement. Il favorise le développement de la scène de genre qui connaît une grande popularité. Le mode de vie et les caractères typiquement américains fondent une nouvelle mythologie.

William Sydney Mount (1807-1868) propose une vision de la vie rurale idyllique et prospère. **George Caleb Bingham** (1811-1879), dans les années 1840, s'intéresse davantage à la vie des bateliers sur le Missouri, évoquant l'atmosphère nostalgique qui précéda la guerre de Sécession. Le tableau *Marchands de fourrures descendant le Missouri* (1845) est devenu au XXe s. une icône nationale. Ces artistes peignent volontiers les Noirs et les métis qui vont tenir désormais une place à part, et entière, dans l'iconographie américaine.

John Eastman Johnson (1824-1906) est l'artiste le plus réputé et le plus cosmopolite. Pendant la guerre de Sécession, il exécute des scènes mélodramatiques, sentimentales ou héroïques, puis il se spécialise dans les scènes de genre en plein air, idylliques, témoignant de l'ascension sociale américaine et du désir d'une vie plus raffinée. Il pourrait être rapproché de l'école de Barbizon, mais sa peinture est plus colorée. Il consacre ses dernières années au portrait, reflet de la prospérité de la riche bourgeoisie d'affaires.

● **La nature morte**

Après la fin de la guerre de Sécession en 1865, l'Amérique connaît une période troublée et un prodigieux développement industriel. Le style de vie change. Une nouvelle classe sociale rapidement enrichie accumule objets de luxe et collections d'œuvres d'art. Les premiers musées publics, institutionnels, se créent : à New York et à Boston en 1870, à Washington en 1874, à Philadelphie en 1876. Le réalisme, si prisé, se perd au jeu de la virtuosité. Le trompe-l'œil devient un genre typiquement américain : les grands noms en sont **William Harnett** (1848-1892) et **John F. Peto** (1854-1907). Tradition qui prendra au XXe s. les formes du pop'art et de l'hyperréalisme.

● **Le Réalisme**

Winslow Homer (1836-1910), dans un style personnel et avec une lumière éclatante, brutale, qui ne doit rien aux écoles européennes (malgré un voyage à Paris en 1867), traite de façon poétique et vibrante l'alliance de l'homme et de la nature : enfants ou jeunes femmes dans les prairies en fleurs, pêcheurs aux prises avec la mer démontée, chasseurs dans la montagne. Le sentiment qui en émane est proche de la poésie de Henry David Thoreau.

À l'opposé, **Thomas Eakins** (1844-1916) décrit des scènes statiques avec une minutie empruntée à son maître parisien Jean-Léon Gérôme. Ses recherches de la vérité la plus crue (ses leçons d'anatomie font scandale) et son usage de la photographie expliquent son succès à l'époque moderne, et son influence sur la première école américaine du XXe s., l'Ash Can School.

● **L'Impressionnisme en Amérique**

En 1897 dix peintres se séparent de la Society of American Artists et présentent leurs œuvres dans de petites expositions sans jury. Ils ont pour chef de file **Childe Hassam** (1859-1935) qui a rapporté d'un séjour parisien la leçon impressionniste des reflets et des miroitements sous la pluie. Ils sont rejoints plus tard par **William Meritt Chase**, auteur de scènes de plein air aux tons clairs.

Mary Cassatt (1844-1926) tient une place à part : de son vivant, c'est en France qu'elle est connue. C'est là qu'elle expose aux côtés des impressionnistes français. Elle leur doit la douceur de ses scènes familiales et ses couleurs claires. En Amérique, son rôle est surtout d'introduire ses amis européens dans les collections américaines.

Parmi les expatriés qui font carrière en Europe, **James McNeill Whistler** (1834-1910) est associé, au cours de sa période parisienne, aux peintres d'avant-garde tels que Manet, qui l'influence dans l'utilisation des noirs et des gris *(La Mère de l'artiste*, 1871). Plus tard, à Londres, où il finit sa vie, il rencontre les artistes de l'Aesthetic Mouvement, Dante Gabriel Rossetti et William Morris, avant d'être tardivement reconnu, après 1900, comme un précurseur du Symbolisme. Face à Eakins, archétype du réalisme image de la vie, Whistler apparaît comme le champion de l'art pour l'art. **John Sargent** (1856-1925), fils lui-même d'expatriés, connaît un succès international, surtout pour ses portraits. Il allège la rigueur de la composition et le réalisme fidèle appris à Paris chez Carolus-Duran par la vivacité du pinceau, l'éclat et la fraîcheur des éclairages, et des colons inspirés par Monet. Sa technique brillante recherche la spontanéité mais elle reste quelque peu superficielle.

● **Les symbolistes**

Tandis que réalistes et impressionnistes s'attachent à fixer la prégnance des apparences, quelques symbolistes, peu nombreux, s'inspirent de sources littéraires (la Bible, Shakespeare, Wagner, ou Keats) comme **John White Alexander** (1856-1915) pour sa toile *Isabelle et le pot de basilic* (1897). Le plus personnel et le plus célèbre d'entre eux, **Albert Pinckham Ryder** (1847-1917), travaille de façon très picturale des matières épaisses, bitumées, laquées, qui empâtent des formes simplifiées. Ses sujets sont des paysages troublés et fantastiques, marines et clairs de lune, ou des scènes qui pourraient sembler empruntées au réel, si elles n'étaient aussi fantomatiques (*Le Champ de courses ou la Mort sur un cheval pâle*, 1895-1910).

■ L'avènement de la modernité

● **Le groupe des Huit ou l'école de la Poubelle.**

Maurice Prendergast (1859-1924) a été rapproché assez arbitrairement des impressionnistes. Il s'intéresse davantage à Seurat et Signac tout en adoptant une touche plus large dans un style vigoureux, personnel et vivement coloré, avec, parfois, des zones claires dans les interstices à la manière des Fauves français un peu plus tard. Peignant des sujets urbains et populistes il fait partie du groupe des Huit. Les « Huit » sont les premiers artistes à se constituer en une « école américaine » lorsqu'ils s'installent ensemble à New York, au tournant du siècle, après plusieurs années de formation à Philadelphie. Leur chef de file, **Robert Henri** (1865-1929), est aussi leur maître ; leurs sujets : la ville et les petits faits de la rue. Ils décrivent le monde du travail, des loisirs populaires, de la petite bourgeoisie. Devant des motifs aussi peu nobles, on les surnomme par dérision *the Ash Can School*, l'« école de la Poubelle ».

À côté de Prendergast et de Henri, **John Sloan** (1871-1951), **William Glackens** (1870-1938), **George Luks** (1867-1933), **Everett Shinn** (1876-1953), **Ernest Lawson** (1873-1939) prônent le retour aux sujets nationaux, le refus des canons académiques, la spontanéité dans la technique. Mais le choix des sujets n'implique aucune intention politique, aucune visée sociale : un simple souci de vérité quotidienne ; dire le plus banal et le plus général.

George Bellows (1888-1925) est l'élève de Robert Henri, et s'il ne fait pas partie du groupe, il en adopte les points de vue. Il reprend les thèmes de Eakins comme la boxe ; pourtant l'esprit en est totalement différent. Au lieu de la précision du détail immobile de Eakins, Bellows cherche à traduire synthétiquement la violence de l'action. Il donne à l'Amérique quelques-unes de ses images les plus fortes, les plus américaines (*Tous deux membres de ce club*, 1909).

On peut s'étonner de trouver le « romantique anachronique » **Arthur B. Davies** (1862-1928) membre d'honneur des Huit. Son œuvre est symboliste dans ses thèmes et conservatrice dans sa manière. Davies joue néanmoins un rôle déterminant dans les changements esthétiques de l'art américain en organisant l'Armory Show de 1913.

● **L'Armory Show**

C'est la première exposition internationale d'art moderne, organisée sous les auspices de l'Association of American Painters and Sculptors, association indépendante fondée en 1911 en réaction contre les règles de l'Academy. Davies et son collaborateur Walt Kuhn rencontrent par l'entremise du critique Walter Pach les frères Duchamp et les artistes d'avant-garde français. L'exposition a lieu au magasin d'armes du 69ᵉ régiment à New York, puis circule dans diverses villes américaines. Le réalisme de l'Ash Can School et de l'art américain en général est soudain confronté aux modernismes européens. Le choc est brutal : c'est un succès publicitaire énorme, et la première confrontation entre les productions américaines et des centaines d'œuvres post-impressionnistes, fauves, cubistes ou abstraites venues d'Europe. Le *Nu descendant l'escalier* de Marcel Duchamp devient le symbole de l'exposition tout entière, scandale pour la plupart des visiteurs et objet de toutes les critiques. À côté de ce tableau les œuvres de l'Ash Can School paraissent sages ! Les jeunes peintres n'oublieront pas la leçon. Avec l'Armory Show s'engage la guerre entre réalisme et abstraction, tradition et modernisme, renouvelant le débat du XIXᵉ s. entre image de la vie et art pour l'art, entre Eakins et Whistler.

● Le groupe 291

Le photographe **Alfred Stieglitz** (1864-1946) assure la promotion des modernistes dans sa Galerie 291, au 291 Fifth Avenue, où il a déjà exposé des Européens, bien avant l'Armory Show. Il est le premier au monde à montrer Brancusi en 1914. Il fait connaître aussi Matisse, Rodin, Toulouse-Lautrec, Cézanne, Picasso, Picabia, Severini. Sa revue *Camera Work* publie le premier texte de Gertrude Stein, des articles d'auteurs ou d'artistes d'avant-garde européens. Il défend la jeune génération américaine.

John Marin (1870-1953) décrit inlassablement la ville futuriste qu'est New York, avec ses gratte-ciel et ses ponts, dans un éclatement de formes et des couleurs stridentes proches de celles des Fauves. Dans ses paysages du Maine, il frôle l'abstraction.

Marsden Hartley (1877-1943) se lie au groupe du Cavalier Bleu pendant un séjour à Berlin en 1914, groupe avec lequel il entretiendra une longue correspondance. Il revient d'Allemagne avec un style expressionniste aux couleurs intenses cernées de noir. Il utilise d'abord des motifs décoratifs (croix, cibles, décorations militaires) traités pour leurs seules valeurs plastiques et selon des schémas abstraits. Il retourne ensuite à la figuration traditionnelle de scènes rurales plus classiques ; à la fin de sa vie, il peint de puissants paysages du Nouveau-Mexique. La culture indienne est une des principales sources d'inspiration de son art décoratif et de sa pensée.

Arthur Dove (1880-1946) exécuta le premier tableau non figuratif américain, en 1910, après deux ans passés en Europe. Il découvre donc l'abstraction en même temps que Kandinsky, mais il évolue en sens inverse. Il se fonde toujours sur des perceptions sensorielles et des émotions dont ses formes plastiques sont la traduction : il ne perd jamais le contact avec la nature ; la réalité est toujours décelable.

Georgia O'Keefe (1887-1986), la compagne de Stieglitz, traverse comme Hartley et Dove une brève période non figurative. Sa peinture, focalisée comme une photographie sur un détail agrandi et isolé en un motif unique, s'écarte autant qu'il est possible d'un réalisme illusionniste : cœur d'une fleur vue comme un organe vivant ; croix dans un paysage qui obture le premier plan *(Croix noire-Nouveau-Mexique*, 1929). Il s'en dégage une sensualité toute nouvelle dans l'art américain.

Alfred Stieglitz gagne le pari posé par l'Armory Show : il prouve qu'il existe un art américain moderniste, aussi convaincant que les avant-gardes européennes et totalement original.

● **Dada à New York**

Francis Picabia séjourne souvent aux États-Unis où il fréquente le groupe 291. Il dessine la couverture de *Camera Work* en 1915 et publie plusieurs dessins « mécanistes » dans la revue. En Europe il publie *391* en souvenir de Stieglitz. À New York il est également l'un des familiers du collectionneur Walter Conrad Arensberg.

Son ami **Marcel Duchamp** est aussi l'hôte habituel d'Arensberg. Les deux artistes multiplient les provocations qui défraient la chronique artistique. En 1917, Marcel Duchamp expose à l'Independant's Exhibition son fameux urinoir baptisé *Fontaine,* qui fait scandale. En 1920 il fonde la Société Anonyme avec Katherine Dreier et Man Ray. La collection de peintures et sculptures modernes qu'ils rassemblent et qu'ils font circuler de ville en ville devient le premier musée d'art moderne international des États-Unis. Jusqu'à sa mort en 1968, Duchamp, naturalisé américain, restera l'un des éléments stimulants de la vie artistique new-yorkaise. Dans les années 60, il est l'un des habitués du Black Mountain College où son exemple servira de modèle aux jeunes néo-dadaïstes du futur pop'art.

Mais le mouvement dada américain, à proprement parler, est de courte durée. Picabia quitte New York en octobre 1917 et rentre à Paris en passant par Barcelone. Man Ray va également à Paris en 1921 pour y faire carrière. Sans être dadaïstes, des artistes américains empruntent à cette explosion iconoclaste certaines techniques telles que le collage : **Arthur Dove** ou **Joseph Stella** (1877-1946). Stella est le peintre lyrique de New York, des tourbillons de lumière de Coney Island et de la monumentalité gothique de Brooklyn Bridge, ce pont célèbre qui a remplacé chez les peintres les splendeurs inouïes et colossales de la nature pour symboliser la puissance de l'Amérique.

● **La sculpture en mouvement : Calder**

À Paris, **Alexandre Calder** (1898-1976) combine sa double formation de sculpteur et d'ingénieur. Il établit des équilibres subtils entre des masses colorées et fixées sur des tiges, transposition en volume de certaines formes peintes par Mirò. Le mouvement est mécanique pendant quelques années, avec l'adjonction d'un moteur électrique ou alors agité par des souffles d'air : les premiers *mobiles* apparaissent en 1931. L'année suivante, il crée des *stabiles*, agencement de plaques de tôle découpées et peintes. Ceux-ci deviennent de plus en plus monumentaux, fixées au sol, alors que les mobiles pendent dans les airs. Toute sa vie Calder a partagé son temps entre la France (dans son atelier de Saché près de Tours) et les États-Unis.

● **Les synchromistes**

Dans l'entourage du groupe 291 on trouve encore, vers 1913, **Stanton Mac Donald Wright** (1890-1973) et **Morgan Russell** (1886-1953) qui élaborent à Paris un jeu de rythmes-couleurs, purement abstraits, dont on a fait trop longtemps un dérivé de l'art des Delaunay. Se rallient à eux **Arthur B. Frost** et **Patrick Henry Bruce** (1880-1936). Le cubisme sculptural si original de Bruce —qui s'est suicidé, désespéré par l'incompréhension de tous— a été jusqu'à une date toute récente totalement méconnu.

En 1917 la galerie de Stieglitz ferme. Cette avant-garde importée était trop fragile pour s'imposer ; Stieglitz pourtant reste, jusqu'à sa mort en 1946, fidèle à ses peintres qui n'auront qu'une reconnaissance tardive. Néanmoins, pendant quelques années, New York a pu se comparer aux centres artistiques européens. Rétroactivement, l'histoire lui reconnaîtra cette place. Par ailleurs une transformation sociologique a eu lieu. Les recherches formelles des artistes modernistes sont d'un accès difficile ; elles ne touchent plus qu'un petit nombre d'amateurs éclairés, tandis que les figuratifs réalistes gardent la faveur du grand public. Ce clivage va se maintenir tout au long du siècle.

■ L'entre-deux-guerres

● L'American Scene Painting

L'expérience décevante de la guerre européenne incite l'Amérique à se replier sur elle-même. La crise de 1929 ne fait qu'accentuer cette tendance. Le style est à nouveau strictement réaliste (et donc rassurant), les sujets strictement américains. **Charles Sheeler** (1883-1965) et **Charles Demuth** (1883-1935) dressent des paysages industriels —silos, usines, docks, réservoirs, entrepôts— une image minutieusement précise, grandiose et froide, totalement dépourvue d'êtres humains : un monde minéral et vide, entièrement artificiel. Ils empruntent à la photographie ses aplatissements et ses grossissements. Leur technique les a fait appeler les précisionnistes.
À l'opposé, l'idéal rural conservateur du Middle West apparaît comme seul garant contre la déshumanisation et la corruption des grandes villes, la réponse à l'appel du président Roosevelt pour la « normalité » et la « restauration du pays ». L'American Scene Painting, régionaliste, reprend les thèmes traditionnellement populaires de la vie locale villageoise où se mêlent petits Blancs et pauvres Noirs. « J'ai voulu avant tout peindre des tableaux qui seraient l'image vivante de l'Amérique pour le plus grand nombre possible d'Américains », dit Benton.

Grant Wood (1892-1942), peintre des petites villes proches du milieu rural, est l'auteur du tableau le plus caractéristique de cet âge d'or puritain et campagnard : le fameux *American Gothic* (1930) est l'image la plus connue et la plus reproduite sans doute de tout l'art américain.

Thomas Hart Benton (1889-1975) est le plus célèbre et le plus politique des régionalistes. Il veut rivaliser avec les muralistes mexicains : Orozco, avec qui il collabore à New York ; Siquieros et Diego Rivera, dont il s'inspire pour célébrer labours et moissons dans un souffle épique et des couleurs intenses. C'est chez lui que se forme le jeune Jackson Pollock. Benton donne l'exemple des grandes peintures murales nationalistes que l'on retrouve à travers tout le pays.

● Le Federal Art Project

La crise de 1929 a durement touché les artistes. À l'instigation de Roosevelt, le gouvernement fédéral passe commande aux peintres, sous l'égide de la Work's Progress Administration, pour décorer de vastes *murals :* bâtiments publics, écoles, bibliothèques, hôpitaux, studios d'enregistrement. C'est le Federal Art Project. Pendant dix ans, le système fournit du travail à plus de dix mille peintres, confirmés ou débutants. C'est là que se forment ceux qui, tout jeunes encore dans ces années-là, seront les grands noms des années 50 : Gorky, Pollock, Rothko, Newman...

• Urban Realism et Social Realism

L'American Scene Painting s'attache aussi à la représentation misérabiliste et sans concession des faubourgs surpeuplés, des petites villes déprimantes, de la vie quotidienne des milieux populaires dans toute sa laideur. Les artistes de l'Urban Realism, **Reginald Marsh** (1898-1954), les frères **Isaac**, **Moses** et **Raphaël Soyer**, qui forment un petit groupe d'artistes fortement politisés, souvent marxistes, rejoignent par un autre chemin certains motifs de Thomas Benton : cafés encombrés et filles dans les rues.

Si le style d'**Edward Hopper** (1882-1967) n'est pas expressionniste comme celui des précédents, son œuvre s'en rapproche par ses thèmes. Dès cette date, Hopper crée son univers : un monde de solitude, de silence, de lumière implacable où des êtres anonymes (petits bourgeois ou employés) sont perdus, accablés, ennuyés, dans des rues vides, des théâtres déserts, des bureaux où rien ne se passe, des gares sans âme qui vive, des halls ou des chambres d'hôtel. Son art devait influencer profondément l'écriture du romancier allemand Peter Handke, et le langage cinématographique de Wim Wenders. La solitude est également présente chez **Charles Burchfield** (1893-1967), et chez **Andrew Wyeth** (1917) ; ce dernier commence à travailler avant la guerre mais sa renommée ne va s'imposer que plus tard grâce à ses natures mortes, paysages et scènes rurales décrites avec attention et poésie, accessibles à tous et sans portée politique.

Simultanément, le petit noyau du Social Realism tente d'infléchir la politique fédérale à travers l'American Artists' Congress fondé en 1936. Ces artistes d'inspiration trotskiste pratiquent un art engagé. C'est ainsi que **Ben Shahn** (1898-1969) s'est fait remarquer par une série (1932-1933) sur le procès, puis l'enterrement en 1927, des anarchistes Sacco et Vanzetti. Il est connu aussi pour ses reportages photographiques sur l'Amérique en crise, commandés par la Farm Security Administration entre 1935 et 1942. Des photographes comme **Walker Evans**, **Dorothea Lange**, **Russell Lee** travaillèrent également à ces reportages, reflets du désastre économique des fermiers du Middle West et du Sud chassés par la misère —c'est le sujet des *Raisins de la colère* de Steinbeck —images terribles à l'opposé de l'Arcadie décrite par les régionalistes.

• Magic Realism

Face à la crise, des artistes cherchent refuge dans l'imaginaire. Certains (Hyman Bloome, Peter Blume) inventent un monde incongru plus réel que le réel. Pour **Ivan Albright** (1897), il s'agit plutôt d'une intensification angoissée du réel qui va jusqu'à l'hypertrophie cauchemardesque, turgescente, monstrueuse des moindres rides, défauts, déformations des corps et des visages.

• Le Pacifique et l'Orient

Sur la côte du Pacifique l'influence de l'Asie, du Japon ou de la peinture chinoise ouvre les portes du rêve et du « regard intérieur », défense contre les difficultés contingentes. **Morris Graves** (1910) peint en filigrane et **Mark Tobey** (1890-1976) invente en 1934 une « écriture blanche » inspirée par le zen, qui prélude à ses tableaux abstraits de l'après-guerre.

• L'abstraction des années 30

Dans ces années où l'Amérique se replie sur elle-même et revient à sa tradition réaliste, quelques artistes n'ont pas oublié la leçon de l'Armory Show. **Stuart Davis** (1894-1964) tire d'objets insignifiants de la vie quotidienne les éléments de ses compositions abstraites, géométriques et colorées : la série des batteurs à œufs en 1927. D'autres, les **American Abstract Artists** (AAA) se tournent vers un purisme emprunté à Mondrian.

■ L'école de New York

Grâce à la WPA (Work's Progress Administration), De Kooning, Jackson Pollock, Ad Reinhardt, Barnett Newman, Mark Rothko, Arshile Gorky, encore inconnus, réalisent de vastes panneaux muraux. La vie artistique est stimulée par l'arrivée d'Européens qui fuient le nazisme et la guerre. Le Bauhaus se retrouve de l'autre côté de l'Atlantique avec Gropius, Feininger, Albers, Mies Van der Rohe, Moholy-Nagy. Hoffmann fonde un New Bauhaus à Chicago.

Joseph Albers (1888-1976) dirige le Black Mountain College en Caroline du Nord où il reprend l'enseignement expérimental et les méthodes rigoureuses du Bauhaus. Les créateurs les plus notoires viennent y enseigner et en font le foyer d'innovation le plus actif durant deux décennies. La contestation radicale de Marcel Duchamp et de son ami John Cage qui applique en musique des théories esthétiques analogues, sert de ferment aux futurs chefs de file du pop'art.

À New York s'installent Mondrian, Matta, Fernand Léger, Chagall, Max Ernst, Matisse, Tanguy, Hélion, André Breton. Ils ouvrent des horizons nouveaux aux jeunes peintres. Ceux-ci prennent conscience de nouvelles possibilités plastiques et ils se posent la question de leur identité : la peinture américaine existe-t-elle ? Des critiques théoriciens —Harold Rosenberg, Clement Greenberg—, et une galerie, Art of this Century, dirigée par Peggy Guggenheim, alors

mariée à Max Ernst, vont soutenir la révolution picturale de la jeune génération américaine.

● L'Expressionnisme abstrait

Le surréalisme d'un côté, Picasso de l'autre sont les révélateurs. Leur découverte libère Adolph Gottlieb (1903-1974) Barnett Newman (1905-1970), Arshile Gorky (1905-1948) de l'emprise des traditions figuratives comme de la froideur des A.A.A. Tous ont conscience que les solutions esthétiques des années 30, tant en Europe qu'aux États-Unis, ne peuvent plus apporter de réponse après la cassure de la guerre.

« Il nous a fallu partir de zéro », dira plus tard Barnett Newman. Innovations dans le langage pictural, dans les techniques, dans les formats devenus, chez la plupart, de très grande dimension.

Encouragé par l'amitié d'André Breton, **Arshile Gorky** est le premier à franchir le pas. Après avoir suivi fidèlement Picasso, il passe brusquement à une abstraction onirique, violente et sensuelle qui fait de lui l'un des grands créateurs de cette génération. Période trop courte dans une carrière qui s'achève de façon aussi brutale que dramatique. Adolph Gottlieb conserve une sensibilité proche des surréalistes.

Robert Motherwell (1915-1991) mêle dans ses *Élégies à la République espagnole* des symbolismes de sexe et de mort. Il fonde avec Mark Rothko (1903-1970), William Baziotes, David Hare, le sculpteur David Smith, le groupe The Subject of the Artist auquel se joignent Willem de Kooning (1904) et Jackson Pollock (1912-1956).

David Smith (1906-1965) a appris en usine la technique de la soudure. Impressionné par les sculptures soudées de Picasso et de Gonzalez dans les années trente, il construit à ses débuts des structures de fer courbé se développant dans l'espace (*Blackburn, Chant d'un forgeron irlandais*, 1950) ; il abandonne ensuite le linéaire et le graphique pour des volumes géométriques en tôles d'acier (séries des *Voltri-Bolton, Zig* et *Cubi*). David Smith est considéré comme le plus grand des sculpteurs américains de l'après-guerre.

Willem De Kooning, arrivé de Hollande en 1926 seulement, reste fidèle à la figuration avec la série *Women* (1950-1952) où il n'hésite pas à déformer, balafrer, taillader le corps de la femme. Par la suite ses immenses toiles sont balayées de giclées de peinture. En sculpture, il modèle d'instinct, les yeux fermés. Sa carrière longue et sa merveilleuse spontanéité ont fait de lui l'une des *stars* de l'art américain.

La peinture de **Franz Kline** est encore plus gestuelle, avec quelques grands coups de brosse noirs sur une toile laissée blanche. De Kooning et Kline ont été groupés par la critique sous la bannière de l'Action Painting.

C'est à la peinture de **Jackson Pollock** (1912-1956) qu'est donnée pour la première fois cette qualification. De son vivant même, Pollock devient un mythe et son aura n'a cessé de croître. À une imagerie héritée de Masson et de Picasso, succèdent les « classiques » des années 50 : les *drippings*, immenses toiles fixées au sol que le peintre éclabousse de laque pour automobile en une sorte de danse autour de la toile, à la fois instinctive et contrôlée. Trois années éblouissantes d'intense création étonnent les critiques et le grand public. Puis c'est le retour à la figuration, une raréfaction de la production, des difficultés personnelles qui alimentent depuis lors des interprétations multiples, une mort accidentelle : Pollock entre dans la légende.

À l'opposé, semble-t-il, **Barnett Newman** et **Mark Rothko**, dans la dernière phase de leur carrière, couvrent la toile de plages monochromes. Newman colle des bandes étroites *(masking tape)* pour laisser une mince raie, en réserve, qui tranche sur le fond ; Rothko fait vibrer les pigments colorés de ses larges rectangles flottants, aux contours incertains. Avec la plus grande sobriété de moyens, tous deux suggèrent profondeur et lumière, non sans élaborer une expression nouvelle du sacré. Ils finissent l'un et l'autre par se limiter au noir, Newman pour la série des *Stations de la Croix-Lema Sabachtani* (1958-1965), Rothko pour les toiles de la chapelle de l'Institute for Religion and Human Development à Houston (1965-1967) et pour sa dernière série en gris et noir (1969-1970).

C'est le noir qui domine encore dans les croix noires sur fond noir de **Ad Reinhardt** (1913-1967), sa seule production après 1953 inspirée par le zen. « Aucun symbole, aucune image, aucun signe », dit-il. Ce pourrait être la définition des œuvres de tous ces artistes. Leur réflexion rigoureusement logique sur « le sujet de l'artiste » les a conduits à un extrême dépouillement, avec le minimum de séduction plastique. La leçon sera comprise par les minimalistes de la génération suivante.

La présence d'Archipenko aux États-Unis à partir de 1923, ou l'arrivée de Naum Gabo et de Lipchitz réfugiés lors de la Seconde Guerre mondiale ne stimulent pas la peinture au même degré que les peintres européens en exil la transforment. **Louise Nevelson** (1900-1988) avec ses enchâssements de matériaux de rebut, muraux, totems et environnements, ou **Louise Bourgeois** (1911) pour ses amples formes organiques ne leur doivent guère.

• La deuxième génération

Une deuxième génération d'artistes abstraits reprend rapidement la leçon de ses aînés. **Jules Olitski** (1922), **Larry Poons** (1937), **Joan Mitchell** (1925-1992), **Sam Francis** (1923) développent le *color field painting*, peinture n'ayant ni centre ni bords, dont les précurseurs à la génération précédente ont été **Mark Tobey** (1890-1976) chef de file de l'école du Pacifique, et **Clyfford Still** (1904-1980), l'un des fondateurs du groupe The Subject of the Artist. Tobey joue sur d'infimes variations de nuances en une écriture très fine et retenue. Still, au contraire, traite avec puissance une pâte épaisse et sombre qui se fracture par endroits sur des espaces clairs et colorés tout aussi denses.

La seconde génération reprend à son compte et développe les résultats déjà acquis. **Helen Frankenthaler** (1928), très sensible aux vastes espaces et aux vibrations atmosphériques, approfondit les effets de la technique de Pollock. **Morris Louis** (1912-1962) travaille par coulées sur de la toile non préparée pour qu'elle absorbe la matière picturale. La peinture est mate et le bord des coulures légèrement flou. **Kenneth Noland** (1924) réduit son vocabulaire à quelques bandes régulières de couleurs pures juxtaposées, soit horizontales, soit circulaires. On a rassemblé ces artistes sous le terme général de Post-Painterly Abstraction.

Richard Diebenkorn (1922) reste inclassable. Abstrait, il joue sur les transparences et suggère des profondeurs savamment contenues dans une grille de lignes verticales et horizontales. Malheureusement, il ne jouit pas en Europe de la renommée que son travail mérite.

D'autres artistes portent leur réflexion sur le format, la symétrie : **Frank Stella** (1936), **Ellsworth Kelly** (1923), **Jack Youngerman** (1926). Ce sont les peintres du hard hedge. Ils refusent le format rectangulaire ou carré pour des formes découpées. Ils n'utilisent que des couleurs pures, peu nombreuses. **Brice Marden** (1928) juxtapose des toiles monochromes aux tons éteints.

Sol Le Witt (1928) peintre et sculpteur, fait partie des artistes que la critique a regroupés sous le terme de Minimal Art avec **Robert Morris** (1931), **Donald Judd** (1928) ou **Carl André** (1935) : à la recherche des données géométriques minimales nécessaires à un matériau pour être une sculpture, ils refusent toute marque subjective et ils font réaliser leurs œuvres en usine.

Formaliste sans être minimaliste, **Richard Serra** (1939) crée des tensions dans l'espace en agençant des plaques de tôle monumentales.

La trace, la répétition sont le sujet de la réflexion de **James Bishop** (1927), et **Agnes Martin** (1921). **Robert Ryman** (1930) n'utilise que la couleur blanche. Sa réflexion porte sur la nature du support, le matériau, sur le peint et le non peint. Le tableau n'est plus le fruit d'une inspiration personnelle. Il est le résultat d'une réflexion théorique sur les composantes matérielles minimales nécessaires à une production pour qu'elle « fasse tableau ».

• Le pop'art

Simultanément, en 1960, une exposition au musée d'Art moderne de New York, *16 peintres américains*, révèle au public un style provocant encore jamais vu. Sont reniées les spéculations esthétiques, philosophiques ou spirituelles de l'expressionnisme abstrait autant que le formalisme de l'abstraction géométrique minimaliste contemporaine. L'actualité ou la banalité quotidienne, le tout-venant de l'environnement immédiat fournissent les thèmes de ce nouveau courant réaliste qui vient d'apparaître en Angleterre sous le nom de pop'art et qui va se développer en France avec le groupe des Nouveaux Réalistes.

Aux États-Unis, **Jasper Johns** (1930) et **Robert Rauschenberg** (1925) empruntent leurs motifs aux journaux ou s'inspirent des objets les plus simples, fourchettes, boîtes, pinceaux qu'ils reproduisent fidèlement. Ils nient la surface plane et font intervenir la troisième dimension. Leurs œuvres sont des assemblages à mi-chemin entre peinture et sculpture : *Combine-paintings* de Rauschenberg, *Bathtub collages* de **Tom Wesselman** (1931). La plupart des pop-artistes travaillent en deux ou en trois dimensions. Avec eux peinture et sculpture cessent d'être des catégories séparées. Jasper Johns reproduit à l'identique, en bronze peint, un pot où trempent les pinceaux, comme il introduit des éléments en volume dans la composition de ses *Cibles*.

Comment définir les empilages de boîtes de poudre à lessive Brillo d'**Andy Warhol** (1925-1987) ?

Jim Dine (1935) assemble objets trouvés, objets fabriqués et toiles peintes. Il peint des cœurs géants enjolivés d'objets de bazar, tout comme Robert Rauschenberg combine aigle empaillé, emballage de carton et sérigraphies d'images politiques de magazines, ou bien morceaux de bois, objets de rebus et un patchwork de divers motifs décoratifs peints à l'huile.

Larry Rivers (1923) colore à la peinture des figures de bois découpé, ou bien duplique billets de banque et boîtes de cigarettes, ou encore brosse des scènes de genre de type misérabiliste.

Certains pop-artistes ne sont que sculpteurs, **Claes Oldenburg** (1929), **George Segal** (1924), **Edward Kienholz** (1927). Pour tous, le vocabulaire est celui de la bande dessinée (**Roy Lichtenstein**, 1923), ou de la publicité : boîtes de conserve, bouteilles de Coca-Cola, *stars* de cinéma, placards publicitaires des autoroutes (Wesselman, Warhol, James Rosenquist, 1923). Avant eux, Reginald Marsh (1898-1954) emplissait ses tableaux de publicité et Stuart Davis (1894-1964) de lettres et de slogans.

L'image du monde qu'ils transmettent est, déjà, totalement médiatisée. Il ne s'agit en rien d'un réalisme direct. Il n'y a, non plus, ni dénonciation ni ironie, ni même apologie, mais simplement la juxtaposition sans lien logique d'images dépourvues d'émotion, telles que la société ambiante les amalgame : images de la vie urbaine ou des médias, aseptisées malgré la violence et la mort omniprésentes.

Les artistes du pop'art se tournent aussi vers d'autres formes d'expression, le cinéma (Andy Warhol) ou les *happenings*, actions spontanées de groupe dont Alan Kaprow (1923) est l'initiateur. Souvenir de leur formation au Black Mountain college, certains collaborent avec des musiciens et des chorégraphes, ainsi Robert Rauschenberg avec le musicien John Cage et le chorégraphe Merce Cunningham. C'est l'époque où l'on s'enthousiasme pour les applications esthétiques des technologies modernes. L'ingénieur rêve de devenir créateur, l'artiste veut maîtriser les techniques nouvelles et ouvrir d'autres voies à la création.

Gyorgy Kepes, Otto Piene créent le Center for Advanced Visual Studies, au Massachusetts Institute of Technology. Les artistes invités travaillent avec les savants et les spécialistes des sciences humaines du MIT. À New York, Billy Klûver, spécialiste du laser, fonde avec ses amis artistes, Rauschenberg notamment, E.A.T. (Experiment in Art and Technology). Maurice Tuchman, directeur du musée de Los Angeles, lance un programme de quatre ans (1967-1971) pour faire réaliser des œuvres par des artistes dans des entreprises en collaboration avec ingénieurs et techniciens.

● **Réalismes et hyperréalisme**

La *mimesis* qui envahit à nouveau la scène artistique américaine dans les années 60, se transforme dans les années 70 en réalismes outrés, surchargés de détails, similaires à des agrandissements d'images photographiques. Un phénomène analogue se produit en Europe dans les mêmes années. Le succès en est bref mais il s'impose partout.

Aux États-Unis, le réalisme remet en honneur le corps humain, mais sans émotion ni sensualité. Les nus anonymes de **Philip Perlstein** (1924) sont d'un vérisme provocant, mais les contrastes des ombres et des lumières donnent à leur épiderme la luisance du métal chromé des meubles de l'atelier où ils posent. Effet de lumière encore, venant par en dessous, chez **Alfred Leslie** (1927) pour accentuer la théâtralité macabre des visages ou des scènes. Des femmes, **Eunice Golden**, **Sylvia Sleigh**, osent la même franchise pour représenter, non sans dérision, le nu masculin. L'hypertrophie des détails sur les visages de **Chuck Close** (1940), démesurément agrandis sur plusieurs mètres, leur confère une présence hallucinatoire.

On trouve une fascination identique dans le paysage urbain : superpositions, entrecroisements de lignes et de reflets (**Don Eddy**, 1944 ; **Richard Estes**, 1936).

● **Les nouveaux minimalistes**

À la différence de l'hyperréalisme dont le succès fut aussi bref que général, les tendances minimalistes traversent les générations. **Edda Renouf** (1943) dont le travail porte sur la texture même de la toile, **Robert Mangold** (1937), **Robert Petersen** (1945) poussent la réduction jusqu'à d'infimes variations sérielles sur des lignes. L'art minimal se rapproche alors de l'art conceptuel.

● **L'art conceptuel**

Mel Bochner (1940) fait varier ses séries selon des configurations graphiques de chiffres. **Joseph Kosuth** (1945) opère par rapprochement, en confrontant un objet dans sa matérialité quotidienne avec ses correspondances photographiques ou linguistiques.

Laurence Weiner (1940) se contente de noter le processus d'un acte simple sur une feuille de papier, libre à l'acquéreur, soit de le reproduire par écrit sur un autre support, soit de le réaliser, soit de n'en rien faire, laissant l'acte virtuel.

Ian Wilson (1940) se borne à des constats réduits à une seule proposition et tapés à la machine. Le geste artistique n'est plus dans la réalisation mais dans la conception, ou plutôt, dans le seul fait de concevoir, qui équivaut à toutes les formes de conception possibles.

À l'inverse, la conceptualisation peut recourir aux techniques les plus sophistiquées. C'est le cas de **Dan Graham** (1942) dont les environnements par systèmes vidéo et jeux de miroirs permettent de visualiser un décalage de l'image, temporel ou spatial (par exemple : deux images, l'une passée, l'autre actuelle, vues simultanément, dans *Present continuous Past(s)*, 1974). Le spectateur devient toujours un personnage du spectacle qu'il observe et que d'autres observent en même temps que lui.

● **Le Land Art**

C'est l'apport le plus original de l'art américain dans les années soixante-dix. La nature elle-même est à la fois le lieu d'inscription et la composante principale de la sculpture comme en préfiguration de la réflexion que mène aujourd'hui en Europe l'art écologique. **Michael Heizer** (1944), **Walter de Maria** (1935), **Denis Oppenheim** (1938) ou **Robert Smithson** (1938-1973) choisissent les déserts du Nevada ou du Nouveau-Mexique, le Grand Lac Salé, des mines de sel désaffectées, des lacs gelés ou des champs de labour pour réaliser des œuvres colossales ou infimes, soumises aux variations climatiques et à l'érosion, le plus souvent éphémères, connues désormais par la photographie.

Il faut ménager une place à part à **Javacheff Christo** (1935) dont le travail porte sur des sites urbains autant que naturels. Son propos concerne essentiellement la société.

● **Le Néo-Expressionnisme**

Selon le constant mouvement de balancier qui rythme l'alternance des modes esthétiques, les années 80 connaissent comme l'Europe, après l'esthétique de la raréfaction, la vogue de la *bad painting*. Coulures, giclures, paillettes et couleurs fluorescentes sur tissus d'ameublement de mauvais goût, collages *kitsch* et motifs empruntés à l'imagerie populaire profane ou religieuse de tous horizons remplacent dans les galeries les œuvres *clean* et les menus papiers intellectuels.

Julian Schnabel (1951) est promu en un temps record (à 28 ans) *star* internationale. Il couvre d'immenses surfaces de débris d'assiettes collés et empoissés de peinture. Il mêle des motifs empruntés à toutes sortes de cultures et de religions sur des supports divers, en incorporant des collages et des assemblages en trois dimensions.

Il n'est pas seul. Toute une génération revient au figuratif et à la liberté de la brosse : **Susan Rothenberg** (1945), **Robert Moskowitz** (1935), **Nancy Graves** (1940), **David Salle** (1952), **Donald Sultan** (1951), **Bill Jensen** (1945)... Débordements des couleurs et des matières, plaisir de peindre sans message ni théorie. Le réalisme lui-même en perd son précisionnisme photographique et le pictural reprend ses droits avec les nus d'**Eric Fischl** (1948). En sculpture, le « mauvais goût » volontairement provocant de **Richard Artschwager** (1923) et de **Jeff Koons** (1955) s'approprie les objets bas de gamme, les chromos et les illustration à bon marché.

● **Les graffitistes**

Au début des années 60, les rames du métro new-yorkais sont couvertes de graffiti anonymes. Les dernières générations ont débordé sur les murs de la ville et ont viré au figuratif. Ces artistes spontanés ont été découverts par des galeries d'avant-garde : parmi eux **Keith Haring** (1958) ou **Jean-Michel Basquiat** (1958-1988) sont devenus des vedettes de l'art international.

● **L'art américain à la fin du XXe siècle**

Au long de l'évolution de l'art, depuis la naissance des jeunes États-Unis d'Amérique, se décèle la constance d'une recherche inconnue des artistes du vieux continent : la quête d'une spécificité nationale. Le sujet, ancré dans la réalité quotidienne, en a été fréquemment la caractéristique. La dernière décennie du siècle, sur fond de crise économique, sociale, raciale, voit l'art mépriser les considérations esthétiques pour des militantismes de tous genres. Le sida, la drogue, le sexe, la misère des corps et la déréliction des exclus, les minorités, l'écologie, les combats féministes, les engagements *politically correct* ou de protestation couvrent les cimaises et les sols. Partout se mélangent photos, bandes vidéo, objets dérobés, déchets de toutes sortes, les matériaux les plus divers visuels et sonores. Alors que la rumeur persiste à annoncer les signes précurseurs d'une reprise du marché, l'art américain se cherche un nouveau souffle.

L'architecture

par **Dominique Rouillard**
Professeur à l'École d'architecture Paris-Tolbiac

L'histoire de l'architecture américaine décrit la recherche d'une identité, d'un style propre, affranchi de l'emprise coloniale européenne.

● La transformation de l'héritage européen

À partir de l'Indépendance, l'architecture monumentale effectue un retour aux sources : l'Antiquité grecque est considérée comme le modèle de la culture démocratique pour les esprits cultivés de l'époque. Les Américains n'ont pas repris l'architecture là où les Européens l'avaient amenée, mais ils ont voulu la reconstruire en retournant aux origines de la civilisation occidentale.

Thomas Jefferson, premier président des États-Unis et architecte averti, reprend le style classique, symbole de stabilité, permanence et indépendance, et l'adapte aux circonstances. Pour le premier bâtiment de la République, le capitole de Virginie à Richmond (1785), il reproduit le modèle de la Maison carrée de Nîmes en substituant l'ordre ionique au corinthien, sans doute plus adapté à une démocratie. Pour l'université de Virginie à Charlottesville (1817-1826), il combine ordre et liberté en adoptant une composition d'ensemble en U ; tous les pavillons d'étudiants, disposés en ailes, utilisent un vocabulaire classique différent, mais restent reliés entre eux par un portique continu aboutissant à la bibliothèque circulaire, image du Panthéon de Rome. L'ensemble donne sur une vaste pelouse ouverte, sans bornes.

Ce désir d'interpréter le modèle antique touche les monuments de l'État et les édifices à caractère public. La banque de Pennsylvanie, 1798, de B. H. Latrobe, ou la Seconde Banque des États-Unis, 1818, de W. Strickland, toutes deux à Philadelphie, en fournissent de remarquables exemples : l'une reproduit le Panthéon, l'autre le Parthénon.

L'architecture civile est marquée par l'influence de l'Europe. À leur arrivée, les colons transforment les conceptions européennes pour les adapter aux conditions climatiques et sociales du nouveau continent. Les traditions constructives médiévales sont réactualisées (*wigwams* anglais, *log-house* suédoise, frontons hollandais, maison de brique allemande) et les derniers styles à la mode sur le vieux continent traversent l'Atlantique. En effet, dès les années 1730 et jusqu'à la fin du XIXe s., l'absence d'architectes professionnels fait du gentilhomme américain (très au fait des publications spécialisées, anglaises principalement) le décideur principal du style. La maison coloniale en est le plus bel exemple : des colonnes grecques en bois peint soutiennent deux niveaux de loggias qui constitueront plus tard le *indoor-outdoor living*, l'une des données du mode de vie américain.

Pour les Américains, ces répliques ne sont pas uniquement des adaptations de modèles forgés sur le vieux continent. Pour la première fois, des édifices construits selon une forme antique (comme le temple) abritent des activités commerciales. Ainsi, la fonction du bâtiment et son image ne s'identifient plus. L'historien F. Kimball (1920) a souligné la position *leader* de l'Amérique par rapport à l'Europe sur ce point et V. Scully (1969) a rappelé que l'époque y voyait une prouesse. D'autre part, l'Amérique aurait porté les styles historiques à leur perfection, ce dont l'Europe n'aurait pas été capable. Ainsi Jefferson, qui possédait la plus importante bibliothèque d'architecture des colonies, aurait donné de Palladio « la lecture la plus serrée qu'il ait jamais reçue » en construisant à partir de 1769 sa résidence de Monticello en Virginie.

Selon Montgomery Schuyler, le plus grand critique d'architecture américain du XIXe s., l'Amérique aurait achevé les idées abandonnées par les Européens. Il cite l'exemple des édifices néo-romans élevés par **H. H. Richardson** dans les années 1870-1880. Schuyler défend en particulier son projet d'église à Albany (1883) qu'il propose comme modèle pour répondre au concours lancé par la ville de New York, en 1891, pour construire une « cathédrale américaine ». Les observateurs étrangers et les Américains eux-mêmes considéraient cette église, avec ses loges rustiques de gros galets et ses grandes

arches basses, comme « une image de ce que devait être l'architecture d'un nouveau continent ». Richardson obtint de son temps un succès sans précédent : l'église de Trinity à Boston (1873-1877), la bibliothèque Crane à Quincy (1880-1883) ou encore la prison d'Allegheny (1884-1888) illustrent son style. Il compta un nombre considérable d'imitateurs et d'élèves.

● **L'Amérique à la recherche d'« une » architecture**

À côté de ces recherches d'adaptation d'un style à un contexte, qui se poursuivront jusqu'au début du XXe s., s'entend la voix d'un fonctionnaliste de la première heure, le sculpteur Horatio Greenough. Pour ce dernier, « l'heure est venue » en 1850 de trouver « une » architecture et une seule, qui serait à la fois produit et expression de la caractéristique du pays : la modernité. L'architecte moderne doit suivre les modèles de la nature en action ou de la machine qui lui ouvrent un monde constitué de nouvelles formes. La course d'un voilier, la ligne ou le gonflement d'une voile sous la pression du vent sont les nouveaux enseignements.

Cette pédagogie, typiquement américaine, sera reprise bien plus tard dans les années 20 par les protagonistes du Mouvement moderne européen (Gropius, Le Corbusier). Elle s'ancre aux États-Unis dans une tradition car les architectes chargés des opérations monumentales y ont également la compétence et les fonctions d'ingénieurs : Latrobe seconde Jefferson pour les capitoles de l'Union et entreprend en même temps la construction des canaux ; son élève R. Mills mène conjointement la conception du monument de Baltimore à la mémoire de Washington (1833) [« le plus haut obélisque du XIXe s. »], et celle de

Petite histoire

Antiquité, Renaissance, Académisme : c'est en s'inspirant des formes du passé que la jeune démocratie compose «son» architecture. Devenue adulte, elle accueille une modernité venue d'Europe et l'adopte au point d'en devenir le symbole. Aujourd'hui, un style s'élabore en réaction contre les excès du style précédent...

▶ **Style georgien** (1700-1800) : ce style correspond au règne des trois premiers rois George en Angleterre, avant l'Indépendance des États-Unis. La façade de la demeure est en général symétrique, avec un décor classique inspiré de Palladio : colonnes ou pilastres s'élevant sur un ou deux étages, couronnés d'un large fronton.

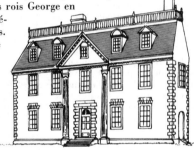

▼ **Style fédéral** (1780-1830) : la jeune république, qui doit créer ses premiers bâtiments officiels, prend l'Antiquité pour modèle. Les édifices publics ressemblent à des temples grecs et les maisons particulières, plutôt sobres, ne sont décorées qu'autour de l'entrée : une porte en bois surmontée d'une fenêtre en demi-lune, parfois précédée d'un petit porche.

Cast Iron : littéralement, «fonte». La charpente métallique des Cast Iron Buildings permettait de dégager de

des styles

grands volumes intérieurs, utiles à l'industrie et au commerce. Bâtiments du XIXᵉ s., il en reste beaucoup à New York, dans le quartier de SoHo.

«Revivals»: on parle de Gothic, Greek, Moorish (mauresque), Romanesque (roman) Revivals pour qualifier les constructions romantiques du XIXᵉ s. qui interprètent très librement les styles antérieurs.

Styles Beaux-Arts : c'est le triomphe de l'académisme, très largement inspiré par l'enseignement de l'école des Beaux-Arts de Paris. L'Amérique, qui sort de la guerre de Sécession, construit des palais à la gloire de l'industrie, avec beffrois, toits à la Mansart, corniches...
Art déco : expression née à l'Exposition des Arts décoratifs de Paris en 1925. Ce style, aux formes très pures, se développe dans les années 30 aux États-Unis. Les volumes sont très géométriques et les décors s'inspirent souvent de motifs égyptiens ou aztèques stylisés.

Style International : les édifices, sobres et fonctionnels, sans décoration extérieure, ressemblent à des boîtes ou cubes de verres (glass-box). Introduit aux États-Unis vers 1930 par l'Allemand Mies van der Rohe, ce style connut un immense succès entre les années 50 et 70. L'un de ses premiers exemples, Seagram Building, fut construit à New York, sur Park Ave. en 1954-1958.

▶ **Post-moderne :** architecture des années 80, élaborée en réaction contre la rigueur du style International ; elle le tempère par l'ajout de formes (arches, frontons gigantesques) et l'emploi de matériaux (brique, granite) faisant référence aux styles historiques, roman ou classique.

phares et d'ouvrages hydrauliques. H. H. Richardson, nourri de l'enseignement des Beaux-Arts de Paris, rêve selon ses dires de dessiner des silos à grains et des intérieurs de bateaux à vapeur.

Parallèlement, se développe une littérature exaltant la vie du héros sans *home*, qui cherche l'aventure dans un espace immense et ouvert, errant sur la « grand-route » chantée par Whitman et retrouvant un contact avec la nature, la terre, ou la roche (Emerson, Thoreau, Melville). Mais ce n'est qu'une trentaine d'années plus tard que ces expressions littéraires trouvent un écho dans l'architecture : la « boîte » va alors se disloquer ; les cloisons disparaissent et la maison s'ouvre vers l'extérieur. L'architecture commence à se transformer vers 1870. Des publications s'intéressent à l'habitat rural traditionnel, comme les fermes de la Nouvelle-Angleterre, ou les granges de Pennsylvanie avec « leurs formes élémentaires simples », adaptées aux climats rudes (longs pans de toiture continue englobant l'habitat, greniers et remises, vaste cheminée centrale ancrant la maison au sol). À partir de ces éléments, les architectes vont chercher à créer un habitat imprégné d'un nouveau sentiment domestique : vie de famille, simplicité renouant avec la nature, utilisation de matériaux naturels (bois, pierre), de couleurs automnales et de textures rugueuses.

Différents « styles constructifs » apparaissent. Dans le *shingle style* on recouvre les surfaces murales ou les pignons avec des bardeaux, et on enveloppe parfois toute la maison d'une large toiture. Le *stick style* met en relief chaque partie de l'ossature en bois et atteint une phase « baroque » avec d'immenses porches dévorant toujours plus la masse de la maison. Le *board and batten* est une améri-canisation des cottages anglais proposée par les ouvrages à succès du paysagiste américain A. J. Downing : des planches verticales recouvertes à leurs joints de baguettes clouées enveloppent la maison et squelettisent sa surface. Tous ces styles relèvent du célèbre *balloon frame*, l'ancêtre de la maison mobile (construit uniquement avec des sections de bois et des clous), qui s'implante timidement en France aujourd'hui. L'intérieur de la demeure présente une ouverture maximale : abandon des portes (remplacées par des rideaux) et verticalité du *hall*. Dans le Rhode Island, Low house de McKim, Mead & White (1887), et Watts Sherman house de Richardson (1876) en donnent un exemple.

Cet habitat « démocratique », pour un mode de vie sans prétention, opère le premier retournement de l'architecture américaine sur elle-même. Ainsi les vastes pignons de Richardson d'abord, puis de McKim, Mead and White, de Bruce Price, de F. Lloyd Wright au tournant du siècle ou de Robert Venturi à partir de 1960 sont-ils « déjà américains ». L'origine de l'architecture américaine serait elle-même américaine, et sa modernité, essentielle, programmée de longue date. « Qu'est-ce que la tradition américaine en architecture ? », demande L. Mumford. « C'est la tradition moderne en architecture, telle qu'elle a été modelée par les conditions, les besoins et les opportunités de la vie aux États-Unis » (1952).

● **Les sources d'une tradition moderne**

Frank Lloyd Wright (1869-1959) est reconnu comme le plus grand architecte américain tant par ses œuvres que par ses écrits où il rend compte de sa lutte et de son isolement dans la recherche d'une architecture américaine. Wright veut élaborer une architecture pour la Démocratie, adaptée à la vie d'un citoyen « libre » (il proposera beaucoup plus tard, vers 1940, des maisons « usoniennes », issues du sol des États-Unis). Le pavillon japonais, le *shingle style* ou les jeux de constructions de son enfance constitueront les éléments anti-européens et anticlassiques qui lui permettront de réaliser les « maisons de la prairie », ces vastes demeures construites à Oak Park dans la banlieue de Chicago entre 1895 et 1909. On n'y trouvera plus de cloisons mais des « écrans », non des pièces mais des espaces, pas de couloirs mais des « flux » ; les murs ne s'arrêtent ni à la limite du toit ni à leur croisement mais s'étendent dans le jardin. Wright définit ses premières expériences, qui l'ont rendu célèbre dans le monde entier dès 1910, sous le nom d'« architecture organique ». Cette architecture tire ses principes et ses formes de la vie : depuis le modèle géologique (la carrière) ou végétal (le cactus), jusqu'aux besoins de l'homme.

Wright conçoit son architecture en regardant vivre la nature. Il veut faire œuvre de nature en construisant et dépasse ainsi la tradition naturaliste des années 1880 : ces constructions vont au-delà d'une simple intégration harmonieuse au site (comme le montrent sa propre maison à Taliesin, 1911-1959, ou les habitations qu'il a installées sur les pentes abruptes de Los Angeles, 1923-1940).

En Californie de nouvelles formes apparaissent vers 1890, empruntant des éléments au répertoire de Wright, aux « styles constructifs » et au contexte espagnol : les frères Greene y ajoutent un travail artisanal du bois exhibé pour lui-même, basé sur la perfection des jeux d'assemblage de charpente, tandis que Bernard Maybeck

opère à la façon d'un ciseleur sur bois. L'apport le plus stupéfiant sera a posteriori reconnu dans les œuvres de **Irving Gill** à Los Angeles et à San Diego. Gill reprend la forme indigène du pueblo espagnol en *adobe* mais la dépouille de ses fantaisies de texture et de courbes pour faire apparaître des volumes lisses, immaculés, quadrangulaires. Cette recherche devance de quelques années les projets de A. Loos en Autriche. Les œuvres de Gill défendent donc, une fois de plus, la théorie selon laquelle l'architecture moderne serait née aux États-Unis, ou au moins aurait pu exister sans l'Europe. La définition d'une architecture californienne moderne est donnée par R. M. Schindler et R. Neutra, premiers architectes émigrants à Los Angeles au début des années 20. Ils sont suivis par P. Koenig, C. Ellwood, C. Eames, G. Ain, R. Soriano et H. H. Harris qui font de Los Angeles une exposition permanente d'architecture moderne. Leur originalité vient de la façon dont ils mettent en valeur le site : les fameuses Case Stydy Houses (1945-1962) sont un programme qui exploite les qualités du lieu (lumière, air, espace, vue, altitude) ; elles serviront de prototypes à toute une génération.

Ces exemples montrent que la tradition architecturale américaine repose principalement sur l'habitation individuelle, celle-ci continuant d'être le produit majeur de la construction. Elle n'exprime pas seulement le désir de propriété individuelle, elle constitue aussi le pays : pour Wright, elle était l'embryon d'une nouvelle démocratie. Pas d'États-Unis possibles sans « maison de l'individu ». S'y est ajouté ensuite une deuxième donnée (reconnue plus tardivement malgré les appels de Greenough) : les ouvrages « sans art », purs produits de l'industrie et du commerce. Ces bâtiments, visités dès les années 1865

Le gratte-ciel

*D*epuis l'apparition de l'immeuble à ascenseur
(elevator building), à la fin du siècle dernier,
la conquête de la hauteur a été l'un des principaux
soucis des architectes qui ont façonné les métropoles
américaines. Mais les formes et l'aspect du gratte-ciel
(skyscraper) ont considérablement varié au cours
du siècle.

■ Des débuts timides

L'invention de l'ascenseur, mise au point à New York par Elisha Otis
en 1852, a permi d'envisager ces premiers immeubles en hauteur: son
utilisation est d'abord limitée à un usage commercial et industriel
comme dans le **Haughwout Building**
(*n° 1 ; New York, John P. Gaynor, 1857, 4 étages*).
Les architectes n'osent vraiment s'attaquer à la verticalité qu'une trentaine d'années plus tard. Ces pionniers appartiennent à ce qu'on appelle l'école de
Chicago. Leur grande innovation est d'employer de
nouveaux matériaux plus résistants comme l'acier
et le fer, ce qui leur permet de construire l'édifice
autour d'une armature, le mur n'étant plus qu'un
«rideau» de protection : **Marquette Building**
(*n° 2 ; Chicago, Holabird & Roche, 1894, 75 m*).
Le gratte-ciel est né. Les rues de
Chicago et de New York vont se
métamorphoser en canyons.
Ces premiers buildings sont hardis. Leur technique est déjà très
évoluée, mais leur façade reste
proche des styles néo-classique
et néo-gothique : **Woolworth
Building** (*n° 3 ; New York, Cass
Gilbert, 1913, 241 m*).

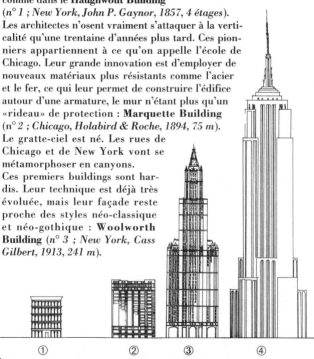

① ② ③ ④

à travers les âges

■ L'éclosion d'un style

L'Empire State Building (*n° 4 ; New York, Shreve, Lamb & Harmon, 1931, 380 m*) inaugure une nouvelle génération de gratte-ciel: l'immeuble de bureau, destiné à la location et donc à des fins commerciales.

Après la Seconde Guerre mondiale, le style sobre et géométrique de Mies van der Rohe se propage. C'est la grande époque du style International et du mur de verre. Le **Seagram Building** (*n° 5 ; New York, Mies van der Rohe & Philip Johnson, 1958, 160 m*) en sera le prototype.

Le style International sera par la suite décliné dans des formes de plus en plus hardies comme celles de la **Transamerica Pyramid** (*n° 6 ; San Francisco, William Péreira, 1972, 260 m*) et de la **Sears Tower** (*n° 7 ; Chicago, Skidmore, Owings & Merrill, 1974, 443 m*).

Avec les années 80, apparaît un nouveau type d'édifices, postmodernes, qui s'inscrivent en réaction contre la rigueur des années 60-70. Ainsi, l'**ATT Building** (*n° 8 ; New York, Philip Johnson & John Burgee, 1984, 197 m*) est construit autour d'un squelette de verre et d'acier, mais sa façade de pierre reprend, avec une certaine fantaisie, les formes classiques. Un compromis entre modernisme et tradition.

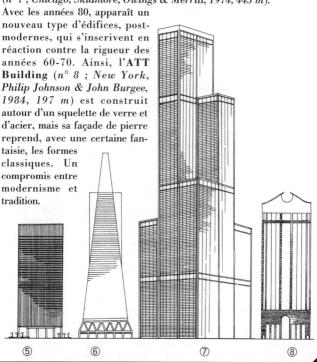

⑤ ⑥ ⑦ ⑧

par les voyageurs européens comme de véritables monuments, serviront d'exemples à nos architectes européens par leurs formes élémentaires (rangées de cylindres des silos à grains, grilles de verre en longueur des façades d'usines, enveloppes continues et dépouillées des hangars). Ces formes donneront naissance aux innovations d'Albert Kahn, Lockwood Greene, Ernest Ransome dans la construction en béton armé.

● **Le projet du gratte-ciel**

Si le gratte-ciel est aujourd'hui la figure symbolique des États-Unis, il n'en est ni la plus présente, ni la plus essentielle. Il fait plutôt exception, comme une curiosité rare, isolée dans les grandes villes. L'immeuble en hauteur, tel qu'il apparaît vers 1875 à New York et Chicago, est un projet dont la conduite a échappé aux architectes. Il vient d'un *fait* plus que d'une idée explicite issue d'un manifeste d'avant-garde. La conception du gratte-ciel repose sur l'utilisation de nouveaux matériaux apportés par les industriels de l'Est venus à Chicago : les profilés métalliques, auparavant réservés à la construction de voies ferrées et de ponts. L'ascenseur rend possible la multiplication des niveaux de planchers et l'organisation verticale : l'*elevator building* fonctionne alors comme une usine, avec une recherche d'économie maximale.

Les clients (les hommes d'affaires) ne vont pas seulement imposer aux architectes des impératifs fonctionnels (rentabilité foncière, éclairement maximal, exécution rapide, économie de mise en œuvre, mais aussi dépenses pour l'image de marque), ils vont jusqu'à proposer des arrangements de plans ou des compositions de façade. Un de ces édifices — le plus célèbre mais le moins représentatif du *Chicago frame* — est le Monadnock building (1889-1891) de D. Burnham et J. Root qui, « contre le vœu des architectes » est devenu quelque chose d'audacieux. Deux hommes ont véritablement élaboré le projet du gratte-ciel : L. Sullivan et W. L. B. Jenney.

L'originalité de **L. Sullivan** vient de la conception architecturale qu'il a trouvée pour le nouveau programme. Il travaille sur la verticalité (augmentée d'un répertoire décoratif naturaliste très riche) ; une verticalité que ses confrères cherchent à annuler (en adoptant le modèle du palais florentin), à moins qu'ils n'en ignorent la dimension esthétique. Le Wainwright building à Saint-Louis (1891) et le Guaranty building à Buffalo (1895) illustrent sa conception tri-partite du gratte-ciel, qui est composé comme une colonne : la « base » accueille le public, le « fût » abrite les bureaux et le « chapiteau » couronne l'ensemble. Ainsi la façade reflète la structure de l'édifice.

Les recherches de **W. L. B. Jenney** ont davantage porté sur l'aspect technique et lui ont permis d'inventer un nouveau système structural. Jenney construit ses immeubles autour d'une charpente métallique continue de poutres et de poteaux (en fonte, fer forgé puis acier) qui portent à la fois les charges des planchers et des façades extérieures. Le mur devient alors une enveloppe rajoutée sur la charpente ; il ne supporte plus le poids de l'édifice mais est plaqué contre sa structure. Pour les modernistes, Jenney franchit un pas décisif avec le Home Insurance building (1885) : il crée le « mur rideau » (la démolition du *building* en 1931 a permis de « voir » l'invention). On assiste à la « conversion du bâtiment qui d'un crustacé avec son armure de pierre devient un vertébré habillé seulement d'une légère peau ». La façade devient totalement vitrée, comme dans le Reliance building (Burnham, 1895). Cette innovation donne à l'architecte une liberté d'expression encore jamais atteinte : le Flatiron building à New York (Burnham, 1903) accroche sur la carcasse métallique intérieure de plan triangulaire un lourd vêtement de pierre.

● **Le délire des années 20 et 30**

C'est dans cette direction, où la façade est dissociée de la construction, que se développent les gratte-ciel new-yorkais des années 20 et 30. L'architecte dessine sa façade sans tenir compte du plan intérieur, ni du système de construction ; il rompt ainsi avec un demi-siècle de fonctionnalisme. Les formes classiques reviennent triomphalement, conduites par l'équipe McKim, Mead & White (depuis la Foire colombienne de Chicago en 1893 jusqu'à la gare de Pennsylvanie à New York). Qu'il s'agisse d'un hôtel, du siège d'un journal, d'une compagnie d'assurances ou d'un central téléphonique, seules importent les masses et les lignes (Shelton Hôtel de Harmon, Bush Tower de Corbett, New York Telephone Building de l'agence McKenzie).

Cette théorie de la beauté de la forme et de l'utilisation maximale de l'espace (la loi du *zoning* de 1916 impose un retrait des immeubles pour sauver la rue de l'obscurité) culmine avec les dessins de **Hugh Ferriss**. Ferriss propose à l'architecte d'inscrire le gratte-ciel dans des enveloppes, des silhouettes, des montagnes, des cathédrales ou des ziggourats et non dans des *wedding-cakes*. Les *buildings* montent toujours plus haut, se concurrencent, lancent des flèches (le Chrysler de W. Van Allen, l'Empire State de Shreve, Lamb et Harmon),

des aiguilles gothiques (le Woolworth de Cass Gilbert, le Tribune de R. Hood), bourgeonnent en motifs Art déco à leurs extrémités (American Radiator de R. Hood). D'autre part, la tri-partition du gratte-ciel proposée par Sullivan est remise en question : la façade ne révèle plus ce que l'édifice contient. Le gratte-ciel devient le lieu où se concentrent des activités auparavant dispersées dans la ville. L'apothéose délirante en est, en 1931, le Down Town Atletic Club au sud de Manhattan ; il propose derrière une façade impénétrable : squash, terrain de golf, piscine, médecine préventive, chambre particulière (ou encore de déguster des huîtres, nu mais avec des gants de boxe...).

● **Le style International**

Dans ce New York de fiction, l'exposition qui se tient au Museum of Modern Art en 1931, sur l'architecture moderne depuis 1922, introduit le rigorisme fonctionnaliste. À l'initiative de deux Américains, Ph. Johnson et H. R. Hitchcock, on y rassemble les œuvres de quinze pays présentant des similitudes formelles et définissant le style International. L'Amérique découvre à cette occasion l'architecte allemand **Mies van der Rohe**. Pour Mies, ce sera la possibilité d'accomplir pleinement son classicisme moderne, aux lignes pures et dépouillées de fantaisie. Par exemple, la compétence des soudeurs américains, capables de réaliser des assemblages parfaits, lui permet d'exposer les profils métalliques en façade et de transformer la technique en une architecture (appartements de Lake Shore Drive, de Commonwealth Promenade à Chicago, 1948-1956). Mies s'installe aux États-Unis en 1939. Son succès a consisté d'abord à faire école (au sens propre du terme car il a construit l'Institut de technologie de l'Illinois en 1945).

Ph. Johnson devient son premier interprète, et le plus « brillant », en réalisant la Glass-House à New Canaan (1949) sur le modèle de la maison Farnsworth de Mies, à Plano (Illinois) ; il collabore aussi au projet du Seagram building à New York (1954-1958). La firme **Skidmore, Owings & Merill**, composée par plusieurs de ses élèves, devient la première agence d'architecture du monde. Elle applique fidèlement les préceptes du maître (appartements de Lake Point Tower, Chicago, 1968) mais crée aussi des interprétations originales (Hancock building, 1969, avec un contreventement diagonal exposé en façade) qui vont jusqu'à des mises en œuvre immatérielles (comme des contreventements simplement dessinés sur la paroi d'un récent gratte-ciel de Third Avenue, à New York).

Dès les années 50, les tenants de la « tradition » américaine rejettent le style International. Ils le qualifient de « remous... régressif dans le développement des formes contemporaines ». Cette rupture est un moyen d'affirmer que l'architecture moderne existait déjà aux États-Unis avant l'arrivée du style International.

● **Kahn et Venturi**

Louis Kahn et Robert Venturi, son élève, s'opposent au « mutisme » des créations de Mies. Ils refusent l'uniformité et le purisme de son style composé d'acier et de verre : Kahn et Venturi veulent créer une architecture qui « parle », qui soit humaine et expressive.

Kahn construit principalement des bâtiments officiels, des Institutions, donnant forme à ce qui dans le monde d'aujourd'hui tend à disparaître : les monuments religieux. ou culturels (synagogue à Philadelphie, 1961-1970 ; galerie d'art de l'université de Yale,

1951-1953 ; musée des beaux-arts au Texas, 1967-1969). Il renoue avec les maçonneries romaines ou archaïques et les utilise pour exprimer le rôle et la fonction de chaque Institution. Kahn exhibe rarement la structure de l'édifice, il cherche davantage à montrer comment s'est déroulée la construction (par exemple, les parois « poinçonnées » de l'institut biologique Salk, construit à La Jolla entre 1959 et 1965, montrent la trace des banches de coffrage pour le béton et dissimulent la richesse typologique des installations).

Venturi utilise des volumes simplistes ou *kitsch* (populaires). Il s'attaque aux conceptions de Mies dans son livre *De l'ambiguïté et de la contradiction en architecture* (1966), et présente ses propres applications : maison Pearson (1957) et villa à Chestnut Hill (Penn, 1962), projet de maison au bord de la mer (1959), maison pour personnes âgées (Philadelphie, 1960-1963). Alors que Mies allège l'architecture en la dépouillant, Venturi réintroduit des formes et des éléments complexes. Dans un autre ouvrage avec D. Scott-Brown, non moins célèbre, *L'Enseignement de Las Vegas* (1977), il étudie la ville et définit la théorie du « laid et de l'ordinaire », non pour engendrer la laideur (comme ce fut entendu) mais pour regarder l'Amérique comme elle est, avec ses motels, ses fast-food, ou ses délires publicitaires... Cette architecture se rapproche du réalisme pop'art.

Comme au XIXe s., le visiteur doit regarder les constructions quotidiennes, car elles représentent l'Amérique de façon beaucoup plus vivante et vraie que les monuments officiels.

● **Le Post-Modernisme**

C'est l'historien anglais Ch. Jencks qui institue le nouveau mouvement en 1979 par son livre : *Le langage de l'architecture post-moderne*, une appellation récusée par tous. Mais c'est précisément une des caractéristiques qui rassemble ces nouvelles productions : un rejet d'identification à tout « mouvement ».

Plusieurs tendances se détachent. L'une, « ironique », vient de la Californie et suit la lignée du réalisme pop' art de Venturi. Ch. Moore développe la tradition californienne des volumes en stucco et la charge pour un temps d'un retour historiciste aux ordres d'architecture (Piazza d'Italia à New Orleans, 1978).

F. O. Gehry, avec sa maison à Los Angeles (1978), donnera les premières expressions de la « Déconstruction » architecturale : il opère le réaménagement des espaces d'un bungalow par l'explosion « pétrifiée », au travers des murs et de la toiture, des volumes et des matériaux. À peine identifié par une exposition du MOMA de New York, cet autre mouvement est rénié par ses plus illustres représentants (Z. Hadid, B. Tschumi).

Les *Five Architects* de New York ont incarné une autre tendance, celle de l'architecture « conceptuelle ». P. Eisenman, M. Graves, J. Hejduk, Ch. Gwathmey et R. Meier, lancés sur le marché mondial de l'architecture par une exposition au MOMA, s'expriment dans des compositions précieuses et raffinées, parfois réalisées (les maisons néo-corbuséennes de Meier sont les plus célèbres), mais plus souvent restant à l'état de dessin dans des expositions (maisons numérotées, et d'autant plus abstraites, d'Eisenman par exemple). Le point commun des *Five* réside dans leurs jeux de lignes et de formes, détaché de tous les symboles utiles à l'usager (au risque de se situer momentanément en dehors de la production). À la fin des années 80, Cooper Union,

de New York, a pris le relais de ces productions conceptuelles, à la suite des *Five*, aujourd'hui éclatés et occupés à construire un peu partout dans le monde.

Un autre versant du mouvement se saisit à travers les tout récents gratte-ciel (les *high-rise buildings*). À New York, K. Roche et J. Dinkeloo taillent dans un bloc de matière pleine l'immeuble de l'United Nation Plaza (1979), le premier à rompre, sur le thème de l'immeuble en hauteur, avec le style International (illustré par le bâtiment de l'ONU qui lui fait face, Harrison, 1947-1953). Cesar Pelli rassemble astucieusement des références à l'architecture internationale et au gratte-ciel des années 30, en reprenant le modèle de la colonne : une base et un chapiteau « historiques », un fût « international » (quartier d'affaires de Battery Park, New York). Ph. Johnson redécouvre l'architecture qu'il haïssait en 1930 et exacerbe les extrémités qui sont post-classiques dans son provocant immeuble pour AT & T (1978-1983) ou post-médiévales (Maiden lane Tower, 1985). A Chicago, Kohn, Pederson et Fox travaillent sur des masses de verre (333 Wacker drive, 1983) ; H. Jahn assemble des découpes de verres et de pierres de couleur (Illinois Center, One south Wacker, 1983), et réintroduit la ligne courbe dans des immeubles *juke-box* (projet du North Western Atrium Center). À côté de ce nouveau délire architectural, la production monumentale officielle n'en demeure pas moins active, assurée par des architectes comme I.M. Pei qui compose des prismes de verre... et de marbre blanc (aile est de la National Gallery, Washington, 1978 ; Bibliothèque J. F. Kennedy, Boston, 1979).

Ces agences d'architecture à l'échelle internationale, dont l'organisation a été donnée un siècle plus tôt par D. Burnham (avec aujourd'hui l'informatique en plus), ont à répondre aux besoins des grandes firmes qui exigent des projets rapides, une contenance et des flux internes optimaux, une image de marque, une image d'« Architecture » tout simplement. Avec le Post-Modernisme, l'architecture est entrée définitivement dans le monde des produits consommables, éphémères, au *look* changeant. L'architecture américaine étonne pour faire vendre. Elle atteint ainsi sa vérité à l'ère de la modernité.

VISITER
L'EST ET LE SUD
DES ÉTATS-UNIS

New York, flamboyante
et solitaire

On aime ou on déteste New York, mais à tous elle se présente comme une grille. Il faut s'y introduire, explorer ses artères et ses centres nerveux pour découvrir ce qu'elle recèle d'humain. Car la première rencontre tient du choc. Une fois passé le porche gigantesque des Twin Towers, on a l'impression d'être dans une cage à ciel ouvert. L'horizon n'existe plus. Privé de recul, l'œil se heurte à des pans de mur cubistes. Les bouches d'égout fument, même la chaussée semble sous pression.

New York saute à la figure, comme un monstre urbain sans urbanité aucune. Et si, plus tard, l'Européen apprend à l'aimer, elle lui semble être une caricature de Métropolis. Satire d'*Homo sapiens* que sont ces *young urban professionnals* arborant tous les mêmes attachés-cases, courant du même pas vers le World Trade Center. Dramatique parodie de vivants que sont ces clochards – ils seraient 100 000 – allongés au bas des marches des beaux hôtels de 5th Avenue, et que des vigiles en gants blancs chassent d'un geste las, comme s'il s'agissait de mouches.

Même les soirées new-yorkaises ne sont que de pâles imitations d'une nuit appauvrie par les néons, rythmée par les sirènes des voitures de police et le ronflement sonore des climatisations. Quant au silence, voilà une sensation qui n'existe pas à l'état pur. On peut goûter quelque chose qui ressemble à un répit laissé par le bruit en se claquemurant dans quelque chambre du Village ou en visitant les Cloisters, amalgame de merveilles d'architecture européenne. On peut apprécier une tranquillité, qui tiendrait plutôt de l'hébétude, en se promenant à l'aube à Battery Park ou dans Central Park. Mais du vrai silence ? Cela n'existe pas car, comme le chante Liza Minnelli, New York ne dort jamais.

Chaque jour, chaque nuit, New York tient son visiteur en haleine. En lui faisant découvrir ses délicatesses secrètes, sa profonde fantaisie, son délicieux cosmopolitisme, petit à petit elle saura le conquérir.

● Une ville caméléon

Arlequin au manteau de béton, de verre et d'asphalte, New York sera ce que votre œil, ce que vos pieds décideront. Une vitrine dorée de l'Amérique des années 20 avec des gratte-ciel rutilants, aux toits dorés et ouvragés comme l'Empire State ou le Chrysler Bldg. Un ghetto de l'Europe de l'Est début de siècle dans certains coins d'Upper West Side – dont les épiceries distillent un étonnant parfum d'immigration – ou encore à Brooklyn, où vit une importante communauté hassidique. Un village russe à Brighton Beach, près de Coney Island, où les restaurants s'appellent Odessa et où les noms sont rédigés en cyrillique. Une métropole du tiers-monde, au parfum *West Indies,* dont les avenues sont peuplées en majorité de Portoricains. Un petit port de plaisance, villégiature pour yachtmen fortunés, près de Manhattan Beach. Une toile de fond pour roman noir à Harlem, même si le ghetto noir n'est plus, globalement, le rendez-vous des ratés que décrivait si bien David Goodis...

La ville elle-même devient chinoise entre East Broadway et Catherine St., avec ses jeux de hasard, ses restaurants de *dim-sum,* ses diseurs de bonne aventure *(palm-reading),* ses poissonniers vendant des abalones, ses marchands de soja et de canards laqués. Rouge, blanche et verte, reine de l'artifice, elle revêt une insouciance plus que levantine vers Mulberry St. avec ses terrasses de cyprès, ses joueurs de cartes, ses revendications d'« IBM » ou de « FBI » (*Italian by marriage* ou *full blooded italian,* Italien de pur sang). Chaque immigration nouvelle fait changer la ville, rajoutant au manteau d'Arlequin les paillettes des Latinos ou les nostalgies des Polonais.

● Les fantaisies de Métropolis

Il faut marcher dans New York pour comprendre que la rigueur géométrique de ses rues taillées au cordeau n'est qu'une apparence. La ville n'est pas le fruit d'une pensée ordonnée ; elle n'obéit pas à notre logique, mais possède ses propres règles. L'instinct de survie associé à une énergie presque assassine ont seuls fait évoluer le village des débuts pour qu'il devienne ce « singulier mélange de loi et de désordre » (Jerome Charyn). Quelques exemples de ce glissement des sens et des blocs : Coney Island n'est pas une île. Park Avenue n'a rien à voir avec Central Park. Madison Square Garden n'est ni une place ni un jardin et ne se trouve pas sur Madison Avenue. New York, grille des plus codées, nécessite quelques clés...

● Le bûcher des rêves et des vanités

L'argent n'est pas la seule entrée en matière pour aborder cette ville qui vit au rythme du business. Un ami aujourd'hui richissime désignait, de sa terrasse sur 5th Ave., les bosquets de Central Park où il dormait en débarquant de son pays natal. Et il disait : « Qu'on soit pauvre ou qu'on soit riche, on peut s'approprier cette ville. Elle se donne à tous. » Exagération, sans doute. Mais avec quelques dollars en poche, en résistant aux innombrables tentations du shopping, on peut vivre New York en version économique, entre *fast-foods, YMCA,* et visites – gratuites – des galeries d'art. Et l'on ne sera pas frustré. Le métro, si décrié, est surtout compliqué, encore une fois par manque de logique.

Un autre préjugé agace les New-Yorkais : l'idée que leur ville est dangereuse. Il est vrai que tout change en quelques mètres : douce là, New

York devient dure un bloc plus loin, suivant en cela les codes complexes de la promotion immobilière, de la mode et de la mafia. Sans paranoïa, il faut être vigilant. La ville est 150e au classement du crime. Les contacts humains également sont régis par la rapidité. On vous fait confiance ou pas, question de coup d'œil, d'instant, d'endroit. Mais lorsqu'on vous a accepté, les portes s'ouvrent très vite, bien plus vite qu'en Europe. « C'est une ville où l'on ne se sent jamais seul, où les gens sont plus chaleureux qu'il ne semble, où l'on peut faire ce que l'on veut sans que personne ne vous juge », plaident les New-Yorkais.

Mais à New York, les dégringolades sont aussi rapides que les ascensions. Il suffit d'une vilaine histoire de mœurs, d'une faillite retentissante ou simplement « de ne plus être à la mode », pour que la ville qui vous encensait vous rejette brutalement dans le bataillon des perdants. Big Apple dévore ses habitants.

● **Un charme suranné**

Mais ce symbole de la modernité possède aussi ses désuétudes. Certaines, ultimes barrières contre la robotisation, attendrissent presque : les marchands de quatre saisons, les peintres des rues qui coiffent leurs toiles d'un écriteau *« Invest in future »*, les policiers à cheval qui s'arrêtent aux feux rouges, les grandes limousines roses ou blanches, conduites par des chauffeurs aux épaules rembourrées qui semblent attendre Lucky Luciano – alors que la plupart du temps elles promènent sagement les jeunes diplômés. Les tailleurs de pierre qui sculptent les gargouilles de ce qui sera la plus grande cathédrale du monde, St-John-the-Divine, avec son panneau publicitaire : « Cette cathédrale coû-

te tant de milliers de dollars par jour. »

Si St Mark's Place, avec ses créatures mutantes vêtues de plastique et coiffées de crêtes rouges, possède la ver-

---

Carte d'identité

● **Climat**
– 23° C/74° F en été (max. 40° C) ;
– 1° C/34° F en hiver (min. – 30° C).
● **New York City**
– 7,3 millions d'hab. (plus 3,5% en 10 ans) répartis en arrondissements : Manhattan (1,5 million) ; le Bronx (1,2 million) ; Brooklyn (2,3 millions) ; Queens (1,9 million) ; Staten Island (0,4 million).
– Étendue : 780 km².
● **La Métropole**
– 17,5 millions d'hab. ;
– Étendue : rayon de 60 km dans les États de New York, du New Jersey et du Connecticut.
● **Diversité de la population**
– 4 groupes : Blancs (43,2%, contre 77% en 1960) ; Noirs (25,2%) ; Latinos (24,4%) ; Asiatiques (6,9%) ; autres (0,3%) ;
– 16% des hab. ont moins de 18 ans (10e ville ayant le moins de jeunes dans le pays) ;
– à Harlem, 40% seulement des hommes atteignent l'âge de 65 ans ;
– 600 000 personnes env. consomment régulièrement héroïne ou cocaïne (soit env. 8%).
● **Caractères économiques**
– Les services (finances, assurances, commerce, publicité, activités juridiques) représentent 80% de l'économie ;
– 7,9% de chômeurs (moyenne nationale 5,6%) ;
– budget annuel de 32 milliards de $.

tu de l'insolence, New York regorge de conformisme. Un gala de charité, rassemblant le tout-Manhattan endiamanté, donné dans le *ball room* du splendide Waldorf Astoria, par exemple, évoque quelque chose comme le grand bal de Vienne. C'est charmant, cela reste désuet même si l'on y parle d'argent. On s'habille beaucoup, à New York, pour sortir. On paie sans broncher des fortunes pour une *Caesar Salad* si le restaurant est à la mode.

● **Miroir des Temps modernes**

Nombril ayant pris l'Océan pour miroir, indifférente et narcissique, New York s'extasie toujours d'être elle-même, si créative, si positive. Artiste, en un mot.

Et comment rester insensible devant les efforts qu'elle fait pour se créer une culture, alors que son génie est celui de l'instant, sa passion l'amalgame, sa culture la vitesse ? La ville elle-même compte 400 galeries et rassemble 150 musées, dont bon nombre

de prodigieux. Manhattan est parsemé d'œuvres d'art et demeure le centre mondial de l'art contemporain. Sans tout cela et sans l'Océan, New York étoufferait sans doute. L'Océan, il faut le voir, non de South St. Seaport, ancien quartier portuaire aménagé pour les touristes, mais plutôt du pont de Verrazano ou du ferry menant à la statue de la Liberté ou à Ellis Island. Le grand frisson, pour quelques cents.

Il y a des mégapoles plus insolites (Tokyo), d'autres aussi contrastées (Mexico), mais aucune qui ait concentré sur un si petit espace, avec un sentiment si aigu de l'urgence, l'idée que le XXe s. s'est faite de la modernité et du progrès. Dans sa tension interne – petit village/capitale mondiale –, dans le flamboiement de sa tragi-comédie humaine, New York exhibe sans pudeur ce que nous sommes, prophétise ce que nous serons, et nous prévient de ce qu'il nous faut refuser d'être.

Il faut aller à New York.

L'histoire d'une folle croissance

■ New Amsterdam, la Hollandaise

● **1524** : le Florentin Giovanni da Verrazano, au service du roi de France, débarque dans la baie de New York qu'il baptise La Nouvelle Angoulême.

● **1609** : l'Anglais Henry Hudson aborde Manhattan et remonte le fleuve qui porte aujourd'hui son nom.

● **1613-1614** : le Hollandais Adriaen Block fonde la 1re colonie au S. de l'île.

● **1624-1626** : installation de la Dutch West India Company ; son directeur, Peter Minuit, achète Manhattan 60 florins (24$) à un chef indien. La région est baptisée New Amsterdam.

● **1639** : premiers immigrants anglais.

● **1647-1664** : Peter Stuyvesant est nommé gouverneur général : tyrannique et impopulaire, il dirige tout d'une main de fer, mais c'est aussi lui qui donne à la colonie son premier gouvernement municipal représentatif.

● **1660** : paix avec les Indiens.

■ La domination anglaise

● **1664** : la colonie passe aux Anglais, sans un coup de feu ; elle est rebaptisée New York.

● **1703** : la ville s'agrandit. Elle compte 750 maisons ; Front et South Sts. sont gagnées sur l'East River.

● **1725** : parution du premier journal new-yorkais, la *New York Gazette*.

■ Vers l'indépendance

● **1775** : à la veille de la déclaration d'Indépendance, New York est concentrée au S. de l'île.

● **1776-1783** : Washington est battu à la bataille de Long Island. Les Anglais occupent New York pendant sept ans ; fin novembre 1783, ils évacuent enfin la ville.

● **1789** : George Washington prête serment dans le Federal Hall comme premier président des États-Unis d'Amérique.

● **1794** : on change les noms de rues laissés par les Anglais.

■ Le grand essor

● **1811** : un plan quadrillé divise la partie inhabitée de Manhattan en 2028 rectangles, délimités par des rues et des avenues se coupant en angle droit.

● **1819** : première arrivée massive d'immigrants, principalement des catholiques irlandais.

● **1822** : une épidémie de fièvre jaune entraîne le transfert des 2/3 de la population vers Greenwich Village.

● **1825** : ouverture du canal Érié, qui relie New York aux Grands Lacs et aux plaines du Midwest.

● **1827** : l'État de New York abolit l'esclavage.

● **1840** : la ville s'étend jusqu'à 20th St.

● **1840-1857** : l'immigration, surtout irlandaise et allemande, s'intensifie.

● **1857** : installation du premier ascenseur.

● **1860** : New York atteint 50th St.

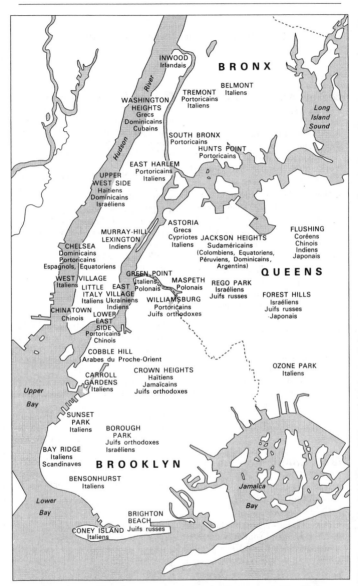

Diversité ethnique à travers les cinq arrondissements de New York.

● **1861-1865** : guerre de Sécession.

● **1857-1873** : réalisation de Central Park.

● **1870** : fondation du Metropolitan Museum of Art.

● **1872** : affaire Tweed ; la corruption de l'administration est à son apogée, symptôme de la crise de croissance d'une ville en expansion trop rapide.

■ New York s'affirme

● **1883** : le pont de Brooklyn franchit l'East River.

● **1886** : inauguration de la statue de la Liberté.

● **1898** : formation du Greater New York : Brooklyn, Staten Island, Queens et le Bronx sont ajoutés à Manhattan.

● **1904** : mise en circulation du premier métro.

● **1907** : l'immigration atteint son record : 1 250 000 personnes en un an.

● **1900-1914** : les Noirs s'installent en masse à Harlem.

● **1916** : la Zoning Law réglemente la hauteur des gratte-ciel.

● **1921** : pour la première fois, une loi fixe des quotas pour l'immigration.

● **1919-1933** : Prohibition.

● **1920-1930** : Manhattan se couvre de gratte-ciel. La course à la hauteur est ouverte : en 1930 le Chrysler Bldg. triomphe... mais dès 1931, l'Empire State le dépasse.

● **1929** : le 24 octobre, la débâcle boursière à Wall St. marque le début de la Grande Dépression.

● **1946** : New York est choisie pour abriter le siège de l'ONU.

■ Des hauts et des bas

● **1963** : démolition de l'ancienne gare de Pennsylvania Station ; en réponse, la commission des Monuments historiques est créée.

● **1964** : émeutes raciales à Harlem et Bedford-Stuyvesant.

● **1965** : assassinat de Malcolm X à Harlem.

● **1970** : 1er marathon de New York.

● **1973** : le World Trade Center détrône l'Empire State Bldg.

● **1975** : la ville frôle la banqueroute et fait appel au gouvernement fédéral.

● **1985** : une nouvelle drogue, le crack, fait des ravages.

● **1986** : scandale de corruption à la mairie au début du 3e mandat d'Ed Koch.

● **1989** : David Dinkins est le premier Noir élu à la tête de la ville.

● **1989-1993** : grave crise économique ; la ville perd 400 000 emplois. Les tensions raciales augmentent.

● **1991** : 20% des cas de sida des États-Unis sont répertoriés à New York.

● **1993** : victoire du républicain Rudolph Giuliani aux élections municipales : les démocrates perdent un siège qu'ils détenaient depuis vingt-quatre ans.

■ L'amorce
d'un renouveau

● **1994** : le taux de criminalité baisse : New York est au 23ᵉ rang des villes américaines.

● **1995** : New York devient une ville pour non-fumeurs. Dans 95 % des restaurants il est interdit de fumer, ainsi que dans les lieux publics.

La criminalité continue à baisser : les chiffres sont les plus bas depuis les années 60.

Le tourisme, par contre, y bat des records !

Découvrir New York

■ Les promenades

24 itinéraires pour découvrir la diversité de la ville (voir la carte p. 150-151).

À Manhattan

1.– 5th Avenue***, de l'Empire State à Central Park. L'Empire State Bldg., St Patrick's Cathedral, la Trump Tower… Une leçon d'architecture sur la plus célèbre avenue de New York (→ p. 156).

2.– Le Rockefeller Center**. Des boutiques prestigieuses dans un superbe ensemble des années 30 : le plus grand centre commercial de New York, à deux pas de 5th Ave. (→ p. 167).

3.– Financial District*** et le sud de Manhattan. Le monde des affaires avec ses tours gigantesques, ses perspectives fantastiques et même ses saltimbanques sur le vieux port (→ p. 169).

4.– La statue de la Liberté** et Ellis Island**. Deux monuments phares qui font revivre la grande aventure de l'immigration. Avec, en prime, l'une des plus belles vues sur Manhattan (→ p. 179).

5.– En descendant Park Avenue***. Le choc de deux époques : les fastes des années 20, avec les plus beaux monuments Art déco, et l'animation effrénée de Midtown (→ p. 181).

6.– Le Metropolitan Museum of Art***. L'un des trois grands musées du monde : laissez-vous tenter par ses trésors égyptiens, ses salons rococo ou ses toiles impressionnistes (→ p. 190).

7.– Les grands musées de New York. La Frick Collection, le Guggenheim, le MOMA, les Cloîtres, le Whitney… Une fabuleuse concentration de chefs-d'œuvre qui vont du Moyen Âge au XXᵉ s. (→ p. 208).

8.– Les autres musées de New York. Une soixantaine de musées touchant aux domaines les plus variés : depuis l'immense baleine bleue de l'American Museum of Natural History, jusqu'aux profondeurs du New York souterrain présenté au Con Edison Energy Museum (→ p. 227).

9.– Greenwich** (West Village**). Le monde des étudiants, les cafés bohèmes et les rues bordées de maisonnettes à l'anglaise. Sans oublier la foule du samedi soir (→ p. 230).

10.– SoHo** et TriBeCa. Un voyage au pays des galeries et des lofts et, de plus en plus, des boutiques, bars et restaurants. Idéal pour prendre un verre entre amis ou trouver une boutique du dernier cri (→ p. 237).

11.– Times Square. Un quartier jadis chaud, en pleine rénovation. Mais aussi celui des théâtres et des comédies musicales (→ p. 242).

12.– Upper East Side**. Hôtels particuliers et grands couturiers : le luxe de Madison et Park Aves. (→ p. 245).

13.– Upper West Side*. Un quartier jeune et vivant, avec deux grands parcs et de nombreux magasins. Un opéra extraordinaire (→ p. 248).

14.– Central Park**. Le jardin de tous les New-Yorkais : on y va autant pour se détendre que pour assister au spectacle de la foule du week-end (→ p. 253).

15.– Chinatown* et Little Italy. Toutes les saveurs de la cuisine italienne et les odeurs de la Chine : exotisme et dépaysement (→ p. 256).

16.– East Village* et Lower East Side. Une atmosphère insolite avec un penchant non-conformiste : pas de monuments mais un étonnant marché en plein air et une foule hétéroclite (→ p. 258).

17.– Madison Square, Gramercy Park* et Union Square. Des trésors d'architecture méconnus : petits « châteaux » des années 1900, hardis gratte-ciel (le Flat Iron) ou délicates maisons d'une autre époque (→ p. 261). À Union Square, bars « branchés » et magasins très fréquentés par les New-Yorkais.

18.– Chelsea*. Un quartier sympathique, avec de belles enclaves du XIXe s. et quelques immeubles des années 30. Des galeries et des ateliers d'artistes s'y installent (→ p. 265).

19.– Harlem et la pointe nord de Manhattan. La capitale de l'Amérique noire, avec ses dangers, ses richesses et ses espoirs. En rénovation (→ p. 268).

Dans les autres boroughs (arrondissements)

20.– Brooklyn*. Le plus peuplé des cinq boroughs de la ville. Un univers très contrasté qui reste à découvrir (→ p. 274).

21.– Staten Island. Le charme d'une petite ville un peu endormie, à une demi-heure de Manhattan en ferry (→ p. 276).

22.– Le Bronx. Un ensemble d'arrondissements très diversifié, à la fois riche et pauvre. Son zoo et son jardin botanique sont superbes. Le sud est encore à éviter. (→ p. 277).

23.– Queens. Quelques curiosités d'avant-garde dispersées dans le plus grand des cinq boroughs (→ p. 279).

Hors de New York

24.– Les environs de New York. Un bol d'air à Long Island ou une escapade dans l'Hudson Valley : rien de tel pour achever un séjour dans la plus urbaine des métropoles (→ p. 281).

■ New York à la carte

Panoramique. New York vue du ciel. Un spectacle inoubliable depuis l'Empire State Bldg. (prom. 1), le World Trade Center (prom. 3) ou le Rockefeller Center (prom. 2). Plus original, depuis le pont de Brooklyn (prom. 3) ou le téléphérique de Roosevelt Island (prom. 12). Plus limité mais tout aussi spectaculaire, depuis Central Park (prom. 14) ou le jardin de sculpture du MET (prom. 6).

Cosmopolite. L'un des mots clefs de New York, comme si chaque vague d'immigration y avait apporté un peu

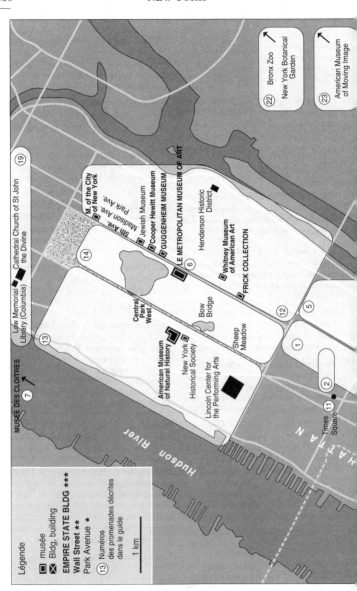

Légende

🔲 musée
☒ Bldg, building

EMPIRE STATE BLDG ★★★
Wall Street ★★
Park Avenue ★

⑬ Numéros
des promenades décrites
dans le guide

1 km

MUSÉE DES CLOÎTRES ⑦

Hudson River

Low Memorial
Library (Columbia) ■

Cathedral Church of St John
the Divine ⑲

American Museum
of Natural History ■

New York
Historical Society

Central
Park
West

Bow Bridge

Sheep
Meadow

Lincoln Center for
the Performing Arts

⑬

⑭

M. of the City
of New York ■

5th Ave. Madison Ave. Park Ave.

Jewish Museum ■
Cooper Hewitt Museum ■
GUGGENHEIM MUSEUM ■
LE METROPOLITAN MUSEUM OF ART

Henderson Historic
District ■

Whitney Museum
of American Art ■

FRICK COLLECTION

⑥

⑫

⑤

①

②

Times
Square ⑪

M A N H A T T A N

Bronx Zoo
New York Botanical
Garden ㉒

American Museum
of Moving Image ㉓

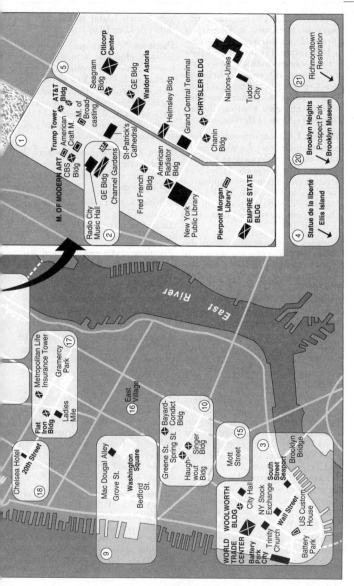

24 itinéraires pour découvrir New York.

de sa terre natale : les magasins et restaurants asiatiques à Chinatown (prom. 15), les derniers italiens à Little Italy (prom. 15), les derniers juifs d'Europe centrale dans le Lower East Side (prom. 16), russes à Brighton Beach (prom. 20), indiens dans l'East Village (prom. 16), portoricains dans le Lower East Side, Chelsea, Clinton, Upper West Side et Harlem, etc.

Vitrines. Elles sont concentrées dans certains quartiers : les plus étincelantes dans les galeries de la 5th Ave. ou dans 57th St. (prom. 1), les plus prestigieuses et celles des antiquaires sur Madison Ave. (prom. 12), les plus originales dans SoHo (prom. 10), les plus extravagantes dans l'East Village (prom. 16).

Business. Le monde des affaires du Financial District bien sûr, autour du Stock Exchange et du World Financial Center (prom. 3), mais aussi du côté de Park Ave. (prom. 5), dans Time Square, à Midtown, et maintenant à « Silicon Alley » sur Broadway (entre Soho et Madison Square), le quartier des médias.

Luxe et limousines. Le privilège de l'Upper East Side (prom. 12) et des alentours de St Patrick's Cathedral (prom. 1).

Underground. La ville souterraine avec son métro et ses immenses galeries commerciales comme celles du Rockefeller Center (prom. 2), du World Trade Center et de Battery Park City (prom. 3), de Grand Central Terminal (prom. 5). Et aussi la culture « underground », d'avant-garde, que l'on perçoit dans l'East Village (prom. 16), à Long Island City (prom. 23) et encore un peu à TriBeCa (prom. 10).

Maritime. L'air du large et les cris des cormorans sur l'esplanade de Battery Park (prom. 3), les navires du South Street Seaport (prom. 3), la balade

vers Staten Island (prom. 21), les dunes de Long Island (prom. 24).

Pastiches. Néo-gothique, néo-roman, néo-byzantin, néo-victorien... C'est tout le génie de l'architecture new-yorkaise à la fin du XIXe s. : sur 5th Ave. au niveau de l'Upper East Side (prom. 12) et de 34th St. (prom. 1), Central Park West (prom. 13), le Ladies' Mile (prom. 17), Grand Central Terminal (prom. 5).

Fonte. Un autre grand moment de l'architecture : les fameux *cast-iron*, immeubles en fonte de SoHo et TriBeCa (prom. 10).

« British ». Les ruelles à l'anglaise du Village (prom. 9), les immeubles de Tudor City (prom. 1), les *brownstones* de l'Upper West Side (prom. 13).

Premiers gratte-ciel. D'abord leur ancêtre : le Haughwout Bldg., le premier à avoir un ascenseur (prom. 10). Puis, les pionniers comme le Flat Iron et le Metropolitan Life Bldg. (prom. 17) et ceux des années 1915 comme le Woolworth et l'Équitable (prom. 3).

Art déco. Les gratte-ciel des années 20 et 30 : le Chrysler et le Chanin Bldg. (prom. 5), l'Empire State et l'American Radiator (prom. 1), le Rockefeller Center (prom. 2).

Architecture moderne. Les cubes rectilignes des années 60 : la Lever House et le Seagram Bldg. (prom. 5), le World Trade Center (prom. 3). Les délires post-modernes : le Citicorp Center (prom. 5), l'AT&T Bldg. (prom. 1), le World Financial Center (prom. 3).

Art moderne... Trois temples de l'art du XXe s. : le MOMA, le Guggenheim et le Whitney Museum (prom. 7). Et aussi les petits musées et galeries de SoHo (prom. 10). Dans Queens : le Museum of the Moving Image, Long Island City, Socrates Sculpture Park et Isamu Noguchi Gardens (prom. 23).

...et classique. Les prestigieuses toiles XVIIe-XVIIIe s. de la Frick Collection (prom. 7). Les sculptures médiévales des Cloisters (prom. 7). Les Rembrandt, les Cézanne, les Manet, les Degas... du MET (prom. 6). Les dessins de la Pierpont Morgan Library (prom. 1).

Petits salons. Des reconstitutions d'intérieurs qui font revivre le New York du XIXe s. : vous en verrez plus d'une trentaine au MET (prom. 6), mais aussi au Museum of the City of New York (prom. 8).

■ Vivre New York

Balade nocturne. Flâner le soir dans la foule à Greenwich Village (prom. 9), East Village (prom. 16), Union Square (prom. 17), Times Square (prom. 11), Lincoln Center-Broadway-SoHo (prom. 13), sur Prince et West Broadway (prom. 10) ou Chelsea (prom. 18).

5 à 7. L'heure du thé au Waldorf Astoria (prom. 5), au Felissio Tea Room (10 W. 56th St.), ou au sous-sol du Guggenheim (prom. 7). Un cocktail dans un bar panoramique comme celui du Peninsula Hotel (prom. 1) du Royalton Hotel, à l'« Official All Star Café » (Broadway et 45th St.) ou au sommet du Rockfeller Center (5th Ave. & 52nd St.).

Dîner entre amis. Partout des restaurants : assez « branchés » à SoHo, TriBeCa, Villages, Union Square, Flat Iron, Upper East Side, exotiques à Chinatown, indiens dans l'East Village, chics et chers (et français) dans l'Upper East Side, plus abordables dans l'Upper West Side, inclassables à TriBeCa, sympathiques et animés à Chelsea. Et pour les grandes occasions, des restaurants comme *The Sea Grill* au Rockefeller Center.

Jardins intérieurs. Rien de tel qu'une halte près des palmiers du Winter Garden de Battery Park City (prom. 3), dans la cour intérieure de la Ford Foundation (prom. 5), le jardin d'hiver de la Pierpont Morgan Library ou le jardin de sculptures de l'IBM Bldg. (prom. 1).

Jogging. Le sport favori des New-Yorkais sur les pelouses ou autour du réservoir Jackie O'Nassis de Central Park (prom. 14) ou du Riverside Park (prom. 13) ou encore sur le pont de Brooklyn (prom. 3). Jogging et rollerblade le long des quais sur West St.

« Glisse ». Un moment de détente en patins à roulettes *(roller blades)* à Washington Square (prom. 9), sur la patinoire du Rockefeller Center (prom. 2) ou sur les pistes cyclables de Central Park (prom. 14).

New York pour un *token*. Le moyen le plus économique de visiter la ville (1 token vaut 1,50 $ en 96) : faites un aller-retour en bus sur la ligne n° 1, de Battery Park à 110th St. (à la lisière de Harlem). Vous pouvez aussi prendre la ligne n° 4 jusqu'au terminus, aux Cloisters, au-dessus de Harlem (1 h en partant de Midtown).

Croisières. Un autre point de vue sur les gratte-ciel de Manhattan : les plus pressés se contenteront d'un trajet vers Staten Island (prom. 21), les autres pourront faire le tour de l'île en 3h (Circle Line Cruise, départ W. 42nd St., pier 83) ou en 90 mn de Chelsea Piers (W. 23rd St., pier 82 ; W. 42nd St. et le Seaport). Également, promenades en bateau depuis South Street Seaport (prom. 3).

Un samedi ou un dimanche à Manhattan. Au beaux jours, vous pouvez admirer Central Park (prom. 14), le spectacle vaut vraiment le coup d'œil. Si vous êtes en mal de bain de foule, allez voir les brocantes de la 6th Ave. et la 24th St., le marché de Union Square (sam.), ceux en plein air de Mott St. à Chinatown (tôt le matin) ou faites un tour, le dimanche, au marché d'Orchard St. (prom. 16). Et si vous voulez voir Harlem (prom. 19), c'est encore le meilleur moment pour vous joindre à un groupe et assister à un office avec des Gospels.

Gadgets et garde-robe. Le plaisir du shopping dans les grands magasins (prom. 1) ou dans les boutiques à la mode de SoHo (prom. 10).

Puces. Les meilleures affaires : le week-end, allez à Colombus Ave. & 77th St. (prom. 13), ou 6th Ave. & 25th St. Le dimanche : pour les vêtements, à Orchard St. (prom. 16).

Spectacles. La « spécialité » de Broadway : les comédies musicales à grand renfort d'effets spéciaux (prom. 11). Quant aux théâtres, ils sont autour de Times Square, Washington Square et les W. 30th et 20th Sts. Pour ce qui est de l'avant-garde, allez faire un tour à East Village.

Enfants. Toutes les activités que l'on peut imaginer à Central Park, y compris des balades ornithologiques (prom. 14). Le Children's Museum of Manhattan (prom. 8) ou de Staten Island (prom. 21). Le village reconstitué de Richmondtown Restoration (prom. 21). Le Bronx Zoo (prom. 22). Le Police Academy Museum (235 E. 20th St.), l'Intrepid Air & Space Museum, le Hayden Planetarium, Children's Museum of the Arts (72-78 Spring St.), le New York City Fire Museum (278 Spring St.), la Forbes Magazine Gallery (collection de soldats de plomb)...

Grand air. Sur les plages de Long Island (prom. 24).

■ New York mode d'emploi

● S'orienter

Rien de plus simple : les avenues courent du nord au sud, les rues d'est en ouest. Dans une adresse, ne négligez pas les indications « E » ou « W » : en effet, la numérotation des maisons s'effectue de part et d'autre de 5th Ave. ; ainsi, le 105 W. 57th St. sera à l'ouest de 5th Ave. et le 105 E. 57th St. sera à l'est.
Enfin, on parle souvent de **Downtown** ou **Lower Manhattan** (le sud de l'île), **Midtown** (de 14th St. à 59th St.) et **Uptown** (au-delà de 60th St.). Quant aux cinq **boroughs** (arrondissements), il s'agit de Manhattan (prom. 1 à 19), Brooklyn, Staten Island, le Bronx et Queens (prom. 20 à 23).

● À éviter

On parle beaucoup de l'insécurité de New York. Il ne faut rien exagérer, mais observer des règles élémentaires de prudence : ne pas sortir avec des bijoux et protéger son porte-monnaie dans une poche intérieure. Éviter de prendre le métro tard le soir (préférer les bus ou les taxis). Ne pas tenter le diable dans les quartiers dont la réputation n'est pas très bonne, surtout la nuit, comme Times Square, Harlem, le sud du Bronx et certains quartiers de Brooklyn loin de Manhattan (Bedford-Stuyvesant)... Un dernier conseil : munissez-vous de chaussures confortables, les trottoirs étant souvent défoncés ou mal entretenus.

● Se déplacer

Le **métro** est relativement efficace, plus propre qu'avant et assez sûr la journée. Mais il est un peu compliqué : les rames circulent *Uptown* (c'est-à-dire vers le nord) ou *Downtown* (vers le sud), chaque direction ayant un accès différent ; faites bien attention en pénétrant dans la station (c'est indiqué à l'entrée). Autre particularité, les trains sont *local* (omnibus) ou *express* (ne desservant que les principales stations de la ligne). Billets : il faut acheter des *tokens* (jetons vendus à l'unité ou par paquet de 10) que l'on met dans les tourniquets automatiques, ou depuis peu des *Metrocards* qui sont valables aussi dans les bus (10 $, 15 $ ou 20 $).

Dans les **bus** le tarif est unique (un *token* ou l'appoint uniquement en pièces). On peut changer de bus sans avoir à payer une seconde fois : demandez au conducteur, en montant, un *transfer*. Les arrêts sont signalés par un panneau rouge, blanc et bleu et par une marque jaune sur le trottoir ; ils s'arrêtent en général tous les 2 ou 3 blocs (du nord au sud) et toutes les avenues (d'est en ouest).

Vous repérerez facilement les **taxis :** ils sont jaunes *(yellow cabs).* Le tarif de la course est indiqué au compteur, mais il faut généralement ajouter un pourboire de 15%. Les voitures libres se signalent par leur numéro éclairé sur le toit ; celles qui ont fini leur service par un panneau éclairé : *off duty.* Enfin, si vous allez du côté du Village, ou plus bas (Chinatown, Little Italy, SoHo...), là où les rues ne sont pas numérotées, regardez un plan avant de monter dans le taxi : beaucoup de chauffeurs n'en ont pas ! Vous pourrez peut-être parler français avec les chauffeurs noirs : beaucoup sont haïtiens ou africains, venant de pays francophones.

● **S'organiser**

La plupart des grands musées sont fermés le lundi (sauf le Guggenheim et

le MOMA). Les quartiers d'affaires se vident le soir. Les week-ends, l'animation est surtout autour des Villages, à SoHo, Union Square, Upper West Side, Upper East Side et Times Square.

■ Programme

Deux jours. Le premier jour, arpentez 5th Ave. (prom. 1) et le lendemain matin Financial District (prom. 3) pour découvrir le New York des gratte-ciel ; allez dîner à Greenwich Village (prom. 9) ou SoHo (prom. 10). Et si vous avez encore un peu de courage, choisissez un musée (prom. 6 à 8).

Quatre jours. Faites tranquillement les promenades 1, 2, 3 et 5 et consacrez vos soirées à la découverte du Village (prom. 9), de SoHo (prom. 10), de Chinatown (prom. 15) ou de l'East Village (prom. 16). Prenez le temps de visiter un ou deux musées (prom. 6 à 8). Enfin, vous pourrez admirer le coucher de soleil sur Manhattan depuis le ferry de Staten Island (prom. 21) ou le pont de Brooklyn (prom. 3).

Une semaine. New York vous deviendra un peu plus familière. Reprenez le programme de quatre jours. Puis, partez à la découverte des quartiers moins touristiques mais riches en atmosphère comme l'Upper West Side (prom. 13), Madison Square (prom. 17), l'Upper East Side (prom. 12), Chelsea (prom. 18), Brooklyn (prom. 20). N'oubliez pas Central Park (prom. 14), un dimanche par exemple. Et s'il vous reste un jour ou deux, allez vous détendre à Long Island (prom. 24).

1 – 5th Avenue, de l'Empire State à Central Park***

Empire State Bldg.***– Pierpont Morgan Library**– New York Public Library*– American Radiator Bldg.*– Fred French Bldg.*– St Patrick's Cathedral*– Museum of Modern Art***– Trump Tower**– AT&T Bldg.**

Situation : 5th Ave. de 34th à 60th Sts. (plan IX, C1 et XI, C3-1)
*Pour le **Rockefeller Center** → prom. 2*

Tout le monde connaît la Cinquième Avenue, du moins de réputation. Et bien souvent, on imagine une artère large et dégagée, bordée de vitrines cossues et rutilantes. La réalité est quelque peu différente : dans sa partie inférieure (de 34th à 47th Sts.), 5th Avenue est plutôt le coin des bazars et des solderies en tout genre. Au niveau du Rockefeller Center, elle affiche plus clairement son caractère opulent mais semble un peu froide derrière les devantures des compagnies aériennes, grandes librairies, bijouteries et magasins de prestiges (Tiffany, Saks), comme si elle avait vendu son âme aux promoteurs qui ont multiplié les immeubles de bureaux.

Pourtant, la plus prestigieuse avenue du monde reste un *must*. De l'Empire State à Central Park, près d'un siècle d'architecture s'offre au visiteur : pastiches néo-classiques, fastueuses demeures du début du siècle, gratte-ciel des années 30, buildings post-modernes aux lignes délirantes. Et son animation, effrénée lorsque les bureaux se vident vers 17 h, est très caractérisque de l'ébullition permanente qui règne à New York.

Quand ? *Faites de préférence cette promenade en semaine.*

Combien de temps ? *Si vous voulez flâner et visiter quelques musées, comptez une journée ; si vous préférez une visite-marathon, 3 h suffiront.*

Ne pas manquer : *la vue depuis l'Empire State et les gratte-ciel situés entre 47th et 57th Sts.*

Où s'arrêter ? *Dans la serre de la Pierpont Morgan Library ou le jardin suspendu de la Trump Tower. Vous pouvez prendre un verre à la terrasse panoramique du Peninsula Hotel ou*

dans l'atmosphère feutrée du Royalton Hotel.

Départ : *Empire State Bldg. (5th Ave. & W. 34th St. ; plan VIII, C1).*

Bus : *lignes 1, 2, 3, 4, 5, 16, 34.* ***Métro :*** *34th St./6th Ave., lignes B, D, F, N, R.*

● **L'Empire State Building*** (5th Ave. & W. 34th St. ; vis. t.l.j. de 9 h 30 à 24 h) offre une **vue*** inoubliable sur New York. Avant de monter, renseignez-vous sur la visibilité (panneaux devant les guichets). Par l'un des 73 ascenseurs vous atteindrez en moins d'une minute le 80e étage, puis le **86e étage** à 320 m de haut. Un troisième ascenseur mène à la rotonde vitrée du **102e étage** (381 m) d'où, par temps très clair, le panorama s'étend jusqu'à 130 km. *Skyride*, au 2e étage, propose une simulation de vol au-dessus de Manhattan. Hélas, la technologie mise en œuvre n'est pas à la mesure du tarif !

L'Empire State Building fut élevé en un temps record : 1 an et 45 jours. Mais il avait été commencé en 1929, un mois avant le krach et, malgré une inauguration en grande pompe, resta inoccupé plusieurs années ; on le baptisa même « l'Empty State Building » (le gratte-ciel vide). Dès 1933, *King Kong* (film de Schoedsack et Cooper) le faisait entrer dans la légende, avec cette scène surréaliste où le monstre, qui s'est réfugié sur le toit du bâtiment, est attaqué par des avions.

Avec ses 381 m de haut, il dépasse largement la tour Eiffel (qui faisait 300 m à l'époque), mais il est aujourd'hui dominé de plus de 30 m par le World Trade Center. Sa flèche fut érigée pour servir de point d'ancrage aux dirigeables. Quelques essais d'amarrages instables révélèrent l'existence de vents ascendants autour du sommet des gratte-ciel. En 1931, un dirigeable de la Marine réussit à s'amarrer quelques instants. Il dut se dégager en catastrophe, en se débarrassant de son lest : des trombes d'eau déferlèrent alors sur les passants ! Cette flèche fut en fait ajoutée en fin de construction pour damer le pion aux buildings qui auraient rivalisé de hauteur.

La nuit, ses 30 derniers étages sont illuminés. Les couleurs varient selon les périodes : bleu, blanc, rouge lors des fêtes nationales ; rouge et vert pour Noël ; rouge et jaune pour Halloween, etc. On les éteint par temps de brouillard lors de la migration des oiseaux pour éviter qu'ils ne s'y écrasent. Protection efficace pour les animaux, mais dangereuse pour les avions. Ainsi, par une journée de brouillard intense, le 28 juillet 1945, un bombardier de l'armée américaine entra en collision avec le bâtiment à la hauteur du 79e étage, causant 14 morts et plus d'un million de dollars de dégâts (architectes Shreve, Lamb et Harmon, 1931).

● **Science, Industry & Business Library** *(5th Ave. & E. 34th St.).* Lors de son ouverture, au printemps 1996, cette partie de la bibliothèque publique pourra se vanter d'être la bibliothèque la plus informatisée du monde. Le bâtiment abritait autrefois le grand magasin B. Altman's. Il offre un bon exemple de l'architecture commerciale du début du siècle, en calcaire blanc venu de Paris, copiée sur les palais de la Renaissance italienne.

Altman's fut le premier grand magasin à oser s'installer sur 5th Ave., quartier résidentiel. Ce magasin conserva un caractère d'élite durant plus de 30 ans, allant jusqu'à refuser d'inscrire son nom en devanture... L'installation de Altman's entraîna alors la transformation du quartier. En effet, en l'espace d'une dizaine d'années, entre 1900 et 1910, l'artère se couvrit d'hôtels et de commerces de grande classe. Mutation rapide, tout comme l'envolée des prix des terrains ; une parcelle qui coûtait 125 000 $ en 1901 n'en valait pas moins de 400 000 en 1907 (architectes Trowbridge & Livingstone, 1906 et 1914).

● **Church of The Incarnation** *(205 Madison Ave., au niveau de E. 35th St.).* Cette petite église, très simple, renferme quelques pièces de mobilier intéressantes, de la fin du XIXe s. : sculpture de Saint-Gaudens (pleine de vie, naturaliste) et (plus académique) de D. Chester French ;

vitraux de Tiffany (aile N.) et de William Morris (aile S.).

● **Pierpont Morgan Library**** *(36th St. & Madison Ave. ; ouv. mar.-vend. 10 h 30-17 h, sam. 10 h 30-18 h, dim. 12 h-18 h, vis. guidées mar. et jeu. à 14 h 30).* Parmi les petits musées de New York, celui-ci est sans doute l'un des plus agréables car c'est un musée d'atmosphère, qui présente des objets d'art XVIe-XVIIIe s. et des livres rares dans un bel intérieur du début du siècle. En 1991, la bibliothèque s'est agrandie d'une annexe et d'un jardin d'hiver très réussi, enclave pleine de calme à deux pas de l'agitation de 5th Ave.

John Pierpont Morgan (1837-1913), le fondateur de l'une des plus grosses banques de Wall Street (la J.P. Morgan & Co), avait amassé une fortune considérable en investissant dans l'acier et les chemins de fer. Sa collection d'œuvres d'art devint vite trop importante pour la petite maison qu'il possédait sur Madison Ave. Il demanda alors à McKim, Mead & White de construire, à côté, un palais digne de ses richesses. L'édifice, achevé en 1906, est dans le goût néo-palladien : remarquez les motifs vénitiens sur le porche d'entrée, le dôme et les proportions parfaites de la façade. L'entrée actuelle a été ajoutée en 1928.

La collection Morgan est présentée à l'occasion d'expositions temporaires. Elle comprend près de 9 000 dessins et gravures, principalement italiens, flamands et hollandais (Mantegna, Michel-Ange, Dürer, etc.), des manuscrits enluminés, des livres anciens (trois bibles publiées par Gutenberg en 1455, *Les Contes de Canterbury* de 1477) et quantité d'autographes.

La rotonde emprunte son décor à diverses réalisations de Raphaël : les stucs bleus et blancs de l'abside sont inspirés de ceux de la villa Madame à Rome, les peintures de la voûte reprennent celles de la chambre de la Signature au Vatican.

L'East Room expose, par roulement, les trésors de la bibliothèque de J.P. Morgan : manuscrits et livres reliés. Aux murs, les tapisseries appartiennent à la série des *Sept Péchés capitaux*, de Pierre Van Aelst (1502-1550).

La West Room, l'ancien bureau de Morgan, a retrouvé son aspect originel grâce à la rénovation de 1991. Jetez un coup d'œil au plafond à caissons en bois, acheté à Florence par l'architecte McKim (provenance inconnue). Parmi les peintures, on notera : *L'Homme à l'œillet*** de Hans Memling, *La Vierge et deux saints adorant l'Enfant** par le Pérugin et *La Vierge, l'Enfant, des saints et un donateur agenouillé*, exécuté dans l'atelier de Giovanni Bellini d'après un dessin du maître.

● **Morgan House** *(Madison Ave. & 37th St.),* la nouvelle annexe de la bibliothèque Morgan, est l'un des rares *brownstones* antérieurs à la guerre de Sécession. La maison date de 1854 et correspond à un schéma très répandu à Manhattan : un hôtel particulier de 3 étages, avec un porche et une façade à l'italienne. Elle appartint au fils de J.P. Morgan, puis à la Lutherian Church avant d'être rachetée par la bibliothèque.

● **Murray Hill.** – C'est dans ce quartier résidentiel, en direction de l'East River, qu'habitaient au début du XXe s. les citoyens les plus fortunés de New York. Aujourd'hui, quelques belles demeures isolées subsistent ici et là, entre Park et 3rd Aves., de 35th à 38th Sts. Si un léger détour ne vous effraie pas, allez voir **Sniffen Court*** (150-158 E. 36th St., entre Lexington et 3rd Ave.), une charmante ruelle – peut-être un peu trop soignée –, qui abrite d'anciennes écuries des années 1860-1870, tranformées en maison dans les années 20.

● **Old Tiffany** *(409 5th Ave., au niveau de 37th St.)* est, tout comme l'ex-Altman's, typique de ces magasins construits au début du siècle dans le goût italien. Le modèle retenu pour celui-ci fut le Palazzo Grimani à Venise (architectes McKim, Mead & White, 1906).

● **Lord & Taylor** *(5th Ave. entre 38th & 39 Sts.).* Un des secrets du chic new-yorkais. Ce grand magasin est connu pour son élégance.

● **New York Public Library*** *(5th Ave., entre 40th & 42nd Sts. ; plan X, C3 ; métro : 5th Ave./42nd St. ligne n° 7 ; jeu.-sam. 10 h-18 h ; lun.-mer. 11 h-19 h 30 ; vis. guidée à 11 h et 14 h).*

La New York Public Library est non seulement la première bibliothèque du pays mais également un centre d'expositions temporaires. Elle fut construite par Carrère et Hastings (1911) à l'emplacement du Crystal Palace de New York et reste l'une des meilleures illustrations du style Beaux-Arts, qui marqua bien des bâtiments officiels jusqu'à la Première Guerre mondiale. Le hall et les salles de lecture méritent un coup d'œil pour leur décoration monumentale (Gottesman Exhibition Hall, De Witt Wallace Periodical Room ornée de fresques de Richard Haas, Main Reading Room).

Le bâtiment principal, sur 5th Ave., est uniquement consacré à la recherche : les quelque 6 millions de livres et 17 millions de documents (manuscrits, gravures, cartes, etc.) sont conservés dans des réserves en sous-sol et sous Bryant Park. La Public Library dispose de 3 autres centres de recherches et de plus de 82 succursales dans toute la ville, mettant ainsi à la disposition du public près de 35 millions de documents et 15 millions d'ouvrages…

Si la bibliothèque possède un bon équipement informatique, notamment pour ses fichiers qui sont répertoriés dans des bases de données, la distribution des ouvrages se fait encore comme au bon vieux temps : les bons de commande sont glissés dans des tubes de verre et expédiés par pneumatique dans les fins fonds des réserves… Un cérémonial quelque peu archaïque mais d'une efficacité à toute épreuve.

● **Bryant Park** (du nom de l'éditeur William Cullen Bryant, l'un des initiateurs de la création de Central Park). Ce parc a été réaménagé à la française voici quelques années afin de supprimer les buissons, ce qui en faisait le rendez-vous des trafiquants de drogue. À cet endroit se situait le grand réservoir du premier système d'eau potable de la ville, établi en 1842. Il libéra New York des épidémies de choléra et des nombreux incendies. Au N. du parc, on découvre le **Grace Building** (41 W. 42 St.), à la courbe élancée (architectes Skidmore Owings & Merrill, 1974). Bonne cuisine américaine au nouveau restaurant, le *Bryant Park Grill*.

● **L'American Radiator Building*** *(40 W. 40th St., derrière Bryant Park, dit aussi **American Standard Bldg.**)* ressemble de nuit à un gigantesque morceau de charbon incandescent et l'on ne pouvait rêver de meilleur emblème pour une compagnie produisant des radiateurs et des fourneaux… Pour obtenir une façade rectiligne, à l'aspect monochrome, dont les fenêtres ne se voyaient pas, Raymond Hood utilisa des briques trempées dans du manganèse (d'où leur teinte noire). Il accentua ainsi le contraste avec la partie supérieure, fantaisie néo-gothique en terre cuite dorée qui, à la lumière électrique, prend un aspect luisant. Cet édifice fut la première réalisation new-yorkaise de Hood (1924), le grand architecte Art déco qui allait dessiner le Rockefeller Center.

● **Le 500 5th Avenue** rappelle un peu, par sa forme, l'Empire State Building : il fut en effet construit la même année, par les mêmes architectes

New York part

C'est en 1857 que les New-Yorkais découvrent une nouvelle machine, l'ascenseur, installé dans un petit bâtiment de 4 étages. Mais pendant près de 30 ans, son usage reste limité aux édifices commerciaux: les premiers immeubles d'habitation ne sont construits que dans les années 1880.

■ La ville verticale

Dès lors, Manhattan est prise d'une véritable fièvre de construction. En 1902, le Park Row Building atteint plus de 188 m de haut; en 1913 le Woolworth culmine à 241 m. On s'inquiète. Les rues deviennent de véritables canyons sans soleil. Lorsque l'Equitable Building est inauguré en 1915, ce n'est pas sa dimension qui frappe (seulement 164 m!), mais sa masse, son volume: privés de lumière, les immeubles voisins voient leurs loyers s'effondrer.

▲ *Le Crown Building (1921)*

À Manhattan, les styles se mélangent souvent, comme ici au carrefour de 5th Ave. et 57th St.: à g. l'IBM Building, dans le fond la Trump Tower, à dr. l'ATT. Au premier plan, le Crown Building fut le premier immeuble de bureau construit après l'adoption de la Zoning Law. Alors que sa forme annonce déjà les années 20, sa décoration très chargée et éclectique rappelle le début du siècle.

la conquête du ciel

■ Ziggourats et temples babyloniens

La *Zoning Law* de 1916 enraye le mal mais, en contrepartie, pèsera lourd sur le développement de la ville.

En premier lieu, New York est divisée en zones résidentielles, commerciales et industrielles, chacune correspondant à un type d'édifice. Dans certains quartiers, la hauteur de la maison ne doit pas dépasser la largeur de la voie. Dans d'autres, le building peut monter aussi haut que possible, du moment qu'il n'occupe, dans les étages élevés, que le quart de sa superficie au sol. D'où la vogue de ces constructions en forme d'escalier et de pyramide. Ces fameux *wedding-cakes*, comme l'Empire State, le Fred French ou le Mac Graw Hill Building.

Mais cette stricte division par types d'activité a entraîné une croissance très inégale de la cité, ne faisant qu'augmenter les disparités d'un quartier à l'autre. Et malgré toutes les récentes tentatives d'aménagement, New York porte encore les traces de cette sectorisation abusive.

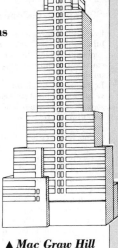

▲ *Mac Graw Hill Building (1931)*

Raymond Hood, l'un des maîtres de l'Art déco à Manhattan, a réalisé ici l'un de ses édifices les plus originaux, terriblement moderne pour son temps. Tout est dans la forme et la masse du bâtiment, qui s'élève en escalier suivant les règles de la Zoning Law.

***Woolworth Building (1913)* ▶**

On compare généralement ce gratte-ciel à une «cathédrale du commerce», en raison de sa tour du plus pur style néogothique. Ce fut d'ailleurs l'un des plus célèbres de sa génération.

Co-op ou condominium ?

En feuilletant les annonces immobilières du *New York Times*, vous
remarquerez qu'elles sont classées
sous les rubriques *co-op* et *condominium*.
Le *co-op* est en fait une coopérative : l'immeuble est géré comme une
société, chaque propriétaire ne possédant pas directement son appartement mais un nombre d'actions
proportionnel à la taille de celui-ci.
Et quand il y a vente, l'assemblée
des copropriétaires peut refuser
d'accepter le nouvel occupant s'il
estime que celui-ci n'est pas assez
respectable ou trop voyant... C'est
ainsi que Richard Nixon et Madonna restèrent sur le pas de la porte.
Le propriétaire du condominium
peut vendre ou louer à qui bon lui
semble, ses voisins ayant toutefois
un droit de préemption. Cette formule, qui est apparue dans les
années 60, n'est pas encore très
répandue à New York.

(Shreve, Lamb & Harmon, 1931) ;
beau relief au-dessus de l'entrée.

● **Le Harvard Club** *(27 W. 44th St.)*,
œuvre de McKim, Mead & White
(1894), évoque l'architecture de l'université de Harvard. Mais c'est avant
tout le décor intérieur de ce club très
chic – et hélas très fermé – qui est
imposant, avec ses murs garnis de trophées d'éléphants et ses amples fauteuils de cuir. À défaut d'y pénétrer,
on peut l'apercevoir depuis W. 45th St.

● **Le New York Yacht Club** *(37 W.
44th St.)* est étroitement lié à l'histoire
de la Coupe de l'America, puisque ce
sont ses fondateurs qui ont fait
construire, en 1844, la fameuse goé-
lette *America*, à l'origine de la compétition. Les fenêtres de la façade rappellent la poupe des navires du
XVIIIᵉ s. ; sur les pilastres qui flan-

quent le porche, s'entremêlent ancres,
cordages, poulies et hameçons. À
l'intérieur *(f. au public)*, le décor de la
salle des trophées est hallucinant avec
ses volutes et sa verrière (architectes
Warren & Wetmore, 1899).

● **Le Royalton Hotel** *(44 W. 44th St.)*
présente une façade sévère : rien ne
laisse deviner que Philippe Starck, le
designer français, l'a réaménagé dans
un style très moderne, jouant sur les
contrastes de matériaux et de couleurs ; le bar surtout est assez étonnant par son mélange de sobriété et
de sophistication. Le restaurant est le
rendez-vous des grands noms des
médias. Chic et cher.

● **L'Algonquin Hotel** *(59 W. 44th St.)*,
qui a retrouvé ses fastes grâce à une
récente rénovation, fut l'un des
grands rendez-vous de la bohème littéraire dans les années 20, lorsque les
écrivains de la Table ronde (Robert
Benchley, Dorothy Parker) s'y
retrouvaient.

● **Le Fred French Building*** *(551 5th
Ave., au niveau de E. 45th St.)* s'élève
en escalier comme une ziggourat, une
pyramide à degrés, ses architectes
(Douglas Ives, Sloan & Robertson en
1927) ayant utilisé au maximum
l'espace qui lui était attribué par la
Zoning Law (→ *encadré : New York
part à la conquête du ciel*). Son décor
est pseudo-oriental ; au sommet de la
façade, une frise en faïence glorifie le
progrès : le lever du soleil, entouré
d'abeilles (symbole de l'industrie et de
l'épargne) et de griffons (représentant
l'intégrité et la vigilance).

● **W. 47th Street**, avec ses petites boutiques et ses ateliers de diamantaires à
peine visibles de l'extérieur, est surnommée l'allée des diamants, **« Diamond Row »**. Les vitrines ne ressemblent guère à celles des bijouteries
prestigieuses de 5th Ave. Ici, tout se fait
avec discrétion, mais près de 400 mil-

lions de dollars et 80 % des diamants importés aux États-Unis changent de mains chaque jour. Ce commerce est un quasi-monopole des Hassidim, juifs strictement orthodoxes (piétistes), qui portent encore la redingote du XVIIᵉ s., un large chapeau noir et des favoris bouclés.

● **Goelet Building** *(608 5th Ave., au niveau de W. 49th St.).* L'immeuble semble anodin, mais son hall mérite un coup d'œil pour son style Art déco : voir la cabine d'ascenseur, les pilastres et la corniche.

● **Le Rockefeller Center**** *(→ prom. 2),* telle une cité à l'intérieur de la ville, occupe un vaste espace à l'O. de 5th Ave., entre 45th et 52nd Sts.

● **Saks Fifth Avenue** *(611 5th Ave., entre W. 49th &50 th Sts.)* est le « grand magasin » de New York. Entendez par là un établissement

Acheter de l'air

En remontant 5th Ave., vous remarquerez que les plus hauts gratte-ciel jouxtent souvent des maisons assez basses, de 4 ou 5 étages. L'explication est simple : lorsqu'un bâtiment n'occupe pas toute la hauteur à laquelle il a droit, les promoteurs peuvent disposer de ce volume pour les édifices voisins. C'est ce qu'on appelle « acheter de l'air »... et généralement cela se monnaye très cher. Ainsi, la boutique Cartier a-t-elle cédé son espace à l'Olympic Tower, Tiffany à la Trump Tower, Saks aux immeubles de bureaux qui l'entourent. Mais la plus belle opération financière reste celle du New York Central Railroad au début du siècle : en couvrant les voies de chemin de fer qui remontaient Park Ave. et en vendant cet « air » aux constructeurs, la compagnie gagna en 20 ans plus de 250 millions de $. Une vraie fortune pour l'époque !

chic, au décor un tant soit peu démodé, où l'on prendra autant de plaisir à flâner qu'à faire du shopping (tout est assez cher).

● **St Patrick's Cathedral*** *(plan X, C3),* la cathédrale catholique de New York, semble un peu perdue en plein cœur de Manhattan. Ses deux clochers s'élancent à 100 m de hauteur, mais ils paraissent petits à côté des gratte-ciel voisins. Il faut la voir le soir, quand sa façade est illuminée. L'église a été construite de 1850 à 1878 sur les plans de James Renwick, dans le style gothique flamboyant, et dédiée en 1910 au saint patron de l'Irlande. Des touristes du monde entier viennent assister aux messes.

La tour N. abrite un carillon. Le portail principal est surmonté d'une rosace de 8 m de diamètre. Les portes en bronze datent de 1949. La chapelle de la Vierge (Lady Chapel) a été ajoutée à l'abside entre 1901 et 1909.

L'intérieur majestueux (2 500 places assises) mesure 93 m de long et 38 m de large. De puissantes colonnes en marbre soutiennent la voûte. De la riche décoration, il faut remarquer surtout les vitraux, le **maître-autel** (consacré en 1942) surmonté d'un baldaquin, et les nombreux autels latéraux. **L'orgue** principal compte plus de 9 000 tuyaux.

● **L'Olympic Tower** *(645 5th Ave., au niveau de E. 51st St.)* inaugura, en 1975, une nouvelle génération de buildings que l'on pourrait baptiser de « gratte-ciel complet » : un bâtiment dans lequel sont regroupés commerces (ici de grand luxe), bureaux et appartements. Et cela afin de redonner vie à un quartier qui commençait à être envahi par les immeubles de bureaux au détriment des magasins (architectes Skidmore, Owings et Merrill).

● **Cartier** *(5th Ave. & 52nd St.).* Outre ses vitrines, la boutique Cartier mérite une attention particulière pour son édifice, un palais Renaissance construit en 1905 pour l'homme d'affaires Morton F. Plant. Une longue rangée de demeures de milliardaires semblables à celle-ci (W. Vanderbilt habitait en face) s'alignait alors sur 5th Ave.

● **Museum of Television & Radio** *(25 W. 52nd St. ; ouv. mar.-dim. 12 h-18 h, nocturne jeu. 12 h-20 h)*. Ce musée, qui a rouvert ses portes en 1991 dans un édifice dessiné par Philip Johnson et John Burgee, intéressera tous les passionnés d'audiovisuel (américain). C'est en effet l'un des rares musées qui mettent à la disposition du public une telle quantité de films et d'enregistrements radiophoniques : vous pourrez écouter le premier discours de Franklin D. Roosevelt, voir Fred Astaire, George Balanchine, Duke Ellington ou visualiser n'importe quelle émission de télévision à succès. Le musée possède également 175 000 enregistrements légués par la chaîne de radio NBC. Expositions temporaires.

● **CBS Building*** *(51 W. 52nd St.)*, le seul gratte-ciel d'Eero Saarinen (1965), s'élève en une immense masse noire au-dessus de la rue. Son originalité vient des piliers triangulaires (1,5 m de large) qui rythment la façade ; remarquez également que, contrairement à l'ordinaire, il faut descendre 5 marches pour pénétrer dans le bâtiment.

● **St Thomas Church** *(5th Ave. & W. 53rd St.)*, heureux pastiche du style gothique (1914), surprend par sa haute tour et ses sculptures imitant celles des grandes cathédrales françaises. À l'intérieur, gigantesque retable de pierre, par Bertram G. Goodhue, présentant plus de 60 saints.

● **Le Museum of Modern Art***** *(11 W. 53rd St.)* est sans doute l'un des musées d'art moderne les plus complets des États-Unis *(→ prom. 7)*.

● **L'American Craft Museum*** *(40 W. 53rd St., plan XI, C2 ; ouv. 10 h-17 h mer.-dim., 10 h-20 h mar.)* est voué à l'artisanat du XXᵉ s. : sculptures, tapisseries, verreries, céramiques, arts de la table, bijoux, vêtements, horloges... Toutes sortes d'objet en terre cuite, plastique, métal, bois, tissus sont présentés dans des expositions temporaires de grande qualité.

● **Paley Park** *(W. 53rd St.)*, avec sa gigantesque cascade et ses quelques arbres, est un véritable havre de fraîcheur, notamment l'été lorsque New York est littéralement écrasée par la chaleur.

● **L'University Club** *(1 W. 54th St.)*, l'une des compositions les plus originales de McKim, Mead & White (1899), est directement inspiré des palais florentins. Il servit d'ailleurs de modèle aux clubs qui fleurirent à Manhattan à l'époque.

Des forteresses imprenables

Les clubs connurent un succès sans précédent à la fin du XIXᵉ s. : New York en comptait alors près de 300 ; certains « hommes d'affaires », comme Cornelius Vanderbilt, pouvaient appartenir simultanément à une quinzaine d'associations.

Ces cercles étaient pour la plupart très fermés. Le droit d'entrée coûtait près de 300 $ et la cotisation annuelle 100 $, soit le salaire moyen d'un ouvrier pendant un an. Et pour ces nouveaux princes de la société capitaliste, on construisit de véritables palais Renaissance, comme l'University Club, ou plus néoclassique, comme le Metropolitan Club, tous deux l'œuvre de McKim, Mead & White.

● **Peninsula Hotel** *(5th Ave. & W. 55th St.).* De la terrasse de ce palace luxueusement rénové, vous découvrirez une très belle vue sur Central Park et les gratte-ciel de Midtown (bar panoramique).

● **Henri Bendel** *(714 5th Ave. & W. 56th St.).* Le magasin Henri Bendel est constitué de trois bâtiments. La façade du bâtiment central est ornée d'une immense baie vitrée en verre gravé de René Lalique. À l'origine, en 1910, ce bâtiment fut occupé par Coty, un magasin de parfums, qui demanda à Lalique, son voisin à Paris, de réaliser sa vitrine : la seule jamais réalisée par Lalique.

Quand Coty quitta le bâtiment, on ne se soucia plus de cette vitrine pendant 40 ans. En 1984, on envisagea même de raser l'édifice pour construire un nouveau gratte-ciel ! C'est presque par hasard qu'il réussit à être sauvé : les New-Yorkais désiraient préserver son voisin, au S., l'ex-librairie Rizzoli, elle aussi menacée. Les édifices furent enfin classés Monuments historiques. On modifia le plan du gratte-ciel, qui se trouve désormais en retrait, au milieu du bloc.

En 1990, le grand magasin Henri Bendel s'installe dans les trois bâtiments contigus. C'est aujourd'hui un lieu très agréable, réservé aux bourses fortunées...

● **La Trump Tower**** *(725 5th Ave., au niveau de E. 56th St.).* D'un luxe incroyable, cette tour de 65 étages est l'une des principales réalisations de Donald Trump, le géant de l'immobilier. La grande galerie commerciale (boutiques de luxe et de disques) est entièrement recouverte de marbre rose et de dorures, avec atrium, terrasses, cascades, plantes exotiques. Les Galeries Lafayette y ont fait faillite ; un immense magasin *Reebok* les remplacera en 96. L'ensemble, plutôt pom-

peux, reflète le goût tapageur de Trump, qui s'y est réservé un superbe triplex de 50 pièces. La Trump Tower est l'adresse de l'élite new-yorkaise. En 1994, Michael Jackson y loue son duplex pour 110 000 dollars par mois... Vous pourrez faire une halte agréable dans le jardin suspendu qui domine 57th St., au dernier étage du centre commercial (architecte Der Scutt, 1983).

● **L'IBM Building** *(590 Madison Ave. au niveau de E. 56th St., accès direct depuis la Trump Tower)* est connu pour son espace vert, un jardin de sculptures intérieur planté de bambous, très accueillant (architecte Larrabee Barnes, 1982).

● **Sony Building & Sony Plaza**** *(entrée par 55th St. ou 56th St., entre 5th Ave. & Madison).* Construit pour la compagnie de téléphone ATT, ce bâtiment est un exemple du mouvement post-moderne des années 80 : en jouant avec les formes, les matériaux et les couleurs, il s'oppose à la conception des « boîtes » de verre des années 60. Son sommet (un fronton avec une entaille circulaire) est devenu familier dans le paysage aérien de Midtown. **Sony Plaza**, vaste atrium à la voûte néo-romane, est bordé de plantes, de magasins à la gloire de Sony, de pâtisseries : une halte agréable. **Sony Wonder,** à l'intérieur de l'atrium, est une exposition interactive sur les nouvelles technologies de Sony (gratuite). Une visite guidée interactive (gratuite, 1 h) permet de s'essayer aux nouvelles techniques et aux divers métiers audio-visuels *(ouv. mar. et ven. 10 h-21 h, mer., jeu. et sam. 10 h-18 h, dim. 12 h-18 h).*

● **Tiffany & Co** *(727 5th Ave., au niveau de E. 57th St.),* sans doute le magasin le plus connu de 5th Ave., est réputé pour ses porcelaines, ses bibelots, son argenterie et surtout ses bijoux extravagants, signés par les créateurs en vogue. Immortalisé dans le film *Breakfast at Tiffany's* avec Audrey Hepburn.

● **Crown Building** *(730 5th Ave, au niveau de W. 57th St.)*, dit aussi Heckscher Bldg., accueillit en 1929 le tout nouveau Museum of Modern Art, créé à l'initiative de trois jeunes femmes férues d'art contemporain. Près de 50 000 personnes vinrent visiter l'exposition, alors installée dans un appartement du 12e étage. Les feuilles d'or de la façade et la tour sont des rajouts récents. Il a appartenu à Ferdinand Marcos.

● **Solow Building** *(9 W. 57th St.)*. Les façades en verre brun de ce gratte-ciel spectaculaire épousent l'élan de deux courbes hyperboliques, commes celles du Grace Bldg. réalisé par le même cabinet d'architectes (Skidmore, Owings & Merrill, 1974). Sur le parvis, I. Chermayeff a sculpté le chiffre 9.

● **57th Street** concentre quelques-unes des plus belles boutiques du quartier, surtout en direction de Madison Ave. : Chanel, Burberry, Hermès, Laura Ashley… et de plus en plus de restaurants « à thème » : *Planet Hollywood, Hard Rock Café, Harley Davidson Café…*

● **Warner Bros** *(entre 5th Ave. & W. 57th St.)*. En 1994, l'arrivée de ce magasin « touristique », dans un bastion new-yorkais chic et cher, a fait hausser quelques sourcils parmi ses voisins plus huppés de la 57th St. Cela ne l'a pas empêché de connaître un succès foudroyant.

● **Bergdorf Goodman** *(754 5th Ave., au niveau de W. 58th St.)*, l'expression même du chic new-yorkais – très élégant mais hors de prix –, vaut un détour, ne serait-ce que pour son atmosphère, ses hauts plafonds et ses moulures. En face, *Bergdorf* « Homme », avec un mini-golf dans le magasin !

● **Le Plaza Hotel** *(5th St. & W. 59th St.)* est remarquablement bien situé au pied de 5th Ave. et de Central Park.

Theodore Roosevelt, Scott Fitzgerald, les Beatles, parmi tant d'autres, furent ses hôtes. Solomon Guggenheim vécut des années dans la suite des chefs d'État (State Suite), qu'il transforma momentanément en salle d'exposition prestigieuse en y accrochant les toiles de sa collection personnelle (Picasso, Degas, Matisse). Le Plaza servit également de cadre à plusieurs films : *Gatsby le Magnifique, Breakfast at Tiffany's, Crocodile Dundee…* L'édifice est l'œuvre de Henry Hardenbergh (1907), qui construisit aussi le Dakota sur le côté O. de Central Park (→ *Upper West Side*).

● **Grand Army Plaza** *(plan X, C2 ; métro : 5th Ave./60th St., lignes N et R)* s'ouvre à l'angle S.-E. de Central Park. Cette zone de 5th Ave. est magnifiquement décorée pendant la période de Noël ; malgré le froid, la foule envahit ce quartier et une douce complicité s'instaure entre les passants contre le gel et la neige. Au centre : la **Pulitzer Memorial Fountain**, en hommage au journaliste de ce nom (statue de l'*Abondance* par Karl Bitter, 1915), et la statue équestre du **général Sherman**, héros de la guerre de Sécession (par A. Saint-Gaudens). Sur le côté, le célèbre et fantastique magasin de jouets **Fao Schwarz.**

● **Fuller Building** : une dernière incursion sur Madison Ave. vous permettra de découvrir le Fuller Building *(41 E. 57th St.)*, très Art déco avec sa façade noir et blanc. Remarquez le bas-relief en façade au niveau du 3e étage et les motifs aztèques des frises. Dans le hall belles mosaïques au sol : on reconnaît dans le médaillon du milieu le Flatiron Bldg., l'ancien siège de la société Fuller, presque aussi effilé qu'une simple feuille de carton. À l'intérieur, galeries d'art (architectes Walker & Gillette, 1929).

Pour la description de 5th Ave., au-delà de 60th St. → **Upper East Side**, *prom. 12.*

2 – Le Rockefeller Center**

Channel Gardens* – GE Bldg.* – Radio City Music Hall*
Situation : 5th Ave. & W. 49th St. (plan X, C3)

C'est l'un des endroits les plus animés de 5th Ave. et aussi l'opération d'urbanisme la plus réussie de Manhattan. Construit de 1932 à 1940, le Rockefeller Center a marqué un jalon dans l'histoire de l'architecture américaine : pour la première fois était conçu un groupe de gratte-ciel qui dépassait la simple parcelle pour couvrir plusieurs blocs (9 ha). Une vraie cité à l'intérieur de la ville, à échelle humaine, avec des rues piétonnes, des promenades, des bassins, des espaces de loisirs (théâtres, cafés, patinoire, galeries marchandes) et des bureaux. Et l'on peut dire que l'opération a réussi, puisque moins de 20 ans après (en 1957) on décidait d'agrandir le Rockefeller Center du côté de 6th Ave. Aujourd'hui, le complexe comprend 21 buildings reliés entre eux par tout un réseau de galeries. En 1989, il a été racheté par une société japonaise (qui l'a revendu depuis), ce qui a fait couler beaucoup d'encre dans la presse new-yorkaise.

Le projet initial, élaboré en 1929, s'ordonnait autour d'un nouvel opéra. Mais après le krach les investisseurs se retirèrent et le projet fut abandonné. John D. Rockefeller Jr. resta seul en course avec, en prime, les baux d'une quarantaine de maisons en piteux état. Il décida alors d'entreprendre l'édification d'un grand centre commercial, un vaste programme qui allait lui permettre de rentabiliser ses fonds tout en stimulant l'industrie du bâtiment, favorisant ainsi les créations d'emplois.

Plusieurs architectes ont travaillé au projet, mais celui qui a réellement laissé son empreinte est Raymond Hood, le père de l'Art déco à New York. C'est lui notamment qui a insisté pour que des œuvres d'art (sculptures, mosaïques, fresques) viennent égayer les allées du Rockefeller Center.

Quand ? À tout moment de la journée, le sam. ou, mieux encore, à Noël quand les vitrines sont superbement décorées.

Accès : en métro : lignes B, D, F, Q ; arrêt 47th/50th Sts. ; en bus : lignes 1, 2, 3, 4, 5, 27, 50.

● **Les Channel Gardens***, que l'on découvre en arrivant de 5th Ave., forment une échappée dans un quartier où l'immobilier est roi, un lieu de promenade agrémenté de bassins, arbustes, boutiques et même d'un grand sapin de Noël en décembre. Cet effet est encore accentué par la taille réduite des deux immeubles qui les bordent : la **Maison française** (n° 9, à g.) et le **British Empire Building** (n° 8, à dr.). Notez que leur nom « les jardins de la Manche » provient de leur situation entre la France et l'Angleterre, comme le bras de mer qui sépare les deux pays. Parmi les magasins, on retiendra la **Librairie de France et d'Espagne**, l'unique librairie française de la ville, et la **boutique du Metropolitan Museum**. Des jardins

Des chiffres records

Quelques chiffres suffisent à révéler le gigantisme du Rockefeller Center :
– chaque jour, le centre reçoit 240 000 visiteurs (65 000 personnes qui y travaillent et 175 000 qui viennent y faire un tour) ;
– 817 personnes sont employées dans les équipes de nettoyage ;
– 388 ascenseurs transportent plus de 400 000 passagers et parcourent près de 3,2 millions de km par an ;
– les installations de bureaux comptent 48 758 fenêtres et près de 100 000 postes de téléphone ;
– 36 restaurants y sont situés ;
– 1,8 milliard de litres d'eau est consommé en un an.

suspendus ponctués de piscines, que l'on devine à peine, entourent l'allée.

● **La Rockefeller Plaza**, vaste allée piétonne, permet de circuler entre les édifices. **La Lower Plaza**, située en contrebas, est dominée par la statue en bronze doré de *Prométhée* (par P. Manship, 1934). En été, elle est envahie par la terrasse de l'**American Festival Café** et transformée en **patinoire** l'hiver.

● **Le GE Building*** (ancien **RCA Bldg.**, entrée principale sur Rockefeller Plaza) est le bâtiment central du Rockefeller Center ; il abrite les studios de radio et de télévision de la **NBC**, National Broadcasting Corporation *(vis. guidée de 1 h du lun. au sam. 9 h 30-16 h 30 ☎ 664-4000).*
Du coin de la 49th St. on peut assister à une émission en direct du journal matinal de NBC.
Au-dessus de l'entrée, jetez un coup d'œil au bas-relief de Lawrie, *La Sagesse et la Connaissance.* Dans le hall principal, *Le Progrès américain* de José M. Sert est venu remplacer

une fresque de Diego Rivera, jugée trop marxiste par Rockefeller, qui la fit masquer à la veille de l'inauguration. Enfin, la façade sur 6th Ave. est ornée d'une énorme mosaïque *(L'Intelligence éveillant l'humanité).* Au 65e étage, le **Rainbow Room**, club privé durant la journée, se transforme le soir en un restaurant avec orchestre de danse des années 30 et un bar très sélect (costume de rigueur) ; belle vue.

● **Sur l'Associated Press Building**, au-dessus du porche, on verra un bas-relief en acier d'Isamu Noguchi.

● **L'International Building** *(630 5th Ave.)* est décoré dans le goût Art déco : l'Atlas de 14 m sur 5th Ave. est l'œuvre de Lawrie ; remarquez aussi le grand relief qui glorifie le travail *(face S., devant la Rockefeller Plaza).*

● **Le Radio City Music Hall*** *(W. 50th St. & 6th Ave. ; vis. guidée : en fonction des programmes, lun.-sam. 10 h 15-16 h 45, dim. 11 h 15-16 h 45)* resta jusqu'aux années 70 la salle de spectacle la plus prestigieuse de New York. De 1932 à 1979, plus de 650 films y furent présentés en avant-première. La salle, restaurée il y a une dizaine d'années, peut contenir 5 882 personnes. Désormais utilisée pour les spectacles de Noël et de Pâques (avec les fameuses Rockettes) et en salle de concert et spectacles divers, elle est dotée d'une machinerie sophistiquée et de deux orgues électriques géants. Sa visite intéressera les amateurs d'Art déco.

● **Avenue of the Americas** *(6th Ave.).* L'extension du Rockefeller Center le long de 6th Ave. commença en 1957 pour s'achever en 1973. Le résultat n'est franchement pas très convaincant : il s'agit en fait d'un alignement de 4 tours rectilignes, sans aucune fantaisie, construites suivant un schéma identique (architectes Harrison & Abramovitz). En descendant l'avenue vers le S., depuis 51st St., on verra : le **Time and Life Building** (1271 6th Ave. ; 179 m ; 48 étages) ; l'**Exxon Building** (1251 6th Ave. ; 229 m ; 54 étages) ; le **McGraw Hill Building** (1221 6th Ave. ; 205 m ; 51 étages) où, à côté du McGraw Hill Park, vous pourrez faire un tour dans un jardin intérieur agré-

menté de cascades ; le **Celanese Building** (1211 6th Ave.) ; le **Crédit lyonnais Building** (53rd St. & 6th Ave.).

Pour retrouver **5th Ave.** → *prom. 1 ; pour aller vers* **Times Square** → *prom. 11.*

3 – Financial District*** et le sud de Manhattan

World Trade Center*** – Battery Park City**(World Financial Center**) – Battery Park* – Trinity Church* – Wall Street** – South Street Seaport** – Woolworth Bldg.*** – City Hall* – Brooklyn Bridge*.

Situation : *plan VI, B2-3 et VII, C2-3*

Visiter le S. de Manhattan, c'est approcher du cœur financier de la ville, d'un monde où les gratte-ciel deviennent forteresse. Tout ici – ou presque – semble dévolu au dieu de l'argent et de l'efficacité ; même les *fast-foods* se plient à la règle, proposant à leurs clients de passer commande par télécopieur… Mais quel choc, surtout à l'heure du déjeuner ou à la sortie des bureaux : Financial District est le quartier le plus dense de New York du moins en semaine, ses rues étant désertes les week-ends et le soir, bien que les New-Yorkais reviennent maintenant y vivre.

Cette forêt de gratte-ciel a certes quelque chose d'inhumain. Pourtant, on prend plaisir à contempler ces façades imposantes, à s'arrêter devant ces halls recouverts de mosaïques : très marquée par l'architecture des années 20, Wall Street a gardé tout son pouvoir d'évocation. Les immenses boîtes de verre, impersonnelles, construites dans les années 60, se remarquent à peine dans cet ensemble ; elles ne font qu'accentuer l'étroitesse des rues, qu'aménager de nouvelles perspectives encore plus saisissantes. Le pourtour de l'île, face à l'Hudson River, est plus moderne, avec des buildings comme le World Trade Center ou la superbe réalisation de Battery Park City. →

New York est née ici, au S. de Manhattan ; on a tendance à l'oublier, les témoignages de ce passé devenant de plus en plus rares. Mais la ville a grandi à l'ombre de son port et s'il est un quartier où la présence de la mer est encore forte, c'est bien celui-ci : d'agréables promenades ont été aménagées au bord de l'Hudson, l'ancien port a été reconstitué (South Street Seaport). Mais sans doute est-ce du pont de Brooklyn que l'on percevra vraiment ce subtil mélange de pierre, d'acier et d'eau.

Quand ? En semaine : *l'activité bat son plein entre 12 h et 14 h et à partir de 16 h. Si vous y allez le soir, vous risquez de ne croiser que des limousines* *attendant les hommes d'affaires retenus à leur bureau.* **Le week-end :** *tout le S. de Manhattan se vide au profit des touristes qui vont à la statue de la*

Liberté. Seul South St. Seaport déborde d'animation (parfois un peu surfaite). L'esplanade de Battery Park City attire les rollers en patins et quelques joggers et New-Yorkais en mal d'espaces verts.

Combien de temps ? En une journée, *vous aurez le temps de tout voir : dans ce cas, nous vous conseillons de ne pas trop vous attarder au South St. Seaport et d'y revenir, par exemple, un dimanche après-midi.* ***En deux ou trois heures :*** *promenez-vous autour de Wall Street, puis faites une rapide incursion vers Battery Park City ; en repartant, jetez un coup d'œil au Woolworth Bldg. (près du Civic Center).*

Ne manquez pas : *Wall Street** et le Woolworth Bldg.***, sans oublier la vue depuis le World Trade Center*** et le Winter Garden*.*

Où s'arrêter ? *Vous pouvez déjeuner au World Financial Center ou au South St. Seaport, faire une pause sur la promenade aménagée près de Fort Clinton ou à Battery Park City.*

■ Le World Trade Center***

Plan : VI, B2.

Métro : ligne E., arrêt World Trade Center ; ligne 1, arrêt Cortland St.

Bus : n⁰ˢ 1, 6, 10.

Visite : accès à la plate-forme d'observation (tour n⁰ 2), t.l.j. 9 h 30-21 h 30 (23 h 30 juin-sept.).

Les tours jumelles du World Trade Center (WTC) sont désormais tout aussi célèbres que l'Empire State ou le Chrysler Bldg. À juste titre, puisqu'elles marquent le point culminant de la ville. Mais on ne saurait oublier que leur construction a soulevé les plus vives critiques : ces deux immenses cubes d'acier ont brisé la superbe *skyline* de Financial District, qui faisait la fierté de bien des New-Yorkais. Vingt ans ont passé et l'achèvement

du World Financial Center, suivi de Battery Park City, semble avoir redonné un peu de vie et d'humanité à l'ensemble.

Même si les avis esthétiques restent partagés, la visite du World Trade Center offre un **panorama***** inoubliable. Deux galeries sont installées au sommet de la tour S. (WTC 2) : celle du 107ᵉ étage est couverte ; l'autre, au 110ᵉ étage, est une véritable promenade en plein ciel (à déconseiller aux visiteurs sujets au vertige).

La conception de ces deux tours est originale : elles sont en effet construites autour d'une charpente faite de colonnes d'acier très rapprochées, ce qui n'autorise qu'une largeur de 55 cm pour les fenêtres. Mais cela a permis de créer un immense espace intérieur sans cloison.

Les tours peuvent osciller à leur sommet jusqu'à former un écart de 30 cm avec la verticale. Leurs fondations s'enfoncent à 21 m sous le sol dans des roches schisteuses (architectes Minoru Yamasaki, Emery Roth, 1973).

Le World Trade Center en bref

Hauteur : 411,48 m (110 étages).
Surface : 900 000 m², soit 7 fois plus que l'Empire State Bldg.
Visiteurs : 90 000 par jour, dont 50 000 qui y travaillent.
Record : en 1974, le funambule Philippe Petit a traversé l'espace qui sépare les deux tours en marchant sur un câble.

■ Battery Park City**

Plan : VI, B2-3.

Accès : traversez le WTC 1 et prenez l'escalier roulant qui mène au North Bridge (World Financial Center).

● **World Financial Center****. – Voilà l'un des derniers grands ensembles construits à Manhattan : quatre tours de bureaux qui s'inscrivent dans un vaste complexe d'habitations et d'espaces publics le long de l'Hudson River (Battery Park City). Une réalisation très réussie, à échelle humaine, avec des galeries piétonnes, des petites places, des cafés, des boutiques. Tout ici est conçu pour faciliter la vie des milliers de personnes qui y travaillent, alliant efficacité (salons de coiffure, agences de voyages, opticien, salle de gymnastique) et détente (expositions temporaires, spectacles saisonniers, terrasses de café) sans pour autant tomber dans un futurisme de science-fiction (architecte Cesar Pelli, 1992).

Ainsi, le **Winter Garden***, planté de palmiers et ouvert sur la rade par une verrière, joue parfaitement son rôle de forum : on vient aussi bien y déjeuner, y écouter de la musique ou y lire son journal muni d'un sandwich. Le journal *Art & Events* annonce les manifestations culturelles gratuites.

La très belle **esplanade**** qui longe la rivière contribue aussi à l'originalité du lieu, avec un port de plaisance joliment aménagé (**North Cove**), un authentique jardin japonais (**South Cove**), des aires de jeux pour les enfants (**Hudson River Park**) ou même la version postmoderne d'un kiosque à musique (**Hudson River's Pavilion**). Des ferries vont de North Cove à Weehoken (trafic régulier en semaine).

■ Autour de Wall Street**

Plan : IV, B3.

Accès : *si vous venez de Battery Park City, longez l'esplanade jusqu'à South Cove.*

Métro : *lignes 1 et 9, arrêt South Ferry ; ligne 4, arrêt Bowling Green ; lignes N ou R, arrêt White Hall.*

Bus : *n°s 1 ou 6.*

Pour la **statue de la Liberté** → *prom. 4.*

● **Battery Park*** reste toujours l'avant-poste de Manhattan, même s'il a perdu sa vocation militaire depuis presque deux siècles. Ouvert sur la baie de New York, le parc possède un certain charme bien qu'il soit pris d'assaut à l'heure du déjeuner par le personnel des banques ou par les touristes qui vont à la statue de la Liberté. Son nom rappelle la rangée de 28 canons qui défendaient le fort, **Castle Clinton**, construit pour lutter contre les troupes anglaises, mais ces canons ont seulement célébré des dates mémorables. Construite en 1811, la forteresse ne servit qu'une dizaine d'années. Dès 1824, elle devint une salle de fêtes, un centre d'accueil pour les immigrants (1855-1890), puis un aquarium. Elle a retrouvé aujourd'hui son état d'origine.

La promenade sur la rive offre une **vue**** splendide sur le port de New York avec, de g. à dr. : les quais et les docks de Brooklyn, Governor's Island, Verrazano Bridge, Liberty Island sur laquelle se dresse la statue de la Liberté, Ellis Island et la zone portuaire de Jersey City.

Dans Battery Park, notez au passage deux monuments : la **statue de Giovanni da Verrazano**, navigateur italien (envoyé par la France) qui découvrit la baie de New York en 1524, et l'**East Coast War Memorial** dédié aux soldats disparus dans l'Atlantique O. durant la Seconde Guerre mondiale.

De Battery Park partent les **ferries pour Staten Island** *; l'aller-retour (beaucoup moins cher que le trajet vers la statue de la Liberté) dure environ 45 mn et offre une très belle vue sur le S. de Manhattan.*

▶ **Fraunces Tavern** *(54 Pearl St. ; à 300 m env. de Battery Park par Pearl St. ; plan VI, B3 ; musée ouv. en sem. 10 h-16 h 45 et le sam. de 12 h à 16 h).* – Une vieille taverne dont la célébrité remonte à la Révolution américaine : en 1783, G. Washington y résida une dizaine de jours et, le 4 décembre, donna un banquet d'adieu à ses officiers. Le bâtiment actuel, reconstitué en 1927, abrite toujours un restaurant, ainsi qu'un petit musée avec quelques souvenirs de la guerre d'Indépendance.

La **Vietnam Veterans Plaza**, juste derrière, sur Water St., est dédiée aux morts de la guerre du Viêt-nam ; le grand mur de verre sur lequel sont gravés des textes et des lettres des disparus est particulièrement émouvant de nuit, lorsqu'il est éclairé. ◀

● **L'US Custom House*** *(Bowling Green)*, imposant « palais » de style Beaux-Arts, est devenu en 1994 le **Museum of the American Indian** (ouv. t.l.j., sauf à Noël, entrée gratuite ; → prom. 8). Notez, au pied de la façade, les quatre statues de Chester French (l'auteur du Lincoln Memorial à Washington), qui représentent les quatre continents ; les sculptures de la corniche symbolisent les 12 principales puissances commerciales, villes ou pays (architecte Cass Gilbert, 1907).

● **Bowling Green.** – Cette petite place, fort bien restaurée, était occupée par un marché aux bestiaux à l'époque hollandaise (XVIIᵉ s.), avant de devenir le premier parc de la ville (1733) et le rendez-vous des joueurs de boules. D'où sa célébrité. Elle fut plus tard entourée d'habitations de notables. Les grilles qui l'entourent, abîmées au moment de la Révolution, ont retrouvé leur état d'origine. Gigantesque statue d'un taureau, symbole de la Bourse *(Bull Market)*.

Deux beaux immeubles des années 20 se font face près de Bowling Green :

l'ancien **Standard Oil Building** *(26 Broadway)*, avec une amusante tour pyramidale et un hall richement décoré (architectes Carrère & Hastings, 1922) ; l'ancien **Cunard Building** *(25 Broadway)*, remarquable par son immense salle des guichets ornée de marbres et de peintures sur le thème du voyage et transformé aujourd'hui en bureau de poste (architecte Benjamin Wistar Morris, 1921).

Remontez Broadway.

● **Trinity Church*** *(Broadway & Wall St. ; plan VI, B3).* Avec son clocher pointu (86 m), elle régnait au

---

Néo-gothique à Manhattan

New York : 1845

« Richard Upjohn fait figure de chef de file du mouvement néo-gothique américain. Né en 1802 en Angleterre, ébéniste de formation, il a émigré aux États-Unis en 1829 et ouvert en 1834 son agence d'architecture à Boston. L'édifice qu'il construit actuellement à New York, à la pointe S. de l'île de Manhattan, à l'intersection de Broadway et de Wall Street, doit être achevé l'année prochaine. Il s'agit de Trinity Church, l'église de la Trinité, située à l'emplacement même où deux églises se sont déjà succédé. C'est la forme de l'espace gothique et non sa structure que Richard Upjohn a imitée. Ainsi, le plafond de l'église est une voûte en plâtre suspendue à des fermes dissimulées et invisibles. Pour la construction du clocher qui sera le point culminant de New York et en haut duquel on pourra découvrir une vue panoramique de toute la ville, une machine à vapeur a été utilisée afin de hisser les pierres à la hauteur voulue. »

Extrait de *L'Aventure de l'art au XIXᵉ siècle*, Le Chêne-Hachette, 1991, p. 389.

XIXᵉ s. sur le quartier. Aujourd'hui, étouffée par les constructions modernes, elle forme une tache rose au milieu des grands immeubles blancs de Wall St. Certains jours, on peut entendre la musique légère de ses orgues *(concerts en semaine à l'heure du déjeuner)*. Le **cimetière**, dont la plus ancienne pierre tombale date de 1681, forme une étonnante enclave au milieu des gratte-ciel, à la fois lieu de spiritualité et de rendez-vous entre 12 h et 14 h… (architecte Richard Upjohn, 1846).

● **Wall Street**★★ constitue le centre financier de New York, « le quartier précieux, dira Louis-Ferdinand Céline, le beau cœur en Banque du monde d'aujourd'hui ».

Elle s'ouvre comme un canyon encaissé au pied des gratte-ciel ; c'est sans doute depuis Pearl St. (à son extrémité), que vous aurez le meilleur point de vue sur les immeubles alentour. Son nom vient de la palissade qui avait été élevée en 1653 par le gouverneur hollandais Peter Stuyvesant, pour se protéger des Indiens. Sa vocation boursière est très ancienne puisque les premières transactions se firent vers 1792 sous un platane au voisinage du carrefour de Pearl et Wall Sts.

● **New York Stock Exchange**★ *(entrée 20 Broad St. ; plan VI, B3 ; ouv. en sem. 9 h-16 h ; entrée libre, il faut faire la queue)*. L'édifice se reconnaît grâce à sa façade à colonnes néo-classique. La Bourse subit diverses fluctuations au cours de son histoire, notamment le krach de 1929, mais elle reste la plus importante Bourse du monde (architecte G. B. Post, 1903).

Si vous n'avez jamais pénétré à l'intérieur d'une Bourse, la visite de celle-ci vous intéressera sans doute : une galerie permet d'observer « le parquet » et des haut-parleurs expliquent le fonctionnement des transactions *(des téléphones donnent la traduction en français)* ; une autre salle présente l'histoire de la Bourse (films).

● **Federal Hall** *(26 Wall St. ; plan VI, B3 ; ouv. en sem. 9 h-17 h)*. Ce temple dorique des plus sobres et des plus purs s'élève à l'emplacement de l'ancien hôtel de ville où George Washington prêta serment comme premier président des États-Unis en 1789 (voyez sa statue en montant les marches). La façade (de 1842), inspirée de celle du Parthénon d'Athènes, est typique de cette période où l'art grec servit de modèle aux bâtiments officiels de la jeune république. À l'intérieur, petit musée historique.

● **La Morgan Garanty Trust Company** *(23 Wall St.)*, en face du Federal Hall, est une tour sobre et austère, un peu à l'image des institutions financières du début du siècle qui incarnaient un idéal de puissance et d'opulence ; à l'époque, rien n'indiquait en façade le nom de la société car les clients de la prestigieuse banque Morgan n'avaient pas besoin de publicité pour la connaître… (architecte Trowbridge & Livingston, 1913).

● Dans les années 20, quantité d'édifices ont fleuri dans le quartier : voyez notamment le **40 Wall Street**, très massif, avec de lourds pilastres en façade, et dont le toit en forme de pyramide a longtemps dominé la *skyline* de Wall St. Plus étonnant encore est le **70 Pine Street**, dont tous les détails se rapprochent de l'Art déco ou, plus exactement, du *Jazz Age :* le hall est superbe ; de petites répliques du gratte-ciel, à côté de l'entrée, permettent aux visiteurs d'imaginer le sommet de l'édifice, trop haut pour être vu depuis la rue !
Les bureaux de la **Morgan Bank** *(60 Wall St.)* tranchent vivement dans cet ensemble : leur forme, très postmoderne, est directement inspirée d'une

«Le plus colossal

«**N**i le cinéma ni la photographie ni le reportage n'ont pu ternir cet événement surprenant qu'est New York, la nuit, vue d'un quarantième étage. Cette ville a pu résister à toutes les vulgarisations, à toutes les curiosités des hommes qui ont essayé de la décrire, de la copier. Elle garde sa fraîcheur, son inattendu, sa surprise pour le voyageur qui la regarde pour la première fois.»

(Fernand Léger, New York , Cahiers d'art, septembre-novembre 1931)

■ Une croissance vertigineuse

Le choc, l'éblouissement de Fernand Léger lorsqu'il découvre Manhattan en 1931 fut celui des quelque 16 millions d'immigrants qui touchèrent le sol américain via Ellis Island entre 1892 et 1954. Rien pourtant ne laissait deviner une telle expansion. En 1650, New York n'est qu'une agglomération de 500 âmes, où l'on parle 18 langues… Et au lendemain de l'indépendance, elle ne se distingue guère des autres comptoirs atlantiques.

C'est à partir de 1830 que commence l'immigration massive. La ville prend alors son envol, coiffant par sa croissance et son dynamisme les

▼ *La Nouvelle-Amsterdam en 1650*

New York comprend alors une centaine de maisons, regroupées au S. de l'île.

spectacle du monde»

autres cités américaines: 14 000 immigrants en 1830; plus de 200 000 en 1860; près d'un million au début du siècle !

Les raisons de cet essor sont multiples, mais l'une des principales est que New York devint très vite la première place commerciale du pays: dès 1817, elle est la première à instituer une liaison régulière avec l'Europe. Et, en 1825, le percement du canal Erié (entre Albany et Buffalo) la met en liaison avec les Grands Lacs, via l'Hudson River, ouvrant de nouvelles perspectives d'échanges.

■ Une ville en mille morceaux

Alors que Paris et Londres s'étendent progressivement, New York doit faire face, en peu de temps, à un développement prodigieux. Elle s'est construite dans le désordre, dans la nécessité, défiant toutes les lois de la nature, essayant sans cesse d'inventer de nouvelles solutions. Aujourd'hui, elle apparaît comme une juxtaposition de collages informes, mais d'une infinie variété. Et sans doute est-ce cela qui fait son charme.

«La ville se développa sur le modèle d'une grille qui ignorait les reliefs, les fossés, les hauteurs ainsi que les sinuosités du fleuve. Une grille fantôme de 2 028 blocs à l'intérieur desquels les constructions pourraient évoluer. C'est ainsi que l'Empire State Building fut érigé à l'emplacement du vieux Waldorf-Astoria. L'hôtel est passé sur une autre case. Le Madison Square Garden se trouvait à Madison Square, et puis il s'est mis à flotter sur la grille comme une gondole […]. La grille est sacrée. Elle n'autorise ni le souvenir ni le remords.»
(Jerome Charyn, Metropolis, p 72, Presse de la Renaissance, 1987)

▼ Le S. de Manhattan vu depuis Brooklyn Bridge

On reconnaît au premier plan les tours jumelles du World Trade Center.

colonne classique et la galerie du rez-de-chaussée déploie un luxe qui tient des mille et une nuits.

Les rues qui entourent Wall St. forment autant de perspectives impressionnantes, comme par exemple **Pine, William, Beaver Streets**.

Par Nassau et Pine Sts., vous atteindrez la Chase Manhattan Plaza.

● **Chase Manhattan Bank** *(Pine & William Sts. ; plan VI, B3)*. – On fait souvent référence à ce building, qui ressemble aujourd'hui à tant d'autres, car ce fut le premier bâtiment « moderne » de Financial District au tout début des années 60. Et sa construction suscita un regain d'intérêt pour un quartier qui était tombé au profit de Midtown. La silhouette de l'édifice, très géométrique et sobre, s'inscrit en plein dans le style International. En libérant un grand espace public et piétonnier devant la banque, les promoteurs ont pu gagner quelques mètres en hauteur (architectes Skidmore, Owings, Merrill, 1960).

● **Sur la Chase Manhattan Plaza** trônent les *Quatre Arbres* de Dubuffet (1972). En contrebas est aménagée une fontaine qui contient d'immenses rochers (de 1,5 t à 7 t) rapportés de la rivière Uji, près de Kyoto, au Japon ; dans cette ville récente, ils symbolisent à la fois la force et l'usure du temps (sculpteur I. Noguchi). À l'origine s'y trouvait un aquarium, mais les poissons n'ont pu résister à la pollution et aux pièces de monnaie lancées par les visiteurs.

Longez la Chase Manhattan Bank et traversez Liberty St.

● **Federal Reserve Bank** *(Liberty & Nassau Sts. ; vis. guidée lun.-ven. sur demande préalable* ☏ *720-6130 ; durée de la vis. env. 45 mn)*. – Un vrai palais florentin qui abrite les réserves d'or de près de 80 pays… On croirait presque rêver. Ces lingots sont per-

---

L'ascenseur de monsieur Otis

En 1854, à l'exposition du Crystal Palace de New York, Elisha Otis organise une démonstration publique : pour montrer l'efficacité des freins de sécurité, il fait couper les câbles de l'appareil alors qu'il est à l'intérieur. L'expérience fait sensation et, dès 1857, le premier ascenseur à passagers est installé dans un magasin de Broadway (*→ prom. 10*). Peu avant sa mort, en 1861, Otis dépose un brevet qui garantit la prospérité de sa société. Cet ascenseur, assez encombrant, mû par un treuil à vapeur, n'est pas encore très pratique. Il faudra attendre les années 1880-1890 et la réalisation d'un moteur électrique pour que son usage s'étende.

---

mutés périodiquement selon les fluctuations monétaires entre les différentes nations sans jamais sortir de la forteresse.

● **La Louise Nevelson Plaza** *(Liberty & William Sts.)* abrite sept sculptures de la grande artiste. C'est aussi une halte agréable à l'heure du déjeuner.

De là, vous avez deux possibilités :

– soit aller directement à **South Street Seaport** *(à 300 m env.* → *ci-dessous) ; suivez alors Maiden Lane vers l'East River, puis tournez à g. dans Pearl St. pour rejoindre Fulton St. ;*

– soit revenir vers le **World Trade Center** *(350 m env.) ; dans ce cas, rejoignez Broadway par Liberty St. En chemin, vous croiserez :*

● **Le One Liberty Plaza** *(Broadway & Liberty St.)* est l'exemple même des excès du style International, qui a conduit parfois à des édifices terriblement sévères et sans fantaisie. Devant, sur la place, vous verrez une amusante sculpture de Seward Johnson Junior représentant un homme d'affaires « en action », pouvant presque prêter à confusion la nuit tant la ressemblance est frappante.

Reprenez Broadway vers le S. sur deux blocs.

● **L'Equitable Building** (*Broadway, entre Cedar & Pine Sts.*) est plus célèbre par son histoire que par son aspect : c'est en effet à la suite de sa construction, en 1915, que l'on décida d'adopter la première loi (la *Zoning Law*) qui allait contrôler et limiter la hauteur des gratte-ciel (→ *pp. 160-161*). Il faut avouer que, même à l'heure actuelle, on est surpris par l'allure massive de cet immeuble de 40 étages.

● **La Bank of Tokyo** (*100 Broadway*) associe une structure Beaux-Arts de la fin du XIXe s. à une belle rénovation moderne ; ainsi, la galerie du rez-de-chaussée mêle avec réussite des colonnes classiques à des sculptures d'Isamu Noguchi.

■ South Street Seaport**

Plan : VII, C2-3.

*Visitors' Center : 12 Fulton St. vente des tickets pour le Museum of Historic Ships (rens. ☎ 748-8600 ou 669-9400) et les **promenades en bateau** (guichet Pier 16, rens. ☎ 536-3200, Circle Line). Des concerts sont souvent donnés en été (se renseigner au Visitors' Center).*

Métro : lignes 2, 3 et 4, arrêt Fulton St.

Bus : no 15.

L'époque où marins, dockers et négociants en tous genres venaient remplir les bars du vieux port a bel et bien disparu : aujourd'hui, le quartier est entièrement consacré au tourisme. À la fin du siècle dernier, la plupart du trafic maritime de New York passait par ce port situé à l'extrême pointe de Manhattan. Les anciens quais ont été transformés en un musée en plein air qui tente de recréer l'atmosphère

d'autrefois, avec ses bâtiments et ses bateaux du XIXe s. L'ensemble pourrait avoir un certain charme s'il n'y avait pas tant de monde et de boutiques de souvenirs. On peut y prendre un verre (ouv. t.l.j. 11 h-22 h).

● **Museum of Historic Ships** (*ouv. t.l.j. 10 h-17 h*). – On ne peut pas les manquer. Ces vieux navires se dressent fièrement le long des quais, à l'extrémité de Fulton St., prêts à larguer les amarres, et pourtant ils ne quittent jamais Manhattan. Le **Peking** (1911) est l'un des plus grands quatre-mâts du monde, tandis que son ancêtre le **Wavertree** (1885), venu d'Angleterre à la fin du XIXe s., est en cours de restauration.

● **Fulton Street***. – La balade sur Fulton St. est assez agréable, surtout l'été, malgré le flot de touristes. De nombreuses boutiques ont fleuri dans les vieux bâtiments (de style georgien, fédéral ou néo-classique) qui bordent la rue : souvenirs, galeries d'art, librairies spécialisées, ateliers où des artisans restaurent mâts, canots, gouvernails ; voyez notamment le **Schermerhorn Row** (*du no 2 au no 18 ; Visitors' Center*), entrepôt de briques construit en 1811 par un riche marchand de la ville.

À l'extrémité de la rue se tient le **Fulton Fish Market** (*ouv. entre 4 h et 7 h du matin*), le plus grand marché de poissons du pays. Et si par hasard le grand large vous effraie, vous pourrez méditer devant la **Titanic Memorial Lighthouse** (*Fulton St., entre Water et Pearl Sts.*) qui rend hommage aux victimes du tristement célèbre *Titanic*.

■ Autour du Civic Center

Plan : VI, B2.

Métro : lignes N et R, arrêt City Hall ;

lignes 4 et 6, arrêt Brooklyn Bridge-City Hall, lignes 1 et 9, arrêt Park Place.

Bus : n°s 1, 6, 101 et 102.

● **St Paul's Chapel** (*Broadway & Fulton St. ; plan VI, B2*), avec son vieux cimetière, semble presque égarée au milieu des gratte-ciel de Financial District. C'est la plus ancienne église de la ville, construite dans le style georgien, sur le modèle de St Martin's in the Fields de Londres (architecte T. McBean, 1766). Concerts gratuits.

● **Le Woolworth Building***** (*Broadway & Barclay St. ; plan VI, B2*) est certainement le plus célèbre gratte-ciel du début du siècle. Avec ses 60 étages et ses 241 m de haut, il fut en effet de 1913 à 1930 le plus haut bâtiment du monde. Mais il doit surtout sa gloire à la personnalité de Frank Woolworth, qui avait fait fortune en fondant une chaîne de magasins bon marché. Celui-ci paya en effet cash les 13 millions de $ nécessaires à la construction de l'édifice, demandant à l'architecte de construire quelque chose d'aussi beau que les Houses of Parliament de Londres, mais de plus haut ! Inauguré en grande pompe par le président Wilson en personne, ce building est resté pour beaucoup l'incarnation même du rêve américain. C'est aussi un chef-d'œuvre de technique par ses proportions, son originalité et son sommet travaillé comme la tour d'une cathédrale gothique (architecte Cass Gilbert, 1913).

Le **hall**** vaut un coup d'œil avec ses mosaïques, ses murs recouverts de marbre, ses boîtes aux lettres pseudo-gothiques, ses sculptures pleines d'humour : voyez les bas-reliefs représentant Frank Woolworth comptant des nickels (piécettes) et Cass Gilbert présentant la maquette du gratte-ciel.

● **Le City Hall***(*plan VI, B2 ; ouv. lun.-ven., 10 h-15 h 30*) paraît aujourd'hui bien petit pour une telle métropole. Il fut construit dans le goût néo-classique du début du XIXe s. (associant la Renaissance française et le style georgien), avec un portique à colonnes, des ailes en retour et une coupole surmontée d'une statue de la Justice. Seule la façade S. était revêtue de marbre, remplacé aujourd'hui par du grès calcaire. On prétend que, au temps de sa construction, le City Hall était si loin du centre de la ville qu'on n'a pas cru nécessaire de le terminer avec du marbre. C'est du City Hall que partent les cortèges funèbres, mais aussi les triomphes des héros populaires (*Ticker Tape Parades*, parades de confettis ou, mot à mot, « parades de bandes de téléscripteurs »).

Le bureau du maire est au rez-de-chaussée. La **Governor's Room** (*1er étage*) présente des meubles et des portraits historiques (architectes Mangin & McComb, 1811).

● **Brooklyn Bridge*** (*prendre la rampe d'accès piétonne, derrière le City Hall*). Si la distance ne vous effraie pas (1/2 h. à pied ; partez du côté Brooklyn), engouffrez-vous sur la passerelle du pont : le spectacle en vaut vraiment la peine. Perché à une cinquantaine de mètres au-dessus de l'eau, vous jouirez d'une **vue**** extraordinaire, presque surréaliste quand le bruit du vent dans les câbles se mêle au grondement des voitures.

Ce pont suspendu à 40 m au-dessus de l'East River a été construit par J.A. Roebling et son fils entre 1863 et 1883. Il mesure 1 052 m, sans les voies d'accès, et sa largeur atteint 26 m. Les câbles d'acier qui le soutiennent ont 28 cm de diamètre ; 5 700 fils les composent. Les piliers en arc gothique lui donnent l'allure d'une porte médiévale s'ouvrant sur les cubes de verre de Manhattan.

● **La Tweed Courthouse** (*derrière le City Hall*) est aujourd'hui bien plus connue pour son histoire que pour son architecture victorienne. C'est en effet une formidable escroquerie de 10 millions de $ (sur les 14 millions engagés pour sa construction) qui fit tomber en 1872 le maire, William Tweed, dans un scandale retentissant.

● **Le Municipal Building** (*Centre St., face à Chambers St.*) domine fièrement l'enceinte du Civic Center. Contemporain du Woolworth Building, il a été conçu dans le même esprit. La pièce montée qui le cou-ronne est particulièrement réussie, avec à son sommet une représentation de la Vertu civique. Voyez, au rez-de-chaussée, l'immense voûte qui couvre Chambers St. Le bâtiment abrite une partie de l'administration de la ville, notamment le bureau des mariages (architectes McKim, Mead & White, 1914).

● **La Surrogate's Court** (*31 Chambers St.*) triomphe par sa façade néo-classique amplement ornée. Son hall, de style Beaux-Arts, est encore plus théâtral (architectes Thomas, Hogran & Slattery, 1911).

4 – La statue de la Liberté** et Ellis Island**

Situation : dans l'Upper Bay (plan III, A2)

C'est un voyage aux sources de l'Amérique que vous entreprendrez ici, la « Liberté éclairant le monde » restant l'un des symboles les plus vivants de l'histoire du pays. Une image que la récente ouverture du musée d'Ellis Island est venue compléter. Ainsi pouvons-nous revivre le périple des milliers d'immigrants qui ont afflué vers New York comme vers une terre promise. La visite de ces lieux est très émouvante, ce passé étant encore présent à l'esprit de beaucoup d'Américains. Sans parler de l'émotion de ceux qui viennent ici retrouver leurs racines, voire leurs souvenirs.

Enfin, la promenade vous offrira une très belle vue sur le S. de Manhattan, mais si votre temps est limité vous pouvez vous contenter de faire un aller-retour sur le Staten Island Ferry (50 cents aller-retour) : le panorama sera tout aussi beau et vous apercevrez Lady Liberty.

*Visite et accès : départ des **ferries** de Battery Park, plan VI, B3 (achat des **billets** au Castle Clinton) ; services t.l.j. 9 h 15-16 h 30, en été et certains weekends liaisons supplémentaires (☎ 269-5755). Les bateaux s'arrêtent d'abord à la statue de la Liberté, puis à Ellis Island. En raison de la foule, il faut arriver un peu avant le départ du dernier bateau.*

*Le **Staten Island Ferry** part du Ferry Terminal à Battery Park (plan VI, B3). Pour l'aller-retour, comptez 45 mn.*

Durée : la statue de la Liberté attirant de très nombreux visiteurs, comptez *une bonne **demi-journée** si vous voulez monter à son sommet (ce qui n'est pas indispensable : de Liberty Island, vous aurez déjà une très belle vue sur Manhattan).*

● **La statue de la Liberté****

L'exposition permanente, située dans le socle, retrace les origines, la construction et l'évolution du monument.

À l'intérieur, un ascenseur mène au premier poste d'observation, au pied de la statue. Il faut ensuite redescendre au rez-de-chaussée pour gravir 354 marches afin d'atteindre la couronne et admirer la **vue sur Manhattan**** et ses environs.

Une longue gestation. – Décidée en 1865 et achevée en 1884, la statue de Bartholdi a vu le jour grâce à des fonds privés français (pour sa construction) et américains (le socle et le piédestal). Joseph Pulitzer, directeur du *New York World*, lança une importante campagne de presse et parvint à réunir – non sans mal – les sommes nécessaires à son installation sur Liberty Island. Gustave Eiffel participa aussi à l'œuvre, en construisant l'armature de fer.

La statue fut présentée au public par pièces détachées : d'abord le bras droit et la torche, déposés à l'Exposition de Philadelphie en 1876 pour le centenaire de la déclaration d'Indépendance, puis le visage et le torse à l'Exposition universelle de Paris en 1878.

Le triomphe de Lady Liberty. – Finalement, le 28 octobre 1886, au cours d'une parade grandiose, le monde découvrit la « Liberté éclairant le monde » (nom que Bartholdi lui avait donné) : un colosse, d'inspiration néoclassique, tenant dans sa main gauche la déclaration d'Indépendance avec la date historique du 4 juillet 1776 et dans sa main droite la fameuse torche

dorée. D'ailleurs, dans les premiers mois, les oiseaux attirés par la torche venaient s'écraser sur la statue. Si à l'époque elle semblait dominer Manhattan de ses 92 m (hauteur totale, 46 m seulement pour la statue), elle paraît aujourd'hui bien petite face aux gratte-ciel.

La rénovation d'une centenaire. – En 1986, la statue, usée par le temps, a dû faire peau neuve ; sa restauration a été confiée à une équipe de métallurgistes champenois. La torche, complètement refaite en cuivre et recouverte de feuilles d'or, a été offerte par M. Gohard. La statue rénovée accueille toujours les arrivants vers le Nouveau Monde par ces mots gravés sur le socle depuis 1903 : « Give me your tired, your poor, your huddled masses yearning to breathe free... » (Donnez-moi vos pauvres foules, fatiguées, impatientes de respirer librement) ; ce poème fut en fait écrit dès 1883 par Emma Lazarus pour soutenir la collecte nécessaire à la construction du piédestal.

● **Ellis Island****

Plus de 16 millions de personnes ont transité par Ellis Island entre 1892 et 1954. Le musée, situé à l'endroit même où arrivaient les nouveaux immigrants, recrée les conditions d'entrée de ceux qui avaient souvent tout abandonné pour un nouvel Eldorado. Récemment rénovée à grands frais (156 millions de dollars !), l'île est presque devenue un lieu de pèlerinage pour de nombreux Américains en quête de leurs origines.

Les bâtiments ont retrouvé leur état de 1918. Le point fort de la visite est l'**Immigration Museum****, qui retrace l'itinéraire d'un immigrant arrivant aux États-Unis. Le premier passage obligé était la **Salle des bagages** du rez-de-chaussée, mais le lieu le plus impressionnant reste l'immense

Registry Room (20 × 50 m), à l'étage supérieur, où chacun attendait son tour pour l'inspection ; environ 5 000 personnes passaient par là chaque jour.

Dans les autres pièces sont exposés documents, photographies, objets personnels, archives retraçant un siècle d'immigration aux États-Unis. Un film retrace l'épreuve d'Ellis Island : *Island of Tears. Island of Hope* (Île de larmes. Île d'espoir) ; une exposition de photographies montre Ellis Island abandonnée.

5 – En descendant Park Avenue***

Citicorp Center** – Lever House – Seagram Bldg.* – Waldorf Astoria** – Grand Central Terminal* – E. 42nd St. – Chanin Bldg.* – Chrysler Bldg.*** – Nations unies*.
Situation : Park et Lexington Aves., entre 53rd et 42nd Sts.
Plan IX, C2-3

S'il existe un quartier de New York où le style International a sévi, c'est bel et bien Park Avenue dans sa partie médiane (entre 42nd et 55th Streets) : dans les années 60, de gigantesques cubes de verre ont en effet remplacé les immeubles résidentiels qui bordaient la prestigieuse artère. Aux corniches de pierre ont succédé des parois lisses, des lignes pures et géométriques qui n'ont pas toujours très bien vieilli. Mais de cette apparente uniformité se dégagent, fort heureusement, quelques superbes vestiges des années 30 comme le Waldorf Astoria ou le General Electric Building. Sans oublier les bijoux Art déco de 42nd Street, parmi lesquels brille de tous ses feux la flèche du Chrysler Building.

Cette promenade vous fera découvrir presque un siècle d'architecture – depuis l'élégance néo-classique de Grand Central jusqu'aux lignes futuristes du Citicorp Center – et entrevoir des perspectives uniques (Tudor City). Elle vous fera aussi pénétrer dans l'un des quartiers les plus caractéristiques de Midtown.

Quand ? Faites cet itinéraire de préférence en semaine, quand le quartier est très animé.

Combien de temps ? Comptez une bonne demi-journée.

*Ne manquez pas : le Citicorp Center** et le Chrysler Bldg.***.*

Métro : lignes E, F et 6, arrêt Lexington Ave./51st St.

Bus : n⁰ˢ 1, 2, 3 et 4.

● **Le Citicorp Center**** *(515 E. 53rd St., entre Lexington & 3rd Aves.)* fit couler beaucoup d'encre dans la presse new-yorkaise. Il est vrai qu'il se distingue sur la *skyline* par son sommet en forme de trapèze et sa couleur très claire, ses parois d'aluminium et de verre faisant office de miroir. Mais l'étonnement vient surtout de ses étages inférieurs : l'immeuble repose en effet sur quatre gigantesques pylônes (38 m de haut) situés non pas aux quatre angles mais au centre du bâtiment, le rez-de-chaussée n'étant finalement composé que par les parois des cages d'ascenseur. Sa toiture biseautée (45°) devait permettre de récupérer l'énergie solaire, mais le dispositif n'a jamais été installé… Certains hivers, la neige peut glisser du toit et provoquer un semblant d'avalanche. Un centre commercial avec atrium et verrière est accolé au bâtiment (architecte Hugh Stubbins, 1977).

La tour enjambe hardiment la petite **St Peter's Lutherian Church**, également construite par Stubbins ; statues de Louise Nevelson dans l'Erol Baker Chapel. Jazz pour les vêpres du dim.

● **885 3rd Avenue** *(derrière le Citicorp au niveau de E. 53rd St.)* surprend par sa couleur brune et sa forme en ellipse qui lui vaut d'ailleurs son surnom de **Lipstick**, « tube de rouge à lèvres ». Il fut réalisé par Philip Johnson et John Burgee (1986), ceux-là mêmes qui, deux ans auparavant, avaient construit l'extravagant ATT Bldg.

● **Lever House** *(390 Park Ave., au niveau de E. 53rd St.)*. Une tour de verre, comme tant d'autres, rectiligne, avec pour seule fantaisie une façade alternant de larges bandes bleues et noires. Et pourtant, Lever House fut l'un des prototypes les plus copiés. La technique est en effet simple : un mur-rideau, inondé de lumière, qui dégage un espace clair et rationnel. N'oublions pas qu'en 1952, lors de la construction de ce bâtiment, Park Ave. était une artère résidentielle, bordée principalement d'immeubles de pierre d'une quinzaine d'étages à côté desquels Lever House paraissait très moderne. Autre originalité : la tour, vue d'avion, affecte la forme d'un « L », initiale du trust chimique Lever (architectes Skidmore, Owings & Merrill, 1952).

● **Le Racquet and Tennis Club** *(370 Park, au niveau de E. 52nd St.)*, réplique très massive d'un palais florentin, contraste assez vivement avec les buildings dépouillés de Park Ave. (architectes McKim, Mead & White, 1918).

● **Le Seagram Building*** *(375 Park Ave., au niveau de E. 52nd St.)*, immense cube de verre, semble aujourd'hui bien sévère en comparaison des gratte-ciel postmodernes des années 80. Par la pureté et la sobriété de ses formes, il reste toutefois l'une des œuvres majeures de Mies Van der Rohe (1958) qui fit école aux États-Unis et y introduisit le style International. Philip Johnson, qui se forma auprès du maître, a conçu l'aménagement intérieur du bâtiment. Au rez-de-chaussée, le célèbre restaurant *The Four Seasons* abrite une toile de Picasso, *Le Tricorne*, décor d'un ballet présenté en 1919 ; œuvres de R. Lippold.

● **Les Villard Houses** *(451-455 Madison Ave., au niveau de E. 50th St.)*, directement inspirées du palais de la Chancellerie de Rome, inaugurèrent le courant néo-Renaissance qui marqua bien des édifices au tournant du siècle (architectes McKim, Mead & White, 1884). Elles forment désormais l'entrée monumentale du tout moderne Helmsley Palace Hotel. Dans le bâtiment g. siègent l'Urban Center et l'American Institute of Architects (très bonne librairie). À Noël, on y voit les plus belles décorations de New-York.

● **St Bartholomew's Church** *(Park Ave. & E. 50th St.)* mêle des références byzantines (son plan et sa coupole) et romane (son porche qui provient d'une église construite par McKim, Mead & White). Mais surtout, avec ses briques ocres rehaussées de pierres et son dôme doré, elle rompt avec l'uniformité des immeubles de Park Ave. et dégage une très belle perspective sur la tour du General Electric Bldg. (architecte Goodhue, 1919).

● **Le General Electric Building*** *(Lexington Ave. & E. 51st St.)* se remarque sur sa tour Art déco, très finement sculptée, dont le décor évoque des ondes radiophoniques car le bâtiment était à l'origine destiné à la Radio

Corporation of America ; à l'angle, au-dessus de l'entrée, notez l'horloge surmontée d'un éclair électrique (architectes Cross & Cross, 1931).

● **Le Waldorf Astoria**** *(301 Park Ave., au niveau de E. 49th St.)* fut en son temps le plus grand hôtel du monde : 2 200 chambres, très luxueuses pour l'époque (mais pas toutes spacieuses). Un train privé permettait même aux voyageurs d'atteindre directement les sous-sols de l'hôtel depuis la gare de Grand Central ! Ce fut aussi le premier palace new-yorkais construit dans un style résolument moderne – c'est-à-dire Art déco – et non pas victorien ou edwardien comme le voulait la tradition. Aujourd'hui, il reste à la hauteur de sa réputation et la très sélecte Waldorf Tower est réservée aux hôtes de marque (architectes Schultze & Weaver, 1931). Le hall, de style Art déco, a été classé Monument historique. Superbe.

● **Le Helmsley Building*** *(230 Park Ave., en travers de la chaussée, dit aussi New York Central Bldg.)* semble écrasé par le Met Life, situé juste derrière. C'est pourtant un superbe morceau d'architecture, un peu baroque avec son lanternon, son toit en pyramide, ses corniches et ses deux arches monumentales qui masquent l'entrée des voies de circulation. Il fut conçu à l'époque où l'avenue était bordée d'immeubles cossus et résidentiels pour être le siège – et donc le symbole – de la puissante compagnie de chemin de fer qui exploitait Grand Central (architectes Warren & Wetmore, 1929).

Un **passage piéton** permet de gagner directement le Met Life Bldg.

● **Le Met Life Building,** autrefois le Pan Am *(200 Park Ave., entre le Helmsley et la gare)* obstrue complètement la perpective de Park Ave. Trente ans après sa construction, ce cube de béton reste l'un des bâtiments les plus contestés de New York (architectes Walter Gropius, Belluschi et Emery Roth, 1963). Les hélicoptères atterris-saient sur son toit jusqu'en 1977, où se produisit un terrible accident.

Par la **galerie commerciale**, réaménagée en 1987, on gagne directement Grand Central.

● **Grand Central Terminal*** *(42nd St., métro Grand Central/42nd St., lignes S, 4, 6, 7)*. – La gare centrale de New York est un exemple parfait du style Beaux-Arts. Si son apparence reste classique, elle obéit en fait à une conception très moderne pour son temps (1913), toutes les galeries de circulation étant souterraines : voies de chemin de fer bien sûr, mais aussi allées piétonnes, rampes automobiles, connexions avec le métro. Un réseau de ramifications, très complexe, qui s'étage sur sept niveaux. Tombé en décrépitude, l'édifice vient d'être rénové et adapté au trafic actuel, à 90% tourné vers la banlieue ; il abrite des restaurants, des espaces d'exposition, des cinémas, des salles de concerts et un club sportif.

La façade sur 42nd St. est conçue comme une entrée monumentale. À l'intérieur, jetez un coup d'œil à l'**Express Concourse***, le grand hall, avec ses verrières, ses lustres et sa voûte constellée d'étoiles ; l'Oyster Bar, au sous-sol, est réputé pour ses huîtres (architectes Reed & Stem, Warren & Wetmore, 1913). Visite gratuite de la gare et du quartier. Rens. au guichet d'information *Grand Central Partnership*. À Noël se tient le plus grand bal de New York, avec plusieurs orchestres.

● **42nd Street.** – Un canyon sombre, pris d'assaut par les banlieusards aux heures de pointe, où il semble presque incongru de s'arrêter, tant la foule est dense, pour admirer la façade du Chrysler Bldg. 42nd St., « la rue de tous les péchés » du côté de Times Square, se transforme ici en un quartier de bureaux terriblement affairé. Et, dans ce contexte, on découvrira quelques-uns des chefs-d'œuvre Art déco de New York (à

Le gratte-ciel des années 20,

Au début des années 20, une vague d'euphorie et d'optimisme déferle sur l'Amérique. Le puritanisme s'efface devant les rythmes endiablés du jazz. Au sommet des gratte-ciel, la rigidité du style néo-gothique devient soudainement désuète.

■ Les buildings s'habillent

De plus en plus haut, le gratte-ciel devient le porte-drapeau d'un capitalisme triomphant. On construit avec frénésie, toujours plus vite: 200 jours pour le Chanin Building en 1929, à peine plus d'un an pour l'Empire State… Et dans cette course à la hauteur, la victoire revient à celui qui sait être le plus imaginatif. Les façades s'animent et les formes se compliquent, surtout dans les derniers étages. On rajoute des flèches, des «couronnes» d'acier ou de pierre. Selon les règles de l'architecture traditionnelle, cette nouvelle décoration souligne les changements de contours du bâtiment, rythmant l'ascension des gradins; elle accentue la hauteur de ces géants dont les sommets «dialoguent avec le ciel».

◀ Le General Electric Building

Le sommet du General Electric Building, œuvre de Cross and Cross en 1931, est la représentation visuelle des ondes radio. Les architectes sont parvenus à célébrer le mariage entre la technologie nouvelle du XXᵉ s. et l'architecture du Moyen Age.

emblème du Nouveau Monde

■ New York réinvente le gratte-ciel

Derrière ce nouveau langage architectural transparaît le désir de transformer ces gigantesques structures anonymes en source d'orgueil nationaliste. Car c'est dans l'élan des années 20 que s'est forgée l'image du gratte-ciel que nous connaissons aujourd'hui, emblème du pouvoir et de la réussite industrielle: ce bâtiment, qui s'élance droit vers les nuages et qui se fait remarquer par sa parure, devient un symbole, une affiche géante à la gloire de l'entreprise. Ainsi, le Chrysler Building a changé de propriétaire depuis bien longtemps alors qu'il continue de porter le nom de la firme automobile. L'Empire State Building reste la mascotte de Manhattan bien qu'il ait été dépassé par le World Trade Center...

Si Chicago a vu naître le gratte-ciel, New York lui a donné ses lettres de noblesse. C'est d'ailleurs durant cette folle période de construction que s'est formée sa fameuse *skyline*, sa ligne d'horizon qui flirte avec les nuages.

Waldorf-Astoria ▶

Réalisé en 1931 par Schultze et Weaver, le plus prestigieux hôtel new-yorkais est signé en son sommet de tours jumelles Art déco.
Ce modernisme modéré fut poursuivi dans les parties communes de l'hôtel: vestibule, salle de bal, salons...
Hélas, nombre de ces décorations Art déco ont aujourd'hui disparu.

■ Parures mégalomanes:
le triomphe de l'Art déco

Une nouvelle volonté d'ornementation anime les architectes: le gratte-ciel des années 20 se pare sur l'ensemble de ses façades de bas-reliefs allégoriques à la seule gloire de l'*American way of life*. Les partisans de motifs résolument modernes sacrifient alors à la mode européenne du style Art déco, célébré lors de l'Exposition universelle de 1925 à Paris. Dans le répertoire décoratif, les sujets historiques sont abandonnés au profit d'une abstraction géométrique et florale: soleil, fontaines, nuages, fleurs…

La parure de ces géants du ciel est exubérante. Elle se présente le plus souvent sous la forme de panneaux —subtils mélanges de brique, de terre cuite moulée, colorée et vernie— distribués sur les façades et dans les parties communes de l'immeuble.

▲ *Le Chanin Building (1929)*

*Le Chanin Building est l'un des bijoux Art déco de New York,
avec à sa base d'étonnants bas-reliefs qui combinent motifs floraux
et géométriques; dans son vestibule, les grilles de radiateurs
sont aussi richement sculptées (figures allégoriques du courage
et de la réussite, de l'endurance…).
Ce décor, réalisé sur le thème «des possibilités offertes par la ville
à quiconque veut s'élever», expose à la face de la société new-
yorkaise la réussite professionnelle de son propriétaire, le self-made
man Irwin S. Chanin*

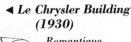

◄ Le Chrysler Building (1930)

Romantique, irrationnel, avec son dôme constitué de six arches en acier percées de fenêtres triangulaires, le Chrysler Building reste l'archétype du gratte-ciel Art déco. L'ornementation prend ici la forme d'éléments spectaculaires: ces bouchons de radiateurs ailés perchés au 31ème étage magnifient une structure déjà colossale et rappellent, non sans humour, que le bâtiment fut commandé par le célèbre constructeur automobile.

Le Rockefeller Center (1931-1940)▼

Le dernier ouvrage new-yorkais Art déco, mais non des moindres, sera le Rockefeller Center, jeu unique de places, de gratte-ciel, de théâtres et de magasins, réalisé par un consortium d'architectes autour de la célèbre figure de Raymond Hood. Les bas-reliefs et sculptures disséminés dans cet ensemble exaltent les vertus de l'humanité, allégories de la sagesse et du progrès. Mais dès 1935, cette ornementation commence à péricliter. Elle ne survivra pas à l'austérité de la nouvelle décennie. Devenue indécente de légèreté face au pragmatisme désormais de mise, elle sombrera en même temps que les millions engloutis par ces géants du ciel.

WISDOM AND ✳ KNOWLEDGE ✳ SHALL BE THE STABILITY OF THY TIMES

l'est de la 5th Ave). Le soir, le quartier est surtout animé entre les 7th et 8th Aves, et autour des théâtres de Times Square.

● **Le Philip Morris Building** *(120 Park Ave., au niveau de E. 42nd St. ; ouv. de 11 h à 18 h lun.-ven., 19 h 30 jeu.)* abrite une annexe du **Whitney Museum** *(ouv. lun.-sam. 11 h-18 h, 19 h 30 le jeu.)* qui organise des expositions d'art contemporain tout au long de l'année (architecte Ulrich Franzen, 1982).

● **La Home Savings Bank** *(110 E. 42nd St., entre Park et Lexington Aves.)* est typique de ces banques conçues comme de véritables palais, qui ont fleuri à Manhattan dans les années 20. Le hall surtout est imposant avec ses arches romanes, ses lustres originaux et son carrelage à motifs géométriques (architectes York et Sawyer, 1923).

● **Le Chanin Building*** *(122 E. 42nd St., au niveau de Lexington Ave.)* combine une forme géométrique, très Art déco, avec une riche décoration sculptée en façade ; remarquez aussi les faux arcs-boutants au niveau du 4e étage (architectes Sloan & Robertson, 1929). A l'intérieur, éclairage d'époque.

● **Le Chrysler Building***** *(405 Lexington Ave., au niveau de 42nd St.)* est sans doute le gratte-ciel qui symbolise le mieux la fin des années 20 et l'élégance raffinée de l'époque Art déco. Là encore, la ligne géométrique triomphe mais avec une infinie fantaisie, le décor de l'édifice étant à la gloire de l'automobile… N'oublions pas que l'immeuble fut élevé pour Walter P. Chrysler, le célèbre constructeur de voitures. Ainsi la tour est-elle ornée de gargouilles en forme de Mercure ailé et de frises stylisant les voitures de courses (31e étage) ou des roues de véhicules. Son toit, fuselé comme le nez d'un avion et entièrement recouvert d'acier inoxydable,

semble composé d'écailles ; il s'agit en fait de gigantesques arches percées de fenêtres triangulaires. La flèche, qui devait en faire le plus haut bâtiment du monde (319 m), fut rajoutée au dernier moment ; malheureusement, quelques mois plus tard, le Chrysler était dépassé par l'Empire State Bldg. Le décor du **hall**** est tout aussi intéressant : notez les belles marqueteries des portes d'ascenseur, les luminaires, les motifs en acier chromé et la fresque du plafond à la gloire de la technologie (architecte William Van Alen, 1930).

● **Le Daily News Building** *(220 E. 42nd St., au niveau de 2nd Ave.)* a été construit en même temps que le Chrysler mais reste beaucoup plus sobre, annonçant déjà les buildings rectilignes de l'après-guerre ; seul le relief au-dessus de l'entrée vient égayer la façade. Autre innovation : le bâtiment s'achève par un toit plat, ce qui surprit beaucoup à une époque où l'on affectionnait les couronnements les plus fantaisistes (flèches, dômes, pyramides). Dans le hall, globe terrestre géant (architectes Howells & Hood, 1930). Le *Daily News* n'y a plus ses bureaux.

● **Le Ford Foundation Building** *(321 E. 43rd St., entre 2nd & 1st Aves. ; ouv. t.l.j. sf sam.-dim. 9 h-17 h)* se développe autour d'un superbe jardin intérieur, qui dessert les 12 étages de bureaux adjacents. La Fondation Ford pour l'encouragement de la science et de la recherche y a son siège (architectes Kevin Roche et John Dinkeloo, 1967).

● **Tudor City*** *(entre 2nd et 1st Aves., de 40th à 43rd Sts.)* forme une enclave très plaisante à deux pas de Grand Central : 12 tours édifiées au-dessus de 42nd St., au bénéfice d'une dénivellation de terrain, et donnant sur un petit parc. Un vrai village avec quelques boutiques et restaurants, et même une poste, construit dans le goût néo-gothique (style Tudor). L'ensemble, parfaitement homogène, date des années 1925-1930. Il fut entrepris par l'un des grands promoteurs du moment, Fred. F. French Co. C'est d'ailleurs l'un des premiers exemples de cité résidentielle destinée aux classes moyennes. De grands abattoirs s'étendaient autrefois le long de la rivière, ce qui explique pourquoi les murs E. sont quasiment dépourvus de fenêtres.

De la terrasse, très belle **vue*** sur 42nd St. et la flèche du Chrysler Bldg. à l'O., l'ONU et Queens à l'E.

● **Le siège des Nations unies*** *(le long de l'East River, entre 42nd et 48th Sts. ; entrée face à 46th St.)* est un bel exemple de l'architecture de l'après-guerre (1947-1953). Les bâtiments ont été construits par une équipe internationale représentant une dizaine de pays d'après des plans de Le Corbusier et sous la direction de Wallace K. Harrison, secondé notamment par Oscar Niemeyer et Sven Markelius. La visite, guidée est assez longue (env. 1 h) et d'un intérêt restreint.

Visite guidée *de 9 h 15 à 16 h 45. Le public est admis aux séances, par ordre d'arrivée et dans la mesure des places disponibles : renseignements*

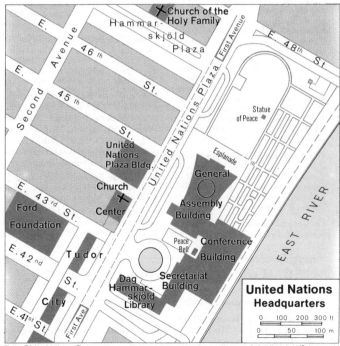

East Side Airlines Terminal

Kart. Inst. G. Schiffner, Lahr/Schwarzwald

dans le hall du General Assembly Bldg. ☏ *963-1234.*

Les Nations unies ont été fondées en 1945 à San Francisco. Cette organisation mondiale pour la paix et le progrès a succédé à la Société des nations (1919-1946). Elle a établi en 1952 son siège central au bord de l'East River grâce à une donation de J.D. Rockefeller Jr., après des séjours provisoires à Londres et autour de New York (Flushing Meadow, Lake Success).
C'est dans ces locaux que se réunissent l'assemblée générale, le Conseil de sécurité, le Conseil économique et social, le Conseil de tutelle ; y est aussi installé le secrétariat, dont les sièges européens sont à Genève et à Vienne. Sur les 40 000 fonctionnaires employés par l'ONU dans le monde, plus de 9 000 travaillent à New York. Enfin en 1994, L'ONU comptait 185 États membres (il n'y en avait que 51 à l'origine) ; les langues officielles y sont l'anglais, le français, l'espagnol, l'arabe, le russe et le chinois.

Le Secretariat Building, qui domine l'ensemble (168 m de haut), relativement étroit, est typique des édifices à murs-rideaux de verre et armature d'acier. C'est le siège administratif des Nations unies et la résidence officielle du secrétaire général, dont le bureau est au 38e étage.

Le Conference Building *(en bordure d'East River)* abrite les salles du Conseil économique et social, du Conseil de tutelle et du Conseil de sécurité, aménagées respectivement par la Suède, le Danemark et la Norvège.

Le General Assembly Building, aux lignes incurvées, est réservé aux séances de l'assemblée générale. Au milieu se trouve l'auditorium elliptique coiffé d'une coupole. Au sous-sol, le bureau de poste de l'ONU (vente de timbres-poste ou de collection) et des magasins où l'on peut acheter les publications de l'ONU et des souvenirs.

La bibliothèque Dag Hammarskjöld (du nom du deuxième secrétaire général de l'ONU, disparu dans un accident d'avion, 1905-1961) abrite près de 400 000 volumes et une impressionnante collection de cartes.

Parmi les **œuvres d'art** offertes par les différents pays membres de l'organisation, on remarquera : devant l'immeuble du secrétariat, la sculpture *Single Form* par Barbara Hepworth (1963, Royaume-Uni) ; à côté, devant le Conference Bldg., *cloche de la paix* (Japon) ; dans les jardins, statue de *Saint Georges tuant le dragon* (1990, Union soviétique).

L'ONU Plaza Building abrite un hôtel et des bureaux. Il forme une grande enveloppe coupée en verre. L'extérieur est très élégant (architectes Kevin Roche et John Dinkeloo Ass., 1976-1983).

● À l'angle de 47th St. *(Hammarskjöld Plaza, 833 United Nations Plaza),* l'**African-American Institute** *(ouv. du lun. au ven. 9 h-17 h ; sam. 11 h-17 h)* est consacré à des expositions d'art et d'artisanat africains traditionnels et contemporains.

● **La Japan Society Gallery** *(333 E. 47th St. ; ouv. t.l.j. sf lun., mar., dim. 11 h-17 h* ☏ *832-1155),* dessinée par l'architecte japonais Junzo Yoshimura, présente des expositions d'art japonais traditionnel et contemporain.

---

6 – Le Metropolitan Museum of Art***

***Situation** : 5th Ave. & 82nd St. (plan XIII, C3)*

Le Metropolitan Museum of Art, le MET, est l'un des musées les plus importants des États-Unis. Ses collections forment un ensemble exceptionnel qui va des arts primitifs et orientaux aux écoles européennes, américaines et contemporaines : sur une superficie de 45 ha, le musée expose plus de 3 millions d'objets. Peintures, sculptures et objets d'art s'ajoutent à des reconstitutions de décors intérieurs, à des collections de costumes, d'instruments de musique, d'armures ou de dessins. Le MET s'intéresse également depuis peu à l'art moderne, jusqu'alors réservé traditionnellement au MOMA. Il reçoit près de 5 millions de visiteurs par an.

Une partie du département d'art médiéval est présentée au musée des Cloîtres (→ *Les grands musées de New York*).

● **Une institution indépendante.** – La fondation du Metropolitan Museum remonte à 1870 sur une initiative privée. Dès 1880, le musée s'installe sur 5th Ave., dans un bâtiment de style gothique dessiné par Calvert Vaux et Wrey Mould. Au début du siècle, R. Morris et son fils, R. Howland Hunt, édifient, à l'image des anciens bains romains, la façade néo-classique qui se dresse le long de 5th Ave. Plusieurs agrandissements ont suivi ; les derniers, achevés en 1991, correspondent à un plan d'extension qui s'est échelonné sur 20 ans. Le musée est maintenant entré dans une phase de rénovation et de réorganisation des espaces intérieurs.

Le MET est une institution indépendante, gérée par un conseil d'administration. Ses bâtiments appartiennent à la municipalité de New York qui participe à leur entretien et aux dépenses de sécurité. La Ville ayant réduit son budget depuis quelques années, le musée a été obligé d'adopter un horaire variable ; certains départements ne sont donc ouverts que le matin ou l'après-midi (sauf le week-end où généralement tout est ouvert).

■ Petit guide pratique du MET

Entrée : *sur 5th Ave., en face de 82nd St. (plan XIII, C3)*

Accès : ***métro*** *lignes 4, 5, 6, arrêt 86th St./Lexington Ave. ;* ***bus*** *n°s 1, 2, 3, 4.*

Visite : *mar., mer., jeu. et dim. 9 h 30-17 h 15 ; ven., sam. 9 h 30-20 h 45 ; f. lun. Attention : en semaine, certains départements sont fermés le matin ou l'après-midi (pour toute information ☎ 570-3791).*

Le **tarif d'entrée** *est libre (prix conseillé 6 $; 3 $ pour les étudiants).*

Bureau d'information : *au centre du grand hall du rez-de-chaussée (1st floor). Vous y trouverez le plan du musée et tous les renseignements sur les vis. guidées et les différentes activités culturelles. Enfin des magnétophones (audioguides) sont disponibles.*

Vestiaire : *tout de suite à g. et à dr. en entrant.*

Boutiques *et* **librairie :** *au fond du hall, à dr.*

Cafétéria : *accès en traversant les salles grecques et romaines, à g. dans le hall.*

Activités : *le MET organise des concerts, conférences et projections de films (☎ 570-3949) ; réservations dans l'aile égyptienne, au rez-de-chaussée (1st floor).*

Le **Henry Luce Center** *(dans l'aile américaine, au rez-de-chaussée), ouvert à tous, permet de consulter le catalogue des collections d'art américain et d'accéder aux réserves du département.*

*L'***Uris Center**, *au sous-sol (ground floor), propose des programmes éducatifs pour les enfants.*

■ Un coup d'œil sur le MET

*Les galeries n'exposent que le quart des collections du musée : la disposition des œuvres changeant régulièrement, nous vous conseillons de **demander un plan au bureau d'information.***

■ Peinture européenne

*Situation : au **premier étage** (second floor) ; accès par l'escalier principal.*

Ce département est bien évidemment l'un des « joyaux » du MET. Pourtant, contrairement au Louvre ou à certains grands musées européens, vous n'y verrez pas énormément de toiles. La sélection est sévère et seules les œuvres les plus rares et les plus intéressantes sont présentées.

La section consacrée à la **peinture française du XIXe s.**, récemment refaite, occupe près du tiers du département ; elle est aussi associée à une grande galerie de sculptures (la Gerald Cantor Sculpture Gallery) consacrée à Rodin et Barye.

La richesse de cet ensemble provient principalement de dons et de legs assez exceptionnels, comme le fonds Rogers (1901) qui a permis d'acheter plusieurs centaines de tableaux, ou la donation Annenberg qui devrait prochainement faire entrer au musée une superbe collection d'impressionnistes et de post-impressionnistes.

● **Les points forts du département :**

– la Renaissance italienne ;
– les œuvres de Rembrandt ;
– Manet, Cézanne, Degas et Van Gogh.

● **La peinture italienne**

À ne pas manquer :

Florence

L'Épiphanie,** de **Giotto**, a été exécutée vers 1320 quand l'artiste était au sommet de son art. On y retrouve en effet toutes les innovations propres à Giotto : un espace clairement organisé et des personnages qui prennent vie, avec des gestes déjà modernes comme celui du mage agenouillé qui prend l'enfant dans ses bras. Deux scènes sont ici regroupées : l'adoration des mages et l'annonce aux bergers.
***Les Trois Miracles de saint Zenobius**,** de **Botticelli**, est une œuvre sans doute assez tardive, plus narrative et au trait plus incisif que les toiles du début, mais la belle échappée vers la campagne florentine adoucit les angles rigides de l'architecture du premier plan.
***Portrait de jeune homme**,** l'un des chefs-d'œuvre de **Bronzino** (vers 1540) illustre le style intellectuel du maniérisme florentin. Le sujet est campé dans un fond architectural, presque abstrait, qui renforce l'intensité psychologique du portrait.

Sienne

Saint André** de **Simone Martini** révèle toute la virtuosité du maître, son aptitude à assouplir la tradition byzantine et à user d'une palette de coloris délicats. Sa technique est superbe, surtout dans le traitement du manteau du saint.

Ombrie et Rome

Madone entourée de saints** et **L'Agonie dans le jardin**** *:* deux panneaux du même retable, exécuté par **Raphaël** à Pérouse. Œuvres de jeunesse, ces peintures sont déjà remarquables par la précision du dessin et la façon dont les personnages sont disposés dans l'espace.

Venise et Padoue

Dans la **Madone à l'Enfant***** (vers 1480), **Giovanni Bellini** se démarque de ses contemporains en créant une composition asymétrique originale : remarquez le contraste entre le drap rouge, devant lequel apparaît la Vierge, et le paysage d'automne qui s'ouvre à g. Cette inventivité incessante est d'ailleurs l'un des traits les plus marquants de l'art de Bellini.

La **Méditation sur la Passion**** de **Carpaccio** (vers 1510) est un tableau tout aussi original, riche en symboles, où l'artiste laisse libre cours à son imagination. Tout ici semble faire référence à la mort et à la Résurrection : la présence de Job à dr. et de saint Jérôme ermite à g., le trône en ruine du Christ au-dessus duquel s'envole un oiseau, le paysage désolé à gauche et plus riant à droite.

Mars et Vénus unis par l'Amour** (vers 1570) est une œuvre majeure de **Véronèse** qui exécuta de très belles décorations mythologiques.

L'Adoration des bergers***, de **Mantegna**. L'artiste avait tout juste 20 ans quand il a réalisé cette toile, mais on y reconnaît déjà sa personnalité et son style : un trait précis, presque dur, pour dessiner les moindres détails d'un paysage éclairé par une lumière très froide.

● **Peinture française**

À ne pas manquer :

XVIIᵉ-XVIIIᵉ siècles

La Diseuse de bonne aventure*** et **La Madeleine repentie**** de Georges de La **Tour** révèlent les deux grands aspects de l'œuvre du peintre lorrain : les scènes diurnes et nocturnes. *La Diseuse de bonne aventure*, dont le thème vient des tableaux caravagesques, est remarquable de détails et de précisions, mais le réalisme de La Tour ne semble jamais dans l'anecdote : tout est dans l'analyse psychologique et dans le jeu des regards. On pense d'ailleurs que ce sujet n'est qu'un prétexte à une leçon sur les périls du monde.

La Madeleine est exceptionnelle par sa sobriété et son clair-obscur qui crée une atmosphère très expressive. Sur

---

Un peintre visionnaire

« L'œil ne suffit pas, jugeait **Paul Cézanne**, il faut la réflexion. » Si Cézanne refuse les règles académiques, il tournera également le dos à l'impressionnisme. Car, dit-il, « la nature, pour nous les hommes, est plus en profondeur qu'en surface ». Partagé entre Paris et le Midi, le maître d'Aix-en-Provence s'est attaché à l'observation scrupuleuse du réel. Ainsi il s'oriente vers un art construit dans lequel la touche structure l'espace et la couleur crée le volume ; il aborde et dessine le paysage « par le cylindre et par la sphère » *(Le Golfe de Marseille à l'Estaque**)*.

Lorsqu'il ne lacère pas ses toiles, Cézanne travaille à traduire les assises géologiques des paysages minéraux dans la lumière du Midi. Dans ses grandes compositions *(Les Joueurs de cartes***)*, il opère une radicale simplification et ordonne le réel dans une sensible géométrie des formes.

Incompris et méconnu jusqu'à sa vieillesse, il triomphe à l'exposition Vollard en 1895 et au Salon d'automne de 1903. Son influence sera primordiale sur l'art moderne. Selon les mots d'Émile Bernard, « Cézanne a ouvert à l'art cette surprenante porte : la peinture pour elle-même ».

cette version, La Tour dépeint le moment de la conversion ; le geste de Madeleine qui croise les mains sur un crâne pourrait traduire la tranquille acceptation de la mort.

Orion recherchant le soleil** (vers 1658) de **Poussin :** c'est sans doute dans des paysages allégoriques comme celui-ci, exécuté à la fin de sa carrière, que transparaît véritablement le génie de Poussin ; le peintre décrit un monde de rêve, dans lequel l'homme (ici le géant Orion) est écrasé par les forces de la nature.

Le **Mezzetin**** de **Watteau** met en scène, avec toute la finesse et la virtuosité de l'artiste, le monde du théâtre : sans doute un acteur de la commedia dell'arte chantant une romance.

La Lettre d'amour** de **Fragonard**, par ses coups de pinceaux et ses effets de lumière, est un superbe exemple de la technique libre et des talents de coloriste de Fragonard.

XIXᵉ siècle

La Mort de Socrate* de **David** (1787). C'est le triomphe du néo-classicisme moralisateur : Socrate, injustement accusé, choisit de se donner la mort en buvant la ciguë. Peinture politique, David a figuré une allégorie : Socrate, qui s'est élevé contre les injustices d'Athènes, est assimilé aux révolutionnaires français mobilisés contre l'Ancien Régime.

L'Enlèvement de Rébecca* de **Delacroix**, d'une grande intensité dramatique. L'artiste, dont l'influence sera capitale pour la fin du XIXᵉ s., signe ici une œuvre très romantique.

Le **Wagon de troisième classe***** est l'un des tableaux essentiels de **Daumier**, plus connu comme lithographe et sculpteur que comme peintre. Ses toiles sont surtout centrées sur des thèmes populaires (scènes de rue, salles d'attente, transports publics) qu'il traite avec une infinie retenue et un sens du volume très affirmé. Son influence sera marquante pour la nouvelle génération.

Dans **Les Demoiselles à la campagne**** (1852), **Gustave Courbet** se fait le champion du réalisme. Et l'on a peine à croire aujourd'hui que ce tableau suscita les plus vives critiques : l'accoutrement et les gestes des personnages semblaient vulgaires, le bétail paraissait inopportun, le paysage « bassement » réaliste, sans unité ni perspective... Un sens de la réalité que l'on retrouve dans la **Femme au perroquet**,** jugée indécente car l'artiste s'y libère des conventions idéalistes.

Degas est très bien représenté au musée (pastels, sculptures, huiles). Parmi ses tableaux, on verra la **Femme aux chrysanthèmes**** très caractéristique des compositions de Degas qui campe souvent ses personnages dans des mises en pages originales : le

Monsieur Manet

« Carramba ! Voilà un Guitarrero qui ne vient pas de l'opéra-comique. » Cet éloge du critique Théophile Gautier saluait l'entrée au Salon, en 1861, d'Édouard Manet avec sa toile **Le Guitariste**.** Si l'artiste sacrifiait à la mode des castagnettes, il faisait preuve d'un talent neuf et original : contraste, vie et mouvement étaient enfin à l'honneur. Dès lors, l'ancien élève de l'atelier Couture devient le porte-drapeau de toute une nouvelle génération. De scandale en scandale – parmi lesquels *Le Déjeuner sur l'herbe*, l'*Olympia* ou encore *Le Balcon* –, Manet est resté pendant plus de 20 ans à contre-courant des modes académiques. « Il n'y a qu'une chose de vrai, affirme-t-il : faire du premier coup ce que l'on voit. »

Ses détracteurs lui reprochent ses thèmes, tirés de la vie moderne, et ne lui pardonnent pas sa pratique de l'esquisse, c'est-à-dire sa peinture claire au modelé plat et aux tons fortement contrastés, en rupture avec le style académique. À leurs yeux, Monsieur Manet ne sait pas peindre... Ses sujets et sa manière feront pourtant de lui le premier des peintres modernes.

bouquet de fleurs est posé au milieu de la toile tandis que le personnage apparaît dans un angle, à l'extrémité du cadre (la femme fut rajoutée sur une toile qui n'était à l'origine qu'une nature morte).

Manet est aussi en bonne place dans les galeries (→ encadré) : *Le Guitariste*** (1860), *Femme au perroquet*** (1866), *Mademoiselle Victorine en costume d'Espada*** (1863), *La Brioche** (1870), *En bateau**** (1874).

*M*me *Charpentier et ses enfants*** (1878) de **Renoir** est un portrait d'ambiance un peu sur le modèle de ceux de Rubens. Mais déjà, on sent que Renoir commence à se détacher du style impressionniste qui avait fait sa réputation quelques années auparavant.

Corot a sa propre salle, où sont exposés des paysages et des portraits.

Cézanne (→ encadré) : la collection du musée, particulièrement riche, illustre l'œuvre du peintre à sa maturité. On verra notamment *M*me *Cézanne en robe rouge*** et *Les Joueurs de cartes**** qui annoncent les développements de l'art moderne.

*Ia Orana Maria**** (Je vous salue Marie, 1891). C'est la toile la plus importante que **Paul Gauguin** ait exécutée pendant son premier séjour à Tahiti. Les références à l'Annonciation sont évidentes, non seulement dans le titre de l'œuvre, mais aussi par la présence de l'Ange, le geste des femmes et les deux auréoles. La composition semblerait inspirée d'un bas-relief de Borobudur.

Van Gogh (→ encadré) : le fonds du MET est une fois encore très riche avec des tableaux comme *Autoportrait au chapeau de paille** (1886-1888), *Les Souliers** (1888), *Champs de blé avec cyprès**** (1889), *Les Cyprès** (1889) ou *Les Iris** (1890).

Claude Monet : la *Terrasse à Sainte-Adresse*** (1867), *La Grenouillère*** (1869), les *Peupliers**** (1891) et le *Pont au-dessus d'un étang de nénuphars** (1899) permettent de suivre l'évolution de l'artiste depuis le début

de l'impressionnisme ; on voit notamment combien Monet utilise une technique de plus en plus libre.

● **Peinture flamande, allemande et hollandaise**

À ne pas manquer :

*La Crucifixion**** et *Le Jugement dernier**** de **Jan Van Eyck** appartiennent à un retable exécuté entre 1425 et 1430. L'attention portée à tous les détails et la maîtrise parfaite de la peinture à l'huile, technique très nouvelle à cette époque, font de cet artiste l'un des précurseurs du réalisme nordique.

Le maître de la couleur

« Enfin, je suis bon à quelque chose, j'ai un but dans la vie. » À vingt-huit ans, **Vincent Van Gogh** décide de se consacrer à la peinture. En dix ans, il répond à sa nouvelle vocation avec la ferveur du fidèle : plus de 800 toiles exécutées, pour une seule vendue ! Aux premiers thèmes, artisans et paysans traités dans une facture sombre et empâtée, succèdent paysages et autoportraits. Dans ces toiles au style incisif et nerveux éclatent la couleur vive et la touche fragmentée : *Autoportrait au chapeau de paille**. Van Gogh pose la couleur en épaisseur comme on souligne un mot en l'écrivant. Lorsqu'il se fixe à Arles, en 1888, Vincent est enthousiaste : « Le pays me paraît aussi beau que le Japon ! » Sa palette s'éclaircit, sa touche se tord et s'enflamme. Chaque toile est un cri d'angoisse : *Champs de blé avec cyprès****. Lors d'un conflit qui l'oppose à Gauguin, Vincent se mutile ; les internements en asile psychiatrique se succéderont jusqu'à son suicide en 1890. Mais celui qui a « exprimé avec le rouge et le vert les terribles passions humaines » révèlera aux générations futures toute la puissance expressive de la couleur.

*Les Moissonneurs*** de **Pierre Bruegel l'Ancien** est un très beau tableau de l'école flamande. L'artiste y a décomposé les gestes et les étapes de la journée d'un faucheur : le premier lance la faux, le second la plante et le troisième la dégage. La toile, qui symbolise les mois de juillet et d'août, appartient à une série consacrée aux douze mois de l'année.

*Portrait d'un membre de la famille Wedigh***, de **Holbein le Jeune** (vers 1632) montre tout le talent du peintre qui, par son dessin très précis et ses couleurs franches, se concentre sur l'attention psychologique du personnage.

*Rubens, sa femme et leur fils*** (1639), très beau portrait baroque. L'artiste a représenté Hélène Fourment, sa seconde femme, qui apparaît ici sous les traits de l'épouse et de la mère.

Rembrandt est très présent dans cet ensemble, le musée possédant une vingtaine de toiles de lui. *Aristote contemplant le buste d'Homère**** (1653) est à juste titre considéré comme l'un de ses chefs-d'œuvre. Dans ce tableau, tout inspire à la réflexion : l'éclairage, qui semble jaillir de l'œuvre elle-même, mais aussi le sujet qui associe Aristote, Homère et Alexandre (en médaillon sur la chaîne en or). Déployant des trésors de lumière diffuse et de clair-obscur, Rembrandt transforme, presque par magie, le monde quotidien en une vision de rêve : *Flore*** ou la *Toilette de Bethsabée**. Et dans la *Femme à l'œillet***, c'est toute l'intimité de son sujet qu'il dévoile.

Vermeer est l'autre grand artiste hollandais auquel le MET rend honneur. On verra de lui la *Jeune Femme à la cruche****, caractéristique de ses toiles de première maturité. Le *Portrait d'une jeune femme**** est l'un des rares que le peintre ait réalisés, probablement vers 1660. Dans l'*Allégorie de la foi***, la femme personnifie la foi et chaque objet a une résonance symbolique.

● **Peinture espagnole**

À ne pas manquer :

La *Vue de Tolède****, seul vrai paysage peint par **le Greco** (vers 1597), appa-raît irréelle, fantastique, dans un éclairage d'apocalypse. On y reconnaît les principaux monuments de la cité, bien qu'ils soient déplacés.

Le *Portrait de Juan de Pareja***, de **Diego Velazquez,** fut peint à Rome lors du second séjour de l'artiste en 1648-1650. C'est une œuvre de maturité, où toute couleur disparaît au profit de l'expression du sujet.

De **Goya**, on verra deux portraits, l'un de jeunesse, l'autre plus tardif, qu'il est intéressant de comparer : *Don Manuel Osorio Manrique de Zuñiga*** (vers 1786), *Don Sebastian Martinez y Perez** (vers 1792).

● **Peinture anglaise**

À ne pas manquer :

Le *Portrait de Mrs. Elliot***, de **Gainsborough,** est un très bel exemple du genre de portrait qu'appréciait l'aristocratie anglaise de la fin du XVIII⁰ s. Le peintre reprend l'héritage de Van Dyck, mais y associe la grâce et l'élégance de Watteau.

Turner a peint *Le Grand Canal de Venise*** en 1835, lorsqu'il était au sommet de son art ; il enveloppe les formes architecturales dans un paysage noyé de brouillard en utilisant le couteau pour étaler la masse fluide des couleurs.

■ Sculpture et objets d'art européens

Situation : au *rez-de-chaussée (first floor)* ; accès par *le grand hall.*

Créée en 1907, cette section est l'une des plus vastes du musée (près de 60 000 œuvres d'art). Elle reflète l'évolution de la sculpture, des arts mineurs et du décor intérieur en Europe, du XVI⁰ s. au début du XX⁰ s. L'ensemble est d'ailleurs très bien mis en valeur, certaines pièces étant présentées dans des décors reconstitués.

De récents agrandissements ont été réalisés, avec notamment : la **Carroll and Milton Petrie Court** (en 1990), consacrée aux sculptures européennes ; les **Cantor Galleries** (1991), qui rassemblent près de 400 objets d'art du XIXe s. ; la **French Renaissance Gallery** (1993), nouvelle présentation de la belle collection de la Renaissance française ; enfin, les **Florence Gould Galleries** (1993), qui donnent un aperçu de l'art européen de 1700 à 1815.

● **Les points forts du département :**

– les bronzes de la Renaissance italienne ;
– les sculptures et le mobilier du XVIIIe s. français ;
– les meubles anglais ;
– les majoliques italiennes ;
– les verres vénitiens ;
– les porcelaines allemandes et françaises.

● **À ne pas manquer :**

La *Madone à l'Enfant*** d'Antonio **Rossellino** (Florence, 1455), traitée en bas relief, est remarquable par le mouvement de sa composition et sa perfection technique ; le rendu des draperies, notamment, est exceptionnel.
*Ugolin et ses enfants*** (1865-1867), l'un des chefs-d'œuvre de **Carpeaux**, dépeint avec réalisme et conviction l'une des scènes de *L'Enfer* de Dante : Ugolin, emprisonné, meurt de faim ; l'influence de Michel-Ange est ici très sensible, surtout dans le modelé des corps qui rappelle le *Jugement dernier* de la chapelle Sixtine.
*L'Adam**** de **Rodin** est également inspiré de Michel-Ange. L'artiste a choisi de représenter le moment où le premier homme s'éveille à la vie. Modelée en 1880, la sculpture devait faire partie des portes de l'Enfer ; cette version en bronze fut directement commandée à Rodin par le musée en 1910.

Outre sa très riche collection d'art décoratif, l'intérêt de ce département est de reconstituer des décors d'époque.

Le **patio du château de Vélez Blanco**** (Espagne, 1506-1515). Construit dans le

L'île Saint-Louis à New York

La dernière boutique parisienne du XVIIIe s., la banque du Nord, a disparu de l'île Saint-Louis. Son nouveau domicile ? Le rez-de-chaussée du Metropolitan Museum sur 5th Ave. Restaurée par le musée, la devanture de cet ancien magasin sert désormais de vitrine aux pièces d'argenterie françaises. Elle s'ajoute à la liste, déjà longue, des reconstitutions de décors issues de palais et de maisons célèbres : salons français, chambres vénitiennes, salles à manger anglaises... Leur rôle ? Accueillir les très nombreux objets du département des Arts décoratifs et retracer l'évolution des intérieurs européens.
Bien entendu, les demeures américaines ne sont pas en reste. Dans l'aile américaine, plus de 25 pièces leur sont consacrées, parmi lesquelles le salon de la maison Little conçu par le célèbre architecte américain Frank Lloyd Wright.
Au rayon de la Chine, c'est un jardin qui est présenté ; à celui de l'Islam, un salon ottoman ; à celui de l'Égypte, un temple, etc. La promesse d'une « encyclopédie vivante de l'art » faite par Philippe de Montebello, directeur du musée, est bel et bien tenue.

style espagnol, il a été décoré par des artistes du nord de l'Italie ; notez la très belle frise à motifs floraux qui entoure les portes et les fenêtres. Cette décoration qui met en évidence la structure de l'édifice caractérise le début de l'architecture de la Renaissance.

La **chambre du palais Sagredo*** (Venise, 1718), ornée de stuc et de bois sculpté, donne une idée de la magnificence du décor baroque italien ; le travail en stuc est probablement dû à Carpoforo Mazetti et Abondio Statio. Les brocarts qui recouvrent les murs datent du XVIIe s.

Le **salon de Kirtlington Park**** (Angleterre, 1742) présente un splendide décor rococo, dessiné par Sanderson ; le plafond surtout est travaillé sur le thème des quatre saisons.

La salle à manger de **Lansdowne House**** (Londres, 1765) illustre une tout autre mode ; conçue par Adam, elle reflète le style antiquisant et néo-classique du célèbre architecte ; notez que seule l'une des sculptures des niches *(Tyche)* est authentique.

Le **Grand Salon de l'hôtel de Tessé**** (Paris, vers 1772) et le **salon de l'hôtel de Cabris*** (Grasse, vers 1775) sont deux beaux exemples d'intérieurs français de la fin du XVIIIe s. ; leurs boiseries, encore assez chargées, sont déjà néo-classiques.

■ Collection Robert Lehman

Situation : *au* ***rez-de-chaussée*** *(first floor), et au* ***sous-sol*** *(ground floor) ; accès par le département des sculptures et objets d'art européens.*

En 1975 a été édifiée une aile destinée à abriter l'ensemble d'objets et de tableaux réunis par Philip et Robert Morris Lehman. Certaines salles reconstituent les pièces d'habitation de la maison des Lehman dans lesquelles les œuvres d'art ont repris leur place originelle : tapis, tapisseries, mobilier, objets d'art. La collection est présentée par roulement.

● **Les points forts de la collection :**

– les peintures allemandes et italiennes (XIVe-XVe s.) ;
– les majoliques italiennes ;
– les dessins (Dürer, Rembrandt, Tiepolo) exposés par roulement.

● **À ne pas manquer :**

L'***Expulsion du Paradis***** de **Giovanni di Paolo** (vers 1445) dont les très beaux coloris sont caractéristiques de l'école siennoise. Notez l'iconographie étonnante du tableau : un ange expulse Adam et Ève du Paradis alors que

Dieu, au-dessus des cercles de l'Univers, désigne le lieu de leur bannissement.

La ***Nativité**** de **Lorenzo Monaco** (vers 1410), bel exemple de ce qui se faisait à Florence avant l'éclosion de la première Renaissance.

L'***Annonciation****** de **Botticelli** (vers 1485) est un des chefs-d'œuvre de la collection. L'architecture classique, la technique parfaitement maîtrisée de la perspective, l'élégance de la composition, qui oppose des lignes sobres et verticales à des diagonales, contribuent à créer l'ambiance mystique de cette scène d'Annonciation.

L'***Annonciation*****, œuvre majeure de **Hans Memling** (1482), dont l'atmosphère paisible et le coloris rappellent Rogier Van der Weyden ; les objets de la pièce ont tous une valeur symbolique : les lis au premier plan représentent la pureté ; en arrière-plan, le candélabre symbolise la gloire.

Saint Éloi** de **Petrus Christus** (1449), composition originale, tient à la fois du portrait et de la scène de genre profane. Saint Éloi, patron des orfèvres, est représenté dans son atelier, entouré de quantité d'objets, ce qui fait de ce tableau un document précieux pour la connaissance du métier. Le miroir convexe, sur la table, apparaît dans maints tableaux de l'époque.

Le ***Portrait de la comtesse Altamira et de sa fille******, de **Goya.** On retrouve dans ce superbe portrait toute la perspicacité psychologique de Goya et ses talents de coloriste, probablement hérités de Velazquez et de Tiepolo ; notez aussi son coup de pinceau très libre.

Le ***Portrait de la princesse de Broglie***** d'**Ingres** donne un superbe exemple des portraits aristocratiques du XIXe s. Pour reprendre un mot de Baudelaire, Ingres « s'attache à dépeindre la délicate beauté des femmes avec la précision d'un chirurgien ; il suit la douce sinuosité de leur ligne avec l'humble dévotion d'un amant ».

Le ***Paysage**** d'**Edgar Degas** est un sujet inhabituel chez l'artiste ; ses maisons, bordées d'un trait noir, aux formes très géométriques, annoncent déjà le fauvisme.

Houses of Parliament vues de nuit **d'André Derain**, œuvre majeure de la peinture fauve (1905) ; la juxtaposition des coups de brosse et des tons donne à cette toile une belle impression de mouvement.

Dans ***Le Cannet*** (1945-1946), **Pierre Bonnard** laisse libre cours à son imagination ; il superpose des centaines de touches colorées pour transcrire les effets de perspective et de lumière.

■ Collection Linsky

Situation : au rez-de-chaussée (first floor) ; accès par le département des sculptures et objets d'art européens.

Durant plus de quarante ans Jack et Belle Linsky amassèrent des objets précieux, s'intéressant aussi bien aux œuvres des primitifs flamands et italiens qu'aux toiles espagnoles et françaises du XVIIIe s., aux bronzes baroques et renaissants qu'aux porcelaines de Meissen et de Chantilly. Les galeries Linsky présentent cet ensemble dans une atmosphère intime, qui reflète le goût de ces collectionneurs passionnés.

● À ne pas manquer :

L'*Adoration des Mages*, de **Giovanni di Paolo**, encore proche de l'art médiéval, reflète le style original de ce peintre influencé par Gentile da Fabriano.

Les ***Noces de Cana***, de **Juan de Flandres**, compte parmi les pièces les plus précieuses de la collection. Nous ne connaissons en effet que très peu d'œuvres de cet artiste, né en Flandres, qui travailla en Espagne auprès d'Isabelle la Catholique. Cette petite peinture sur bois, très bien conservée, provient sans doute d'un autel portatif commandé par la reine.

Le ***Portrait d'homme***, première œuvre connue de **Rubens** (1597). On y décèle encore l'influence de son maître Otto Van Veen, mais la composition et la conception de l'espace annoncent les œuvres futures de l'artiste.

L'**Antico**, artiste très célèbre de la Renaissance italienne, s'inspira des bronzes antiques pour créer des œuvres expressives et vivantes, comme le ***Satyre*** présenté ici.

La **commode Louis XVI** de **Roentgen**, inventoriée dans les appartements privés du roi, est une merveille de marqueterie et de serrurerie : tout un mécanisme caché permet d'actionner portes et tiroirs.

■ Art médiéval

Situation : au rez-de-chaussée (first floor) ; accès par le grand hall.

La collection couvre tout le Moyen Âge de la conversion de Constantin (313) à l'aube de la Renaissance. Soit près de 5 000 objets qui illustrent l'époque paléochrétienne, le temps des invasions, l'Empire byzantin, les époques préromane, romane et gothique. Le noyau de ce département, dont dépendent également les Cloisters (→ *Les grands musées de New York*), a été constitué par la donation Morgan.

● **Les points forts du département :**
– la galerie de sculptures ;
– les tapisseries gothiques.

● **À ne pas manquer :**

Le **trésor de Vermand** (N. de la France, fin IVe s.) nous a livré quelques-unes des plus belles pièces d'orfèvrerie à « taille en éclats », dont les motifs géométriques et fantastiques sont typiques de l'Antiquité tardive.

Le **calice d'Antioche** (début VIe s.) est l'un des plus anciens qu'on ait retrouvés ; il aurait été découvert en 1910, près d'Antioche, l'un des premiers centres de la chrétienté en Orient. Il comprend deux parties : une simple coupe en argent, sans décoration, contenue dans une autre coupe en argent ciselé, ornée de grappes de raisins ; au milieu, on reconnaît le Christ instruisant ses disciples et le Christ trônant au-dessus d'un aigle (symbole de la Résurrection).

Le **reliquaire de la vraie Croix** (Byzance ou Syrie, fin VIIIe s.) est l'un des premiers exemples aboutis de décor en émail : sur le couvercle, la Crucifixion ; au revers, la vie du Christ (Nativité, Annonciation, Descente aux limbes).

Plaque en ivoire de Magdeburg** (fin Xᵉ s.) : ce morceau d'ivoire, très original avec son fond ajouré, est un bel exemple de sculpture ottonienne ; les personnages, surtout, sont traités avec beaucoup de monumentalité : au centre, le Christ sur un trône bénit la maquette de l'église St-Mauritius de Magdeburg.

Galerie de sculptures : au fur et à mesure que s'écoulent les XIIᵉ et XIIIᵉ s., les Vierges, romanes d'abord (en bois et polychromes lorsqu'elles sont d'Auvergne), vont perdre ce pouvoir expressif né de leur hiératisme pour devenir gothiques. Elles acquièrent alors une individualité et s'humanisent comme le montre la *Vierge à l'Enfant de Poligny*** (France, XVᵉ s.). La *statue-colonne*** provenant de Saint-Denis (1150) est la seule œuvre de ce genre qui soit restée intacte. La *Tête du roi David*** ornait, avant la Révolution, le portail de Sainte-Anne à Notre-Dame de Paris (1150). La *Visitation*** (Allemagne, XIVᵉ s.), petit groupe en bois polychrome et doré, est un autre petit trésor provenant de Constance.

La tapisserie de *L'Annonciation*** qui vient sans doute d'Arras (début XVᵉ s.) est proche du style gothique international. Notez la précision des détails, comme Dieu le père, dans le ciel, qui envoie, vers Marie, l'Enfant Jésus portant la croix ; à côté deux anges présentent un blason espagnol, ce qui laisse penser que la tapisserie fut exécutée pour une famille espagnole. *La Rose*** a probablement été tissée pour Charles VII, roi de France, dont on reconnaît les couleurs (rouge, blanc et vert) et l'un des emblèmes (le rosier). Cette tapisserie date sans doute de 1450 et sortirait des ateliers d'Arras ou de Tournai.

■ Armes et armures

Situation : au rez-de-chaussée (first floor) ; accès par le département des

sculptures et objets d'art européens ou par l'aile américaine.

Ce département, entièrement rénové en 1991, regroupe plus de 15 000 objets provenant du monde entier (Europe, Chine, Japon, Turquie, etc.). La collection insiste sur la valeur esthétique des armes et des armures, sans chercher à démontrer leur intérêt militaire ou technique, et reflète avant tout le goût des collectionneurs à travers les siècles passés.

● **Les points forts du département :**
– les armures de parade de la Renaissance ;
– les armures japonaises.

● **À ne pas manquer :**
L'armure d'Henri II*** (1550-1559) en acier, or et argent, était celle du roi de France qui, ironiquement, est mort au cours d'un tournoi. C'est un maître graveur, Étienne Delaune, qui l'a conçue, mais le travail d'orfèvrerie est sans doute l'œuvre de trois artisans différents. Tout le décor reprend le thème du Triomphe et de la Renommée.
L'armure du duc de Cumberland*** (vers 1590) est un autre petit chef-d'œuvre d'orfèvrerie, sorti des ateliers de Greenwich, en Angleterre. Posséder une armure fabriquée dans l'atelier royal était un privilège rare mais George Clifford, duc de Cumberland, était sans doute l'un des meilleurs pirates de la reine, célèbre sur toutes les mers pour ses expéditions contre les Espagnols ! L'état de cette armure est exceptionnel, tout comme son décor aux armes des Tudor (fleurs de lys, roses, monogramme d'Élisabeth Iʳᵉ). Son poids est de 27 kg…
Yoroi japonais** (début XIVᵉ s.). Cette rare armure médiévale date de la fin de la période Kamakura. Elle comprend une cuirasse et une lourde jupe ; sur la poitrine, la représentation de la divinité Fudo Myo-o devait apporter force et pouvoir au samouraï.

■ Antiquités égyptiennes

Situation : au rez-de-chaussée (first floor) ; accès par le grand hall.

Le MET possède l'une des plus belles collections d'art égyptien en dehors du Caire. La richesse de ce département provient notamment d'une campagne de fouilles qui dura plus de 40 ans. Les galeries présentent l'histoire de l'Égypte selon un panorama chronologique, de la période préhistorique (3100 av. J.-C.) à l'époque byzantine (VIIIᵉ s. apr. J.-C.). Autour des salles principales, de petites pièces exposent les objets provenant des réserves.

● **Les points forts du département :**

– les sculptures du Moyen et du Nouvel Empire ;
– les bijoux.

● **À ne pas manquer :**

Le **mastaba de Perneb***** (Saqqara, Ancien Empire, Vᵉ dynastie) reprend le plan des tombes traditionnelles de l'Ancien Empire : une chapelle et une petite pièce pour la statue du défunt ; sous terre, se trouvait le caveau. C'est la chapelle qui est le plus finement décorée : les peintures représentent Perneb attablé face aux mets offerts par ses proches ; celui-ci pouvait communiquer avec le monde des vivants par la fausse porte. Le mastaba a été acheté au gouvernement égyptien en 1913.

Les **modèles de Mekutra**** (Thèbes, Moyen Empire, XIᵉ dynastie). Ces petits personnages illustrent des scènes de la vie quotidienne supposée se prolonger dans l'éternité. Ceux qui ont été trouvés dans la tombe du chancelier Mekutra sont exceptionnels par leur finesse et leur précision ; ils forment de vraies petites maquettes en bois peint, très réalistes, et montrent l'activité de la demeure du défunt (servantes dans les cuisines, artisans, etc.).

Les **bijoux****. De très beaux objets ont été découverts dans les tombes d'El Lahun (Moyen Empire) : parmi ceux de la princesse Sithathoryunet, une ceinture de perles en or, cornaline et feldspath vert, révèle une perfection

technique rarement égalée dans l'Égypte antique. On verra aussi de fins bijoux du Nouvel Empire, comme la paire de sandales et le collier en or, objets funéraires confectionnés pour une princesse de la famille royale durant le règne de Touthmosis III.

Portraits de la reine Hatchepsout* (Nouvel Empire, XVIIIᵉ dynastie) : le musée possède une importante collection de statues en granit de la reine, trouvées près de son temple funéraire à Deir el-Bahari, sur la rive g. du Nil.

Reliefs d'Amarna** (Nouvel Empire, XVIIIᵉ dynastie). Plus de 100 panneaux provenant de Tell el-Amarna ont été donnés au musée en 1992, faisant du MET le deuxième musée après Louxor en ce qui concerne la sculpture de cette période. Ces reliefs, très vifs et très expressifs, racontent la vie dans la nouvelle (et éphémère) capitale de l'Égypte, vouée au culte solaire d'Aton en l'honneur duquel Aménophis IV changea son nom en celui d'Akhenaton.

Le **cercueil de Henettawy**** (Thèbes, XXIᵉ dynastie) remonte à la troisième période intermédiaire, époque de troubles et d'insécurité. Les morts n'étaient plus alors enterrés dans des tombeaux individuels mais dans des tombeaux familiaux, plus faciles à protéger des pilleurs. Les tombes n'étant plus décorées, toute l'imagerie religieuse se concentrait sur le cercueil comme on le voit ici, sur celui de Henettawy, attachée au culte d'Amon-Ré.

Le **temple de Dendur****, dans l'aile Sackler, a été érigé par l'empereur romain Auguste (15 av. J.-C.) durant son occupation de l'Égypte. Il est dédié à Isis et aux deux fils d'un chef nubien qui soutenait Rome, morts noyés dans le Nil. Le temple a été offert en 1965 aux États-Unis, en remerciement de leur aide pour le sauvetage d'Abou Simbel lors de la construction du barrage d'Assouan. Son plan, bien qu'assez simple, fut celui du temple égyptien pendant plus de 3 000 ans : un pronaos, une antichambre et un sanctuaire. Notez que la structure intérieure permet une pénétration parfaite de la lumière. Sur les murs, inscriptions et décorations représentent Auguste, suivant les conventions du décor égyptien.

■ Antiquités grecques et romaines

Situation : *au* **rez-de-chaussée** *(first floor), à g. du grand hall, et au* **premier étage** *(second floor) ; le trésor d'orfèvrerie grecque et romaine est exposé au N. de l'escalier principal.*

De formation relativement récente, le MET ne possède pas un fonds équivalent à celui des musées européens, qui ont bénéficié de l'engouement des collectionneurs pour l'art classique depuis la Renaissance. Mais, si l'ensemble est relativement réduit, le musée n'en possède pas moins quelques belles pièces.

● **Les points forts du département :**

– les objets cycladiques ;
– les céramiques grecques (VIe - Ve s.).

● **À ne pas manquer :**

Le cubiculum de Boscoreale** (vers 40 av. J.-C.). Cette chambre à coucher, entièrement recouverte de fresques, a été découverte dans une villa des environs de Pompéi, ensevelie par l'éruption du Vésuve en 79 apr. J.-C. Les peintures, représentent des scènes architecturales vues en perspective, donnent une idée du fameux rouge pompéien.
Le Joueur de harpe** (IIIe millénaire av. J.-C.) est l'une des plus belles idoles cycladiques du musée, remarquable par la simplicité de ses lignes et la précision de ses détails.
Le Kouros** en marbre du VIIe s. av. J.-C. illustre les débuts de la sculpture monumentale. Certainement posée sur la tombe d'un jeune homme, cette statue révèle l'influence de l'art égyptien (position des bras et des jambes).
Stèle : Jeune Homme avec une fille** (540 av. J.-C.). C'est sans doute la plus belle des stèles conservées au musée car

elle nous est parvenue presque complète. Les personnages sont de profil alors que leurs yeux sont vus de face, ce qui est courant dans la statuaire archaïque. Notez les traces de peinture polychrome.

Le **Cratère d'Euphronios***** (515 av. J.-C.). La technique de figure rouge en réserve sur fond noir est apparue vers 530 av. J.-C. Et en quelques années, les peintres attiques la maîtrisent parfaitement, comme on le voit sur ce cratère, remarquable par la précision de ses détails et sa composition en harmonie avec la forme du vase. Une inscription permet d'identifier chaque personnage.

Le **Trésor de Ganymède**** (vers le IVe s. av. J.-C.) renferme quelques rares bijoux sculptés, certains associant même le cristal de roche à l'or comme le montre une très belle paire de bracelets à têtes de bouquetins.

■ Antiquités orientales

Situation : *au* **premier étage** *(second floor) ; accès par l'escalier principal.*

Fondé en 1956, ce département couvre une large période chronologique qui s'étend du VIe millénaire av. J.-C. à la conquête arabe (626 apr. J.-C.). La plupart des objets proviennent de Mésopotamie, d'Iran, de Syrie et d'Anatolie.

● **Les points forts du département :**

– les reliefs assyriens ;
– l'orfèvrerie sassanide et achéménide.

● **À ne pas manquer :**

Tête d'homme barbu* (Élam, IIIe millénaire av. J.-C.). Ce bronze, représentant sans doute une tête de souverain, est un précieux témoignage du développement culturel de l'Élam (bassin intérieur du Tigre et Iran du Sud) où a dominé l'art du métal.
Gudea assis** (Sumer, vers 2150 av. J.-C.). Gouverneur de la ville de Lagash, Gudea rétablit l'empire sumérien et stimula la production artistique. Les statues du roi obéissaient à des règles

formelles et portaient en général une inscription cunéiforme ; sur celle-ci : « Ceci est la figure de Gudea, celui qui a fait construire ce temple, qu'il ait longue vie. »

Rhyton à tête de lion** (travail achéménide du VIe ou du Ve s.). Ces vases, en forme de corne et à tête d'animal, étaient courants au Proche-Orient. Celui-ci est un travail perse déjà très élaboré, le corps du lion ayant été fabriqué séparément avant d'être assemblé au cône.

La **Tête de roi**** (fin IVe s.) montre l'extrême habileté des orfèvres sassanides ; elle est en effet faite d'un seul morceau d'argent sur lequel les détails ont été ciselés ou traités au repoussé. Ce sont les Sassanides qui ont porté le travail du métal à sa perfection dans tout le bassin iranien.

Reliefs de Nimrud*** (assyrien, vers 883-859 av. J.-C.). Ces panneaux provenant du palais d'Ashurnasirpal II à Nimrud (Irak), montrent l'originalité de l'art assyrien. Des **Taureaux androcéphales****, génies ailés à cinq pattes, gardaient l'entrée. Aux murs étaient accrochés d'immenses reliefs, peints à l'origine de multiples couleurs : la **Divinité à tête d'oiseau**** devait protéger le palais contre les mauvais esprits.

■ Art islamique

Situation : *au premier étage (second floor) ; accès par les antiquités grecques et romaines ou les antiquités orientales.*

La collection du MET reflète l'étendue et la diversité de la culture islamique : elle rassemble des objets provenant d'Inde, de Syrie, de Perse, de Mésopotamie, d'Égypte, d'Espagne… À cet ensemble s'ajoute le décor reconstitué d'un palais de Damas. En raison de leur fragilité, tapis et miniatures sont exposés au roulement.

● **Les points forts du département :**

– les miniatures persanes et mogholes ;
– les tapis (XVIe-XVIIe s.).

● **À ne pas manquer :**

Les **céramiques de Nishapur*** (Iran), qui constituaient au Xe s. l'un des grands centres de l'art islamique ; le site, détruit par les invasions mongoles, fut fouillé par des équipes du musée. Parmi les plus belles pièces, on verra des céramiques très fines, simplement décorées d'une inscription calligraphique.

Le **mihrâb de la madrasa Imami**** (Ispahan, vers 1354) présente un beau décor de faïence bleue, à motifs floraux et géométriques associés à des inscriptions coufiques ; des céramiques couvraient tous les murs de la madrasa.

Une superbe **bouteille de verre mamelouk**** témoigne du raffinement des arts décoratifs dans l'Égypte des Mamelouks. Celle-ci est très originale avec son décor tapissant de feuilles, directement inspiré de l'art chinois, et sa frise de cavaliers qui rappelle les miniatures persanes.

Le **salon de réception du palais Nur ad-Din**** à Damas (Syrie, 1707) reconstitue l'intérieur d'une demeure de la période ottomane, avec ses marbres, ses boiseries et son plafond de bois sculpté et peint ; une marche conduit à l'espace où le maître de maison recevait ses hôtes.

Tapis de prière*** de la collection Ballard (Bursa, fin XVIe s.). C'est l'un des plus précieux du musée par son état de conservation et sa rareté. Il fut sans doute tissé par les ateliers des souverains ottomans.

La **Fête de Sadeh**** (miniature iranienne, XVIe s.) décrit dans un style vivant et très exubérant la découverte du feu. C'est l'œuvre de Sultan Muhammad, l'un des grands artistes séfévides qui reprend ici les leçons de l'école de Tabriz.

Shah Jahan à cheval** (Inde, vers 1645), magnifique portrait équestre, révèle toute la finesse des miniatures mogholes. Le souverain, le cinquième et le plus puissant de la dynastie, est représenté dans ses plus beaux atours ; voyez notamment le superbe tapis de selle.

■ Art asiatique

*Situation : au **premier étage** (second floor) ; accès par le grand escalier.*

Consacré à la Chine, au Japon, à la Corée, à l'Inde et à l'Asie du Sud-Est, ce département a été entièrement rénové et considérablement enrichi depuis les années 60. Ses collections couvrent non seulement une large aire géographique, mais s'étendent de la préhistoire à nos jours.

● **Les points forts du département :**

– les peintures chinoises ;
– les laques japonais ;
– l'art khmer.

● **À ne pas manquer :**

Inde et Asie du Sud-Est

Bodhisattva Maitreya (Gandhara, IIᵉ-IIIᵉ s.). La représentation de ce bodhisattva (être supérieur, destiné à devenir Bouddha) est typique de l'art du Gandhara, qui associe l'iconographie bouddhiste à des conventions stylistiques héritées de la statuaire romaine et hellénistique, probablement transmises dans cette région par Alexandre le Grand.

Roi-Dieu* (Cambodge, seconde moitié du XIᵉ s.), superbe témoignage de la statuaire khmère à son apogée. L'œuvre correspond au style du Bayon, du nom d'un temple érigé à Angkor Vat vers 1050. Elle est exceptionnelle par ses qualités esthétiques et son état de conservation.

Le ***Portrait d'un grand professeur**** (Tibet, XIVᵉ s.), peinture sur toile, est l'une des pièces les plus anciennes de la collection tibétaine du musée. L'iconographie de ce tanka reste encore assez énigmatique : le personnage central est représenté comme un adepte du tantrisme et, autour, sont sans doute dépeints les lamas d'un monastère.

Japon

Zao Gongen* (bronze du XIᵉ s.) est une divinité shintoïste du mont Kimpu dans les montagnes Yoshino, représentée ici dans la position d'un personnage bouddhiste. Son élégance, mal-

gré l'intensité de son expression, est typique de la période Héian.

***Fudo Myo-o**,** statue en bois du XIIᵉ s., figure un gardien de temple ; il possédait à l'origine une chevelure rouge et des vêtements recouverts de feuilles d'or.

Le musée possède un bel ensemble de **paravents** d'époque Momoyama et Edo (XVIᵉ-XVIIIᵉ s.) dont celui de ***La Vague**** par Ogata Korin (XVIIᵉ s.) à dominante bleue et or traité dans une manière à la fois décorative et réaliste ; de ce même artiste fasciné par les iris, on remarque un magnifique paravent de six panneaux, le ***Yatsuhashi**** (le pont aux huit planches) qui met en scène un poème populaire du Xᵉ s.

Chine

Le ***Jardin chinois**** (Astor Court) reconstitue le jardin intérieur d'une villa de Soochow. Il associe des formes architecturales avec des éléments qui rappellent la nature sauvage. Conçu autour des deux principes contraires du yin et du yang, mêlant l'ombre et la lumière, la douceur et la dureté, ce lieu est un havre de paix propre à la méditation et au repos.

Le **Bouddha*** en bronze doré, daté de 477 (dynastie Wei), vêtu d'un long drapé et debout sur un lotus, se rapproche de la sculpture indienne de l'époque Gupta. Son geste et son expression traduisent un message d'espoir dont le bouddhisme s'est fait l'écho après la chute de l'Empire Han.

***Night-Shining White**,** très célèbre portrait de cheval exécuté par Han Kan (vers 742-756) pour un empereur de la dynastie Tang. En jouant avec un simple coup de brosse sur la crinière et un très léger estompage, l'artiste est parvenu à donner une impression de mouvement et de volume intenses.

■ Arts du Pacifique, d'Afrique et d'Amérique précolombienne

*Situation : au **rez-de-chaussée** (first floor) ; accès par les antiquités grecques et romaines ou les sculptures européennes.*

Pas moins de 14 000 objets sont présentés dans ce département, situé dans l'aile Rockefeller (en souvenir de Michaël Rockefeller, disparu dans une expédition d'étude en Nouvelle-Guinée).

● **Les points forts du département :**

– les sculptures dogon ;
– les ivoires du Bénin ;
– les céramiques péruviennes ;
– l'orfèvrerie précolombienne ;
– l'art Asmat (Nouvelle-Guinée).

● **À ne pas manquer :**

Afrique

Couple assis** (Mali, peuple dogon), en bois avec des ornements de métal. Cette statuette est riche en symboles : l'homme est représenté en guerrier, avec un carquois dans son dos, et en géniteur comme l'indique le geste de sa main ; la femme en mère, avec un enfant dans son dos.

Masque en ivoire** (Nigéria, XVIe s.), exemple de l'art qui s'est épanoui à la cour du Bénin. Les ornements qui entourent ce masque font penser qu'il fut créé pour le roi *(oba)*, qui devait le porter sur sa hanche ou sa poitrine lors des cérémonies commémorant le décès de sa mère ; les hommes barbus, sur la frise, sont sans doute des Portugais qui, dès le XVe s., commerçaient avec ce royaume.

Amérique précolombienne

Le **Jan Mitchell Treasury***** ne regroupe pas moins de 250 objets en or. Les plus anciens proviennent du Pérou (vers 1500 av. J.-C.) ; les autres d'Équateur, de Colombie, du Panama, du Mexique. Dans cet ensemble, on verra de superbes **pendentifs** à forme humaine (dits « caciques ») et à motifs d'aigle, très fréquents dans les régions du Panama et du Costa Rica peu avant la conquête espagnole. Rare **vaisselle en argent** du royaume de Chimu (Pérou, XIVe-XVe s.), avec des vases à têtes d'animaux. Du Pérou aussi, très belle **paire de boucles d'oreilles** trouvée dans la vallée de Lambayeque.

Océanie

Mbis** (Nouvelle-Guinée, Irian Jaya), grand mât sculpté, dédié aux personnes dont la mort était vengée durant la cérémonie du mbis. Les sculptures sont celles d'ancêtres associés à des symboles phalliques. Cette pièce fait partie de la très riche collection d'art Asmat que possède le MET et rassemblée par Michaël Rockefeller.

Masque** (Détroit de Torres, entre l'Australie et la Nouvelle-Guinée, XVIIIe s.) en écaille de tortue. On connaît mal l'usage de ces masques, très rares, découverts uniquement sur les îles du Détroit de Torres ; on sait seulement qu'ils existaient déjà au tout début du XVIIe s.

Le **Bouclier*** des îles Solomon (XIXe s.) est également une pièce très rare, en vannerie avec des incrustations de coquillages, exceptionnellement décorée de figures humaines.

■ Art américain

Situation : American Wing ; *accès au rez-de-chaussée par les antiquités égyptiennes, les armes et armures ou l'art médiéval ; suite au premier étage (second floor).*

Cette section, qui occupe toute une aile du musée, illustre les développements de l'art aux États-Unis entre le XVIIIe et le début du XXe s. De nombreux décors intérieurs y sont présentés, ce qui permet d'imaginer comment étaient meublées les demeures georgiennes et fédérales dont il ne reste que peu de choses aujourd'hui.

● **Les points forts du département :**

– les décors intérieurs ;
– les peintures du XIXe s.

● **À ne pas manquer :**

La **cour intérieure*** (Engelhard Court) offre un étonnant mélange de style. Ainsi, on y verra la façade néo-classique de l'**United States Branch Bank** (apportée ici depuis Wall Street) et une **loggia** de style Art nouveau (de la propriété de Louis Comfort Tiffany sur Long Island) ornée de vitraux représentant Oyster Bay. À côté, un **escalier** de Sullivan, sauvé lors de la démolition du Stock Exchange de Chicago. La **cheminée** gigantesque, surmontée d'une mosaïque, décorait l'hôtel des Vanderbilt à l'angle de 57th St. et 5th Ave.

*Mrs. John Winthrop*** (1773) de **Copley**, qui s'imposa comme portraitiste à Boston et acquit une renommée internationale. Copley a réalisé cette toile, très réaliste, peu avant de partir pour l'Angleterre ; sa technique est alors presque parfaite, comme le montre le traitement du guéridon sur lequel se reflètent les mains du personnage.

Dans *Négociants de fourrures descendant le Missouri**** (vers 1845), **Bingham** dépeint avec une infinie poésie la vie dans le Midwest. Il associe étrangement paysage et scène de genre et signe ici l'une de ses premières peintures luministes.

*Au cœur des Andes*** de **Church** fit sensation lorsque l'artiste l'exposa dans son atelier en 1859. On y retrouve ce sens de la nature grandiose, mise en scène avec une précision de détails étonnants, qui caractérise les œuvres de Church, le grand maître de la seconde école de l'Hudson.

*Vent du nord-est*** (1895) de **Homer** est un tableau très original, qui s'inscrit dans les œuvres de maturité. L'artiste a concentré toute la force de la tempête dans une seule vague, écumante, créant ainsi une composition très simple et pourtant terriblement expressive.

*Madame X*** de **Sargent** semble inspirée par les compositions de Velazquez. Sargent était très satisfait de l'œuvre ; aussi, quand il la vendit au musée, il écrivit : « Je crois que c'est le meilleur travail que j'aie jamais fait. »

*Dame à la table à thé*** de **Mary Cassatt** (vers 1885), le seul peintre américain à faire partie des impressionnistes, est un portrait peu classique : regardez combien les couleurs du premier plan (la table) et du fond (le mur) se mêlent, ce qui témoigne sans doute de l'influence de Degas et de Manet et aussi des estampes japonaises.

Le **salon de la maison Little**** (1912-1915), exemple des intérieurs de **Frank Lloyd Wright**, très influencé par les architectures japonaises. Le matériau de prédilection de Wright est ici le bois, élément chaud et vivant.

La **Verplanck Room**** (vers 1767) donne une idée des intérieurs de la période coloniale, dans le goût georgien. Notez le très beau mobilier de style Chippendale, à l'origine conçu pour une maison de Wall Street.

*Diane*** (vers 1894) est l'une des rares statues de nu exécutées par **Saint-Gaudens**, l'un des premiers sculpteurs à partir étudier la sculpture académique à Paris.

■ Art du XXᵉ siècle

Situation : Lilla Acheson Wallace Wing ; accès par les arts du Pacifique (au rez-de-chaussée) ou par le département de peinture européenne (au 1ᵉʳ étage).

L'inauguration de cette aile en 1987 a marqué un tournant dans l'histoire du MET : pour la première fois, des artistes contemporains trouvaient une place sur les cimaises du musée. L'ensemble comprend aujourd'hui quelques œuvres importantes de l'école européenne et dresse un panorama de l'art américain depuis le début du siècle.

● **Les points forts du département :**

– l'expressionnisme abstrait ;
– les meubles Art déco.

● **À ne pas manquer :**

Le *Portrait de Gertrude Stein****, exécuté par **Picasso** vers 1905-1906, est une œuvre importante : le visage du personnage, aux paupières lourdes, traité comme un masque, reflète l'influence de l'art nègre et ibérique tandis que les volumes et les formes préfigurent le cubisme.

*Artillerie*** (1911), par **La Fresnaye**, a été réalisé l'année où le peintre a découvert le cubisme : les formes et la composition sont déjà très géométriques. L'influence de Cézanne est aussi présente dans les jeux de lumière, qui visent à exprimer le volume (comme dans les fameux « passages cézanniens »).

Le *Portrait d'un officier allemand*** (1914) de Hartley est une toile très originale, qui reprend à la fois les leçons du cubisme et de l'expressionnisme allemand.

Dans *Le Guéridon*** (1921-1922), **Braque** commence à s'éloigner des conceptions cubistes et amorce un retour vers la figuration en réintroduisant dans la toile des éléments naturalistes (grains de raisin).

*La Montagne*** (1937), œuvre de jeunesse de **Balthus**. On perçoit déjà dans ce tableau le goût de l'artiste pour les formes simplifiées et monumentales ; son réalisme rappelle celui de Gustave Courbet.

Bonnard a peint *Terrasse à Vernon*** entre 1920 et 1939 ; ordonnant sa composition autour d'un point central, le tronc d'arbre, il transfigure la nature en une symphonie colorée.

Dans *Rythme d'automne*** (1950), **Pollock** crée un espace immense et rejette les traditions de la peinture de chevalet pour se concentrer sur l'action même du peintre. Et par cela, cette toile annonce les dernières œuvres de l'artiste.

Dans *L'Eau de Flowery Mill**, **Gorky** décompose l'image poétique en de petites taches aux couleurs délicates qui préfigurent les développements de la peinture gestuelle.

Klee : 90 œuvres du peintre, offertes en 1986 par le marchand-collectionneur Heinz Berggruen, sont exposées par roulement.

Iris and Gerald Cantor Roof Garden*** (*généralement ouv. en été ; accès par le rez-de-chaussée du département*). Cette terrasse aménagée sur le toit de l'aile Lilla Acheson offre une vue superbe sur Central Park et expose, par roulement, quelques sculptures contemporaines. Si vous avez la chance de visiter le musée en nocturne un ven. ou un sam., ne manquez pas le coucher de soleil sur Manhattan.

■ Instruments de musique

Situation : au premier étage (second floor), accès par le département de pein-

ture européenne ou par l'aile américaine. *Des cassettes enregistrées permettent d'entendre la musique jouée par ces instruments (location dans le grand hall, ou près de l'escalier principal).*

Plus de 4 000 instruments provenant du monde entier retracent l'histoire de la musique depuis ses origines. Les pièces présentées ont été choisies autant pour leur beauté visuelle ou musicale que pour leur intérêt technique ou social. Certains instruments, en état de marche, sont encore utilisés pour des concerts.

De ce superbe ensemble, on retiendra entre autres : le plus ancien **pianoforte** construit dans l'atelier de Bartolomeo Cristofori en 1720 ; un **mayuri** (XIXe s.), cithare indienne, en forme de paon ; un **sesando** indonésien, en feuilles de bambou ; un pi-pa, sorte de luth chinois, de la dynastie Ming (XVIIe s.).

■ Institut du costume

Situation : au sous-sol (ground floor).

Dédié au vêtement en tant que forme d'art, ce département dispose d'une collection importante qui met en lumière les habitudes et les modes vestimentaires contemporaines. On y trouve également des habits régionaux et folkloriques du monde entier. Des expositions annuelles illustrent l'effort du musée dans un domaine original.

■ Dessins, estampes et photographies

Situation : au premier étage (second floor) ; présentation par roulement pour des raisons de conservation.

Le MET possède une superbe collection de dessins européens, principalement français et italiens. Parmi les œuvres les plus célèbres, on peut voir des cartons de Degas, Dürer, Goya,

Ingres, Seurat, Raphaël, Tiepolo, Vinci, Rubens, Rembrandt.

Le fonds d'estampes le plus important appartient aux écoles allemande (XVe s.), italienne (XVIIIe s.) et française (XIXe s.) ; s'y ajoute un ensemble d'études décoratives (dessins, gravures et livres illustrés) qui s'étend de la fin du XVe s. à nos jours. Quant à la section de photographies, elle comprend la très belle collection d'Alfred Stieglitz et celle de la Ford Motor Company.

7 – Les grands musées de New York

Frick Collection*** – Guggenheim Museum*** – Museum of Modern Art*** (MOMA) – The Cloisters*** – Whitney Museum of American Art**
*Pour Le Metropolitan Museum of Art*** → p. 98*

■ Frick Collection***

Entrée : 70th St. & 5th Ave. (plan X, C1) ; métro : 68th St./Lexington Ave., ligne 6 ; bus nos 1, 2, 3, 4.

Visite : t.l.j. sf lun. 10 h-18 h ; dim. 13 h-18 h ☎ 288-0700. Les enfants de moins de 10 ans ne sont pas admis et ceux de moins de 16 ans doivent être accompagnés d'un adulte.

La réputation de la Frick Collection n'est plus à faire : c'est à juste titre l'un des musées les plus célèbres et les plus plaisants de New York. Le lieu n'a pourtant rien de gigantesque. Une quinzaine de salles tout au plus, décorées dans le goût du XVIIIe s., dans lesquelles sont présentés des chefs-d'œuvre inestimables : peintures du XIVe au XVIIIe s., bronzes de la Renaissance, mobilier français et objets d'art. Il ne s'agit pas véritablement d'un musée, mais plutôt d'une demeure somptueusement meublée, et sans doute est-ce cela qui fait son charme.

Cette prodigieuse collection fut réunie par Henry Clay Frick (1849-1919), riche industriel de Pittsburgh, qui dirigea les industries Carnegie et fit fortune dans l'acier et le charbon.

L'hôtel fut construit dans le style néo-classique français en 1913, pour servir à la fois de résidence et de galerie (architecte Thomas Hastings). L'épouse d'Henry Clay Frick y vécut jusqu'à sa mort, en 1931. Ouverte au public en 1935, la collection est installée au rez-de-chaussée de l'ancienne demeure. En 1977, le musée a été agrandi d'une cour-jardin et d'un bâtiment en bordure de celle-ci.

À ne pas manquer :
– *La Leçon de musique** de Vermeer, éclatante de finesse et de douceur (Hall sud) ;
– le Salon Fragonard**, hymne aux jeux de l'amour ;
– *Saint Jérôme** du Greco, presque désincarné, empreint d'une profonde spiritualité (Grand Salon) ;
– deux portraits étonnants d'acuité et de vérité, par Holbein le Jeune : *Sir Thomas More**,* l'humaniste, et *Thomas Cromwell*,* l'homme d'État retors qui fit pendre More (Grand Salon) ;
– deux superbes toiles de Rembrandt : un *Autoportrait*** plein de gravité et de sensibilité, et l'énigmatique *Cavalier polonais** (Galerie ouest).

● Hall sud *(south hall)*. – *Le Soldat et la jeune fille riant** et La Leçon de* *musique***** de Jan Vermeer sont caractéristiques de l'univers intime et silencieux décrit par le peintre ; la Frick Collection possède trois œuvres de Vermeer, alors qu'on en connaît seulement 35 à travers le monde. *Portrait de dom Pedro, Duque de Osuna* de Goya. *Mère avec deux enfants******* est l'une des premières toiles de Renoir sur ce thème qu'il affectionna particulièrement.

Mobilier : notez *l'horloge calendrier****** de Caffieri et Lieutaud, le secrétaire et la commode exécutés par Riesener pour Marie-Antoinette vers 1780.

● **Octagon Room.** – On y verra deux belles œuvres de la Renaissance : les deux petits panneaux de l'*Annonciation* (vers 1440) de Fra Filippo Lippi, qui appartenaient sans doute à un retable dont la partie centrale a disparu, et un buste de femme de Francesco Laurana (vers 1472-74), aux formes très pures.

● **Antichambre** *(anteroom)*. – Quelques chefs-d'œuvre de l'art flamand : un *portrait d'homme****** par Hans Memling (1470), remarquable par son paysage clair et lumineux ; une *Vierge à l'Enfant* commencée par Jan Van Eyck peu avant sa mort et probablement achevée par Petrus Christus ; les *Trois Soldats****** (1568), l'un des rares tableaux de Bruegel l'Ancien que l'on puisse voir aux États-Unis. Autres morceaux de choix : la *Purification du Temple******* du Greco où l'on retrouve la facture tourmentée propre aux dernières années de sa vie ; le sujet de Jésus chassant les marchands du Temple était très en vogue au temps de la Contre-Réforme et le Greco en peignit plusieurs versions.

● **Salon Boucher** *(Boucher room)*. – Aménagé comme un boudoir français du XVIIIᵉ s., il expose huit panneaux représentant *Les Arts et les Sciences******* exécutés

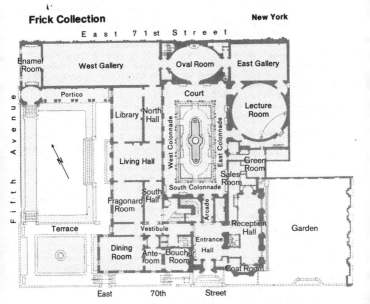

Frick Collection   **New York**

par François Boucher. Maître de la peinture galante et rococo, Boucher fut nommé premier peintre du roi Louis XV en 1765 ; ces tableaux, faits pour Mme de Pompadour, ont probablement servi de carton à tapisserie avant d'orner la bibliothèque de la maîtresse du roi au château de Crécy. Suivant le goût rococo, ces allégories mettent en scène des enfants dans des fonctions d'adultes. Le mobilier français mérite un coup d'œil notamment, au centre, la table de travail en acajou de Riesener. Porcelaines de Sèvres et de Vincennes.

● **Salle à manger** *(dining room).* – À côté de porcelaines chinoises sont rassemblées de belles peintures anglaises du XVIIIe s. : *Le Mall dans St James' Park** par Gainsborough, typique des paysages réalisés par l'artiste à la fin de sa vie (vers 1783). Notez aussi les portraits de *Miss Mary Edwards,* l'une des femmes les plus fortunées d'Angleterre, par Hogarth (1742) et du *Général John Burgoyne* par Reynolds (vers 1766).

● **Vestibule ouest** *(west vestibule).* – *Les Quatre Saisons*** de François Boucher sont une autre commande de Mme de Pompadour pour le château de Crécy ; on reconnaît d'ailleurs la marquise sur un traîneau dans le tableau symbolisant *L'Hiver.* Par leur composition, ces scènes se rapprochent des œuvres de Watteau. Bureau de Boulle, ébéniste français de la fin du XVIIe et du début du XVIIIe s.

● **Salon Fragonard** *(Fragonard room).* – Cette salle est dédiée à Fragonard, dont on voit une série de 11 tableaux : les *Progès de l'Amour.* Quatre d'entre eux sont célèbres pour avoir été commandés par Mme Du Barry, pour son château de Louveciennes : *La Déclaration**, La Poursuite**, L'Assaut*** et *La Conquête**.* Mais la favorite de Louis XV s'en lassa très vite et les remplaça par des compositions néo-classiques de Vien, les scènes de genre aimable, à la facture vive et libre de Fragonard, étant déjà passées de mode.
Remarquables meubles français du XVIIIe s., exécutés par Riesener, un des plus grands créateurs de l'époque Louis XVI, Lacroix, Heurtaut, Dupré et Martin-Carlin ; très belles porcelaines de

Sèvres ; buste en marbre de la *Comtesse de Cayla*,* par Houdon.

● **Grand Salon** *(living hall).* – Sont exposés ici des chefs-d'œuvre de la peinture des XVe et XVIe s. : tout d'abord, *Saint François en extase*** de Giovanni Bellini, où l'artiste laisse libre cours à son naturalisme comme le montrent certains détails du paysage, sans pour autant tomber dans l'anecdote ; *L'Homme à la toque rouge*** et le *Portrait de Pietro Aretino*** de Titien qui, après la mort de Bellini, régna sur la peinture vénitienne durant soixante ans. Le Greco peignit plusieurs versions de *Saint Jérôme*** ; celle-ci, pleine de gravité et de piété, se rapproche des œuvres de Titien ; le saint est représenté en robe de cardinal (vers 1590-1600). Les deux tableaux d'Holbein le Jeune, *Sir Thomas More*** et *Thomas Cromwell*,* illustrent le génie de ce grand portraitiste qui associe la précision du détail à la force psychologique. Sculptures et mobilier : bronzes de la Renaissance italienne de Riccio ; meubles de Boulle et porcelaines chinoises.

● **Bibliothèque** *(library).* – On y verra le portrait du maître des lieux, *Henry Clay Frick* peint par Johansen plus de 20 ans après la mort de ce dernier, et celui de *George Washington,* premier président des États-Unis, exécuté par Stuart. À côté, belle série de portraits anglais des XVIIIe et XIXe s. de Gainsborough, Reynolds, Lawrence (*Lady Peel*,* représentation romantique de la femme du célèbre homme d'État) et Romney (*Lady Hamilton*,* bien avant sa tumultueuse liaison avec lord Nelson) ; paysages de Constable et Turner. Parmi les sculptures : *Louis XV à l'âge de 6 ans,* d'Antoine Coysevox, où l'on sent encore l'enfance derrière l'effigie officielle du tout jeune roi.

● **Hall nord** *(north hall).* – Il renferme un magnifique portrait de la *Comtesse d'Haussonville*** par Ingres. *The Portal of Valenciennes (Le Portail de Valenciennes)* est l'une des rares scènes militaires laissées par Watteau ; traitant le sujet de manière originale, il dépeint ici l'oisiveté des soldats durant la longue et pénible guerre de succession d'Espagne. Notez aussi les deux toiles de Chardin,

Vétheuil en hiver de Claude Monet, le buste de *Béatrice d'Aragon** par Francesco Laurana et le buste du *Marquis de Miromesnil** par Houdon. Console de marbre par Belanger et Gouthière.

● **Galerie ouest** *(west gallery).* – Cette grande galerie de peinture possède des œuvres exceptionnelles. On s'arrêtera notamment devant les œuvres de Rembrandt : son très bel *Autoportrait**** (1658) où, habillé en riche monarque, l'artiste arbore un sourire ironique malgré les graves difficultés financières du moment ; Rembrandt se concentre sur l'expression psychologique tout en conservant une facture brillante. Le *Cavalier polonais*** (1655), de la même veine, est un autre chef-d'œuvre de Rembrandt. Le *Portrait de Vincentio Anastagi*** illustre l'art du Greco à ses débuts, lors de son séjour à Venise. Deux grands tableaux allégoriques, *La Sagesse et la Force**, *Le Choix d'Hercule*, révèlent le style décoratif de Véronèse. La *Servante apportant une lettre*** de Jan Vermeer serait probablement une œuvre tardive de l'artiste et aurait été laissée inachevée (vers 1670). Il est intéressant de confronter les portraits de Van Dyck et de Frans Hals, d'une facture très différente. Notez enfin les paysages de Ruysdael, Hobbema, Cuyp, Turner et Corot (*Le Lac*, « à la lumière argentée » pour reprendre un mot de Théophile Gautier) ; l'*Éducation de la Vierge** superbe tableau d'Étienne de La Tour, le fils de Georges, et *La Forge* de Goya (vers 1815). Sur les tables sont dispersées des sculptures des XVe-XVIe s. (Antonio Pollaiuolo, Bunalcosi Buonarroti, Riccio).

● **Salle des Émaux** *(enamel room).* – Outre un ensemble d'**émaux de Limoges**** des XVIe-XVIIe s. sont présentées des toiles qui montrent l'évolution de la peinture italienne du XIIIe au XVe s. : Duccio di Buoninsegna, Paolo Veneziano *(Couronnement de la Vierge*)*, Gentile da Fabriano, Piero della Francesca (notamment *Saint Simon***, panneau du retable de San Agostino, l'une des œuvres majeures de cet artiste de la première Renaissance).

● **Salon ovale** *(oval room).* – Statue en terre cuite de Houdon : *Diane chasse-*

resse ; portraits de Gainsborough et de Van Dyck.

● **Galerie est** *(east gallery).* – Elle rassemble des peintures de diverses écoles : *Le Sermon sur la montagne* de Claude Gellée, dit le Lorrain ; portraits de Goya, Whistler, David *(La Comtesse Daru*)*. La *Répétition** d'Edgar Degas (1879).

● **Cour.** – Calme et reposante, couverte d'un toit de verre et ceinte d'une colonnade, la cour renferme un jardin de plantes vertes et plusieurs bustes, dont celui de *Robert de Cotte* par Coysevox.

■ Guggenheim Museum***

Solomon R. Guggenheim Museum (pour visiter le Guggenheim SoHo, la nouvelle annexe du musée → prom. 10).

Entrée : 1071 5th Ave. (au niveau de 88th St.) ; plan XIII, C3 ; métro : 86th St./Lexington Ave., lignes 4 et 6.

Visite : t.l.j. sf jeu., dim.-mer. 10 h-18 h, ven.-sam. 10 h-20 h. ☎ 423-3500.

Le musée Guggenheim est un lieu privilégié pour qui souhaite comprendre l'évolution de l'art occidental depuis la fin du siècle dernier. Son bâtiment, d'une conception unique et audacieuse, abrite une collection homogène, riche de plus de 6000 œuvres souvent déterminantes pour l'histoire de l'art. Sa politique muséologique, très dynamique, met en lumière l'art de ce siècle à travers de nombreuses expositions thématiques.

L'histoire du bâtiment, du projet initial à sa restauration en 1992, fut marquée par de nombreuses controverses. En 1943, Solomon Guggenheim confie le projet à Franck Lloyd Wright qui, dès l'année suivante, présente les dessins d'un musée en forme de spirale. Mais il faudra quinze ans pour que cet audacieux projet, indéfiniment retravaillé et largement critiqué, prenne forme. Il sera inauguré le 21 octobre 1959, six mois après la mort de Wright.

Le large plan de restauration et d'agrandissement du musée décidé en 1982 a donné lieu à de tout aussi tapageuses controverses, mais l'enjeu en était différent : il fallait préserver l'un des chefs-d'œuvre de l'architecture américaine ! Le projet fut confié à l'architecte Gwathmey Siegel, qui démolit en 1990 l'annexe attenante au musée pour reconstruire une vaste tour de dix étages capable d'accueillir une plus large part de la collection. Le Guggenheim a rouvert ses portes en juin 1992. Sa nouvelle allure et surtout les orientations prises par Thomas Krens, directeur du musée et de la fondation Guggenheim, continuent de faire tressaillir le monde de l'art.

De l'hôtel Plaza à la spirale de Wright.

– Ce n'est qu'assez tardivement que Solomon R. Guggenheim (1861-1949) découvrit l'art moderne : en 1927, au contact de Hilla Rebay, une jeune artiste allemande chargée de faire son portrait. Dès 1929, celui-ci acquiert dans l'atelier de Kandinsky, à Dessau, plusieurs œuvres du maître, qui formeront le noyau de sa « collection of non objective painting ». À l'époque, Guggenheim expose ses œuvres dans sa suite privée à l'hôtel Plaza. En 1937 est créée la fondation Guggenheim et, deux ans plus tard, le musée ouvre ses portes sur 54th St. Il y restera jusqu'en 1947, date de son déménagement dans un hôtel particulier de 5th Ave.

En 1959, le bâtiment conçu par Wright est enfin inauguré. Cette gigantesque spirale en béton ramé rompt radicalement avec la tradition, où la forme suit la fonction. À l'intérieur, une rampe en pente douce mène le visiteur au sommet, créant une galerie hélicoïdale à éclairage zénithal ; la visite devient ainsi une promenade.

Malgré ses récents agrandissements, le musée ne peut exposer qu'une partie des collections. Les œuvres sont donc

Une multinationale de l'art

Une tourmente semble balayer le monde de l'art depuis que Thomas Krens a pris la direction du musée Guggenheim en 1988.

Premier coup de théâtre en 1990 lorsque le musée vend trois tableaux (œuvres de Chagall, Modigliani et Kandinsky) pour acheter une collection de peinture minimaliste des années 60 et 70. Krens fait une bonne affaire, puisque le produit de la vente dépasse 47 millions de $, mais il est largement critiqué. Krens n'arrête pas pour autant sa politique d'expansion : pour financer les travaux d'agrandissement de la vénérable institution, il lance une émission d'obligations pour la somme de 55 millions de $. L'ampleur de l'opération inquiète ; la presse se déchaîne : que se passera-t-il si le musée ne peut honorer ses dettes ? Sera-t-on obligé de vendre une partie des collections ?

Et la controverse continue, car Krens semble bien décidé à bouleverser les méthodes de gestion traditionnelles. C'est ainsi que pour « rentabiliser » ses collections, dont seulement une infime partie est exposée, il souhaite créer des antennes à l'étranger, sorte de déclinaison de la marque Guggenheim. Ces établissements seraient construits et exploités par les pays d'adoption ; le musée leur louerait ses œuvres et apporterait son savoir-faire. La première fondation de ce genre ouvrira ses portes à Bilbao en 1997, financée par l'administration basque qui escompte 550 000 visiteurs par an…

Autant d'initiatives qui permettront peut-être d'inventer un nouveau mode de fonctionnement des musées.

présentées par roulement. D'autre part, la place des collections permanentes peut varier en fonction des expositions temporaires. La sélection qui suit a été établie par genres.

Aux sources de l'abstraction

« La tâche qui est assignée à l'artiste est pénible ; pour lui, souvent elle est une lourde croix », confiait **Wassily Kandinsky**. En 1910, alors âgé de quarante-six ans, le peintre russe, naturalisé allemand, exécute la première aquarelle abstraite. Il ne s'agit pas d'un coup d'essai, mais d'une nécessité de l'époque qui engage l'art tout entier. Kandinsky n'a qu'une certitude : la figuration nuit à sa peinture. Comme les notes de musique, les formes et les couleurs ont, selon lui, leur propre propriété expressive, encore faut-il les définir. Et, n'en déplaise aux mauvaises langues, « la peinture abstraite, note Kandinsky, est de tous les arts le plus difficile ».

Ses premiers paysages de Murnau, petit village où il passe ses vacances en 1908 et en 1909, adoptent les larges masses de couleur et la composition rythmique des lignes propres à l'art allemand : *La Montagne bleue*. Progressivement, de toile en toile, Kandinsky se détache de la figuration : *Impressions, Improvisations, Compositions*. Ses recherches le conduisent, lorsqu'il rentre au Bauhaus, vers 1925, à de strictes enchevêtrements géométriques froids et calculés.

Dans son livre *Du spirituel dans l'art*, publié en 1912, l'artiste expliquait déjà sa conception d'un art non figuratif, issu de la « nécessité intérieure » qui le pousse vers une forme d'art « spirituel ». Sans cette nécessité, Kandinsky le savait, l'art abstrait courait droit vers une ornementation « de tapis et de cravates ».

● **La collection Thannhauser**** présente pour une large part l'art de l'entre-deux-siècles. On y découvre en effet une vaste collection d'œuvres impressionnistes. Figurent aussi de nombreuses toiles de Gauguin, Van Gogh, Toulouse-Lautrec, Cézanne, Vuillard, qui dirigè-

rent leurs recherches de façon plus isolée mais tout aussi féconde. Les débuts de **Picasso** sont bien représentés avec de nombreux dessins, aquarelles et bien sûr de belles huiles sur toile comme le *Moulin de la galette**** (1900), la *Tête de femme*** (1903) ou la *Repasseuse**** (1904).

Justin Thannhauser, fils d'un directeur de galerie d'art de Munich, connut intimement la plupart des grands maîtres de son époque. Il vécut auprès de Kandinsky l'aventure du Blaue Reiter et participa à l'Armory Show de New York. Entrée au musée en 1965, sa collection a été cédée en 1979. Le dernier descendant de la famille a légué, en 1992, dix nouvelles toiles de Cézanne, Monet, Manet et Picasso, presque toutes datées de la fin du XIXe s ou du début du XXe s.

● **La collection Kandinsky**** est la plus belle et la plus riche qui soit consacrée à ce peintre. Elle montre son passage de l'expressionnisme à l'abstraction puis l'élaboration de son langage abstrait à partir de 1911. À cette époque, Kandinsky renonce au volume et s'exprime par une gamme infinie de « signes » graphiques et colorés. La période qui suit, le « Géométrisme lyrique » du Bauhaus, est également bien représentée. Il suffit de se souvenir de l'ancien nom du Guggenheim : « Museum of non objective painting » pour comprendre combien la place de la peinture abstraite y est importante.

● Parallèlement à Kandinsky, c'est par de multiples voies de recherches et à des degrés différents que de nombreux artistes s'engagèrent dans l'abstraction. On verra pour la France **Robert Delaunay** et ses trois versions de *Tour Eiffel*** (1909, 1910, 1911) puis ses *Formes circulaires* ; pour la Russie, les premières approches de la non-figuration de **Larionov** avec *Le Verre* (1909) et plus tard les *Compositions suprématistes* de **Malévitch** de 1915. On ne saurait oublier après Kandinsky et Malévitch la troisième grande figure de l'abstraction : le Hollandais **Piet Mondrian**, théoricien du néo-plasticisme dont l'influence fut

« Un art sur-naturel »

« Il ne faut pas craindre d'être soi-même, de n'exprimer que soi », déclarait le peintre **Marc Chagall**. Dans son œuvre, qui couvre près d'un siècle, nulle trace d'école ou de théorie esthétique. Mais des souvenirs de l'enfant juif en Russie, de lieux habités et quittés, le tout nourri de sa culture populaire : la bible et le cirque. Dans son ghetto natal de Vitsbek, il commence à peindre. Le ton est donné : un brassage de couleurs sur lequel souffle un formidable appétit de vie. En 1910, Paris est un révélateur. Chagall flirte avec le cubisme : *Le Soldat boit*. Son ami Apollinaire résume alors en un mot ce qui sera toujours l'esprit de son art : « sur-naturel ». Derrière les animaux verts, bleus ou rouges, les acrobates, qui peuplent ses toiles, pas de symbole. Mais le souci de l'équilibre et de l'harmonie colorée.

Lors de son retour en Russie, la réalité de la politique marxiste succède à la joie de la révolution. Chagall repart, la Sainte Russie « à jamais dans le cœur » et dans la peinture avec *Le Violoniste vert*. Paris l'attend. « Reviens, tu es célèbre ici… », lui écrit Cendrars. Mais la guerre l'éloigne une nouvelle fois de la France pendant huit ans.

Chagall fut le témoin infatigable des tragédies humaines qui ont bouleversé l'Europe, et sous lesquelles reste l'amour. « Dans l'art, tout est possible si à la base il y a l'amour », écrira Chagall. « Ne m'appelez pas fantasque ! Au contraire, je suis réaliste. J'aime la terre. »

déterminante pour l'architecture. On retiendra également les travaux de **Théo Van Doesburg**, **Laszlo Moholy-Nagy** et **Lyonel Feininger**.

L'abstraction fut une des pistes de recherche du **dadaïsme** et du **surréalisme**. Dans le premier cas, elle participa à la négation des valeurs traditionnelles de l'art, dans l'autre elle permit l'expression de l'inconscient et des rêves tels qu'on le voit dans les paysages de **Miró**.

Les développements de **l'art abstrait des années 50** sont particulièrement bien représentés : la *Peinture nº 7* de **Franz Kline** et la *Composition* de **Soulages** mettent en évidence les préoccupations communes à l'art français et américain de cette époque. On remarquera pour la France les œuvres de **Hartung**, **Riopelle** ou **Manessier** et pour les États-Unis, celles de **Carl Moriss**, **Pollock** ou **De Kooning**.

D'autres artistes, d'autres mouvements se montrent parfois très proches de l'abstraction sans pour cela s'y rallier véritablement :

● **L'expressionnisme allemand et nordique** fut durant l'entre-deux-guerres l'un des moteurs essentiels pour l'évolution de l'art du XXᵉ s. Il s'exprime par l'exacerbation des formes ou de la couleur dans l'œuvre de Marc, *Pauvre Tyrol*, mais aussi dans celles de **Jawlensky**, **Kirchner**, **Egon Schiele**, **Klimt** et **Munch**.

● **Le cubisme,** dont Gleizes et Metzinger furent en France les théoriciens, est illustré dans sa première phase par les deux œuvres de **Georges Braque** : *Violon et palette*, *Piano et luth*, datées de 1910. On trouvera une trentaine d'œuvres de **Picasso** dont de nombreuses *natures mortes*, quelques-unes de **Juan Gris** : *Par-dessus les toits***, *Natures mortes***, remarquables par leur finesse de ton. **Fernand Léger**, avec son univers mécanique d'engrenages et de roues, célèbre à sa façon la civilisation industrielle.

● On admirera aussi les œuvres de **Marc Chagall**, vibrantes de lumières et de couleurs, regards enchantés, spirituels et nostalgiques. *Le Soldat boit***, *Paris de ma fenêtre***, *Le Violoniste vert***, *La Calèche volante**.

● On notera enfin l'œuvre très personnelle et très riche de **Paul Klee** qui, avec ses rythmes géométriques et colorés, une musicalité d'une poésie ludique toute particulière. *Ballon rouge*, *Deux Musiciens*, *Sacrifices barbares*.

■ Museum of Modern Art***

Entrée : 11 W. 53 rd St. ; plan X, C1; métro : 5th Ave./53rd St., lignes E et F ; bus n°s 1, 2, 3, 4, 5.

Visite : t.l.j. sf mer., sam.-mar. 11 h-18 h, jeu-ven. 12 h-20 h 30, ☎ 708-9400.

Le Museum of Modern Art, ou plus simplement le MOMA, est l'un des plus beaux musées d'art moderne des États-Unis : de Cézanne à Pollock, de Picabia aux artistes contemporains, ses collections retracent un siècle entier de recherches esthétiques. Ses expositions temporaires, de qualité, ont souvent un retentissement international, comme la rétrospective Matisse de 1992.

En 1927, l'idée d'un musée d'art moderne était originale ; nulle part dans le monde n'existait un espace où l'on pouvait apprécier et découvrir les peintres contemporains. John D. Rockefeller et trois femmes américaines ont été à l'origine de cette initiative : Mmes Bliss, Cornelius et Sullivan.

En novembre 1929, le MOMA ouvrait ses portes avec une exposition de peintres européens (Cézanne, Van Gogh, Gauguin et Seurat). Cette première expérience se déroulait sur 5th

New York inaugure son musée d'Art moderne

New York : 1929

« En cet automne de très grande incertitude économique et financière, la confiance du monde de l'art américain est relancée par l'inauguration du Museum of Modern Art. Le 8 novembre, dix jours seulement après le krach boursier, cet événement culturel de tout premier ordre a monopolisé l'attention des amateurs d'art.

[...]

Historiens et critiques regardent d'un œil perplexe le musée qui vient de naître, car si sa fonction sera de conserver les collections d'œuvres reconnues, il s'est également donné pour tâche d'ouvrir ses portes à des artistes non encore confirmés.

Alfred Barr, son jeune directeur, aura à résoudre cette apparente contradiction, mais il est bien armé pour ce faire. Il est, en effet, l'un des très rares Américains qui ait vu par lui-même nombre d'expériences contemporaines en Europe. Il est allé en Union soviétique où il a rencontré de nombreux artistes constructivistes et découvert la nouvelle politique culturelle. Il a rencontré les membres du mouvement De Stijl en Hollande. Et il a été particulièrement séduit par le Bauhaus de Dessau qu'il considère comme « une institution fabuleuse ».

À vingt-sept ans, Barr est d'une érudition exceptionnelle. Il a créé, à Wellesley College, le premier cours de licence aux États-Unis consacré à l'art du XXe s. Ce cours abordait non seulement la peinture et la sculpture, mais aussi le cinéma, la photographie, l'architecture, le design industriel, la musique et le théâtre. C'est un programme semblable qu'il souhaite développer dans son musée, prenant pour modèle le Bauhaus, – même si son ambitieux projet ne peut être mis en place que progressivement.

Le fonds du musée, en effet, est encore très pauvre : un tableau important de Hopper, *House by the Railroad*, qui a été donné après l'ouverture du nouveau musée, un bronze de Maillol, *Île-de-France*, un Picasso, quelques rares œuvres de Charles Burchfield et Kenneth Miller, et quelques gravures et dessins. »

Extrait de *L'Aventure de l'art au XXe siècle*, Le Chêne-Hachette, 1988, p 282.

Ave., dans le Heckscher Bdlg. (aujourd'hui Crown Bldg.). En 1939, le MOMA s'installait dans un immeuble construit spécialement pour lui sur 53rd St., d'après les plans des architectes L. Goodwin et D. Stone. À la peinture s'ajoutèrent progressivement la sculpture, la photographie, le cinéma et le design, si bien qu'il fallut à deux reprises faire appel à Philip Johnson pour agrandir le musée. Entre 1953 et 1964, il lui ajouta deux ailes et un jardin de sculptures. En 1983, C. Pelli a réaménagé le Garden Hall et construit un nouvel immeuble, l'aile O., qui a doublé la surface d'exposition.

Plan du musée :

En face du musée, boutique « Design store ». Au rez-de-chaussée (ground floor) vous trouverez la librairie, les boutiques du musée, le vestiaire, et les International Council Galleries réservées aux expositions temporaires ; en face de l'escalier mécanique, le Garden Café offre une belle vue sur le jardin de sculptures. Les premier et second sous-sols abritent deux salles de projection et un espace d'exposition.

Les galeries présentent un panorama chronologique de l'art moderne depuis 1880 : les premier et deuxième étages (2nd et 3rd floors) exposent peintures, sculptures, photographies, dessins et gravures ; le troisième étage (4th floor) rassemble les collections d'architecture et de design.

La disposition des œuvres changeant tous les deux mois, nous donnerons seulement un aperçu de la richesse du musée. Demandez un plan dans le hall.

● **Jardin de sculptures** (Sculpture Garden). – Conçu par Philip Johnson en 1953, il a été rénové en 1989 pour le cinquantenaire du musée. On y voit entre autres : la célèbre **Chèvre**** de Picasso ; *Rivière* d'Aristide Maillol, le **Monument à Balzac*** de Rodin ; *Cubix X* de David Smith ; des œuvres expressionnistes et abstraites d'Henry Moore. La véranda de verre qui entoure cette cour ouvre une perspective d'ensemble sur l'architecture du musée.

● **Premier étage** *(second floor)*

● **Post-impressionnisme.** – Sont rassemblés dans cette section les artistes qui ont succédé aux impressionnistes. De **Paul Cézanne**, précurseur du cubisme, on remarque un **Baigneur**** et une **Nature morte**** aux volumes déjà très géométriques. Dans *Paysage à La Ciotat*, **Braque** reste encore proche des impressionnistes. **Paul Gauguin** a exécuté **La Lune et la Terre**** à Tahiti, d'après une légende du pays ; utilisant une large palette de couleurs vives et chaudes, il crée des surfaces plates animées de personnages à la physionomie calme. Ce tableau contraste avec la **Nuit étoilée***** de Van Gogh, dont les arabesques flamboyantes traduisent une pensée intérieure tourmentée. **Le Silence*** d'**Odilon Redon**, qui offre un visage neutre et impassible, est empreint d'une résonance symboliste. Quelques tableaux de **Toulouse-Lautrec** complètent le panorama du post-impressionnisme, ainsi que des œuvres originales d'**Henri Rousseau** (**La Bohémienne endormie****, **Le Rêve****).

● **Claude Monet.** – Occupant une salle de belles dimensions, les **Nymphéas**** marquent l'un des premiers jalons de la peinture moderne ; s'attachant à l'étude de la lumière et des reflets colorés, Monet y dissout les formes dans d'étonnants jeux de couleurs qui préfigurent l'abstraction lyrique.

● **Cubisme.** – Le mouvement cubiste, ébauché par Cézanne et plus largement défini par Braque, est illustré par de très belles toiles de **Picasso** dont on peut admirer dans ce musée une trentaine d'œuvres et quelques sculptures qui révèlent l'influence de l'art primitif, en particulier africain. Picasso a passé à cette époque beaucoup de temps au musée d'Art et d'Ethnographie du Trocadéro. Il semble bien que les **Les Demoiselles d'Avignon***** (1907) aient été le premier manifeste pictural du cubisme et c'est l'une des pièces majeures du

Le « bordel philosophique » de monsieur Picasso

Les Demoiselles d'Avignon de Picasso, l'un des tableaux fondateurs de l'art du XXᵉ s., a été acquis par le MOMA en 1939 pour une somme fabuleuse à l'époque : 28 000 \$.

Le tableau, peint en 1907, fut d'abord très mal accueilli par les amis mêmes du peintre. Le voyant dans son atelier du Bateau-Lavoir, à Montmartre, Braque déclara : « C'est comme si tu voulais nous faire manger de l'étoupe et boire du pétrole pour cracher le feu. » Et, parce qu'il a pour thème un souvenir d'adolescence de l'artiste – des prostituées de la Carrer d'Avinyo, une rue chaude de Barcelone –, Apollinaire reprochait à Picasso son « bordel philosophique ».

Inspiré, sur le plan formel, à la fois de la sculpture ibérique, de la statuaire africaine et des *Baigneuses* de Cézanne, il est en rupture totale avec ce qui avait été peint jusqu'à lui, tant il est barbare, iconoclaste. La figure humaine, précédemment, n'avait jamais été à ce point mise à mal. *Les Demoiselles* ouvrent la voie au cubisme, qui va apparaître l'année suivante ; elles établissent la peinture sur une nouvelle base. « Ce sont des chiffres nus inscrits au tableau noir... C'était le principe posé de la peinture-équation », comme le remarquera un peu plus tard le poète André Salmon en une phrase prophétique.

musée. Autres tableaux de Picasso dans le même esprit : *Trois Femmes à la fontaine***, *Ma Jolie***, *Trois Musiciens***, *Femme à la guitare***, *Nature morte verte**, ainsi que des œuvres expressionnistes avec malgré tout des éléments cubistes comme *La Jeune Fille au miroir*** dans lequel la fille à gauche est jeune mais le miroir renvoie l'image d'une femme plus âgée, *Le Peintre et son modèle** ; *Baigneu-*

se assise au bord de la mer, qui tient davantage de la sculpture monumentale que de la peinture.
Braque : *Nature morte*** ; *L'Homme à la guitare***.

● **Expressionnisme.** – Les toiles de **James Ensor**, *Masques entourant la mort** et *La Tentation de saint Antoine**, se rapprochent de l'univers cauchemardesque de Jérôme Bosch.

L'expressionnisme germanique qui s'est regroupé à Dresde autour du mouvement **Die Brücke** (le Pont) est né, en partie, de l'œuvre pleine de cris et de méditations sur la mort, la solitude et la décomposition du Norvégien **Edvard Munch**. **Ernst Ludwig Kirchner** (1880-1938) est le plus âgé et le plus intellectuel des membres du mouvement ; dans son œuvre revit l'atmosphère de névrose désespérée de l'Allemagne des années 20 : *La Rue à Dresde**.

Expressionnisme français : **Georges Rouault**, *Le clown***.

● **Futurisme.** – La collection de toiles futuristes du MOMA est à elle seule plus importante que celles des musées de Rome, Turin et Milan réunis. Ces artistes traduisent par leurs recherches sur la décomposition du mouvement leur volonté de participer au monde moderne qui est celui de la vitesse et de la machine. **Umberto Boccioni** (1882-1916) : *Le Réveil de la ville*** tout en tourbillons colorés ; *Éclat de rire* (1911) ; *Dynamisme du joueur de football** (1913). **Giacomo Balla** (1871-1958). **Gino Severini** (1883-1956) : *Hiéroglyphe dynamique du bal Tabarin*** (1912), toile irisée, dansante, charmante.

● **L'école de Paris.** – On remarque douze sculptures en bronze de **Brancusi**, dont *L'Oiseau magique**, *Le Poisson** et *L'Oiseau dans l'espace***, aux formes épurées, presque symboliques. **Chagall** occupe une place à part, à la charnière du cubisme et du surréalisme : *L'Anniversaire*** composé de plans superposés qui expriment la simultanéité des souvenirs.

● **Abstraction géométrique et constructivisme.** – À l'origine de l'abstraction géométrique se situe **Mondrian** dont le musée possède quelques chefs-d'œuvre. Outre *Diagonale*, où le tableau est ramené à un jeu de lignes, et *Composition en noir, blanc et rouge***, on verra de lui une toile très connue qui est aussi une de ses dernières œuvres : *Broadway Boogie Woogie*** (1943) ; cette composition, formée de verticales et d'horizontales animées par un courant lyrique, établit un trait d'union entre cubisme et surréalisme.

Casimir Malévitch (1878-1935) : *Carré blanc sur fond blanc***, exposé à Moscou en 1919, *Carré rouge et carré noir***, œuvres caractéristiques du suprématisme (suprématie de la perception pure de la peinture) ; de Malévitch encore : *Paysanne au seau***, dite aussi la *Porteuse d'eau*, scène de la vie paysanne traitée en volumes simplifiés et dans une organisation dynamique.

Les *Disques solaires*** et *Fenêtres** montrent la préférence de **Robert Delaunay** pour les couleurs claires et les contrastes simultanés qui engendrent l'impression de dynamique. On rapprochera ces toiles de celle de Kupka, *Premier Pas*, car elles font toutes référence à l'univers cosmique ; Apollinaire appellera cette peinture « orphique ». Tableau exécuté par Le Corbusier au début de sa carrière d'architecte.

● **Matisse.** – Une salle entière est consacrée à cet artiste et montre son cheminement depuis ses premières œuvres inspirées du fauvisme. Avec *La Danse****, d'une grande souplesse linéaire, ou le *Studio rouge***, Matisse crée un style original, insistant sur les contours et adoptant une technique qui lui permet de dessiner dans la couleur ; *Souvenirs d'Océanie* est l'une des dernières toiles peintes par Matisse.

● **Kandinsky et Klee.** – Fondateur du Blaue Reiter, **Kandinsky** fut l'un des pionniers et l'un des maîtres de l'abstraction lyrique : *Séquence 198 à 201.* **Paul Klee** participa aux expositions du Blaue Reiter et professa avec Kan-

---

Un art « d'équilibre, de pureté et de sérénité »

Henri Matisse, le seul artiste contemporain que Picasso ait parfois envié, doit sa carrière de peintre à une crise d'appendicite ! Contraint de garder le lit, le jeune clerc achète pour se distraire sa première boîte de couleurs. Dès lors, il ne lâchera plus ses pinceaux ! Mais son œuvre – soixante-cinq ans de travail acharné – est bien loin d'évoquer ce départ accidentel. Ce bourgeois, au faux air d'instituteur et bon père de famille, s'est attaché tout au long de sa vie à chercher un art « d'équilibre, de pureté et de sérénité ».

Chef des Fauves au Salon de 1905, Matisse adopte la couleur pure posée d'instinct sur la toile sans soucis de dégradé. Puis, bousculant les règles de la perspective et de la figuration, le Méditerranéen se met à jouer avec la ligne et à ouvrir le dialogue entre les couleurs et les formes. C'est de cette époque que date *La Danse*. Au cours de ses voyages au Maroc ou en Algérie, il traque l'arabesque décorative, en quête d'un art plus linéaire aux couleurs vives exprimant l'espace.

Dans ses grandes gouaches découpées, le vieil homme, immobilisé par le cancer, atteint l'union parfaite entre la couleur – toujours pure – et la forme simplifiée jusqu'à l'épure : *La Piscine, Le Nu bleu*... Là, Matisse taille le signe directement dans la couleur. Au faîte de sa gloire, il orchestre une dernière fois pour ce qu'il nomme son chef-d'œuvre : *La Chapelle des Dominicains de Vence.* Somme toute, le peintre n'aura fait qu'accomplir la prédiction de son professeur Gustave Moreau : « Vous allez simplifier la peinture ».

dinsky au Bauhaus ; ses tableaux se situent à la charnière du figuratif et de l'abstraction, dans un monde empli de symboles et souvent mystérieux : *Masque de peur*** ; *Zwitchermachine**, « machine à gazouiller », entièrement orchestrée sur un jeu de lignes pures et équilibrées.

● **Dada et surréalisme.** – Les peintres dadaïstes se définissent par la révolte ; leurs œuvres sont souvent des clins d'œil aux auteurs surréalistes et posent un défi à la société, aux traditions et au bon sens, par l'intermédiaire des différentes techniques qui permettent à l'artiste de partir à la recherche de l'imaginaire. Parmi eux, **Marcel Duchamp** s'est lancé dans une voie personnelle et nouvelle avec ses *ready mades*, objets froids, privés de leur fonction ordinaire et plongés dans un nouveau contexte, celui d'œuvres d'art désormais stockées dans un musée. **Magritte**, peintre symbolique, entretient par les images un rapport entre les mots et le titre du tableau. Toiles de Balthus, Delvaux et Dali.

● **Photographies.** – Cette collection, présentée par expositions temporaires, comprend 15 000 pièces de premier ordre, dont des épreuves des plus grands photographes : Emerson, Friedlander, Zeke Berman, Harry Callahan, Man Ray, Henri Cartier-Bresson, André Kertesz, Helen Levitt, Robert Doisneau.

● **Deuxième étage** *(third floor)*

● **Expressionnisme abstrait et pop art.** – Superposant les taches, les traits, les tons violents ou doux, les expressionnistes abstraits cherchent à traduire leurs émotions et leurs états d'âme. Spécifiquement américain, ce mouvement est né après la guerre autour de l'école de New York, illustré par **Pollock** (maître de l'Action Painting), De Kooning, Rothko, Hopper et Kline. Mais il donna aussi naissance à des courants analogues en Europe : Masson, Miró, Bacon, de Staël, Hartung, Soulages. Dès les années 60, les artistes pop art,

tels Rauschenberg, Jasper Johns, Warhol ou Lichtenstein, adoptent une attitude différente. Désirant réhabiliter l'image, ils introduisent dans leurs œuvres des objets issus de la vie quotidienne (affiches, bandes dessinées, boîtes de conserves...) et les associent au moyen de collages ou d'assemblages de toutes sortes.

Les autres galeries de cet étage abritent des expositions de **dessins, gravures** et **œuvres contemporaines**, sans cesse renouvelées.

● **Troisième étage** *(fourth floor)*

Cet espace est entièrement consacré à l'architecture et au design. Rauschenberg, l'un des chefs de file du pop art, déclarait : « Il n'y a pas de raison de ne pas considérer le monde comme une gigantesque peinture » ; c'est justement ce que cherche à démontrer le musée en rassemblant de multiples objets considérés, à tort ou à raison, comme des symboles modernes ou « postmodernes » : calculatrice Sinclair de 1972 ; ordinateur Mindset (1983).

Dans la galerie d'architecture sont présentés études, maquettes et dessins de Mies Van der Rohe, le père de l'architecture de verre et d'acier, F.L. Wright, pionnier du modernisme qui refusait tout ce qui est en désaccord avec la nature, Le Corbusier (maquette de la villa Savoye dont l'original se trouve à Poissy ; 1929), Stirling et Graves.

■ Le musée des Cloîtres***

The Cloisters Museum

Adresse : 193 St. & Ft Washington Ave. ; hors plan XIV, A1

Accès : nous vous conseillons d'y aller en bus : terminus de la ligne n° 4, que vous pouvez prendre sur Madison Ave. entre 34th et 110th Sts. Si vous préférez le métro : 190th St./Ft Washington Ave. ou Dyckman St./200th St. Broadwa, ligne A. 10 mn à pied.

Visite : t.l.j. sf lun., 9 h 30-16 h 45
☎ *923-3700. Entrée gratuite avec le
ticket du Metropolitan Museum of Art.*

Voilà un musée pour le moins insolite : un pseudo-monastère roman (directement inspiré de Saint-Michel-de-Cuxa) dans lequel sont incorporés des pans entiers d'édifices médiévaux. Une chapelle romane, une salle capitulaire du XIIᵉ s. et quatre cloîtres en partie reconstitués sont en effet intégrés au musée.

Mais sont aussi conservées en ce vénérable lieu quelques-unes des meilleures pièces du département d'art médiéval du Metropolitan Museum et, notamment, la célèbre série des tapisseries de *La Chasse à la licorne.*

La découverte de ces galeries s'offre donc comme une magnifique leçon d'histoire, chaque objet, chaque sculpture retrouvant ici tout son pouvoir d'évocation. Et pourtant, il y a quelque chose d'un peu déroutant, d'un peu anachronique, dans cet assemblage de « morceaux d'architecture » sortis de leur contexte.

Deux collectionneurs passionnés. – À l'origine de cette collection se trouve la passion d'un sculpteur, George Grey Barnard, pour l'art médiéval. Celui-ci récupéra en France et en Espagne, avant la Première Guerre mondiale, quantité de sculptures et de fragments d'architecture. De retour à New York, il y fonda en 1914 un petit musée. C'est cet ensemble qui fut racheté en 1925 par John D. Rockefeller Jr. et donné au MET pour former le noyau du musée actuel, enrichi par la suite de nombreux dons des Rockefeller.

Un nouvel édifice fut construit entre 1934 et 1938, sur des terrains offerts par Rockefeller, inspiré entre autres des plans de l'une des tours de Saint-Michel-de-Cuxa (architecte Charles Collens).

Le musée s'élève sur une colline dominant l'Hudson River, d'où la **vue**** est splendide.

Niveau supérieur (main floor)

Les numéros entre parenthèses renvoient au plan p. 129.

● **Le hall roman** (*nᵒ 2*). – On y verra trois portails qui illustrent des styles différents. Le **portail d'entrée** date du milieu du XIIᵉ s. Le **portail de Reugny**, à l'entrée du cloître de Saint-Guilhem, a été exécuté dans un style de transition entre le roman et le gothique (fin XIIᵉ s.). Le **portail de Moutiers-Saint-Jean*** (Bourgogne, milieu XIIIᵉ s.) est gothique ; les deux personnages sculptés seraient Clovis et son fils Clothaire ; au tympan, Couronnement de la Vierge.

Les **fresques d'Arlanza** (XIIIᵉ s.) appartenaient à la salle du chapitre du monastère de San Pedro d'Arlanza, au S. de Burgos ; elles représentent des bêtes fantastiques : le lion ressemble à ceux qui illustrent un manuscrit de la Pierpont Morgan Library.

● **Chapelle de Fuentidueña** (*nᵒ 3*). – Le point fort de cette salle est l'**abside**** romane (1160 ; prêt du gouvernement espagnol) de l'église Saint-Martin de Fuentidueña, au N. de Madrid ; statues de saint Martin et de l'Annonciation, qui semblent incorporées à l'architecture absidiale ; les **chapiteaux*** des piliers sont sculptés de motifs bibliques. Les **fresques de l'abside***, qui ne sont pas sans analogies avec des mosaïques byzantines, représentent la Vierge à l'Enfant, les rois mages, les archanges Gabriel et Michel ; elles décoraient autrefois l'abside de la petite église catalane de San Juan de Tredòs, dans les Pyrénées.

● **Cloître de Saint-Guilhem*** (*nᵒ 4*). – Ce cloître est composé de **chapiteaux** et de **colonnes** qui appartenaient à l'abbaye bénédictine de Saint-Guilhem-le-Désert, fondée en 804 par saint Guillaume le Grand, duc d'Aquitaine. Les motifs géométriques et végétaux qui ornent ces sculptures se rapprochent de l'art romain. Au centre du cloître, un chapiteau roman de l'église de Figeac a été aménagé en fontaine.

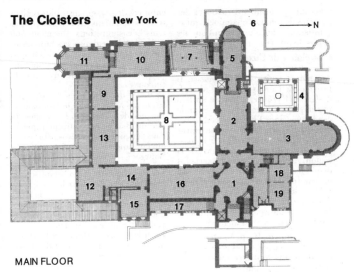

The Cloisters   **New York**

→ N

MAIN FLOOR

1 Entrance Hall
2 Romanesque Hall
3 Fuentidueña Chapel
4 Saint-Guilhem Cloister
5 Langon Chapel
6 West Terrace
7 Pontaut Chapter House
8 Saint-Michel
   de Cuxa Cloister
9 Heroes Tapestry Room

10 Early Gothic Hall
11 Gothic Chapel
12 Boppard Room
13 Unicorn Tapestries Hall
14 Burgos Tapestry Hall
15 Spanish Room
16 Late Gothic Hall
17 Froville Arcade
18 Garderobe
19 Information

Kart. Inst. G. Schiffner, Lahr/Schwarzwald

● **La chapelle de Langon** *(n° 5)*. – La maçonnerie romane, incorporée dans les murs, vient de l'église Notre-Dame-du-Bourg à Langon (XIIᵉ s.) ; on notera en particulier les étonnants **chapiteaux*** à figures humaines (1160). La **Vierge à l'Enfant*** sur un trône, autrefois polychrome, étonnante de gravité douloureuse, est de l'école bourguignonne (première moitié du XIIᵉ s.). Il est intéressant de la comparer à une autre **Vierge en majesté** du XIIᵉ s. (Auvergne), dont l'expression est un peu moins réaliste. Toutes deux étaient peintes. Les

vitraux datent de 1230-1240 et proviendraient de Troyes.

● **La salle du chapitre de Pontaut**** *(n° 7)*. – Cette salle, provenant de l'abbaye de Pontaut, située à Mant en Gascogne, forme un bel ensemble architectural à la charnière entre le roman et le gothique ; seuls le plancher et les voûtes en plâtre sont des copies. Notez qu'elle est de forme irrégulière et que les murs ne sont pas tout à fait parallèles. Les chapiteaux, les tailloirs des chapiteaux et les clefs de voûtes sont décorés d'étoiles, de petites rosaces, de palmes ainsi que d'oiseaux picorant du raisin et des pommes de pin. Les chanoines, qui se réunissaient ici, s'asseyaient sur les bancs de pierre.

● **Le cloître de Cuxa***** *(n° 8).* – La reconstitution de ce cloître est l'une des pièces maîtresses du musée. Il provient de l'abbaye de Saint-Michel-de-Cuxa (Pyrénées), fondée en 878 par des bénédictins et d'une grande renommée dans l'Europe médiévale. Sous la Révolution française, après avoir été pillé plusieurs fois, le monastère fut vendu à trois habitants de la région. Au XIXᵉ s., la maçonnerie fut dispersée. Le cloître daterait du milieu du XIIᵉ s. D'après un plan de 1779 et des notes du XIXᵉ s., le cloître d'origine aurait été deux fois plus grand. Les murs ont été complétés à l'aide de marbre du Languedoc.

Les **chapiteaux**** présentent une grande variété de styles et de sujets : quelques-uns sont façonnés dans de simples blocs ; d'autres mêlent de façon originale des motifs sans doute inspirés des tissus et objets d'art rapportés du Proche-Orient ; d'autres encore représentent des fables, des animaux fantastiques symboles des forces du bien combattant celles du mal.

Le **jardin du cloître** de Cuxa fut difficile à reconstituer, faute d'informations. On y voit des iris et d'autres plantes connues au Moyen Âge ainsi que des pommiers. La **fontaine centrale**, qui provient de Saint-Genis-des-Fontaines, serait d'anciens fonts baptismaux ; celle qui est située à l'angle N.-E. vient du monastère de Notre-Dame-du-Vilar. Elles datent de la même époque que les chapiteaux du cloître et le marbre rose a la même origine.

● **La salle des tapisseries des Neuf Preux** *(n° 9).* – Les seules séries de tapisseries de la fin du XIVᵉ s. qui subsistent encore sont celles de l'Apocalypse à Angers et les **tapisseries des Neuf Preux****. L'ensemble était formé de trois tapisseries chacune représentant trois héros, grandeur nature, entourés de personnages plus petits : trois héros païens, trois héros juifs et trois héros chrétiens. De même que celles de l'Apocalypse, ces tapisseries furent dispersées au cours des temps. Cinq héros sur neuf et presque tous les personnages secondaires ont été retrouvés.

Le thème des Neuf Preux a été popularisé au XIVᵉ s. par le troubadour Jacques de Longuyon. Les armes du duc de Berry sont souvent répétées dans la tapisserie des héros hébreux, ce qui fait supposer qu'elle fut exécutée à Bourges à son intention.

Les héros hébreux : c'est la tapisserie la plus complète. Les deux héros, entourés de courtisans, sont vêtus à la mode du Moyen Âge. Josuah est couronné tandis que David porte une harpe d'or. Judas Maccabée a disparu.

Les héros païens : Alexandre le Grand, un lion sur ses armes, et Jules César avec l'aigle bicéphale. Hector, au centre, manque.

Les héros chrétiens : on n'a retrouvé que le roi Arthur, identifié grâce aux trois couronnes, symboles de l'Angleterre, de l'Écosse et de la Bretagne, brodées sur son vêtement et sur sa bannière. Charlemagne et Godefroi de Bouillon ont disparu.

● **Hall des tapisseries de la licorne** *(n° 13).* – La *Chasse à la licorne****, série de sept tapisseries, forme un superbe ensemble tant par la richesse des couleurs que par l'intensité du réalisme dans le dessin. On connaît mal l'origine de ces tapisseries : on sait seulement qu'elles ont sans doute été exécutées à l'occasion d'un mariage ; d'après leur style et leur technique, elles auraient été tissées à Bruxelles vers 1500, sur les dessins d'un artiste français. Les première et dernière tapisseries seraient plus récentes comme le laisse supposer leur fond « mille fleurs ». Ces tapisseries révèlent une foule de détails sur les costumes et les plantes de l'époque.

La légende de la licorne est riche en symboles : au-delà de la simple histoire de la chasse et de la capture de l'animal, on a souvent établi un parallèle avec la Passion du Christ. La **première scène** raconte le début de la chasse. Dans la **deuxième**, la licorne purifie l'eau qui a été empoisonnée par un serpent, c'est-à-dire Satan. Dans les **troisième** et **quatrième** scènes, les chasseurs tentent vainement de capturer la bête, invincible par l'homme. À la **cinquième** scène (très fragmentaire), la licorne vient reposer au pied d'une vierge ; elle se laisse apprivoiser et capturer, comme le Christ qui, en apparence, renonça à sa nature divine pour se faire homme à travers la Vierge Marie. Dans la **sixième**, la licorne morte est ramenée au château et, dans la **septième**, on la voit ressuscitée, enchaînée sous un grenadier.

● **Hall du début de la période gothique** (*n° 10 ; retraverser le cloître de Cuxa*). – Le thème favori des sculpteurs, qui était à l'époque la Vierge et l'Enfant, est illustré par de nombreuses statues. La **Vierge**** provenant du jubé de la cathédrale de Strasbourg (démoli en 1680), très majestueuse, est caractéristique de la statuaire de la première moitié du XIIIᵉ s. Elle révèle les aspects les plus nobles de la sculpture gothique. Les plis de son manteau, bordé de pierres précieuses, mettent en valeur la simplicité de sa robe ; la douceur des traits est accentuée par la couleur de la peau, des yeux ; la peinture de cette statue en grès a été préservée grâce aux couches qu'on y avait successivement ajoutées. L'imposante statue de la **Vierge à l'Enfant*** (XIVᵉ s.), qui provient de la région de Paris, a conservé aussi ses couleurs originales. Par son déhanchement et le jeu des draperies, on peut la dater du milieu du XIVᵉ s.

Sous-sol (ground floor) : accès par le hall du début de la période gothique

Les numéros entre parenthèses renvoient au plan p. 132.

● **La chapelle gothique** (*n° 1*). – Elle reprend les grandes lignes de la chapelle Saint-Nazaire à Carcassonne et de l'église de Monsempron. Cet ensemble moderne a été édifié pour servir de cadre aux objets exposés. Parmi les **gisants**, notez celui de **Jean d'Alluye** (XIIIᵉ s.), statue grandeur nature du jeune homme en armes, provenant de la Clarté-Dieu, près du Mans. Celui d'**Ermengol VII***, comte d'Urgel, est un bel exemple de la sculpture de Lérida (Espagne) : le sarcophage, orné du Christ et des douze apôtres, repose sur trois lions couchés ; au-dessus, en arrière du gisant, groupe de pleurants, la plupart décapités et au-dessous de ceux-ci un autre groupe représentant le rite funéraire de l'absolution.

Les **vitraux*** datent du XIVᵉ s. Les trois fenêtres centrales de l'abside, de St-Leonhard in Lavanttal (Autriche), présentent des figures simples dans de lourdes architectures (vers 1340). Les deux autres panneaux (aux extrémités), plus tardifs et également autrichiens, sont plus élégants.

● **La galerie des vitraux** (*n° 4*). – Cette galerie est consacrée aux œuvres d'art de la fin du Moyen Âge. On y verra, entre autres, 75 médaillons en vitrail à sujet religieux, exécutés en Allemagne vers la fin du XVᵉ s. et le début du XVIᵉ s. ; la finesse du dessin, qui rehausse les motifs colorés à dominante de teintes brunes, n'est pas sans rappeler l'art de l'enluminure des manuscrits de l'époque. Nombreuses statues de style bourguignon.

● **Le cloître de Bonnefont** (*n° 2*). – Les **chapiteaux*** appartiennent au cloître de l'ancienne abbaye de Bonnefont-en-Comminges, fondée près de Toulouse en 1136. Ils datent probablement de la fin du XIIIᵉ s. ou du début du XIVᵉ s. Notez que ceux de l'arcade N. sont très dépouillés comme le voulait la règle cistercienne. Ceux de l'arcade E. sont plus naturalistes et plus variés : plusieurs montrent des armoiries.

Le **jardin** a été refait d'après les dessins et descriptions retrouvés dans les tapisseries, peintures et textes médiévaux, et notamment grâce à la liste des plantes que Charlemagne faisait cultiver dans son palais.

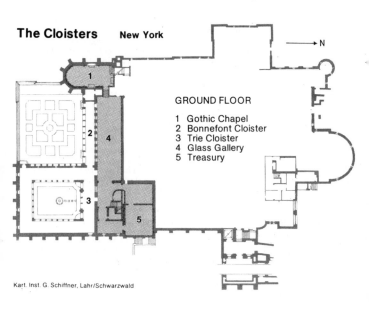

The Cloisters New York

GROUND FLOOR

1 Gothic Chapel
2 Bonnefont Cloister
3 Trie Cloister
4 Glass Gallery
5 Treasury

Kart. Inst. G. Schiffner, Lahr/Schwarzwald

● **Le cloître de Trie*** *(n° 3)*. – Trois côtés de ce cloître ont été reconstitués avec des chapiteaux, des bases de colonnes et un fragment de voûte provenant des couvents de Trie et de Larreule, dans la région de Bigorre. Pour le quatrième, on a utilisé des chapiteaux venant de Bonnefont.

Ces **chapiteaux**** ont été sculptés entre 1484 et 1490. Par leurs motifs et leurs scènes narratives, ils sont dans le ton de ce qui se faisait à la fin du Moyen Âge : les scènes bibliques sont souvent associées à des personnages grotesques, à des blasons ou à des drôleries qui font penser aux enluminures de la même époque. Les sujets sont pour la plupart tirés de la Bible et des légendes de saints.

Les chapiteaux ont été placés par ordre chronologique depuis l'angle N.-O. : Dieu créant le Soleil, la Lune et les étoiles ; puis dans la galerie O., la création d'Adam et Ève, le sacrifice d'Isaac, etc. ; dans la galerie S., la vie du Christ ; dans la galerie E., la vie des saints (saint Georges terrassant le dragon, la lapidation de saint Étienne).

● **Trésor** *(n° 5)*. – Trois salles qui contiennent des objets de qualité exceptionnelle : panneaux sculptés, objets liturgiques en ivoire, en argent ou en or, reliquaires, statuettes, enluminures...

Trente-cinq **panneaux de chêne*** finement sculptés, représentant des scènes de la vie de la Vierge et du Christ, ornent les murs de l'antichambre ; ils auraient été exécutés par quatre artisans vers 1500 pour l'abbaye royale de Jumièges, en Normandie. Parmi les objets liturgiques, on verra entre autres un superbe **tabernacle autrichien**** (1494) de Salzbourg, avec de fins reliefs en nacre, et une très belle **croix d'autel**** en ivoire sur laquelle sont gravés près de 60 inscriptions en grec et en latin et une centaine de petits personnages illustrant des scènes de l'Ancien et du Nouveau Testament (milieu XIIᵉ s. ; Bury St Edmunds).

La collection de manuscrits comprend deux pièces maîtresses : le *Livre d'heures de Jeanne d'Évreux**** (1325-1328) par Jean Pucelle, qui régna sur la miniature parisienne pendant près d'un siècle, et les *Belles Heures du duc de Berry***, par les frères Limbourg (1410-1413) que l'on rapprochera des *Très Riches Heures* exécutées par les mêmes artistes et conservées à Chantilly.

Niveau supérieur (main floor) : remontez par l'escalier situé dans la galerie des vitraux

Les numéros entre parenthèses renvoient au plan p. 129.

● **Salle Boppard** *(nᵒ 12).* – Les deux chefs-d'œuvre de cette salle sont un retable d'albâtre et six vitraux. Ces **vitraux**** viennent de l'église du carmel de Saint-Séverin à Boppard, sur le Rhin. Leur style se rapproche de ce qui se faisait à Cologne. Ils datent de 1440-1447. Leurs sujets, de g. à dr. : un évêque terrassant un dragon, la Vierge vêtue d'une robe ornée de grains de blé, un autre saint évêque, sainte Catherine d'Alexandrie portant une roue et une épée, instruments de son martyre, sainte Dorothée de Césarée tenant un panier de fleurs, sainte Barbe portant une tour.

Le grand **retable d'albâtre**** était placé derrière un autel dans le palais de l'archevêque de Saragosse (XVᵉ s.). Les scènes, distribuées dans de superbes niches flamboyantes, racontent de manière très vivante la vie de saint Martin et de sainte Thècle. On sent nettement l'influence des Flandres dans ce réalisme où les sujets religieux sont traités comme des scènes de la vie quotidienne ; on le voit dans les détails du décor et les gestes des personnages.

● **Hall de la tapisserie de Burgos** *(nᵒ 14).* – La **tapisserie** de cette salle appartient à une série de huit tapisseries qui ont pour thème le salut de l'humanité ; celle-ci dépeint la Nativité et des scènes s'y rapportant. Suivant la tradition, elle aurait été tissée à Bruxelles vers 1495 pour l'empereur Maximilien et aurait été exécutée par Peter Van Aelst.

● **Salle espagnole** *(nᵒ 15).* – C'est dans cette salle que l'on verra l'un des chefs-d'œuvre de l'art flamand : *L'Annonciation*** peinte vers 1425 par Robert Campin (très probablement le Maître de Flémalle). La scène se passe dans un intérieur bourgeois, contrairement à l'usage qui voulait qu'une telle scène soit dans un cadre religieux. Chaque détail est d'ailleurs soigneusement analysé, l'atmosphère rendue avec beaucoup de poésie. Ce réalisme se retrouve dans les panneaux latéraux : le donateur et son épouse ; saint Joseph dans son atelier en train de fabriquer une souricière. La perception de l'espace est encore maladroite, mais les objets ont déjà une présence réelle, tangible.

Le **mobilier** de cette pièce rappelle celui du tableau. Remarquez aussi le beau **plafond peint,** espagnol, du XVᵉ s.

● **Salle de la fin de la période gothique** *(nᵒ 16).* – Le plafond, fait de poutres travaillées à la main apportées d'anciens bâtiments du Connecticut, est dans le style des plafonds médiévaux ; les quatre fenêtres du XVᵉ s. éclairaient le réfectoire du couvent des dominicains de Sens. Sur les quatre portails médiévaux, trois sont très bien conservés.

Les **retables** sont de beaux spécimens de peinture des écoles espagnole et rhénane.

■ Whitney Museum of American Art**

Entrée : *945 Madison Ave. & 75th St. (plan XI, C1) ; métro 77th St., ligne 6 ; bus nos 1, 2, 3, 4.*

Visite : *mer. 11 h-18 h, jeu. 13 h-20 h, ven.-dim. 11 h-18 h.*

Rien que des artistes américains exposent dans les galeries de ce musée, mais non des moindres : Hopper, Warhol, Georgia O'Keeffe, Pollock, Rothko... Consacré à l'art du XXe s. sous toutes ses formes, il fut fondé par le sculpteur Gertrude Vanderbilt Whitney en 1930 avec pour vocation de soutenir de jeunes artistes nationaux. Le bâtiment, immense bloc de granit à trois niveaux, fonctionnel et sévère, est l'œuvre de Marcel Breuer qui passa par le Bauhaus (1966). À l'intérieur, tout un siècle d'art américain est retracé à travers une quinzaine d'expositions temporaires annuelles ; la collection permanente est généralement exposée au 3e niveau. Le musée possède également une impressionnante collection d'œuvres d'**Edward Hopper** (près de 2 000 pièces), léguées par la veuve de l'artiste. À l'entrée, les visiteurs sont accueillis par le *Cirque* d'Alexander Calder, reconstitution miniature d'un cirque des années 20.

La **Biennale du Whitney**, qui présente les tendances les plus actuelles de l'art américain, constitue un véritable événement artistique.

Le musée possède une annexe : **Philip Morris Building** *(120 Park Ave./42nd St.).*

L'Amérique désœuvrée d'Edward Hopper

« Edward Hopper, malgré son réalisme, est un maître du drame pictural. Mais ses acteurs sont rarement humains », commentait Alfred Barr, directeur du MOMA, lors d'une rétrospective des œuvres de l'artiste en 1933. Dans cette Amérique en crise, le peintre emplit ses toiles du silence et de la solitude sans espoir qui asphyxient d'ennui les petites villes de province. Son arme ? La lumière. Claire, parfois crue, il la promène comme une caméra dans des intérieurs sans horizon et sur des êtres en attente.

Élève des plus célèbres artistes réalistes à la New York School of Art, Hopper a longtemps gagné sa vie comme illustrateur de revues. En 1910, après quelques séjours à Paris, il se fixe définitivement à New York. La ville devient le principal sujet de son œuvre : un univers de rues vides, de cafétérias, de bars de nuit, baignés dans une lumière blafarde où sombrent des anonymes isolés de tous et de tout, perdus, comme dans une *Chambre à Brooklyn*. Ses étés, il les passe sur les côtes de Nouvelle-Angleterre où il peint inlassablement les villas désertes des bords de mer : *Maison au bord de la voie ferrée*. Peintre chéri de ses compatriotes, son univers séduira aussi, bien au-delà des frontières, le romancier allemand Peter Handke et le cinéaste Wim Wenders.

8 – Les autres musées de New York

● **Abigail Adams Smith Museum** (*421 E. 61st St., au niveau de 1st Ave. ; plan XI, D2 ; ouv. lun.-ven. 12 h-16 h, sept. à mai, dim. 13 h-17 h, juin & juil. mar. 17 h 30-20 h ; f. en août*). – Une des plus anciennes demeures de Manhattan ; elle fut construite en 1795 pour la fille de John Adams, deuxième président des États-Unis, avant de devenir un musée. Le point fort est la collection de mobilier de style fédéral ainsi que le petit jardin attenant dans le goût du XVIIIe s.

● **Alice Austen House** (→ *prom. 21, p. 277*).

● **Alternative Museum** (→ *prom. 10, p. 240*).

● **American Craft Museum*** (→ *prom. 1, p. 164*).

● **American Museum of Natural History**** (*Central Park West & 79th St., plan XII, B3 ; métro 81st St./Museum of Natural History, ligne A, C, B ou D ; ouv. dim.-jeu. 10 h-17 h 45, ven.-sam. 10 h-20 h 45*). – Le plus vaste musée du monde dans sa spécialité. Chaque aspect de l'évolution naturelle de la planète est traité ici sous forme de reconstitution : évolution humaine, biologie du corps humain, faune préhistorique avec d'impressionnants dinosaures grandeur nature, vie des océans. Les civilisations du globe sont également représentées à travers les nombreuses expositions consacrées aux peuples d'Amérique du Sud, d'Asie, d'Afrique ou du cercle polaire. Enfin reste à découvrir la superbe collection de minéraux et gemmes, les mystères de la vie animale, avec l'évolution des oiseaux depuis 150 millions d'années, les mammifères d'Afrique et d'Asie, les poissons ou encore les invertébrés.

Le Hayden Planetarium (*habituellement séances à 13 h 30 et 15 h 30 en semaine ; durant les week-ends et les vacances, séances supplémentaires ☎ 769-5100*) vous invite à explorer le système solaire à travers une série de représentations audiovisuelles. Renseignez-vous sur place pour connaître le programme des différents Sky Shows et Laser Shows (ven.-sam. 19 h-20 h 30).

● **American Museum of the Moving Image*** (→ *prom. 23, p. 280*).

● **American Numismatic Society** (→ *prom. 19, p. 272*).

● **Asia Society Galleries** (*725 Park Ave. & 70th St., plan XI, C1 ; métro 68th St./Hunter College, ligne 6 ; ouv. mar.-sam. 11 h-18 h ; jeu. 11 h-20 h ; dim. 12 h-17 h*). – Conçue pour promouvoir les relations entre Américains et Asiatiques, l'Asia Society expose des œuvres majeures venant de Chine, du Japon ou d'Inde : céramiques, estampes et sculptures religieuses.

● **Black Fashion Museum** (*prom. 19, p. 272*).

● **Brooklyn Historical Society** (→ *prom. 20, p. 275*).

● **Brooklyn Museum**** (→ *prom. 20, p. 276*).

● **Children's Museum of Manhattan** (*212 W. 83rd St. ; ouv. lun., mer., jeu. 13 h 30-17h30, ven., sam., dim. 10 h-17 h*). – Ce musée interactif invite les enfants (de moins de 12 ans) à explorer le monde de la technologie et de la science à travers des jeux, expositions ou films.

● **China House Gallery** (*China Institute in America 125 E. 65th St., au niveau de Park Ave. ; plan XI, C1 ;*

*métro Lexington Ave. ligne N ou R ;
ouv. lun.-sam. 10 h-17 h ; mar. 10 h-
20 h ; dim. 13 h-17 h).* – Consacrée
bien sûr à l'art chinois sous toutes ses
formes, cette galerie s'inscrit dans la
politique du centre culturel de Chine,
visant à faire découvrir des aspects
méconnus de la culture de ce pays.
Beaucoup de pièces rares auxquelles
viennent s'ajouter des expositions
temporaires.

● **Con Edison Energy Museum** *(145
E. 14th St. ; ouv. t.l.j. sf dim. lun. 9 h-
17 h.).* – Le musée retrace l'aventure
de l'électricité depuis le jour où Thomas Edison mit en service la première centrale électrique de New York en
1882. Diverses machines conçues par
le génial inventeur sont présentées.

● **Cooper-Hewitt Museum**** *(2 E. 91st
St., plan XIII, C2 ; métro 86th St.,
ligne 4, 5 ou 6 ; ouv. mar. 10 h-21 h,
mer.-sam. 10 h-17 h, dim. 12 h-17 h).*
– C'est dans un bel hôtel de la 5th
Ave. qu'est installé ce musée voué aux
arts décoratifs : une riche collection
de dessins, gravures, textiles, papiers
peints, mobilier, verreries, poteries,
porcelaines et orfèvrerie présentée
dans l'ancienne demeure d'Andrew
Carnegie. La maison illustre bien ces
folies architecturales construites pour
les milliardaires du début du siècle.
Les pièces servent désormais de galeries, mais leur décoration d'origine a
été en partie préservée (architectes
Babb, Cook & Willard, 1901).

Créé en 1897 pour abriter la collection
de dessins et d'art décoratif Cooper-
Hewitt, le musée est aujourd'hui affilié
à la Smithsonian Institution et occupe
cet emplacement depuis 1976. Les
objets sont exposés, par roulement,
dans des expositions temporaires généralement originales et de grande
qualité. Parmi ses trésors, le musée
compte de très nombreux dessins
d'architecture ainsi que près de 300
dessins de Winslow Homer.

● **Dyckman House** *(→ prom. 19,
p. 274).*

● **Edgar Allan Poe Cottage** *(→ prom.
22, p. 279).*

● **Ellis Island Immigration Museum****
(→ prom. 4, p. 180).

● **Forbes Magazine Galleries** *(→ prom.
9, p. 236).*

● **Federal Hall** *(→ prom.3, p. 173).*

● **Fraunces Tavern Museum** *(→ prom.
3, p. 172).*

● **Gracie Mansion** *(→ prom. 12,
p. 247).*

● **Hayden Planetarium** → **American
Museum of Natural History** *(p. 227).*

● **Hispanic Society of America**
(→ prom. 19, p. 272).

● **International Center of Photography**
*(1130 5th Ave., au niveau de 94th St. ;
plan XIII, C2 ; métro 96th St., ligne 6 ;
ouv. mar. 11 h-20 h, mer.-dim. 11 h-
18 h).* – La première fonction de ce
centre était de préserver l'œuvre de
trois grands photographes morts dans
les années 50 : Robert Capa, David
Seymour et Werner Bischof. Aujour-
d'hui son fonds s'est considérablement
étoffé et ses expositions temporaires
sont nombreuses et variées. Il est installé
dans un bel immeuble de style fédéral
(architectes Delano et Aldrich, 1914).

Une annexe a été ouverte en 1989 :
**International Center of Photography
Midtown** *(Ave. of the Americas & 43rd
St. ; ouv. mar. 11h-20h, mer.-dim. 11 h-
18 h).*

● **Isamu Noguchi Gardens & Museum**
(→ prom. 23, p. 280).

● **Jewish Museum*** *(1109 5th Ave., au
niveau de 92nd St. ; plan XIII, C2 ;
métro 96th St., ligne 6 ; ouv. dim. lun.
mer. jeu. 11 h-17 h 45, mar. 11 h-20 h,
f. ven.).* – Ce musée, consacré à la culture et à l'art israélites, a rouvert ses
portes en mars 1993 après d'importants travaux d'agrandissement et de
restauration. Son architecture néo-
gothique est aujourd'hui pleinement
mise en valeur. Les importantes col-

lections du musée permettent de retracer l'évolution des valeurs, de l'identité judaïque, ainsi que l'histoire de sa communauté telle qu'elle s'est développée depuis plus de 4 000 ans. Ses expositions temporaires sont souvent très originales. Parmi les points forts, il faut remarquer le très riche ensemble de tissus anciens, les livres et les archives audiovisuelles.

● **Lower East Side Tenement Museum** (→ prom. 16, p. 261).

● **Museo del Barrio** (1230 5th Ave., au niveau de 104th St. ; plan XIII, C1 ; ouv. mer., ven.-dim. 11 h-17 h ; jeu. 12 h-19 h ; ☎ 831-7272). – C'est le centre culturel de la communauté hispanisante de Harlem (El Barrio est le nom espagnol de Harlem) : concerts de musique contemporaine, conférences, films et expositions centrées sur les artistes d'Amérique latine.

● **Museum for African Art** (→ prom. 10, p. 240).

● **National Museum of the American Indian** (1 Bowling Green, George Gustave Hey Center ; ouv. t.l.j. 10 h-17 h ; rens. ☎ 668-6624 ; métro Bowling Green, lignes 4 et 5, Recto St., lignes N et R, South Ferry, lignes 1 et 9). – Ce musée, membre de la Smithsonian Institution depuis 1990, rend hommage à la culture amérindienne. Il présente l'une des plus belles collections ethnographiques et archéologiques sur les Indiens d'Amérique. Au total plus d'un million d'objets, dont de précieuses pièces de vaisselle incas et iroquoises, des armes ayant appartenu au chef sioux Sitting Bull, des objets artisanaux. Peu d'objet religieux ou rituels, à la demande des Amérindiens eux-mêmes. Les deux tiers de cet ensemble concernent l'Amérique du Nord (États-Unis et Canada).

● **Museum of American Folk Art** (Lincoln Center, 2 Lincoln Square Columbus Ave. entre 65th & 66th Sts. ; ouv. mar.-dim. 11 h 30-19 h 30 ☎ 595-9533). – Un musée où l'on découvre l'art populaire américain, des meubles, peintures, tissus, ustensiles de cuisine élevés au rang d'objets d'art. Il organise également des expositions temporaires.

● **Museum of the City of New York**** (5th Ave. & 103rd St., plan XIII, C1 ; métro 103rd St., ligne 6 ; ouv. mer.-sam. 10 h-17 h, dim. 13 h-17 h.). – Le but de cette institution est de faire revivre New York au fil de son histoire : la croissance de la ville, mais aussi la vie quotidienne, le monde des spectacles, des lettres et des arts à diverses époques. Ses expositions temporaires sont très vivantes et didactiques. Ses expositions permanentes, les **Periods Rooms*** entre autres, reconstituent pour notre plus grand plaisir les intérieurs des plus anciennes demeures de la ville (de la fin du XVIIᵉ au début du XXᵉ s.). Le décor des petits châteaux du siècle dernier est évoqué : la chambre et le cabinet de toilette de John. D. Rockefeller au riche mobilier d'ébène à incrustation de nacre (1880 env.). La collection d'orfèvrerie est également intéressante (Silver Gallery). Notez enfin une amusante collection de maisons de poupées (General Mills Toy Gallery). Le musée organise également des vis. guidées thématiques de la ville.

● **Museum of Television and Radio** (→ prom. 1, p . 164).

● **Morris Jumel Mansion** (→ prom. 19, p. 274).

● **National Academy of Design** (1083 5th Ave., au niveau de 89th St. ; ouv. mer.-dim. 12 h-17 h, ven. 12 h-20 h). – Fondée au début du XIXᵉ s., cette académie possède une vaste collection de dessins, peintures et sculptures, qui illustre l'art américain du XIXᵉ et du XXᵉ s., redécouverte à travers d'excellentes expositions temporaires.

● **New Museum of Contemporary Art** (→ prom. 10, p. 240).

● **New York City Fire Museum** (→ prom. 10, p. 240).

● **New York Historical Society*** (2 W. 77th St., plan XII, B3 ; métro 81st St., ligne A, C, B ou D ; rénové, réouvert depuis mai 1995, ouv. mer.-dim. 12 h-

17 h ; *bibliothèque ouv. mer.-dim. 12 h-17 h ; pour les expositions se renseigner sur place* ☎ *873-3400).* – Ce bâtiment de style néo-classique abrite le plus vieux musée de New York, consacré à l'histoire artistique de la ville. On peut y admirer mobilier, peintures, gravures, dessins, jouets ainsi que deux très belles collections : l'ensemble de **lampes** réalisé par **Tiffany*** entre 1890 et 1920 et plus de 400 **aquarelles de John Audubon**** (présentées par roulement). Le musée possède aussi une grande bibliothèque, véritable mine d'informations sur l'architecture de la ville.

● **Old Merchant's House** *(29 E. 4th St. ; plan IX, C3 ; ouv. dim.-jeu. 13 h-16 h, les horaires pouvant changer ;* ☎ *777-1089).* – Cette belle bâtisse de style fédéral, dont le mobilier et la décoration sont restés intacts, évoque la vie de la bourgeoisie new-yorkaise au siècle dernier. L'exposition est intéressante et la maison reste l'un des meilleurs témoignages de l'architecture des années 1830-1840.

● **Pierpont Morgan Library**** *(→ prom. 1, p. 158).*

● **Police Academy Museum** *(235 E. 20th St. ; plan VIII, C2 ; téléphoner pour jours et horaires d'ouverture,* ☎ *477-9753)* est naturellement consacré à l'histoire de la police et de ses méthodes d'investigation ; histoire du banditisme et du crime organisé.

● **Queens Museum of Art** *(→ prom. 23, p. 280).*

● **Richmondtown Restoration*** *(→ prom. 21, p. 277).*

● **Schomburg Center for Research in Black Culture** *(→ prom. 19, p. 272).*

● **Serge Sabarsky Foundation** *(→ prom. 12, p. 245).* Ouv. en janv. 1996.

● **Snug Harbor Cultural Center** *(→ prom. 21, p. 277).*

● **Socrates Sculpture Park** *(→ prom. 23, p. 280).*

● **South Street Seaport Museum**** *(→ prom. 3, p. 177).*

● **Staten Island Children's Museum** *(→ prom. 21, p. 277).*

● **Studio Museum in Harlem** *(→ prom. 19, p. 272).*

● **Theodore Roosevelt Birthplace** *(→ prom. 17, p. 263).*

● **Tibetan Museum** *(→ prom. 21, p. 277).*

● **Ukrainian Museum** *(203 2nd Ave., entre 12th et 13th Sts. ; plan IX, C2 ; ouv. mer.-dim. 13 h-17 h).* – Ce petit musée d'East Village évoque la culture et l'art de vivre ukrainiens, avec entre autres une collection d'œufs de Pâques peints.

● **Yivo Institute for Jewish Research** *(555 W. 57th St.,* ☎ *212/246-6080 ; ouv. lun.-jeu. 9 h 30-17 h 30 ; à partir de janvier 1997 au 15 W. 16 St.)* ; expositions principalement consacrées aux Juifs d'Europe de l'Est.

9 – Greenwich** (West Village**)

Washington Square** – Le S. de 5th Ave. – Grove St.* – Bedford St.* – Christopher St.

Situation : *autour de Washington Square (plan VIII, B3)*

Demandez à des New-Yorkais pourquoi ils apprécient le Village. Certains vous répondront qu'ils aiment sa tranquillité, d'autres son animation. Hommes et femmes d'affaires, après une journée tendue dans l'atmosphère effrénée des centres financiers, trouvent un refuge dans leurs tours d'ivoire (ravissante maisonnette de brique ou loft rénové, hors de prix, *penthouses* aux jardins suspendus Art déco), tandis qu'étudiants, artistes et fêtards y vivent la nuit.

Le Village échappe à toutes les définitions. De l'époque où il fut le lieu de rendez-vous de l'avant-garde, il a conservé une atmosphère un peu bohème. Par tradition, c'est l'un des bastions du radicalisme (la gauche libérale). Mais cela n'est pas si tranché : certains de ses habitants peuvent être conservateurs, et d'autres pourraient se mesurer aux plus ultras. Dans l'ensemble, la population du Village est très tolérante, de tradition libérale. Elle compte beaucoup d'homosexuels, hommes et femmes.

Ses rues bordées d'arbres et de maisons basses bien entretenues, tantôt agrémentées d'un porche néo-classique, d'une corniche, d'une grille ouvragée font penser au quartier londonien, très résidentiel, de Chelsea, mais la comparaison s'arrête là. Le Village c'est aussi, comme partout à New York, un mélange de populations et de cultures, une foule disparate sur Washington Square, des restaurants chics sur W. 10th Street et des boutiques tape-à-l'œil sur W. 8th Street, un concert de klaxons sur 6th Avenue et des ruelles paisibles sur Grove Street.

Ce quartier est l'un des plus propices à la flânerie car New York a grandi autour du Village, préservant ainsi son caractère et son identité, ce qui fait son charme aujourd'hui.

Quand ? *La journée, vous y rencontrerez plutôt des étudiants (et des touristes), le soir une foule hétéroclite attirée par les restaurants, les bars et clubs de jazz. Le week-end viennent s'y ajouter les B & T – Bridge & Tunnel – banlieusards qui affluent en franchissant les « ponts et tunnels » qui séparent Manhattan du New Jersey et de Long Island.*

Combien de temps ? *À pied, comptez une demi-journée.*

Où s'arrêter ? *Ce ne sont pas les cafés et restaurants qui manquent. Sachez toutefois que l'O. de 7th Ave., qui est le tracé le plus ancien du Village, est un peu moins touristique – et aussi un peu plus intime – que les alentours de Washington Square. Vous trouverez cependant sur Hudson St. un choix de cafés et de restaurants très sympathiques.*

Départ : *Washington Square (plan VIII, C3).*

Bus : *lignes 2, 3, 5 et 13.* **Métro** : *W. 4th St./Washington Square, lignes A, B, C, D, E, F, Q ou Christopher St./Sheridan Square, lignes 1 et 9.*

• **Washington Square**,** qui est en réalité un parc public, est sans doute l'un des endroits les plus vivants de New York même s'il reste un peu trop touristique et artificiel. Il faut s'y promener par un bel après-midi, quand la faune la plus étonnante s'y retrouve : éleveurs de singes, prédicateurs en tout genre, danseurs noirs qui se produisent avec leurs immenses postes de radio, musiciens, comédiens, jongleurs, joueurs d'échecs ou maîtres qui conduisent leur chien au *dog run* (un champ de course miniature qui leur est spécifiquement réservé)… Un vrai spectacle de rue pour le plus grand plaisir des badauds et des étudiants qui, indifférents au vacarme ambiant, relisent leurs cours. La plus grande partie du pourtour de la place est en effet occupée par les bâtiments de la New York University (NYU), institution privée fondée en 1831, dont les 40 000 étudiants viennent de tous les États-Unis et même de l'étranger, et sont répartis à travers la ville.

La naissance du Village. Washington Square occupe un ancien marais où l'on pendait les criminels ; au XVIIIe s., on y enterra les pauvres. Greenwich Village était alors un village composé de gigantesques propriétés et de fermes. À la fin du siècle, ces dernières furent vendues par lots ou subdivisées et exploitées par de grands propriétaires. Commerçants et artisans s'installèrent dans de modestes logis le long de rues tracées suivant les limites des anciennes propriétés ou les chemins des voyageurs. Puis, quand on institua le tracé quadrillé pour Manhattan, il était trop tard pour modifier l'enchevêtrement des rues du Village. L'expansion de Greenwich Village, très éloigné de la ville, quelque peu congestionnée, au S., fut stimulée par l'afflux des New-Yorkais fuyant les épidémies qui ravageaient la cité à la fin du XVIIe s. et au début du XIXe. L'épidémie de fièvre jaune qui dévasta New York en 1822 accéléra la construction hâtive d'hôtels et de maisons pour accueillir cette nouvelle population – notamment de riches banquiers et des commerçants, accompagnés de leurs familles. C'est à l'O. de Greenwich Lane, aujourd'hui Greenwich Ave., qu'ils vinrent se réfugier. Bank St. tire son nom des succursales de banques de Wall St. et d'entreprises commerciales installées ici. En 1828 était dessiné le parc (Washington Square) et, en 1830, étaient construites les premières maisons néo-classiques (Greek Revival) situées sur Washington Square North. La plupart des *townhouses* (hôtels particuliers) du Village furent édifiées entre 1820 et 1850, les plus somptueux à l'E. (autour de Washington Square), les plus simples à l'O. de 7th Ave.

Le refuge de la bohème littéraire. Au fur et à mesure que les émigrants se multipliaient (près de 3 millions entre 1840 et 1857), les plus riches se déplaçaient vers le N., abandonnant le S. de Manhattan aux nouveaux arrivants. Ainsi, en 1910, les belles maisons de Greenwich Village étaient devenues de vrais taudis. Des écrivains et des artistes, attirés par les bas loyers du quartier, commencèrent alors à y résider (Eugene O'Neill, John Dos Passos…). Entre les deux guerres, le Village devint le refuge de l'avant-garde littéraire et artistique. Aujourd'hui, c'est l'un des lieux les plus prisés et les plus chers de la ville.

Washington Centennial Memorial Arch *(à l'entrée de 5th Ave.)*, arc de triomphe haut de 26 m, a été érigé entre 1889 et 1892 pour le centième anniversaire de l'élection de George Washington à la présidence (architecte Stanford White). Sur la face N. deux statues de Washington par A. Sterling Calder (le père d'A. Calder) et H.A. McNeil.

The Row* *(nos 1 à 13 sur Washington Square N.)* est l'un des deux vestiges (l'autre est situé aux nos 19-26) des maisons néo-classiques qui entouraient la place vers 1830. C'est le meilleur exemple de Greek Revival (pseudogrec) à New York ; à l'époque, ces demeures étaient aussi imposantes que les luxueux immeubles que l'on construit aujourd'hui dans l'Upper East Side. Au no 3, transformé en studio d'artiste depuis 1880, vécut le peintre Edward Hopper et John Dos Passos écrivit *Manhattan Transfer*. La maison des grands-parents de Henry James (no 18) a disparu ; elle est évoquée dans son roman *Washington Square*.

● **La Grey Art Gallery,** dans le Main Building, à l'E. *(no 100 ; ouv. t.l.j., sf dim. lun. 11 h-18 h 30 ; mer. 11 h-20 h 30 ; sam. 11 h-17 h)*, organise des expositions d'art contemporain.

Attention : elle est fermée jusqu'en sept. 96.

● **La Judson Memorial Church** (*au S. de la place*), œuvre de McKim, Mead & White (1892), rappelle l'église St-Paul-hors-les-Murs de Rome. La **Bobst Library** (n° 70) et l'**Hagop Kevorkian Center** (n° 50), deux édifices construits par Philip Johnson et Richard Foster en 1973 pour la NYU, s'intègrent assez mal à l'environnement. La Bobst Library, aux lignes très massives et sévères, fut critiquée pour son décor intérieur assez clinquant. L'Hagop Center rappelle, par la décoration de sa cour intérieure, les villas syriennes du XVIIIe s.

● **McDougal Street** (*au S. de la place*). Au n° 119, le **Caffe Reggio** offre non seulement *prosciutto*, cappucino et thé, mais aussi une clientèle et une ambiance, vestiges d'une époque révolue.

● **McDougal Alley*** (*accès par McDougal St., au N.*) et **Washington Mews** (*par 5th Ave.*). – Ces deux ruelles, qui abritent les anciennes écuries et dépendances des maisons néo-classiques de Washington Square North, sont pleines de charme. Elles renvoient l'image de New York en 1850, au temps des piétons et des réverbères à gaz. L'été, les façades des maisonnettes de McDougal Alley sont recouvertes d'une abondante végétation, ce qui accentue leur caractère hors du temps.

● **5th Avenue.** – La prestigieuse Cinquième Avenue offre différents visages au fur et à mesure qu'elle gagne le N. Celui qu'elle présente ici, à son commencement, est assez élégant : les immeubles n'atteignent pas encore une hauteur vertigineuse et sont espacés, les magasins encore rares et la foule moins dense que dans Midtown. Et surtout, les gratte-ciel arborent des façades pleines de fantaisie : le **n° 1**, ziggourat aux lignes Art déco

Un art instantané

Au début des années 80 sévissaient encore sur les rames du métro et sur les palissades des « canyons » de Manhattan les petits personnages irrévérencieux de Keith Haring et les graffitis psychédéliques signés Samo, alias Jean-Michel Basquiat. Ces artistes professionnels empruntaient la rue non pas pour crier leur identité mais pour toucher un large public. Leur plaisir : travailler vite, dans l'illégalité, soumis aux impératifs de l'instantanéité. Mais en faisant descendre l'art dans la rue, ces artistes menaçaient la suprématie des galeries. Être reconnus par la culture populaire avant de pénétrer les milieux autorisés leur a permis de contraindre les marchands à négocier avec eux : les graffitis de Haring, parodies grinçantes du monde de l'argent, du sexe et des médias divinisés, trônent désormais sur les cimaises des musées internationaux et des plus grandes collections. L'époque des peintres maudits n'est plus qu'un souvenir…

(essayez de jeter un coup d'œil dans le hall recouvert de boiseries ; 1926) ; le **n° 39**, avec ses balcons ornés de faïences ; le **n° 43**, presque écrasé par les colonnes corinthiennes de son porche.

● **Church of Ascension** (*5th Ave. & W. 10th St.*). – L'église date de 1841 mais a été remaniée en 1889 par Stanford White ; vitraux de J. La Farge et anges sculptés par A. Saint-Gaudens (architecte R. Upjohn).

● **La First Presbyterian Church** (*5th Ave. & W. 11th St.*), qui remonte à la même époque (1845), reprend le modèle du Magdalen College d'Oxford ; à l'intérieur mobilier et tribunes en bois (architecte J.C. Wells).

(NYU), institution privée fondée en 1831 dont les 40 000 étudiants sont répartis à travers la ville.

La naissance du Village. Washington Square occupe un ancien marais où l'on pendait les criminels. Au XVIIIe s., on y enterra les pauvres puis s'y installèrent quelques potiers. L'épidémie de fièvre jaune qui frappa Manhattan en 1822 dévasta tout le S. de l'île, qui fut évacué ; sa population —essentiellement des riches commerçants— se réfugia alors sur les berges de l'Hudson River, près de cette communauté d'artisans : Greenwich Village venait de naître. En 1828 était dessiné le parc qui est au centre de Washington Square et, en 1830 étaient construites les premières maisons néo-classiques (Greek Revival) situées au N. La plupart des *townhouses* (hôtels particuliers) du Village furent édifiés entre 1820 et 1850, les plus sompteux à l'E. (autour de Washington Square), les plus simples à l'O. de 7th Ave.

Le refuge de la bohème littéraire. Au fur et à mesure que les émigrants se multipliaient (près de 3 millions entre 1840 et 1857), les plus riches se déplaçaient vers le N., abandonnant le S. de Manhattan aux nouveaux arrivants. Ainsi, en 1910, les belles maisons de Greenwich Village étaient devenues de vrais taudis. Des écrivains et des artistes, attirés par les bas loyers du quartier, commencèrent alors à y résider (Eugène O'Neill, John Dos Passos...). Entre les deux guerres, le Village devint le refuge de l'avant-garde littéraire et artistique. Aujourd'hui, c'est l'un des lieux les plus prisés et les plus chers de la ville.

Washington Centennial Memorial Arch (*à l'entrée de 5th Ave.*), arc de triomphe haut de 26 m, a été érigé entre 1889 et 1892 pour le centième anniversaire de l'élection de George Washington à la présidence (architecte Stanford White). Sur la face N. deux statues de Washington par A. Sterling Calder (le père d'A. Calder) et H. A. McNeil.

The Row* (*nos 1 à 13, au N. de la place*) est l'unique vestige des maisons néo-classiques qui entouraient la place vers 1830. C'est le meilleur exemple de Greek Revival (pseudo-grec) à New York ; à l'époque, ces demeures étaient aussi imposantes que les luxueux immeubles que l'on construit aujourd'hui dans l'Upper East Side. Au n° 3, transformé en studio d'artiste depuis 1880, le peintre Edward Hopper vécut et John Dos Passos écrivit *Manhattan Transfer*. La maison natale de Henry James (n° 18) a disparu ; elle est évoquée dans son roman *Washington Square*.

● **La Grey Art Gallery,** dans le Main Building, à l'E. (*n° 100 ; ouv. t.l.j., sf dim. lun. 11 h-18 h 30 ; mer. 11 h-20 h 30 ; sam. 11 h-17 h)* organise des expositions d'art contemporain.

● **La Judson Memorial Church** (*au S. de la place*), œuvre de McKim, Mead & White (1892), rappelle l'église St-Paul-hors-les-Murs de Rome. La **Bobst Library** (n° 70) et l'**Hagop Kevorkian Center** (n° 50), deux édifices construits par Philip Johnson et Richard Foster en 1973 pour la NYU, s'intègrent assez mal à l'environnement. La Bobst Library, aux lignes très massives et sévères, fut critiquée pour son décor intérieur assez clinquant. L'Hagop Center rappelle, par la décoration de sa cour intérieure, les villas syriennes du XVIIIe s.

● **McDougal Street** (*au S. de la place*). — Au n° 133, **Provincetown Playhouse** a été rendue célèbre par les pièces d'Eugene O'Neill, artiste maudit, dramaturge génial (il reçut le prix Nobel et trois prix Pulitzer), qui bouleversa le théâtre américain après la Première Guerre mondiale. Au n° 119, le **Caffe Reggio** offre non seulement *prosciutto*, cappucino et thé, mais aussi une clientèle et une ambiance, vestiges d'une époque révolue.

- **McDougal Alley*** *(accès par McDougal St., au N.)* et **Washington Mews** *(par 5th Ave.).* — Ces deux ruelles, qui abritent les anciennes écuries et dépendances des maisons néo-classiques de Washington Square North, sont pleines de charme. Elles renvoient l'image de New York en 1850, au temps des piétons et des réverbères à gaz. L'été, les façades des maisonnettes de McDougal Alley sont recouvertes d'une abondante végétation, ce qui accentue leur caractère hors du temps.

- **5th Avenue.** La prestigieuse Cinquième Avenue, qui file jusqu'à Harlem, offre différents visages au fur et à mesure qu'elle gagne le N. Celui qu'elle présente ici, à son commencement, est assez élégant : les immeubles n'atteignent pas encore une hauteur vertigineuse et sont espacés, les magasins encore rares et la foule moins dense que dans Midtown. Et surtout, les gratte-ciel arborent des façades pleines de fantaisie : le **n°1**, ziggourat aux lignes Art déco (essayez de jeter un coup d'œil dans le hall recouvert de boiseries ; 1926) ; le **n° 39**, avec ses balcons ornés de faïences ; le **n°43**, presque écrasé par les colonnes corinthiennes de son porche.

- **Church of Ascension** *(5th Ave. & W. 10th St.).* — L'église date de 1841 mais a été remaniée en 1889 par Stanford White ; vitraux de J. La Farge et anges sculptés par A. Saint-Gaudens (architecte R. Upjohn).

- **La First Presbyterian Church** *(5th Ave. & W. 11th St.),* qui remonte à la même époque (1845), reprend le modèle du Magdalen College d'Oxford ; à l'intérieur mobilier et tribunes en bois (architecte J. C. Wells).

- **Les Forbes Magazine Galleries** *(5th Ave. n° 62, entre W. 12th et 13th Sts ; ouv. mar., mer., ven., sam. 10 h-16 h)* abritent une collection d'objets hétéroclites ayant apartenu à Malcolm Forbes et à ses fils : plus de 300 pièces d'orfèvrerie de Fabergé, des maquettes de bateaux et des soldats miniatures.

- **La Parson School of Design** *(5th Ave. n° 66, entre W. 12th et 13th Sts),* fondée en 1896, est l'une des plus anciennes écoles d'art des États-Unis. Elle fut également l'une des premières à associer art et industrie, et cela bien avant l'expérience du Bauhaus en Allemagne. Elle compte aujourd'hui près de 7 000 étudiants.

- **W. 12th et 11th Streets.** — C'est en flânant dans des rues comme celles-ci, un peu à l'écart de la foule de Washington Square, que vous pour-

---

Un art instantané

Au début des années 80 sévissaient encore sur les rames du métro et sur les palissades des « canyons » de Manhattan les petits personnages irrévérencieux de Keith Haring et les graffitis psychédéliques signés Samo, alias Jean-Michel Basquiat. Ces artistes professionnels empruntaient la rue non pas pour crier leur identité mais pour toucher un large public. Leur plaisir : travailler vite, dans l'illégalité, soumis aux impératifs de l'instantanéité. Mais en faisant descendre l'art dans la rue, ces artistes menaçaient la suprématie des galeries. Être reconnus par la culture populaire avant de pénétrer les milieux autorisés leur a permis de contraindre les marchands à négocier avec eux : les graffitis de Haring, parodies grinçantes du monde de l'argent, du sexe et des médias divinisés, trônent désormais sur les cimaises des musées internationaux et des plus grandes collections. L'époque des peintres maudits n'est plus qu'un souvenir…

- **Les Forbes Magazine Galleries** *(5th Ave. n° 62, entre W. 12th et 13th Sts. ; ouv. mar., mer., ven., sam. 10 h-16 h ; entrée libre)* abritent une collection d'objets hétéroclites ayant appartenu à Malcolm Forbes et à ses fils : plus de 300 pièces d'orfèvrerie de Fabergé, des maquettes de bateaux, des soldats miniatures et des documents historiques relatifs aux présidents américains.

- **La Parson School of Design** *(5th Ave. n° 66, entre W. 12th et 13th Sts.)*, fondée en 1896, est l'une des plus anciennes écoles d'art des États-Unis. Elle fut également l'une des premières à associer art et industrie, et cela bien avant l'expérience du Bauhaus en Allemagne. Elle compte aujourd'hui près de 7 000 étudiants.

- **W. 12th et 11th Streets.** – C'est en flânant dans des rues comme celles-ci, un peu à l'écart de la foule de Washington Square, que vous pourrez vraiment saisir l'âme de Greenwich Village, avec ses maisons étroites et coquettes, très soigneusement entretenues.

- **La Jefferson Market Courthouse** *(6th Ave. & W. 10th St.)*. – Construite à l'instar d'un tribunal sur l'emplacement d'un vieux marché, en 1877, d'après le dessin des architectes Frederick Clark Withers et Calvert Vaux. Son style s'inspire du château de Louis II de Bavière, à Neuschwanstein. C'est le sommet du gothique victorien : toits pointus, pignons, fenêtres en arc, sculptures de pierre, le tout orné d'une grande horloge illuminée et encastrée dans sa tour – cette dernière a remplacé une tour de guet. Resté inoccupé depuis 1945, il a un temps été prévu de le raser. Rénové en 1967, il abrite aujourd'hui une annexe de la New York Public Library.

- **À l'O. de 7th Ave.**** : c'est le tracé le plus ancien du Village. Les maga-

Cockroach City

New York a un surnom : *Cockroach City* (la ville des cafards). La métropole est en effet infestée de ce pullulant insecte. On dit qu'il n'existerait pas un seul immeuble dans toute la ville qui n'abrite sa colonie de cafards ! Les journaux américains se font régulièrement l'écho de ce fléau, qui touche d'ailleurs toutes les grandes villes du pays. Les deux espèces les plus répandues sont le cafard allemand, petit mais très agile, et le cafard américain, qui peut mesurer jusqu'à 5 cm.

Pour lutter contre ces envahisseurs, les New-Yorkais ont évidemment tout essayé. Les publicités pour les produits anti-cafards sont d'ailleurs très populaires, car très comiques ! Certains vont jusqu'à se lancer dans l'élevage du gecko, un petit lézard des régions chaudes raffolant des cafards mais malheureusement très bruyant. Tout cela pourrait prêter à sourire si l'insecte maudit ne provoquait quantité d'allergies (qui vont de la simple irritation aux difficultés respiratoires). Dix à quinze millions d'Américains en souffriraient.

sins sont moins tape-à-l'œil, certains sont très élégants. Jetez un coup d'œil dans Blecker St., entre 7th Ave. & Abingdon Square. Des rues étroites, bordées d'arbres et de maisons basses, donnent l'impression d'un village, très éloigné de la mégapole. Sur les bords de l'Hudson, d'anciennes usines rénovées ont été divisées en appartements. Là encore, il faut se promener au gré de sa fantaisie.

- **Dans Grove Street*,** entre les n°s 10 et 12, Grove Court, au fond de laquelle vous découvrirez 6 charmantes maisons de style fédéral, construites en 1854 pour loger des ouvriers.

Pas-de-porte dans West Village.

• **Dans Bedford Street***, jeter un coup d'œil au n° 75, qui ne mesure pas plus de 3 m de large. La façade du n° 95 est ornée d'une corniche et d'un fronton très finement ouvragés. Le n° 102, les « Twin Peaks », semble directement sorti d'un conte fantastique ; il s'agit d'une maison particulière (1830) transformée en petit château en 1925, dans un style pseudo-Tudor : en réaction contre le manque de fantaisie de l'architecture du Village.

• **Morton Street** doit peut-être son charme à son virage… l'un des seuls de Manhattan. Vous y verrez quelques-unes des plus belles demeures du Village, notamment le n° 69 dont la porte est encadrée de délicates colonnes ioniques.

• **Washington, Barrow, Bank, Charles, W. 10th ou W. 11th Streets** sont un peu moins spectaculaires mais tout aussi plaisantes. Pour la petite histoire, allez voir au carrefour de **Charles & Greenwich Streets** une maisonnette de bois, quelque peu insolite ; à l'origine sur 71st St., elle fut transportée ici en 1960. Enfin, West & Charles Sts., le *Pathfinder Mural* est une immense fresque à la gloire des révolutionnaires marxistes…

• **Christopher Street** est au cœur du New York *gay* (homosexuel). C'est de là, en 1969, que partit le mouvement de libération des homosexuels, à la suite d'une manifestation assez violente qui opposa la police à la communauté *gay*. Aujourd'hui, la plupart des établissements sont concentrés autour de Sheridan Square (Christopher & 7th Ave.), mais l'endroit a un peu perdu sa superbe.

• Parmi les reconversions de bâtiments industriels, il faut citer **The Archive** (Washington & Barrow Sts.), luxueusement réhabilité en 1990, et le **Westbeth** (Bethune & Bank Sts., sur West St.), anciens bureaux de Bell Telephone Co., transformé depuis 1969 en ateliers d'artistes (très beaux, avec vue sur le fleuve Hudson). On y donne parfois des concerts.

---

10 – SoHo** et TriBeCa

Haughwout Bldg.* – Singer Bldg.* – Spring St.* – Greene St.* – Duane Park
***Situation** : plan VI, B1-2*
***SoHo** correspond à un périmètre bien précis : Houston St. au N., Canal St. au S., West Broadway à l'O., Crosby St. à l'E.*

TriBeCa est limité par Canal St. au N., West St. à l'O., Broadway à l'E. et, dans sa partie inférieure, le S. de Duane Park.

Voilà près de trente ans qu'artistes et galeries font la réputation de SoHo (contraction de *South of Houston St.*), l'un des quartiers industriels les mieux réhabilités de Manhattan. Au milieu des années 60, la plupart des usines (confection, textile, papeterie) avaient déserté l'endroit et abandonné leurs entrepôts, tant et si bien que la municipalité projetait même de raser tout le périmètre… Mais peintres et sculpteurs commençaient déjà à occuper clandestinement les lieux – la loi du zoning y interdisant toute habitation. En 1968, la première galerie ouvrait ses portes, suivie dès 1971 par celle du célèbre marchand d'art Leo Castelli. En 1972, la réglementation était enfin assouplie. Les New-Yorkais redécouvraient la beauté de cette architecture de fonte, si originale et si bien conservée dans ce petit périmètre.

Le succès fut immédiat : l'immobilier s'enflamma et les restaurants se multiplièrent. En moins de dix ans, SoHo devint la nouvelle coqueluche de Manhattan. Cet essor ne convenait guère aux jeunes artistes, qui migrèrent en partie vers le S., dans un quartier encore en « friche » : TriBeCa *(Triangle Below Canal St.)*. Aujourd'hui, si SoHo a perdu ses entrepôts et ses fabriques, il est loin d'avoir gagné un aspect résidentiel, propre et paisible. Son caractère est resté profondément urbain et, par endroits, il a conservé son allure un peu défraîchie.

L'architecture de SoHo se caractérise par les *cast-iron (→ encadré : des maisons en pièces détachées)* et présente une homogénéité unique à New York. Ces quelques blocs, classés depuis 1973, offrent en effet un paysage urbain du XIXe s. quasiment intact. Il ne faut pas chercher à y visiter « un » monument, mais plutôt découvrir l'ensemble en y flânant.

Quand ? SoHo est calme durant la semaine (très calme le matin). Le week-end, tout New York semble se bousculer dans ces rues étroites. La plupart des galeries et boutiques n'ouvrent que vers 11 h et beaucoup sont fermées le lun.

Trajet : promenez-vous à pied, le périmètre étant assez réduit. Pour aller à SoHo : bus n°s 1 (en semaine) et 6 ; métro lignes N et R, arrêt Prince St., ligne 6 arrêt Spring/Bowery, lignes B, D, F, Q, arrêt Broadway/Lafayette.

Pour accéder directement àTriBeCa : bus n° 10 ; métro lignes 1, 2 ou 3, arrêt Chambers St.

Combien de temps ? Comptez une demi-journée pour prendre le temps de flâner.

Où s'arrêter ? Bistrots et cafés ne manquent pas à SoHo ; à TriBeCa, vous trouverez quelques grands restaurants, mais aussi d'autres plus accessibles, surtout autour de Varick & Hudson Sts. Enfin, si vous êtes amateur du brunch dominical, SoHo s'y prête à merveille.

● **Broadway** conserve quelques beaux exemples de bâtiments industriels : le **Roosevelt Building**, n° 478, de Richard Morris Hunt, qui s'était formé à l'École des beaux-arts de Paris ; le célèbre **Haughwout Building***, n° 490, l'un des prototypes les plus aboutis de *cast-iron (→ encadré)* ; le **Singer Building***, n° 561, tout en surface vitrée, magnifiquement décoré de panneaux

Des maisons
en pièces détachées

L'une des originalités de SoHo vient des cast-iron, immeubles en fonte construits dans la seconde moitié du XIXe s. pour les ateliers du quartier. On admire aujourd'hui leurs façades, percées de multiples fenêtres et rythmées par des arcades, colonnes ou pilastres qui imitent la pierre.

■ Des constructions déjà modernes

Malléable et peu chère, la fonte permettait de fabriquer en série, à moindre frais, des moulages copiés sur les façades les plus classiques : balustrades, corniches, linteaux, chapiteaux… Autant d'éléments que l'architecte pouvait assembler facilement et rapidement (parfois en moins d'une semaine). Le propriétaire y trouvait aussi son avantage, puisqu'il pouvait choisir sur catalogue les motifs qu'il préférait. C'était le premier pas vers la maison préfabriquée tout en garantissant une infinie variété de styles et de formes.

Mais le *cast-iron* était aussi terriblement moderne dans sa structure. Chaque élément était monté sur place, un peu comme dans un jeu de construction où l'on assemble successivement des briques verticales et horizontales : ici, deux colonnes surmontées d'une poutre. Ainsi, le bâtiment s'organise autour d'une armature de fonte et le mur n'est plus porteur. D'où de grands espaces intérieurs et quantités de fenêtres. Une formule qui allait permettre l'avènement du gratte-ciel.

Le Haughwout Building

Un petit immeuble, dont la décoration est inspirée de celle de la bibliothèque Sansovino à Venise. L'architecte a utilisé à son maximum le principe de l'armature métallique : la façade est presque entièrement vitrée (J.P. Gaynor, 1857). C'est ici que fut installé le premier ascenseur.

de terre cuite et de ferronneries (architecte Ernest Flagg, 1905). Notez au passage la vitrine rutilante de **Dean & DeLuca** (n° 560), l'une des épiceries fines les plus réputées de Manhattan.

Broadway rassemble aussi les principaux musées de SoHo :

Le Guggenheim SoHo *(575 Broadway, au niveau de Prince St. ; ouv. dim. lun. mer. 11 h-18 h, jeu.-sam. 11 h-22 h)*, bien rénové par l'architecte Arata Isokaki, offre un magnifique espace qui présente des expositions complémentaires de celles du musée Guggenheim.

New Museum of Contemporary Art *(583 Broadway ; ouv. mer. jeu. dim. 12 h-18 h, ven.-sam. 12 h-20 h)*. Ce musée, voué à l'art d'avant-garde, expose des artistes en marge du circuit traditionnel et du marché de l'art ; il ne possède pas de collection permanente. Ses présentations sont originales, parfois controversées ; conférences et débats y sont organisés.

Le Museum for African Art *(593 Broadway ; horaires variables : ☎ 966-1313)* montre, lors d'expositions temporaires, une belle collection d'art africain.

L'Alternative Museum *(594 Broadway ; ouv. mar.-sam. 11 h-18 h)* est aussi une galerie d'avant-garde, dont les expositions ont souvent une connotation politique ou sociologique.

▸ **Le Bayard-Condict Building*** *(65 Bleecker St.)*, un peu au N. de SoHo, dans le quartier appelé aujourd'hui NoHo *(North of Houston St.)*, mérite un léger détour : prenez Crosby St., la première rue à l'E. de Broadway, et longez-la au-delà de Houston St. jusqu'à son extrémité (5 mn). Le Bayard Bldg. est la seule œuvre new-yorkaise du grand maître de Chicago, Louis Sullivan (1898). Son décor en terre cuite est superbe, notamment la corniche avec ses six cariatides qui auraient été rajoutées contre la volonté de Sullivan. Mais sa conception est aussi très moderne : la façade exprime clairement, suivant un principe cher à l'architecte, la structure et la fonction de l'édifice (à usage de bureaux). ◂

● **Prince Street** et **Spring Street***, toutes deux très rénovées, abritent bon nombre de galeries et boutiques. On verra notamment au **n° 101 de Spring Street,** un beau *cast-iron* dont le décor est resté très sobre et très simple, contrairement aux autres souvent inspirés des styles classiques. Au n° 278, le **New York City Fire Museum** *(ouv. mar.-sam. 10 h-16 h)* vous révélera tous les secrets de la lutte contre les incendies dans la ville.

● **Mercer Street** a gardé un certain côté industriel.

● **Greene Street*** – C'est sans doute dans cette artère que l'on retrouvera le plus grand nombre de bâtiments intacts à SoHo, construits entre 1869 et 1895. Les deux édifices les plus célèbres sont tous deux dûs à l'architecte J.F. Duckworth : n°s **28-30** (1872) et n°s **72-76** (1873). Plusieurs espaces intérieurs ont également été préservés : on peut les apercevoir de la rue, à travers de grandes vitrines, ou en visitant des magasins ou des galeries qui s'y sont installés. Notez que la rue a été récemment repavée à l'ancienne. Au carrefour de Prince St., vous verrez une étonnante fresque de Richard Haas, dessin en trompe l'œil d'une façade de *cast-iron* ponctuée de quelques vraies fenêtres.

● **West Broadway** est l'axe principal de SoHo, non pour son intérêt architectural mais pour son côté commerçant. Beaucoup de galeries y ont élu domicile dès les années 70 ; vous pouvez notamment faire un tour au **n° 420** où est toujours installée la célèbre galerie de Leo Castelli.

Un marchand de génie

« Tu n'es pas assez dur ! » Pollock lui avait conseillé de ne jamais devenir marchand de tableaux. **Leo Castelli** est pourtant aujourd'hui l'une des plus grandes figures du marché international de l'art contemporain. Son nom est à jamais lié au pop art et à l'avant-garde new-yorkaise. En 1939, l'élégant Italien tient boutique à Paris, quand la guerre le contraint à partir s'installer à New York. Sa nouvelle galerie, 4 E. 77th Street, présente, dès 1957, des signatures illustres : Dubuffet, De Kooning, Delaunay, etc. Mais très vite il sort aussi de l'ombre de très jeunes artistes : Jaspers Johns, Robert Rauschenberg, Roy Lichtenstein, Andy Warhol. En quelques années, Castelli propulse ces nouveaux talents du pop art sur toutes les scènes internationales. Sa recette ? S'assurer la complicité des grands critiques et des médias, et offrir à ses poulains la somme de 500 dollars par mois. En 1971, la galerie Castelli déménage à SoHo, nouveau centre de l'art contemporain. Là, elle contribue au triomphe du grand graffitiste Keith Haring.
Durant toutes ces années, Castelli s'est fait le champion d'un art d'avant-garde, source de fierté... et de profit !

● **Canal Street** marque la frontière S. de SoHo, ouvrant sur un univers radicalement différent : un monde de fripes, de soldeurs spécialisés dans la hi-fi ou l'électronique, et de bazars en tout genre. Comme si Chinatown voulait déborder sur le S. de SoHo. Il y a quelque chose d'assez déroutant dans tout ce bric-à-brac étalé au milieu de nulle part.

● **TriBeCa** s'amorce juste au S. de Canal St. C'est également un ancien quartier industriel prisé des artistes, sorti de l'anonymat il y a une quinzaine d'années dans la perspective de créer un nouveau SoHo. Mais la comparaison s'arrête là. Si son architecture a la même origine – des bâtiments commerciaux ou entrepôts de la fin du XIXᵉ s. –, TriBeCa est resté beaucoup plus industriel que son prestigieux voisin et sa réhabilitation est loin d'être achevée, le ralentissement économique ayant freiné l'élan des investisseurs. Cela dit, les lofts y ont attiré quelques célébrités, comme en témoignent les restaurants plutôt chics, et TriBeCa conserve ce quelque chose d'inachevé, d'un peu rude, qui avait séduit les premiers artistes de SoHo. Tout en étant moins bien rénovés et éparpillés, ses édifices sont parfois plus intéressants, plus originaux. *Cast-iron* et bâtiments de brique se côtoient, d'où une grande variété de styles.

On en aura un bel exemple autour de **Duane Park**, petit square créé par l'intersection de Duane et Hudson Sts. *(plan VI, B2 ; métro lignes 1, 2, 3, arrêt Chambers St. ; bus n°10)* où d'imposantes bâtisses de brique, d'inspiration romane ou Renaissance, se mêlent à des immeubles en fonte. De là, vous aurez aussi une belle perspective sur le S. de l'île : le Municipal Bldg. à l'E. et Battery Park à l'O.

11 – Times Square

Paramount Bldg. – Broadway – W. 42nd St. – Mac Graw Hill Bldg.
– Carnegie Hall
Situation : *à l'intersection de Broadway et 7th Ave., approximativement
entre 42nd et 49th Sts.*
(plan X, B3)

Un mythe, synonyme de divertissements et de spectacles. « The Great
White Way », synonyme des panneaux publicitaires lumineux. Les
temps ont changé mais Times Square a gardé sa vocation. Certains
théâtres ont fait place aux cinémas et aux spectacles pornographiques.
Pourtant, le quartier se distingue toujours par de nombreux *shows*,
en particulier les célèbres comédies musicales qui font la réputation
de Broadway. Et si vous préférez le scintillement des néons, vos pas
vous conduiront sûrement aux alentours de Times Square, à la
recherche de ces folles enseignes lumineuses.

Un important projet de réhabilitation, entrepris par la municipalité,
vise à nettoyer et à restaurer le quartier d'ici l'an 2000. De grands
immeubles de bureaux et des hôtels ont été construits dans cette perspective. La transformation de Times Square s'amorce.

Quand ? *Vous pouvez y aller à tout
moment de la journée, surtout à la
tombée de la nuit pour admirer les
enseignes lumineuses et flâner au
moment de l'effervescence des
théâtres. Après minuit, évitez de vous
promener seul, par mesure de sécurité. Attention aux pickpockets.*

Comment ? *Vous pouvez y accéder en*
métro *: lignes N, R, S, 1, 2, 3 et 7, arrêt
Times Square ; en* **bus** *: n°s 10 et 104.*

● **Times Square** *(plan X, B3)* proprement dit est une petite place triangulaire, au carrefour de Broadway
et de 7th Ave. Elle était occupée
autrefois par des écuries de louage et
des selleries, qui lui valurent le nom
de Long Acre comme le quartier de
Londres voué aux mêmes activités. En
1883, le Metropolitan Opera ouvrit
ses portes à proximité (au niveau de
Broadway & 40th St.), rapidement
rejoint par de nombreux théâtres,
cafés, restaurants, grands hôtels
(Astor, Claridge). En quelques
années, Times Square devint le pôle

du quartier des spectacles : en 1920,
près de 50 salles étaient établies dans
son voisinage immédiat.

● **Le One Times Square** est construit
sur l'îlot, entre Broadway et 7th Ave.
Le *New York Times* s'y installa en
1904, donnant son nom à la place. Le
journal emménagea le 31 décembre
dans une grande fête au son des fanfares et des feux d'artifices, inaugu-
rant un rituel qui se perpétue encore
aujourd'hui. Chaque année, en effet,
au nouvel an, une sphère (symbole de
la *Big Apple*, la Grosse Pomme) est
descendue en grande pompe depuis le
toit du bâtiment. Tout le quartier est
alors pris d'assaut par une foule en
liesse. Le quotidien a déménagé dans
les années 30. Devant l'immeuble, il
existe aujourd'hui un écran de télévision Sony géant où sont diffusées
nouvelles et publicités.

● **Le Paramount Building** *(Broadway & W 43rd St.)* est le plus bel
immeuble qui borde Times Square,

Le magicien de Times Square

Un homme a fait la gloire de Times Square, Douglas Leigh, l'inventeur des enseignes lumineuses les plus extravagantes de Broadway.

Les publicitaires n'ont pas attendu Leigh pour installer le long de l'avenue des panneaux électriques : le plus ancien, qui vantait les charmes de Long Island, remonte à 1891. Mais ces affiches disparaissent après le krach de 1929. Dès 1933, Leigh entreprend de redonner vie à Times Square. Sa première enseigne est une gigantesque tasse à café qui laisse filer un jet de vapeur, bientôt suivie d'un pingouin fumant des cigarettes Kool, d'une chute d'eau pour Pepsi-Cola. Son chef-d'œuvre reste une publicité élaborée pour Camel : un fumeur, redessiné tous les trois mois, dont la bouche crache des anneaux de vapeur. L'enseigne est démolie en 1967, annonçant le déclin des néons de Times Square. Le magicien n'a pourtant pas dit son dernier mot. En 1976, pour le bicentenaire de l'Indépendance, Leigh réalise un nouvel éclairage, tricolore, pour l'Empire State Building. C'est un tel succès qu'on lui demande d'éclairer quantité d'autres gratte-ciel. Ainsi, de nuit, New York devient une symphonie de couleurs, orchestrée par l'Empire State qui change de « peau » suivant les saisons : rouge et blanc pour la saint Valentin, vert pour la saint Patrick, rouge, orange et jaune pour Halloween…

très spectaculaire avec sa forme en escalier que couronne un gigantesque globe (architectes Rapp & Rapp, 1927). Il abrita autrefois l'un des plus somptueux théâtres de New York.

● À l'angle de 42nd St. & Broadway, se tient un kiosque de renseignements sur le quartier de Times Square. *Time Square Partnership* est une association qui propose une visite guidée à pied, une fois par semaine, ainsi que toutes informations sur les activités. Avec la municipalité, elle est aussi chargée du nettoyage, de la sécurité et du développement du quartier.

● Plusieurs théâtres ont été transformés en salles de cinéma dans les années 50 ou 60. Parmi ceux qui restent, le **Lyceum** *(149 W. 45th St.)*, fondé en 1903, est le plus ancien ; étonnante façade néo-baroque. Notez aussi le **Shubert Theater** *(Shubert Alley, W. 45th St.)*, à la décoration assez chargée, où Barbara Streisand fit ses début dans les années 60. Le **Martin Beck Theater** *(302 W. 45th St.)*, de style pseudo-byzantin, s'illustra en montant les pièces de O'Neill, Arthur Miller et Tennessee Williams.

● **Times Square Redevelopment Project.** De nouveaux gratte-ciel poussent le long de Broadway et de 7th Ave., suivant le projet de rénovation lancé par la municipalité qui voudrait y attirer de plus en plus d'immeubles de bureaux et d'hôtels. Certains sont déjà achevés comme le **1585 Broadway** *(au carrefour de W. 47th St.)*, très postmoderne avec sa pyramide tronquée au sommet, ou le **Two Times Square** *(dans l'étroite parcelle entre Broadway et 7th Ave., au niveau de W. 47th St.)*. Mais en raison de la crise immobilière, ces nouveaux gratte-ciel ne se remplissent qu'assez lentement.

● **W. 42nd Street** était entre 7th et 8th Aves. **Sin Street** (la « rue de tous les péchés »). Entendez par là, la rue du porno : cinémas, peep shows, sex-shops… Les choses ont changé avec le projet de réhabilitation en cours. Des sociétés comme Disney et MTV, entre autres, ont annoncé leur désir de restaurer des théâtres abandonnés afin de leur rendre leur gloire d'antan. Bientôt des spectacles pour enfants et des spectacles musicaux rejoindront les comédies musicales de la 42nd St. Si l'architecture néo-baroque des

À l'avant-scène

Broadway, Off-Broadway et *Off-Off-Broadway* : trois mots qui vous ouvriront les portes des théâtres new-yorkais. Le premier désigne tout naturellement les établissements dispersés autour de Times Square, les plus célèbres mais aussi les plus chers, ceux qui mettent en scène des productions coûteuses, à grands renforts d'effets spéciaux (70% de comédies musicales).

La seconde expression, *Off-Broadway,* est apparue au lendemain de la Seconde Guerre mondiale, lorsque de jeunes troupes ont quitté les planches de Broadway pour créer des mises en scènes moins commerciales et plus originales. Parmi eux, le Joseph Papp's Public Theater, Circle in the Square et le Shakespeare Festival de Central Park. Le succès fut tel qu'à son tour *Off-Broadway* plongea dans la spirale du gigantisme. Dix ans après, tout était à refaire.

C'est ainsi que, dans les années 60, est né *Off-Off-Broadway* : un théâtre improvisé, sans soutien financier, où l'on ose expérimenter toutes sortes de nouvelles formules. Un monde en mouvement où d'excellentes productions côtoient les folies les plus saugrenues.

Tous les programmes sont dans le *New York Magazine,* le *New Yorker,* le *New York Times* du vendredi et *Village Voice.* Le prix des spectacles de Broadway étant exorbitant, nous vous conseillons d'acheter votre billet, pour le jour même, à demi-tarif au **kiosque de TKTS** (prononcez : *tickets*), à Times Square *(au niveau de 47th St. ; ouv. 15 h-20 h, le mer. et le sam. à 11 h pour les spectacles de 14 h, le dim. à 12 h pour les spectacles de 15 h).*

années 20, aujourd'hui un peu décrépie, vous passionne, vous y découvrirez quelques amusantes façades de théâtres.

Au-delà de 8th Ave. (Port Authority-8th Ave & 42nd St.-Gare routière), vers l'Hudson River, on pénètre dans un quartier appelé autrefois **Hell's Kitchen** (la « cuisine de l'enfer ») en raison de la présence de bandes irlandaises très agressives des années 20 aux années 50. Aujourd'hui le quartier s'appelle **Clinton**. Ces rues, qui étaient au début du siècle un bidonville infesté de malfrats, ont été presque entièrement refaites. Sur la 42nd St., les anciens entrepôts ont été convertis en petits théâtres expérimentaux (*off-Broadway* et *off-off-Broadway*). Sur la 9th Ave. et la 46th St., les résidences d'autrefois ont été transformées en restaurants, pour dîner après le spectacle.

● **Le Mac Graw Hill Building** *(330 W. 42nd St., entre 8th et 9th Aves.)* est l'un des bijoux Art déco de New York, hélas un peu perdu dans la mauvaise partie de W. 42nd St. Le bâtiment est déjà très moderne par sa silhouette. Sa façade, très sobre, se remarque par son revêtement de terre cuite gris-vert ; la décoration de son hall est très aboutie (architecte Raymond Hood, 1931).

▶ **Carnegie Hall** *(7th Ave. & 57th St.).* Quittant Times Square, on peut faire un crochet vers le N. pour voir la célèbre salle de concert *(1 km à pied env., pour aller plus vite vous pouvez prendre le bus n° 5, 6 ou 7 sur 6th Ave.).* Carnegie Hall a fêté son centenaire en 1991. C'est sans doute, après le Lincoln Center, la salle la plus prestigieuse de New York : tous les grands musiciens de ce siècle s'y sont produits. Leonard Bernstein y fit ses débuts en 1943, sous la conduite de Bruno Walter, Isaac Stern y joua avec Jack Benny, sans oublier tous les autres y compris les Beatles. La salle, longtemps réputée pour son acoustique extraordinaire, a été rénovée en 1986 et conserve toujours son aura *(vis. guidée en sem. ☎ 247-7800).* ◀

12 – Upper East Side**

Museum Mile – Upper 5th Ave.** – Madison Ave.* – Park Ave.* – Roosevelt
Island – Yorkville
Situation : *à l'E. de Central Park, entre 60th et 96th Sts.*
(plan XI, C2- XIII, C2)

L'Upper East Side est, par excellence, le quartier chic de New York :
celui des magnifiques hôtels particuliers transformés en musées, des
boutiques européennes du dernier cri, des écoles privées les plus hup-
pées. Tout ici respire l'opulence et la sérénité, à cent lieues du brouhaha
et de la crasse de Midtown. Pourtant, l'Upper East Side est bien loin de
présenter un visage homogène. Il s'est construit par vagues successives
et l'on retrouve cette diversité en traversant le quartier latéralement,
d'E. en O. : à l'allée des Millionnaires sur 5th Ave., terre d'élection des
résidences les plus fastueuses, succèdent les luxueux immeubles de Park
Ave., puis les demeures un peu plus simples de Lexington Ave. et enfin,
vers la rivière, les anciens *tenements* aujourd'hui réhabilités de Yorkville. 96th St. marque sa frontière N., faisant place sans transition aux
premières maisons de Spanish Harlem (El Barrio).

On prend plaisir à y déambuler à pied, au gré de son humeur ou de
ses envies : visite d'un musée, promenade architecturale, lèche-vitri-
ne sur Madison Ave. où se concentrent boutiques de mode et antiquaires. Aussi, sans vous proposer de véritable itinéraire, nous vous
suggérons quelques grands axes de promenades.

*Quand ? Évitez le lun. où tous les musées
(sauf le Guggenheim et le Jewish
Museum) sont fermés. Aux beaux jours,
le quartier se vide les week-ends.*

*Comment ? N'hésitez pas à prendre le
bus, les centres d'intérêt étant assez éloignés les uns des autres : lignes 1, 2, 3, 4
sur 5th et Madison Aves. ; 101, 102 sur
Lexington et 3rd Aves. ; 31 sur York Ave.*

*Où s'arrêter ? Les salons de thé et les res-
taurants ne manquent pas entre Madison et 3rd Aves. À Yorkville, vous trouverez quelques restaurants allemands,
tchèques ou hongrois et quantité de bars.*

● **Museum Mile**

Le Museum Mile est une association
qui regroupe neuf des plus grands
musées de la ville, installés sur 5th
Ave., entre 82nd et 104th Sts. Ces institutions organisent, chaque année, un

festival au mois de juin. Elles ont, en
outre, un autre point commun :
presque toutes occupent de splendides
demeures construites, face à Central
Park, pour de riches industriels au
début du siècle. Ces musées sont bien
sûr l'une des attractions majeures de
l'Upper East Side, mais même le
meilleur marathonien ne pourrait pas
tous les visiter en une journée.

*En remontant le long de Central Park,
depuis 82nd St. :*

– **Metropolitan Museum of Art***
(*82nd St., p. 190*) ;

– **Serge Sabarsky Foundation** (*86th
St.*), ouv. en 1996 ; expressionnisme
allemand et autrichien ;

– **Guggenheim Museum*** (*88th St.,
p. 211*) ;

– **Cooper-Hewitt Museum**** *(91st St., p. 228)* ;

– **Jewish Museum*** *(92nd St., p. 228)* ;

– **International Center of Photography** *(94th St., p. 228)* ;

– **National Academy of Design** *(89th St., p. 229)* ;

– **Museum of the City of New York**** *(103rd St., p. 229)* ;

– **Museo del Barrio** *(104th St., p. 229)*.

D'autres musées ne dépendent pas directement du Museum Mile, mais sont voisins :

– **Frick Collection***** *(5th Ave. & 70th St., p. 208)* ;

– **Whitney Museum of American Art**** *(945 Madison Ave. & 75th St., p. 226)* ;

– **Asia Society Galleries** *(Park Ave. & 70th St., p. 227)* ;

– **China House Gallery** *(Park Ave. & 65th St., p. 227)* ;

– **Abigail Adams Smith Museum** *(1st Ave. & 61st St., p. 227)*.

● **Upper 5th Avenue**** *(plan XI, C1-XIII, C3)*

5th Ave., face à Central Park, prend bel et bien l'allure d'une « Riviera », mariant le luxe à l'extravagance. Comme si les architectes qui l'ont façonnée avaient délibérément rivalisé de fantaisie. Pastiches de manoirs anglais, demeures Renaissance, Louis XIII ou victoriennes se côtoient et mêlent, pour le plus grand plaisir du promeneur, styles et périodes. Cet éclectisme et ce goût de l'histoire sont l'un des caractères les plus originaux de l'architecture new-yorkaise au début du siècle. Jackie Kennedy O'Nassis y avait un appartement (au 1040). Il a été vendu, après sa mort, 9 millions de dollars.

L'avenue a conservé quelques beaux spécimens, mais c'est dans les rues adjacentes, notamment 62nd, 64th et 67th Sts. que l'on verra les exemples les plus réussis. Un peu plus haut, au niveau de 90th St., elle devient l'**allée des Millionnaires ;** 5th Ave. a pris ce surnom au début du XXᵉ s. lorsque les familles les plus fortunées s'y installèrent, suivant l'exemple d'Andrew Carnegie (sa maison est aujourd'hui occupée par le Cooper-Hewitt Museum). C'est la zone urbaine la plus riche des États-Unis.

● **Madison Avenue*** *(plan XI, C1-XIII, C3)*

Madison Ave. est en quelque sorte l'arrière-boutique de 5th Ave., les commerces de luxe s'y étant concentrés, attirés par la riche clientèle du quartier. C'est donc le pavé des antiquaires les plus en vue et des grands couturiers : Cerutti, Armani, Givenchy, Kenzo, Ungaro, Saint Laurent... Mais le magasin le plus élégant est sans doute celui de **Polo Ralph Lauren** *(Madison & 72nd St.)* installé dans la Rhinelander Mansion, édifice classé que le couturier a rénové en conservant le décor intérieur. **Calvin Klein** a ouvert une boutique au niveau de la 60th St.

● **Park Avenue*** *(plan XI, C1-XIII, C3)*

Park Ave. est aujourd'hui l'une des adresses les plus prisées de Manhattan. Son développement fut pourtant un peu plus tardif que celui de 5th Ave. Il fallut en effet attendre le lendemain de la Première Guerre mondiale pour que les rails du chemin de fer de Grand Central fussent couverts. Son véritable essor date des années 20 et 30. Si l'avenue reste un peu froide, elle n'en est pas moins agréable avec son parterre de fleurs planté au milieu. Elle offre une **perspective*** superbe sur Downtown et le Helmsley Bldg., surtout au niveau de 90th St.

Le métro de New York

New York possède le plus grand réseau souterrain de la planète : 246 km de voies souterraines pour un réseau d'une longueur totale de près de 400 km. Le *subway* compte 26 lignes et 469 stations.

Le métro de New York effectue bon an mal an plus d'un milliard de trajets-passagers. Et il tente de rattraper sa mauvaise réputation : moins d'insécurité, davantage de propreté et de nombreuses stations rénovées. Et si vous voulez voir ces fameux graffitis qui faisaient encore sa gloire il y a une dizaine d'années, sans doute serez-vous déçus car de nouvelles rames, plus *clean*, ont remplacé les antiques wagons qu'appréciaient les *taggers*.

On y verra, entre autres, la **Seventh Regiment Armory** *(entre 66th et 67th Sts.)*, étonnante forteresse aux tours crénelées, utilisée comme caserne et comme hall d'exposition. Son intérieur, dessiné par Tiffany, est d'ailleurs assez chaleureux ; s'y déroule une foire aux antiquaires annuelle, assez réputée.

70th Street, entre Park et Lexington Aves., a conservé tout son charme et de belles maisons.

● **Roosevelt Island** *(plan XI, D2)*

Aerial Tramway *(2nd Ave. & 60th St.)*. – N'hésitez pas à prendre ce téléphérique pour un rapide aller-retour : le trajet *(4 ou 5 mn seulement)* offre une belle **vue**** sur la forêt de gratte-ciel qui entoure l'East Side de Manhattan. Quant à la visite de Roosevelt Island, elle n'offre guère d'intérêt hormis la perspective sur Manhattan.

Roosevelt Island resta longtemps isolée de Manhattan, propriété de la municipalité qui y installa divers organismes d'aide sociale ; l'île fut même baptisée officiellement Welfare Island (Welfare = bien-être). Ce n'est qu'en 1970 que des promoteurs proposèrent de l'aménager. Une ville nouvelle de 10 000 habitants fut donc créée de toutes pièces, avec des écoles, des boutiques, des bureaux. Le résultat est une cité résidentielle et tranquille (et plutôt fade), royaume du piéton... car la circulation automobile y est interdite.

● **Yorkville** *(plan XIII, D3)*

Cet ancien faubourg peuplé au XIXe s. d'immigrants d'Europe de l'E. (Allemands, suivis de Hongrois, Tchèques et Autrichiens) est aujourd'hui l'un des refuges des jeunes célibataires aisés. En témoignent les grands immeubles, les anciens *tenements* transformés en studios ou deux pièces, et la profusion de bars. De son passé Yorkville n'a guère conservé que des brasseries, épiceries et restaurants allemands ou hongrois.

Henderson Place Historic District* *(East End Ave. & 86th St.)* est une plaisante enclave, avec 24 petites maisons de style anglais (Queen Ann) avec une profusion de détails sur la façade, construites en 1881. À deux pas s'ouvre le **Carl Schurz Park,** qui domine l'East River.

Gracie Mansion *(dans Carl Schurz Park, East End Ave. & 88th St., plan XIII, D3 ; vis. guidées de mi-mars à mi-nov., mer. 10 h, 11 h, 13 h, 14 h sur rendez-vous ☎ 570-4751).* La demeure du maire de New York se visite depuis peu. La maison fut construite en 1799 sur le site d'un fort militaire. De style fédéral, elle abrite de beaux meubles, travail d'artisans new-yorkais au siècle dernier. Les papiers peints sont particulièrement originaux, celui de la salle à manger a été peint à la main en France vers 1830.

13 – Upper West Side*

Lincoln Center* – Central Park West**(The Dakota) – Columbus Ave.
– Broadway – West End Ave. – Riverside Park
Situation : *à l'O. de Central Park, de 60th St. à 110th St. (plan X, B2- XII, B1)*

Un coup d'œil sur un plan vous fera penser que l'Upper West Side n'est en fait que le pendant de son aristocratique voisin, l'Upper East. Tous deux se sont certes développés à l'ombre de Central Park et ils alignent aujourd'hui une façade de prestigieux immeubles le long du parc. Mais la comparaison ne peut aller plus loin. Si l'Upper West Side a acquis depuis une trentaine d'années ses lettres de noblesse et une certaine *gentrification*, selon l'expression new-yorkaise, il n'en reste pas moins un quartier libéral, voire un peu bohème, qu'intellectuels et artistes ont toujours apprécié. Ce côté anticonformiste, par opposition à l'élégance un peu figée de 5th ou Madison Aves., se lit sur les pierres mêmes de ses maisons à l'exubérance romantique ou de ses palais Art déco. Elle se retrouve dans la profusion des restaurants et des magasins d'alimentation, dans l'animation du samedi.

N'allez pourtant pas imaginer que son atmosphère ressemble à celle du Village ou de SoHo. Point de peintres ou de sculpteurs d'avant-garde ici, mais des musiciens, des acteurs, des chanteurs, des journalistes dans le vent. L'Upper West Side a toujours été un quartier très vivant, un lieu d'habitation avant tout, peuplé d'immigrants en quête d'espace et de confort. Beaucoup sont repartis et sa population actuelle est plutôt constituée de familles aisées avec de jeunes enfants, mais une certaine culture issue de l'Est – Vienne, Berlin ou Budapest – imprègne encore les lieux.

Un mot enfin sur le Lincoln Center, ce vaste complexe voué depuis la fin des années 60 à la musique et aux arts lyriques, dont la présence a grandement contribué à réhabiliter le West Side.

■ Lincoln Center for the Performing Arts*

Plan X, B2

Métro : *ligne 1, arrêt 66th St./Lincoln Center ou lignes A, C et D arrêt 59th St./Columbus Circle.*

Bus : *nos 5, 7, 10 et 104.*

Visite : *des vis. guidées sont proposées au départ du Metropolitan Opera. Pour tous renseignements* ☎ *769-7000.*

Le Lincoln Center – ensemble de salles d'opéras et de concerts – est assez décrié pour son aspect froid et sévère mais il constitue une vraie réussite culturelle, ses salles attirant les meilleurs artistes du monde. Il a pris la place, dans les années 60, du taudis où avait été filmée la fameuse comédie musicale *West Side Story*, donnant ainsi un nouvel élan au quartier. Les trois édifices principaux sont groupés autour de la place piétonne qui s'ouvre sur Columbus Ave. Il faut y aller un soir d'été, juste avant les spectacles ou à leur sortie, quand « tout New York » s'y retrouve, ou lorsqu'on y donne des spectacles en plein air (devant la fontaine et derrière le Damrosch Park).

● **Le Metropolitan Opera House** est le noyau du Lincoln Center. Cet opéra, l'un des plus célèbres du monde, a remplacé en 1966 celui qui était autrefois situé sur Broadway. Le haut vestibule voûté est orné de deux grandes peintures murales de Marc Chagall : *Les Sources de la musique* et *Le Triomphe de la musique*. La salle de spectacle contient 3 800 places. Le bâtiment comprend plusieurs restaurants et cafés ; boutiques au sous-sol, au niveau du *concourse level* (architecte W.K. Harrison, 1966).

● **L'Avery Fisher Hall** (Philharmonic Hall) est entouré d'un péristyle. Son acoustique était tellement mauvaise que, après son ouverture, en 1962, aucun orchestre de passage ne voulait y jouer. Après plusieurs tentatives, la salle de concert a été reconstruite en 1976 par Johnson et Burgee et son acoustique totalement repensée. La salle, qui accueille le célèbre orchestre philharmonique de New York, comporte un orgue de 5 500 tuyaux. À l'étage, dans le foyer, une sculpture en métal de 5 t, *Orphée et Apollon* par Richard Lippold (architecte Max Abramovitz, 1962).

● **Le New York State Theater** où l'on présente opéras, opérettes et ballets dans une salle de 2 700 places. C'est le pendant du Met en version économique, ses places y étant généralement moins chères ; le New York City Opera et le New York City Ballet s'y produisent (architectes Ph. Johnson et R. Foster, 1964).

● **Le Vivian Beaumont Theater** comporte une salle de théâtre pour 1 140 spectateurs et une autre, beaucoup plus petite, de 285 fauteuils, le **Mitzi E. Newhouse Theater**. Devant s'ouvre une cour intérieure avec une composition en bronze de Henry Moore *Reclining Figure* (architecte Eero Saarinen, 1965).

● **Library and Museum of the Performing Arts** *(ouv. lun., jeu. 12 h-20 h ; mer., ven. 12 h-18 h ; sam.*

10 h-18 h ; en été f. lun.). Cette construction étroite jouxte le Vivian Beaumont Theater et le Metropolitan Opera House. Elle abrite une bibliothèque spécialisée dans le théâtre, la musique et la danse (plus de 50 000 ouvrages et 12 000 enregistrements magnétiques) ; lectures, projections de films et expositions temporaires.

● **Le Damrosch Park,** derrière le New York State Theater, offre un grand espace (3 500 places assises) pour les concerts en plein air gratuits ou le Big Apple Circus (payant).

Pour une poignée de musiciens

On ignore souvent que pour seulement quelques dollars, voire même gratuitement, on peut assister aux concerts de la **Juilliard School**. Et pas n'importe quelles représentations ! Les meilleurs solistes de notre temps sont passés par là : Leontyne Price, Leonard Rose, Barbara Hendricks, etc. Ils y ont reçu un enseignement d'une qualité rare, ayant même eu pour professeurs Maria Callas, Rostropovitch, Arthur Rubinstein ou Jessye Norman.

Fondée en 1905 sous le nom d'Institute of Musical Art, la Juilliard School reste l'école de musique la plus prisée du monde : en 1992, on ne comptait pas moins de 45 nationalités parmi ses étudiants, la majorité venant naturellement des États-Unis et d'Asie. On y enseigne aussi la danse et le théâtre. Plusieurs acteurs de renommée internationale y ont fait leurs classes.

Et sans doute resterez-vous rêveur quand vous saurez que l'austère bâtisse de 66th St. abrite plus de 220 pianos…

La Juilliard School est installée en lisière du Lincoln Center, au 144 W. 66th St., entre Broadway et Amsterdam Ave.

■ Le quartier

L'Upper West Side est vaste. Habituellement, le N. de Central Park marque sa limite, mais son récent développement a un peu brouillé cette définition. Le quartier résidentiel autour de Lincoln Center est le plus recherché et le plus cher de New York. C'est aussi le seul où plusieurs buildings d'appartements ont été construits récemment.

Trajet : en raison des distances, le mieux est sans doute de choisir des points d'intérêt et de les rallier en autobus : le n° 10 sur Central Park West et le n° 104 le long de Broadway.

● **Columbus Circle** *(plan X, B2)*

Cette place, point de départ de Central Park West et de Upper Broadway, marque le S. du quartier. Elle pourait avoir un certain charme, si elle n'était sans cesse encombrée de voitures. Son seul intérêt touristique est d'être bordée par le **New York Convention & Visitors Bureau**, l'Office du tourisme de la ville *(2 Columbus Circle, ☎ 397-2222).*

● **Central Park West**** *(plan X, B1-XII, B2)*

Central Park West offre un aspect très proche de celui qu'il avait encore à la

veille de la Seconde Guerre mondiale et, de loin, ses gratte-ciel sont très spectaculaires. Étonnantes bâtisses aux sommets baroques et aux façades très travaillées, qui incarnent toute une génération d'immeubles d'habitation comme seule New York a su en créer.

C'est le quartier le plus prisé par les célébrités (Dustin Hoffman, Schwarzenegger, Madonna, Meryl Streep...).

Le **Dakota** *(1 W. 72nd St.).* Le premier et le plus extravagant de tous, connu aujourd'hui pour avoir hébergé entre autres le facteur de pianos William Steinway, Lauren Bacall et le chanteur John Lennon. À son achèvement, en 1884, c'était quasiment le seul édifice du quartier, construit bien à l'écart du centre de la cité, d'où son nom de « Dakota » par comparaison avec le territoire du Dakota tout aussi isolé. L'immeuble comprenait 8 ascenseurs, des salles de réception au rez-de-chaussée, des terrains de croquet, une blanchisserie, un groupe électrogène et même, plus tard, son propre central téléphonique... sans compter tout un personnel qualifié (femmes de chambre, maîtres d'hôtel, lingères). Les plus grands appartements comptaient 20 pièces ! Un luxe inouï pour séduire une clientèle habituée à vivre dans de petites maisons et peu attirée par les habitations collectives (architecte Hardenbergh, 1884).

Le Dakota ouvrit la voie à d'autres immeubles conçus dans le même esprit, bien qu'un peu moins prestigieux. (hôtels et théâtres). Les hautes tours Art déco qui bordent Central Park West ont remplacé ces constructions :
– le **Century** *(25 Central Park West, entre 62nd et 63rd Sts. ;* architecte Jacques Delamarre) ;
– le **Majestic** *(115 Central Park West, entre 71st et 72nd Sts. ;* architecte Jacques Delamarre, 1930) ;
– le **San Remo** *(145-146 Central Park West, entre 74th et 75th Sts. ;* architecte Emery Roth, 1930) ;
– le **Beresford** *(Central Park West et W. 81st St. ;* architecte Emery Roth, 1929).

Alignement de maisons sur W. 71st St.

Près de Central Park West subsistent également quelques **Row Houses**, beaux alignements de maisons construites entre 1890 et 1915 dans un style assez éclectique (néo-roman, Renaissance, georgien, grec, baroque, etc.) pour s'accorder avec les immeubles alentour : par exemple **W. 74th Street** (de 1904) ou **W. 76th Street** (de 1889 à 1900).

● **Columbus Avenue** *(plan X, B1-XII, B2)*

Columbus Ave. est désormais, avec Amsterdam Ave., le domaine des restaurants et du commerce, surtout du Lincoln Center à 86th St. Beaucoup de boutiques lancées s'y sont installées, mais souvent pour disparaître presque aussi vite.

Chaque dimanche s'y tient un **marché aux puces** *(entre 76th et 77th Sts.).*

● **Broadway** *(plan X, B1-XII, A2)*

C'est l'axe commerçant du quartier, où les familles viennent flâner et faire des courses le week-end. Broadway est connu pour ses magasins d'alimentation, parmi lesquels **Zabar's** *(au carrefour de 80th St.),* l'un des *delicatessen* les plus célèbres de New York, **Fairway** et **Citarellas**, et pour ses deux immenses librairies : **Barnes** et **Nobles Bookstores**. L'animation de Broadway est un curieux mélange ethnique et culturel, un peu à l'image de la ville.

Verdi Square (au niveau de 72nd St.) est un bien piètre espace vert, qui fut le domaine de la drogue il n'y a pas si longtemps.

L'Ansonia Hotel (au niveau de 73rd St.) appartient à la légende de l'Upper West Side. Sa façade est une explosion de détails décoratifs les plus fantaisistes : corniches, médaillons, balcons, tourelles (architecte Paul E.M. Duboy). Ses épais murs en maçonnerie, parfaits pour protéger du bruit, en ont fait

la résidence de bien des musiciens (Yehudi Menuhin, Stravinsky, Caruso, Toscanini…). Il est aujourd'hui divisé en appartements.

● **West End Avenue** *(plan X, A1-XII, A2)*

Elle offre un aspect résidentiel inattendu dans ce quartier commerçant. Ses immeubles imposants et cossus datent pour la plupart des années 30. Remontant l'avenue, vous arriverez à **Pomander Walk** (261-294 W. 94th St. et 260-266 W. 95th St.), une allée de cottages dans le plus pur style anglais, dessinée en 1922 d'après les décors d'une pièce à grand succès de Lewis Parker.

● **Riverside Park** *(plan XII, A3-1)*

Cette étroite bande de verdure le long de l'Hudson a été conçue par les mêmes paysagistes que Central Park : Olmsted et Vaux. Si sa nature est loin d'égaler celle du Park, sa situation au-dessus du fleuve lui confère un certain charme, malgré la présence de deux voies rapides. (Veillez à ne pas vous éloigner des sentiers balisés, surtout au N. du Soldiers' Monument.)

79th Street Boat Basin : au niveau de 79th St. se trouve un petit port de plaisance principalement occupé par des péniches et *houseboats (accès par un passage souterrain sous Riverside Drive).*

Le Soldiers' and Sailors' Monument (au niveau de 89th St.), dédié aux morts de la guerre de Sécession, est inspiré du Monument de Lysicrate à Athènes (IVe s. av. J.-C.).

● **Les musées de l'Upper West Side :**

– **American Museum of Natural History**** (→ p. 227) ;

– **Museum of American Folk Art** (→ p. 229) ;

– **New York Historical Society*** (→ p. 230).

14 – Central Park**

***Situation** : Uptown, de 59th à 110th Sts., entre 5th Ave. et Central Park West (plan X, B2- XII, B1)*

Que serait New York sans Central Park ? On frémit à cette pensée et l'on ose à peine imaginer ce monstre de béton avec seulement quelques malheureux espaces verts rejetés à son pourtour. Central Park est bel et bien un élément vital au cœur de l'île. Un véritable poumon. Mais c'est aussi un symbole, un mode de vie auquel les New-Yorkais sont très attachés. On vient y danser, y jouer du saxo, s'éclater en *roller blades* (patins à roulettes), fêter un anniversaire, pique-niquer en famille, répéter une pièce en amateur… Bref, on y vit et on s'y retrouve dès que le soleil pointe ses rayons et que le thermomètre commence à remonter. Et si vous voulez tuer le temps un dimanche d'été, venez donc assister à ce débordement d'activité et d'animation : vous y verrez l'un des spectacles les plus new-yorkais.

La nécessité d'un tel parc s'imposa dès la première moitié du XIXe s., mais il fallut attendre 1853 pour que le projet prenne corps. À l'époque, la ville n'arrivait pas encore jusque-là ; tout le nord de 59th St. n'était que marécages et terrains vagues à l'abandon. Cette ambitieuse réalisation était donc un pari sur l'avenir et la croissance de la cité. Les travaux se révélèrent d'ailleurs une prouesse technique : près de vingt ans d'aménagement et pas loin de 4 millions de m^3 de terre transportés ! Et l'on ne soupçonne pas que ce parc, qui s'intègre aujourd'hui si bien dans le paysage urbain, n'est en fait qu'illusion, reproduction de collines, d'étangs, de sous-bois, de prairies, etc. Une réussite qui servit de modèle à travers tout le pays.

***Quand ?** L'entrée du parc est libre, mais **attention aux agressions nocturnes** ! Le parc ferme officiellement à minuit. Évitez de traîner dans les coins isolés, surtout dans la partie N. qui est la moins fréquentée. Aux beaux jours, c'est le dim. que vous y croiserez la foule la plus hétéroclite, mais il faut être matinal pour trouver une bonne place…*

***Accès** : il existe quantité d'entrées, l'une des principales étant celle de Grand Army Plaza, 59th St. & 5th Ave. (plan XI, C2). Pour y aller **en métro** : lignes N et R, arrêt 5th Ave. ; **en bus** : lignes 1 à 5.*

***Activités** : elles sont nombreuses et diverses (circuits en vélo, sports, confé-*

*rences sur la flore et la faune, concerts et spectacles en été). **Pour tous renseignements**, adressez-vous au **Park Visitor Center** dans le Dairy, au niveau de 65th St., ☎ 427-4040 ou 360-1333.*

Vu la superficie de Central Park – près de 350 ha –, ne cherchez pas à en faire le tour, mais choisissez une activité, un coin. Vous trouverez ici les principaux centres d'intérêt, énumérés en partant de Grand Army Plaza.

● **Pond.** – Qui aurait cru qu'il était possible de s'adonner à l'ornithologie à New York ? Beaucoup d'oiseaux viennent en effet se réfugier sur la colline qui sépare les deux bras de cet

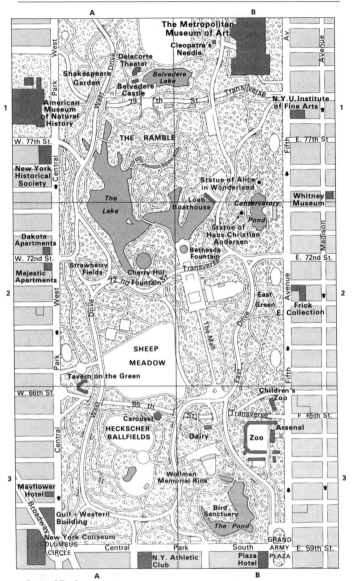

Central Park.

étang (baptisée **Hallet Wildlife Refuge** depuis 1986).

● **Wollman Memorial Rink**. – Patinoire en hiver, piste de patins à roulettes et golf miniature au printemps, l'endroit a toujours été l'un des plus populaires – et des plus bondés – du parc.

● **Dairy**. – Le **Park Visitor Center** (bien documenté) est installé dans cette ancienne laiterie, construite à l'origine pour fournir du lait frais aux enfants de la ville ; les vaches étaient alors sur une grande prairie à l'emplacement de la patinoire.

● **Central Park Zoo**. – Très bien rénové en 1988, il intéressera surtout les enfants. Beaucoup moins grand que le Bronx Zoo, il regroupe seulement une centaine d'espèces, mais les présente très bien.

● **Sheep Meadow***. – C'est le lieu où s'arrêter pour faire un bain de soleil ou pique-niquer. De son extrémité N., vous aurez une **vue**** superbe sur les gratte-ciel de Midtown. Du côté de Central Park West, la **Tavern on the Green** est une ancienne bergerie transformée en restaurant de luxe ; l'ambiance y est un peu trop touristique et la carte très chère, mais le cadre est beau ; vous pouvez vous contenter de prendre un verre sur la terrasse.

● **Mall** et **Bandshell**. – Le Mall, dit aussi **Literary Walk,** est une belle allée bordée d'ormes et de statues d'hommes de lettres (Shakespeare, Walter Scott). Elle aboutit au Bandshell, récemment rénové, où se déroulent concerts et spectacles, les plus populaires restant les performances des *rollerbladers* et autres acrobates munis de roulettes en tout genre…

● **Bethesda Fountain**. – Le grand rendez-vous de New York aux beaux jours. Sur la terrasse, elle aussi restaurée il y a peu de temps, est installé un petit café en plein air.

● **Lake** et **Bow Bridge***. – Le joli pont en fonte de Bow Bridge vous conduira au Lake, en offrant une très belle **vue**** sur les buildings qui émergent au-dessus des arbres. Le Lake n'est plus le paradis des patineurs comme au début du siècle, mais celui des bateaux à rames (location et petit restaurant très agréable à **Loeb Boathouse**).

● **Ramble**. – Ce sous-bois dans lequel on peut facilement se perdre, tellement les sentiers serpentent autour des collines, est l'un des derniers coins sauvages de Central Park. Vous y entendrez – à défaut d'y voir – beaucoup d'oiseaux. Mais c'est aussi un lieu un peu isolé où mieux vaut ne pas flâner seul.

● **Strawberry Fields.** – Le jardin de la paix, situé en face du Dakota où

Un coin de nature à Manhattan

New York : 1858

« Les travaux de Central Park vont bon train. Ils sont réalisés selon le projet de Frederic Law Olmsted et du Britannique Calvert Vaux. Cette équipe avait gagné le concours lancé l'année dernière pour l'aménagement d'une vaste étendue au milieu de l'île de Manhattan.

En effet, l'Assemblée de l'État de New York a voulu agir rapidement pour préserver le paysage dans une zone qui s'urbanise à un rythme sans précédent. Olmsted considère que ce rythme ne peut que se précipiter ; il imagine que son parc sera un jour prochain complètement entouré par la ville. Mais comment prévoir la circulation dans une métropole au cœur de laquelle on aura veillé à préserver la nature ? »

Extrait de *L'Aventure de l'art au XIXe siècle*, Le Chêne-Hachette, 1991, p. 499.

vivait le chanteur des Beatles John Lennon. Son nom d'ailleurs commémore l'une des chansons du groupe.

● **Shakespeare Garden.** – L'une des seules parties du parc entretenues comme un jardin privatif avec des allées et des plates-bandes. Il jouxte le **Delacorte Theater** où se jouent chaque été les pièces du Shakespeare Festival ; ces spectacles étant en général gratuits, la queue pour les tickets est impressionnante.

● **Belvedere Castle.** – Ce château néogothique couronne la colline. Lorsqu'on se dirige vers lui, par un effet d'optique il paraît beaucoup plus loin qu'il n'est en réalité.

● **Cleopatra Needle.** – Cet obélisque a été érigé par Thoutmosis III à Héliopolis puis transporté par les Romains à Alexandrie (12 av. J.-C.). Il est à New York depuis 1880. Ses hiéroglyphes sont hélas devenus illisibles sous l'effet de la pollution.

● **The Reservoir** et le **Jackie Kennedy O'Nassis Running Path**, la piste de jogging la plus fréquentée des États-Unis (Jackie Kennedy venait courir ici). Immortalisée dans le film *Marathon Man*, avec Dustin Hoffman.

15 – Chinatown* et Little Italy

Mott St.* – Canal St. – Chatham Square

Situation : plan VII, C2. *Chinatown a longtemps été limité à un petit quadrilatère : Canal et Worth Sts., Bowery et Mulberry Sts. Mais aujourd'hui la ville chinoise déborde largement de ce périmètre et empiète sur les quartiers voisins.*

Visiter Chinatown, c'est plonger dans un monde grouillant, plein d'odeurs et de couleurs. Dans un immense bazar où l'on trouverait tout et n'importe quoi : des légumes aux noms étranges, des ailerons de requins expédiés par avion depuis la Chine, du ginseng aux vertus toniques, des jouets, des composants électroniques, etc. Un monde dépaysant ? Certainement. Fascinant ? Peut-être. Mais il ne faut pas oublier que ses rues sont bruyantes et sales, ses façades un peu trop clinquantes, ses habitations surpeuplées, ses sous-sols encombrés d'ateliers où les immigrants fraîchement débarqués travaillent pour un salaire ridiculement bas. Car la grande industrie de Chinatown, c'est la confection : pas moins de 20 000 ouvriers tailleurs sont installés dans ce petit périmètre…

On le voit, Chinatown est une vraie ville qui ne cesse de s'étendre. Sa population a quadruplé depuis 1965 et dépasserait aujourd'hui le nombre de 150 000 : c'est la plus grande communauté chinoise en dehors de la Chine. La plupart des nouveaux arrivants viennent de la Chine continentale. On y parle davantage le mandarin ou le cantonais que l'anglais, et ses habitants vivent en autarcie, isolés du reste de la ville. Peu à peu, Chinatown grignote ses voisins, notamment Little Italy : le quartier italien est désormais réduit à une succession de restaurants et de magasins d'alimentation, ainsi que le Lower East Side et bientôt TriBeCa.

Ne cherchez pas de monuments ici, si ce n'est des banques en forme de pagodes, des cabines téléphoniques coiffées d'un chapeau chinois, ou des lampadaires imitant les lanternes chinoises. Venez plutôt flâner ou, mieux encore, dîner et déguster cette nourriture « ethnique » dont les New-Yorkais sont si friands.

*Accès : en **métro** lignes J, N, R et 6, arrêt Canal St. ; **bus** n° 1.*

*Quand ? Il vaut mieux visiter **Chinatown** l'après-midi ou pendant le week-end, quand une foule bigarrée se presse dans les rues. Le soir est plus calme. Lors des fêtes du **Nouvel An chinois**, illuminations et processions donnent à ce quartier son véritable caractère (première pleine lune après le 21 janvier).*

*À **Little Italy**, une kermesse durant 10 jours et de nombreux défilés sont organisés pour fêter la San Gennaro (début sept.). Très touristique.*

● Chinatown

Le quartier regorge de boutiques et compte près de 300 restaurants. Nous vous indiquerons seulement quelques grands axes, le mieux étant de se balader au gré de sa fantaisie.

Mott Street*, très étroite, est l'artère la plus traditionnelle du quartier. Lors de la parade du Nouvel An chinois, on y promène au son des fanfares un grand dragon. Vous y verrez beaucoup de boutiques de souvenirs et des restaurants clinquants, dont les noms s'inscrivent sur les façades en

Enseignes à Chinatown.

grandes lettres rouges, jaunes et vertes, les couleurs porte-bonheur des Chinois. C'est là – ou dans les rues adjacentes – qu'il faut aller si vous voulez goûter de la vraie cuisine chinoise (de Canton, de Shanghai, du Hunan, du Sichuan, etc.).

Canal Street a été creusée comme un canal pour vider Collect Pond, grande étendue d'eau située à l'emplacement actuel des tribunaux. Elle traverse l'île dans sa largeur et relie l'Hudson River à l'East River. C'était jadis un boulevard élégant : certains édifices, mal entretenus, en témoignent encore. Aujourd'hui, Canal St. est le domaine des étals d'alimentation, qui envahissent tous les trottoirs. La foule qui vient y faire son « marché » est autant chinoise que new-yorkaise. Vous pouvez jeter un coup d'œil à **Kam Man** (n° 200), l'épicerie qui offre la plus large sélection d'ingrédients et d'ustensiles chinois.

Pell Street et **Doyers Street** : encore et toujours des magasins et des restaurants qui affichent en vitrine canards laqués, mangues et gingembres. Doyers St. fit la une de la presse au moment de la guerre des *tong*, les gangs chinois qui se sont entretués entre 1880 et 1920 pour régner sur les maisons de jeux et le commerce de l'opium. Aujourd'hui, alors que Chinatown possède le plus bas taux de criminalité de la ville, les mafias chinoises restent très impliquées dans le trafic de la drogue, de l'immigration clandestine et de la prostitution.

Chatham Square est un véritable labyrinthe où aboutissent une dizaine de rues. La place est toujours très encombrée ; au milieu de ce tohubohu se distingue l'étonnante pagode de la **Manhattan Savings Bank**.

● **Little Italy**

Le quartier a beaucoup perdu de sa vitalité, les familles italiennes s'étant dispersées dans la ville.

Deux rues peuvent encore donner une relative impression péninsulaire et latine : **Mulberry Street** (au N. de Canal St.) et **Grand Street**, où malgré l'omniprésence du monde asiatique, le cappuccino, l'espresso, les spaghettis, le petit vin rouge et la *canzonetta* du samedi soir font toujours régner un parfum d'Italie. On n'y trouve pourtant pas toujours les meilleurs restaurants.

16 – East Village* et Lower East Side

Astor Place – St Mark's Place – Orchard St. – Essex St.
Situation : plan VII, C1-IX, C-D3
Les limites d'East Village sont approximativement de Houston St. à 14th St.,
*et de Bowery à l'East River, toute la section au-delà de 1st Ave. étant
maintenant plutôt appelée* **Alphabet City.**
La délimitation du **Lower East Side** *est assez floue ; on pourrait dire :
E. Broadway, Canal St. et Houston St.*

Si vous cherchez gratte-ciel et musées, ne venez pas à la rencontre de l'East Village. Car c'est un autre New York que vous découvrirez ici : une ville vivante, extravertie, déroutante aussi, où le spectacle est dans la rue. Une scène sur laquelle se croise une population des plus hétéroclites – punks, hippies sur le tard, latinos, yuppies, vendeurs à la sauvette. L'East Village n'existe que par son animation, sa faune déconcertante, qui mêle avec le plus grand naturel petits trafiquants, clochards, étudiants studieux et jeunes cadres. Son centre nerveux reste Astor Place, où ne grouillent plus les vendeurs à la sauvette, chassés par la police. Seuls demeurent quelques vendeurs de livres bien rangés sur des tables.

Il y a bien longtemps que Jack Kerouac, W. H. Auden, William Burroughs, Abbie Hoffman, et d'autres, ont déserté les lieux ; cela fait aussi près d'une quinzaine d'années que l'East Village a commencé à se transformer, à se réhabiliter. Et pourtant, de cette époque où il fut l'un des bastions de la contre-culture, il a conservé un certain goût de la dérision et de la provocation. Certains New-Yorkais ont un penchant pour ce quartier non conformiste, les autres restent souvent interdits devant tant excès de vitalité. Aujourd'hui, les commerces y abondent : quelques cyniques nomment cela la « contre-culture du comptoir »...

N'oublions pas qu'autrefois East Village se confondait avec le Lower East Side : de nombreux immigrants s'y établirent, apportant avec eux leurs traditions. En témoignent encore les églises ukrainiennes, les restaurants polonais, les pâtisseries italiennes, le magasin de *delicatessen*, 2nd Ave., aux spécialités cachères, jusqu'à l'ancien théâtre yiddish transformé en cinéma. À tout cela s'ajoute Little India, fourmillant de restaurants indiens, situé E. 6th St., entre 1st et 2nd Aves. Un monde disparate qui se côtoie sans heurts.

Quant au Lower East Side à proprement parler, son voisin immédiat, il fait revivre tout un chapitre de l'histoire de New York, celle des immigrés juifs d'Europe centrale. Beaucoup sont partis, leur fortune les ayant entraînés ailleurs, mais leurs traditions, leur personnalité imprègnent encore les lieux.

Quand ? Aller à **East Village** de préférence en fin d'après-midi ou le soir. **Alphabet City**, la frange E. d'East Village (au-delà de 1st Ave.), était encore un grand carrefour de la drogue en 1990 ; l'endroit est un peu plus sûr aujourd'hui, mais il faut être vigilant, surtout Ave. C et D.

Le meilleur moment pour visiter le **Lower East Side** est le dim. matin, quand Orchard St. se transforme en marché de plein air ; notez aussi que beaucoup de magasins sont fermés dès le ven. après-midi et, naturellement, le sam.

Comment ? Circulez à pied, les distances étant courtes. Pour accéder à East Village, **métro** : ligne 6, arrêt Astor Place ; **bus** : n° 1, 2 ou 3. Pour aller d'East Village à Lower East Side, vous pouvez prendre le bus n° 15 (sur 2nd Ave.).

Où s'arrête ? Les restaurants traditionnels sont ceux des pays Baltes, slaves, et les juifs d'Europe de l'Est, mais on trouve maintenant de la cuisine de tous les pays à prix raisonnables, notamment sur 1st et A Aves.

● **East Village**

Astor Place *(plan IX, C3)* est le grand rendez-vous d'East Village, notamment autour de la gigantesque sculpture cubique qui porte le doux nom d'Alamo... Le soir, surtout le week-end, on y voit adossés des jeunes aux cheveux teints, au visage et au corps tatoués ou percés d'anneaux. Notez au passage le **Cooper Union Building,** sans doute le premier édifice à intégrer des poutres d'acier dans sa construction. Il est le siège d'une école d'architecture et d'arts appliqués parmi les plus prestigieuses et – ce qui est très rare – entièrement gratuite. Dans le Great Hall, Abraham Lincoln a prononcé l'un de ses discours les plus magistraux avant d'être élu à la présidence des États-Unis.

L'axe principal du quartier est **St Mark's Place** *(plan IX, C3)*, terriblement animée le soir. Si vous la remontez en direction de la rivière, vous passerez imperceptiblement dans **Loisaida**, l'une des enclaves des Latino-Américains. Au niveau de l'avenue A, vous entrerez dans **Alphabet City**, un quartier en rénovation, encore envahi par la drogue il n'y a pas si longtemps *(mieux vaut ne pas s'aventurer Ave. C)*. Ces avenues (A, B, C et D) ont curieusement connu un développement éclair en 1981, attirant de nombreuses galeries d'avant-garde. Toutes ont disparu aujourd'hui, mais leur bref passage a provoqué un regain d'intérêt pour ce coin un peu désolé de Manhattan.

Tompkins Square *(Ave. A & B ; plan IX, D3)* a fait couler beaucoup d'encre dans la presse new-yorkaise, car il fut le théâtre d'émeutes sanglantes en 1988 et 1991, quand la police a cherché à déloger les drogués et sans-abri qui s'y étaient réfugiés. Depuis, le parc a été rénové : c'est une enclave tranquille où jouent les enfants, où se tiennent des parties de basket-ball, où l'on peut lire et rêvasser sous les arbres. À l'instar des nombreux parcs, Tompkins Square ferme à minuit. Tout autour se sont installés des restaurants qui comptent parmi les moins chers de New York : Lesko's Lunchonette est le plus ancien, témoignant encore d'un quartier habité jadis par des émigrés d'Europe centrale.

Si St Mark's Place a été envahie par des magasins quelque peu criards, les rues qui lui sont parallèles sont tranquilles, bordées de boutiques originales, fascinantes, voire mystérieuses...

Pour les amateurs de sensations fortes, faites un détour par 3rd St., entre 1st et 2nd Aves. : les *Hell's Angels* y ont leur siège. Beaucoup de motos et de personnages à l'allure menaçante.

D'Astor Place, vous pouvez aussi faire un tour sur Lafayette St., où vous verrez **Colonnade Row** (1833), connue aussi sous le nom de LaGrange Terrace *(n° 428-434, plan IX, C3)*, quatre maisons précédées d'une belle colonnade néo-classique. C'est l'un des seuls témoignages, malheureusement en piteux état, du temps où les prestigieux Astor, Vanderbilt, Delano y résidaient.

En face, l'imposante bâtisse de style Renaissance est le **Public Theater**, siège du New York Shakespeare Festival, fondé voici plus de 30 ans par Joseph Papp : chaque été, il donne des spectacles au Delacorte, théâtre en plein air de Central Park (gratuits). Le Public Theater possède 6 salles présentant films, pièces et autres spectacles qui ont un public assidu. Le bâtiment lui-même fut la première bibliothèque publique, fondée par Jacob Astor.

Enfin, si l'anglais n'a plus de secret pour vous et si vous aimez le théâtre (expérimental), East Village regroupe bon nombre de troupes d'Off-Off-Broadway (→ p. 244). Parmi les plus célèbres, **LaMama** *(74 E. 4th St.)*.

● **Lower East Side**

Le Lower East Side a toujours été un quartier d'immigration : aux Irlandais, à partir de 1850, ont succédé vers 1880 les grandes vagues de réfugiés juifs d'Europe centrale. La vie y était alors très rude, surtout dans les *tenements*, ces petits immeubles pourvus en façade d'escaliers anti-incendie, où 3 ou 4 familles s'entassaient à chaque étage et partageaient la même salle de bains. Les temps ayant changé, les Juifs ont été remplacés par de nouveaux arrivants portoricains ou chinois. La plupart des synagogues sont aujourd'hui fermées et les vestiges de la culture juive en ruines, mais la communauté continue d'envahir restaurants et magasins le dimanche, donnant soudainement vie à un quartier qui semble s'être un peu assoupi.

Pour faire du shopping, allez à **Orchard Street** *(plan VII, C1)*, véritable temple de la mode et des vêtements dégriffés *(entre Hester et Houston Sts.).* **Essex Street** *(plan VII, C1)* célèbre une autre tradition juive tout aussi réputée : la gastronomie (restaurants, *delicatessen*, épiceries) ; faites un tour notamment au marché couvert *(entre Delancey et Rivington Sts.),* fréquenté de plus en plus par des Portoricains.

Les monuments sont rares à Lower East Side. **L'Eldridge Street Synagogue** *(dans le triangle entre Eldridge, Canal et Division Sts ; plan VII, C1)* fut l'une des plus importantes. Désaffectée depuis les années 30, elle est aujourd'hui en rénovation. Sa façade est étonnante, mêlant roman, gothique et style mauresque.

Le **Lower East Side Tenement Museum** *(97 Orchard St. ; plan VII, C1 ; ouv. mar.-dim. 11 h-17 h ; vis. guidées d'appart. rénovés ts les a.m.)* retrace la vie dans les *tenements* du siècle dernier : conférences, visites du quartier.

Delicatessen

Les New-Yorkais sont très attachés à leurs *delis*, ces charcuteries spécialisées que l'on voit un peu partout. On vient y déguster un sandwich, un plat pris sur le pouce ou, tout simplement, faire quelques courses. Leur origine remonte au XIXe s., à l'époque où les immigrés allemands, polonais, hongrois et russes affluèrent, amenant avec eux leurs traditions culinaires ; ils ouvrirent des épiceries fines qu'ils baptisèrent naturellement d'un nom allemand : *delicatessen.* Aujourd'hui, il existe toutes sortes de *delis*, mais la plupart continuent de servir des spécialités juives d'Europe centrale ou orientales.

Cette cuisine a d'ailleurs donné naissance à des plats qui appartiennent désormais au folklore new-yorkais, comme le *cole slaw* (chou cru émincé à la mayonnaise), le *hot pastrami* (bœuf pimenté coupé en tranches très fines), les *dill pickles* (légumes marinés avec de l'aneth) ou le *pumpernickel* (pain noir). La charcuterie est généralement faite à base de volaille ou de bœuf *(corned beef, bologna).* Le saumon fumé *(lox)* est servi sur des *bagels* (petits pains) grillés et accompagnés de *cream cheese* (un genre de Carré Gervais). Pour les desserts, le *cheese cake* tient le rôle vedette. Mais on y trouve également des gâteaux à base de pomme, de noix et de cannelle qui s'inspirent de la pâtisserie autrichienne.

17 – Madison Square, Gramercy Park* et Union Square

Madison Square – Flat Iron Bldg.** – Ladies Mile* – Gramercy Park* – Union Square
***Situation :** à l'E. de 5th Ave., de 23rd à 14th Sts. (plan IX, C2)*

Vous ne verrez pas de monuments spectaculaires ici – excepté le Flat Iron – ni de perspectives à couper le souffle. Mais des quartiers commerçants et animés, qui ont conservé leur caractère et, surtout, quelques joyaux d'architecture « 1880 », « 1900 », que l'on avait un peu oubliés au fil des ans. Depuis peu, ils suscitent un regain d'intérêt grâce à l'ouverture de boutiques, de restaurants prestigieux et de nouvelles sociétés de multimédia qui ont remplacé les commerces de gros, et grâce aux lofts installés dans les immeubles. 5th Avenue et Broadway ont l'apanage de ces « châteaux » qui puisent leur inspiration dans les styles du passé, adaptant avec brio le gothique, le roman ou l'art classique. Gramercy Park, entouré d'édifices élégants, conserve depuis le XIXᵉ s. son caractère aristocratique.

Quand ? *Le quartier est souvent très animé (même le matin), grâce à ses boutiques et restaurants appréciés des New-Yorkais. Si vous passez par là un lun., un mer., un ven. ou un sam. vous découvrirez l'un des* **marchés** *de New York, appelés green markets.*

Combien de temps ? *environ 4 h si on fait les boutiques.*

Départ : *Madison Square Park (attention, ne pas confondre avec Madison Square Garden), au niveau de 23rd St.*

Bus : *1, 2 ou 3 ;* *métro :* *23rd St./Broadway ligne R ou 23rd St. ligne 6.*

● **Madison Square Park** *(plan VIII, C2).* – Avant la guerre de Sécession, ce parc était au cœur d'un quartier résidentiel. Puis un hôtel de luxe, un théâtre prestigieux et le fameux Madison Square Garden, conçu par l'architecte Stanford White, firent face au parc. Aujourd'hui, Madison Square est entouré de bâtiments publics et commerciaux et d'une circulation intense. Mais le parc conserve un certain charme, grâce aux nombreuses statues du siècle dernier. Dans la journée les promeneurs sont rares, le matin et le soir sont plus animés.

● **Le Flat Iron Building**** *(Broadway & 23rd St.),* « le fer à repasser », symbolise à lui seul l'épopée du gratte-ciel. Avec ses 21 étages et surtout sa forme étroite taillée comme une part de gâteau (1,80 m dans sa partie la plus étroite), il semble défier les lois de la nature. Bien des New-Yorkais étaient d'ailleurs convaincus qu'il

s'effondrerait en moins de six mois… Conçu en 1902 par D.H. Burnham, il repose entièrement sur une structure en acier, technique très moderne pour l'époque et qui allait permettre la construction de buildings de plus en plus hauts. Mais, de l'extérieur, rien ne laisse apparaître cette conception novatrice : la façade, en pierre, reprend le modèle des palais florentins avec pilastres, médaillons sculptés et corniches. Si Burnham fut l'un des pères de l'architecture moderne à Chicago, il resta toujours attaché au décor académique de la Renaissance.

● **La Metropolitan Life Insurance Company*** *(Madison Ave. & 24th St.).* – Le bâtiment principal (1893) et la tour (1909) ont été conçus par la société d'architectes Napoléon Le Brun & Sons. La façade de la tour, en marbre (altérée en 1961), évoque le campanile de la place Saint-Marc, à Venise. De son décor, il ne subsiste qu'une horloge à quatre côtés. La nuit, son lanternon est éclairé par des flashs de couleur rouge tous les quarts d'heure, et blanche toutes les heures. À remarquer aussi le **North Building** dessiné en 1912 par Harvey Wiley Corbett et E. Everett Waid, dont la masse est allégée par son sommet polygonal.

● **L'Appellate Division Courthouse** *(Madison Ave. & 25th St.),* cour d'appel de l'État de New York (1899), semble un peu écrasée par les bâtiments qui entourent Madison Square.

C'est un bâtiment typique du style néo-classique du début du siècle (1900), que l'on appelle ici « Beaux-Arts ». Remarquez la profusion de sculptures en façade (architecte J. Brown Lord).

● **Le New York Life Insurance Building** *(Madison Ave., entre 26th et 27th Sts.)*, chef-d'œuvre néo-gothique dû à l'architecte du Woolworth Building, Cass Gilbert (1928). La pyramide dorée surmontant la tour carrée est d'un style affectionné par Gilbert ; il l'avait surnommée « American Perpendicular ». L'immeuble s'élève à l'emplacement de l'ancien Madison Square Garden, grande salle de spectacles, aujourd'hui installée sur 33rd St. au-dessus de la Pennsylvania Station.

● **Ladies Mile*** *(Broadway & 5th Ave., au S. de Madison Square).* – C'est là que l'on découvrira quelques-uns des plus beaux spécimens d'architecture commerciale de New York. Les premiers grands magasins, assez chics, s'installèrent sur « l'allée des ladies » dès 1870. On construisit alors de grands bâtiments fonctionnels qui ressemblent un peu à ceux de SoHo, bien qu'ils soient rarement en fonte mais plutôt en maçonnerie. Des temples du commerce rivalisant d'originalité et mêlant avec extravagance arches romanes, colonnes corinthiennes, pilastres, motifs Renaissance. Tout ce quartier est en réhabilitation depuis une dizaine d'années et les grands magasins ont réouvert. Hélas, certaines façades (dans leur partie inférieure) ont été défigurées par des rénovations ne correspondant pas toujours au style de l'édifice. On y trouve aussi le **Limelight**, église transformée en night-club.

À remarquer au carrefour de Broadway et 20th St. deux bâtiments étonnants : **Old Lord & Taylor's** (1869), avec une amusante tour d'angle en mansarde, et le **900 Broadway** (McKim, Mead & White, 1887), tour de briques reposant sur des arches romanes.

● **La maison natale de Theodore Roosevelt** *(28 E. 20th St. ; ouv. t.l.j. sf lun. & mar. 9 h-17 h ☎ 260-1616).* – Il s'agit de la demeure où Theodore Roosevelt, président des États-Unis

---

New York découvre l'art moderne

Le 17 février 1913 s'ouvrait dans une caserne d'infanterie, à l'angle de Lexington Ave. et de 5th Ave., une exposition connue, dans l'histoire de l'art moderne, sous le nom d'**Armory Show**. Si celle-ci eut lieu dans une caserne louée à l'occasion, c'est parce que, à l'époque, il n'y avait pas à New York de galerie ou de musée suffisamment vaste pour accueillir les 1 600 œuvres exposées et dues, pour un tiers, à des artistes européens.

L'Amérique y découvrit les principaux artistes qui, au début du siècle, effectuèrent la révolution de l'art moderne : Matisse, Picasso, Braque, Duchamp, Picabia, initiateurs du fauvisme, du cubisme ou précurseurs du futur mouvement Dada. Et non seulement eux, mais leurs grands prédécesseurs tels que Monet, Van Gogh, Cézanne, Odilon Redon.

Après New York, l'exposition alla à Boston et à Chicago. Les critiques furent nombreuses, surtout à l'égard de la salle cubiste qui fut qualifiée de « musée des horreurs » et de Matisse dont l'effigie fut brûlée en pleine rue par les étudiants de l'institut d'art de Chicago. Mais nombreux furent également les visiteurs enthousiastes. Événement considérable, car tout l'art des États-Unis devait en être changé.

de 1900 à 1912, vécut jusqu'à l'âge de 14 ans. Une exposition retrace sa vie ; cinq décors reconstitués font revivre un intérieur des années 1860-1870. Notez que l'édifice actuel est la réplique (1923) de l'original construit en 1848.

● **Gramercy Park*** *(plan VIII, C2 ; bus 1, 2 ou 3 ; métro 23rd St. ligne 6).* – Avec son jardin clos et ses rangées de maisons basses, Gramercy Park est assez inattendu dans ce quartier commerçant, et l'on dit souvent qu'il rappelle Londres et ses squares tranquilles. Il est vrai que dès sa création, en 1831, il fut conçu comme un jardin privatif dont l'accès devait être limité aux riverains. Plus d'un siècle et demi a passé et le parc reste réservé aux quelques privilégiés qui habitent alentour (conception : Samuel Ruggles). Mais Gramercy Park doit aussi son charme à ses demeures, aux façades originales, qui témoignent des styles successifs du XIXᵉ s.

Au S. : le **National Arts Club** (nº 15) fut transformé en 1884 par Calvert Vaux qui joignit deux maisons et anima sa façade de sculptures (plantes, animaux, bustes d'hommes de lettres). À l'origine, c'était la résidence privée d'un gouverneur de l'État de New York. Le bâtiment fut acquis par le cercle en 1906. **The Players*** (nº 16), le très sélect cercle des gens du spectacle, fut aussi une résidence privée, celle du grand acteur shakespearien Edwin Booth, le frère de John Wilkes Booth qui assassina Lincoln. L'édifice fut quant à lui remanié par Stanford White qui ajouta le porche Renaissance (très belles ferronneries) et la corniche ornée de masques de théâtre. À l'O. : les édifices, plus sobres et plus anciens (vers 1840), sont pourvus de délicates baslustrades en fer forgé (nᵒˢ 3 et 4). À l'E. : le **nº 36** est une curieuse tour néo-gothique de 1910, gardée par deux statues de chevaliers grandeur nature.

● **Police Academy Museum** *(nº 235 E. 20th St. ; plan VIII, C2 ; ouv. lun.-ven. 9 h-14 h ; entrée libre, vis. guidée sur R.V. ; ☎ 477-9753) : → Les autres musées de New York.*

● **Park Avenue South** et **Irving Place.** – Ces deux artères dégagées, plus animées que Gramercy Park, témoignent elles aussi de la diversité des bâtiments commerciaux du début du siècle. Il suffit de lever la tête pour découvrir ici une corniche classique, là des fenêtres byzantines ou un médaillon Renaissance. Bars et restaurants en vogue entre les 16th et 21st sts.

● **14th Street.** – New York est une ville de contraste. En voici la preuve une fois encore : à 6 blocs (soit environ 400 m) du luxe discret de Gramercy Park, 14th St. est connue (surtout à l'O. de 5th Ave. et à l'E. de 3rd Ave.) pour ses boutiques un peu tapageuses qui font des soldes permanents.

● **La Con Edison Tower** *(14th St. & Irving Pl.)* fut construite en 1926 sur le modèle des grandes réalisations de Vittorio Emanuele à Rome (architectes Warren & Wetmore). Joliment éclairée le soir, elle fait partie du paysage de New York *by night*. À l'intérieur, petit **musée** consacré à l'histoire de l'électricité. *(→ Les autres musées de New York).*

● **Le Palladium** *(126 E. 14th St.)*, le célèbre night-club, microcosme des modes new-yorkaises au milieu des années 80, associe architecture et art contemporain : le Japonais Arata Isozaki a transformé l'espace d'un vieux théâtre sans le diviser, mais en ajoutant à l'intérieur une nouvelle construction qui se juxtapose à l'ancienne. À remarquer : le double escalier en blocs de verre où sont encastrées 2 400 ampoules électriques.

● **Union Square** *(plan VIII, C2 ; bus 1, 2 ou 3 ; métro : 14th St./Union Square ; lignes L, N, R, 4, 6)* était bordé, avant la guerre de Sécession, de riches demeures aristocratiques, qui furent peu à peu remplacées par des salles de théâtre et de concert, des magasins et des restaurants. Au début du siècle, la place devint un véritable carrefour politique : le rendez-vous des dirigeants radicaux et anarchistes qui y improvisaient souvent leurs réunions. Elle fut aussi un centre de manifestations politiques et ouvrières : c'est là qu'on protesta, le 22 août 1927, contre l'exécution de Sacco et Vanzetti. Plus récemment, le square était devenu le paradis des dealers de drogue. Aujourd'hui, grâce à une rénovation entreprise en 1980, la place a retrouvé une certaine allure et les enfants du quartier viennent à nouveau y jouer. Ces dernières années, de nombreux restaurants à la mode se sont ouverts à côté ou aux environs du square, attirant un public nombreux et élégant. Mais Union Square reste un lieu de passage, bordé d'avenues à grande circulation très bruyantes. Le grand *greenmarket* ou **Farmers Market**, marché paysan *(lun., mer., ven. et sam.)*, attire toujours foule.

Jetez un coup d'œil aux **31 et 33 Union Square West** *(entre 16th et 17th Sts.)*, deux maisons très étroites. La premiè-re, à l'origine une banque, surprend par son portique ionique au rez-de-chaussée et sa corniche surdimension-née. La seconde est une fantaisie au décor exubérant, qui mêle gothique pseudo-vénitien et art mauresque.

● **Zeckendorf Plaza** *(1 Irving Pl., entre W. 14th & W. 15th Sts. vers Union Square E.)* se situe à l'emplacement d'un grand magasin légendaire : S. Klein, connu pour ses soldes et ses prix bas. C'est un gigantesque immeuble résidentiel, composé de quatre tours surmontées chacune d'une pyramide illuminée à partir de la tombée de la nuit. Il contient plus de 670 apparte-ments ; les différentes sections sont cen-sées représenter les divers modes de vie des quartiers de Manhattan. Cet ensemble comprend aussi un club spor-tif, plusieurs magasins et un super-marché. Construit en 1987 (architectes Davis Brody & Associés).

● **University Place** offre une belle perpective sur les gratte-ciel envi-ronnants : au N. le campanile du Metropolitan Life Insurance Bldg., au S. les tours jumelles du World Trade Center. De là, on gagnera facilement Washington Square *(→ Greenwich et West Villages).*

18 – Chelsea*

Chelsea Hotel* – 20th St.** – Flower District – Garment District
***Situation** : plan VIII, B2-A1*
*Chelsea tire son nom de la propriété acquise par le capitaine Thomas Clarke en 1750. Ses **limites** allaient de 14th au 25th Sts., entre 8th St. et l'Hudson. Aujourd'hui, on appelle Chelsea tout ce qui est compris entre 34th St. au N., 14th St. au S., 6th Ave. à l'E. jusqu'à l'Hudson à l'O. Cela forme un quartier très diversifié.*

Ne vous laissez pas tromper par l'animation et l'activité incessantes qui règnent sur 23rd St. : Chelsea n'est pas un simple quartier com-merçant comme tant d'autres. Son histoire fut marquée par une suc-cession de hauts et de bas durant plus d'un siècle. Et cela se lit tou-jours sur les façades de ses maisons, qui mêlent les types les plus variés : charmantes enclaves du XIXe s., bâtisses aux façades de fon-te encore plus imposantes que celles de SoHo, grands ensembles d'appartements, anciens *tenements* reconvertis. Chelsea a la fantaisie du Village, mais la comparaison s'arrête là car il est resté plus urbain, plus proche de son passé industriel. C'est un quartier d'habitation très jeune et très animé. Les touristes n'y sont pas très nombreux, les centres d'intérêt étant assez limités, mais il faut y aller pour prendre un verre, dîner, découvrir les différents magasins : les antiquaires des 8th et 9th Aves., le luxueux Barney's, les boutiques de gadgets et d'équipement ménager de William Sonoma et Bottery Barn sur 7th Ave., ou les *megastores*, des magasins nouvellement créés au rez-de-chaussée des superbes immeubles du XIXe s. sur 6th Ave, et depuis peu les galeries d'art sur la 22nd St. Ou tout simplement s'imprégner de son atmosphère. Sans proposer de véritable itinéraire, nous vous indiquons ici quelques buts de promenade.

Quand ? Pour une promenade architecturale, il faut naturellement y venir pendant la journée ; pour l'ambiance plutôt en fin d'après-midi ou le soir. Si vous aimez l'animation, allez-y un sam.

*Comment ? Le mieux est de circuler à pied de part et d'autre de 23rd St. Pour y accéder **en métro** : lignes C, E ou 1, arrêt 23rd St. ; **en bus** : lignes 10, 11 ou 23.*

Dans la première moitié du XIXe s., Chelsea était l'un des beaux faubourgs de la ville, assez peu loti. Juste le General Theological Seminary et quelques rangées de maisons élégantes. La construction de l'Hudson River Railroad sur 11th Ave. mit fin à cet âge d'or : quantité d'abattoirs et de brasseries s'y installèrent, drainant dans leur sillage les nouveaux immigrants qui s'entassaient dans des baraques ou des *tenements*. Le phénomène s'accéléra après la construction du métro aérien (le fameux « El »), en 1871, le long de 9th Ave. Dans le même temps, et pour une vingtaine d'années seulement, Chelsea se retrouva au cœur du quartier des théâtres. C'est à cette époque qu'il attira la bohème littéraire. Vers 1905, ses théâtres désaffectés et ses locaux commerciaux désertés accueillirent les premiers studios de cinéma avant leur déménagement, 10 ans plus tard, à Astoria, dans des édifices érigés à cet usage. Vers 1930-1940, on y construisit beaucoup de logements. Depuis les années 80, Chelsea est

mieux mis en valeur et ses maisons du XIXe s. ont été rénovées avec soin.

● **23rd Street** est un grand axe, très commerçant et bruyant. Vous y verrez l'un des symboles du quartier, le **Chelsea Hotel*** *(entre 7th et 8th Aves. ; plan VIII, B2)* qui, construit en 1884 pour accueillir une résidence de luxe, devint un hôtel en 1905. Célébrissime pour avoir hébergé nombre d'artistes, d'écrivains, jusqu'aux musiciens : c'est là que l'un des Sex Pistols, dans un délire provoqué par la drogue, poignarda sa compagne. Sarah Bernhardt y aurait séjourné. Quelques hôtes de marque : Tennessee Williams, Arthur Miller, Jackson Pollock, Vladimir Nabokov, Yevgeny Yeftushenko, Virgil Thompson, Viva, etc. Son hall n'est plus très reluisant mais il est surprenant par l'amas de tableaux et de sculptures, mis en gage ou exposés par les artistes habitant l'hôtel.. N'hésitez pas à y entrer pour y jeter un coup d'œil. La façade, de style « gothique victorien », est originale avec ses balcons en fer forgé.

La **London Terrace** *(23rd St., entre 9th et 10th Aves.)* est encore plus spectaculaire. C'est en effet un véritable mur d'habitation, construit en 1930, dans un style roman très éclectique : 1 670 appartements dans un ensemble de 16 étages… Beaucoup de gens qui travaillent dans la mode y habitent. L'impression de massivité est d'autant plus remarquable que, en face, s'élève une rangée de petites maisons de quatre étages.

Warhol filme la vie à l'hôtel Chelsea

New York : 1966

« Les chefs-d'œuvre ne naissent pas devant les lieux sublimes, comme le Parthénon ou les chutes du Niagara, mais dans des endroits modestes : le bistrot du coin, un atelier sordide, une modeste chambre d'hôtel [...]. Aux États-Unis, chacun connaît l'existence du discret Black Mountain College d'où sont parties tant d'initiatives nouvelles et du plutôt miteux hôtel Chelsea situé sur West 23rd Street, à New York.

Élégant et délabré, il fut créé en 1884 par un groupe de dix riches New-Yorkais qui aimaient les arts et fut l'un des premiers immeubles d'habitation en coopérative. L'hôtel Chelsea a, dès ses débuts, attiré les célébrités puisque Mark Twain déjà y tenait salon. Et c'est là que, dans la chambre 829, le romancier Thomas Wolfe écrivit *La Toile et le roc* et *Vous ne pouvez revenir*, peu avant sa mort prématurée en 1938. C'est là aussi, dans la chambre 205, que le poète gallois Dylan Thomas mourut en 1953 d'un coma éthylique. Là encore qu'Arthur Miller a écrit *Après la chute*, lorsqu'il vint habiter l'hôtel à la suite de sa rupture avec Marilyn Monroe.

Mais, au fil des années, ce sont surtout les peintres – européens et américains – qui y ont travaillé, établi des contacts, échangé des idées, donné des fêtes, connu le mal de vivre, comme Andy Warhol qui vient de faire connaître le Chelsea Hotel au grand public depuis que, en septembre, son film *Chelsea Girls* est sorti au 41st Street Theater. »

Extrait de *L'Aventure de l'art au XXᵉ siècle*, Le Chêne-Hachette, 1988, p. 632.

● **20th Street** ** *(entre 9th et 10th Aves.)* est le plus beau vestige de l'ancien Chelsea. Une petite oasis de verdure et de quiétude dans le brouhaha de Midtown. Ses maisons, superbes, forment un ensemble particulièrement bien préservé. Tout le côté N. de la rue est occupé par le campus du **General Theological Seminary***, dont les bâtiments néo-gothiques recouverts de lierre sont pleins de charme et assez inattendus au milieu de Manhattan.

L'autre côté de la rue est plus intéressant d'un point de vue architectural. Voyez notamment le **nº 402**, étonnante maisonnette dont la façade, en courbe, est ornée d'une corniche pseudo-grecque pour assurer un lien avec la belle rangée de maisons qui suit. Le **nº 404** est la plus ancienne du quartier (1830). La **Cushman Row*** (nᵒˢ 406-418) compose un alignement de maisons de style Greek Revival datant des années 1840-1850, très simples et très pures, ornées de belles ferronneries.

● **21st Street** est bordée de maisons un peu moins intéressantes mais tout aussi paisibles avec leur jardinets, leur portes coquettes et leurs clôtures en fer forgé.

● **L'Empire Diner** *(210 10th Ave., au niveau de W. 22nd St.)*, institution d'un tout autre genre, est une sorte de caravansérail Art déco où l'on peut manger sur le pouce 24 h/24. C'est l'un des grands rendez-vous des noctambules, qui arrivent souvent hagards au petit matin.

● **6th Avenue** *(entre W. 18th et 23rd Sts.)*, l'une des grandes artères de Chelsea, présente un autre visage, beaucoup plus proche de celui de Broadway autour de l'année 1870. On appelle souvent cette portion de 6th Ave. *Fashion Row* (« l'Allée de la mode »), en référence au *Ladies Mile* près de Madison Square. Les bâtiments construits ici sont de véritables temples dédiés au commerce, dont les dimensions font davantage penser à des palais qu'à des magasins. Leur style est très éclectique, en grande partie inspiré de motifs italiens. C'est ici que se sont installés les *megastores*. Après une promenade dans le quartier, il est agréable de s'arrêter au café de la librairie Barnes & Noble (6th Ave., entre 21st & 22nd Sts.).

De Chelsea, vous pouvez faire deux incursions dans des quartiers limitrophes, entièrement consacrés à deux industries : les fleurs et la mode.

● **Flower District** *(6th Ave., autour de 28th St.).* – Il ne s'agit pas à proprement parler d'un marché, mais plutôt d'une concentration de fleuristes en gros qui n'hésitent pas à coloniser les trottoirs. Un étalage de fleurs et de plantes vertes spontané et assez plaisant. Mais ce marché va déménager et se voit remplacé par des magasins. Le célèbre **Flea Market,** ou marché aux puces, s'installe sur l'emplacement de parkings de part et d'autre de 26th St. (sam. et dim.). Il attire de nombreux collectionneurs, dont certains sont des stars : Madonna, Cher ou Yoko Ono...

● **Garment District** *(autour de 7th Ave., au niveau de 26th St. et jusqu'à 40th St.)* fait vivre l'une des plus anciennes et des plus florissantes industries de New York : la confection. Son origine vient de la main-d'œuvre immigrée, abondante et bon marché au XIXe s. La plupart des boutiques se limitent à la vente en gros. On y trouve aussi les bureaux de grandes sociétés, comme **Ralph Lauren** et **Calvin Klein.** Jusqu'à 30th St., il s'agit surtout de la fourrure et du cuir. C'est aussi là, dans la 27th St., qu'est implanté le **Fashion Institute of Technology** qui forme aux métiers de la mode.

19 – Harlem et la pointe nord de Manhattan

St John-the-Divine* – Columbia University – Apollo Theater – Schomburg Center – Hamilton Heights

Situation : *plan XII, A1-D1/ plan XIV*
Harlem *s'étend de 110th à 168th Sts., entre l'Hudson et la Harlem River ;*
Washington Heights, *à l'extrémité N. de l'île. Mais souvent on distingue plusieurs petits quartiers à l'intérieur de cet ensemble : Morningside Heights (autour de Columbia), Hamilton Heights, Central et East Harlem.*

On a beaucoup parlé de Harlem, de ses taudis, de sa misère, de ses jeunes drogués, de ce ghetto noir, sordide et désespéré. Depuis quelques années s'amorce une timide renaissance qui donne du quartier une autre vision. Aujourd'hui, les autocars de touristes n'hésitent plus à aller vers l'Apollo Theater ou le Studio Museum. Deux perceptions, deux images qui se superposent, la première demeurant une réalité encore trop présente et la seconde étant le fruit d'une poignée de Harlémites rêvant d'un autre futur.

Harlem ne ressemble pas aux autres quartiers noirs du pays et, malgré son délabrement, elle est toujours la capitale de l'Amérique noire.

● **Une « terre promise »**

Pour comprendre la destinée de Harlem, il faut remonter aux origines de la communauté afro-américaine de New York. Car la ville a toujours su accueillir les étrangers et il en a été de même avec les Noirs : à la fin du

XIXᵉ s., leur niveau de vie est beaucoup plus correct et la ségrégation moins forte que dans le reste du pays. Dans cette cité cosmopolite, faite de minorités, chacun peut trouver sa place. Toutefois, les Noirs sont souvent moins bien logés que les autres. Aussi, lorsque les beaux immeubles construits au N. de Manhattan restent vides, l'offre étant supérieure à la demande, beaucoup se précipitent : entre 1904 et 1919, plus de 100 000 Noirs s'installent dans ce nouveau quartier agréable et bien loti. Ainsi naît le « ghetto ».

Jusqu'à la crise de 29, Harlem reste un lieu privilégié, où l'on vit mieux que dans les quartiers noirs des autres villes, où artistes et musiciens de jazz peuvent s'exprimer et s'épanouir. « On dirait les Mille et Une Nuits ! » dira Duke Ellington au début des années 20.

● **Le déclin**

Le mouvement commence à s'inverser après le krach boursier, la dépression frappant encore plus fort dans la communauté noire. La suite n'est qu'une longue chute, les classes moyennes s'exilant vers des banlieues plus paisibles. Dans les années 60, le combat pour les droits civiques y trouve un écho favorable : tous les grands leaders passent par Harlem.

Et les choses ne changent que très lentement puisque, aujourd'hui encore, plus du quart de la population de Harlem vit en dessous du seuil de la pauvreté. Quant aux rénovations, elles sont lentes car près de 60% des habitations sont propriétés de la municipalité (pour cause de taxes et loyers impayés).

■ **Aller à Harlem**

La population de Harlem a beaucoup de mal à survivre dans des immeubles

Malcolm X ou le refus du melting-pot

L'image de Malcolm X reste toujours présente dans la communauté afro-américaine de Harlem et son histoire attachée à celle des Black Muslims, ce mouvement religieux qui a défendu l'idée d'un nationalisme musulman noir. Jeune délinquant, emprisonné de 1946 à 1952, Malcolm Little se convertit à cette nouvelle foi et change son nom en Malcolm X. Il devient l'un des proches de Elijah Muhammad, qui dirige la secte depuis le temple de Chicago.
Malcolm met son éloquence au service d'une cause qui fait de l'islam « la religion naturelle de l'homme noir » et du séparatisme un réel projet politique. Vu son succès, Malcolm est nommé à la septième mosquée de New York. Mais il prend des positions contraires à celles de Muhammad ; il quitte donc le mouvement et crée en 1964 l'Organisation pour l'unité afro-américaine. Un acte qui augmente encore le nombre de ses ennemis : il meurt assassiné le 21 février 1965 au cours d'un discours à l'Audubon Ballroom de Harlem.
Aujourd'hui la communauté noire se retrouve autour de Lewis Farrakhan (leader de la *Nation of Islam*), qui a organisé une *Million Man March* à Washington en 95.

envahis par des squatters, dégradés ou à l'état de ruine. Nous vous déconseillons d'y aller seul ou même en petit groupe. La discrétion et la prudence s'imposent ; elles sont non seulement un signe de respect mais une nécessité dans un lieu où la sécurité est pour le moins aléatoire.

Si vous voulez simplement jeter un coup d'œil au quartier, vous pouvez aller au musée des Cloîtres par le **bus**

n° 4, qui traverse Harlem dans sa longueur *(prenez-le sur Madison Ave., entre 34th et 110th Sts., et descendez au terminus)*.

Pour une vision plus complète, le mieux est de rejoindre l'une des nombreuses visites guidées qui ont lieu en général le matin. Par exemple, **Harlem Spirituals** *(1697 Broadway, au niveau de 53rd St. ☎ 757-0425)* inclut dans son programme des Gospels, l'Apollo Theater, Sugar Hill, des soirées jazz ou soul food (nourriture traditionnelle des Noirs américains). **Gray Line** *(☎ 397-2600)* propose aussi un tour de Harlem.

■ Cathedral Church of St John-the-Divine*

Plan XII, A1

Métro : *lignes 1 ou C, arrêt 110th St./Cathedral Pkwy .*

Bus : *n°s 11, 4 et 104.*

Un chantier sans fin qui court depuis 1892 : la construction de la cathédrale épiscopale St John-the-Divine tient presque d'une gageure. Les New-Yorkais vous diront avec fierté qu'elle sera un jour la plus grande cathédrale du monde. En fait, Saint-Pierre de Rome possède des dimensions plus importantes, mais n'est qu'une basilique...

Commencée en 1892 dans le style roman par Heins et La Farge, elle fut continuée après 1911 en gothique selon les plans de Ralph Adams Cram. Mais après vingt-cinq ans de travail, à peine quatre travées et le chœur étaient achevés. La construction se poursuivit à petite vitesse, tant et si bien qu'en 1942 seules la nef principale et la façade O. (sans au tour) avaient vu le jour. Les travaux ont repris en 1979 grâce à une collecte de fonds et risquent de se prolonger

encore plusieurs années. C'est qu'il n'est pas si simple d'édifier à notre époque une cathédrale gothique : pour former l'équipe actuelle, il a fallu faire venir d'Angleterre d'authentiques tailleurs de pierre !

Beaucoup d'activités dans cette cathédrale : concerts, symposiums, expositions, films, accueil des réfugiés politiques...

La cathédrale comprend **cinq nefs**. Sa longueur est de 183 m ; la largeur actuelle est de 44 m (un transept large de 101 m est prévu) ; la hauteur dans la nef principale est de 38 m.

Sa **décoration** (en cours de réalisation) peut surprendre par son modernisme : certaines sculptures célèbrent le sport et l'athlétisme, d'autres des personnalités contemporaines comme Nelson Mandela ou des drames d'actualité comme le sida. Notez aussi les chapelles derrière l'autel, dédiées à différents groupes ethniques.

Le **transept** est en cours de construction. Il est question d'en faire une voûte « verte », entendez par là un espace écologique, c'est-à-dire une sorte de jardin intérieur qui devrait couvrir la nef gothique (mais le projet a soulevé une vive polémique...).

Une fois achevée, la **façade** devrait comprendre deux tours.

■ Autour de Columbia University

Plan XIV, A3

Métro : *ligne 1, arrêt 116th St./Columbia University.*

Bus : *n°s 11, 4 et 104.*

Le campus de Columbia est assez sûr, mais il faut faire attention aux alentours, notamment en direction du N. Évitez aussi Morningside Park.

● **Columbia** est la seule université new-yorkaise rattachée à la très sélecte Ivy League et la plus prestigieuse

La bibliothèque de Columbia University.

de la ville. Le campus, enserré entre Morningside Park et Broadway, comprend une soixantaine de bâtiments. Les seuls qui présentent un réel intérêt sont dispersés autour de la place centrale : la **Low Memorial Library*** (au N.) qui est au centre de la vie du campus. Construite dans le style palladien, elle évoque un panthéon romain (de McKim, Mead & White ; 1897) ; à l'origine bibliothèque universitaire, elle abrite aujourd'hui l'administration, les salles de réception et d'apparat ; sur le perron, une *Alma Mater* de Daniel Chester French (1903).

En face, au S.-O., la **Butler Library,** bibliothèque universitaire, contient plus de 4,5 millions d'ouvrages.

● Le **Barnard College** (*à l'O. de Broadway, entre 116th et 120th Sts.*), l'un des meilleurs collèges féminins du pays, a quelques liens avec Columbia University ; ses bâtiments les plus anciens remontent à 1890.

● L'**Union Theological Seminary** (*à l'O. de Broadway, entre 120th et* *122nd Sts.*) fait grand usage du style gothique européen. C'est l'un des grands centres d'enseignement protestant.

● **Riverside Church** (*490 Riverside Drive, entre 120th et 122nd Sts.*), sanctuaire néo-gothique inspiré de Chartres, dont la construction fut financée par John D. Rockefeller (1930). À l'intérieur on verra de beaux vitraux provenant de Bruges et une Madone par J. Estein. La tour (59 m de haut, ascenseur) abrite un carillon de 74 cloches offert par Laura Spelman Rockefeller.

● Le **General Grant National Memorial** (*plan XIV, A3 ; métro : 125th St./Broadway, ligne 1 ; ouv. mer.-dim. 9 h-17 h*), mausolée de marbre et de granit, est une interprétation libre du tombeau de Mausole à Halicarnasse (Bodrum, Turquie). Il a été réalisé de 1891 à 1897, par John H. Duncan, à la gloire du général Grant (mort en 1885), commandant en chef des troupes de l'Union pendant la guerre de Sécession et 18e président des

États-Unis. Grant et sa femme y reposent dans des sarcophages de porphyre.

■ Central Harlem et Washington Heights

Harlem conserve quelques beaux vestiges de l'architecture du XIXᵉ s., pas toujours bien mis en valeur. Nous n'avons pas établi d'itinéraire de visite proprement dit, mais vous trouverez dans ce chapitre les principaux centres d'intérêt énumérés en direction du N. depuis **125th Street**, qui est le grand axe de Harlem.

● **Le Studio Museum in Harlem** *(144 W. 125th St. ; plan XIV, B3 ; ouv. mer.-ven. 10 h-17 h, sam. dim. 13 h-18 h)* présente une vaste collection de peintures, sculptures et photographies d'artistes noirs américains. Nombreuses expositions temporaires dédiées à la culture noire ; bonne librairie.

● **L'Apollo Theater** *(253 W. 125th St.)* est l'un des derniers témoignages des grandes heures de Harlem : théâtre comique réservé exclusivement à un public blanc jusqu'en 1934, il accueillit ensuite les plus grands musiciens de jazz (Duke Ellington, Ella Fitzgerald, Billie Holliday, Count Basie). Rouvert après une importante rénovation dans les années 80, c'est toujours une salle de concert (soirée amateurs le mer., où ont été découverts, entre autres, Stevie Wonder, Aretha Franklin, the Jackson Five...).

● **Le Black Fashion Museum** *(155 W. 126th St. ; ouv. 12 h-20 h sur rendez-vous ☎ 666-1320)* est un petit musée voué à la mode de la communauté noire, allant jusqu'aux réalisations de stylistes contemporains.

● **Schomburg Center for Research in Black Culture** *(515 Malcolm X Blvd.,* au niveau de 135th St. ; ouv. lun.-mer. 12 h-20 h, ven. sam. 10 h-18 h. – Cette grande bibliothèque, rattachée à la New York Public Library, est entièrement consacrée à la culture afro-américaine : plus de 80 000 livres, des photographies, des journaux, des enregistrements, etc.

● **Strivers' Row** *(St Nicholas Historic District, 138th et 139th Sts., plan XIV, B2)*. – Cet alignement de jolies maisons de style colonial offre un bel exemple de l'architecture de la fin du XIXᵉ s. Son nom fait référence au côté bourgeois et aisé de ses habitants, qui ont dû combattre *(strive* en anglais) pour en arriver là.

● **Hamilton Heights** *(entre Amsterdam Ave. & Hamilton Terrace, de 140th à 145th Sts.)* possède un rare ensemble de demeures construites au tournant des XIXᵉ et XXᵉs. **Hamilton Grange** *(287 Convent Ave., entre 141st et 142nd Sts.),* l'ancienne maison de campagne d'Alexander Hamilton datant de 1802, y est provisoirement installée depuis 1889... attendant toujours un meilleur emplacement.

● **Sugar Hill** *(entre St Nicholas et Edgecombe Aves., de 143rd à 155th Sts.),* qui possède aussi des alignements de maisons en *brownstones* et de grands immeubles d'habitation, fut longtemps habitée par la bourgeoisie noire qui y menait la vie douce *(sweet life),* d'où son nom.

● **American Numismatic Society** *(Audubon Terrace, Broadway & 155th St. ; ouv. mar.- sam. 9 h-16 h 30)* abrite une belle collection de pièces, monnaies, médailles, ordres et décorations de toutes les époques ; importante bibliothèque de recherche et d'études.

● **Hispanic Society of America** *(Audubon Terrace, 155th St. & Broadway ; métro 155th St., ligne A*

Swing et jazz au Cotton Club

« *Autrefois, il était non seulement indispensable de savoir jouer, mais aussi d'amuser le public.* » Ces quelques mots de Duke Ellington illustrent parfaitement l'atmosphère qui régnait au Cotton Club à la fin des années 20. Un cabaret mêlant music-hall et jazz, accueillant des musiciens noirs, mais exclusivement réservé à une clientèle blanche qui désirait s'encanailler à Harlem. C'était l'époque de la prohibition et des bars où l'argent coulait à flots.

■ De l'audace et de l'exotisme !

Outre les danses acrobatiques et les numéros déshabillés, le Cotton Club favorisa le développement des big bands, ces grands orchestres qui comprenaient piano, basse, batterie, trompettes, trombones, clarinettes et saxos. Duke Ellington y créa ses premiers chefs-d'œuvre, ceux du style jungle, dont les sonorités évoquent des musiques exotiques, voire des cris d'animaux *(The Mooche, Black and Tan Fantasy).*

Cab Calloway, qui s'imposa d'emblée par ses audaces verbales et ses extravagances, contribua aussi à la réputation du Cotton Club. Personnage burlesque et haut en couleurs, il inventait des effets comiques en jouant avec des onomatopées (hi-de-hi-de-ho, zah-zuh-zah). Il introduisit ainsi un style original, précurseur du be-bop des années 40.

Le Cotton Club, qui avait ouvert ses portes en 1923, les ferma dès 1936, victime de l'insécurité de Harlem. Après une seconde tentative sur Broadway, il quitta définitivement l'affiche en 1940.

ou B ; ouv. mar.-sam. 10 h-16 h 30).
Le premier musée espagnol des États-
Unis. Des œuvres de Goya (Pietà) ou
du Greco (Portrait de la duchesse
d'Albe) y côtoient des céramiques
d'époque romaine découvertes à
Séville ou encore des sculptures
datant du VIIe s av. J.-C. Également
une importante collection de textiles
précieux et des meubles des XVIe et
XVIIe s.

● **Morris Jumel Mansion** (1765 Jumel
Terrace, entre 160th & 162nd Sts. ;
hors plan XIV, B1 ; ouv. t.l.j. sf lun.
10 h-16 h). – Cette ancienne demeure
coloniale, une des seules maisons du
XVIIe s. intactes à Manhattan, servit
de poste militaire pendant la guerre
d'Indépendance, de taverne puis de

villa de luxe avant de devenir propriété de la ville de New York. On y
retrouve de nombreux meubles de style Empire, dont certains avaient été
rapportés de France par Mme Jumel,
ancienne propriétaire, en 1826.

● **Dyckman House** (4881 Broadway,
au niveau de 204th St. ; ouv. t.l.j. sf lun.
et jours fériés 11 h-12 h, 13 h-16 h).
– Construite par un colon hollandais
à la fin du XVIIIe s., c'est une véritable ferme, la seule d'ailleurs qui soit
restée intacte. Un jardin entoure cette
demeure de style colonial hollandais.
L'ameublement est très simple ; on
verra surtout quelques objets ayant
appartenu à la famille Dyckman.

● **Le musée des Cloîtres***** → p. 219.

---

20 – Brooklyn*

Brooklyn Heights** – Prospect Park* – Brooklyn Museum** – Coney Island
– New York Aquarium
Situation : plan VII, D3 et plan III, B3

« Personne ne connaît Brooklyn, disait Arthur Miller, parce que
Brooklyn c'est le monde. » Le plus peuplé des cinq *boroughs* new-
yorkais (2,3 millions d'hab.) offre en effet un formidable échantillon
de populations : plus de 103 « groupes » y cohabitent. Ainsi, à
Williamsburg, où les enseignes des magasins sont encore écrites en yiddish ou en hébreu, vit une importante communauté hassidique. À
Brighton Beach (« Little Odessa »), de vieux Russes se rassemblent
souvent au bord de la plage pour commenter les dernières nouvelles
ou évoquer le passé avec nostalgie. Dans le quartier de Crown Heights,
fief antillais et haïtien, il n'est pas impossible d'assister à l'office d'un
prêtre vaudou. Sans oublier les enclaves italiennes, polonaises, pakis-
tanaises, portoricaines... Une diversité que l'on retrouve dans la rue,
que ce soit sur les murs couverts de graffitis de Bedford-Stuyvesant,
le plus grand quartier noir des États-Unis, ou les allées élégantes de
Brooklyn Heights.

Mais Brooklyn souffre d'un complexe d'infériorité face à Manhattan.
Riche et industrielle au début du siècle, elle a sombré dans un lent
déclin, devenant une annexe de sa prestigieuse voisine, une cité dortoir
pour cadres moyens en mal de logement. Pourtant, si vous questionnez
un New-Yorkais natif de Brooklyn, c'est avec fierté et passion qu'il évoquera son quartier d'origine ; il vous parlera de « son village », de son
enclave, plus humaine, moins arrogante que Manhattan.

En 1634, un groupe de colons hollandais acheta aux Indiens des territoires marécageux situés au S.-E. de Long Island, auxquels ils donnèrent le nom de Breukelen (emprunté à une localité voisine d'Utrecht aux Pays-Bas). Lieu de résidence et de détente préféré des New-Yorkais au XIXᵉ s., Brooklyn fut rattaché à New York en 1898. Mais l'afflux d'immigrants bouleversa son paysage. Brooklyn, dont l'image a été ternie par une urbanisation désordonnée et des conflits ethniques, est depuis peu l'objet d'un programme de réhabilitation.

Visiter Brooklyn : l'accès aux lieux que nous citons est sans danger ; en revanche, évitez de vous promener dans certains autres quartiers comme celui de Bedford-Stuyvesant. Les centres d'intérêt étant assez éloignés les uns des autres, il faut y circuler en métro ou en taxi.

● **Brooklyn Heights**** *(plan VII, D3 ; métro lignes N, R, arrêt Court St. ou ligne 2, arrêt Clark St. ; accès aussi à pied par le Brooklyn Bridge).* – Résidentiel et élégant, ce quartier est l'un des *musts* de Brooklyn : dans ses rues étroites, bordées d'arbres, on découvrira de beaux *brownstones* et hôtels particuliers, résidences d'une poignée de New-Yorkais aisés. Brooklyn Heights se visite à pied, en longeant le long du fleuve la **Brooklyn Promenade** (vue**) et **Willow Street** ; voir aussi **Pierrepont Street**, **Montague Street** (qui concentre boutiques et restaurants) et **Middagh Street**, très ancienne, qui a conservé des maisons en bois, comme le nº 24 (1824), cottage de style fédéral appelé « Queen of Brooklyn Heights ».

Brooklyn Historical Society *(128 Pierrepont St. ; ouv. t.l.j. sf dim. lun. 12 h-17 h ; organise aussi des vis. du quartier).* – Ce petit musée installé dans une maison victorienne retrace l'histoire du *borough* ; au 2ᵉ étage, la bibliothèque rassemble plus de 10 000 photographies et 100 000 livres.

La ruée vers la fraîcheur

L'ancêtre du climatiseur est en fait un système de « conditionnement de l'air », inventé en 1906 dans une usine textile : un appareil qui permet de contrôler le degré d'humidité pour maintenir l'élasticité des fibres. Simultanément, un autre ingénieur, Willis H. Carrier, parvient, pour une imprimerie de Brooklyn, à réguler l'humidité et la température de l'air. En 1923, ces appareils se perfectionnent : ils peuvent désormais réchauffer ou refroidir à volonté l'atmosphère. Dès lors, on commence à installer « l'air conditionné » partout : dans les fabriques (qui étaient auparavant contraintes de moduler leur production en fonction des conditions climatiques), mais aussi dans les gratte-ciel, les trains, les bureaux et même les maisons.
En 1950, les installations de climatisation deviennent le marché le plus important de l'industrie américaine.

● **Park Slope** est une autre enclave victorienne au cœur de Brooklyn *(près de Prospect Park et de Grand Army Plaza ; métro lignes 2 et 3, arrêt Grand Army Plaza).* On y verra des rangées de petites maisons, certaines très élégantes, d'autres plus fantaisistes comme dans **Carroll Street** et **Montgomery Place.**

● **Prospect Park*** *(métro lignes 2 et 3, arrêt Grand Army Plaza, lignes D et Q, arrêt Prospect Park).* – Ce grand parc naturel, conçu en 1866 par Frederick Law Olmsted et Calvert Vaux, offre le charme de ses 213 ha d'étendues gazonnées, de ses vieux arbres et de son lac. Les habitants de Brooklyn s'y réunissent en famille le week-end ; on y trouve des terrains de jeux, un manège de chevaux de bois et un petit zoo. Dans la partie N. du parc se situent le Brooklyn Museum et le Brooklyn Botanic Garden.

● **Le Brooklyn Museum**** (*entrée 200 Eastern Pkwy ; métro lignes 2 et 3, arrêt Eastern Pkwy/Brooklyn Museum ; ouv. mer.-dim. 10 h-17 h*) est un musée souvent injustement oublié des touristes. Sa collection est en effet belle et riche (pas loin de 1,5 million d'objets), notamment en ce qui concerne l'art égyptien, l'art africain et océanien et l'art américain. De récents travaux, conduits par Arata Isozaki et Stewart Polshek, ont permis de rénover les espaces intérieurs et d'agrandir les galeries d'expositions temporaires.

● **Le Brooklyn Botanic Garden** (*100 Washington Ave. ; ouv. mar.-ven. 8 h-18 h, sam. dim. 10 h-18 h, 16 h 30 d'oct. à mars*) s'étend sur 20 ha et abrite une roseraie, des jardins de plantes médicinales et odorantes, des serres, des cerisiers japonais, une très belle collection de bonzaïs, un jardin paysager japonais typique de l'époque Momoyama et une réplique du célèbre jardin sec du Ryoan-ji à Kyoto.

● **Coney Island** (*métro lignes B, D, N ou F, arrêt Stillwell Ave./Coney Island*), l'ancienne Konijn Eiland, « l'île aux lapins » des Hollandais, à l'extrême S. de Brooklyn. La célèbre plage connut des jours meilleurs, notamment à la Belle Époque ; le parc d'attractions, jadis moderne, est aujourd'hui délabré et fatigué.

● **Brighton Beach** (*à une quinzaine de mn à pied ; métro ligne D, arrêt Brighton Beach*), surnommée Little Odessa, offre un certain dépaysement : une importante communauté russe y a installé ses commerces et ses restaurants où l'on peut déguster des *piroshki*, des boulettes à l'ukrainienne et, bien sûr, du caviar.

● **New York Aquarium** (*métro ligne D ou F, arrêt West 8th St. ; ouv. t.l.j. 10 h-17 h*). – Situé entre Coney et Brighton, sur la promenade du bord de mer, l'aquarium présente plus de 200 espèces de poissons de mer et de rivière.

21 – Staten Island

Richmondtown Restoration* – Tibetan Museum – Snug Harbor Cultural Center
Situation : plan III, A3

Staten Island est le plus petit des *boroughs* de New York et aussi le plus discret. Il est vrai que cette île, située au S. de Manhattan, semble vivre à son propre rythme, loin de la frénésie de la métropole. Méconnue des visiteurs, Staten Island est surtout célèbre pour la vue imprenable qu'offre le trajet en *ferry* et rares sont les visiteurs qui y débarquent. L'île offre pourtant un certain dépaysement : elle a en effet conservé le charme d'une petite ville un peu endormie, avec ses collines, ses bois et ses maisons résidentielles. À Richmondtown Restoration, reconstitution minutieuse du village de pêcheurs au XIXᵉ s., on découvrivra l'héritage historique du *borough*.

*Accès : en **ferry** depuis Battery Park (la traversée dure de 20 à 30 mn). Sur l'île, des autobus permettent de relier les principaux lieux. En **voiture**, vous atteindrez l'île par le pont de Verrazano.*

● **Richmondtown Restoration*** *(prendre le bus S74 depuis le ferry et descendre à Richmond Rd., env. 40 mn ; ouv. mer.-ven. 13 h-17 h, juil. et août sam. dim. 10 h-17 h, sept.-déc. mer.-dim. 13 h-17 h).* – Ce village-musée reconstitue fidèlement la vie de l'ancienne Staten Island depuis l'installation des premiers colons. Une trentaine d'édifices datant de la fin du XVIIᵉ s. et du début du XIXᵉ s. y ont été restaurés.

● **Tibetan Museum** *(38 Lighthouse Ave. ; prendre le bus S74 et descendre à Richmond Rd./Lighthouse Ave., env. 30 mn ; ouv. mer.-dim. 13 h-17 h, avr.-oct. ; sur demande de déc. à mars ☎ 718/987-3478).* – Ce centre culturel (Jacques Marchais Center), d'un genre original, propose une initiation à la culture tibétaine : reconstitution d'un temple, jardins en terrasse, objets de culte, bronzes votifs, etc.

● **Le Snug Harbor Cultural Center** *(1000 Richmond Terrace ; bus S40, 15 mn env. ; ouv. t.l.j. de 8 h à la tom-* *bée de la nuit)* occupe de beaux bâtiments de style Greek Revival construits entre 1830 et 1880. Il s'agit en fait d'une ancienne maison de retraite pour pêcheurs, aujourd'hui transformée en centre culturel qui propose toutes sortes d'activités. Entre autres : le **Staten Island Children's Museum** *(ouv. mer.-ven. 13 h-17 h, sam.-dim. 12 h-17 h)* qui offre une gamme d'activités culturelles et créatives, et le **Staten Island Botanical Garden** qui abrite un jardin tropical avec des variétés rares d'orchidées.

● **Alice Austen House** *(2 Hylan Blvd. ; bus S51 depuis le ferry, 15 mn env. ; ouv. jeu.-dim. 12 h-17 h).* – Alice Austen fut une talentueuse photographe du début du siècle. Native de Staten Island, elle passa sa jeunesse à photographier l'île, laissant une collection originale de plus de 8 000 photos et négatifs. Son sens aigu de l'observation en a fait un témoin privilégié de la société rurale du début du siècle. On peut visiter sa maison natale, un cottage de style hollandais, où sont exposées la plupart de ses œuvres.

● **Todt Hill** *(bus S76 ou S74),* l'une des sept collines qui jalonnent Staten Island, est au cœur d'un agréable quartier résidentiel.

22 – Le Bronx

Bronx Zoo* – New York Botanical Garden*
***Situation :** plan III, B2*

Lorsque Jonas Bronck, immigrant scandinave, s'installa en 1639 dans cette partie de New York à laquelle il donna son nom, pouvait-il imaginer qu'elle deviendrait trois siècles et demi plus tard le symbole new-yorkais de la violence urbaine ? Il serait pourtant naïf de réduire le Bronx à cette seule image...

Bastion de la communauté juive new-yorkaise au début du siècle, le Bronx a connu son heure de gloire incarnée par l'avenue Grand Concourse. Puis la politique d'urbanisation des années 60 l'a fait basculer dans la corruption immobilière et la délinquance. Aujourd'hui, le Bronx est surtout une zone résidentielle qui, en dehors des rues bordées de villas de Riverdale, n'est pas toujours très sûre, notamment dans les quartiers de South Bronx. L'arrivée massive de Noirs d'Harlem et de Portoricains a obligé la municipalité à entreprendre des travaux de rénovation qui n'ont pas vraiment abouti. Restent à voir le Botanical Garden et surtout le Bronx Zoo, l'un des plus importants des États-Unis.

Visiter le Bronx : ce n'est pas un quartier où flâner à proprement parler (en tout état de cause, évitez absolument le South et l'East Bronx), même si le Bronx tend à changer. Le mieux est encore d'y aller en voiture ou de se faire déposer en taxi (il arrive que certains chauffeurs refusent d'y aller...). Au métro, préférez le bus (information aux gares de Grand Central ou de Penn Station).

● **Le Bronx Zoo*** *(Fordham Rd., dans le S. du Bronx Park ; ouv. t.l.j. 10 h-16 h 30, sam. dim. 10 h-17 h 30, entrée gratuite le mer.).* – Ouvert et aménagé en 1899, le zoo avait pour vocation particulière de protéger des espèces animales menacées (cerfs Père-David, etc.). C'est aujourd'hui le plus grand zoo urbain des États-Unis. Il accueille plus de 1 100 espèces de mammifères et de reptiles et 2 900 oiseaux, vivant dans des enclos reproduisant aussi fidèlement que possible les conditions naturelles (local spécial pour les animaux nocturnes : World of Darkness). Un petit train sur pneus, une télécabine et le monorail qui traverse l'enclos spécial de Wild Asia, établi le long de la Bronx River, agrémentent la visite. Également, zoo pour les enfants.

● **Le New York Botanical Garden*** *(200th St. & Southern Blvd., dans le N. du Bronx Park ; ouv. t.l.j. sf lun. 10 h-16 h en nov.-mars, 10 h-18 h en avril-oct. ; entrée gratuite mer. et sam. 10 h-12 h)* fut aménagé en 1891, peu de temps avant le zoo. À l'origine de sa création, un botaniste américain, Nathaniel Britton, qui, impressionné par les Royal Botanic Gardens de Kew en Angleterre, suggéra à la municipalité du Bronx d'aménager un espace où la nature reprendrait ses droits sur la ville. On y verra des plantes du monde entier et un grand jardin d'azalées, une roseraie, une vaste serre de plantes tropicales et une bibliothèque. Pendant toute l'année, des activités botaniques y sont proposées : cours d'horticulture, expositions consacrées aux bonzaïs ou aux vertus des plantes médicinales.

● **Grand Concourse.** – Traversant le Bronx depuis Van Courtland Park au N. jusqu'aux quartiers défavorisés de South Bronx, Grand Concourse fut percé au début du siècle, en pleine période d'expansion urbaine. D'inspiration parisienne, il fut un grand boulevard résidentiel dans les années 20-30, bordé par de nombreux immeubles Art déco, dont certains subsistent encore. Aujourd'hui, Grand Concourse a beaucoup perdu de son éclat, et l'endroit n'est pas toujours très sûr, surtout la nuit. Néanmoins, quelques curiosités témoignent encore du passé prestigieux de cette avenue. On peut visiter l'avenue en bus *(bus Bx1)*.

Loew's Paradise Theater *(2413 Grand Concourse)*. – Cette salle de cinéma légendaire construite en 1929 a gardé sa façade des années 30. Le hall d'entrée surprend par ses lourdes décorations baroques. Malheureusement, l'immense auditorium central a été transformé en complexe multisalles pour des raisons économiques.

Edgar Allan Poe Cottage *(ouv. sam. 10 h-16 h, dim. 13 h-17 h ; sur demande en sem. ; f. en janv., il ouvre*

en fév., ☏ *718/881-8100)*. – Cette maison construite en 1812 a été la demeure du romancier américain de 1846 à 1849. Sa femme mourut peu de temps après leur installation et Poe quitta définitivement le Bronx.

Le Yankee Stadium. – Au S. du *borough*, cet immense stade de base-ball peut accueillir 54 000 visiteurs. Matchs entre mi-avr. et fin sept. Ambiance garantie ! Outre les manifestations sportives, des concerts, des congrès, des réunions électorales, des rassemblements religieux y ont lieu.

23 – Queens

American Museum of the Moving Image* – Long Island City – Isamu Noguchi Gardens & Museum
Situation : plan III, B2

L'origine du nom de ce *borough* provient de la reine portugaise Catherine de Braganza, épouse de Charles II d'Angleterre. Queens, le plus vaste des cinq *boroughs* new-yorkais (deux fois et demie la superficie de Manhattan), est aussi sans doute le moins intéressant. Autrefois immense plaine rurale, le *borough* s'est transformé radicalement dans les années 30, laissant la place à un décor d'usines, d'autoroutes et d'aéroports. Pendant longtemps, Queens fut dédaigné par les New-Yorkais qui ne voyaient là qu'une vaste zone résidentielle, un lieu de transit vers les deux plus grands aéroports de New York, La Guardia Airport et John F. Kennedy Airport. Depuis peu, il en attire pourtant quelques-uns en quête d'espace et de tranquillité – essentiellement des artistes venus chercher l'inspiration à Long Island City, sur les bords de l'East River. Une importante communauté grecque est installée à Astoria, au N. de Long Island City, non loin des anciens studios de la Paramount. Queens est deux fois plus grand que Paris. Ses deux millions d'habitants, répartis dans quarante quartiers, témoignent d'une grande diversité. Ainsi, à Jackson Heights, se trouve l'une des plus grandes communautés de personnes originaires d'Inde. Le cœur de l'activité commerciale est la 74th Street. Non loin vit une communauté colombienne. Et n'oublions pas que nombre de grands *jazzmen* vécurent dans le Queens : Dizzy Gillespie, Ella Fitzgerald, Cannonball Aderley et Clark Terry ; dans le quartier St Albans, Billie Holliday, Milt Hinton et Count Basie.

● **American Museum of the Moving Image*** *(35th Ave. & St. Astoria ; métro ligne N, R ou G, arrêt Steinway St./34 Ave. ; vis. mar.-ven. 12 h-16 h, sam. dim. 12 h-18 h).* – Installé dans les anciens studios d'Astoria, ce musée est consacré à l'art, l'histoire, les techniques et technologies du film (cinéma, TV, vidéo). Ouvert en 1988, c'est le premier de ce genre aux États-Unis et, par ses collections, ses nombreuses expositions temporaires, un centre actif de recherche sur le rôle du film dans la société américaine du XXe s.

Les studios d'Astoria, construits dans les années 20, appartenaient à Paramount Pictures ; les plus grandes stars de l'époque y ont tourné : Rudolph Valentino, Gloria Swanson, Douglas Fairbanks, W.C. Fields, Charlie Chaplin, Woody Allen, Robert De Niro, etc. La Paramount s'installa à Hollywood après la guerre, laissant les studios pratiquement à l'abandon. Rénovés en 1976, ce sont les plus grands studios de la côte E. Ils ne sont pas ouverts au public, mais toujours largement évoqués à travers les expositions du musée.

● **Long Island City** *(plan III, B2 ; métro ligne 7, arrêt Court House/45th Rd., lignes E et F, arrêt 23rd St./Ely Ave.),* quartier plutôt industriel, situé en face de Roosevelt Island, est l'un des nouveaux pôles de la vie artistique à New York : quelques artistes, à la recherche d'espaces plus vastes et moins chers que ceux dont ils disposent à Manhattan, y ont installé leurs lieux de travail et d'exposition. On y verra notamment deux musées intéressants : Isamu Noguchi Gardens et Socrates Sculpture Park.

● **Isamu Noguchi Gardens & Museum** *(32-37 Vernon Blvd. ; ouv. mer., sam., dim., d'avr. à nov. 11 h-18 h ;* ☎ *718/721-1932).* – L'atelier de l'artiste, une ancienne usine de luminaires, a été transformé en un musée dédié à l'artiste sino-américain. À côté, un beau jardin de sculptures tel que

Noguchi aimait les aménager. Réouverture prévue en 1996.

● **Socrates Sculpture Park** *(Vernon Blvd. & Broadway ; ouv. t.l.j., de 10 h au coucher du soleil, entrée gratuite ; métro ligne N, arrêt Broadway puis 10 mn à pied).* – Il y a quelques années, l'artiste Mark Di Suvero créa, au bord de l'East River, ce parc où de jeunes sculpteurs new-yorkais peuvent exposer leurs œuvres (souvent gigantesques) en plein air. Le tout forme un paysage surprenant, parfois hétéroclite, mais qui ne laisse pas indifférent, avec pour toile de fond bien sûr la superbe *skyline* de Manhattan…

● **Flushing** *(métro ligne 7, arrêt Flushing/Main Street)* est un quartier asiatique, surtout chinois et coréen. Les commerces coréens sont regroupés autour de Union St. Flushing est le second Chinatown de New York, voire le premier en taille.

● **Flushing Meadows-Corona Park** *(métro ligne 7, arrêt Willets Point/Shea Stadium).* – Ce parc, qui accueillit les Expositions universelles de 1939 et de 1965, en garde encore les vestiges et les ruines. Aujourd'hui, le parc est surtout connu pour son tournoi annuel de tennis, l'US Open. Le tournoi a lieu fin août-début sept. dans le National Tennis Center. Le stade principal (20 000 places) a été appelé Louis Armstrong Stadium pour rappeler que le trompettiste de jazz vécut 25 ans dans le quartier voisin de Corona. Sa maison peut être visitée *(sur rendez-vous au Queens College ; 35 mn en taxi de Manhattan ; long et compliqué en métro).*

Le **Queens Museum of Art** *(ouv. mer.-ven. 10 h-17 h, sam. dim. 12 h-17 h)* occupe l'un des bâtiments de l'Exposition de 1939 : expositions originales d'art contemporain. Ce fut le premier siège des Nations unies. À l'intérieur, une vaste maquette des cinq *boroughs* de New York (le « Panorama ») y est exposée en permanence.

24 – Les environs de New York

Long Island* – La vallée de l'Hudson* et les Catskills

■ Long Island*

Situation : à l'E. de New York, sur l'océan Atlantique

Long Island a été immortalisée dans la littérature américaine par F. Scott Fitzgerald qui vécut 2 ans (1923-1924) dans la banlieue huppée de Great Neck, à quelque 30 km de Manhattan : son livre, *Gatsby le Magnifique*, décrit tous les excès de l'élite américaine à Long Island durant les années folles. Ce n'étaient que fêtes somptueuses, où l'alcool coulait à flots (prohibé, il était directement livré par bateaux clandestins), où résonnaient des orchestres de jazz. Les demeures luxueuses étaient blotties le long des baies de la Gold Coast, qui sont aujourd'hui les banlieues du North Shore de Long Island. En 1924, venu assister à un tournoi de polo, le prince de Galles visita l'île et fut ébloui par le style de vie qui y régnait : cela dépassait tout ce qu'il avait pu voir en Angleterre !

D'un point de vue géographique, Long Island commence avec Brooklyn et Queens, attachés à cette île très longue qui s'étire sur 200 km. Mais Long Island est connue par les New-Yorkais pour ses plages de dunes de la rive S. On aperçoit les paysages sauvages de la rive N. On aperçoit les plages en arrivant en avion à New York. En été, elles accueillent la *jet society* de Manhattan et quelques milliers de New-Yorkais… Quelque peu boudées par les touristes étrangers, ces plages offrent un véritable bain de jouvence à ceux qui veulent fuir, le temps d'un week-end, la frénésie de la ville. Mais attention : de manière générale, Long

Island ne mérite pas une journée de balade car elle est enlaidie par les autoroutes et les axes de circulation. Choisissez l'endroit précis où vous désirez vous rendre, qui est parfois bien caché. Nous vous proposons six buts de promenade. Si vous disposez d'une journée : Gold Coast, « North Shore » de Nassau County ; Jones Beach pour la plage ; Fire Island, une île longue et étroite avec de belles plages accessibles par ferry. Si vous disposez de deux ou trois jours, ou plus : Hamptons et Montauk, à l'extrémité de l'île (au S.) ; North Fork (au N.) ; Shelter Island.

*Accès : vous pouvez y aller en **voiture**, mais attention aux embouteillages à la sortie de New York, surtout à la veille d'un week-end (comptez env. 3 h pour East Hampton, 1 h 30 pour Jones Beach) ; quittez Manhattan par le Queens Midtown Tunnel (payant), à l'E. de 34th St. et suivez l'autoroute Long Island Expressway I 495 (40-50 km de Manhattan). En **train** : le Long Island Rail Road dessert très bien l'île (départ de Pennsylvania Station ; rens. ☎ 718/217-LIRR).*

***Information** et **hébergement** à Long Island, Convention & Visitors Bureau, ☎ 800/441-4601.*

Promenade d'une journée :

● **The Gold Coast** n'est pas accessible en voyage organisé, car trop peu connue. Louez une voiture et munissez-vous d'un plan détaillé de Nassau County. Les villages, très fréquentés par les touristes, sont très jolis : Mill Neck, Oyster Bay Cove (sur la rive N., petit port de plaisance situé au fond d'une baie bien abritée), Lattington, Matinecock, Locust

Valley, Old Westbury, Upper Brookville et Muttontown. Résidences superbes, gigantesques, luxueuses. C'est là qu'à la fin du XIXᵉ s. et au début du XXᵉ s., les riches familles new-yorkaises vinrent chercher le calme et l'espace, et construisirent des demeures de villégiature : ainsi Morgan, Whitney, Vanderbilt, Tiffany, Mellon, Chrysler, etc. Certaines sont restées intactes et sont ouvertes au public. La maison la plus jolie et la plus accessible est Old Westbury Gardens *(près de l'autoroute, sortie 39S puis suivre les indications, rens. 516/333-0048).*

Autres villages et maisons : Coe Hall, à Plantin Fields (dans Oyster Bay, ☎ *516/922-0479*) ; **Sagamore Hill,** la maison natale de Theodore Roosevelt (à Oyster Bay Cove, ☎ *516/922-4447*), plus ancienne (années 1880) et plus modeste ; le village de **Roslyn,** joli village ancien avec maisons en bois ; **Museum of Fine Arts** (ex-résidence de la famille Frick, ☎ *516/484-9337*) à Roslyn ; la maison de la famille Guggenheim, à **Sands Point** (☎ *516/883-1612)* ; le village victorien de **Sea Cliff,** plus difficile à trouver, comprenant des maisons décorées, en bois, datant des années 1870-1880. Vous pouvez déjeuner au *Crescent Club* à **Bayville,** restaurant-club au bord d'une jolie plage (le village n'est pas très intéressant mais est situé à proximité des coins à visiter).

● **Jones Beach State Park*** *(env. 75 mn de Manhattan en voiture, via Long Island Expressway, puis Meadowbrook Parkway, en train ou en bus).* – Jones Beach est l'une des plages les plus fréquentées de la rive S. Cette longue bande de sable comprend en réalité plusieurs plages (20 km de long, 300 m à 1 km de large !), très bien aménagées, desservies par l'Ocean Parkway. Pour le visiteur venant de New York, c'est la plus proche. Embouteillages sur l'autoroute le week-end, mais cela vaut le coup !

● **Fire Island** *(accès en été par ferry depuis Bay Shore),* interdite aux voitures, est restée à l'état sauvage. Série de plusieurs plages, de stations balnéaires, sur une île longue et étroite. Le village de **Sayville** est le point de départ pour se rendre à la plage de Sunken Forest. À Sayville *(1 h 40 de Manhattan),* prenez le ferry *(20 mn)* jusqu'à **Sunken Forest :** plage superbe, sauvage, sans maisons ni restaurants, juste un petit snack, avec une réserve nationale d'arbres et de dunes peu connues. Pour déjeuner, marchez 15 à 20 mn le long de la plage jusqu'à **Cherry Grove,** un village piétonnier possédant quelques restaurants. Vous pourrez retourner à Sayville en ferry *(se renseigner au guichet pour obtenir un ticket combiné).*

Promenade de 2-3 jours, ou plus :

● **Hamptons** et **Montauk,** à l'extrémité de l'île (au S.), **North Fork** (au N.) et **Shelter Island**

Les Hamptons**, assez éloignés de Manhattan, méritent une visite, surtout en semaine. Ils se situent sur la pointe de Long Island, avec la pointe extrême de Montauk. Il faut compter entre 2 h 30 et 3 h 30 de Manhattan. Une voiture est indispensable car les hôtels, restaurants et magasins sont loin des plages. Attention : la région est très fréquentée le week-end en été : réserver à l'avance hôtels, motels, ou Bed & Breakfast *(Bed & Breakfast, charmants et chers, dans les villages de East Hampton, à 20 mn à pied, ou plus, des plages).* Vous pouvez louer un appartement (même pour une nuit) à **Amagansett** ou **Montauk.** Il est difficile d'accéder en voiture aux plages sans un permis de résident. Les plages de Hamptons ne sont jamais surpeuplées ; l'eau de l'Atlantique est propre et atteint 20° C en juil. et 22° C en août.

Promenades. – C'est une région chargée d'histoire : certains villages sont parmi les plus anciens des États-Unis. On y découvre plusieurs siècles d'architecture à travers les diverses résidences, on y découvre aussi des moulins à vent du XIXe s. et le ranch américain le plus ancien. Des maisons très modernes et anciennes se côtoient dans les villages : à South Hampton, Wainscott, East Hampton, Sag Harbor, Montauk, Amagansett, Walter Mill, etc. L'été, parmi les résidents, peut-être croiserez-vous Woody Allen, Kim Basinger, Steven Spielberg, Kathleen Turner, Paul et Linda Mc Cartney, Isabella Rossellini ou Faye Dunaway ? D'innombrables activités sont possibles : magasins d'antiquités et galeries d'art (la région fut le berceau de l'expressionnisme abstrait) ; balades à cheval sur les plages ; promenades en bateau à voile ou à moteur ; ferry boat (de Sag Harbor à Shelter Island) ; excursions pour observer les baleines (en été seulement) ; pêche au thon et au requin de Montauk/Amagansett. D'agréables déjeuners peuvent être pris dans les restaurants proposant des produits locaux : fruits de mer, célèbres *Long Island ducks,* fruits et légumes.

■ La vallée de l'Hudson* et les Catskills

Ce ne sont pas les charmes de la mer que vous découvrirez ici, mais ceux de la campagne et de petites cités historiques : l'Hudson Valley offre des paysages que l'on ne soupçonne pas, très bien mis en scène au siècle dernier par les peintres de l'Hudson River School.

Accès : l'idéal est d'y aller en **voiture** (par la route n° 9, que vous rejoindrez par l'Henry Hudson Parkway). Des **trains** partent de Grand Central. En été, services de **bateaux** : le Day-liner de la Circle Line remonte l'Hudson River jusqu'à Poughkeepsie avec escale à West Point (départ depuis le Pier 83 à hauteur de W. 42nd St.). Une autre formule (avr.-oct., jours et heures variant selon les mois) : New York Waterways (Port Imperial Ferry, ☎ 800/533-779) ; bateau depuis W. 38th St. & 12th Ave. (Hudson) sur Tarrytown ; vis. guidées en autocar de Phillipsburg Manor, ferme hollandaise du XVIIes., où l'on présente en costumes d'époque la vie quotidienne ; visite de Sunnyside, maison de l'écrivain Washington Irving, qui dessina cette demeure en 1835 ; pour ces visites, compter une journée. Des minibus (Port Imperial Ferry) font la navette entre Midtown (plusieurs points de départ) et l'embarcadère (entre le 15 avr. et le 29 oct., rens. pour horaires ☎ 800/533-3779).

● **Lyndhurst*** *(par la route n° 9 depuis Tarrytown, env. 10 mi/16 km de New York ; ouv. de mai à oct. t.l.j. sf lun. 10 h-17 h ; de nov. à avr. sam.-dim. 10 h-17 h)* – Perché sur sa falaise, le manoir de Lyndhurst est un parfait exemple de Gothic Revival formant un curieux amalgame de tourelles, porches, clochetons, qui frappe par son irrégularité. La demeure, qui fut construite en 1838, fut acquise en 1880 par Jay Gould, financier et roi du rail. Elle resta dans la famille Gould jusqu'en 1961.

● **West Point** *(env. 54 mi/87 km au N. de New York, accès aussi par bateau),* siège de la célèbre académie militaire américaine, fondée en 1802 et formant 4 000 cadets chaque année ; Mac Arthur, Eisenhower et Patton comptent parmi les plus célèbres. Le **Visitors' Information Center** *(ouv. t.l.j. 9 h-16 h 45 ; musée ouv. 10 h 30-16 h 15)* recrée les conditions de vie – spartiates – des élèves de l'académie. On peut également assister aux manœuvres des officiers, le **Parade Ground,** impressionnante démonstration de patriotisme à l'américaine.

● **Hyde Park** *(à 6 mi/10 km au N. de Poughkeepsie, soit à env. 145 km N. de New York)*, situé sur la rive E. de l'Hudson, est célèbre pour ses deux demeures historiques : la Vanderbilt Mansion et le Franklin D. Roosevelt National Historic Site.

● **The Franklin D. Roosevelt Historic Site*** *(à 5 mi/8 km de Hyde Park, ouv. t.l.j. 9 h-17 h ; f. mar. mer. en hiver)*. – Maison natale du président Franklin D. Roosevelt, elle fut aussi le lieu de résidence des Roosevelt jusqu'à leur mort. Le président avait surnommé son bureau de Hyde Park la « Summer White House », la Maison Blanche d'été. Outre la majestueuse demeure de style georgien, on peut également visiter la bibliothèque Franklin Roosevelt et le musée. Le président et son épouse Eleanor sont enterrés dans la roseraie du parc.

● **The Vanderbilt Mansion*** *(à 7 mi/11 km au N. de Hyde Park ; ouv. t.l.j. 9 h-17 h ; f. mar. mer. en hiver)*. – Cette immense demeure de style Renaissance reflète bien l'opulence et la démesure de la célèbre famille. Elle fut construite entre 1896 et 1898, et compte 54 pièces, dont un salon rococo et surtout l'impressionnante chambre à coucher Louis XV de Louise Vanderbilt. Un jardin à la française entoure le manoir avec une vue imprenable sur l'Hudson.

● **Kingston** *(104 mi/167 km N.)*. – Les Hollandais fondèrent cette ville en 1652 et en firent un lieu d'échanges commerciaux. Pendant la guerre d'Indépendance, elle devint la première capitale de l'État de New York. **Senate House** *(312 Fair St., du 15 avr. au 31 oct., ouv. mer.-sam. 10 h-17 h, dim. 13 h-17 h ; le reste de l'année sur r.-v., ☎ 914/338-2786)* : durant les combats pour l'indépendance, les sénateurs avaient l'habitude de s'y réunir avant que les troupes britanniques la saccagent ; on peut aujourd'hui visiter l'intérieur, restauré.

● **Les Catskills.** – En remontant vers l'embouchure de l'Hudson, on atteint les Catskills, superbe massif montagneux agrémenté de nombreuses forêts, rivières, etc.

● **Woodstock** *(à env. 10 mi/16 km au N. de Kingston)*, dont le nom évoque le festival de musique pop qui se déroula en 1969. À vrai dire, le festival s'est tenu à une centaine de kilomètres du village, à White Lake, mais il est resté associé au nom de Woodstock. En août 1994 ont été célébrés les 25 ans de Woodstock : Woodstock II s'est tenu à Saugerties, un village dans la vallée de l'Hudson (à 160 km au N. de Midtown/Manhattan), près du village de Woodstock. 350 000 jeunes se sont rassemblés pour écouter durant 2 jours et demi une trentaine de groupes représentant deux générations : les années 60 et 90. Même si l'esprit de « Woodstock 69 » n'était pas au rendez-vous, rap, funk, folk rock, punk music, heavy metal, soul ou rythm'n blues ont résonné ici. Disque et film à paraître.

La Nouvelle-Angleterre :
une haute idée de l'Amérique

① Maine

② New Hampshire

③ Vermont

④ Massachusetts

⑤ Connecticut

⑥ Rhode Island

Du sable, des forêts de pins, des cordons de dunes, et pour horizon l'immensité bleue de l'océan : bâtie sur ces éléments simples, la Nouvelle-Angleterre conserve les caractéristiques d'un pays de pionniers. Terre élue, où bat depuis les premiers colons le cœur du Nouveau Monde, terre d'un passé aristocratique choyé comme un capital, la Nouvelle-Angleterre est aussi grande que la France. Une dimension réduite à l'échelle des États-Unis, mais une certaine idée de la civilisation américaine continue d'irradier, depuis ce phare, le reste du territoire.

Car la Nouvelle-Angleterre a toujours été une région attachée à ses convictions. Dès leur arrivée, les puritains ont établi un régime intolérant à Boston. Aujourd'hui encore, la plus importante secte américaine (la New Christian Scientist Church) joue au centre de la ville le rôle d'éclaireuse d'une nation en quête de sens moral. Au fanatisme de ces fervents s'oppose, fort heureusement, un individualisme qui a pu s'affirmer dans l'immensité de l'océan ou dans les profondeurs des forêts du Vermont. Car l'arbre et la vague sont les seuls vrais maîtres de la Nouvelle-Angleterre.

La phrase de John Fitzgerald Kennedy, gravée sur son mémorial à Hyannis, garde toute son actualité : « Je crois qu'il est important que ce pays navigue, et ne reste pas simplement au port. » Le génie de la Nouvelle-Angleterre réside dans son attirance pour l'étranger.

● Le phare de l'Amérique

À **Boston**, la ligne bleue des gratte-ciel n'a jamais fait oublier les marques rouges du Freedom Trail, promenade reliant les hauts lieux de l'Indépendance américaine. La ville est le sanctuaire de cette libération fondée sur le concept du libéralisme commercial. C'est en effet ici que, le 16 décembre 1773, lors de la « Boston Tea Party », le peuple refusa les taxes imposées par le parlement et jeta à la mer le thé importé d'Angleterre. Parmi ce « peuple » assoiffé d'indépendance, n'y avait-il pas aussi quelques négociants intéressés d'abord à préserver leur marge ? Poser cette question, presque sacrilège, revient à lever le voile sur des événements sacralisés par l'histoire. Il en va ainsi de toute la Nouvelle-Angleterre : il suffit d'un brin d'imagination, d'une touche d'impertinence pour que la passionnante épopée des fondateurs de la jeune Amérique retrouve ses couleurs et ses paradoxes.

Boston, la citadelle du Massachusetts, est l'une des plus agréables métropoles américaines. On la décrit souvent comme une ville « bcbg », bastion de l'Amérique blanche et bien pensante, forteresse des Wasps (White Anglo-saxons Protestants). Il est vrai que la richesse s'y porte en costume gris-perle, et que l'excentricité n'est pas de bon ton. Mais il y règne une surprenante douceur de vivre. Cette forteresse possède des terrasses, des quartiers piétonniers, des musées de premier ordre et des bras de mer sur lesquels canotent les étudiants.

Il ne faudrait pas réduire la patrie d'origine du *venture capital* à un décor pour *les Quatre filles du docteur March.* Des écrivains peu suspects de conformisme, tels Edgar Allan Poe et Henry James, y naquirent. Eugene O'Neill écrivit son œuvre à **Cape Cod**, Edward Hopper y peignit nombre de ses toiles. Si **Plymouth**, où aborda le *Mayflower,* semble aujourd'hui un vaste décor de théâtre à la gloire des puritains d'autrefois, **Provincetown** est l'un des refuges les plus *gays* de la côte E. Les pèlerins qui ont fondé la ville où naquit le premier nourrisson blanc de Nouvelle-Angleterre, Peregrine White, seraient aujourd'hui bien surpris.

Massachusetts : carte d'identité

de l'indien « grande montagne de l'est » ; abréviation MA ; surnom Bay State.
Surface : 21 400 km² ; 45e État par sa superficie.
Population : 6 016 425 hab.
Capitale : Boston (574 280 hab.)
Villes principales : Worcester (169 760 hab.) ; Springfield (156 980 hab.)
Entrée dans l'Union : 1788 (6e État fondateur).

Et la grande voisine de Boston, **Cambridge**, fief de la très sélecte Harvard University, qui compte pas moins de quarante prix Nobel, prépare sans préjugés l'avenir.

● **Quatre cents ans de solitude**

Avec seulement 12 millions et demi d'habitants, les six États de Nouvelle-Angleterre proposent bien des coins où pratiquer une divine solitude.

Les côtes du **Maine** offrent une perfection virginale dans leur graphisme : des kilomètres de plage blanche, la mer apparaissant comme un trait droit sur l'horizon. Marguerite Yourcenar avait choisi de vivre dans les collines sablonneuses hérissées de petites cabanes de bois de l'île du Mount Desert, dans **Acadia National Park**.

Couverts de forêts, le **Vermont** et le **New Hampshire** se présentent comme deux États « nature », un immense parc de verdure à l'usage des métropoles. L'automne, ou plutôt, la « cinquième saison », l'été indien, anime Montpelier, la capitale du Vermont. Dès la mi-septembre, un frémissement court les rues de la plus petite capitale des États-Unis (8 247 hab.). On attend le flamboiement des érables,

qui compose, pour peu de temps, un spectacle admirable. Car l'été indien et le printemps ne forment que des parenthèses de paix au cœur des tourmentes climatiques : si les maisons, cocons de bois peint, avec leurs jardins proprets entourés de clôtures blanches, semblent plus douillettes qu'ailleurs, si les hommes semblent aussi un peu plus rudes qu'ailleurs, ils le doivent au climat. Le pire étant celui qui règne au sommet du **mont Washington**, le plus haut sommet du N.-E. des États-Unis (1 917 m) et l'attraction numéro 1 du New Hampshire : le thermomètre peut descendre à - 40° C.

Vermont : carte d'identité

du français « vert mont » ; abréviation VT ; surnom Green Mountain State.
Surface : 24 900 km² ; 43e État par sa superficie.
Population : 562 758 hab.
Capitale : Montpelier (8 247 hab.)
Ville principale : Burlington (39 130 hab.).
Entrée dans l'Union : 1791 (14e État).

Maine : carte d'identité

de la province française, propriété de Henriette-Marie, femme de Charles Ier d'Angleterre ; abréviation ME ; surnom Pine Tree State.
Surface : 86 000 km² ; 39e État par sa superficie.
Population : 1 234 602 hab.
Capitale : Augusta (21 325 hab.)
Villes principales : Portland (64 360 hab.) ; Lewiston (39 760 hab.) ; Bangor (33 180 hab.).
Entrée dans l'Union : 1820 (23e État).

New Hampshire : carte d'identité

d'après le comté anglais de Hampshire ; abréviation NH ; surnom Granite State.
Surface : 24 000 km² ; 44e État par sa superficie.
Population : 1 109 250 hab.
Capitale : Concord (36 000 hab.)
Villes principales : Manchester (99 330 hab.) ; Nashua (79 660 hab.).
Entrée dans l'Union : 1788 (9e État fondateur).

Bien que situé dans l'orbite de New York, le **Connecticut** reste un État rural. C'est un des plus petits États du pays, avec le Rhode Island et le Delaware. La pauvreté de ses sols nécessite une mécanisation poussée et presque toutes les matières premières, ainsi que l'énergie sont importées des États voisins. Mais ses côtes et sa campagne, une campagne mal peignée, avec des friches où se cachent des villégiatures rustiques pour citadins en manque d'air pur, lui donnent un charme certain, accessible aux visiteurs qui se détournent du spectaculaire pour découvrir l'authenticité de l'Amérique profonde.

Connecticut : carte d'identité

de l'indien « quinnehtukqut » ; abréviation CT ; surnom Constitution State (1er État à disposer d'une constitution écrite).
Surface : 13 000 km^2, 48e état par sa superficie.
Population : 3 287 100 hab.
Capitale : Hartford (139 740 hab.)
Villes principales : Bridgeport (141 700 hab.) ; New Haven (130 470 hab.) ; Waterbury (109 000 hab.) ; Stamford (108 000 hab.).
Entrée dans l'Union : 1788 (5e État fondateur).

● **Une terre happée par le large**

Rhode Island, le plus petit État de l'Union (sa superficie est à peu près celle de la moitié du Morbihan) est fortement peuplé, très industrialisé, mais il occupe le premier rang quant au commerce de l'argenterie et de la joaillerie. Il est connu pour ses côtes déchiquetées, aux violences bretonnes, et grâce à **Newport**, la capitale du yachting et de l'America's Cup. En revanche, on ignore généralement que

le Rhode Island, et sa capitale **Providence**, résistèrent obstinément aux troupes britanniques au moment de l'Indépendance. Au milieu du XVIIe s., Providence devint le refuge des *quakers* et des juifs hollandais. C'est d'ailleurs là que fut construite la première synagogue du pays et que fut ouvert le premier casino. Un palace où Gatsby le Magnifique, brillant personnage de Scott Fitzgerald, aimait à se rendre.

Rhode Island : carte d'identité

de l'île de Rhodes, nom donné par Verrazano en 1524 ; abréviation RI ; surnoms Little Rhody, Ocean State.
Surface : 3 100 km^2 ; le plus petit État fédéral.
Population : 1 003 464 hab.
Capitale : Providence (160 730 hab.)
Villes principales : Warwick (85 430 hab.) ; Pawtucket (72 644 hab.).
Entrée dans l'Union : 1790 (13e et dernier État fondateur).

● **Tendre est la vie**

Cette attirance pour l'étranger, couplée avec un sens rural de la terre, donne une ambiance un peu spéciale, facilement caricaturale. En Nouvelle-Angleterre, tout va plus lentement qu'ailleurs, mais tout y est plus sérieux, mesuré, pragmatique. On y déteste la frime, et même les *fast-foods* puisque quelques paradis comme la charmante **île de Nantucket** ne proposent aucun hamburger. Dans le Vermont, c'est la publicité qui se fait discrète, chose rare aux États-Unis. Enfin, la Nouvelle-Angleterre apprécie le confort, évidemment, mais sans le sacrifier au goût : des hôtels de charme, aux couettes épaisses et aux papiers peints fleuris, accueillent les visiteurs. On se régalera aussi de circuits historiques, car le passé est une religion —surtout s'il s'agit d'un passé datant de l'arrivée du *Mayflower* ou consacré aux baleines.

Si la Nouvelle-Angleterre était un peintre, ce serait Edward Hopper : une solide attente.

Découvrir la Nouvelle-Angleterre

■ Que voir ?

● Les vieilles cités

Boston*** (→ p. 303) : on s'attardera volontiers dans la capitale du Massachusetts ; vous y verrez de vieux quartiers résidentiels —le long du Freedom Trail***— et deux extraordinaires musées de peinture***.

Newport** (→ p. 360), le berceau de l'America's Cup, très touristique, a conservé ses luxueuses *mansions* construites à la fin du XIXe s. par les Vanderbilt et autres milliardaires.

Providence** (→ p. 373), **Portsmouth*** (→ p. 372), **et Portland****(→ p. 366), les trois grands ports de la côte, témoignent encore de l'opulence des armateurs qui ont fait la fortune de la Nouvelle-Angleterre.

New Haven (→ p. 358) est le siège de l'université de Yale**, l'une des plus réputées des États-Unis.

● Les belles demeures du passé

Dans le Connecticut : **Litchfield** et **Farmington*** offrent de belles maisons (XVIIIe s.) dans un site splendide, quand les forêts prennent leurs couleurs d'automne (→ p. 356).

Dans le Massachusetts : à **Salem****, dont le quartier historique a été très bien restauré, on découvrira plus de deux siècles d'architecture (→ p. 347). **Deerfield*** et **Old Sturbridge Village**** font revivre les communautés rurales du XIXe s. (→ p. 376). **Pittsfield***, **Stockbridge*** et **Williamstown**** sont trois gros bourgs d'époque coloniale, au cœur des Berkshires** (→ p. 301-302) ; **Hancock Shaker Village*** évoque la vie dans une ancienne communauté de *shakers* (→ p. 301).

Dans le New Hampshire : **Exeter*** (→ p. 373) a gardé son cachet du XVIIIe s., comme **Bennington*** dans les Green Mountains (→ p. 300).

Dans le Maine : **Wiscasset**** possède de belles demeures de style georgien (→ p. 370).

● Les petits ports

Dans le Connecticut : **Mystic Seaport*** est un village du XVIIe s. entièrement reconstitué (→ p. 360).

Dans le Massachusetts : on verra **New Bedford***(→ p. 357), l'ancienne capitale de la pêche à la baleine, mais surtout **Plymouth***(→ p. 363) où les premiers colons débarquèrent du *Mayflower* ; la Plimoth Plantation** permet d'imaginer l'atmosphère d'un village de cette époque. **Gloucester***, sur le cap Ann, reste l'un des principaux ports de pêche de Nouvelle-Angleterre tandis que **Rockport**, vieille bourgade de pêcheurs, a été transformé en village d'artistes (→ p. 350).

Sur le Cape Cod** (→ p. 351) : on fera halte à **Hyannis***, bordé de belles villas, **Chatham*** ou **Provincetown****,

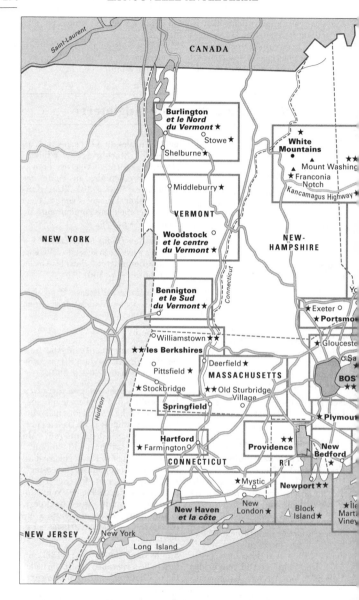

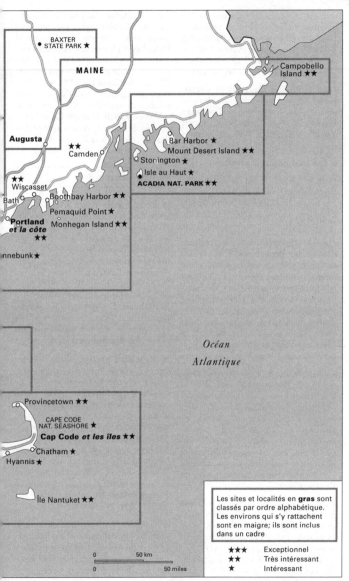

BAXTER
STATE PARK ★

MAINE

Campobello
Island ★★

Augusta

★★
Camden

Bar Harbor ★
Mount Desert Island ★★
Stonington ★
Isle au Haut ★
ACADIA NAT. PARK ★★

★★
Wiscasset
Bath
Boothbay Harbor ★★
Pemaquid Point ★
Portland
et la côte
★★
Monhegan Island ★★

nnebunk ★

*Océan
Atlantique*

Provincetown ★★
CAPE CODE
NAT. SEASHORE ★
Cap Code *et les îles* ★★
Chatham ★
Hyannis ★

Île Nantuket ★★

	Les sites et localités en **gras** sont classés par ordre alphabétique. Les environs qui s'y rattachent sont en maigre; ils sont inclus dans un cadre
★★★	Exceptionnel
★★	Très intéressant
★	Intéressant

0   50 km

0   50 miles

Que voir en Nouvelle-Angleterre

miraculeusement épargné par l'urbanisation malgré le flot des touristes. Dans un site plus sauvage, **Nantucket Town**** (sur l'île de Nantucket) est sans doute l'un des villages les mieux préservés de Nouvelle-Angleterre.

Dans le Maine : **Ogunquit** et **Kennebunk*** ont été immortalisés par de nombreux peintres et écrivains ; **Boothbay Harbor****, réputé pour ses homards, **York*** et **Camden**** sont toujours très animés en été (→ p. 368 et 371).

● **Les sites naturels protégés**

Dans le Rhode Island : les falaises de **Block Island*** méritent un coup d'œil. Les plages de la baie de **Narragansett** comptent parmi les plus belles de Nouvelle-Angleterre (→ p. 362).

Dans le Massachusetts : les collines douces des **Berkshires****, couvertes de forêts et de cascades, peuplées de daims, sont parsemées de villages sympathiques qui offrent de nombreuses possibilités d'hébergement (→ p. 301). On ne manquera pas les dunes du **Cape Cod National Seashore*** ni les plages de **Nantucket**** et **Martha's Vineyard***, baignées par le Gulf Stream (→ p. 353-354).

Dans le Vermont : les forêts qui s'étendent entre **Bennington*** (→ p. 300) et **Burlington*** (→ p. 350), terriblement sauvages et rudes l'hiver, sont superbes à l'automne, quand les feuillages se teintent de toute la gamme des orangés. Mais c'est aussi la saison la plus touristique… L'hiver, les montagnes attirent de nombreux skieurs (à **Stowe** notamment, près de Burlington).

Dans le New Hampshire : les **White Mountains*** (→ p. 377), très accidentées, sont le domaine du ski et de la grande randonnée, mais on peut aussi tout simplement les traverser en voiture (très belles routes panoramiques).

Dans le Maine : la côte, extraordinairement découpée, est superbe notamment autour de **Pemaquid Point*** où s'élèvent d'étonnantes formations rocheuses (→ p. 370). Les paysages solitaires et grandioses de l'**Acadia National Park**** (→ p. 296), dont les falaises granitiques sont ponctuées ici et là d'un fin tapis d'herbes, rappellent la Bretagne ; avec un peu de chance, vous y apercevrez des phoques, des castors ou des macareux (oiseaux des mers froides).

■ Que faire ?

● **Pédaler :** les pistes cyclables du **Cape Cod** sont certainement les plus faciles et les plus accessibles ; l'idéal serait alors de gagner Provincetown en bateau depuis Boston et d'y louer un vélo (vous éviterez ainsi la foule des automobilistes). Si vous préférez les paysages champêtres, allez donc pédaler entre les douces collines des **Berkshires**. Les paysages du **Maine**, plus rudes, sont très propices aux randonnées cyclistes, notamment du côté d'**Acadia National Park**.

● **Marcher :** partout, dans tous les petits parcs de Nouvelle-Angleterre, vous trouverez des sentiers. Pour de courtes randonnées, nous vous recommandons les **Berkshires** (où abondent les petits hôtels et les *beds and breakfasts*). Pour des marches de plusieurs jours, vous trouverez votre bonheur dans les **White Mountains**, le **Vermont** (Bennington, Burlington, Woodstock) et le **Maine**. Pour tous renseignements, adressez-vous à l'*Appalachian Mountain Club (5 Joy St. Box NH, Boston, MA 02108)*.

● **Naviguer :** les ports abondent sur la côte, les plus connus restant Newport et ceux du Maine. La **Pioneer Valley** (aux environs de Hartford) et l'**Housatonic River** (dans les Berkshires) sont propices au canoë ; il existe aussi de nombreux lacs navigables dans le New Hampshire et le Vermont.

● **Rouler à toute vapeur :** un vieux train, à travers de superbes paysages, permet d'atteindre le sommet du mont Washington dans les **White Mountains** (Mount Washington Cog Railway).

● **Skier :** à la question : « où peut-on skier en Nouvelle-Angleterre ? », on vous répondra souvent « partout ! ». Vous trouverez en effet des stations dans tous les États, mais les meilleures sont incontestablement dans le **Vermont** (autour de Burlington : Stowe, Jay Peak, Sugarbush) et le **New Hampshire** (dans les White Mountains).

● **Chasser et pêcher :** la palme revient au **Maine**, à ses forêts et ses lacs perdus dans le Grand Nord, paradis des truites, des saumons, des élans, des cerfs et des oiseaux. Pour tous renseignements, adressez-vous au **Maine Departement of Inland Fisheries and Wildlife** *(284 State St., Augusta, ME 04333).*

■ Propositions d'itinéraires

● **1. — De New York à Boston par la côte**

La côte du Connecticut, qui fait face à Long Island, est le fief des superbes résidences secondaires des New-Yorkais aisés. Le littoral n'offre qu'un long ruban de stations balnéaires ; il faut attendre d'arriver dans le Rhode Island pour découvrir ces fameuses plages qui ont fait la réputation de la Nouvelle-Angleterre. Et pourtant, tradition et modernisme ont su s'allier ; partout l'histoire est présente : à **New Haven**, où les bâtiments néogothiques de l'université de Yale

côtoient les gratte-ciel rectilignes du quartier des affaires ; à **Mystic Seaport***, reconstitution d'un port de pêche au XIXe s. ; à **Newport****, qui fut l'une des places commerciales les plus importantes du XVIIIe s. et enfin à **Providence****, ville estudiantine qui a conservé quelques belles demeures coloniales.

Cet itinéraire constitue une bonne introduction à la Nouvelle-Angleterre pour celui qui, depuis New York, désire remonter vers le N.

Les étapes *(245mi/400 km)*

— 1er jour : quittez New York pour New Haven (aux environs : Mystic Seaport) et Newport (en été, l'accès à Newport est souvent encombré) ;

— 2e jour : Newport ;

— 3e jour : Providence puis arrivée à Boston.

● **2. — Le Cape Cod**

Circuit au départ de Boston

L'excursion la plus classique au départ de Boston : le **Cape Cod**** est à Boston ce que Deauville est à Paris, une villégiature et un but de week-end. Au charme émouvant des maisons coloniales de **Plymouth*** s'ajoute le plaisir de la détente (baignade, pêche, surf, etc.) dans les stations balnéaires très touristiques du cap et de l'île de **Martha's Vineyard***. Mais peut-être préférerez-vous le spectacle un peu austère des longues dunes du **Cape Cod National Seashore***.

Les étapes *(300mi/500km)*

— 1er jour : Plymouth, puis accès à la presqu'île du Cape Cod. Visite de Provincetown (en été, bateau réservé aux piétons entre Boston et Provincetown ; possibilité de location de vélos ensuite) ;

— 2e jour : Cape Cod National Seashore ou excursion vers les îles de

Nantucket et Martha's Vineyard (en été, ferry au départ de Hyannis) ;

— 3e jour : retour à Boston via New Bedford.

● 3. — Les forêts de Nouvelle-Angleterre

Circuit au départ de Boston

Forêts des **Berkshires****, petites villes traditionnelles des Green Mountains —**Bennington***, **Burlington***—, festivals d'été, paysages escarpés des **White Mountains*** : tels sont les atouts majeurs de la plus grande partie de la Nouvelle-Angleterre, celle qui, loin de la mer, reste la plus fidèle aux usages d'antan. Ce coin de campagne a de quoi ravir les nostalgiques du passé comme les amateurs de pêche, de randonnées ou (en hiver) de ski. C'est surtout en automne que cette région offre son aspect le plus somptueux, lorsque les forêts d'érables se teintent des couleurs les plus flamboyantes.

Pas de ville-phare ici, mais un circuit qui permet de découvrir des paysages forestiers souvent splendides et très propices à la flânerie.

Les étapes *(800 mi/ 1300 km)*

— 1er jour : quittez Boston et prenez la route des Berkshires. En chemin, vous pourrez faire halte à Old Sturbridge Village (aux environs de Springfield). Nuit à Pittsfield ;

— 2e jour : faites un petit circuit au S. de Pittsfield, puis allez passer la soirée à Williamstown (→ Les Berkshires) ;

— 3e jour : découvrez Bennington, puis traversez les Green Mountains pour Burlington ;

— 4e et 5e jours : prenez la route des White Mountains et sillonnez les routes panoramiques ;

— 6e jour : rejoignez Portsmouth (aux environs : Exeter) ;

— 7e jour : retour à Boston via Salem et le cap Ann.

● 4. — Vers le Canada par la côte

Itinéraire au départ de Boston

Paradis des amateurs de crustacés — la côte du Maine regorge littéralement de homards—, la pointe N.-E. des États-Unis offre des paysages saisissants et grandioses : lorsqu'on a visité **Portsmouth*** et **Portland****, rien de tel qu'une halte dans l'un des délicieux petits ports de la côte avant d'aller admirer les étendues sauvages et battues par la tempête de **Mount Desert Island** dans l'**Acadia National Park****.

Les vrais sportifs pousseront jusqu'au **Baxter State Park*** qui offre des dizaines de lacs et d'étangs au pied des cimes enneigées du mont Katahdin : c'est là que prend naissance le fameux Appalachian Trail, ce sentier de randonnée long de 3 200 km qui court sur les sommets des Appalaches jusqu'au S. des États-Unis. Enfin, d'immenses territoires restés complètement sauvages entourent le **Moosehead Lake** et le **Chamberlain Lake**, dans le centre de l'État.

Les étapes *(400 mi/650 km)*

— 1er jour : Boston (Salem et le cap Ann) et Portsmouth ;

— 2e jour : la côte en direction de Portland : York, Ogunquit, Kennebunk ;

— 3e jour : visite de Portland ;

— 4e jour : la côte au N. de Portland : Bath, Wiscasset, Boothbay Harbor, Camden ;

— 5e et 6e jours : Acadia National Park et Mount Desert Island.

Meeting House, Castine, Maine.

Acadia national Park**

Situation : *sur la côte du Maine, à 125 mi/200 km au N.-E. de Portland.*
À voir aussi dans la région : *Augusta, Portland et la côte**.*

Une côte rocheuse déchiquetée, de hautes falaises de granit rose battues par la mer bordent de vertes étendues de conifères où brille le reflet des eaux limpides des lacs et des ruisseaux. Le bout du monde, splendide et violent. Des millionnaires séduits par la beauté du site achetèrent puis donnèrent près de 13 000 ha au gouvernement pour établir un parc national. Parmi eux, John D. Rockefeller fit construire 80 km de chemins carrossables auxquels vinrent s'ajouter 140 km de sentiers de randonnée ainsi qu'une magnifique route en lacet, Park Loop Road, qui serpente le long de la côte et offre de somptueux panoramas, dominés par la haute silhouette de la Cadillac Mountain. Été comme hiver, les touristes affluent pour pratiquer les activités les plus variées dans un décor de rêve.

Une retraite dorée. — Les Vikings connaissaient déjà Mount Desert au XIe s., mais c'est Samuel de Champlain, en 1604, qui lui donna son nom à cause de ses sommets dénudés. L'île appartint à la province française d'Acadie jusqu'en 1713. Les Français et les Anglais se disputèrent ces territoires jusqu'à la défaite de Québec, en 1759 ; dès lors les colons britanniques vinrent s'installer sur la côte en nombre croissant. À partir du XIXe s., la beauté de la région attira de nombreux artistes et de riches estivants. Aujourd'hui encore, de nombreux écrivains ont choisi Mount Desert comme lieu de résidence (Marguerite Yourcenar y habita pendant une quarantaine d'années).

■ Visiter Acadia National Park

Le parc comprend **trois zones** : une partie principale sur Mount Desert Island, une petite annexe sur la Schoodic Peninsula et Isle au Haut.

Le meilleur point de départ est **Bar Harbor,** où une multitude d'hôtels permettent de séjourner. De là, vous pourrez sillonner l'île à pied, en voiture ou, mieux encore, à bicyclette pour profiter au maximum de ses merveilleux paysages.

Activités : renseignements au Visitor Center. Nombreux circuits guidés ; 100 mi/160 km de chemins de randonnée ; promenades à cheval ; ski de fond en hiver ; croisières au départ de Bar Harbor.

Saison : la plupart des hôtels et campings sont ouverts du 15 mai au 15 oct. Juin est le moment pour admirer la nature et les oiseaux de terre, juil. et août sont les mois pour observer les oiseaux aquatiques. De déc. à avr., les routes sont fermées à cause de la neige.

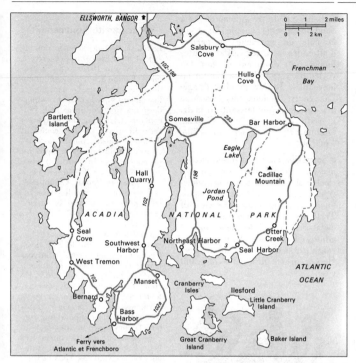

Acadia National Park

■ Mount Desert Island**

● **Bar Harbor*** est une ville animée et commerçante. Bien que la plupart de ses vieilles maisons aient été détruites, elle conserve un certain charme grâce à sa situation à proximité de **Frenchman Bay***. Le village offre des possibilités de promenades en mer ; *ferry* vers la Nouvelle-Écosse (Canada). En été, ses nombreux hôtels accueillent les touristes qui viennent visiter le parc alors qu'en hiver bon nombre d'installations sont fermées.

● **La Park Loop Road****. — Le **Visitor Center** est situé à Hulls Cove *(3 mi/5 km env. au N.-O. de Bar Harbor)*. De là, on accède à la **Loop Road**** qui permet de faire un magnifique circuit *(33 mi/53 km)* dans la partie S.-E. de l'île. Près de **Sieur de Monts Spring** se trouvent un jardin botanique de plantes régionales et l'**Abbe Museum of Stone Age Antiquities** où sont exposées des collections indiennes et des témoignages d'occupation humaine depuis l'âge de la pierre. Plus loin, l'**Ocean Drive** est un sentier pédestre qui commence à **Sand Beach**, seule plage de l'île, et suit la côte en corniche et permet d'atteindre les **Otter Cliffs***, hautes falaises qui dominent l'océan. On reviendra vers le Visitor Center en longeant le **Jordan Pond** et l'**Eagle Lake** (entre les deux, bloc erratique des Bubbles) et en laissant sur la dr. la route qui monte à la **Cadillac Mountain**** (sommet de l'île, 4 660 m).

● **Somesville**, charmant village avec ses maisons en bois blanc et son église au clocher élancé, est le site de la première installation (1761) de l'île. Depuis Somesville, empruntez le **Beech Cliff Trail***, sentier qui mène au sommet de falaises et depuis lesquelles on peut admirer **Echo Lake**. Au terme de la route 102 se trouve le phare de **Bass Harbor**, dressé sur les blocs de granit rose.

Macareux sur la falaise à Mount Desert Island.

■ Isle au Haut*

● **Stonington*** *(env. 50 mi/80 km au S.-O. de Bar Harbor ; revenir sur le continent et rejoindre Deer Isle).* —

Marguerite Yourcenar

Loin de la coupole du quai Conti, de sa jupe noire et de son spencer vert, c'est à Mount Desert que la première femme académicienne a élu domicile. Traverser l'océan, gagner l'île étaient donc le parcours obligé des journalistes désireux de la rencontrer. Là, fichu sur la tête et regard perçant, elle les accueillait devant sa maison en bois, sur cette île qui n'a plus de désertique (au premier sens du mot : absence apparente de vie humaine) que le nom puisque depuis Champlain, artistes et riches familles (Rockefeller par exemple) l'ont découverte dès le XIXe s., bientôt suivis des touristes.

Maguerite Yourcenar a passé là-bas la plus grande partie de sa vie, avec Grace Frick, et écrit ses œuvres majeures (*Mémoires d'Hadrien*, 1951 ; *l'Œuvre au noir*, 1968). Ce choix n'eut rien d'un exil pour cette femme nomade, née en 1903, déracinée du fief paternel (Mont-Noir), voyageuse impénitente jusqu'à la guerre ; ce fut bien plus un choix de vie. « La nature qui est très belle. Et puis la vie » surent s'attacher cet écrivain aux *Yeux ouverts* sur le milieu naturel.

Mais, quelle trace sur ses romans et nouvelles dont les personnages se profilent sur des horizons d'Orient ou d'Occident ? Cette « frontière entre l'univers et le monde humain » lui aurait, de son propre aveu, permis d'échapper à la seule rigueur formelle. Comment surtout ne pas déceler la présence insulaire de ces forêts et montagnes dans la conscience qu'avait Yourcenar du peu de choses que nous sommes « sur la mer du temps ».

À l'écart du monde, Stonington façon carte postale arbore des maisons colorées et des montagnes de casiers à homards. La principale activité de cette petite ville s'organise autour de la pêche et les touristes sont tolérés.

C'est de là que partent les bateaux (traversée de 40 mn à travers de nombreuses petites îles) pour l'**Isle au Haut***, paradis des marcheurs à la belle saison.

■ Schoodic Peninsula

La pointe de cette péninsule appartient à l'Acadia National Park mais elle est située de l'autre côté de Frenchman Bay *(au N.-E.)* et on y accède en reprenant l'US 1 puis la route 186. Agréable route côtière. Depuis **Schoodic Point*** *(env. 50 mi/80 km E.)*, belle vue sur Mount Desert.

Augusta

21 234 hab. ; fuseau horaire : Eastern time.
Situation : Maine. À 56 mi/90 km au N.-E. de Portland et de la côte atlantique.
À voir aussi dans la région : Acadia National Park**, Portland et la côte**, Portsmouth*, les White Mountains.*

Ce gros bourg agricole et résidentiel, capitale de l'État, concentre les activités administratives. La plupart des bâtiments officiels sont groupés autour du **State House** *(State St. ; vis. guidée sep.-mai)*, construit d'après les plans de Charles Bulfinch entre 1829 et 1832. **Blaine House** *(vis. de 20 min, lun.-ven. 14 h-16 h)* construit en 1830 dans le plus pur style colonial, est la résidence du gouverneur. Quant à **Fort Western Museum** *(Bowman St. ; vis. 15 juin-1er lun. de sep., 10 h-17 h, dim. 13 h-17 h)*, de l'autre côté de la rivière, il fut construit en 1754 pour protéger les Britanniques des Indiens... et des Français ; il abrite un petit musée historique.

■ Environs d'Augusta

● **Bangor** *(73 mi/118 km par l'I95 au N.-E.)*. — Délaissée par les « tigres de Bangor », les bûcherons qui vivaient dans l'immense forêt avoisinante, Bangor est aujourd'hui un centre commercial, financier et culturel, desservie par un aéroport international.

● **Moosehead Lake** *(à env. 135 mi/217 km au N.)*, le plus grand lac de l'État, s'étend sur 64 km de long et 32 km de large : randonnées, pêche et canoë sont à l'honneur dans un cadre très sauvage. Greenville, le plus gros bourg de la région, est un bon point de départ de randonnées. Rockville est une autre base intéressante pour explorer le lac et ses environs, notamment escalader le mont Kineo, une falaise acérée qui surplombe le lac de ses 566 m.

● **Baxter State Park*** *(à env. 170 mi/273 km au N. à la lisière du Canada)*. — Couvrant 81 000 ha de forêts, ce parc a gardé, selon les vœux de son créateur, son caractère sauvage initial. Aucun hôtel et des campings très rustiques. La priorité est donnée aux sentiers de randonnée *(250 km)* aménagés à l'extrémité N. de l'Appalachian Trail qui traverse la partie S.-O. du parc à partir du mont Katahdin (1 605 m), à la fois point culminant et sommet le plus élevé du Maine.

Bennington et le sud du Vermont*

Fuseau horaire : Eastern time.
Situation : *À l'extrême S.-O. du Vermont, à la lisière des États de New York et du Massachusetts .*
À voir aussi dans la région : *les Berkshires**, Burlington*, les White Mountains*, Woodstock.**

Entourée des Taconics et des Green Mountains, cette charmante petite ville a gardé le souvenir des temps anciens en préservant les nombreux édifices du XIXᵉ s. Elle connut son heure de gloire au moment de la guerre d'Indépendance : c'est ici, à la Catamount Tavern que Ethan Allen créa le groupe des Green Mountains Boys qui participèrent activement à la prise du fort Ticonderoga en 1775. Et surtout, le 20 août 1777, s'y déroula la bataille de Bennington où les Américains défirent les troupes anglaises.

● **Old Bennington**** où se concentrent plusieurs édifices le long de Monument Ave.

● **Old First Church*,** construite en 1805, cette église blanche aux lignes élancées fait la joie des peintres et des photographes. Le vieux cimetière est celui des soldats de la Révolution et des premiers colons.

● **Bennington Museum*** *(route 9 ; ouv. mars-déc : 9 h-17 h)* expose des verreries, des poteries et des œuvres du peintre naïf Grandma Moses (1860-1961).

● **Bennington Battle Monument** *(route 9 ; ouv. mars-oct de 9 h 30-17 h 30),* 93 m de dolomite bleue célèbrent la bataille de Bennington. Depuis le haut de cet obélisque on peut admirer les Berkshires et les Green Mountains.

■ Environs de Bennington

C'est en sillonnant les routes, en traversant les petits villages que vous trouverez au détour des collines boisées des Green Mountains que vous comprendrez le rapport étroit entre l'homme et la nature dans cette partie douillette des États-Unis.

● **Manchester** *(25 mi/40 km au N. par la route 7).* — Très fréquentée comme villégiature d'été et comme station de sports d'hiver, cette bourgade possède un centre très animé. Il faut noter la présence de l'Equinox Hotel, construction du XIXᵉ s. qui accueillit en ses murs les présidents Harrison, Grant, Roosevelt et Taft. **Hildene** *(2 mi/3 km au S.),* belle demeure de la fin du XIXᵉ s. de style néo-georgien, était la propriété du fils aîné d'Abraham Lincoln. Le **Southern Vermont Art Center** *(2 mi/3 km au N.)* présente en été des expositions de peinture, de sculpture et de photographie.

● **Marlboro** *(31 mi/50 km à l'E. par la route 9),* célèbre grâce au Marlboro Music Festival qui s'y tient chaque printemps, attire des mélomanes du monde entier. Fondé par le chef Rudolf Serkin, il fut dirigé par Pablo Casals pendant de nombreuses années.

Les Berkshires**

Fuseau horaire : Eastern time.

Situation : à l'O. du Massachusetts, à la lisière de l'État de New York et du Vermont. À 125 mi/200 km à l'O. de Boston.

À voir aussi dans la région : Bennington, Hartford, Providence**, Springfield. Dans le **Mid Atlantic** : Albany et les monts Adrondacks*.*

Des collines d'un vert intense, aux formes douces et opulentes, qui dévoilent à l'improviste des villages délicatement colorés et pimpants, organisés autour du traditionnel clocher blanc. Image d'Épinal ou carte postale, cette région tranquille n'en est pas moins la quintessence des paysages de Nouvelle-Angleterre. Une certaine vision de l'Amérique, où les habitants, loin de l'agitation citadine aspirent à mener une vie calme, en harmonie avec la nature environnante.

Visiter les Berkshires : comptez deux jours pour explorer la région depuis Pittsfield. (à 132 mi/212 km à l'O. de Boston). Nombreux spectacles et festivals de grande qualité en été.

- **Pittsfield*** est la capitale des Berkshires. On s'arrêtera au **Berkshire Museum** *(39 South St. ; f. lun.)* qui possède une belle collection de peinture américaine et européenne, avec notamment des œuvres de Rubens et de Van Dyck. **Arrowhead** *(780 Holmes Rd.)*, maison de la fin du XVIIIe s., restitue l'atmosphère dans laquelle Herman Melville écrivit bon nombre de ses œuvres et notamment *Moby Dick*.

- Le **Hancock Shaker Village*** *(5 mi/8 km à l'O. de Pittsfield)* fut le troisième village fondé en 1790 par la secte Shaker qui, pendant deux siècles, a pratiqué une forme de vie communautaire aux principes égalitaires stricts. La communauté a été dissoute en 1960 et, depuis, Hancock a été transformé en musée.

- **Williamstown**** *(22 mi/35 km au N. de Pittsfield).* — Dans ce très

Carrot Cake

Ce gâteau américain traditionnel, très consommé en Nouvelle-Angleterre, ressemble au pain d'épice d'autrefois. Il est parfait pour un goûter et très facile à réussir. En voici la recette pour 10 à 12 personnes :
Ingrédients : 2 tasses de farine complète, 2 tasses de sucre en poudre, 2 cuillères à café de levure, 1 cuillère à café de sel fin, 1 cuillère à café de cannelle en poudre, 3 tasses de carottes grossièrement râpées, 1 tasse d'huile (tournesol ou maïs), 4 œufs entiers.
Préchauffer le four à 225 °C. Beurrer et saupoudrer légèrement un

moule de farine. Dans le bol d'un mixer électrique, mélanger les 5 premiers ingrédients. Puis ajouter les 3 ingrédients suivants et les mêler intimement pendant 2 min à vitesse moyenne. Verser la préparation dans le moule. Enfourner. Maintenir la température (225 °C) pendant 45 min environ, mais après 20 min de cuisson, éteindre la partie haute du four pour ne laisser que la sole. Laisser refroidir le gâteau sur une grille à sa sortie du four. Quant il est tout à fait froid, le recouvrir d'un glaçage fait avec du sucre glace et le jus d'un citron.

Halloween: une farce ou un régal

Trick or treat ? (une farce ou un régal) demandent les enfants qui se rendent, le 31 octobre, jour de Halloween, de maison en maison, portant une citrouille évidée, dans l'écorce de laquelle on a découpé des yeux et une bouche et qu'on éclaire de l'intérieur par une bougie. La farce est rarement jouée. Et les enfants repartent avec des bonbons ou quelques piécettes. Seuls ceux qui n'ouvrent pas leur porte s'exposent à quelques représailles!

Les Celtes célébraient déjà le 31 octobre, dernier jour de l'année selon leur calendrier et veille de la fête des morts. Cette tradition s'est perpétuée dans l'Angleterre médiévale où, la veille de la Toussaint *(All Hallow's Eve)*, on allumait des feux de joie pour éloigner les esprits des sorcières, fantômes et autres lutins plus ou moins sympathiques qui se manifestaient ce soir-là. Les immigrants irlandais et écossais introduisirent cette vieille coutume aux États-Unis, mais Halloween ne devint une fête populaire qu'à la fin du XIXᵉ s. C'était alors souvent l'occasion de comportements débridés, plus ou moins répréhensibles (mise à sac des granges, vitres brisées).

beau village de Nouvelle-Angleterre, le **Sterling and Francine Clark Art Institute** *(South St. ; mar.-dim. 10 h-17 h)* abrite une collection exceptionnelle de peintres français du XIXᵉ s. (Corot, Renoir, Degas, Monet, Toulouse-Lautrec), de peinture européenne et américaine, de porcelaine et d'argenterie. Le **Williams College** (1793) comprend de beaux bâtiments néo-gothiques, néo-classiques et georgiens. Son festival de théâtre (de juin à août) est réputé.

● **Lenox** *(7mi/11km au S. de Pittsfield)* est l'un des villages les plus réputés des Berkshires, au cœur d'une région de cottages et de jolies auberges. On y verra notamment The **Mount** *(intersection des MA 7 et 7A)* qui fut la résidence de la romancière Edith Wharton (1862-1937) ; à la belle saison a lieu un festival Shakespeare. **Tanglewood**, qui jouxte Lenox, est la résidence d'été du Boston Symphony Orchestra (festival musical de grand renom de juin à sep.).

● **Stockbridge*** *(13mi/ 21 km au S. de Pittsfield)*, bourgade pleine de charme, est le refuge de nombreux artistes. On pourra jeter un coup d'œil à **Chesterwood** *(sur la MA 183, ouv. t.l.j. mai-oct.)*, demeure du sculpteur Daniel Chester French (1850-1931) ; sur la MA 102, la **Mission House** est meublée en style colonial ; **Naumkeag** *(Prospect Hill Rd.)* de

1886 est un bel exemple d'architecture de la fin du XIXe s. dans de très beaux jardins. Enfin, le musée est consacré à **Norman Rockwell** (*Main & Elm Sts*), qui vécut ici ; festival de théâtre en été.

Boston***

574 280 hab. ; fuseau horaire : Eastern time.
Situation : *Massachusetts, à 222 mi/350 km au N.-E. de New York.*
À voir aussi dans la région : *les Berkshires**, Cape Cod et les îles**, Plymouth*, Portsmouth*, Springfield.*

Boston est une ville fière. Son orgueil est né de trois siècles d'histoire. Lorsqu'on effectue le pèlerinage de la Freedom Trail, un mot vient à l'esprit, celui de sanctuaire. C'est bien ici le berceau de la nation américaine, celui des « Pères pèlerins » du *Mayflower*, celui aussi de l'histoire récente, avec la saga des Kennedy. Ville entreprenante, Boston rivalise avec New York —qui se trouve seulement à 350 km—, tant sur le plan universitaire (Harvard et le MIT) que sur le plan culturel (Fine Arts Museum, Isabella Stewart Museum, Fogg Art Museum, Boston Symphony Orchestra). Boston s'est donc parfaitement adaptée au XXe s. et se prepare au XXIe. Elle le fait en mariant pragmatisme et grands idéaux, non sans une certaine hypocrisie souvent associée à un puritanisme. En effet, la capitale du Massachusetts rejette dans son aire métropolitaine de près de 3 millions d'habitants son importante colonie d'Afro-Américains et de Portoricains. Peuplée de descendants d'émigrés anglais, protestants, et d'émigrés irlandais, italiens, polonais, en majorité de confession catholique ou juive, Boston est une ville essentiellement blanche. Seuls 7% de Noirs résident dans le centre et sur les trois collines, presque entièrement disparues, de Beacon Hill, Copp's Hill et Fort Hill. À la différence de Manhattan, Boston ne jette pas à la figure du voyageur les pauvres et les mendiants exclus du rêve américain : elle les cache ! Très cloisonnée, la ville pratique de subtiles hiérarchies sociales et, quoique hospitaliers, les Bostoniens ne fraient pas facilement avec les visiteurs.

Boston présente l'image d'une Amérique polie et policée, qui, malgré son ambition, a su garder taille humaine. Aérée grâce à de nombreux espaces verts et à des quartiers résidentiels pimpants et ombragés, tranquille et sûre, elle est parfaitement adaptée à la marche à pied. Mis à part le quartier des affaires, vous aurez souvent l'impression d'être en Angleterre. Les rues en pente de Beacon Hill, étroites et tortueuses, avec leurs réverbères à l'ancienne, séduisent par leur charme désuet ; celles de Back Bay se distinguent par leur plan logique et aéré. Parmi toutes ces maisons qui ont rarement plus de cinq étages, les gratte-ciel du Prudential Center et la Hancock Tower créent un contraste étonnant. En visitant Boston, peu de gens restent indifférents à cette alliance d'un style de vie européen avec une atmosphère culturelle de bon aloi.

■ Boston dans l'histoire

De Shawmut à Boston. — Le nom indien de la presqu'île sur laquelle fut édifiée Boston était Shawmut, « eaux douces ». Les premiers colons l'appellèrent Trimountains ou Tremont en raison de ses trois collines. Le premier Anglais à s'y établir, vers 1625, était un ecclésiastique révoqué, le révérend William Blackstone, qui y vécut en ermite pendant quelques années. En 1630, une colonie de 700 puritains conduits par John Winthrop arrivèrent d'Angleterre après une escale à Salem, au N. de Boston, et s'installèrent sur le lieu ; ils en achetèrent les droits au révérend Blackstone en 1634. Les nouveaux colons appelèrent l'endroit Boston en l'honneur de la ville natale de certains de leurs chefs, en Angleterre dans le Lincolnshire. Le gouverneur John Winthrop en fit la capitale de la Massachusetts Bay Colony, où les puritains établirent un régime intolérant, chassant les membres des autres sectes. La petite ville grandit rapidement et se livra bientôt à un important commerce transatlantique ; le premier chantier naval fut lancé en 1673. Au début du XVIIIᵉ s., Boston était la plus grande et la plus importante des villes américaines. Avec ses 25 000 habitants, elle éclipsait New York et Philadelphie. Le premier journal américain *(Boston News-Letter)* y fut imprimé en 1704.

Un ferment révolutionnaire. — Foyer de l'opposition dès l'accession au trône de Charles II d'Angleterre (1660), Boston devint un siècle plus tard le fer de lance de la lutte pour l'indépendance américaine. Tout commença ici le 5 mars 1770, avec le « Boston Massacre ». Le 16 décembre 1773, lors de la « Boston Tea Party », le peuple, refusant les taxes imposées par le parlement, jeta à la mer la cargaison de thé importé d'Angleterre de l'*East India Bohea*. Durant la guerre d'Indépendance, après les batailles de Lexington, Concord et Bunker Hill (avril-juin 1775), la ville fut occupée par les troupes britanniques. Cependant, le 4 mars 1776, Washington traversa la

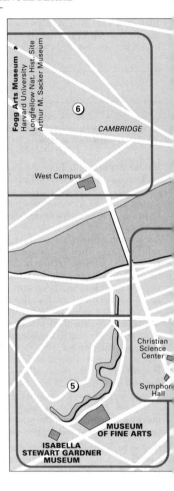

Charles River, occupa les Dorchester Heights et obtint l'évacuation des Britanniques (le 17 mars).

Une croissance irrépressible. — À partir de la révolution, Boston ne cessa de grandir ; le nombre d'habitants atteignait 93 000 en 1840, 178 000 en 1880,

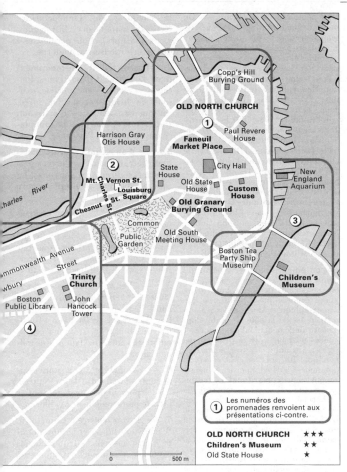

Que voir à Boston ?

363 000 en 1890, 561 000 en 1900. Le 9 novembre 1872, le principal quartier commercial de la ville fut détruit par un incendie, mais Boston croissait toujours. Des terrains inondés à marée haute furent remblayés, conquis sur la mer ; ils abritent aujourd'hui Back Bay. La superficie avait alors plus que doublée. Durant toute cette période, Boston devint, grâce au commerce maritime et à la pêche, une cité extrêmement florissante, berceau de la révolution industrielle américaine et centre de la vie intellectuelle. Certains, tels Otis et Hancock, s'y tailleront des fortunes colossales.

Une pépinière de célébrités. — Du point de vue littéraire, Boston a long-temps occupé le premier rang aux États-Unis. Edgar Allan Poe y naquit ; parmi les écrivains qui y vécurent, on peut citer Hawthorne, Emerson, Long-fellow, Holmes, Everett, Agassiz, Whit-tier, Motley, Bancroft, Prescott, Chan-ning, T.B. Aldrich, Howells, Henry James et de nombreux autres. Benja-min Franklin (1706-1790), les peintres John Singleton Copley (1738-1815) et Winslow Homer (1836-1910), l'archi-tecte Louis Sullivan (1856-1924), le chef d'orchestre Arthur Fiedler (1894-1979) sont originaires de Boston. Samuel Morse, l'inventeur du « mor-se » est né en 1791 dans le faubourg de Charlestown ; Alexandre Graham Bell y inventa le téléphone en 1875. Les pré-sidents John Adams et John Quincy Adams naquirent à Quincy, John Fitz-gerald Kennedy à Brookline et George Bush à Milton, dans la banlieue S.

Boston aujourd'hui. — À partir du début du XXᵉ s., Boston connut une longue période de déclin, tant sur les plans économiques, politiques que démographiques. Alors que les grandes métropoles de la côte É. se dévelop-paient rapidement, il fallut attendre les années 60 pour voir se profiler une reprise. Un ambitieux programme éco-nomique fut mis en place, visant notamment à développer les échanges commerciaux et maritimes. La fameu-se « Route 128 », où se concentre la recherche scientifique américaine, ou encore le Prudential Center près de Back Bay font aujourd'hui de Boston une place forte de l'économie améri-caine. Mais Boston reste avant tout la première ville universitaire du pays, regroupant des noms prestigieux tels Harvard, Radcliffe ou encore le MIT et Wellesley.

■ Découvrir Boston

● **Les promenades**

1. — Downtown et le Freedom Trail*** : Boston historique. Une promenade parsemée de souvenirs de la conquête de l'indépendance (églises, monuments historiques, vieux quartiers), et qui permet aussi de traverser le Boston moderne.

2. — Beacon Hill** : Boston roman-tique. Le Boston d'Henry James. Pla-cettes, réverbères ancien style, mai-sons de brique et de fer forgé. Antiquaires, magasins d'artisanat, restaurants de charme... Le tout pla-cé sous le signe de l'élégance.

3. — Le Waterfront* : Boston mari-time. Bateau de la Tea Party, aqua-riums, restaurants de poissons... La capitale du Massachusetts respire toujours l'air du large.

4. — Back Bay** : Boston contem-porain. À côté des résidences construites au XIXᵉ s., les gratte-ciel du XXᵉ s. Centre d'affaires, quartier chic : une cohabitation de charme sous le signe de la déesse architecture.

5. — Fenway et les grands musées*** : Boston culturel. Deux hauts lieux de l'art : le Museum of Fine Arts et le Isabella Stewart Gard-ner Museum. L'un est un musée tra-ditionnel, l'autre une fantaisie de mil-liardaire.

6. — Cambridge** : Boston estu-diantin. À Cambridge, le MIT et Har-vard exportent dans le monde entier l'image intellectuelle de la ville.

7. — A voir encore : Chinatown, Washington Street et le museum of Science. Trois centres d'intérêt moins connus mais qui méritent une visite, surtout si vous restez 5 ou 6 jours à Boston.

8. — Les faubourgs : un voyage à tra-vers le temps, à Concord et Lexington, où s'est forgée l'indépendance du pays. Sans oublier les deux monu-ments qui honorent le grand héros de Boston, John Fitzgerald Kennedy (le JFK National Historic Site et la JFK Library).

9. — De Boston au Cape Ann : une excursion en bord de mer, dans de ravissants petits ports (Rockport, Gloucester) mais aussi au pays des sorcières (Salem).

● **Boston à la carte**

Architecture contemporaine : Boston n'est ni New York, ni Chicago, mais vous verrez quand même d'intéressantes réalisations à Back Bay (Prudential Center, Hancock Tower ; prom. 4) et dans downtown (City Hall, Government Center ; prom. 1).

Art moderne : les expressionnistes allemands sont au Fogg Art Museum (prom. 6).

Art japonais : deux collections exceptionnelles, au Museum of Fine Arts (prom. 5) et au Peabody Museum de Salem (prom. 9).

Boston historique : revivez les grands moments des débuts de la lutte pour l'indépendance en effectuant le Freedom Trail (prom. 1).

Enfants : Boston a pensé à eux en leur consacrant le Children's Museum (prom. 3), le Computer Museum et le Science Museum... qui passionneront aussi bien leurs parents.

Impressionnisme : au Museum of Fine Arts (prom. 5), bien sûr, mais pensez à aller voir la collection, tout aussi remarquable, du Fogg Art Museum (prom. 6).

Kennedy : la saga de la famille qui a le plus marqué les États-Unis contemporains. De North End où elle s'établit (prom. 1) à Brookline où John naquit (prom. 9), sans oublier le musée construit par Pei à Dorchester (prom. 8) et le port de Hyannis (→ Cape Cod).

Mer : sur le Charlestown Navy Yard, l'un des plus anciens chantiers navals américains, on voit des bateaux dont l'un date des débuts de la République

américaine (prom. 1). Mais pourquoi ne pas embarquer pour aller rendre visite aux baleines (prom. 3) ?

● **Vivre Boston**

Espaces verts : ville aérée, Boston n'en manque pas, que ce soit le Common, le Public Garden –les deux plus agréables– (prom. 1), le Christopher Columbus Park, les Fens ou l'Arboretum.

Fruits de mer : Boston est réputée pour ses restaurants de fruits de mer, où sont servis notamment clams et homards.

Shopping : grands magasins sur Washington St., boutiques de luxe sur Newbury St., magasins de gadgets, tee-shirts, souvenirs, ainsi que fleurs fraîches et alimentation sur le pouce à Faneuil Hall.

Points de vue : Charlestown Bridge pour un panorama aquatique (prom. 1), la Hancock Tower ou Pru pour le Boston contemporain (prom. 4).

Vie nocturne : Boston n'est pas une ville follement animée le soir, mais vous pourrez néanmoins passer une agréable soirée à Beacon Hill (sur Charles St. notamment ; prom. 2) ou, en été, sur Faneuil Hall (prom. 1).

● **Boston mode d'emploi**

Combien de temps ? Quatre jours, c'est le temps nécessaire pour visiter Boston tranquillement. N'hésitez pas à aller passer, en sus, un jour à Salem pour voir le Peabody Museum (prom. 9) et un week-end à Cape Cod (→).

Arrivée à Boston. À Logan Airport, vous trouverez sur place toutes les agences de location de voitures, des bus et des taxis. Une navette nautique dessert aussi Long Wharf : une bonne solution si vous arrivez le matin vers 9 h ou le soir vers 18 h, le tunnel Callahan qui dessert l'île sur laquelle est construit l'aéroport pouvant en effet être embouteillé.

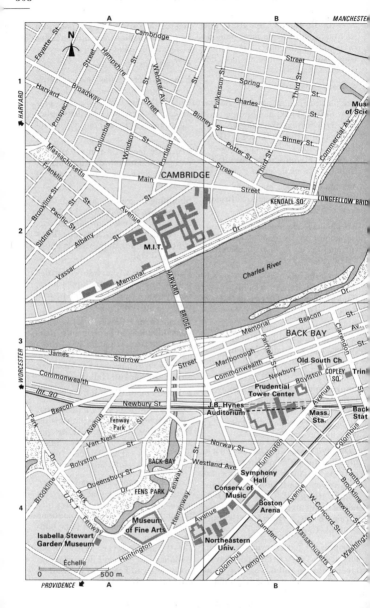

MANCHESTER

Muse
of Scie

HARVARD

WORCESTER

PROVIDENCE

A

B

N

Cambridge

Fayette St.

Hampshire
Street

Webster Av.

Spring
St.

Fulkerson St.

Third St.

Street

Harvard

Broadway

Prospect

Columbia

Windsor St.

Portland

Binney St.

Charles
St.

St.

Binney St.

Massachusetts

Franklin St.

Main

Street

CAMBRIDGE

Potter St.

Third St.

Commercial Av.

Street

KENDALL SQ.

LONGFELLOW BRIDG

Brookline
St.

Pacific St.

St.

St.

Avenue

M.I.T.

Dr.

Sidney

Albany
St.

Vassar

Memorial

HARVARD BRIDGE

Charles River

Dr.

Memorial

BACK BAY

Beacon

Fairfield S

Clarendon

St.

Av.

St.

James

Starrow

Street

Marlborough

Commonwealth

Newbury

Old South Ch.

Boylston

COPLEY
SQ.

Trin

Commonwealth

Int. 90

Beacon

Av.

Park

Fenway
Park

St.

Van Ness

Newbury St.

Commonwealth

Av.

J.B. Hynes
Auditorium

Prudential
Tower Center

Mass.
Sta.

Avenue

Back
Stat

Brookline

U.S.1

Fenway

Park

Boylston

Queensbury St.

BACK BAY

Dr.

FENS PARK

Norway St.

Westland Ave.

Fenway

Hemenway

Symphony
Hall

Conserv. of
Music

Boston
Arena

Huntington

Colombus

Canton

Brookline

Newton St.

W. Concord St.

Isabella Stewart
Garden Museum

Museum
of Fine Arts

Huntington

Avenue

Northeastern
Univ.

Camden

Colombus

Tremont

Massachusetts Av.

Washingto

Échelle

0   500 m.

A

B

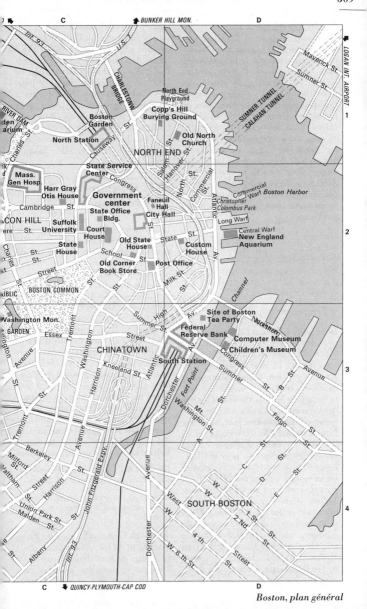

Maverick St.
Sumner St.

Int. 93
U.S.1

CHARLESTOWN BRIDGE

SUMNER TUNNEL
CALAHAN TUNNEL

North End
Playground

Boston
Garden

Copp's Hill
Burying Ground

North Station

Old North
Church

Causeway

Salem St.
Hanover St.

NORTH END

North St.
Commercial St.

RIVER DAM
den
arium

Charles

ik
d

Mass.
Gen Hosp.

State Service
Center

Congress

Commercial
Christopher
Colombus Park

Boston Harbor

Harr Gray
Otis House

Government
center

Faneuil
Hall

City Hall

Atlantic

Long Warf

Cambridge

State Office
Bldg.

CON HILL
ere   St.

Suffolk
University

Court
House

State St.

Central Warf
New England
Aquarium

State
House

Old State
House

Custom
House

Av.

Charles
St.

School St.

Post Office

Street

Old Corner
Book Store

Milk St.

BOSTON COMMON

Channel

UBLIC

Washington Mon.

Summer High
St.

Av.

Site of Boston
Tea Party

Northern

GARDEN

Essex

Federal
Reserve Bank

Computer Museum

ington

Avenue

Washington

Street

CHINATOWN

Congress

Children's Museum

Tremont

Kneeland St.

Atlantic

South Station

Summer St.

Avenue

Harrison

Dorchester

Fort Point

B

St.

Milford
St.
attham

Berkeley

St.

Mt.

Washington St.

A.

Fargo

St.

John Fitzgerald Expwy.

Avenue

C.

D

St.

Union Park St.
Malden St.

Tremont

Avenue

West

W.

SOUTH BOSTON

W.

1 St.

E

St.

St.
Albany

Int. 93

Dorchester

W. 4 th
W. 6 th St.

2 Nd

Street

St.

Boston, plan général

Se déplacer à Boston. Rien n'est très loin à pied : le quartier des affaires de Back Bay jouxte le quartier « londonien », aux maisons de brique rouge avec *bow-windows* et petits jardins privés. Le Common, le plus vieux parc des États-Unis, se trouve à quelques enjambées du downtown, de la Customs House et du Faneuil Hall. Métro et bus desservent toute la ville. Si vous avez une voiture, attention aux embouteillages du vendredi après-midi, lorsque tous les Bostoniens partent vers Cape Cod ou Cape Ann. Sachez aussi que, comme dans la plupart des villes américaines, vous ne pourrez vous garer que dans les parkings.

Où loger ? Les principaux hôtels sont à Back Bay, soit près du Common, soit près de Copley Square. Le parc hôtelier comprend nombre d'hôtels d'atmosphère, comme le palace belle époque *Copley Plaza*.

● **Programme**

Deux jours à Boston. Le **premier jour**, promenez-vous dans Beacon Hill (prom. 2), faites un tour dans le Common (prom. 1), puis descendez vers Back Bay (prom. 4) en passant par le quartier « anglais ». Consacrez le reste de la journée à la visite de l'un des deux grands musées de Fenway (prom. 5), très animé. Le **deuxième jour,** allez voir le bord de mer (Waterfront, prom. 3) —vous pourrez même aller en bateau saluer des baleines—, puis le Charlestown Navy Yard (prom. 1) ; à l'aller ou au retour, passez par North End, puis revenez sur Faneuil Hall (prom. 1), très animé. Vous pourrez ensuite aller voir la Old South Meeting House et vous recueillir sur la tombe de quelques Américains célèbres dans le très attachant Old Granary Burying Ground (prom. 1). Terminez la journée en faisant, par exemple, du shopping sur Washington St.

Quatre jours à Boston. Consacrez un jour à faire tranquillement la promenade pédestre du Freedom Trail (prom. 1), et un autre à visiter Beacon Hill (prom. 2) et Back Bay (prom. 4). Le 3e jour, visitez les musées de Fenway (prom. 5), puis rendez-vous à Cambridge (prom. 6) où, si vous avez encore un peu de courage, il ne vous faudra pas manquer le Fogg Art Museum. Le dernier jour, si vous disposez d'une voiture, allez jusqu'à Cape Ann (prom. 9).

■ 1. Downtown et le Freedom Trail***

Le Freedom Trail retrace, sur près de 7 km, la longue accession vers l'indépendance américaine. Cette « voie de la Liberté » est facile à suivre : au sol, une marque rouge guide les pèlerins. Tous les bâtiments ne sont pas liés aux années 1770-1780 qui virent la lutte pour la liberté. On verra cependant quelques jolis exemples d'architecture XVIIIe, aujourd'hui anachroniques au pied de Government Center ; on croisera des personnages intéressants et on pourra réviser en route son manuel d'histoire. Le Freedom Trail est appréciable pour une autre raison : du Common à Charlestown, il vous fera parcourir les quartiers les plus intéressants et typiques de Boston tout en ménageant des haltes agréables dans un bar à huîtres ou un petit restaurant italien.

Départ : à la hauteur de Temple St. sur le Common (métro Park Street).

Durée : pour effectuer tranquillement cette promenade, consacrez-y une journée.

● **Boston Common*** *(plan du Freedom Trail A3).* — Avant de suivre le fil rouge menant dans le passé, ne vous privez pas d'une agréable promenade dans le Common, le plus

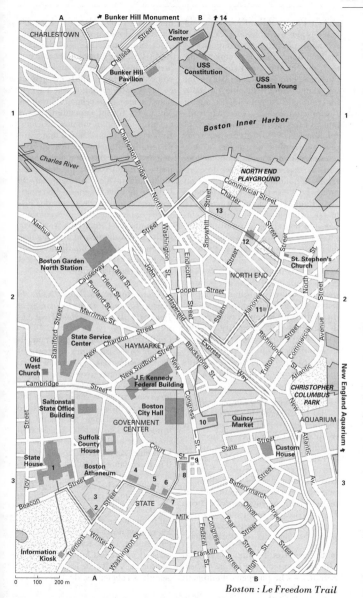

Boston : Le Freedom Trail

ancien parc public d'Amérique, et l'un des plus agréables. Au XVIIᵉ s., il servait de pâturage aux troupeaux de William Blackstone, le premier pionnier, qui fut plus tard évincé par les puritains. Lorsque Beacon Hill devint une zone résidentielle chic, en 1830, les troupeaux furent chassés, aucun Bostonien de la haute société ne voulant voir des moutons brouter devant ses fenêtres. Des orateurs les remplacèrent, plus ou moins excentriques, comme Amelia Bloomer qui, en 1851, se permit d'y porter des pantalons d'hommes (qui prirent son nom). Le 1ᵉʳ octobre 1979, le pape Jean-Paul II y célébra sa première messe aux États-Unis. Évitez de flâner sous les arbres à la nuit tombée, quand les joueurs de Frisbee l'ont déserté : vous risqueriez d'y surprendre des scènes scélérates ! Souvenez-vous en effet qu'en 1638 s'érigeait là un gibet où l'on pendait *quakers*, Indiens, pirates et malfaiteurs. À la même époque, une partie du jardin était le lieu de rendez-vous des fumeurs, qui comme aujourd'hui, n'étaient qu'à peine tolérés dans les lieux publics. N'oubliez pas d'apporter des cacahuètes pour les écureuils qui viendront manger dans votre main.

● **Public Garden*** *(plan général C3).* — De l'autre côté de Charles St., le Public Garden, quoique bien plus récent que le Common, est le plus vieux jardin botanique des États-Unis. Le terrain a été gagné au XIXᵉ s. sur un marécage en bordure de la Charles River. Planté de saules et très fleuri, il possède un charmant petit lac sur lequel, en été, on voit passer les *Swan Boats*, bateaux en forme de cygne manœuvrés comme des pédalos par des jeunes hommes aux robustes mollets.

● **Robert Gould Shaw Memorial** *(Boston Common, sur le côté de beacon St.).* — Le pompeux monument inauguré en 1897 à la gloire de ce soldat fut sculpté par un célèbre artiste américain, Augustus Saint-Gaudens (1848-1907), né à Dublin. Il conte une histoire intéressante : quand la guerre civile éclata en 1861, des jeunes esclaves noirs demandèrent à servir dans l'armée. Mais celle-ci refusait les Noirs. Ils furent cependant admis ensuite, mais non comme officiers. Robert Gould Shaw, issu d'une grande famille –blanche– de Beacon Hill, demanda à commander des soldats noirs. L'histoire de ce premier régiment noir qui s'est distingué dans la bataille de Fort Wagner a été racontée dans le film *Glory*. Ironie de l'histoire : ce monument, qui se veut donc un hommage à l'apport des Noirs pendant les grandes heures américaines, est en fait dédié à un Blanc. Deux siècles plus tard, l'ambiguïté de cet hommage est frappante.

● **State House*** *(à l'angle N.-E. du Boston Common, entre Beacon St. et Park St. ; plan du Freedom Trail A3 ; ouv. lun.-ven. de 10 h à 16 h).* — Lorsque la construction de la nouvelle State House (siège du gouvernement du Massachusetts) commença, en 1795, quinze chevaux blancs, un pour chaque État de l'Union, remorquèrent les premières pierres en haut de la colline. Elle s'édifia sur les terres de John Hancock, richissime marchand qui fonda la société secrète, anti-britannique, des « Fils de la Liberté » et fut le premier signataire de la déclaration d'indépendance le 4 juillet 1776. Massive et néo-classique, elle est l'œuvre de l'architecte bostonien Charles Bulfinch. Ce dôme-ci est couvert d'or 24 carats. Lors de la dernière guerre, il fut peint en gris afin de ne pas refléter les rayons de la lune et respecter le couvre-feu. La façade de l'édifice est ornée des statues d'Anne Hutchinson, bannie au XVIIᵉ s. de la colonie pour ses idées religieuses, de Mary Dyer, pendue en tant que *quaker*, du prêcheur Daniel Webster, dont on disait qu'il était un si grand orateur qu'à ce jeu-là il aurait pu battre le Diable, et d'un pionnier du système éducatif, Horace Mann. L'édifice a été agrandi plusieurs fois entre 1853 et 1898.

En prenant l'entrée principale, vous arriverez dans le **Doric Hall**, ainsi nommé en raison de ses colonnes doriques. Au 1er étage, le **Hall of Flag** est consacré à l'histoire du Massachusetts, avec ses drapeaux datant de la guerre de Sécession, de la guerre hispano-américaine et de la Première Guerre mondiale. C'est là que les régiments du Massachusetts reçoivent leurs couleurs avant d'aller au front et qu'ils les rapportent après le combat. Au 2e étage, la **House of Representatives,** à la surprenante forme ovale. Face au siège de son président est suspendue une morue de bois, The Sacred Cod, hommage à l'une des richesses du Massachusetts. Très admirée par Davy Crockett lors d'une visite à Boston, elle pivote de façon à être orientée vers l'orateur. Les **Senate Chamber, Senate Reception Room, Governor's Office et House Chamber** sont au 3e étage, auquel on accède par un escalier monumental que surplombe une statue du gouverneur R. Wolcott. Au sous-sol, le **musée des Archives** possède l'*History of the Plymouth Plantation,* manuscrit de William Bradford (1589-1657), gouverneur de la colonie de Plymouth, et la Constitution de 1780, la plus ancienne Constitution écrite.

● **Park Street Church** (*plan du Freedom Trail A3, n°2 ; ouv. de la dernière semaine de juin à la 3e semaine d'août, mar.-sam. 9 h-15 h 30, f. 4 juil. ; services toute l'année dim. à 9 h , 10 h 45 et 18 h 30 ; vis. guidée sur rendez-vous,* ☎ *523-3383*). — Henry James s'emballait un tant soit peu en décrivant Park Street Church comme « le tas de briques et de mortier le plus intéressant d'Amérique ». Park Street Church (1809) est simplement une charmante église, utilisant d'ailleurs peu la brique, avec un clocher en bois blanc. Elle fut construite sur l'emplacement d'un ancien grenier à céréales. Son carillon égrène à 12 h et 17 h de célèbres mélodies. Des munitions y furent cachées durant la guerre de 1812, ce qui lui doit son surnom de Brimstone Corner, « coin de soufre ». William Lloyd Garrison y prononça son premier discours anti-esclavagiste en 1829.

● **Old Granary Burying Ground****, le cimetière des braves (*Tremont et Park Sts., métro Park Street ; plan du Freedom Trail A3, n° 3 ; ouv. t.l.j. 8 h -16 h 30 ; entrée libre*). — Son nom évoque un ancien grenier à grain, mais ce qui gît dans cet émouvant cimetière, c'est la semence de la toute jeune Amérique. Beaucoup de patriotes parmi ces 1 600 tombes, et spécialement quelques Américains célèbres, signataires de la déclaration d'Indépendance : John Hancock, Samuel Adams, Paul Revere, Peter Faneuil, James Otis et les victimes du massacre de Boston (1770), un des événements à l'origine du mouvement de révolte contre les Anglais. Les plus belles dalles émergeant de l'herbe tendre ne sont cependant pas les plus célèbres, à part, au centre, le **Franklin Monument** où reposent les restes des parents de Benjamin, Josiah et Abiah Franklin. Cette romantique nécropole donne aussi une leçon d'art funéraire. Au début, les artisans gravèrent sur les pierres tombales des symboles de mortalité : crânes, squelettes ; au fur et à mesure que l'influence puritaine s'estompait, ils choisirent des motifs plus gais, d'anges ou de fleurs. Après la révolution, la Grèce et Rome inspirèrent la nouvelle démocratie et les urnes aux anses classiques sont fréquentes.

En sortant, jetez un coup d'œil, en face, au jeu de styles étonnant du **Tremont Temple**.

● **King's Chapel** (*Tremont et School Sts ; plan du Freedom Trail A3, n° 4 ; ouv. mar.-sam. 10 h-16 h, le dim. 13 h-16 h ; service religieux à 11 h ; concerts le mar. à 12 h 15 et à 12 h 45, ☎ 523-1749/227-2155*). — Édifiée en 1754 sur l'emplacement de la première église anglicane de Nouvelle-Angleterre, elle devint en 1787 la première église unitarienne des États-Unis. Austère et grise, elle abrite cependant un élégant **intérieur*** de style georgien et... la cloche la plus grosse jamais fondue par Paul Revere, celle qui, aux dires de l'orfèvre, avait le timbre le plus doux. À la droite de l'église, un **obélisque** rend hommage au chevalier de Saint-Sauveur, comte d'Artois, frère du roi de France, qui risqua sa vie pour les États-Unis et mourut le 15 septembre 1778. « Puissent être toujours infructueux les efforts tentés pour diviser la France et l'Amérique », y lit-on avec plaisir. On trouve dans le cimetière attenant les tombes de John Winthrop, le premier gouverneur du Massachusetts et d'Elizabeth Pain, dont l'adultère inspira à Nathaniel Hawthorne le sujet de sa *Lettre écarlate*...

● **Old City Hall** (*45 School St. ; plan du Freedom Trail A3, n° 5*). — L'ancien hôtel de ville est une des seules constructions de style Second

La Tea Party de Boston : qui sait la façon dont le thé infuse dans l'eau de mer ?

En 1763, le roi d'Angleterre, fort de la position dominante de son pays dans le Nouveau Monde, signa une proclamation qui réglementait le commerce et les échanges avec les colonies. Mais ces lois furent mal acceptées par les « Américains » et la tension monta. Les lois Townshend de 1767 sur le verre, le papier, le plomb, les peintures et le thé aggravèrent la situation.

Une première alerte eut lieu en 1770, avec le massacre de Boston : cinq Américains furent tués par les soldats anglais, surnommés *Redcoats*, qui ne supportaient plus les insultes que leur lançaient les Bostoniens. Après ce début de révolte, les esprits se calmèrent, mais la signature du *Tea Act*, le 10 mai 1775, enfiévra les passions. Le Parlement permettait à la Compagnie des Indes Orientales de ne pas acquitter de droits sur le thé qu'elle importait en Angleterre. En revanche, elle pouvait écouler une partie de ses stocks sur le territoire américain en négociant elle-même ses ventes. Ce thé allait donc être à un prix inférieur à celui qui était importé en fraude de Hollande, ce qui suscita la colère des importateurs américains.

Le 28 novembre 1773, le *Dartmouth*, le *Beaver* et l'*Eleanor*, les trois premiers bateaux chargés du thé « royal », arrivèrent dans le port de Boston. Les cargos devaient être déchargés et les taxes payées dans les vingt jours. D'infructueuses négociations eurent lieu. Les patriotes voulaient que les bâtiments retournent en Angleterre avec leur chargement, le gouverneur le refusait. Le 16 décembre, les Fils de la Liberté, déguisés en Mohicans, se précipitèrent vers les quais et montèrent à bord du *Dartmouth*. Ils éventrèrent les caisses de thé litigieuses et en jetèrent le contenu dans l'eau. Ils répétèrent la même opération sur les deux autres navires. Un acte lourd de conséquences, puisqu'il provoqua la fermeture du port et la promulgation de la loi martiale par les Anglais. Ce conflit déclenche le processus de guerre qui éclatera en août 75.

Empire existant aux États-Unis, et ce style fut tellement associé à la présidence du général Grant qu'on l'appelle toujours le Grant Style. Devant, misérieuse, mi-souriante, la statue de Benjamin Franklin (homme d'État né à Boston le 17 janvier 1706) signale l'emplacement de la **Boston Latin School,** première école publique dont il fut l'élève. Construite en 1635, elle était ouverte à tous, riches ou pauvres : l'éducation n'a pas fait beaucoup de progrès depuis. L'école a déménagé mais aujourd'hui encore, quatre années de latin sont nécessaires pour y être admis.

● **Old Corner Bookstore** *(285 Washington St., à l'angle de Washington et de School Sts ; plan du Freedom Trail A3, n° 6).* — Cette ancienne librairie est devenue le Globe Corner Bookstore, spécialisé dans les ouvrages sur Boston et le Massachusetts depuis son rachat par le quotidien le *Boston Globe* dans les années 80. Fondée vers 1820 par William Ticknor, elle est l'un des plus anciens bâtiments de la ville, bâti après l'incendie de 1711 qui dévasta tout le centre-ville. Ticknor y avait établi une librairie-maison d'édition, une des premières à payer des droits d'auteur. Il publiait des auteurs anglais mais aussi les meilleurs Américains, comme Harriet Beecher Stowe, Nathaniel Hawthorne, Ralph Waldo Emerson ou Thoreau et Congfellow, les premiers écrivains importants de la nouvelle république. Devenue un lieu de rencontre littéraire, la librairie vit naître le Saturday Club, qui allait fonder plus tard la revue *Atlantic Monthly*.

● **Old South Meeting House*** *(à l'angle de Washington et Milk Sts ; plan du Freedom Trail A3, n° 7 ; ouv. avr.-oct. 9 h 30-17 h ; nov.-mars 10 h-16 h ; sam. et dim. 10 h-17 h ; f. jours fériés).* — Construit en tant qu'église

(1729) dans la veine de celles de Christopher Wren, cet édifice est rapidement devenu un lieu laïc. C'est aujourd'hui un musée historique. Ses murs ont vu et entendu les événements qui ont fait de l'Amérique une nation. Mais la visite risque de décevoir ceux qui ne se passionnent pas pour l'histoire. Si vous comprenez bien l'anglais, vous pourrez, grâce à des écouteurs, vous mettre dans l'ambiance des prérévolutionnaires. De 1760 à 1773, les membres de la Old South Meeting House s'y rencontrèrent pour étudier les problèmes que connaissait la jeune colonie : saisie du navire *Liberté* appartenant à John Hancock, massacre de Boston, fermeture du port... Sur le plan religieux, les puritains fondateurs de la Massachusetts Bay Colony voulaient s'affranchir de l'Église d'Angleterre, revenir à la Bible et soutenir le gouvernement de la « vraie religion ». Ils observaient les rites à leur domicile, se rencontraient à la Meeting House pour les lectures du jeudi et communiaient une fois par mois. Les mariages et funérailles étaient civils. Peut-être le plus intéressant est-il la vitrine consacrée à Phillis Wheatley (1753-1784). Sénégalaise, elle fut amenée comme esclave à l'âge de sept ans et achetée par John Wheatley qui l'éduqua et l'affranchit en 1778. Elle écrivit de ravissants poèmes et fut la première Noire américaine à être publiée. Attention : la maison est fermée jusqu'au printemps 97.

● **Old State House*** *(Washington et State Sts ; plan du Freedom Trail B3, n° 8 ; vis. : t.l.j. 9 h 30-17 h).* — Ce bâtiment bien frêle, perdu au milieu des gratte-ciel impressionnants qui l'entourent, abrita l'ancien siège du gouvernement colonial jusqu'à la Révolution. Il garde encore des traces de l'hégémonie du Commonwealth : les symboles de la Couronne d'Angleterre, le lion et la licorne, sont gravés sur sa façade. La constitution de l'État du Massachusetts, encore effective, y fut signée en 1780, et c'est du haut de son balcon que fut lue la déclaration d'Indépendance en 1776. Balcon où, clin d'œil de l'Histoire, Elizabeth d'Angleterre fit une apparition exactement deux siècles plus tard. Transformé en boutiques, puis en temple maçonnique, le bâtiment a été restauré et abrite plusieurs musées, dont un retraçant l'histoire maritime de la ville.

En face, 15 State St., le centre d'accueil des Parcs nationaux (ouv. t.l.j. de 9 h à 17 h, 18 h en été). Informations et visites en anglais du Freedom Trail ; durée : 90 mn. Parfait pour commencer la visite de Boston.

● **Boston Massacre Site** *(plan du Freedom Trail B3, n° 9).* — Sur l'îlot, à l'angle des State et Devonshire Sts., un cercle de pavés matérialise l'endroit où eut lieu, le 5 mars 1770, le massacre de Boston (des soldats anglais tirèrent sur la foule, faisant plusieurs morts).

● **Government Center** *(le long de New Congress St.).* — Ce nouveau centre administratif, terminé en 1971, est un complexe grandiose de bâtiments abritant les services de la ville et les organismes fédéraux. Il domine le City Hall. C'est Ieoh Ming Pei, ancien étudiant du MIT (Massachusetts Institute of Technology) connu en France pour avoir réalisé la pyramide du Louvre, qui fut chargé de ce projet. En fait, cette architecture massive n'est pas convaincante et le Government Center, sans charmes, n'a pas su attirer l'animation du quartier voisin, plus ancien, autour du Faneuil Hall.

● **City Hall*** *(plan du Freedom Trail A-B3).* — Œuvre de trois jeunes architectes (Kallmann, McKinnell, Knowles), l'hôtel de ville, érigé sur une petite place du même nom, est un édifice de 42 m de haut qui accueille chaque jour 2 000

employés. Il exploite la dénivellation du terrain pour créer des jeux de volume. Ainsi, la salle du conseil municipal a trois galeries, accessibles au public pendant les séances.

● **Faneuil Hall et Faneuil Hall Market Place** *(Dock Square et Congress St., métro : Government Center, State ou Aquarium ; plan du Freedom Trail B3, n° 10).* — C'est ici le centre de l'animation. Hormis l'intérêt historique, voilà l'endroit de Boston le plus agréable pour manger sur le pouce un homard à la vapeur ou déguster à la terrasse une salade en regardant les musiciens de rues. S'ils sont prestigieux sur le plan historique, les bâtiments offrent cependant, pour des Européens, un intérêt architectural limité.

Faneuil Hall* a toujours attiré aussi bien les marchands que les hommes politiques. Ce bâtiment fut construit en 1742 par Peter Faneuil, un commerçant français huguenot, pour servir de marché et de salle de réunions, restauré en 1804 par Charles Bulfinch. La **girouette** dorée qui surmonte la coupole, et qui est, depuis le XVIIIᵉ s., le symbole du port de Boston, est une copie de celle couronnant le Royal Exchange de Londres.

Au 1ᵉʳ étage, le **hall** *(ouv. t.l.j. 9 h-17 h),* utilisé comme salle de conseil, a vu s'exprimer Samuel Adams, John Adams et d'autres orateurs de la Révolution, ce qui vaut au bâtiment le surnom de « berceau de la liberté américaine ». John Fitzgerald Kennedy y a perpétré la tradition. Au mur est accroché *Daniel Webster parlant devant le Sénat,* de Healy (une commande de Louis-Philippe). Au 2ᵉ étage se trouvent les collections d'objets militaires de l'« Ancient and Honorable Artillery Company », la plus vieille unité du pays.

Les summer nights donnent lieu à des concerts de blues, rock et calypso. De temps en temps, des concerts gratuits sont donnés à l'extérieur, devant la statue de Samuel Adams.

Face à Faneuil Hall, **Faneuil Hall Market Place**** est un endroit vivant issu de l'un des quartiers les plus populaires de la cité. Bostoniens comme touristes fréquentent nuit et jour ses restaurants et ses échoppes, donnant un perpétuel air de vacances à l'endroit. Le cœur du marché est constitué de trois bâtiments parallèles en granit et briques rouges, dont le principal, situé au centre est **Quincy Market** *(ouv. lun.-sam. 10 h-21 h, dim. 12 h-18 h)*. De style Renaissance grecque, Quincy a été restauré dans les années 70 et regorge de petits restaurants. Les deux autres marchés abritent des boutiques plus chic. L'ensemble est bordé, du côté des quais, par le **Market Center Place**, qui comporte marché et immeuble de bureaux. Brillant exemple de réhabilitation d'un quartier.

▶ **Custom House**** *(State et India Sts, plan du Freedom Trail B3)*. — Pour voir cet étonnant bâtiment qui surplombe le Government Center, il vous faut sortir du Freedom Trail et aller au croisement de State Square et McKinley St. C'est la construction la plus étonnante et la plus originale de ce quartier qui, bien qu'à deux pas de Faneuil Hall, en est très différent de par la richesse de ses bâtiments néogothiques ou Art déco, signes de la puissance de la ville au début du siècle. L'horloge de Custom House et le bâtiment de 16 étages surmonté d'un toit pointu reposent sur le bâtiment originel (1847), en forme de temple grec. La tour fut construite en 1913, et le hall d'entrée est digne d'un coup d'œil. Au XVIIe s., State St. était la plus importante rue de Boston.

Pendant que vous y êtes, regardez le **Grain and Flour Exchange Building** *(177 Milk St., à l'angle de Milk et India Sts)*, le **Cunard Building** *(126 State St.)*, et le **Richards Building** *(114 State St.)*, avec son architecture de fer de l'époque industrielle. Au 75 State St., un building aux parements bleu et ocre utilise intelligemment les références Art déco. ◀

Après le Faneuil Hall, le Freedom Trail continue vers le N. à travers le **Blackstone Block,** *particulièrement animé les ven. et sam. avec le marché de fruits et légumes de Haymarket et dont les rues étroites conservent le tracé de la ville du XVIIe s.*

● **Monument de l'Holocauste,** *(entre Congress et Union Sts)*. — Six colonnes représentent les cheminées des camps de concentration. Sur chacune d'elles, un million de numéros, autant de victimes. Créé par Moshe Safdie en 1995.

● **Union Oyster House** *(41 Union St.)*. — Avant d'emprunter le passage souterrain sous John Fitzgerald Expressway qui mène à North End, poussez la porte de cette maison où, en 1798, le duc de Chartres, futur Louis-Philippe, habitait ; il gagnait sa vie en enseignant le français à des commerçants bostoniens. La famille Milano y tient depuis le XIXe s. un restaurant de fruits de mer. En avalant, au bar, une tasse de *clam chowder* (soupe aux clams), à la crème et aux oignons, vous suivrez les traces d'Américains célèbres : Ronald Reagan, George Bush et de nombreux artistes ont laissé leurs signatures dans ce décor dépoli, désuet et chaleureux.

Après être passé sous le John Fitzgerald Expressway, on pénètre dans North End.

North End** *(plan du Freedom Trail B2)* est la partie la plus ancienne de la ville : ces petites rues étroites, bordées de maisons de briques rouges, étaient déjà fréquentées lorsque Louis XIV accéda au trône de France. C'est un bonheur de s'y promener, un dimanche d'été par exemple, lorsque les joueurs de cartes tapent le carton devant leurs maisons. Avant la révolution, North End était le quartier le plus chic de Boston. Occupé ensuite par les émigrants d'Irlande et d'Europe de l'Est, l'endroit devint peu à peu un point de chute pour les Italiens nouvellement arrivés. Si aujourd'hui l'atmosphère est typique de la péninsule, Richmond St., sur laquelle vous tournerez en venant de Salem St., fut un haut lieu de la prostitution.

● **Paul Revere House*** *(19 North Square ; plan du Freedom Trail B2, n° 11 ; ouv. 9 h 30-16 h 15 ; 15 avr.-31 oct. 9 h 30-17 h ; f. jours fériés et lun. jan.-mars)* est la plus vieille maison de Boston (1680). Elle a été achetée, un siècle après sa construction, par Paul Revere, ce personnage révéré de la lutte contre les Anglais. Les pièces de la maison ont été reconstituées, avec mobilier et literie du XVIIIᵉ s. On n'y voit, hélas, aucun des chefs-d'œuvre d'argenterie néo-classique que Paul Revere réalisa (mais ils sont au Museum of Fine Arts). À côté, la **Moses-Pierce-Hichborn House** est aussi ouverte à la visite *(29 North Square ; vis. guidées t.l.j. 12 h 30-14 h 30).*

● **Sacred Heart Church** *(12 North Square).* — L'ambiance de cette église du Sacré-Cœur est tout aussi italienne. Mais les bougies sont électriques et les offrandes permettent de les faire briller quelques instants : le progrès a même atteint les cierges ! C'est dans cette église que Charles Dickens vint écouter le révérend Edward Taylor, pasteur des marins, et qui apparaît dans *Moby Dick* de Melville.

Non loin, au **4 Garden Court Street**, naquit Rose Fitzgerald Kennedy, la mère de J.F.K. Quant à « Honey Fitz », autrement dit John Fitzgerald Kennedy, le grand-père du président, il vit le jour à Ferry St. en 1863. Il parlait si complaisamment de son « *dear North End* », *où régnait pourtant la misère*, que les habitants en furent surnommés les « Dearos ». C'est aussi le nom que prit l'organisation irlandaise qu'il dirigea.

La chevauchée légendaire de Paul Revere

Patriote acharné, Paul Revere menait de front de multiples activités : il était orfèvre, dentiste, propriétaire d'une fonderie de cloches ; il gravait les billets destinés à payer les troupes de George Washington et même des dessins politiques ouvertement opposés aux Anglais.

C'est dans son magasin de Boston que, le 18 avril 1775, Paul Revere apprit que le général Gage enverrait le soir même 800 soldats à Concord (à 35 km) pour y saisir les armes du comité de sécurité des patriotes et arrêter ses deux chefs, John Hancock et Samuel Adams. Revere et ses amis en avaient déjà envisagé la possibilité et avaient mis au point un plan d'urgence pour pouvoir avertir le comité de Concord. Ce soir-là, vers 22 heures, l'ordre parvint à Revere de se rendre à Lexington. Revere descendit la rivière jusqu'à Charlestown, puis il emprunta un cheval et galopa en direction de Concord. Interpellé par des soldats anglais, il refusa de s'arrêter et parvint jusqu'à Medford. Il y alerta les *Minutemen* et les habitants avant de poursuivre vers Lexington, où il arriva, exténué, vers 2 heures du matin chez son ami le révérend Jonas Clark. La compagnie se mit alors en route pour Concord, mais une malencontreuse rencontre avec un groupe de soldats anglais fit échouer leur projet. Capturé, Revere réussit à se faire libérer. Il revint à pied chez le révérend pour annoncer son échec. Mais le message était tout de même passé et les patriotes avaient pu se préparer. Cette chevauchée est devenue légendaire grâce au poème qu'écrivit en 1861 Henry Wadsworth Longfellow : « Écoutez mes enfants, et vous entendrez la chevauchée de minuit de Paul Revere... »

Il accéda à la mairie de Boston en 1905. Depuis, presque tous les maires de la ville sont irlandais, preuve de l'importance de cette communauté.

Au **383 Hanover Street** se trouve une **chapelle funéraire** où furent exposés les corps des anarchistes Sacco et Vanzetti, condamnés à tort et exécutés en 1927 pour meurtre lors d'un hold-up. Cette affaire suscita un mouvement de protestation dans le monde entier.

● **St. Stephen's Church** *(24 Clark St. ; plan du Freedom Trail B2 ; ouv. t.l.j. 8 h 30-17 h).* — Église protestante rachetée par le diocèse catholique en 1862 pour accueillir les nouveaux immigrants, c'est le seul édifice religieux encore debout construit par Charles Bulfinch. Né à Boston, il fut l'un des plus importants architectes de la fin du XVIIIe s. et du style fédéral marqué par la renaissance des styles classiques. Très sobre, la façade de Stephen's Church est inspirée de la Renaissance italienne.

● **Paul Revere Mall** *(à l'extrémité de Hanover St.).* — Cette allée qui conduit à Old North Church est consacrée à tous les hommes et femmes du North End qui ont fait la grandeur de Boston (statue de Paul Revere par Cyrus Dallim). Benjamin Franklin jeune vécut au coin d'Hanover et Union Sts, mais l'information a uniquement valeur sentimentale.

● **Old North Church*** *(193 Salem St. ; plan du Freedom Trail B2, n° 12 ; ouv. t.l.j. 9 h-17 h ; f. Thanksgiving).* — Voilà l'église la plus ancienne de Boston (1723) et la plus connue d'Amérique ; elle est jolie. D'ailleurs, elle accueille 500 000 visiteurs par an, et une boutique attenante certifie que « sans North Church, vous auriez payé non pas en dollars, mais en livres ». On y vend des lanternes sous toutes les formes. Pourquoi des lanternes ? Permettez-nous de vous éclairer : c'est en

fonction du nombre de lanternes allumées au sommet du clocher de Old North Church que les espions patriotes devaient apprendre si les Anglais allaient partir de la terre (une lanterne) ou de la mer (deux lanternes) pour attaquer Concord et Lexington. Paul Revere attendit le signal pour entreprendre sa fameuse chevauchée. Chaque année, en avril, on commémore ce jour en allumant des lanternes en haut du clocher. C'est la « journée des Patriotes ».

Christ Church, autre nom de cette église, était destinée à propager les dogmes anglicans dans la colonie puritaine, comme en témoignent les inscriptions gravées sur son carillon. Peinte de blanc et rythmée par de larges fenêtres, Old North Church est typique des églises coloniales de Nouvelle-Angleterre, avec ses boxes où les familles se rassemblaient, autant par pudeur que pour s'abriter du froid. On y voit un buste de Washington devant lequel Lafayette, en 1824, tomba —paraît-il— en pâmoison : « Voici l'homme que j'ai connu ». Le président Gérald Ford a inauguré les fêtes du bicentenaire des États-Unis du haut de son pupitre. Remarquez aussi les belles orgues de 1759 et, à côté, les quatre chérubins en bois, provenant d'un butin pris dans un vaisseau français.

● **Copp's Hill Burying Ground*** *(Snowhill/Hull/Charter Sts ; plan du Freedom Trail B2, n° 13 ; ouv. de 9 h à 16 h).* — Endroit stratégique occupé par une batterie d'artillerie anglaise lors de la bataille de Bunker Hill, pendant la guerre d'Indépendance, ce cimetière regroupe un ensemble de quatre cimetières qui s'y sont implantés de 1660 à 1819. On peut voir, sur certaines pierres tombales, des impacts de balles tirées par les soldats anglais pendant l'occupation de Boston. Plus de mille esclaves y ont été enterrés.

Avant d'emprunter **Charlestown Bridge** *(plan du Freedom Trail A1),* remarquer le **North End Garage** : un casse du siècle y fut réalisé en 1950, les cambrioleurs emportant plus d'un million de dollars des caisses de la compagnie Brink, spécialisée en transport de fonds.

Par Charlestown Bridge, le Freedom Trail se poursuit à travers le faubourg de **Charlestown,** *fondé en 1629 et maintenant absorbé par la ville.*

● **Charlestown Navy Yard** (*plan du Freedom Trail A-B1*). — C'est un des six chantiers navals américains dévolus à la construction des navires de guerre. Après 174 ans d'existence, il fut fermé et intégré au Boston National Historical Park comme témoin de l'histoire navale du pays.

On peut y visiter le **Constitution Museum** (*ouv. t.l.j. 9 h-17 h*), et voir de près le destroyer *USS Cassin Young* et la frégate *USS Constitution** —appelée familièrement « Old Ironsides »—, très ou même trop restaurée (*vis. gratuite t.l.j. 9 h 30-15 h 30*). Troisième navire construit par les États-Unis, cette frégate fut mise à l'eau en 1797 pour protéger les navires marchands des pirates et des navires anglais et français ; sa coque est en chêne de Géorgie. Elle sortit victorieuse de 42 batailles. L'*USS Cassin Young*, mis à l'eau en 1943, croisa en mer du Sud et au large du Japon et des Philippines (*vis. t.l.j. 9 h-17 h*). Mais l'intérêt réel du Charlestown Navy Yard se situe ailleurs : d'abord dans la **vue*** qu'il ouvre sur Boston, ensuite dans le témoignage unique sur la vie et l'organisation d'un chantier naval qu'offrent ses différents bâtiments, surtout **la Muster House** et **la maison des Commandants** (1809).

● **Bunker Hill Monument** (*Monument Square, Charlestown ; plan du Freedom Trail A1 ; ouv. 9 h-17 h ; f. Thanksgiving, 25 déc. et 1er jan.*). — Cet obélisque en granit de 67 m a été érigé en 1825 (Lafayette posa la première pierre) pour commémorer la bataille décisive livrée par les Anglais pour prendre Breed Hill —et non Bunker Hill (on ne sait d'où vient la confusion)—, et qui fut le véritable baptême du feu de la milice américaine. Si ce fut une victoire technique pour les Anglais, leurs pertes, ce 16 juin 1775, furent sanglantes ; ils ne réussirent à prendre la colline qu'au troisième assaut. « Je souhaite leur vendre une autre colline au même prix », dit un général patriote. Après cette bataille, Washington avança vers Boston et força les Anglais à évacuer la ville après un siège de neuf mois. Quoi qu'il en soit, le monument n'est digne ni de la portée historique de la bataille, ni de la marche à pied qu'exige son approche. Belle traversée de 10 mn en ferry pour rejoindre le centre-ville (*Charlestown Navy Yard, quai n° 4, toutes les demi-heures*).

■ 2. Beacon Hill**

Tous les Américains romantiques rêvent de vivre là. Des rues ombragées, souvent pentues, bordent de maisons de briques rouges, parfois discrètement ourlées de fer forgé. En plein centre, Beacon Hill possède un charme qui semblerait provincial ce lieu n'était des plus huppés. Les intellectuels, que l'on appelle « Boston Brahmins », goûtent ce quartier qui est élégant sans être guindé et où petits restaurants sympathiques, antiquaires, magasins d'artisanat ouvrent et ferment avec désinvolture. Les « Brahmins » étaient à l'origine des vieilles familles d'armateurs qui s'étaient enrichies dans le commerce avec les Indes et la Chine, et qui formaient une sorte de caste, très fermée. La pente nord de la colline fut plutôt le quartier des Noirs affranchis. Malgré une histoire riche, Beacon Hill compte cependant peu de bâtiments réellement historiques, et le Black Heritage Trail ne mérite pas vraiment

Acorn St., une vue du vieux Boston à Beacon Hill.

d'être suivi à la lettre. Il faut flâner, sans rater Charles St. ni Louisburg Square, et l'on a alors l'impression de se trouver dans un décor de Walt Disney. Il ne manque que les Aristochats.

Situation : *entre Beacon St. au S., State House à l'E. et Cambridge St. au N.*

Départ : *State House (métro Government CTR).*

Durée : *2 h peuvent suffire pour se promener dans Beacon Hill, mais l'endroit est tellement agréable que l'on peut y flâner une demi-journée, et même revenir y passer une soirée.*

● **State House*** *(à l'angle N.-E. du Boston Common, entre Beacon St. et Park St. ; plan C2 ; ouv. lun.-ven. de 10 h à 16 h ; → prom. 1).*

● **Boston Athenaeum** *(10 1/2 Beacon St. ; ouv. lun.-ven. 9 h-17 h 30, sam. 9 h-16 h ; f. le sam. juin-sep. et jours fériés).* — Cette bibliothèque fondée en 1807 — la plus vieille de la ville et l'une des plus vieilles du pays— se loge dans un bâtiment inspiré du Palazzo da Porta Festa construit par Palladio à Vicenze. La salle de lecture, avec ses plafonds à caissons, a accueilli des générations de « Brahmins ».

En descendant **Beacon Street** *(plan B 2-3)*, au n° 39-40, vous pourrez voir les deux maisons jumelles du **Women's City Club of Boston** *(vis. guidée sur rendez-vous ; ☎ 227-3550)*, construction néo-classique de 1818 qui expose du mobilier du XIXe s. Le poète Longfellow se maria au n° 39.

Au n° 45, la troisième maison bâtie par Charles Bulfinch pour Harrison Gray Otis, importante personnalité de Boston qui fut maire de la ville et sénateur du Massachusetts. Noter aussi, au 54-55 Beacon St., la **Headquarters House**, maison qui inspira William Thackeray pour son roman *The Virginians*. Au 84 Beacon St., la file devant la **Bull and Finch**

House attend de s'introduire dans l'antre où l'on tourne le feuilleton *Cheers*.

● **Charles Street*** *(plan C2-3)*. — La principale artère de Beacon Hill est celle où Henry James loge Olive Chancellor, la suffragette intellectuelle et nantie, héroïne de son roman *Les Bostoniennes*. Elle a été agrandie en 1920, mais conserve tout son charme. Vous y trouverez de nombreux magasins d'antiquités, fleuristes, boutiques de mode, pâtisseries... Au n° 70, la **Charles Street Meeting House**, construite en 1807 par Asher Benjamin, fut l'un des centres du mouvement anti-esclavagiste et devint en 1876 l'African Methodist Episcopal Church.

● **Chestnut et Mount Vernon Streets**** *(plan C2-3)*. — Croisant Charles St., ces deux rues dégagent une atmosphère unique. Leurs maisons possèdent des passages permettant d'accéder à des jardins privés : une loi de 1830 obligeait à ce que ces passages soient « assez larges pour une vache et assez hauts pour un garçon portant un panier sur sa tête ».

Plus modeste que Mount Vermont, **Chestnut Street** est peut-être plus belle grâce à la finesse des détails architecturaux. Aux n°[os] 13, 15 et 17, les **Swan Houses**, construites par Bulfinch, abritèrent le peintre John Turner Sargent : juste continuité artistique, puisque le *South Slope*, le côté S. de Beacon Hill, abritait jusqu'au XVIIIe s. les pâturages du peintre bostonien John Singleton Copley. Au n° 13 vivait Julia Ward Howe, compositeur du « Battle Hymn of the Republic ».

Mount Vernon Street, que Henry James appelait « la seule rue respectable d'Amérique », possède des demeures plus imposantes. La **Nichols House Museum** *(55 Mount Vernon St. ; ouv. 13 h-17 h du mar. au sam. en* été, lun., mer., sam. printemps/automne, le sam. seulement en hiver ; ☎ 227-6993) offre l'opportunité de visiter un intérieur raffiné, typique du goût de Beacon Hill. On note aussi, au n° 85, la **Second Harrison Gray Otis House,** aux gracieuses arches de briques et aux hautes fenêtres ; cette résidence fut la seconde construite par l'architecte Charles Bulfinch pour Harrison Gray Otis.

● **Louisburg Square**.** — Située au centre de Beacon Hill, cette petite place entourant un parc ovale privatif donna lieu à la première association de propriétaires des États-Unis. Son jardin, fermé par des grilles dont seuls les riverains possèdent la clef, et l'architecture raffinée de ses maisons en ont fait le symbole de l'art de vivre de Beacon Hill. L'écrivain Louisa May Alcott (Les Quatre Filles du docteur March) vécut au n° 10. Au n° 20 vécut Samuel Gray Ward, le banquier qui négocia l'achat de l'Alaska aux Russes en 1867. Son chèque de 7,2 millions de dollars est à la Smithsonian, à Washington. Les concerts qui ont lieu dans ce jardin la veille de Noël appartiennent à la grande tradition de Boston.

● **Acorn St.** (entre Willow et West Cedar Sts) est une ruelle particulièrement charmante, avec ses vieux pavés et ses jardinets.

● **African Meeting House** (8 Smith Court, au niveau de 46 Joy St.). — Pendant les cinquante ans précédant

---

Le Black Heritage Trail

Ce circuit pédestre dans Beacon Hill (durée : env. 1 h 30) commémore les lieux historiques de l'implantation de la communauté noire à Beacon Hill. Cependant, les 14 sites indiqués par des **logos rouge, noir et vert** ont été restaurés, parfois détruits, et leur valeur est d'abord affective. De plus, ils ne représentent rien aujourd'hui puisque Boston intra-muros n'abrite plus que 7 % de Noirs.

Le Massachusetts fut le premier État à déclarer l'esclavage illégal, en 1783. Les premiers Noirs étaient arrivés de la Barbade en 1638, mais la vague importante d'immigration suivit la promulgation de cette loi de 1783. Noirs libres et esclaves en fuite vinrent s'installer dans les quartiers de North End et de Beacon Hill.

Colonel dans l'armée révolutionnaire, George Middleton fut le premier Noir à avoir fait construire sa demeure, **George Middleton House** (5 Pinckney St.) à Beacon Hill. **Philips School** (Pinckney & Anderson St.) a été l'une des premières écoles publiques de Boston ouverte à tous les étudiants, sans considération de leur couleur de peau. La **John J. Smith House** (86 Pinckney St.) abrita ce barbier et coiffeur noir, venu de Richmond ; sa boutique, à l'angle de Howard et Bulfinch Sts tenait lieu de quartier général aux abolitionnistes et servait de refuge aux esclaves en fuite. Après la Fugitive Slave Law de 1850, qui autorisait la poursuite et le meurtre des esclaves en fuite, la **Lewis & Harriet Hayden House** (66 Philips St., au coin de Philips et West Cedar Sts) devint une étape importante de l'« Underground Railroad », le réseau d'entraide qui permettait de mettre ces esclaves hors de portée de leurs poursuivants. En 1873, Lewis Hayden —qui lui-même avait fui l'esclavage— fut élu à la State Legislature. Sa femme Harriet créa une bourse scolaire pour les étudiants noirs méritants et nécessiteux de la Harvard Medical School.

(Plan du **Black Heritage Trail** disponible au National Park Visitor Center, 15 State St., ou au Museum of Afro-American History, 46 Joy St. ; vis. guidée : ☎ 742-5415.)

et suivant la guerre civile, cette petite église très simple fut le centre social, politique et spirituel de la communauté noire de Boston, comprenant 2 000 personnes possédant une influence nationale. Elle servait à la fois d'école, de lieu de réunions, et souvent d'habitation. Frederick Douglass y lança un appel à la prise des armes par les Noirs pendant la guerre de Sécession et le 54e Colored Regiment, formé de volontaires Afro-Américains, s'y réunit. William Lloyd Garrison, célèbre abolitionniste blanc, éditeur du journal *Liberator*, y fonda en 1832 la New England Anti-Slavery Society.

En face, au 46 Joy St., le **Boston Museum of Afro-American History** *(ouv. t.l.j. 9 h-17 h)* offre des témoignages succincts sur cette époque et organise de modestes expositions d'artistes.

Ces deux édifices font partie du **Black Heritage Trail** (→ encadré).

● **Harrison Gray Otis House*** *(141 Cambridge St., en face de Joy St. ; plan C2).* — Aujourd'hui siège de la Society for the Preservation of New England Antiquities, cette demeure a été dessinée en 1796 par Charles Bulfinch pour l'homme de loi, politicien et spéculateur H.G. Otis. Reflet fidèle des goûts de la classe aisée au XVIIIe s., la maison est devenue un musée *(vis. guidées : mar.-sam. à 12 h, 13 h, 14 h, 15 h, 16 h ; ☎ 227-3956).*

■ 3. Le Waterfront*

À Boston, comme dans beaucoup de villes américaines, le front de mer n'était pas fait pour les flâneurs. C'est toujours vrai, et même si, le long du bras de mer dit Boston Harbor, une promenade* —très agréable dans la partie allant de Long Wharf au Boston Tea Party Museum— permet aujourd'hui de joindre Long Wharf au Computer Museum, sur South Boston,

celle-ci est peu fréquentée et devient quasiment déserte à la nuit tombée. Nous vous suggérons donc d'y cheminer en plein jour et, si vous avez le pied marin, d'emprunter les bateaux qui vont observer les baleines. Vous pourrez ensuite, par exemple, terminer l'après-midi en vous promenant autour de Custom House *(prom. 1)*, tout près du Waterfront.

Durée : *3/4 d'heure suffisent pour effectuer la promenade du bord de mer seule. Comptez un après-midi si vous voulez visiter les musées ou faire une promenade en bateau (métro : Aquarium ou South Station).*

● **Christopher Columbus Park.** — Ce parc arboré qui longe le front de mer met une tache verte dans ce paysage de docks un peu austère. Rien de plus.

● **Long Wharf.** — C'est de là que sont partis les derniers occupants anglais en 1776. Toutes les heures, des bateaux en partent pour aller observer les baleines dans la baie *(Whale Watch Information :* ☎ *973-5277 ; guichets au Long Wharf et au New England Aquarium ;* ☎ *973-5281) :* la balade dure cinq heures et le spectacle est garanti. D'autres bateaux, tels ceux de la Constitution Cruise, relient le Charlestown Navy Yard ou proposent des **promenades*** sur la Charles River. Une façon intelligente et économique de voir le front de mer et de visiter le superbe musée dédié aux Kennedy, à la sortie de Boston *(→ Dorchester, prom. 8)*, consiste à emprunter les navettes de Bay State Cruises jusqu'à JFK Library *(Columbia Point ; ouv. en été t.l.j. 9 h-17 h ;* ☎ *227-4320).* Tarifs modiques.

● **Central Wharf.** — Il abrite le **New England Aquarium*** *(Central Warf et Atlantic Ave. ; plan D2 ; ouv. t.l.j. 9 h-17 h, jeu. 9 h-20 h, sam.-dim. 9 h-18 h. f. Thanksgiving, 25 déc. & 1er jan. D'avril à octobre, possibilités de promenades en mer pour observer les*

phoques), dont la pénombre intérieure veut donner au visiteur l'illusion qu'il est sous l'eau. Le **Giant Ocean Tank**, haut de quatre étages, recrée la faune et la flore d'un récif corallien des Caraïbes. Dauphins, requins, tortues de mer géantes, poissons multicolores y évoluent sous le regard des visiteurs. Des pingouins vaquent calmement à leurs occupations sur le petit archipel construit à leur intention. Au 3e niveau, les enfants sont invités à se familiariser avec les crabes et les tortues. À l'extérieur de l'Aquarium, dans un bassin, des phoques sauvés par des bénévoles attendent d'être rejetés à la mer (4 000 phoques environ vivent dans la Massachusetts Bay).

● **Rowe's Wharf.** — Hôtels de luxe, résidences et bureaux remplacent les anciens entrepôts de ce quai d'où partaient, au XVIIIe s., les voiliers chargés de marchandises. Construit en 1987, le nouveau Rowe's Wharf est une réussite, à cause des contraintes —ou grâce à elles— de hauteur que devaient respecter les architectes. L'**arche*** monumentale qui permet d'accéder au front de mer symbolise l'arrivée des anciens immigrants par bateau et ouvre, enfin, le front de mer sur la ville. Tous les quarts d'heure, des bateaux-navettes partent pour l'aéroport, qu'ils rejoignent en 7 min.

● **Boston Tea Party Ship Museum*** (Congress St. Bridge ; plan D3 ; ouv. t.l.j. 9 h-17 h ; parfois f. en jan. pour réparation). — Ce musée est installé dans une réplique de l'un des trois bateaux pris d'assaut par des Bostoniens déguisés en Indiens le 16 décembre 1773. On y voit une maquette du Boston d'alors et on y déguste une tasse de ce thé de Chine qui fut jeté à la mer.

Une fois passé le pont, on se trouve dans South Boston. Suivez les panneaux représentant une bouteille de lait pour arriver au Children's Museum.

● **Children's Museum**** (Museum Wharf, 300 Congress St., ouv. mar.-dim. 10 h-17 h, ven. 10 h-21 h, en été ouv. aussi le lun.). — Conçu exclusivement pour les enfants, ce musée leur ouvre de multiples ateliers. Le hall central est occupé par une sculpture haute de trois étages où les moins de 14 ans peuvent grimper. Une maison des années 30 semble tout juste abandonnée par ses habitants, la radio diffuse de la musique, l'atelier de menuiserie du grand-père met à la disposition de chacun des outils. Une authentique maison japonaise de Kyoto propose aux artistes en herbe de s'initier à l'art. Les petits musiciens pourront jouer de la guitare électrique, ceux qui le préfèrent utiliseront les moniteurs vidéo de la salle de rédaction d'un journal télévisé. Ils feront une course en fauteuil roulant ou prendront part à une vidéo interactive basée sur l'anti-racisme. De l'âge de la maternelle à la fin de l'adolescence, chacun y trouvera plaisir. Même les parents.

● **Computer Museum** (Museum Wharf, 300 Congress St., ouv. mar.-dim. 10 h-17 h, en été ouv. aussi le lun. et jusqu'à 18 h). — Que vous soyez mordu ou néophyte, le musée des Ordinateurs vous permettra d'approfondir vos connaissances ou tout simplement d'approcher ces drôles de machines. La **Smart Machines Gallery** retrace l'histoire de l'informatique, depuis 1950 jusqu'aux ordinateurs perfectionnés de la 5e génération. Une promenade en compagnie d'Univac, l'ordinateur qui a donné les prévisions de l'élection présidentielle américaine de 1952 ; de Whirlwind, le premier ordinateur à mémoire centrale ; de Q7, qui a abandonné le langage machine et a ainsi permis à Monsieur Tout-le-monde d'accéder à l'informatique ; et de SAGE, système sophistiqué utilisé par la défense aérienne américaine depuis plus de trente ans. Vous pourrez aussi vous balader au milieu des composants et disséquer la souris si le cœur vous en dit. Attractif et éducatif.

■ 4. Back Bay**

Si Back Bay est aujourd'hui l'un des quartiers les plus élégants de Boston, il n'en fut pas toujours de même : au siècle dernier, il fallut près de cinquante ans de travaux acharnés (de 1857 à 1882) pour transformer cette zone de marais quasi insalubre en terrains constructibles. Back Bay proprement dit comporte le plus grand ensemble d'architecture victorienne du pays, disséminé autour de Commonwealth Ave., une voie large de 60 m qui relie Public Garden et les Fens. Son plan, à large échelle, avait prévu dès l'origine l'établissement d'un centre social et culturel, autour de Copley Square, avec les deux importants bâtiments de la Public Library et de Trinity Church. Si le quartier victorien, que nous appellerons « anglais », n'a guère changé, Copley Square a vu des constructions modernes s'édifier jusqu'au croisement de Huntington et Massachusetts Aves. Notre promenade comprend trois quartiers : le quartier « anglais », Copley Square, et Prudential Center Area. Vous ne les visiterez peut-être pas tous dans la même journée, mais comme c'est à Back Bay que se trouvent les hôtels les plus nombreux, des centres de shopping prestigieux et quelques-uns des restaurants les plus agréables de Boston, vous aurez sans doute l'occasion d'y venir plusieurs fois.

Situation : partie de la ville délimitée au N. par Beacon St., à l'E. par Public Garden, au S. par Huntington Ave. et à l'O. par les Back Bay Fens. (métro Arlington) ; plan B-C3.

Durée : prévoyez 1/2 h à 1 h pour le quartier « anglais », et 2 ou 3 h pour les deux autres quartiers.

Le quartier « anglais »**

Il est situé dans la partie E. de Back Bay. D'E. en O., les rues croisant Commonwealth portent des noms de nobles anglais qui se succèdent par ordre alphabétique pour faciliter l'orientation : Arlington, Berkeley, Clarendon... jusqu'à Hereford. Ce quartier typiquement bostonien commença à s'édifier en 1857, avec la récupération de plusieurs hectares de landes marécageuses. Le comblement du sol dura trente ans. Le plan fut dessiné par Arthur Gilman, un architecte influencé par la France et qui décida donc de réfléchir sur une vaste échelle en prévoyant, à côté des zones résidentielles, —à la différence des modèles anglais—, des centres culturels et sociaux. Commonwealth Ave. fut plantée de magnolias, et le spectacle est admirable au printemps. Les maisons en briques rouges ne dépassent pas cinq étages et possèdent un jardinet où fleurissent pommiers et pruniers. On flânera dans ce quartier en repérant ici un exemple d'architecture Renaissance italienne, là de style gothique victorien. Nous vous indiquons quelques points à ne pas manquer.

● **Gibson House** *(137 Beacon St., entre Arlington et Berkeley Sts ; plan B3 ; vis. guidée mer.-dim. 13 h, 14 h, 15 h ; ☎ 267-6338).* — Cette maison typique de la *middle-class* du XIXe s. présente l'intérêt d'avoir été conservée telle qu'elle était au siècle dernier, sans être restaurée. Les membres de la famille Gibson, qui l'ont habitée jusque vers 1950, ont gardé précieusement meubles et décoration d'origine. Cela permet d'entrevoir ce que fut la vie dans ces bâtisses souvent immenses où était employée une nombreuse domesticité.

● **French Library** *(53 Marlborough St. ; ☎ 266-4351).* — La bibliothèque française se situait Newbury St. jusqu'à ce qu'une richissime francophile, Katherine Lane Weems, lui fasse cadeau de cette maison en 1961. Elle a été constituée autour d'un fonds de 500 ouvrages amenés par des officiers pendant la Seconde Guerre mondiale. Ce fonds a été merveilleusement enrichi par les donations des manuscrits de Marguerite Yourcenar (enterrée dans le Maine) et par une collection Marcel Carné : caméras, fauteuils de metteur en scène, etc. (accessible sur demande). Aujourd'hui, les Français de Boston s'y rassemblent autour d'expositions, de séances de dédicaces, etc. En face, la **First and Second Church** a été reconstruite après avoir brûlé en 1968.

● Au **croisement de Boylston et Berkeley Streets,** deux édifices intéressants sont à remarquer plus particulièrement. Le **Berkeley Building*** *(420 Boylston St.)* est tout de verre et de métal, avec des arches de terra cotta. Au **234 Berkeley Street,** le bâtiment de deux étages aux colonnes corinthiennes, qui abrite aujourd'hui le magasin Louis, eut comme premier occupant le Museum of Natural History (situé à présent à la sortie de O'Brien Hwy, à Science Park).

● **Newbury Street*** *(entre Commonwealth Ave. et Boylston St.).* — C'est une des plus belles rues du quartier anglais. Au n° 15, près de Public Garden, **Emmanuel Church** *(au croisement de Berkeley et Arlington Sts)* est célèbre pour ses cantates, chantées tous les dimanches matin aux offices *(messe à 11 h).* Au n° 37, un inattendu bâtiment moderne abritait le siège de Knoll. Au n° 67, **Church of the Covenant** fut construite en 1867 par un disciple d'Alexander Parris, R.M. Upjohn, dans un style Renaissance gothique. L'église abrite désormais une galerie d'art. Au n° 109 et au croisement de Dartmouth, on verra des fantaisies médiévales.

● **Commonwealth Avenue*** *(plan B2).* — La grande avenue qui sert d'épine

dorsale au quartier anglais possède elle aussi ses trésors. Près de Public Garden, au n° 5, le **Boston Center for Adult Education** se visite sur rendez-vous ; sa salle de bal a été construite suivant les plans de celle du Petit Trianon de Versailles. Au n° 29, **Haddon Hall** possède 11 étages et est curieusement en briques jaunes.

Au croisement de Clarendon, **First Baptist Church** avec sa tour monumentale, vaguement italienne, est l'œuvre de jeunesse de Henry Hobson Richardson, un architecte bostonien connu, formé à Paris, et dont le talent domina l'architecture américaine dans les années 1870. Tout en haut, la frise a été sculptée par notre compatriote Bartholdi, le sculpteur de la statue de la Liberté. On doit à ses anges claironnants le surnom de l'église, Church of the Holy Bean Blowers.

Au **n° 121**, œuvre typique du Ruskin Gothic Style, à la décoration abondante. Au **n° 128-130**, les façades constituent un des rares exemples du style baroque des Beaux-Arts de Paris, plus fréquent à New York que dans la conservatrice Boston. À l'angle de Dartmouth St., **Ames-Webster Mansion** possède les plus beaux agencements intérieurs du quartier. Son hall, aux riches boiseries, est de toute beauté. Elle héberge des bureaux : vous pourrez donc jeter un coup d'œil. Au **n° 211**, la façade simple cache une immense salle de musique, aux meubles vénitiens où jouèrent Arthur Rubinstein et Nadia Boulanger : Miss Mason, sa propriétaire, était passionnée de musique. La Peabody Music Fondation fondée en son honneur continue d'organiser, parfois, des concerts.

Autour de Copley Square**

Centre de Back Bay, ce quartier, ainsi nommé en hommage au peintre John Singleton Copley, donne de beaux exemples de l'architecture bostonienne des XIXe et XXe s. La place est agréable, toujours animée.

● **John Hancock Tower*** *(Copley Square, 200 Clarendon St. ; plan B3 ; observatoire et expositions : ouv. lun.-sam. 9 h-22 h 15 ; dim. 12 h-22 h 15 ; f. Thanksgiving et 25 déc. ; ☎ 572-6429).* — Le plus haut building de Boston —62 étages— est sans doute le plus connu. Normal : on le voit de partout. On reconnaîtra à son architecte I. M. Pei le mérite de la sobriété. Si elle n'est pas un des plus exaltants buildings modernes, la John Hancock Tower a des formes si pures qu'elle paraît déjà classique. En fait, elle nous semble la seule véritable réussite de Pei à l'intérieur de Boston. Construit au début des années 60, l'immeuble a « perdu » 3 000 plaques de verre la première année. Les primes demandées par les compagnies d'assurances pour couvrir les dommages causés à la Trinity Church voisine s'avérèrent si élevées que les factures furent réglées directement...

L'**observatoire** perché au 60e étage offre un très beau **point de vue**** sur la ville. L'exposition « Boston 1775 » donne une idée de ce qu'était la ville avant la création de Back Bay.

Derrière *(au 175 Berkeley St.)*, la **Old John Hancock Tower**, avec son toit en forme de pyramide tronquée, possède elle aussi un point de vue et des expositions sur le vieux Boston. Elle se reflète dans les vitres du bâtiment voisin, conçu par I.M. Pei.*(Renseignements : Observatory Ticket Office, Trinity Place et St James Ave., ouv. lun.-sam. 9 h-22 h 15, dim. 12 h-22 h 15, f. jours fériés ; ☎ 247-1977).*

● **Trinity Church**** *(Copley Square, métro Copley ; plan B3 ; ouv. t.l.j. 8 h-18 h).* — Vous verrez rarement un édifice religieux aussi décoré. Cette église épiscopalienne (1877) est la réussite de l'architecte Henry Hobson

Richardson. Ses études aux Beaux-Arts de Paris influencèrent sensiblement son style. La tour centrale, haute de 64 m, s'inspire de la cathédrale de Salamanque tandis que le porche 0., copié sur celui de Saint-Trophisme à Arles, a été sculpté dans l'esprit de la statuaire romane du midi de la France. La décoration intérieure, somptueuse, est due à John La Farge. Elle compte parmi ses meilleures réalisations. La chaire est ornée de scènes de la vie du Christ et d'un portrait du grand prédicateur Phillips Brooks, qui choisit H.H. Richardson pour la réalisation de cette église. Le chœur, qui date de 1938, n'est éclairé que par la réflection de la lumière sur les feuilles de métal qui recouvrent le plafond. Les vitraux sont de La Farge, Burne-Jones et William Morris. L'église a la particularité quasiment unique de reposer sur 4 500 piliers en bois qui doivent rester perpétuellement humides.

● **Copley Plaza Hotel*** *(Copley Square /138 St James Ave.).* — Ce splendide hôtel de la High Society, qui date de 1912, est le plus élégant hôtel de la ville. Il a su préserver à merveille son cadre Belle Époque, œuvre de l'architecte qui dessina aussi le Plaza Hotel de New York, Henry J. Hardenbergh. L'immense salle de bal, le bar anglais tout en boiseries, les halls couverts de dorures et de fresques donnent une image prestigieuse, un rien désuète, d'un luxe de bon goût. Il faut absolument le visiter, d'autant que les consommations et même les repas dans la salle vénitienne, ne sont guère plus coûteux qu'ailleurs.

● **Boston Public Library*** *(ouv. lun.-jeu. 9 h-21 h ; ven.-sam. 9 h-17 h).* — « Le Commonwealth s'appuie sur l'éducation, comme garde-fou de l'ordre et de la liberté », peut-on lire sur l'immense façade. Deux statues représentent les Arts et la Science. Construite d'après les plans de McKim, Mead et White, cette bibliothèque renferme plus de 2,5 millions de volumes. Au bâtiment original, appelé Research Library (1895), a été ajoutée une aile, due à l'architecte Philip Johnson, en 1972 : la General Library. Elle a doublé le volume déjà existant et permis une meilleure répartition des locaux publics. Les panneaux de l'entrée sont d'Auguste Saint-Gaudens, les portes en bronze de Daniel Chester French. Elles ouvrent sur un large vestibule aux voûtes couvertes de mosaïques où sont inscrits les noms de Bostoniens célèbres ; un escalier en marbre de Sienne mène au 1er étage. Les murs sont ornés de peintures de Puvis de Chavannes : *Les muses inspiratrices acclament le génie, messager de lumière.*

Le **Bates Hall,** du nom de l'un des fondateurs, grande salle de lecture, est au 1er étage. La **Delivery Room** (service des prêts) est décorée de peintures d'Edwin A. Abbey représentant la conquête du Graal. Au 2e étage, dans le **Sargent Hall,** on peut admirer des fresques symboliques de John S. Sargent. À côté, la Wiggin Gallery, qui renferme les collections de la bibliothèque. L'auditorium propose régulièrement des projections. Il se passe toujours quelque chose à la Public Library, qui a connu d'importants travaux de rénovation ces dernières années.

● **New Old South Church** *(Copley Square/645 Boylston St. ; ouv. lun.-ven. 9 h-17 h ; sam. 9 h-16 h ; culte le dim. 11h).* — Construite en 1874-75 dans le style gothique italien, elle a succédé à la Old South Church. Elle n'a pas grand intérêt, mais contraste avec le style néo-classique de la bibliothèque, surtout le soir, quand elles sont illuminées.

● **Copley Place.** — Véritable barrière visuelle séparant Back Bay de South End, Copley Place est la plus importante —et certainement une des plus laides !— réalisation immobilière privée bostonienne. Construit au-dessus de l'autoroute du Massachusetts, l'ensemble comprend une luxueuse galerie marchande de plus de 100 boutiques, de nombreux restaurants, un grand magasin, deux hôtels de luxe, quatre immeubles de bureaux, des appartements et un garage. Deux ponts piétonniers relient The Westin Hotel et le Prudential Center à Copley Place.

Prudential Center

Pionnier de l'un des plus importants réaménagements architecturaux qu'ait connu la ville, le Prudential Center *(800 Boylston St.; plan B 3)* a été construit sur les terrains de peu de valeur qui bordaient la route séparant Back Bay du South End. Ce complexe immobilier comprend, outre des appartements, des bureaux et des boutiques, souvent de luxe, un parking souterrain, ainsi que le Hynes Convention Center. Plutôt sinistre à ses débuts, cet ensemble de bâtiments a été mis en valeur par une décoration colorée, un brin humoristique. « Pru », comme on l'appelle, possède un bar panoramique et le Prudential Tower Skywalk, un observatoire au 50e étage *(ouv. t.l.j. 10 h-22 h)* : plutôt que de payer la visite, allez boire un verre au *Top of the Hub Restaurant* (52e étage). On vous suggère une Samuel Adams, bière bostonienne par excellence.

● **Christian Science Church Center*** *(175 Huntington Ave. ; plan B4 ; ouv. lun.-sam. 10 h-16 h ; vis. guidées).* — Les sentiments sont mêlés lorsque le profane s'engage sur la gigantesque esplanade autour de laquelle s'édifient les bâtiments de la Christian Science Church Center, l'Église de la « Science chrétienne », secte fondée en 1894 par Mary Baker Eddy. Stupeur, d'abord, devant la richesse de la secte qui a construit des quartiers généraux aussi monumentaux. Effroi, car, à ces dimensions, l'homme ne semble guère compter. La petite Mother Church, construite par Welsh en 1894 en style néo-roman, en est le cœur. Le succès de la secte fut rapide : en 1906 fut construite à côté la Mother Church Extension, inspirée des basiliques des Renaissances byzantine et italienne ; elle peut abriter 3 500 personnes. Son orgue est le plus grand de l'hémisphère N. Sur le bord du bassin, le building construit en 1972 par Pei abrite l'administration. De l'autre côté, plus bas, le Broadcasting Center abrite des studios de télévision, une *sunday school* destinée à la catéchèse des enfants, et présente une exposition permanente sur la Bible (les deux bâtiments sont également de Pei).

Revenez sur vos pas, jusqu'au bâtiment jouxtant Massachusetts Ave., le Publishing Society Building. Le **Mapparium** *(ouv. lun.-sam. 10 h-16 h, entrée libre)*, globe terrestre lumineux (et qui présente la situation du monde en… 1935), n'a guère d'intérêt. En revanche, les écouteurs répondent à des questions telles que « Que fait la Science chrétienne pour les os cassés ? » On écoutera avec une curiosité plus ou moins inquiète les réponses… Le grand hall de marbre abrite une librairie. La secte publie des magazines et périodiques, tel le *Héraut de la Science chrétienne*, et surtout un quotidien : *The Christian Science Monitor*, qui compte des lecteurs dans le monde entier.

● **Institute of Contemporary Art** *(955 Boylston St. ; ouv. mer.-dim. 12 h-17 h, jeu. 12 h-21 h ; ☎ 266-5152).* — Installé dans les anciens locaux d'un poste de police (l'autre moitié du bâtiment abrite toujours les pompiers !), ce musée propose un programme

La Christian Science Church

« Mon propos est de ne blesser personne et de bénir tout le monde », disait Mary Baker Eddy (1821-1910), fondateur du Scientisme et dont le livre *Science et Santé* s'est vendu à 9 millions d'exemplaires dans le monde. On constatera que ce vœu pieux est celui de toutes les sectes. L'Église du Christ, scientiste, est censée soigner les douleurs et les affections physiques grâce à une relecture des Écritures. Les Scientistes, qui se prétendent chrétiens, définissent leur religion comme étant une science, avec un raisonnement spécieux : les lois spirituelles éternelles peuvent, selon eux, être appliquées de manière scientifique à tous les maux humains. Mary Baker Eddy écrivit même que « Jésus de Nazareth fut l'homme le plus scientifique qui foulât jamais le globe ».

La secte fut fondée en 1879 et désire depuis lors prouver « qu'il n'existe rien de plus pratique que le christianisme ». Il n'y a pas de ministres du culte, et un praticien du Scientisme, opérant uniquement par la prière, est payé comme un médecin ou un psychiatre. La prière est aussi chargée d'empêcher les divorces —fermement déconseillés. L'Église scientiste compte 2 400 églises et filiales réparties dans 70 pays. Elle a aussi connu quelques procès retentissants, effectués par exemple par des grands-parents dont les petits-enfants, ayant été empêchés d'être opérés, sont morts. Médecins, médicaments et chirurgie sont en effet proscrits au profit de la confiance placée par les fidèles en Dieu. En cas d'échecs, les Scientistes parlent alors d'humains « en désaccord avec la loi de Dieu »…

d'expositions qui explore (en peinture, sculpture, photographie, vidéo, musique, théâtre, etc.) l'art contemporain, américain ou non.

• **Symphony Hall*** *(301 Massachusetts Ave./Huntington St. ; plan B4 ; répétitions-concerts le mer. à 19 h 30 en hiver ; vis. guidée sur rendez-vous, ☎ 266-1492).* — Doté d'une excellente acoustique, le Symphony Orchestra Hall, qui abrite le Boston Symphony Orchestra, est richement décoré. Il faut s'y rendre lors des légendaires concerts du vendredi après-midi (mais il n'est pas facile de se procurer des places !) ; l'événement est autant musical que social, car les sièges sont jalousement loués, de génération en génération, par les grandes familles bostoniennes. L'actuel directeur musical du Boston Symphony Orchestra est le célèbre chef d'orchestre japonais Seiji Ozawa. Au printemps, morceaux classiques et plus populaires, dans une ambiance de café viennois, avec consommations servies à table pendant les concerts *(t.l.j., sf lun. de mi-mai à mi-juin).*

Le Symphony Hall, le **Horticultural Hall** *(300 Massachusetts Ave ; ouv. lun.-ven. 8 h 30-16 h 30, mer. 8 h 30-20 h, sam. 10 h-14 h)* et le **Jordan Hall** *(30 Gainsborough St.),* salle de concerts du conservatoire de musique, ont fait de cette partie du Fenway, au tournant du siècle, le centre de la vie culturelle de Boston.

■ 5. Fenway et les grands musées***

Le développement du quartier de Fenway fut entrepris en 1890 dans l'enthousiasme, un enthousiasme pouvant s'expliquer par la perspective d'un grand parc nanti de plusieurs musées de premier plan. Un siècle plus tard, le quartier manque cependant cruellement de boutiques, de restaurants et d'un peu d'âme. Il ne connut donc pas le même développement que Beacon Hill et Back Bay, mais, pour tout amateur d'art, ces deux musées sont incontournables.

Pour ceux qui ont peu de temps, le musée le plus intéressant, justement parce qu'il est l'œuvre personnelle et égoïste d'une richissime collectionneuse, est peut-être le Isabella Stewart Gardner Museum.

Museum of Fine Arts***

Adresse : 465 Huntington Ave. ; plan A4 ; métro : Art Museum ; ☎ 267-9300/267-9377, métro : Art Museum, ligne verte E, direction Arborway.

Visites : mar.-dim. 10 h-16 h 45, mer. 10 h-21 h 45, f. le lun.

Le musée organise des promenades architecturales dans Boston (☎ 267-9300).

C'est parce que Boston voulait donner le ton à l'Amérique tout entière que quelques-uns de ses habitants —et non des moindres— décidèrent de donner à la ville un musée. La date choisie pour l'inauguration était à la mesure de l'ambition des fondateurs puisqu'il s'agissait du 4 juillet 1876, le 100e anniversaire de la nation. Comme beaucoup d'autres musées américains, le musée de Boston a été constitué grâce à des fonds privés. La collection s'enrichit si vite que le premier bâtiment de briques rouges situé sur Copley Square devint bientôt trop petit. Le musée déménagea, et cette fois-ci, les mécènes virent grand : le bâtiment actuel, de style néo-classique, est presque aussi vaste que le Louvre.

Ils virent grand aussi pour la collection : Henry Lee Higginson offrit l'un des plus célèbres tableaux de Van der Weyden, *Saint Luc peignant la Vierge.* D'autres chefs-d'œuvre suivirent : notamment de Rembrandt, Vélasquez, le Greco, Rubens, Manet, Gauguin...

Au début des années 80, le musée a encore dû s'agrandir : le grand architecte sino-américain Pei a été chargé d'ajouter une structure en granit qui abrite, entre autres, une spacieuse galerie voûtée de verre pour les expositions temporaires. Le Museum of Fine Arts a les défauts et les avantages des grands musées : on s'y égare, on s'y éparpille, on s'y épuise. En plus de la peinture —admirablement présentée—, le musée comprend huit autres départements : art égyptien, art grec, étrusque et romain, art asiatique — le plus vaste ensemble d'œuvres d'art japonais existant hors du Japon—, arts décoratifs européens, avec une collection d'instruments de musique, arts décoratifs américains, textiles, gravures, dessins et photographies (prodigieuse collection de 500 000 estampes), art contemporain (depuis les années 60).

La bibliothèque comprend 250 000 volumes consacrés à l'art.

● Département d'art d'Égypte et du Proche-Orient**

Ce département a été créé en 1872. Il s'enrichit rapidement grâce aux fouilles entreprises par Théodore Davis dans la Vallée des Rois puis, grâce à la campagne menée à Guiza de 1905 à 1945 par George Reisner et l'université de Harvard, et dont le produit fut partagé avec le musée du Caire. Une grande partie des objets viennent des nécropoles d'El Kourou, Noun et Méroé, du royaume Kouch (ancienne province égyptienne de Nubie —Soudan actuel— formée en État indépendant à partir du VIIᵉ s. av. J.-C. jusqu'à 350 env.). Toutes les périodes de l'art égyptien sont couvertes par les collections du musée mais l'Ancien Empire et l'art kouchite sont nettement mieux représentés que le Moyen et le Nouvel Empire.

À ne pas manquer :

— **Ancien Empire (3000-2263 av. J.-C.) :** masque en bois (3000 av. J.-C.) ; statue colossale de Mykérinos* (IVᵉ dynastie, 2599-2571 av. J.-C.) ; double statue de Mykérinos et de la reine Kar-Merer-Nebty II** (IVᵉ dynastie) ; triade (IVᵉ dynastie).

— **Moyen Empire (2160-1680 av. J.-C.) :** statue assise de la Dame Sennuwy (XIIᵉ dynastie : 1950 av. J.-C.) ; porteurs

d'offrandes* (Haute Égypte, 1860 av. J.-C.).

— **Art kouchite :** statue du **roi Aspelta** (VIᵉ s. av. J.-C.).

Stèles de Mésopotamie, bronzes iraniens du Iᵉʳ millénaire av. J.-C.

● Antiquités grecques, étrusques et romaines*

Cette section a été constituée grâce à des legs et à des acquisitions. Toutes les périodes sont représentées mais le musée est particulièrement riche en œuvres du VIᵉ, Vᵉ et IVᵉ s. av. J.-C.

À ne pas manquer :

— Déesse au serpent* (civilisation minoenne, env. 1600-1500 av. J.-C.) ;
— poteries mycéniennes et grecques (vases à figures géométriques et à figures noires et rouges) ;
— tête d'Aphrodite* ;
— portrait de Socrate (env. 150) ;
— portrait d'Auguste (Iᵉʳ s.) ;
— mosaïque de Tunisie représentant un âne nourrissant des bébés lions (env. 400) ;
— collection de numismatique grecque ;
— collection Warren de camées et intailles.

● Département d'arts asiatiques***

Les collections orientales du musée, essentiellement constituées par des legs, sont inégalées hors d'Asie. De toutes périodes et de toutes provenances, elles permettent au visiteur de se faire une idée de l'expression artistique de tous les peuples d'Asie. Les arts de l'Iran, de l'Inde et de l'Extrême-Orient sont particulièrement bien représentés.

Chine. — Les objets les plus anciens de la collection remontent aux débuts de la dynastie Chou occidentale (XIᵉ-Xᵉ s. av. J.-C.) : vaisselle et objets rituels en bronze. Une **statuette d'enfant*** en bronze tenant deux oiseaux de jade au bout de bâtons, découverte en Chine centrale (IVᵉ s. av. J.-C), présente une apparence bien peu chinoise : les cheveux tressés et le costume correspondent aux descriptions chinoises des nomades des steppes du Nord et montrent à quel point les Chinois connaissaient leurs lointains voisins.

La floraison de l'art bouddhique au cours des Six Dynasties (V^e-VIe s.) est représentée par des œuvres religieuses comme le **Bodhisattva**** (celui qui possède la qualité —*sattva*— de Bhoudda), l'une des plus grandes statues en pierre hors de Chine. Elle provient du Pai massu (monastère du Cheval blanc), proche de Lo-Young (région de l'Honan, au centre de la Chine). **Autel en bronze*** de la dynastie Souei (589-618) qui représente le paradis d'Amithabha, l'un des bouddhas les plus populaires en Chine à partir du Ve s. parce qu'il est le bouddha miséricordieux qui veille au salut de tous les êtres ; assis sur un trône de lotus, entouré de ses disciples, il est surmonté d'un arbre en fleurs autour duquel volent bouddha et nymphes divines. Plus tardif, le **Bodhisattva Avalokitesvara** en bois sculpté (dynastie Song, XIIe s.) est représenté dans la posture de la Relaxation royale : tête inclinée, bras droit supporté par un genou relevé, jambe gauche pendante. De belles couleurs vives ont été découvertes lors de la restauration.

La peinture qui s'exprime à la manière chinoise au fil de longs rouleaux de soie est illustrée par le rouleau des **Treize empereurs*** : pièce remarquable de Yen Li-pen, grand peintre innovateur du VIIe s., où sont représentés par ordre chronologique 13 des empereurs qui se sont succédé depuis la période Han (206 av. J.-C.-220 apr. J.-C.) jusqu'à la période Souei (589-618). Le rouleau des **Dames préparant la soie nouvelle*** a été exécuté par l'empereur Hui-Tsung (1082-1135) d'après l'œuvre d'un artiste de cour du VIIe s. Les neuf rouleaux des **Cinq Cents Lohans*** (1178), disciples du Bouddha Sakyamouni, faisaient partie d'une série (il y en avait cent à l'origine). Au XIIIe s., des moines japonais venus étudier le bouddhisme les exportèrent au Japon où le célèbre peintre Mincho (1352-

1431) en fit plusieurs copies, conservées au temple de Tofuku ji à Kyoto. De Ch'en Jung, les **Neuf Dragons*** (1244), qui en Chine sont innocents et chargés de vertus, se débattent dans un mouvement vigoureux et endiablé à travers rochers, vagues et nuages. Enfin, un rouleau de Chen-tcheou (1427-1509), l'un des peintres les plus importants de la période Ming.

Japon. — La section d'**art japonais***** est la plus importante hors du Japon, grâce aux collections Fenollosa-Weld (peinture) et William Sturgis Bigelow (plus de 60 000 objets en tout), toutes deux acquises au Japon en 1880.

La collection de **peinture** permet de voir comment les peintres japonais se sont peu à peu détachés de l'influence chinoise au cours des siècles pour acquérir leur propre spécificité. Le rouleau des **Aventures de Kibi Daijin en Chine*** est caractéristique de l'époque Heian (fin XIIe s.) et retrace les péripéties, non dénuées d'humour, d'un ambassadeur japonais auprès de la cour chinoise. Le rouleau de l'**Incendie du Palais Sanjo**** raconte cette fameuse nuit de janvier 1160 où un incendie se déclara au palais de l'empereur Go-Shirakawa, qui dut ensuite abdiquer. Cet épisode fait partie du récit du *Heiji Monogatari*, chronique littéraire qui raconte les batailles entre les deux plus puissants clans rivaux de l'époque. **Bunsei**, dont on peut admirer un **paysage**, était probablement prêtre au célèbre temple Zen de Kyoto, où l'on a retrouvé quelques-unes de ses œuvres. C'est l'un des plus grands artistes de l'époque Ashikaga (XVe-XVIe s.), de même que Sesshu qui, pour le charmant **Paravent des singes et des oiseaux dans les arbres***, s'est inspiré d'une œuvre chinoise antérieure de la dynastie Song, également visible au temple de Kyoto. De l'époque Edo (XVIIe-XVIIIe s.), on peut voir les œuvres d'Ogata Korin et de Kano Naonobu dont les **Sages Po I et Shu Ch'I** nous donnent une leçon de morale : ces deux frères avaient chacun de bonnes raisons de prétendre au même trône mais ils préférèrent se retirer ensemble dans une montagne solitaire afin qu'aucun d'eux ne fût lésé.

La **sculpture** est bien représentée, avec notamment le **Bodhisattva Maitreya*** d'époque Kamakura (1189), à l'intérieur duquel fut découvert au cours d'une restauration un rouleau qui indiquait le nom de l'artiste, Kaikei, un célèbre moine bouddhiste.

Les **gravures** et **estampes** (collection Spaulding) sont intéressantes parce qu'y sont représentées toutes les variétés de techniques.

Autres pays asiatiques. — En sculpture, le **torse mutilé de Yaksi*** (stupa de Sanchi, Inde ; Ier s. av. J.-C.), nymphe protectrice des forêts et symbole de fertilité, est empreint d'une grande sensualité. **Durga** (Inde, VIIIe s.), épouse de Shiva et symbole de l'Énergie Primordiale, se tient triomphante dans un gracieux déhanchement sur le taureau-démon qu'elle vient de combattre. Belles **miniatures indiennes**.

Art du Népal, du Cambodge et de Java : **tête de Bouddha*** du temple de Chandi Sewu (Java, fin VIIIe s.). Pièces iraniennes (faïences, manuscrits dont une page du shah Nameh qui représente le combat d'Alexandre et du dragon ; influences byzantine et chinoise, XIVe s.).

● **Département des peintures*****

C'est la section la plus importante du musée. On y parcourt neuf siècles de peinture européenne et américaine, depuis le XIe s. jusqu'à nos jours. Le caractère de la collection s'est formé au gré des goûts des mécènes de la ville : certains d'entre eux furent parmi les premiers à apprécier l'évolution révolutionnaire de la peinture française du XIXe s., si bien que c'est à Boston que l'on vit pour la première fois aux États-Unis les œuvres d'artistes comme Delacroix, Courbet, Corot, Millet. Également friands d'œuvres impressionnistes, le Museum of Fine Arts possède l'une des plus grandes collections au monde dans ce domaine. Quant à la collection de peinture américaine, c'est l'une des plus grandes du pays ; elle est dominée par les peintres bostoniens John Singleton Copley (plus de 60 œuvres) et Gilbert Stuart (plus de

50 œuvres) et présente également des œuvres d'artistes contemporains.

Parmi les primitifs de l'Europe méridionale, **fresque byzantine*** du XIIe s. qui décorait l'abside de l'église Santa Maria de Mur en Catalogne : les douze apôtres figurent au registre inférieur ; au-dessus, le Christ en majesté est entouré des symboles des quatre évangélistes.

École italienne (XIIIe-XVIIIe s.). — **Duccio di Buoninsegna** (Sienne, 1255-1319), *Triptyque de la Cruxifiction avec saint Nicolas et saint Grégoire***, aux coloris vibrants et lumineux ; *Vierge d'humilité*** de **Giovanni di Paolo** (Sienne, 1403-1482) où délicatesse et foisonnement des détails sont propres à la poétique médiévale ; du **Maître des panneaux Barberini**, une *Présentation de la vierge au temple*, à l'architecture et à la construction picturale typiquement Renaisssance ; *Vierge à l'enfant*** de **Fra Angelico** (Florence, 1387-1455), dont le portrait du donateur est l'un des rares qu'ait exécutés l'artiste ; **Lorenzo Lotto** : *Vierge à l'enfant avec saint Jérôme et saint Antoine de Padoue* (1521-1522), d'un modernisme inattendu ; **Le Rosso** : *Christ mort avec des anges*** (1524-1527) où la composition déséquilibrée, la tension des corps et la lumière crue caractérisent le maniérisme ; Du **Tintoret**, un *Portrait d'Alexandre Farnèse* jeune (1565) et une *Nativité* (1550) aux accents champêtres ; **Titien** (1487-1576) : *Sainte Catherine d'Alexandrie**, remarquable par sa palette chaude et son expression pathétique ; *Musicienne* (1700) de **Crespi**, école vénitienne.

École espagnole (XVe-XVIIe s.). — **Martin de Soria** (actif de 1471 à 1487, Aragon), monumental et précieux *Retable de saint Pierre*** ; le Greco : *Portrait de frère Félix Hortensio Paravicino*** (1609), au regard brillant d'une flamme intérieure et aux mains allongées et raffinées, typiques aussi du Greco (l'union du majeur et de l'annulaire est toujours le symbole de la sagesse). **Vélasquez** : *Don Balthazar Carlos et son nain**, tableau original pour le luxe, les couleurs et le subtil contraste entre les deux personnages.

École hollandaise et flamande (XVe - XVIIe s.). — *Saint Luc peignant la Vierge**** de Rogier Van der Weyden, l'œuvre vedette du musée, probablement exécutée vers 1436 pour la guilde des peintres de Bruxelles dont saint Luc était le patron. C'est la première œuvre flamande à avoir fait partie d'une collection publique aux États-Unis. Le *Triptyque du martyre de Saint Hippolyte*** (anonyme, 2e quart du XVe s.), plein de finesse et de précision, a nécessité le travail de deux artistes ; le *Frappement du rocher par Moïse* (1527), l'une des rares œuvres parvenues jusqu'à nous du talentueux dessinateur **Lucas Van Leyden** ; **Lucas Cranach l'Ancien** (1472-1554) : *Lamentation** autour du Christ descendu de sa croix, œuvre d'une grande spiritualité. *La tête de Cyrus apportée à la reine Tomyris** (1623), de **Rubens**, illustre un épisode de l'*Histoire* d'Hérodote et révèle, par l'ampleur des formes et la brillance des textures, le génie du peintre. Magnifiques *portraits*** de **Rembrandt** (*Le Révérend Johannes Elison et sa femme*, 1634) et de **Frans Hals** (1580-1666).

École anglaise (XVIIIe - XIXe s.). — On verra notamment, de **Gainsborough**, un ravissant portrait d'une jeune fille endormie, plein de douceur et de sensualité, et de **Turner**, le *Bateau d'esclaves** (1840) : lumière, couleurs et formes rendent le paysage atmosphérique et presque abstrait.

École française. — **Nicolas Poussin** : *Mars et Vénus* (1630) ; **Antoine Watteau** : *Perspective* (1716) où l'œil s'égare dans de grands arbres touffus avant de trouver, au bout du jardin, le château de Montmorency ; exceptionnelle série de **Millet*** (*la Veillée, les Planteurs de pommes de terre, Femme cousant auprès de l'enfant endormi*).

Parmi la magnifique collection d'impressionnistes et de post-impressionnistes, citons : de **Manet**, *La Chanteuse des rues* (1862) et *l'Exécution de l'empereur Maximilien** (1867), inspiré du *Tres de mayo* de Goya ; *Deux jeunes femmes visitant un musée** de **Degas**, plein d'humour et de mouvement, et dont la femme debout pourrait être Mary Cassatt ; le célèbre *Bal à Bougival*** de **Renoir**, l'un des grands chefs-d'œuvre de l'impressionnisme ; de **Monet**, *Nymphéas***, la *Japonaise** (en fait, la première femme du peintre) ; deux variations sur la *Cathédrale de Rouen*** (à l'aube et au coucher du soleil) ; de **Gauguin**, l'énigmatique et monumentale fresque des années tahitiennes *D'où venons nous ? Que sommes nous ? Où allons nous ?***, exécutée peu avant le suicide manqué de l'artiste et dont il disait lui-même qu'il y avait mis « toute son énergie, une sorte de passion douloureuse dans des circonstances terribles » ; portraits de **Cézanne** dont celui de *Mme Cézanne dans un fauteuil rouge** et l'*Autoportrait au béret**, le dernier que l'on possède de l'artiste ; de **Van Gogh**, l'imposant *Facteur Roulin*** à la barbe touffue.

Peinture moderne. — **Picasso** : *les Sabines*, variation sur l'œuvre de David où corps enchevêtrés et couleurs vives se mêlent pour dénoncer la guerre ; **Kokoschka** : un rare *Autoportrait comme guerrier* et les *Amants** (l'artiste et Alma Mahler nus et enlacés) ; **Nicolas de Staël** : *Rue Gauguet* (1949).

Peinture américaine. — De **John Singleton Copley**, *Paul Revere** (le héros de l'Indépendance dans une pose inhabituelle chez le célèbre portraitiste bostonien à qui l'on commandait des œuvres plus formelles) ; *Watson et le requin*, œuvre pleine de suspens, fit passer le peintre à la célébrité. **Gilbert Stuart** : *George et Martha Washington.** (portrait original du premier président américain réalisé à Philadelphie et maintes fois recopié par la main même de l'artiste, qui a pu ainsi fournir la plupart des collections américaines) ; **Mary Cassatt** : *À l'opéra* ;

Singer Sargent : *les Filles d'Edward Boit**,* profondément inspiré par Vélasquez, superbe.

● **Département d'art contemporain**

Créé en 1971 avec l'acquisition de *Number ten** de **Jackson Pollock**, ce département comprend des peintures et des sculptures d'artistes postérieurs à la Seconde Guerre mondiale, essentiellement américains : **Louis Morris**, **Edward Hopper** (*Room in Brooklyn*, mélancolique), **Andy Warhol** (*Red disaster**,* répétition angoissante de l'image d'une chaise électrique), **Hans Hoffman** (*Crépuscule,* qui révèle le grand sens des couleurs de l'artiste), etc.

● **Département des Arts décoratifs**

Fondé en 1908, il s'est développé si rapidement qu'une aile nouvelle lui était exclusivement consacrée en 1928. Depuis 1972, les Arts décoratifs américains constituent une section indépendante. Mobilier, céramique, porcelaine, argenterie et sculpture datent principalement d'avant la guerre de Sécession, pour la partie américaine, et s'étendent du XIe au XIXe s. pour la partie européenne.

À ne pas manquer :

Christ crucifié* (Salzbourg, bois polychrome, fin XIe s.) ; **Vierge à l'enfant*** (Ile-de-France, bois polychrome, XIIIe s.) ; albâtres anglais parmi lesquels il faut voir la curieuse *Sainte Trinité* (Nottingham, XVe s.) où Dieu le Père serre quelques âmes sur sa poitrine ; *Saint Christophe** (1407), attribué à Brunelleschi et Nanni di Banco ; œuvres de **Bernard Palissy** (1510-1590) ; magnifiques panneaux muraux* de l'hôtel Montmorency, de **Nicolas Ledoux** (1756-1806).

Le musée comporte encore une petite section d'**instruments de musique** et un département de **gravures** et de **dessins** qui présente de grands noms, aussi nombreux que divers, comme Mantegna, Dürer, Rembrandt, Tiepolo, Watteau, Goya, Ingres, Turner, Gauguin, Jasper Johns, Rauschenberg…

Louis Morris : vers une nouvelle utilisation de la couleur

Né en 1912 à Baltimore, Louis Morris subit successivement l'influence de l'art figuratif, du cubisme et de l'expressionnisme abstrait. Puis au tout début des années 50, son intérêt pour Pollock grandit. Il visite à New York l'atelier d'Helen Frankenthaler, qui utilise la méthode de la peinture coulée. Désormais, Morris pratique la même technique d'application de la couleur par immersion de la toile dans des bains de pigment. C'est ainsi qu'en 1954 il crée sa première série de *Veils*. Les couleurs, très proches les unes des autres, se tissent en autant de « voiles ». Dans la dernière série, appelée *Stripes* ou *Columns* (1961-1962), des bandes de couleurs pures s'alignent les unes contre les autres au centre d'une toile nue. Au cours de son travail, Morris a peu à peu été amené à considérer la couleur non pas comme le contenu d'un dessin linéaire mais comme un phénomène physique apparu au-delà des limites de la toile et qui viendrait la balayer ou s'y fixer solidement. Les toiles permettent donc de saisir une réalité intangible, une image sans commencement ni fin. La peinture de Morris n'a été appréciée qu'après sa mort (en 1962). Les peintres comme Gene Davis et Thomas Downing qui ont suivi sa tendance constituent une école aujourd'hui connue sous le nom de « Washington Color painting ».

Les œuvres de Morris que possède le Museum of Fine Arts forment un ensemble unique aux États-Unis, faisant du musée un centre d'études qui recueille aussi lettres, archives et documents relatifs à l'artiste.

● **Département des textiles**

Ce département, expose par roulement tissages, broderies, dentelles, toiles imprimées et costumes du monde entier et de toutes époques. Très belle collection de tapisseries* européennes du XVIe au XVIIIe s. *(Mille fleurs représentant Narcisse**)*. Le musée possède en outre un ensemble exceptionnel de **tissages et broderies péruviennes** de l'époque précolombienne (notamment des Paracas, 500-200 av. J.-C.) et de la période coloniale.

Isabella Stewart Gardner Museum***

Isabella Stewart Gardner dessina et fit construire, à son propre usage, ce palais inspiré de la Renaissance pour y loger son impressionnante collection d'œuvres d'art. Épouse, en 1860, de John L. Gardner, Isabella Stewart fut bientôt une des figures les plus marquantes de la haute société bostonienne en raison de son excentricité. Par exemple, elle se déplaçait en tenant en laisse une panthère. Un portrait de John Sargent la représente, hautaine et digne. Elle légua *C'est mon plaisir* à la ville, à la condition que tout soit laissé dans l'ordre —ou le désordre— qu'elle avait conçu. C'est pourquoi ce musée bénéficie d'une atmosphère unique : un bric-à-brac de statues cassées et d'objets éclectiques voisine avec des chefs-d'œuvre de premier plan. Un jardin nanti d'une cafétéria permet de se reposer d'une visite parfois oppressante. Car s'il n'y a que des œuvres magnifiques, l'opulence de la décoration et leur présentation parfois incongrue nécessitent du visiteur un œil exercé et attentif... ne serait-ce que pour les repérer ! Une visite à tous égards unique.

Adresse : 280 The Fenway ; *métro :* Art Museum ou Ruggles St. (ligne verte,
direction Arborway) ; plan A4 ; ☏ 566-1401.

Visites : mar.-dim. 11 h-17 h ; f. le lun.

Des concerts sont organisés de sep. à juin (☏ 734-1359).

● **Rez-de-chaussée** *(first floor)*

Salle jaune. — Portraits : *Mme Gaujelin** de Degas et une aquarelle de Sargent, *Mrs. Gardner*, enveloppée d'étoffes blanches, en 1922 juste deux ans avant sa mort ; *Trouville* de Whistler avec Courbet au premier plan ; **Matisse** : *la Terrasse à Saint-Tropez** (la femme de l'artiste debout en kimono devant la maison de Paul Signac), première œuvre de Matisse à avoir fait son entrée aux États-Unis ; **Turner** : *la Tour romaine d'Andernach**.

Salle bleue. — Manet : *Mme Auguste Manet*, tableau sobre, aux noirs et blancs raffinés.

Dans la **chapelle espagnole,** Vierge de pitié de l'atelier de Zurbarán (1598-1662) et *El Jaleo*, danse espagnole dans un jeu d'ombres et lumières peinte par **Sargent** à son retour de Grenade : l'une des toiles favorites de Mrs. Gardner. Pour l'inauguration du musée en 1903, Mrs Gardner donna un concert dans cette salle. Un train spécial amena les invités de New York, si bien que plus jamais les Bostoniens ne boudèrent ses réceptions.

La **salle MacKnight,** où Mrs. Gardner aimait se tenir à la fin de sa vie, présente plusieurs bronzes du début du siècle.

● **Premier étage** *(second floor)*

Salle des primitifs italiens. — Quelques-unes des plus belles trouvailles de B. Berenson en Italie couvrent une période qui va de 1320 à 1520. À ne pas manquer : *la Vierge à l'Enfant avec quatre saints** de **Simone Martini** (église Saint-François d'Orvieto, 1320), polyptyque à l'influence byzantine ; *Dormition et Assomption de la Vierge** de **Fra Angelico** (église Santa Maria Novella) : le Christ prend l'âme de la Vierge étendue sous la forme d'un petit enfant ; *Hercule*, fragment d'une fresque de **Piero della Francesca**, que Mrs. Gardner n'hésita pas à faire détacher de la maison du peintre à Borgo San Sepulcro ! Le scandale fut immense et les douanes alertées lui firent verser une amende de 200 000 dollars.

Salle Raphaël. — **Botticelli**, *la Tragédie de Lucrèce** : les événements qui ont précédé la fondation de la République romaine en 510 av. J.-C. dans un décor de théâtre où l'on perçoit l'austère influence du prédicateur florentin Savonarole. **Raphaël** : magnifique *Pietà***, fragment d'un retable acheté à Londres en 1900, à une époque où les Anglais vendaient leurs œuvres d'art, séduits par les prix offerts par les Américains ; *Portrait du comte Tomasso Inghirami**, d'une grande présence.

Petite galerie. — Série de portraits de famille dont celui d'Anders Zorn : depuis un balcon vénitien, *Mrs. Gardner* assiste à un feu d'artifice donné sur le Grand Canal ; belle collection d'estampes et de dessins de différents artistes dont F. Lippi, Degas, Matisse, Zorn, Whistler, etc.

Salle des tapisseries. — C'est dans cette salle qu'ont lieu désormais les concerts, devant la belle cheminée bretonne.
Impressionnante série de dix tapisseries de Bruxelles : la vie d'Abraham et la vie de Cyrus d'après Hérodote dans un cadre du XVIe s., aux Pays-Bas ; Bermejo : *Santa Engracia* (école espagnole, deuxième quart du XVe s.).

Salle hollandaise et flamande. — C'est dans cette salle qu'ont été commis les vols les plus importants. Il reste malgré tout des œuvres de grand maîtres. **Holbein le Jeune** : *Portraits de William et Lady Butts** ; **Van Dyck** : *Dame à la rose** ; **Rembrandt** : *Portrait du Gentilhomme et de la Dame en noir* ; **Rubens** : *Portrait du comte d'Arundel**, grand protecteur des arts (un

exemple accompli des portraits « diplomatiques », d'une grande puissance d'expression).

● **Deuxième étage** *(third floor)*

En se rendant à la salle Véronèse, on croisera la *Dame en Noir*** du **Tintoret**.

Salle Véronèse. — Tapissée de cuirs de Cordoue et de Venise, le plafond, doré et sculpté par un élève de Véronèse, représente *le Couronnement de Hébé*.
G. B. Tiepolo : *les Noces de Frédéric Barberousse*, étude pour une fresque de la résidence de Würzburg ; **Véronèse** : *Mariage de sainte Catherine*, que Mrs. Gardner obtint probablement de l'un de ces palais italiens où de grandes familles ruinées vendaient leurs œuvres d'art.

Salle Titien. — *L'Enlèvement d'Europe****, certainement le plus beau tableau du musée, exécuté par le Titien à l'âge de 85 ans pour Philippe II d'Espagne et jugé dès le XVIIe s. comme l'un des plus grands chefs-d'œuvre qui soient, recopié par Watteau, Rubens et Van Dyck dont on peut voir le dessin ; **B. Cellini** : *Buste de Bindo Altoviti**, bronze magnifique d'un grand banquier florentin ; **Vélasquez** : *Portrait de Philippe IV d'Espagne**.

Grande Galerie. — Au milieu de collections de verrerie, porcelaine, bronzes, émaux, se distingue la *Vierge de l'Eucharistie avec l'Enfant*** (1470) de **Botticelli**, encore appelée la *Madone Chigi*, du nom du prince qui vendit l'œuvre ; elle est néanmoins concurrencée par la *Jeune Femme du monde**, extraordinaire de maîtrise et de pureté, attribuée à **Paolo Ucello** (1397-1475).
Dans la chapelle, *les Noces de Cana*, l'une des premières œuvres du **Tintoret**, voisine avec des vitraux du XIIIe s. provenant du N. de la France (cathédrale de Soissons).

Salle gothique. — *La présentation de Jésus au temple*** de **Giotto** : Jésus accompagné par ses parents pour être reçu par le prêtre Siméon et la pro-

John Singer Sargent

John Singer Sargent est né en 1856 à Florence de parents américains. Après une enfance itinérante, il s'installe en France pour étudier la peinture dans l'atelier de Carolus Duran, un portraitiste célèbre du boulevard Montparnasse. Très vite, il reçoit des commandes de la haute société parisienne dont il fait de nombreux portraits. Mais en 1884, le portrait de Mme Gautreau, jeune épouse d'un homme d'affaires parisien, provoque un scandale : la pose est jugée informelle, le décolleté trop large, l'ensemble provoquant. Sargent décide de quitter la France pour l'Angleterre, où sa réputation continue de grandir. L'Amérique lui réserve un accueil chaleureux en 1886. Boston devient alors, jusqu'à sa mort, son nouveau port d'attache. Il se lie d'une grande amitié avec Mrs. Stewart Gardner —dont on a dit aussi qu'elle a peut-être été sa maîtresse. Vous verrez deux portraits d'elle... au Isabella Stewart Gardner Museum. Sargent, à l'apogée de sa carrière, est l'artiste préféré des nouveaux riches et de l'aristocratie. Pourtant vers 1890, il ne veut plus faire de portraits : « Demandez-moi de peindre vos portes, vos barrières, votre grange mais pas de visage humain », écrit-il à lady Radnor. Il préfère se consacrer à la commande qu'il a reçue de la ville de Boston : les grandes fresques murales de la Public Library. En 1918, il est envoyé en Europe sur le front de la Grande Guerre en tant que peintre officiel.

Parce qu'il n'a cessé de voyager tout au long de sa vie, les influences picturales chez Sargent sont multiples (Franz Hals, Vélasquez, les impressionnistes, qu'il fréquenta beaucoup, notamment à Giverny). C'est de toutes ces rencontres qu'est né son style très personnel : un art réaliste et traditionnel qui s'inspire cependant de l'esprit nouveau de l'impressionnisme.

phétesse Anna, d'une grande finesse ; **Sargent : *Portrait d'Isabella Stewart Gardner**** (1888) vêtue d'une robe noire, ceinturée d'un collier de perles qui firent elles aussi l'objet d'une fabuleuse collection.

■ 6. Cambridge***

De l'autre côté de la Charles River, reliée à Boston par les ponts Harvard et Longfellow, Cambridge est connue dans le monde entier. Tous les étudiants venant de Harvard, de Radcliffe ou du MIT (Massachusetts Institute of Technologie) inscrivent en lettres d'or leur nom dans les entreprises. Cependant, ces écoles ne se résument pas à fournir les cadres dirigeants de l'industrie et de la finance américaines. Harvard possède aussi, par exemple, un département cinéma fameux et l'école d'architecture du MIT a fourni au pays nombre de ses maîtres-bâtisseurs. Aérée et agréable, Cambridge offre au visiteur un musée qui, quoique petit, possède une collection très choisie d'impressionnistes et d'expressionnistes : le Fogg Art Museum. Ne le manquez pas. La promenade que nous vous proposons commence au site le plus éloigné, le Longfellow National Historic Site, pour revenir vers le MIT et Boston. Si votre temps est restreint, limitez-vous au Harvard Yard, au Fogg Art Museum et au West Campus du MIT.

Accès : *métro Red Line, Harvard Square.*

● **Longfellow National Historic Site*** *(105 Brattle St. ; hors plan de Harvard A2 ; ouv. mer.-dim. du 8 mai au 23 oct., vis. guidées à 10 h 45, 11 h 45, 13 h, 14 h, 15 h, 16 h).* — C'est dans cette zone résidentielle de villas qui paraissent à des kilomètres de la ville que vécut le poète Henry Wadsworth Longfellow. Sa maison, avec ses **jardins*,** est idéale pour philosopher.

340

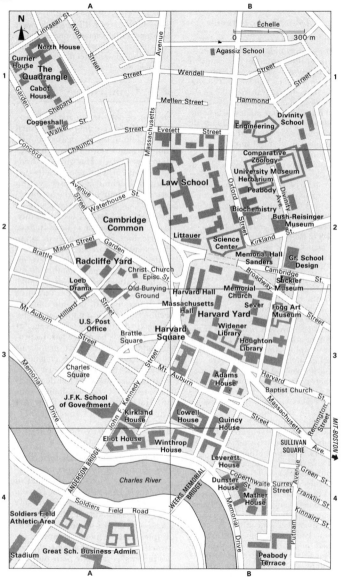

Boston : Harvard University.

● **Radcliffe College** *(au coin de Brat-tle et de Hilliard Sts ; plan de Har-vard A2)*. — Radcliffe College — l'équivalent féminin de Harvard— fut fondé en 1879. Presqu'un siècle plus tard (en 1977), Radcliffe et Har-vard s'assemblaient, permettant ain-si la délivrance d'un diplôme commun aux deux universités.

● **Harvard University***

1600 étudiants entrent chaque année dans cette prestigieuse école.

Harvard Yard* *(plan de Harvard B3)*. Depuis Harvard Square, on pénètre sur la plus ancienne partie du

---

Harvard University : la doyenne des États-Unis

Dès sa création en 1636, Harvard s'était fixé comme objectif de former l'élite de la politique, de l'économie et de l'Église. But qui semble plei-nement atteint puisqu'elle s'honore de compter parmi ses anciens élèves 6 présidents des États-Unis, plus de 30 prix Nobel et 27 prix Pulitzer. Harvard tire son nom d'un jeune théologien de Charlestown, John Harvard, ancien élève de l'univer-sité de Cambridge en Angleterre, qui mourut en 1638, laissant toute sa bibliothèque et la moitié de ses biens à l'université. L'élection en 1708 de John Leverett, le premier président qui ne fût pas un homme d'Église, marqua un tournant dans l'histoire de l'université qui se détacha alors du puritanisme étroit de ses fonda-teurs et, au fil des décennies, s'agrandit et se diversifia. Avec ses 16 000 étudiants et ses 2 000 pro-fesseurs, on est bien loin des 12 élèves inscrits la première année ! Réunie à Radcliffe College, Harvard comporte 27 bibliothèques et 6 musées. C'est aussi la plus riche uni-versité du monde avec un patrimoi-ne estimé à 6 milliards de dollars.

---

campus, où se trouve la statue de Charles Summer, professeur de droit et sénateur abolitionniste dans les années 1850. Avec ses pelouses et ses arbres, le plan s'inspire fortement de l'université anglaise de Cambridge, où nombre des fondateurs firent leurs études. L'architecture est indénia-blement de Nouvelle-Angleterre avec de massives constructions de briques éloignées les unes autres. Ce cam-pus ne possède rien de spécial, sinon son premier bâtiment, la **Wadsworth House** (1726), en bois jaune (que l'on verra mieux de l'extérieur depuis Massachusetts Ave.). Il est partagé en trois Halls : Massachusetts, Stoughton et Hollis, résidences universitaires divisées verticalement en petits groupes de chambres desservies par des entrées indépendantes, ce qui renforce la convivialité du lieu. (Le Stoughton actuel n'est pas le bâtiment original, mais un édifice reconstruit en 1805 d'après les plans de son ancien élève, Charles Bulfinch.) Der-rière Harvard Hall, à gauche, la cha-pelle Holden, belle réalisation de style georgien.

University Hall, au centre du Yard, est une autre œuvre de Bulfinch (1815), en granit gris égayé de colonnes doriques. Pas de chambres ici, mais des salles à manger, des salles d'études et de prière. Un peu plus loin, la **Widener Library** a été donnée par la famille Widener en 1915 pour honorer l'un de ses membres, Harry Elkins Widener, mort dans le nau-frage du *Titanic*. Cette splendide bibliothèque regroupe plus de trois millions de volumes, parmi lesquels une bible de Gutenberg et le premier in-folio de pièces de Shakespeare. On dit que la bibliothèque ne serait pas l'œuvre de son architecte officiel, Horace Trumbauer, mais celle de son premier assistant, Julian Francis Abe-le. Ce dernier avait fait ses études à l'University of Pennsylvania et aux

Beaux-Arts de Paris, dont il avait été le premier diplômé de couleur.

Sever Hall, un peu à droite de la bibliothèque, est considéré comme l'un des plus jolis bâtiments du campus. Il est l'œuvre de H.H. Richardson (1881), à qui on doit également Trinity Church. Juste à sa droite, l'élégant clocher de **Memorial Church**, appelée aussi Appleton Chapel, réussit, malgré sa finesse, à ne pas paraître incongru. Ce mémorial rend hommage aux étudiants tués à la guerre.

● **Arthur M. Sackler Museum*** *(485 Broadway St. ; plan de Harvard B2 ; ouv. mar.-dim. de 10 h à 17 h).* — En sortant par l'entrée opposée à celle de Harvard Square, vous trouverez sur votre gauche le gracieux monument moderne du Sackler Museum. Belle collection d'art islamique, de jades chinois, d'art romain, grec et égyptien. Expositions temporaires.

● **Fogg Art Museum**** *(32 Quincy St. ; plan de Harvard B2 ; ouv. t.l.j. sf lun. de 10 h à 17 h ; entrée libre le sam. de 10 h à 12 h)* — Sans doute l'un des plus beaux musées de Boston, malgré sa taille réduite. Cette taille, d'ailleurs, oblige les conservateurs à présenter les toiles par roulement ; c'est donc sous réserves que nous citons les œuvres ci-dessous. Mais nous ne nous avançons guère en prédisant que vous y découvrirez des merveilles.

Si vous êtes amateur d'**expressionnisme allemand** et viennois, l'aile du **Busch-Reisinger Museum** est pour vous. *Les Acteurs**, triptyque de **Max Beckmann**, furent peints en 1941 alors que l'artiste était exilé à Amsterdam : l'œuvre contient ses interrogations. Un étonnant *Adam et Ève***, dans lequel Adam tient Ève dans sa main, fut sculpté par Beckmann en 1936. De Beckmann toujours, *Autoportrait en Torpedo*, 1927. De **James Ensor**, *le Carnaval d'Ostende*, typique de la manière colorée et caustique du peintre belge. De **Kokoschka**, *le Portrait du Dr Heinrich von Neumann*. D'**Ernst Kirchner**, l'*Autoportrait au*

chat*(1920). De **Munch**, *la Rue de Rivoli* (1891). Ce musée, bien présenté et agréable, possède aussi des œuvres d'Oskar Schlemmer et de Lyonel Feininger, de Paul Klee, d'Erich Heckel...

Le Fogg Art Museum proprement dit abrite une superbe collection de plus de 80 000 **dessins et gravures****, ainsi que des œuvres italiennes des XIIIᵉ et XIVᵉ s. (*les Malheurs de Silène** de Piero di Cosimo, d'après Ovide), des peintres flamands, dont un autoportrait de Rembrandt, des préraphaélites, et un ensemble d'œuvres françaises parmi lesquelles deux célèbres **Ingres** : l'étrange *Raphaël et la Fornarina**, dans lequel on voit le peintre peignant, et *Odalisque à l'esclave**. Citons encore de beaux paysages de **Whistler**, deux *Villages de Bretagne* d'Odilon Redon.

Mais la collection la plus remarquable est sans doute celle qui a été léguée par **Maurice Wertheim**. Ancien étudiant d'Harvard, fondateur d'une compagnie financière à Wall Street, Maurice Wertheim commença en 1936 —à 50 ans— à acquérir des impressionnistes français. En dix ans, il acquit une **collection***** exceptionnelle car elle ne possède aucune œuvre de second plan : **Renoir** *(Autoportrait, la Baigneuse assise)*, **Monet** *(Eugénie Graff, Arrivée du train gare Saint-Lazare.)*, **Van Gogh** *(Trois Paires de chaussures* et l'*Autoportrait dédié à Gauguin*, dans lequel il voulut, dit-il, donner l'impression du simple moine bouddhiste)*, **Toulouse-Lautrec** *(la Comtesse noire*, peint à Nice à l'âge de 17 ans)*, **Picasso** *(la Mère et l'enfant de 1901, un admirable « période bleue » peint par-dessus un portrait de Max Jacob ; de la même année, mais très différent, la *Jeune Fille au grand chapeau*, dans lequel Picasso s'essaie aux techniques impressionnistes)*, **Matisse** *(Géraniums)*, **Braque** *(la Mandoline)*. Voilà une des rares collections privées cohérentes et fortes : on fera à cet égard une utile comparaison avec l'Isabella Gardner Museum.

● **Quincy Street.** — Au n° 24, le seul bâtiment construit par Le Corbusier aux États-Unis, le **Carpenter Center for the Visual Arts,** accueille des expositions. Au n° 20 vécut la famille James (la maison a été démolie). Une vraie famille d'écrivains : William James (1842-1910) fut philosophe, Henry James (1843-1916) romancier, Alice James (1848-1892) célèbre par son journal intime.

● **Harvard University Museums of Natural History** *(sur Oxford St. ; plan de Harvard B2 ; ouv. lun.-sam. 9 h-17 h, dim. 13 h-17 h, entrée libre le sam. de 9 h à 12 h).* — Quatre musées différents, selon la volonté encyclopédique d'exhaustivité du naturaliste suisse Louis Agassiz : zoologie, botanique, archéologie et ethnologie, minéralogie. Au 2e étage, la **Ware Collection of Glass Flowers*.** Commandée entre 1887 et 1936 par Harvard aux Blaschka (père et fils), une collection unique de fleurs de verre.

● **Kendall Square et le MIT** *(plan général A-B2)*

Cette zone témoigne de la modernité de Cambridge. Rénovations et constructions s'y succèdent pour accueillir compagnies et industries de pointe. C'est là surtout que se trouve le Massachusetts Institute of Technologie, ou MIT. Transféré là en 1916, le MIT a vu le jour à Copley Square, à Boston en 1861. Son fondateur, William Barton Rogers, voulait qu'il surpasse « les universités du pays par la précision et l'étendue de son enseignement, et ce dans toutes les disciplines scientifiques ». C'est chose faite. Les années 30 posèrent la question de savoir si la recherche devait rester fondamentale ou au contraire s'étendre à des applications industrielles, voire militaires. La Seconde Guerre mondiale apporta la réponse et un bureau de recherche et de développement, formé de scientifiques issus d'Harvard et du MIT, fut créé. Les découvertes faites en ces temps troublés aboutirent, pour certaines, à développer les programmes spatiaux de la NASA et à la construction de sous-marins nucléaires. Aujourd'hui, le MIT compte environ 10 000 étudiants. Curieusement, un diplômé sur cinq travaille près de l'institut, souvent dans une société créée par un ancien élève.

Le campus se divise, de chaque côté de Massachusetts Ave., en deux parties principales aux fonctions bien définies : le West Campus est consacré aux loisirs et à l'hébergement, l'East Campus est réservé aux études.

West Campus*. — Quelques bâtiments sont résolument modernes, comme le **Kresge Auditorium*,** dessiné par Eero Saarinen en 1955 et parfait jumeau (en taille réduite) du CNIT de la Défense. L'autre réalisation de l'architecte est la **Kresge Chapel*** (1955). De dimensions réduites, elle est éclairée par un oculus situé sur son toit et par un subtil jeu de réfraction des rayons lumineux sur une pièce d'eau. Construit en 1949 par Alvar Aalto, **Baker House,** un immeuble pour étudiants, ondule sans grâce devant les méandres de la Charles River. On a voulu donner aux chambres une vue optimale sur la rivière.

East Campus. — Groupé autour des bâtiments d'origine, il a gardé une architecture plus classique. Le **Maclaurin and Rogers Buildings** s'inspire du Panthéon. Conçu par William Welles Bosworth, diplômé de l'institut des Beaux-Arts de Paris, il rappelle Versailles... par sa forme peut-être mais surtout par son interminable succession de couloirs : 7 km de long ! La référence à Versailles n'est pas gratuite : Bosworth fut chargé de la restauration du château de Versailles, de celui de Fontainebleau et de la cathédrale de Reims dans les années 20. Il vous faudra emprunter le « corridor infini » pour rejoindre le stabile de Calder, en forme de voile, au pied du **Green Building Center for Earth Science,** de I. M. Pei, une tour de 21 étages. Les deux œuvres sont très laides ; ne vous épuisez pas à les trouver !

■ 7. À voir encore à Boston :

● **Chinatown** (*entre Essex St. au N., Kneeland St. au S., Washington St. à l'O. et le Massachusetts Turnpike à l'E. ; plan général C3 ; métro : Orange Line, Chinatown*). — Même si l'on y trouve, comme dans le Chinatown de Manhattan, cabines téléphoniques et réverbères en forme de pagodes, le Chinatown de Boston ne possède ni le charme pittoresque ni la joyeuse animation de son grand frère. Bien que minuscule, le quartier abrite la 3e communauté chinoise des Etats-Unis. On s'y rendra, éventuellement, le soir pour dîner de dim-suns et de canards laqués autour de grandes tables rondes, ou mieux encore au moment des fêtes. Pour le Nouvel An chinois, en février, les lions de papier dansent dans les rues et les écoles d'arts martiaux organisent des démonstrations ; la fête de la Lune, au mois d'août célèbre à la pleine lune un couple mythologique d'amoureux.

● **Washington Street***. — Cette très longue artère qui part de la **Old State House*** (→ *prom. 1*) est surtout intéressante jusqu'à Lafayette Place. C'était au milieu du XIXe s. le quartier des éditeurs et des journaux. Grande rue commerciale, elle a gardé de superbes buildings en fer et en verre, typiques de l'ère industrielle. Près de la **Old South Meeting House*** (→ *prom. 1*), au 17 Milk St., naquit Benjamin Franklin (sa maison natale a brûlé). Au 426, le grand magasin Filene's est le grand œuvre de Daniel Burnham, l'un des architectes de l'école de Chicago. Au sous-sol, soldes permanents (*Automatic Bargain Basement*).Vous tournerez sur Winter St. pour admirer, au 3 Winter Place, un célèbre restaurant, Locke-Ober Café.

● **Museum of Science*** (*Science Park/O'Brien Hwy, au N.-O. de la ville ; métro : Green Line, Science Park ; ouv. t.l.j. 9 h-17 h, ven. 9 h-21 h*). — Ce musée interactif propose plus de 400 expositions sur des domaines aussi variés que l'anthropologie, l'informatique, l'astronomie ou les récents progrès de la médecine. Il attire des passionnés de science mais aussi de nombreux étudiants et groupes scolaires qui viennent découvrir les mystères du corps humain grâce à la « Transparent Woman », essayer les nombreuses inventions technologiques ou encore explorer la galaxie au **Charles Hayden Planetarium**, où est recréé le système solaire à grand renfort de laser.

■ 8. Les faubourgs

● **Brookline**

Cet important faubourg résidentiel s'étend à l'O. de Boston. La ville natale de John Fitzgerald Kennedy, le 35e président des États-Unis, a su garder les avantages d'une petite communauté tout en n'étant qu'à quelques kilomètres du centre d'une très grande ville. Joseph et Rose Kennedy vécurent, de 1914 à 1920, Beals St., aujourd'hui le **John Fitzgerald Kennedy National Historic Site** (*83 Beals St. ; ouv. de mi-mai à mi-oct., mer.-dim. 10 h-16 h 30*) ; quatre de leurs enfants, dont le futur président, y naquirent.

Dans le Larz Anderson Park, le **Museum of Transportation** (*Musée des Transports, 15 Newton St. ; ouv. mer.-dim. 10 h-17 h ; ☎ 522-6140*), retrace l'histoire des transports depuis les vieux attelages à chevaux et traîneaux jusqu'aux bicyclettes, motocyclettes et automobiles de 1898 à nos jours.

Frederick Law Olmsted National Historic Site (*99 Warren St. ; bus 60 : Warren St. ; ☎ 566-1689 ; ouv. ven.-dim. 10 h-16 h 30*). — Atelier et résidence du paysagiste F.L. Olmsted (1883). Auteur, entre autres, du Central Park de New York, Olmsted a créé à Boston l'*Emerald Necklace*, un parc qui s'étire du Public Garden à Franklin Park.

Jamaica Plain *(Arnold Arboretum ; métro : Forest Hills ; ouv. t.l.j. du lever au coucher du soleil ; entrée libre).* — 5 000 espèces d'arbres et arbustes dans un parc de 106 ha, fondé en 1872. Belle collection de Bonzaïs.

● **Waltham** *(11 mi/18 km O. par l'US 20)*

Cette petite ville industrielle est surtout connue pour la **Brandeis University**, la première université non confessionnelle des États-Unis à être financée par des capitaux juifs. Fondée en 1948, elle reçoit chaque année quelque 3 400 étudiants de toutes religions et de tous pays (53 diplômes préparés). Le campus est composé de 90 bâtiments et de trois lieux religieux (juif, catholique et protestant), d'architecture moderne. Dans la ville même, plusieurs maisons anciennes, telles que **Browne House** *(562 Main St.)*, de la fin du XVIIe s., et **Lyman House** *(185 Lyman St.)*, de 1793.

● **Quincy** *(6 mi/9,5 km S. par le W.T. Morrisey Blvd.)*

Ville industrielle reliée à Boston par un pont qui enjambe la Neponset River, Quincy est la ville natale de deux présidents des États-Unis, John Adams et son fils John Quincy Adams. Le National Park Service a conçu un **parcours fléché*** qui mène de la maison du colonel Josiah Quincy *(20 Muirhead St.)* à celle où naquit Dorothy Quincy *(1010 Hancock St.)*, l'épouse de John Hancock, le premier signataire de la déclaration d'Indépendance. On verra aussi les maisons natales des présidents et bien sûr le **Adams National Historic Site** *(135 Adams St. ; métro : Quincy Center, Red Line direction Braintree ; ouv. 19 avr.-10 nov. t.l.j. 9 h-17 h)*, acheté par John Adams en 1787 et conservé dans la famille jusqu'en 1927. On peut visiter la maison et ses jardins*. Sans être de première importance, ce lieu est émouvant et agréable.

● **Lexington et Concord**

Ces deux petites villes proches de Boston représentent aux yeux des Américains une page cruciale de leur histoire. Ils s'y rendent en véritable pèlerinage. Il faut cependant une grande érudition pour partager leur passion. À tout le moins, un effort d'imagination est nécessaire pour recréer l'atmosphère enfiévrée des débuts de la révolution dans ce qui est devenu une zone résidentielle coquette. Il est impossible de s'y rendre par bus, le pèlerinage représentant plusieurs kilomètres. Si vous voulez à tout prix y aller autrement que par tour organisé, nous vous conseillons de vous limiter à Concord, et d'en profiter pour faire une promenade sous les arbres du Old North Bridge.

Lexington *(11mi/18 km N.-O. par la MA 2A).* — C'est là que se déroulèrent, le 19 avril 1775, les premières rencontres militaires de la révolution américaine. Alors que les Chemises rouges *(Redcoats)* britanniques se retiraient, les *Minutemen* patriotes firent feu. Les Anglais, dix fois plus nombreux, les balayèrent et continuèrent jusqu'à Concord, 9 km plus loin. Le sanglant demi-mile de Battle Road commence en face de la maison de Jason Russell, sur Massachusetts Ave. Cette Battle Road est aujourd'hui gérée par le National Park, qui a fait démolir les maisons construites après 1900. À un quart de mile à l'O., la **Munroe Tavern** (1710) où se réunirent les milices avant le conflit. **Lexington Battle Green** *(au croisement de Massachusetts, Harington et Bedford)* est le haut-lieu de Lexington : c'est à cet endroit que le capitaine patriote rassembla ses hommes pour attendre l'arrivée des Anglais. La Minuteman Statue, le Revolutionary Monument et la Line of Battle Boulder commémorent la phrase historique du capitaine Parker : « Ne tirez pas à moins que l'on vous tire dessus ; mais s'ils veulent la guerre, commençons-la ici même ». À un quart de mile au N., la **Hancock Clarke House** (1698) *(35 Hancock St. ; ouv. 19 avr.-fin oct. t.l.j. 10 h-17 h, dim. 13 h-17 h)* où parvint l'alarme nocturne de Paul Revere : John Hancock et Samuel Adams purent ainsi fuir les Anglais.

Concord *(19 mi/31 km N.-O. par la MA 2).* — Cette charmante ville, résidentielle et opulente, qui tire son nom d'un traité d'alliance avec les Indiens au XVIIe s., ne possède pas que des souvenirs sanglants. En arrivant par Lexington Rd., on remarque d'abord, sur la dr., **Wayside House** *(455 Lexington Rd. ; ouv. avr.-oct. t.l.j. sf mer. jeu. 9 h 30-17 h, vis. guidées),* où Nathaniel Hawthorne passa la fin de sa vie (son bureau est conservé en l'état). Dans **Orchard House** *(399 Lexington Rd. ; ouv. avr.-sep. t.l.j. 10 h-16 h 30, dim. 13 h-16 h 30)* vécut Louisa May Alcott, auteur des *Quatre Filles du docteur March.* Dans l'angle formé par Lexington Rd. et Cambridge Turnpike, **Antiquarian House** abrite le Concord Museum *(200 Lexington Rd. ; ouv. mars-déc. t.l.j. 9 h 30-15 h 30, dim. 13 h 30-15 h 30)* musée historique (maquette et souvenirs de la bataille de Concord, du philosophe R. W. Emerson —qui vécut aussi à Concord—, mobilier du XVIIe au XIXe s.).

Sur Monument St., la **Old Manse** (1770), où Nathaniel Hawthorne vécut trois ans, jouxte le **Old North Bridge***, pont historique reconstruit sur la Concord River et cadre d'une agréable promenade près de la rivière. Après leur bataille à Lexington (19 avril 1775), les Britanniques marchèrent sur Concord. Les Américains firent retraite au-delà du pont : en défendant avec succès ce pont contre les attaques britanniques, les Américains remportèrent leur première victoire.

Au sud de Concord, par la route n° 126, **le lac Walden**. L'écrivain Henry David Thoreau s'y installa en 1845, dans une hutte en bois, afin de marquer son indépendance vis-à-vis de la société. Il en tirera un livre, *Walden.* Les meubles qu'il a construits lui-même sont conservés au *Concord Antiquarian Museum.* Promenade très agréable et renommée autour du lac.

● **JFK Library**** *(à Dorchester, Columbia Point ; métro Red Line JFK/UMass puis navette gratuite toutes les 1/2 h. ; ouv. t.l.j. 9 h-17 h),* dédiée au président le plus charismatique de l'histoire récente des États-Unis. Le très beau bâtiment noir et blanc construit par Pei domine la mer. Par les vitres de l'immense atrium, on voit au loin Boston flotter sur l'eau. Construit par souscription publique, le musée est dédié à « tous ceux qui veulent faire un monde meilleur ». Autant dire qu'on n'y trouvera aucun des côtés faillibles du premier président catholique des États-Unis : sa vie privée chaotique, ses relations avec Marilyn Monroe ou ses contacts avec la maffia ne sont pas mentionnés. Ce musée est une ode, un hymne à John Fitzgerald Kennedy, objet d'une véritable ferveur populaire. Un film —qui commence par sa mort en 1963, à 46 ans— retrace les principaux épisodes de sa carrière, son charisme exceptionnel, son célèbre débat télévisé avec Nixon, l'échec de la Baie des Cochons, la loi qui mit fin à la ségrégation raciale. L'émotion est au rendez-vous.

À côté de la JFK Library, le **Commonwealth Museum** *(220 Morrisey Blvd. ; ouv. lun.-ven. 9 h-17 h, sam. 9 h-15 h)* s'intéresse aux différentes facettes du Massachusetts : population, politique, géographie, etc. C'est un musée sympathique, et qui fait tout pour être attractif.

■ 9. De Boston à Cape Ann*

La route pour Cape Ann, à une cinquantaine de kilomètres au N. de Boston, offre de jolis ports de pêche et des petites villes résidentielles, proprettes et charmantes. À la différence de Cape Cod cependant, la côte est presque totalement urbanisée : vous goûterez les points de vue les plus sauvages au-dessus de Rockport, et vous ne manquerez pas le quartier de Gloucester où s'érige le Beauport Museum.

● **Marblehead** *(18 mi/29 km N.-E. par la route 1A, puis la 129 ; à env. 45 mn de Boston).* — Cet ancien port de pêche est devenu une charmante villégiature sur la mer, prisée par les artistes. Les rues sont fleuries et pentues. En cherchant bien, on trouvera le minuscule port, dominé par un restaurant, sur le côté O. de la baie. Sur Front St., le restaurant *Barnacle*. Spécialités de fruits de mer, ambiance intime, belle vue sur le port (cartes de crédit non acceptées).

● **Salem** ** *(20 mi/ 32 km N. de Boston ; à 30 mn par le train depuis North Station ; départ toutes les heures ; env. 6 mi/10 km O. de Marblehead).* — Le monde entier connaît Salem pour ses sorcières, mais peu de gens savent que c'est l'une des principales villes historiques des États-Unis. Fondée en 1626, elle a été plusieurs fois capitale du Massachusetts avant de céder définitivement la place à Boston. Malgré l'origine de son nom — « shalom », qui signifie paix en hébreu —, Salem n'a pas su se garder de la violence et de l'intolérance. À tel point qu'en 1635 le pasteur Roger Williams emmena des colons fonder une nouvelle colonie, Rhode Island. Ce même puritanisme exacerbé provoqua l'horrible procès des sorcières de Salem, en 1692. 19 habitants furent pendus pour avoir été dénoncés comme suppôts du diable par un groupe de jeunes filles impressionnables, menées par Ann Putman. Le massacre finit lorsque les adolescentes désignèrent la propre femme du gouverneur. Salem a converti cet épisode déplaisant en manne commerciale. Les magasins vendent chats noirs, balais et citrouilles. Salem a même une sorcière officielle, Laurie Cabot, fondatrice de la Ligue des Sorcières pour une conscience du public. La ville pallie le manque de témoignages du XVIIᵉ s. par des musées à grand spectacle, en lesquels on peut voir des attrape-nigauds.

Chestnut Street ** est considérée comme l'une des plus belles rues d'Amérique. Parmi ses villas, victoriennes ou néo-classiques, on peut visiter **Hamilton Hall** (nᵒ 9), construite par Samuel MacIntyre en 1805, et la Stephen Philips Memorial Trust House (nᵒ 34).

Le **Peabody Museum** *** *(East India Square ; ouv. t.l.j. 10 h-17 h, dim. 12 h-17 h),* qui n'a rien à voir avec les sorcières, offre une escale passionnante. Fondé en 1799, il est le plus vieux musée des États-Unis. Il résulta de la constitution de la East India Marine Society : pour y appartenir, il fallait être capitaine et avoir passé les caps Horn et de Bonne-Espérance. Les membres devaient rassembler les curiosités « naturelles et artificielles » situées au-delà des caps. Le musée, très grand, possède 300 000 objets. Il en expose 10% dans plusieurs départements, tous passionnants : Histoire maritime, Art asiatique, Histoire naturelle, Ethnologie. Vous y verrez plusieurs maquettes, dont celle du premier bateau de croisière, le *Cleopatra's Barge*, lancé en 1817, qui donna naissance au yachting. Le **département des arts décoratifs chinois** présente de l'orfèvrerie, des meubles, un lit sculpté qui fut le clou de l'Exposition de Philadelphie. Particulièrement remarquable est la **collection japonaise*** constituée par Edward S. Morse, 3ᵉ directeur du musée : objets quotidiens, poupées, vaisselle, vêtements de samouraï émerveillent autant qu'une chaise à porteurs pour la procession du Daimyo et un splendide autel bouddhiste de famille noble. Les **collections de Nouvelle-Guinée et du Pacifique** **, tapas hawaïiens, masques de cérémonie de Nouvelle-Guinée, ont peu d'équivalent. Vous verrez une grande statue de Kukailimoku, dieu de la guerre hawaïien. Cette sculpture est l'une des

Les vraies sorcières de Salem

Sur les 40 000 habitants que compte Salem, 700 sont des sorcières. De vraies sorcières vivantes. Dans les rues, on les reconnaît aisément : teint cadavérique, longues robes noires, étoile de Satan, maquillage infernal et tignasse à la hauteur de leur mission. Car mission il y a. Regroupées dans une Ligue tout à fait officielle, elles prétendent défendre « la dignité et les droits civiques des six millions de sorcières, païennes et panthéistes du monde ». Elles proposent leurs services légitimes et se réunissent pour des cérémonies privées où il est question d'énergie psychique, et de chats (noirs, évidemment)...

L'affaire remonte historiquement à la sinistre année 1692, où bon nombre de puritains peu enclins à la tolérance se mirent à voir des spectres partout. Plusieurs dizaines de personnes furent ainsi traînées en justice pour sorcellerie et 19 « sorcières » jugées et condamnées à mort. Heureusement, un juge étranger à la ville arriva et réclama des preuves plus tangibles. Les autres femmes qui attendaient leur jugement en prison eurent ainsi la vie sauve.

Aujourd'hui, juste revanche, les sorcières de Salem ont pignon sur rue. L'emblème de la ville, que l'on peut voir sur les portières des taxis comme sur l'uniforme des policiers municipaux, représente même une sorcière à califourchon sur son balai par une nuit de pleine lune. Vaste plaisanterie, attraction pour touristes, exercice mental à la mode ou distraction pour personnes désœuvrées ? À Salem, la sorcellerie est avant tout un *business* qui rapporte beaucoup. Quant à la grande sorcière officielle de Salem, fondatrice de la ligue, Laurie Cabot, elle a été nommée en 1978 par le gouverneur du Massachusetts : Michael Dukakis en personne.

trois qui survécurent à la destruction des temples d'Hawaii par les missionnaires en 1819.

Sur Washington Square, le **Salem Witch Museum** *(ouv. t.l.j. 10 h-17 h, juil.-août 10 h-19 h, séances toutes les 1/2 h)* n'est pas un musée, mais une reconstitution à partir d'une maquette et d'une bande-son (version française sur écouteurs). Elle raconte cette fameuse année 1692, quand des jeunes filles impressionnées par les contes d'une vieille femme noire l'accusèrent d'être inspirée par le démon. La **Witch House** *(310 Essex St.)* fait appel à des comédiens : ils jouent un procès de sorcières.

Sur le Waterfront, les bâtiments du **Salem Maritime Historic Site** *(174 Derby St. ; ouv. t.l.j. 8 h 30-17 h, juin-août 8 h 30-18 h, f. 25 déc. & 1er jan.),* qui bordent le Derby Wharf, sont un témoignage du passé aussi glorieux que mercantile de Salem. En Nouvelle-Angleterre, en effet, la marine charpentait l'économie. Les marins de Salem pêchaient la baleine, commerçaient dans tous les ports du monde ; ils découvrirent plus de 400 îles du Pacifique. De nos jours, seule la pêche persiste. L'imposant bâtiment de la douane, où l'écrivain Nathaniel Hawthorne travailla un temps, les entrepôts destinés aux marchandises en provenance des Indes Occidentales sont autant de témoins du trafic maritime qui animait les docks. La **House of Seven Gables** *(54 Turner St., ouv. t.l.j. 10 h-16 h 30 ; en juil. et Labor Day 9 h 30-16 h 30)*, ancienne et austère maison de bois, inspira Nathaniel Hawthorne pour le roman du même nom.

● **Magnolia** *(19 mi/30 km N.-E. de Salem).* — Encore une jolie ville, résidentielle et boisée, dont le fleuron est **Hammond Castle** *(80 Hesperus Ave. ; ouv. t.l.j. sf lun. 9 h-17 h).* Surplombant la mer, ce pastiche de château médiéval avec cloître et pont-levis abrite des collections d'art médiéval, mobilier, peinture et sculpture. On y donne parfois des concerts l'été.

House of Seven Gables, maison d'un marchand du XVIIᵉ s.

● **Gloucester*** *(22 mi/35 km N.-E. de Salem).* — Ce port de pêche, le plus ancien du pays, est resté actif et se double d'une station estivale fréquentée. La ville est agréable parce qu'elle ouvre sur l'eau, avec un front de mer animé. Il faut prendre la Eastern Point St. pour découvrir les magnifiques résidences dont le **Beauport Museum*** *(75 Eastern Blvd. ; ouv. mai-oct. t.l.j. sf sam. et dim. 10 h-16 h)* fournit un exemple achevé. Cette maison parti- culière, léguée par Henry Davis Slee- per, architecte d'intérieur, possède un jardin, 26 pièces, toutes meublées dans un style différent. Beauport fut le pre- mier nom de Gloucester ; il lui fut don- né en 1604 par le Français Samuel de Champlain, qui fonda quatre ans plus tard le Québec et en devint gouver- neur. Non loin du musée, une plage offre un point de vue sur Boston, au loin, et sur un petit îlot où se dresse un phare.

● **Rockport** *(25 mi/ 40 km N.-E. de Salem).* — Ce port abrité par Cape Ann a vu se multiplier ces dernières années des galeries d'art, entraînées par l'active Rockport Art Association. Empruntez la Bear Skinneck St. pour avoir une vue sur le port construit de moellons bruts (d'où le nom de la localité). Au bout de la rue, à dr., était situé un fort, élevé contre les bateaux de guerre britanniques pendant la guerre de 1812. En faisant le tour du cap, on croisera une côte sauvage, rocheuse, où hôtels et restaurants abondent.

Burlington et le nord du Vermont*

39 130 hab. ; fuseau horaire : Eastern time.
Situation : au N.-O de l'État, sur les bords du lac Champlain. À 224 mi/360 km au N.-O. de Boston.
À voir aussi dans la région : Bennington, les Berkshires**, les White Mountains*, Woodstock*.*

La ville la plus peuplée du Vermont se situe sur les rives du lac Champlain. Elle a hérité des activités commerciales et industrielles prospères de ses ancêtres et quelques belles demeures en sont une preuve. Elle bénéficie d'un programme culturel de qualité présenté par l'université du Vermont.

● **Shelburne Museum*** *(5 mi/8 km au S. par la route 7 ; ouv. mi-mai-mi-oct. t.l.j. 9 h-17 h).* — Pas moins de 35 bâtiments ont été reconstruits sur les bords du lac Champlain pour présenter les objets traditionnels et l'artisanat américain. Une gare, un bateau, un phare, une école ont ainsi été reconstitués. Il faut prévoir une journée pour visiter l'ensemble.

● **Shelburne Farms** *(6 mi/10 km au S. par la route 7).* — Un beau domaine agricole qui depuis toujours développe de nouvelles méthodes de culture et d'élevage. Une magnifique demeure de style Queen Ann se trouve au centre d'un parc conçu par le paysagiste Frederic Law Olmsted.

■ Environs de Burlington

● **Lake Champlain et les îles.** — Le lac, découvert par Samuel Champlain en 1609, s'étend entre les Adirondacks à l'O. et les Green Mountains à l'E. Grand Isle, North Hero et Isle-la-Motte sont reliées au bord du lac par des ponts. Des *ferries* traversent le lac.

● **Stowe*** *(37 mi/60 km à l'E.).* — Au pied du mont Mansfield, Stowe est une station de ski réputée. L'ascension du mont Mansfield peut se faire à pied par de nombreux sentiers de randonnée, en voiture par une route à péage, ou en télécabine. Du sommet, on bénéficie d'un beau panorama embrassant toute la région.

Cape Cod et les îles**

Situation : *Massachusetts, langue de terre sur l'océan, à env. 50 mi/80 km au*
S.-E. de Boston.
À voir aussi dans la région : *Boston***, New Bedford*, Newport**,*
Plymouth*, Providence**.

Le cap de la morue fut longtemps celui des baleiniers. Aujourd'hui,
ce long bras de mer replié, où s'étalent des kilomètres et des kilomètres
de plages de sable blond et fin, fait surtout la joie des trop nombreux
touristes. Cape Cod, l'excursion la plus classique au départ de Boston, est à cette dernière ce que Deauville est à Paris : une villégiature et un but de week-end. Voilà le paradis où vous verrez les Bostoniens enfin décontractés, chaleureux, naviguant sur leurs voiliers avec
un sûr instinct de marins que le hasard a transformés en intellectuels.
La longue péninsule de Cape Cod a été créée pendant l'âge glaciaire :
du sable, des forêts de pins, des cordons de dunes et l'immensité de
l'océan, rien de plus. Mais une nature préservée, un air de vacances,
de larges horizons bleu et blanc qui donnent l'illusion d'être au début
d'un monde lui confèrent tout son charme. À chaque tempête, la
péninsule se replie vers Boston. À raison de 90 cm par an gagnés sur
l'océan, Cape Cod devrait avoir rejoint Boston dans... 43 500 ans.

Accès depuis Boston. — *En voiture,*
quittez Boston vers le S. par Dorches-
ter Ave. pour rejoindre la MA 3 ou 3A
(par la côte), qui vous mènera jusqu'au
canal de Cape Cod. En voiture, vous
atteindrez Provincetown en 3 h (en
dehors des week-ends, où la route est
très embouteillée).

Par avion : *navettes aériennes Boston-*
Hyannis.

En été, un ***bateau*** *relie chaque matin*
Boston à Princetown (en 3 h).

Hébergement. — *Si vous voulez rester*
sur la péninsule, préférez les jolies
guest houses de Provincetown aux
motels essaimés le long de l'US 6.

■ 1. — La côte nord

Suivez la route 6 A qui longe la côte et
traverse les villages les plus représentatifs du cap.

● **Sandwich** *(à 4 mi/6,5 km de Cape*
Cod Canal). — La ville, dispersée

autour d'une jolie église, est digne
d'un coup d'œil si vous aimez le verre
(expositions au **Sandwich Glass
Museum,** 129 Main St.), les poupées
(**Doll Museum,** Main et River Sts), les
livres de Peter Rabbit (**Thornton Burgess Society Museum,** Water St.) et les
opulentes villas dissimulées sous les
arbres. C'est la plus ancienne ville de
Cape Cod : elle fut édifiée en 1637 par
des colons venus de Plymouth. **Heritage Plantation*** *(Grove and Pine Sts ;*
ouv. 15 mai-15 oct. 10 h-17 h.) : plusieurs bâtiments abritent différents
musées dans un parc où fleurissent
une multitude de rhododendrons aux
mois de mai et de juin.

Après avoir traversé Barnstable, Yar-
mouth Port, Dennis et Brewster, vous
arriverez à **Orleans**, dernière ville
avant le Cape Cod National Seashore,
et depuis laquelle on accède à la première grande plage du cap **Nauset
Beach.**

● **Cape Cod National Seashore***. — La nature domestiquée pour le tourisme : 11 000 ha de parc, dont des plages surveillées (certaines avec un parking payant), neuf promenades pédestres, trois pistes cyclables, trois pistes cavalières permettent de naviguer entre sable et mer. Méfiez-vous du sumac vénéneux, des tiques et des moustiques. Deux bureaux d'information distribuent largement brochures et conseils : Salt Pond Visitor Center à Eastham *(ouv. t.l.j. 9 h-16 h 30. f. jan. et fév.)* et Province Lands Visitor Center près de Provincetown *(ouv. t.l.j. 9 h-16 h 30. f. de déc. à mars).*

● **Provincetown**** *(à 66 mi/106 km de Cape Cod Canal)* appelée plus familièrement P-Town. Repaire d'artistes, la ville a accueilli Edward Hopper, Max Bohm, Peter Hunt et Eugene O'Neill qui y écrivit bon nombre de pièces ; vous suivrez leurs traces jusqu'à l'intéressant Heritage Museum. Mais Provincetown a deux visages : le jour c'est un délicieux village dont les maisons peintes et les galeries d'art s'égrènent autour du Pilgrim Memorial ; la nuit, sans perdre sa bonhomie, elle s'encanaille attirant toute une foule d'homosexuels harnachés de cuir. L'audace des costumes contraste avec la bonne humeur apparente de tout ce petit monde...

La ville a gardé une forte tradition culturelle même si les artistes ont peu à peu déserté, laissant la place à la foule colorée des touristes. Le port est toujours en activité et il faut se trouver, le soir, au **Mac Millan Wharf**, quand les bateaux viennent décharger leurs cargaisons de poissons. Vous ne pourrez pas manquer le **Pilgrim Memorial Monument****, cette curieuse tour de 83 m qui commémore l'arrivée des premiers colons. Depuis son sommet, on a, bien entendu, une vue magnifique sur Cape Cod.

L'**Heritage Museum** *(au coin de Center et Commercial Sts ; ouv. t.l.j. 10 h-18 h)* s'enorgueillit de posséder la plus grande réplique d'un schooner : *Rose*

Le port de Provincetown.

Dorothea. Le musée est aussi intéressant pour ses reconstitutions d'anciennes pharmacie, cuisine et bibliothèque. Enfin, il retrace l'itinéraire des plus célèbres étudiants de la Cape Cod School of Art fondée par Charles W. Hawthorne en 1899, d'Edmund Oppenheim à Harry Kemp. Ce dernier passa la majeure partie de sa vie dans une cabane enfouie dans les dunes. De nos jours encore, Provincetown rassemble, l'été, la plus importante communauté d'artistes des États-Unis... dans des conditions plus confortables.

■ 2. — La côte sud

La route 28 suit la côte S., plus abritée, et donc très appréciée des touristes qui préfèrent se baigner dans une eau moins froide et moins agitée. Les anciens ports de pêche qui bordent cette côte se sont adaptés à la demande et se sont transformés peu à peu en stations balnéaires bien équipées en motels, hôtels et restaurants.

● **Chatham*** *(35 mi/56 km de Provincetown)* est un ravissant village typique qui n'a pas abandonné son activité portuaire au profit du tourisme et il faut assister au retour des bateaux qui viennent décharger leur pêche sur les quais de **Fish Pier**. Depuis Chatham, on peut accéder en bateau à **Monomoy Island**, refuge de près de 300 espèces d'oiseaux migrateurs.

● **Hyannis*** *(54 mi/87 km de Provincetown)* est la plaque tournante du Cap grâce à son aéroport et aux *ferries* qui permettent d'accéder à Nantucket Island et à Martha's Vineyard. C'est tout à côté, à **Hyannis Port**, que les Kennedy établirent leur résidence d'été. Sur Ocean St., un mémorial rappelle une phrase de JFK : « Je crois qu'il est important que ce pays navigue et ne reste pas simplement au port. » Des restaurants et des parkings entourent Lewis Bay d'où partent fréquemment les bateaux et les *ferries* pour les îles. Pendant les mois d'été, il est impossible d'embarquer sa voiture en raison de l'affluence. Mais vous pourrez louer des bicyclettes à votre arrivée sur Nantucket ou Martha's Vineyard.

● **Falmouth** *(à 74 mi/119 km de Provincetown)* a su, comme Chatham, préserver son atmosphère d'antan malgré une activité touristique de plus en plus importante et, au centre de la ville, autour du traditionnel green, s'élèvent de bien jolies demeures du XIXe s.

À **Woods Hole** *(env. 6 mi/10 km au S.-O.)*, se trouve l'Institut océanographique, mondialement connu, et son aquarium que l'on peut visiter *(ouv. juin-sep. t.l.j. 9 h-16 h 30 ; oct.-mai 9 h-16 h. sf sam. et dim.)*. Depuis **Woods Hole** on accède aussi à Martha's Vineyard et à Nantucket Island.

■ 3. — Nantucket Island**

Au S. de Cape Cod ; accès par ferry depuis Hyannis.

Nantucket** est un petit monde, qui semble hors du temps. Dès votre arrivée dans le port, tanguant sur les pavés grossiers pieusement conservés, vous goûterez cette ambiance si particulière, cette pureté de l'air, ce plaisir de vivre, ce calme (les voitures sont rares) d'un village où il semble que tout le monde se connaisse. Les habitants de Nantucket préservent leur île avec ferveur : les maisons de bois sont peintes de couleurs fraîches, les fleurs abondent, et l'on préfère aux hamburgers les restaurants de fruits de mer à l'ambiance un brin pirate. La plupart des hôtels –aux prix élevés– sont pleins de charme, de couettes épaisses et de papiers peints fleuris. C'est l'endroit idéal pour se ressourcer pendant un week-end. À bicyclette ou en bus, vous rejoindrez les plages de Madaket, de Cisco, de Surfside ou de Siasconset pour un plongeon tonique dans les eaux de l'Atlantique.

● **Museum of Nantucket History** *(Straight Wharf ; ouv. t.l.j. 10 h-17 h et 19 h-22 h)* dans lequel vous trouverez

Baleines et cachalots

C'est en 1650 que l'on commence à pratiquer la pêche à la baleine le long des côtes de Nouvelle-Angleterre. Les premiers baleiniers chassent pour leur propre subsistance ; la viande et la graisse de baleine servent à l'alimentation, l'huile à s'éclairer et à se chauffer.

C'est avec la découverte du fameux spermaceti, dit aussi Blanc de baleine (graisse de cachalot), que la pêche prend son véritable essor. On s'éloigne de plus en plus du rivage. Le climat tempéré ne permettant plus de stocker la graisse à bord très longtemps, on installe les premiers navires-usines qui permettent de transformer à bord la graisse en huile. L'Amérique devient alors leader dans ce domaine ; en 1790, elle exploite le territoire des baleines dans le Pacifique et l'océan Indien. Mais après 1850, nombres d'espèces commencent à disparaître ; dans le même temps, le pétrole devient un substitut bon marché. L'activité décline donc à partir de 1865, les coûts occasionnés par une campagne de pêche étant considérables. Elle connaîtra toutefois un nouvel élan avec l'invention du canon lance-harpon, devenant de plus en plus meurtrière. En 1946, une convention codifiant la chasse à la baleine sera signée à Washington pour éviter la disparition définitive du mammifère.

un résumé des grands moments de l'île. Les premiers pionniers s'y installèrent en 1659 pour élever des moutons. La tribu des Wannacomet leur vendit la terre. La prospérité vint avec la pêche à la baleine : Herman Melville s'inspira de sa rencontre avec un marin de Nantucket pour écrire *Moby Dick* (mais on ne sait s'il posa le pied sur l'île). Cette époque se termina lorsqu'un banc de sable obstrua l'accès au port.

● Le village propose un **circuit historique** qui vous occupera un bon après-midi. Douze bâtiments, d'une valeur aussi historique que sentimentale, balisent cette promenade dans l'ancien temps *(carte disponible au Museum of History)*. Ne manquez pas le **Whaling Museum** *(Broad St. ; ouv. avr.-déc., t.l.j. 10 h-17 h)*, la **Old Goal** *(Vestal St. ; ouv. avr.-déc., t.l.j. 10 h-17 h)*, ancienne prison, et la **Hadwen House** *(Main St. ; ouv. t.l.j. 10 h-17 h)*, de style Renaissance grecque, avec son petit jardin botanique.

● Pour un **point de vue** sur l'île, montez en haut de la First Congregational Church *(62 Centre St.)*. Au coin de Vestal et de Milk Sts, devant un observatoire envahi par les herbes sauvages, vous ferez connaissance avec Maria Mitchell. Née sur l'île en 1818, Maria était une *quaker* qui fournit dès son jeune âge des instruments de navigation aux capitaines de l'île. Célèbre astronome, elle fut la première femme à appartenir à l'Académie des arts et des sciences. Professeur exigeant que ses étudiantes obéissent aux mêmes soucis de rigueur intellectuelle que ses étudiants, elle fit un grand bien à la cause féminine.

■ 4. — Martha's Vineyard*

Ile au S.-O. de Cape Cod ; accès par ferry depuis Hyannis.

Cette petite île *(9 000 hab.)* est très appréciée des Bostoniens et des New-Yorkais pour ses plages, ses eaux réchauffées par le Gulf Stream et ses jolis villages pleins de caractère : **Oak Bluffs**, station balnéaire de style vic-torien, **Edgartown,** joli port à la mode avec de belles maisons du XIXe s. (époque où la ville était un important port baleinier), **Gay Fead Cliffs,** avec ses falaises colorées.

Hartford

139 740 hab. ; fuseau horaire : Eastern time.

Situation : au centre du Connecticut. À 107 mi/170km au S.-O. de Boston ; 119 mi/191 km au N.-E. de New York.

À voir aussi dans la région : les Berkshires**, Newport**, New Haven et la côte, Providence**.

Hartford est avant tout la capitale du Connecticut et des compagnies d'assurances. Mais quoi de plus naturel lorsqu'on a vu naître le célèbre revolver colt ? Cette ville industrielle spécialisée dans les armes à feu légères, les machines à écrire et l'industrie de précision n'offre guè-re plus d'intérêt que celui de son musée et de sa belle collection de peintures.

Visiter Hartford : comptez une demi-journée. Si vous voulez profiter des paysages du Connecticut, nous vous recommandons de rejoindre la côte via la Connecticut River Valley.

● **Old State House** *(800 Main St. ; vis. lun.-sam., ouv. 10 h-17 h ; dim., 12 h-17 h.).* — De style fédéral, dessinée par Charles Bulfinch, elle servit de siège au gouvernement du Connecticut durant près d'un siècle (1796-1878).

● **Wadsworth Atheneum**** *(600 Main St. ; vis. mar.-dim., 11 h-17 h, f. lun.).* — Le plus ancien musée américain possède une belle collection de peintures européennes du XVe au XXe s. On remarquera plus particulièrement *l'Extase de Saint-François*** de Cara-vage, *la Crucifixion* de Poussin, ain-si que des œuvres de Claude Lorrain, Franz Hals, Tiepolo, Greuze. Parmi les peintures modernes : *la Plage de Trouville* de Monet, *Jane Avril quit-tant le Moulin-Rouge*** de Toulouse-Lautrec, *Nu à la draperie* de Picasso et des toiles de Gauguin, Kirchner, etc. On trouvera également de nom-breuses œuvres, peintures et sculp-tures américaines, des XIXe et XXe s.

● **Connecticut State Capitol** *(210 Capitol Ave. ; vis. lun.-ven., 9 h-15 h et avr.-oct. sam., 10 h-16 h).* — Ce monument néo-gothique, construit par Richard Upjohn (1879), sur-monté d'un dôme doré, abrite un petit musée de l'histoire du Connecticut.

● **State Museum** *(231 Capitol Ave. ; ouv. lun.-ven. 9 h-17 h, sam. 9 h-13 h)* occupe l'aile centrale de la State Library. Sa collection d'armes à feu colt ainsi que le bureau sur lequel Lin-coln signa l'abolition de l'esclavage lui confèrent un intérêt tout particulier.

● **Nook Farm*,** à l'O. de la ville, sur Farmington Ave. *(1,5 mi/2,5 km env. du centre ; vis. mar.-sam., 9 h 30-16 h ; dim. 12 h-16 h),* regroupe la grande maison victorienne (1873-1874) où Mark Twain écrivit *Tom Sawyer* et *les Aventures de Huckleberry Finn* et celle d'Harriet Beecher Stowe (1871), auteur de *la Case de l'oncle Tom.*

■ Environs de Hartford

● **Wethersfield** *(5 mi/8 km au S. par l'I 91)* conserve de nombreuses maisons des XVIIe et XVIIIe s. regroupées en un musée *(ouv. 15 mai-15 oct., mar.-dim., 12 h-16 h) :* **Joseph Webb House** (1752) élégante demeure georgienne où Washington et Rochambeau se sont rencontrés en 1781, **Silas Deane House** (1766) aux pièces inhabituellement spacieuses, **Isaac Stevens House** (1788) au décor plus modeste.

● **Farmington*** *(13 mi/20 km au S.-O.)* où l'on verra le long de la rivière de belles résidences des XVIIIe et XIXe s. La **Stanley Whitman House** *(37 High St. ; 1663)* a conservé son mobilier du XVIIe et possède un beau parc *(ouv. mai-oct., 12 h-16 h sf lun. et mar., mars-avr. et nov.-déc. dim. seulement, 12 h-16 h).* Le **Hill Stead Museum*** *(35 Mountain Rd. ; ouv. mer.-dim., mai-oct. 12 h-17 h, nov.-avr. 12 h-16 h ; f. 15 jan.-15 fév. et jours fériés),* de style néo-colonial, fut construit vers 1900 pour l'industriel A. A. Pope, grand amateur de peinture impressionniste ; on peut y admirer des œuvres de Monet, Manet, Degas, Whistler et Mary Cassatt.

● **Litchfield** *(38 mi/61 km à l'O. par la CT 4 et la CT 118),* dans une région restée très campagnarde, a préservé son aspect de petite ville du XVIIIe s ; Harriet Beecher Stowe (1811-1896) y naquit. On y verra entre autres la **Tapping Reeve House Law School** *(South St. ; 1773),* première faculté de droit du pays. Autour de Litchfield s'étend une vallée boisée, tachetée de petits villages coloniaux que la tranquillité rend appréciables, surtout en basse saison.

● **La vallée de la Connecticut River.** — Ce petit itinéraire vous fera découvrir la campagne du Connecticut. L'itinéraire que nous vous suggérons rejoint la côte à Essex *(à 33 mi/53 km à l'E. de New Haven).* Mais vous pouvez aussi le faire en bateau depuis East Haddam ou Essex.

*Rejoignez Middletown (15 mi/24 km au S. de Hartford) ; traversez la Connecticut River et prenez la route de **Moodus** (à env. 24 mi/38 km au S.-E. de Hartford).*

East Haddam *(env. 30 mi/48 km),* jolie petite ville, abrite le **Goodspeed Opera House** (1876), de style victorien, qui connut son heure de gloire quand les bateaux à vapeur venant de New York s'y arrêtaient.

Gillette Castle *(34 mi/54 km, 67 River Rd.).* — Perché sur une colline, entouré d'un grand et beau parc, ce château de vingt-quatre pièces fut commandé et décoré par l'acteur mégalomane William Gillette qui porta le premier la casquette du célèbre Dr Watson.

Essex *(46mi/74 km),* joli port qui a conservé un certain cachet, très touristique. On y verra la **Griswold Inn,** fondée en 1776, et le **Connecticut River Museum** *(ouv. mar.-dim., 10 h-17 h).* Essex est également le point de départ d'un train à vapeur *(mai-oct.)* qui remonte la Connecticut River Valley jusqu'à Deep River, avec possibilité de retour par bateau.

New Bedford*

97 738 hab. ; fuseau horaire : Eastern time.

Situation : au S.-E. du Massachusetts, à 60 mi/100 km au S. de Boston.
À voir aussi dans la région : Boston***, Cape Cod et les îles**, Newport**,
Plymouth*, Providence**.

Après Nantucket et pendant trente belles années, New Bedford fut la
capitale de la pêche à la baleine. Toute la ville vivait au rythme des
départs et des retours des baleiniers qui sillonnaient les mers à la
recherche des cachalots. Mais c'est en vain que vous chercherez dans
le petit centre industriel calme et tranquille d'aujourd'hui l'activité
extraordinaire qui animait le port d'alors. La lecture de *Moby Dick,*
la visite du musée de la Pêche à la baleine et la chapelle des marins
sauront néanmoins vous aider à restituer cette atmosphère si particulière.

● **Whaling Museum** *(18 Johnny Cake Hill ; ouv. t.l.j.)* créé en 1902 il est le plus grand musée américain consacré à l'histoire de la pêche à la baleine. **Glass Museum** *(50 N. 2nd St. ; ouv. t.l.j. juin-sep. ; f. lun. le reste de l'année),* installé dans un bâtiment restauré du début du siècle dernier, expose quelque 1 500 pièces de verreries, des porcelaines et de l'argenterie, fabriquées localement pour la plupart d'entre elles. *Frigate Rose,* amarrée sur State Pier, est le dernier bateau encore visible qui ait participé à la guerre d'Indépendance ; Musée naval *(vis. mars-déc.).*

Herman Melville

Herman Melville est âgé de 19 ans lorsqu'il s'embarque comme mousse. C'est pour lui le début d'une longue pérégrination, qui le conduira à son célèbre roman : *Moby Dick ou la Baleine blanche.* Fin 1840, il part donc sur un baleinier, fait escale à Rio, au cap Horn, aux îles Galapagos puis aux Marquises où il déserte pour se réfugier dans une tribu... cannibale ! Puis il embarque à nouveau, participe à une mutinerie, est emprisonné à Tahiti, s'évade, s'engage comme harponneur, passe par Hawaii, avant de revenir aux États-Unis, en 1844. C'est alors que ce bourlingueur des mers à la belle carrure d'athlète se met à écrire. Ses deux premiers livres *(Typee* et *Omoo)* rencontrent le succès mais

Moby Dick, qu'il publie en 1851, est un échec. La force du roman vient de ce qu'il mélange deux genres : le récit réaliste sur la chasse à la baleine et l'allégorie métaphysique, la baleine blanche, qui échappe sans cesse à l'équipage du *Pequod,* incarnant les puissances mauvaises contre lesquelles tout homme en quête de transcendance doit se battre.

Melville, qui souffre de dépression chronique, continue de voyager et publie des œuvres de poésie tout en travaillant à la douane du port de New York. Le navigateur visionnaire qui affirmait « j'aime tous les hommes qui plongent » meurt à New York en 1891.

■ Environs de New Bedford

● **Fall River** *(16 mi/25 km à l'O. par l'US 6).* — Cette ville portuaire, fortement marquée par l'immigration portugaise, est le siège de nombreuses industries textiles. Au croisement de la MA 138 et de l'Interstate 95, **Battleship Cove** abrite plusieurs vaisseaux historiques de la Seconde Guerre mondiale *(ouv. t.l.j.).* **Marine Museum** *(70 Water St. ; ouv. t.l.j.)* célèbre l'âge d'or des voyages en bateaux à vapeur qui opéraient entre la Nouvelle-Angleterre et New York City. Il contient aussi le plus grand modèle réduit existant du *Titanic.* **Fall River Historical Society,** petit musée d'histoire locale *(451 Rock St. ; ouv. t.l.j. avr.-nov. ; mar.-ven. mars-déc. ; f. jan.-fév.).* **Heritage State Park** *(100 Davol St.)* relate l'histoire de l'industrie textile dans la région.

New Haven et la côte

130 470 hab. ; fuseau horaire : Eastern time.
Situation : sur la côte du Connecticut, à 42 mi/70km au S. de Hartford et 77 mi/120 km au N.-E. de New York.
À voir aussi dans la région : les Berkshires**, Hartford, Newport**, Providence**.

La réputation de New Haven n'est pas très engageante : un centre industriel, qui a grandi un peu trop vite à l'ombre de New York. Pourtant la ville mérite une halte, ne serait-ce que pour visiter le campus de l'université de Yale, l'une des plus prestigieuses du pays.

Visiter New Haven : la ville pourra être une étape entre Boston et New York. Et si vous longez la côte, vous pourrez vous arrêter dans deux ports restaurés : New London et Mystic (→ environs).

● **Le Green.** — Cet ancien pré communal aménagé par les fondateurs puritains constitue le centre historique, très localisé, de New Haven. Trois églises de styles et de cultes différents mais construites à la même époque (1812-1814) s'y élèvent : Trinity Church, Center Church et United Congregational Church.

● **Yale University****

L'université, qui compte un peu plus de 10 000 étudiants, est l'une des plus anciennes du pays (1701) ; son installation à New Haven remonte à 1716. Elle comprend 12 collèges, indépendants (Calhoun College, Trumbull College,

etc.), chacun avec sa bibliothèque, son réfectoire, ses terrains de sports... Les bâtiments du campus sont de style néogothique ou georgien, avec des adjonctions plus modernes comme la Yale Art Gallery ou la Beinecke Library.

● **La Yale Art Gallery** *(1111 Chapel St. ; ouv. mar.-sam., 10 h-17 h, dim. 14 h-17 h)* expose des reconstitutions de monuments antiques (temple de Mythra), des tableaux français et allemands des XIXe (Van Gogh, Manet) et XXe s. (Duchamp, Magritte, Kandinsky, Klee), flamands des XIIIe-XVIe s. (Rubens, Bosch), ainsi que des objets d'art asiatiques (céramiques, sculptures) et africains (masques royaux).

● **Yale Center for British Art** *(1080 Chapel St. ; ouv. mar.-sam., 10 h-17 h, dim. 14 h-17 h)* abrite la collection d'art britannique de Paul Mellon : peintures (Gainsborough, Reynolds, Stubbs, Turner, Constable), gravures, estampes, livres rares du XVIe au XIXe s.

● La **Beinecke Rare Books and Manuscript Library*** *(121 Wall St. ; ouv. lun.-ven., 8 h 30-17 h 30, sam. 10 h-17 h, août f. sam.)* est assez étonnante par son architecture, les fenêtres ayant été remplacées par de minces plaques de marbre translucides ; parmi sa collection : belle bible de Gutenberg, manuscrits enluminés et dessins d'oiseaux d'Audubon.

Ivy League

Association sportive, l'Ivy League réunit un petit groupe d'universités toutes situées à l'E. des États-Unis (Brown, Columbia, Cornell, Dartmouth, Harvard, Pennsylvania, Princeton et Yale). Ivy, qui signifie « lierre », fait référence à cette plante grimpante qui couvre les vénérables murs de ces célèbres et anciennes universités.
Créée en 1900, l'Ivy League ne concernait à l'époque que les compétitions de football. Elle est organisée de manière plus formelle depuis 1956 et touche aujourd'hui un grand nombre de sports, comme l'athlétisme, le hockey sur glace, l'aviron, la natation, le rugby, etc. Les différentes universités de l'Ivy League font partie de la NCAC (National Collegiate Athletic Competition) tout en conservant un statut très à part. Ces universités disputent les compétitions entre elles, certaines de ces rencontres étant de véritables événements sociaux comme la compétition d'aviron organisée par Harvard ou encore le Harvard-Yale Game, un match de football américain qui se joue en automne à Yale.
Très WASP (White Anglo-Saxon Protestant), dès l'origine, l'Ivy League est aujourd'hui synonyme du plus grand prestige, tant au point de vue scolaire que social.

● **Peabody Museum** *(170 Whitney Ave. ; ouv. lun.-sam., 9 h-16 h 45, dim. 13 h-16 h 45 ; gratuit le mar.)*, musée d'histoire naturelle, se signale par son « Hall of Dinosaurs » : squelettes d'animaux préhistoriques, minéralogie et astronomie (calendrier de pierre aztèque).

● **Yale Collection of Musical Instruments** *(15 Hillhouse Ave. ; mar.-jeu., 13 h-16 h, f. août ;)* montre une collection de 800 instruments anciens utilisés à l'occasion d'un concert annuel.

■ Environs de New Haven

● **Bridgeport** *(18 mi/29km au S.-O., par l'Interstate 95)* est une vieille ville industrielle et universitaire. Peu de choses à y voir, sinon des musées comme l'insolite **Barnum Museum** *(Main Gilbert St. ; mar.-sam. 10 h-16 h 30, dim. 12 h-16 h 30)* qui reflète la personnalité originale de son créateur et conserve des souvenirs du général Tom Pouce enterré au Mountain Grove Cemetery.

● **Vers Newport et Boston par la côte** *(suivre l'Interstate 95 vers l'E. ; après Groton, prendre l'US 1).*

Guilford *(9 mi/14 km E.).* — Son *green* éclatant est entouré de plusieurs demeures du XVIIIe s. : **Henry Whitfield House** (1639), maison du pasteur anglais Whitfield, qui a l'originalité d'être en pierre et rappelle ainsi le N. de l'Angleterre dans cette région particulièrement boisée ; **Hyland House** (1666) avec ses cinq cheminées et son parquet d'époque et **Thomas Griswold House** (1774) où sont exposés vêtements, meubles et qui possède une forge restaurée.

New London* *(46 mi/74 km à l'E.)* est un vieux port baleinier à l'embouchure de la Thames River. **Whale Oil Row,** en plein centre, sur Huntington St., expose des façades de demeures néoclassiques qui témoignent de la richesse procurée au XIXe s. par la pêche à la baleine. **Joshua Hempstead House*** *(11 Hempstead St. ; vis. 15 mai-15 oct., 13 h-17 h, f. lun.)*, la plus vieille maison de New London (1678) renferme des meubles d'époque. Quant à l'activité maritime de la ville, elle se réduit aujourd'hui à celle de l'**US Coast Guard Academy**, fondée en 1876 ; un vaisseau de formation, le trois-mâts *Eagle*, est ouvert aux visiteurs *(ven.-dim. 12 h-17 h)* lorsqu'il est dans le port.

Lyman Allyn Museum *(625 Williams St. ; ouv. t.l.j. 11 h-17 h, dim. 13 h-17 h, sf lun.)* rassemble essentiellement des œuvres d'artistes locaux ainsi qu'une collection de poupées et de maisons de poupées des XVIIIe et XIXe s.

Groton *(48 mi/77 km à l'E.)*, de l'autre côté de la Thames River, est une importante base navale où furent construits le premier sous-marin à propulsion Diesel (1912) et le premier sous-marin nucléaire *Nautilus* (1955).

Mystic* *(55 mi/88 km à l'E.)*. — Fondée en 1654, cette petite ville était autrefois un centre de pêche à la baleine. Outre un aquarium, on peut voir au **Mystic Seaport Marine Museum*** *(ouv. avr.-oct., 9 h-17 h, le reste de l'année 9 h-16 h)* un port du XIXe s. reconstitué : boutiques, églises, banques, anciens voiliers et *the Charles W.Morgan*, seul rescapé des baleiniers du XIXe s. qui, pour cette raison, a été classé monument historique.

Stonington *(60 mi/97 km à l'E.)* a tout le charme d'un vieux village de pêcheurs aux jardins très fleuris. Son phare octogonal en granit **Old Lighthouse Museum** *(ouv. mai-oct., mar.-dim., 11 h 30-16 h 30)* offre une vue splendide.

Newport**

---

27 700 hab. ; fuseau horaire : Eastern time.

Situation *: au S.-E. de Rhode Island. Sur une île à 80 km au S.-O. de Boston.*
À voir aussi dans la région *: New Bedford*, New Haven et la côte, Plymouth*, Providence**.*

Fondée par des minorités religieuses persécutées, Newport construisit sa fortune grâce à un important trafic d'esclaves. Devenue le lieu de villégiature des planteurs de Géorgie et des Carolines puis des plus riches familles du pays, elle fut, d'abord un port colonial de commerce au XVIIIe s., puis un port de plaisance où les demeures de milliardaires rivalisent de somptuosité. Aujourd'hui capitale de l'America's Cup, elle accueille les plus beaux voiliers du pays qui viennent mouiller dans ses eaux. Les touristes qui affluent vers ce « paradis » un tant soit peu surfait ne s'y sont pas trompés, mais Newport conserve malgré tout un charme indéniable.

■ 1. — Le port colonial

● **Redwood Library** *(50 Bellevue Ave. ; ouv. juil.-août, lun.-sam., 9 h 30-17 h, sep.-juin, lun.-sam., 9 h 30-17 h 30)*, construite en 1748, est l'une des réalisations du fécond architecte de Newport, Peter Harrison. L'utilisation du bois dans cette structure de temple romain fait sa spécificité ; cette bibliothèque, qui est la plus ancienne encore en service aux États-Unis, renferme des tableaux d'artistes américains.

● **Old Stone Tower** doit son surnom de Mystery Tower à l'incertitude qui plane sur son origine : attribuée successivement aux Vikings, aux Portugais, aux Indiens... elle pourrait être le vestige de quelque vieux moulin.

● **Trinity Church** (*Queen Ann Square ; ouv. t.l.j. 10 h-16 h*) s'aperçoit de loin avec sa flèche pointée ; sa chaire à trois étages mérite un coup d'œil.

● **Touro Synagogue*** (*85 Touro St. ; ouv. été, dim.-ven., 10 h-17 h, le reste de l'année dim., 13 h-16 h*), à l'intérieur du quartier colonial, bâtie en 1763, elle fut la première synagogue construite aux États-Unis. Son architecture intérieure, dont le travail contraste avec la simplicité de l'extérieur, est marquée par le nombre sacré de douze.

● **White Horse Tavern** (*Malborough St.*) est une taverne en service depuis 1687, au charme vieillot avec son plancher inégal et ses plafonds bas.

● **Friends Meeting House**, (*en face Marlborough & Farewell Sts ; actuellement f. pour restauration*), élégante et discrète, rappelle l'importance de la population *quaker* dans le Newport du XVIIe s.

● **Wanton-Lyman-Hazard House**, la maison la plus ancienne de Newport (1675), est sur Broadway St. (17), près de Washington Square. Cette propriété du percepteur d'impôts Martin Howard, condamné à l'exil pour son impopularité, se dresse au milieu d'un beau jardin colonial.

● **Old Colony House*** (*Washington Square ; vis. en été, lun.-sam., 9 h-16 h*). — Ce bâtiment construit en 1739 reste attaché à l'histoire de la ville puisque Washington et Rochambeau s'y rencontrèrent en 1781 et qu'elle servit ensuite de siège au gouvernement de l'État.

● **Brick Market** (*ouv. été, lun.-sam., 10 h-21 h, dim. 12 h-21 h ; hiver, lun.-sam., 10 h-17 h, dim. 12 h-17 h*), face à Washington Square, aujourd'hui galerie marchande, garde des traces, sur ses murs, du théâtre qu'il fut de 1793 à 1799.

● Bien au-delà de **Thames Street,** la rue principale, le long du port, l'ananas qui surmonte la porte sculptée de **Hunter House** (54 Washington St.) accueille les visiteurs tout comme autrefois il invitait les voisins à fêter le retour heureux d'un marin. Le mobilier de cette maison édifiée en 1748 est le travail des artisans locaux Goddard et Townsend.

Un rendez-vous prestigieux

Les millionnaires du début du siècle ont cédé la place aux touristes, mais Newport continue d'accueillir des manifestations de grand renom :
Le **Tennis Hall of Fame** (*194 Bellevue Ave.*), où furent organisés les premiers championnats sur herbe (1881) voit, aujourd'hui encore, s'affronter de célèbres joueurs au Newport Casino (*en juillet*).
Newport Music Festival : deux semaines de musique de chambre (en juillet) dans les célèbres villas (Mansions).
Newport Jazz Festival : après un éphémère exil à New York, le festival de jazz de Newport, créé en 1954, est revenu sous le nom de *JVC Jazz Festival (en août).*

■ 2. — Le Newport doré

Les villas les plus étonnantes de Newport, gérées aujourd'hui par la Preservation Society Mansion Museum, se succèdent sur **Bellevue Avenue**** et **Ocean Drive**** : longer le sentier sauvegardé par les marins, **Cliff Walk***, permet de deviner leurs façades arrière. La plupart des maisons sont ouvertes d'avr. à oct., t.l.j. de 10 h à 17 h.

● **The Breakers**** *(Ochre Point Ave.)* et ses colonnes et pilastres de marbre et d'albâtre, fait revivre la Renaissance italienne. Ce palais de 1885 reste sans doute le plus spectaculaire.

● **Marble House**** *(Bellevue Ave.)* inspiré du Petit Trianon, contient des tapisseries des Gobelins et capte la lumière par les dorures de son salon de glaces.

● **Belcourt Castle** *(Bellevue Ave.)*, riche en tapis orientaux, reproduit un pavillon de chasse de Louis XIII.

● **The Elms*** *(Bellevue Ave.)* enfin, dernier emprunt au modèle français, est la copie du château d'Asnières. Cette maison fut pour le parvenu allemand Berwind le moyen de se venger du dédain que lui affichaient ces grandes familles américaines.

● **Rosecliff*** *(Bellevue Ave.)* est un exemple parmi d'autres de l'enthousiasme suscité chez les aristocrates new-yorkais (Vanderbilt, Astor, et immigrés enrichis) par leur *grand tour* en Europe : c'est une imitation du Grand Trianon par l'architecte Morris Hunt. Mrs. Hermann Oelrichs y donna des bals restés mémorables (Bal blanc, Mother Goose Ball).

● **Kingscote** *(1840 ; Bowery St.)*, de style grec adapté à une demeure privée, renferme dans son intérieur victorien des vases de Tiffany (art nouveau) ainsi que des meubles et des objets orientaux.

■ Environs de Newport

● **Block Island*** *(10 mi/16 km au S.)* est reliée par *ferry* depuis Point Judith. Ses plages sauvages, découvertes au XVIe s. par Verrazano, furent revisitées, en 1614, par le navigateur hollandais Adrian Block. Cet îlot de tranquillité à 1 h de la côte ne fut pas toujours accueillant et les marins ont longtemps redouté son abord, autant pour ses rochers immergés que pour son repaire de pirates. Mais aujourd'hui, ses hôtels victoriens de la fin du XIXe s., comme **Spring House** *(1852 ; toujours ouv.)*, ajoutent au charme naturel de cette île au climat très doux. On y verra une réserve naturelle au N., des plages abritées à l'E., et surtout les impressionnantes falaises de **Mohegan Bluffs** tapissées de verdure et s'achevant en sable gris jusqu'à l'eau. La bicyclette est un bon moyen de découvrir ces beautés variées.

● **Saunderstown** *(5 mi/8 km au S.)* est la ville natale du peintre Gilbert Stuart (1755-1828), célèbre portraitiste de George Washington. Sa maison, restaurée, se visite. **Silas Casey Farm** *(Boston Neck Rd., route 1A ; juin-oct., mar.-jeu. et dim., 13 h-17 h)* reconstitue une ferme du XVIIIe s., avec mobilier d'époque ; en outre, cette ancienne propriété de la famille Casey, en vue dans les affaires politiques et militaires, recèle des documents militaires du XVIIIe au XXe s.

● **Narragansett** et ses plages *(16 mi/26 km à l'O.)* — Cette ville fut, au XIXe s., une étape du chemin de fer reliant New York à Boston et une escale des voiliers transportant les aristocrates new-yorkais dans leur château de Newport. De cette époque révolue subsiste **The Towers**, vestige du Narragansett Pier Casino détruit par un incendie en 1900. En longeant la côte par **Scarborough State Beach** qui draine une population jeune, on arrive à **Point Judith,** flanqué de son phare octogonal, puis à **Galilee** qui possède une très jolie plage, calme, et reste l'un des ports de pêche les plus actifs de la côte E.

Plymouth*

Situation : Massachusetts, sur la côte atlantique ; à 35 mi/60 km au S.-O. de Boston.
À voir aussi dans la région : Boston***, Cape Cod et les îles**, New Bedford*, Newport**, Providence**.

C'est au cap Cod que, le 21 novembre 1620, après un long voyage à bord du *Mayflower*, les premiers colons de Nouvelle-Angleterre jetèrent l'ancre. Et, malgré bien des difficultés dues à une nature hostile et des températures peu clémentes, ils s'établirent à Plymouth au mois de décembre. Ces braves, ni explorateurs ni aventuriers, mais soucieux de liberté religieuse, avaient quitté l'Angleterre pour la Virginie et atterri ici par hasard. Leur histoire —celle des États-Unis— est inscrite dans les rues, sur les maisons de ce village qui entretient le culte du souvenir. Depuis Cole's Hill, les ruelles descendent doucement vers le port où les *Pilgrims Fathers* (Pères Pèlerins) abordèrent ; ils se rendirent ensuite à Town Brook où ils construisirent leurs premières maisons et rejoignirent enfin le vieux cimetière où ils dorment en paix.

Visiter Plymouth : la ville est une bonne halte (au minimum 2 ou 3 h) sur la route de Boston et du cap Cod.

● **Plymouth Rock**, sur le port, marque l'endroit où les colons accostèrent pour la première fois. Une réplique exacte du navire de 1620, le **Mayflower II**** (vis. t.l.j. avr.-nov. 9 h-17 h), est ancrée à proximité ; construite en Angleterre elle traversa l'Atlantique en 1957. À deux pas du bateau est reconstituée l'une des bâtisses des Pères Pèlerins.

● **Le Plymouth Wax Museum** (16 Carver St. ; ouv. t.l.j. avr.-nov. 9 h-17 h) raconte toute l'histoire des Pères Pèlerins.

● **Le Pilgrim Hall Museum*** (75 Court St. ; ouv. t.l.j. 9 h 30-16 h 30) contient une importante collection de livres et de mobilier utilisés par les colons.

● **Plimoth Plantation**** (3 mi/5km au S. sur route 3 ; ouv. d'avr. à nov. t.l.j. 9 h-17 h), la grande attraction du lieu, restitue l'ambiance du village de 1627, avec ses maisons de bois et surtout ses... habitants. Il s'agit en fait d'acteurs qui jouent fort bien leur rôle, parlant l'anglais de l'époque et vivant suivant les traditions du XVIIe s. Un musée vivant qui passionnera les enfants et sans doute aussi leurs parents.

L'arrivée du Mayflower ou

*A*près avoir évité maints périls, les Pères Pèlerins embarqués sur le Mayflower touchèrent enfin terre, au Cape Cod. On était en novembre de l'année 1620. Quelle déception! Ces puritains qui étaient venus chercher une terre de liberté religieuse, accueillante, ne trouvèrent qu'«un désert hideux et désolé, plein de bêtes sauvages et d'hommes également sauvages (...). L'été était fini, la nature éprouvée les accablait de sa grisaille et le pays couvert de bois et de fourrés présentait un visage menaçant.»

■ Le temps des désillusions

La description de William Bradford, le gouverneur de la colonie, est terrible. Ce premier hiver sur le Nouveau Continent fut d'autant plus rude que les vivres apportés étaient presque épuisés. Aucune vache n'ayant été embarquée à bord du *Mayflower*, on dut pendant longtemps se passer de lait, de beurre et de fromage. En revanche, le gibier était abondant. Et l'on trouvait des baies comestibles dans les bois.

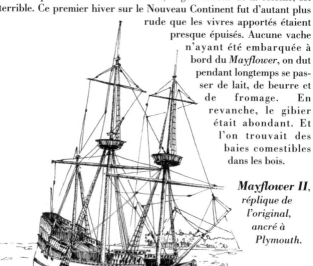

Mayflower II, réplique de l'original, ancré à Plymouth.

le triomphe des Pères Pèlerins

■ Thanksgiving, jour d'action de grâce

Au printemps 1621, la moitié de ces nouveaux émigrants, qui composaient la colonie de Plymouth, étaient morts. Les autres semèrent courageusement du maïs et firent une première récolte à l'automne, un an tout juste après leur arrivée. C'est alors, en novembre 1621, qu'ils organisèrent une journée d'action de grâce accompagnée d'un grand repas où ils convièrent quelques familles indiennes. La tradition populaire veut que cette première fête soit à l'origine du *Thanksgiving Day* aujourd'hui célébré dans tous le pays. En réalité, les jours d'action de grâce furent nombreux et ces fêtes religieuses devinrent même une tradition propre à la Nouvelle-Angleterre.

C'est George Washington qui institua, en 1789, une fête officielle le dernier jeudi de novembre. En 1863, Abraham Lincoln en fit un jour férié. En 1941, le Congrès décida que *Thanksgiving* aurait lieu le quatrième jeudi de novembre.

> ### Tourte au potiron
> Ingrédients pour 4 à 6 personnes:
> 1 kg de potiron, 6 œufs,
> 3 cuillères à soupe de sucre
> (ou 4 cuillères à soupe de miel),
> 1 verre de crème fraîche.
> Sel, gingembre et cannelle.
> 500 g environ de pâte brisée.
>
> Éplucher le potiron. Le couper en morceaux et le faire cuire avec un verre d'eau dans une casserole pendant environ un quart d'heure. Monter les blancs en neige très ferme. Beurrer un moule et étendre la pâte brisée. Égoutter le potiron et le réduire en purée; y incorporer les jaunes d'oeufs et le sucre (ou le miel). Ajouter le sel et les épices, puis la crème fraîche. Bien mélanger. Rajouter les blancs battus. Verser dans le moule. Cuire à four chaud pendant 30 mn. Servir tiède ou froid.

■ Un repas dans la pure tradition des Pères Pèlerins

Le repas de *Thanksgiving* réunit toute la famille et souvent les amis proches. On y prépare traditionnellement une dinde rôtie (oies, dindes et canards sauvages abondaient à l'époque du *Mayflower*, le long de Cape Cod Bay) avec une sauce aigrelette à base de canne-berges, un genre d'airelles *(cranberry sauce)*. La coutume veut que le dessert soit une tourte au potiron *(pumpkin pie)*.

Portland et la côte**

64 320 hab. ; fuseau horaire : Eastern time.
Situation : au S.-O. du Maine, à l'extrême N.-E. des États-Unis. À 115
mi/185 km au N.-E. de Boston.
À voir aussi dans la région : Acadia National Park**, Augusta, les White
Mountains*, Portsmouth*.

Portland est un important port de pêche sur Casco Bay et cela malgré les incendies qui la détruisirent par trois fois. Mais la renaissance de la cité tient surtout aux artistes et artisans qui s'y installèrent
dans les années 60 ; aujourd'hui, leurs nombreuses boutiques,
échoppes, cafés et restaurants animent agréablement la ville. D'autant
que sa situation géographique privilégiée permet de nombreuses
excursions vers les ravissants villages et les plages de la côte.

● **Old Port Exchange***. — Ce quartier rénové constitue le cœur de la cité
et tire son pittoresque de la variété de
styles qu'affichent ses maisons et
entrepôts en brique, du trompe-l'œil
italien *(à l'angle d'Exchange St. et de
Middle St.)*, aux arcades à la française *(133 et 141 Middle St.)*, en passant
par le néo-gothique du Seaman's club
(373 Fore St.).

● **Wadsworth-Longfellow House** *(487
Congress St., ouv. juin-15 sep., mar.-
sam. 10 h-16 h)* fut, en 1785, la première maison en briques. On y verra
des souvenirs du poète et de sa famille.

● **Portland Museum of Art*** *(Art
Congress Square, ouv. mar.-mer.-
ven.-sam. 10 h-17 h, jeu. 10 h-21 h,
dim. 12 h-17 h ; entrée libre le jeu.,
17 h-21 h)*, plus loin dans la rue, sur la
g., est consacré à la peinture et à la
sculpture américaines, et réserve une
part importante aux œuvres du
peintre Winslow Homer, natif du Maine. On y jouit d'une très belle vue sur
le port.

● **Victoria Mansion** *(109 Danford &
Park Sts, ouv. juin-août 10 h-16 h, dim.
13 h-16 h, sep. 10 h-13 h, dim. 13 h-
16 h, f. lun. et jours fériés)* est une villa de style italien construite en 1859 :

fronton rectangulaire, vitraux dans
ses fenêtres cintrées et boiseries.

● **Tate House*** *(1270 Westbrook St.,
ouv. juil.-15 sep. 10 h-16 h, dim. et
jours fériés 13 h 30-16 h, f. lun.)*
située dans le « Stroudwater Village »
(quartier restauré) après le pont
qu'enjambe Congress St., fut bâtie en
1755 pour le propriétaire éponyme :
George Tate, chargé par le roi de
sélectionner les arbres susceptibles de
devenir des mâts de la British Navy.
Elle ne trancherait pas au milieu de
maisons londoniennes du XVIIIe s. À
l'intérieur, de belles boiseries et un
mobilier élégant vous accueilleront.

● **Portland Observatory** sur la colline de Munjoy Hill a été construit en
1807. On y jouit d'un très beau panorama sur l'ensemble de la baie.

● **Portland Head Light*** sur Elizabeth Cape, une pointe rocheuse et
sauvage, au S. de Portland, est le plus
vieux phare des États-Unis encore en
fonction. L'ascension de ses 31 m permet de dominer les nombreuses îles
de la Casco Bay.

● **Casco Bay** *(10 mi/16 km au N.)*
comprend plusieurs îles que l'on peut
atteindre en bateau à partir de Portland (croisière de 4 h avec arrêt à

Bailey Island). Au nombre de 365, elles sont aussi nommées Calendar Islands ; on retiendra entre autres **Peaks Island** (la plus peuplée), **Long Island** avec ses plages de sable, **Great Chebeague** (la plus grande) et enfin **Bailey Island** reliée au continent par un pont. Toutes sont recouvertes de forêts de pins.

■ 1. — La côte sud : de Portland à Kittery

La côte S. du Maine est bordée de petites villes au charme certain et de longues plages de sable.

● **Kennebunk*** (*26 mi/42 km au S. par l'US 1*) permet au visiteur de

Wedding Cake House, à Kennebunk.

De la glace à vendre... et à revendre

Frederick Tudor a déjà fait fortune dans le commerce (épices, coton, thé) lorsqu'il se lance dans une curieuse entreprise : vendre la glace qui se forme l'hiver sur les étangs de la Nouvelle-Angleterre. En 1805, âgé de 21 ans, il investit 10 000 dollars pour expédier 130 t de glace vers la Martinique. Le jeune Tudor perd un peu d'argent dans l'opération mais gagne une conviction : l'exportation de glace vers les pays chauds est possible. Pendant quinze ans, ce commerce ne lui apporte que des pertes. Pourtant, il continue de se battre et s'associe, en 1824, avec Nathaniel Wyeth qui invente des machines à couper et à ramasser la glace. Les coûts baissent. En 1856, le port de Boston exporte 130 000 t vers une cinquantaine de destinations différentes, des Caraïbes à l'Australie ! Cette glace est d'abord utilisée pour confectionner des desserts ou des rafraîchissements puis, vers 1840, pour la fabrication de la bière. Quant aux « glacières », elles font leur apparition dans les foyers américains vers 1850, mais dès la fin du siècle on commence à produire la glace industriellement. Dans les années 20 apparaissent les réfrigérateurs domestiques... Désormais, les étangs gelés de Nouvelle-Angleterre ne peuvent plus guère servir qu'aux patineurs.

s'initier à l'histoire et à l'architecture locales par la visite de son **Brick Store Museum** (117 Main St. ; ouv. 10 h-16 h 30 ; f. dim., lun., jours fériés ; 20 déc.-10 jan. et jan.-avr. f. sam.) et se signale par la **Wedding Cake House** (1826) dont l'architecture en dentelle a fait dire qu'un capitaine, rappelé en mer au beau milieu de son mariage, l'avait offerte à sa femme en guise de consolation (f. au public). **Seashore Trolley Museum**, à Kennebunkport, expose d'anciennes voitures à cheval et des chariots plus modernes comme ceux qui sont utilisés lors des vendanges ; circuit de 2 miles en tramway.

● **Ogunquit** (36 mi/57 km par l'US 1). — Sa plage de sable de 5 km de long est devenue une station balnéaire très fréquentée, notamment par les artistes. Riche en galeries d'art, la ville rassemble aussi des œuvres d'artistes américains au **Museum of Art**. En longeant le *Marginal Way,* on arrive au port de plaisance de Perkins Cove bordé de maisons de pêcheurs reconverties.

● **York*** (39 mi/63 km par l'US 1). — Ce bourg fondé en 1639 conserve un grand nombre de maisons des XVIIIe et XIXe s. sous l'égide de l'Old York Historical Society. L' **Old Gaol Museum**, donjon en pierre construit en 1720, servit de prison à toute la province ; ses cachots, ses cellules et la maison des gardiens sont transformés en musée (vis. de 30 min, 15 juin-sep., mar.-sam., 10 h-16 h). Voyez aussi l'**Elisabeth Perkins House** (1731), maison coloniale rouge aux meubles victoriens (mar.-sam., 13 h-16 h). **Emerson-Wilcox House** (1740) fut successivement boutique de tailleur, taverne et bureau de poste. Le mystérieux **Old Burying Ground** compte parmi ses tombes du XVIIe s. l'étonnante Witch's Tomb (la tombe de la sorcière) dont la pierre horizontale flanquée de deux dalles verticales a donné matière à de nombreuses légendes.

● **Kittery** (43 mi/69 km par l'US 1), la plus ancienne petite ville de la région, doit sa prospérité à la construction navale implantée ici depuis le XVIIIe s. À proximité, l'hexagonal **Fort McClary Memorial** (ouv. 30 mai-1er oct. 9 h-18 h) est le seul vestige du village du XVIIe s.

*La pêche au homard est l'une des grandes activités
du Maine : Lobster Cove à Kittery Point.*

■ 2. — La côte nord : de Portland au Canada

Sur cette côte sauvage, la grande bleue est bordée de rochers découpés dans le granit, quelquefois rose comme sur Mount Desert (→ Acadia National Park).

● **Freeport** (12 mi/19 km par l'US 1). — Ville de naissance du Maine parce qu'y fut signée, en 1820, à la Jameson Tavern, la séparation du Maine et du Massachusetts, elle est avant tout connue aujourd'hui pour ses usines et son magasin de chasse installé par **L. L. Bean en 1912** (115 Maine St.).

● **Brunswick** (26 mi/42 km au N. par l'US 1). — Le **Bowdoin College**, fondé en 1794 (où les écrivains Hawthorne et Longfellow ont été étudiants), abrite le **Walker Art Building** (mar.-sam.,10 h-17 h, f. jours fériés), musée des Beaux-Arts (peintres américains du XIXe s.). Le **Peary-Mac-Millan Arctic Museum** (ouv. mar.-ven., 10 h-16 h, sam. 10 h-17 h, dim. 14 h-17 h), musée dédié à ces deux explorateurs du pôle Nord, expose carnets de bord et instruments de navigation. Voir aussi **Stowe House** (1804) où Harriet Beecher-Stowe écrivit la Case de l'oncle Tom...

● **Bath*** (36 mi/52 km au N. par l'US 1). — Situé sur la Kennebec River, c'était le cinquième port du pays au XIXe s. Ses chantiers navals jouent, aujourd'hui encore, un rôle de premier plan dans l'économie du Maine. Voir le musée de la **Marine et le Percy and Small Shipyard** (263 Washington St. ; ouv. t.l.j., 9 h 30-17 h ; f. 1er lun. de sep., 25 déc., 1er jan.), ancien chantier naval où fonctionne encore un atelier. Le long de cette même rue, plusieurs maisons du XIXe s. attestent de la prospérité de la ville à cette époque. **Popham Beach** (16 mi/24 km au S. sur la route 209) est le site d'une des premières colonies anglaises (1607) où fut édifié **Fort Popham Memorial**, forteresse de granit (1861, inachevée).

● **Wiscasset**** (46 mi/74 km au N. par l'US 1). — Fréquentée par les artistes, cette petite ville compte de pittoresques maisons de la première moitié du XIXe s. dont **Nickels-Sortwell House** (entre Main St. et Federal St. ; juin-sep., 12 h-17 h, f. lun., mar. et jours fériés). La **Musical Wonder House**, demeure géorgienne (1852) au 18 High St., abrite un musée d'Automates et d'Instruments de musique mécaniques du XIXe s. (ouv. dernier lun. de mai-15 oct., 10 h-17 h).

● **Boothbay Harbor**** (59 mi/94 km au N. par l'US 1). — Centre très touristique de pêche au homard et de navigation de plaisance (régates des Winjammer Days en juil.). Voir le **musée du Chemin de fer et de la Pêche à la morue** (Grand Banks Schooner Museum).

● **Pemaquid Point*** (60 mi/96 km au N. par l'US 1). — À l'extrémité de la péninsule de Damariscotta, cette pointe formée de rochers de pegmatite, aux stries noires et blanches, est spectaculaire. **Fishermen's Museum** dans la maison du gardien du phare (ouv. dernier lun. de mai-2e lun. d'oct., 10 h-17 h, dim. 11 h-17 h).

● **Monhegan Island**** (accès en bateau à partir de Boothbay Harbor ou Port Clyde) est la superbe île où aurait abordé le Viking Leif Eriksson aux environs de l'an mil, bien avant qu'elle ne soit connue des pêcheurs basques, portugais et bretons aux XVe et XVIe s., et redécouverte par des peintres américains à la fin du XIXe s. Pêche au homard et randonnées, surtout sur la côte E. (White Head, Burnt Head).

Au pays des trappeurs

« Toutes nos boissons gelèrent, à l'exception du vin d'Espagne », rapporte Samuel de Champlain, racontant le terrible hivernage de 1604. « Le cidre était distribué à la hache. Il est difficile de se faire une idée de ces régions sans y passer un hiver. En été, tout est agréable, mais l'hiver est terrible et dure six mois. » Terrible, en effet : cet hiver-là, 35 des 79 Français qui composaient l'expédition périrent du scorbut. Cela se passait sur la petite île de Sainte-Croix, à l'embouchure de la St-John River, qui sert de frontière à l'État du Maine et au Canada.

Les Français rôdaient depuis longtemps le long de cette côte. Giovanni da Verrazano, l'explorateur de François Ier, y avait relâché dès 1524. Trois ans plus tard, c'était le tour de Jean Allefonse et, en 1556, celui du géographe Thevet.

Pendant tout le XVIIe s., le Maine fut la terre d'élection des chasseurs et des trappeurs français d'Acadie et du Canada. C'était un pays fabuleux. La côte faisait penser à la Bretagne, avec ses anses, ses baies et ses estuaires. Quant à l'intérieur, c'était une immense forêt, parsemée de lacs enchâssés dans les conifères. Une réserve de bois, apparemment inépuisable et idéale pour fabriquer des maisons, des palissades, des bateaux... La construction navale, première grande industrie du Maine, consomma une bonne partie de cette richesse, et ce ne fut rien encore comparé à l'appétit de l'industrie de la pâte à papier.

Aujourd'hui, on a enfin réagi et le souci de l'écologie a permis de préserver ce qui restait de la grande forêt du Maine.

● **Camden**** *(77mi/124 km au N. par l'US 1)* est une villégiature très sélecte, dont le charme est amplifié par la présence, dans son port, d'une forêt de mâts de grands voiliers. **Camden Hills State Park** *(à 2 mi/3,2 km au N.)* permet, du haut de ses montagnes, de jouir d'un beau panorama sur le port, Penobscot Bay et ses îles.

● **Bucksport** *(104 mi/167 km au N ; par l'US 1)* est un centre de fabrication du papier. Il faut y voir la **Jed Prouty Tavern** (1798) et **Fort Knox** (1846), un exemple typique de l'architecture militaire américaine de cette époque.

Depuis Bucksport, prendre l'US 1 puis la route 175 vers le S. et la route 166 pour atteindre **Castine** une ville accueillante avec ses maisons de style fédéral et néo-gothique. Sur la route de **Deer Isle**, la violence des flots qui s'engouffrent dans un passage étroit offre un spectacle étonnant à **Reversing Falls**. À l'extrémité de Deer Isle, **Stonington** (→ *Acadia National Park*).

● **Ellsworth** *(124 mi/200 km)*, d'où part la bifurcation pour **Mount Desert Island** (→ *Acadia National Park*).

● **Quoddy Head State Park** *(211 mi/340 km par l'US 1 et la route 189)* est le point le plus à l'E. des États-Unis sur le continent. Depuis le sentier côtier, la vue sur les falaises est superbe.

● **Campobello Island****, *d*ans la Cobscook Bay, en territoire canadien, est accessible en voiture par un pont. Elle a attiré, à la fin du XIXe s., de riches familles de Boston et de New York, comme les Roosevelt. En 1963, la propriété et la maison de ces derniers a été donnée par les héritiers au gouvernement qui en a fait un parc : **Roosevelt Campobello International Park**.

Portsmouth*

25 700 hab. ; fuseau horaire : Eastern time.
Situation : au S.-E. du New Hampshire et à 57 mi/90 km au N.-E. de Boston ; au bord de l'océan.
À voir aussi dans la région : Acadia National Park**, Portand et la côte**, les White Mountains*, Woodstock*.

Seul grand port du New Hampshire, Portsmouth est souvent cité en exemple pour la restauration de son patrimoine historique et culturel. La prospérité de Portsmouth, tirée du commerce maritime et de l'exploitation du bois par les chantiers navals, se lit sur les façades des maisons cossues qui bordent les rues du centre-ville au hasard desquelles il fait bon flâner.

● **Strawberry Banke**** *(Marcy St. ; mai-oct., ouv. t.l.j., 10 h-17 h, début déc. et week-ends, 16 h 30-20 h 30).* Cette expression, *Le rivage des fraises des bois*, premier nom donné à la ville par les colons, désigne maintenant un musée en plein air. On y verra des maisons, construites entre 1695 et 1820, des jardins et des ateliers d'artisans (tonneliers) : **Captain John Sherburne House** est la plus ancienne, **Stephen Chase House** se remarque par ses boiseries, **Captain Kayran Walsh House,** par son escalier. **William Pitt Tavern** fut le lieu de réunion des patriotes avant la Révolution, etc. Autant de demeures intéressantes, meublées dans le style du XVIIIe s.

● **Prescott Park**, entre Strawberry Banke et la Piscataqua River, comprend deux entrepôts (l'un d'eux, Sheafe Warehouse, est le **Folk Art Museum**) ; expositions florales et, en été, festival (concerts, théâtre).

● **Port of Portsmouth Maritime Museum** dans Albacore Park où sont notamment montrés le prototype du sous-marin *Albacore* construit en 1953 ainsi que la vie à bord d'un équipage de 50 hommes *(vis. t.l.j., 9 h 30-17 h 30, f. 1er déc.-28 fév.).*

● **Warner House*** *(15 Daniel St. ; 1er juin-15 oct., 10 h-16 h 30 ; f. dim. et lun.)*, cette très belle demeure de style georgien construite en 1716 contient notamment des portraits de Blackburn et du mobilier local.

● **St John's Episcopal Church** *(105 Chapel St.)* possède le plus vieil orgue des États-Unis.

● **Moffatt-Ladd House*** *(154 Market St. ; ouv. 15 juin-15 oct. 10 h-16 h, dim. et jours fériés 14 h-17 h)* avec ses papiers peints français et son ample vue sur le port : tel est le confortable cadeau que le capitaine John Moffatt offrit à son fils pour son mariage. Un présent qui montre la prospérité des marchands des XVIIIe et XIXe s.

● **John Paul Jones House** *(43 Middle St. ; ouv. 15 mai-15 oct., 10 h-16 h, dim. 11 h-14 h)* expose des meubles et des souvenirs de la société historique de Portsmouth.

● **Wentworth-Coolidge Mansion**, à la sortie de la ville par la route 1A, est caractéristique de l'architecture sophistiquée de la région et de l'époque (XVIIIe s.).

■ Environs de Portsmouth

● **Isles of Shoals** (*croisières de 2 h 30 par bateau : ouv. 15 juin-1er lun. de sep. t.l.j. 11 h-14 h ; départ des quais de Market St.*). — Cet archipel de neuf îles découvert en 1614 par le capitaine John Smith, doit son nom aux bancs (shoals) de poissons qui, dit-on, s'engouffraient dans les filets des pêcheurs. Objet de convoitise, ces îles furent partagées par le Maine et le New Hampshire en 1635. La plus importante d'entre elles, **Appledore**, fut popularisée, au XIXe s., par le poète Celia Thaxter et son cercle littéraire ; celle de **Smuttynose** est privée, **Star Island** possède un vieil hôtel reconverti en centre de conférences et **White Island**, plus isolée, est flanquée d'un phare.

● **New Castle** (Great Island). — Reliée à Portsmouth par un pont, cette île est une petite ville résidentielle aux maisons coloniales du XVIIIe s. et historique avec la présence de **Fort Constitution**. C'est en attaquant ce bastion anglais en 1774 que des patriotes rebelles commirent le premier acte offensif de la Révolution et purent, quatre mois plus tard, employer les armes dérobées à la bataille de Bunker Hill contre les Anglais.

● **Exeter*** (*13 mi/20 km au S.-E.*). — Cette tranquille ville de l'intérieur aligne de nombreuses maisons géorgiennes sur ses allées ombragées. Très tôt, elle s'est signalée par son patriotisme puisque, dès 1734, ses habitants refusèrent à la British Navy l'exploitation de leurs arbres. Depuis, la **Phillips Exeter Academy**, école secondaire privée parmi les plus réputées des États-Unis, l'a rendue différemment célèbre en s'installant en 1781 dans ses larges rues ombragées.

Providence**

160 730 hab. ; fuseau horaire : Eastern time.
Situation : au N.-E. du Rhode Island. À 51 mi/80 km au S.-E. de Boston, sur la côte atlantique.
À voir aussi dans la région : Boston***, Cape Cod et les îles**, New Bedford*, Newport**, Plymouth*.

Chassé par l'intolérance religieuse des colons du Massachusetts, Roger Williams quitta Salem en 1636 pour une région qui restait encore à découvrir. Débarquant dans la baie de Narragansett avec quelques compagnons, il s'établit en un lieu qu'il estimait devoir à une divine Providence. Un nom qui allait devenir celui de la colonie, puis de la capitale du Rhode Island. Un nom prometteur, car la ville devint au fil des siècles l'une des plus dynamiques de Nouvelle-Angleterre : c'est de là que partaient les corsaires qui dépouillaient les bateaux français et espagnols, là aussi que fut armé au XVIIIe s. le premier navire en direction de la Chine, ouvrant une nouvelle voie commerciale. Et quand à la fin du XVIIIe s. s'amorça un déclin, elle sut se reconvertir et accueillir les premières manufactures textiles.

Repliée sur elle-même, un peu froide, voire sévère, Providence a gardé de son passé le respect des différences culturelles et religieuses ainsi que des bâtiments qui retracent les moments forts de son histoire.

Visiter Providence : comptez une bonne journée. De là, vous pourrez facilement rayonner vers Plymouth et Newport.

- **Autour de College Hill****

- **Benefit Street*** ou le « Kilomètre d'histoire ». C'est le centre culturel et historique de Providence. De part et d'autre de cette rue pavée et bordée d'arbres se pressent des maisons, des musées et des églises construites dans les différents styles colonial, fédéral et néo-classique qui caractérisent l'architecture américaine.

- **John Brown House** *(52 Power St. ; vis. mar.-sam. 11 h-16 h, dim. 13 h-16 h)*, qui appartint à l'un des plus riches armateurs de la fin du XVIIIᵉ s.

John Brown House, chef-d'œuvre de l'architecture georgienne.

Les trois étages de cet édifice georgien (1786) contiennent surtout du mobilier dont un remarquable secrétaire orné de neuf coquillages, attribué à Goddard, ainsi que des porcelaines et des verreries chinoises des XVIIIe et XIXe s.

● **Providence Atheneum** (251, Benefit St. ; ouv. t.l.j. 8 h 30-17 h 30, sam. 9 h 30-17 h 30, f. sam. dim. en été). — C'est ici, dans la plus vieille bibliothèque de prêt du monde, construite en 1838 dans le plus pur style néo-classique, qu'Edgar Allan Poe courtisa la poétesse Sarah Helen Whitman.

● **Rhode Island School Design Museum of Art*** (224 Benefit St. ; vis. mar.-mer.-vend. 10 h 30-17 h, jeu. 10 h 30-20 h, dim. 14 h-17 h) expose des objets d'art égyptiens, grecs, romains, orientaux (voir le temple japonais en bois, Xe s.), occidentaux (peintures et sculptures américaines et françaises du XIXe s.) et indiens, et reçoit régulièrement des expositions d'art contemporain.

● **Brown University*** (45 Prospect St.) est le centre autour duquel s'organise la vie estudiantine : plus de 7 000 étudiants fréquentent cette institution créée en 1764. L'entrée principale donne accès à l'**University Hall** en briques rouges, qui jusqu'en 1822 fut le seul bâtiment de l'université, au **Manning Hall** soutenu par quatre colonnes de granit, à la **chapelle** néo-classique, et au **dortoir de Hope College**.

● **À voir encore**

● **State House*** (Smith St. ; vis. lun.-ven. 8 h 30-16 h 30), édifiée en 1901 par Mc Kim, Mead et White. Cet imposant monument de marbre blanc, considéré comme le plus beau du pays, rivalise de superficie avec Saint-Pierre de Rome. Il est couronné d'une sculpture représentant l'*Homme indépendant* ; à l'intérieur, portrait de George Washington par Gilbert Stuart.

● **The Arcade** (entre Westminster et Weybosset Sts ; vis. lun.-sam. 10 h-18 h, jeu. 11 h-20 h, dim. 12 h-17 h), face à College Hill, de l'autre côté du fleuve. Ce passage en fer ouvragé de 1828 est l'ancêtre du centre commercial. Il fut construit au cœur du quartier italien, qui reste une trace vivante de l'appel de main-d'œuvre étrangère suscité par le développement industriel de Providence au XIXe s.

■ Environs de Providence

● **Pawtucket** (5 mi/9 km au N.). Les démonstrations du **Slater Mill Historic Site*** (Roosevelt Ave. ; ouv. 1er juin-Labor Day, mar.-sam. 10 h-17 h, dim. 13 h-17 h ; mars-mai et Labor Day-21 déc., sam.-dim. 13 h-17 h) commémorent le souvenir de Slater, cet inventeur qui, en utilisant les chutes de la Blackstone River pour faire tourner les roues d'un moulin, fit de Pawtucket la première ville américaine à mécaniser son industrie textile. Le visiteur y découvrira le fonctionnement des machines et les procédés de tissage.

● **Bristol** (13 mi/29 km au S.-E.) par la route 114. Ce port enrichi par le commerce possède de larges espaces verts : **Colt State Park** contient une ferme du XVIIIe s. reconstituée, **Blithewold Garden and Arboretum** réunit exotisme floral, manoir à l'anglaise et vue sur le port (vis. 15 avr.-31 oct. 10 h-16 h, f. lun.). Le musée anthropologique **Haffenreffer Museum of Anthropology** (ouv. juin-août 13 h-17 h, f. lun. ; le reste de l'année sam. et dim. seulement, 13 h-17 h, f. jan., fév.) expose une collection d'objets de cultures esquimaude, indienne et des mers du Sud.

Springfield

156 980 hab. ; fuseau horaire : Eastern time.
Situation : au S.-O. du Massachusetts. À 90 mi/150 km au S.-O. de Boston.
À voir aussi dans la région : Boston***, les Berkshires**, Hartford,
Newport**, New Haven et la côte, Providence**.

Springfield s'étend sur les rives de la Connecticut River, dans ce qu'on appelle aujourd'hui la Pioneer Valley : une région fertile, qui attira aux XVIIe et XVIIIe s. fermiers et commerçants. Leurs villages, au milieu des champs de maïs, sont construits pour résister aux hivers froids ; ils gagnent d'ailleurs à être vus en cette saison, moins touristique que l'été. Fondée en 1636, Springfield est aujourd'hui une petite ville industrielle qui a gardé quelques vieilles maisons.

Ville d'armement, Springfield fut jusqu'en 1968 un grand arsenal, comme en témoigne le **Springfield Armory National Historic Site** *(1 Armory Square, ouv. t.l.j. 9 h-17 h).* Mais c'est aussi la ville natale du basket-ball inventé en 1891 par le Dr James Naismith *(**Basket Ball Hall of Fame**, 1150 West Columbus Ave., ouv. t.l.j. de 9 h à 17 h).*

■ Environs de Springfield

● **Old Sturbridge Village**** *(36 mi/58 km à l'E.).* — C'est tout un village rural reconstitué dans un site boisé, qui vit encore à l'heure des XVIIIe et XIXe s. Entre la vieille et modeste **Fenno house** (1704), en bois, et la plus récente et luxueuse **Towne House** se sont organisées des activités variées : imprimerie (Isaiah Thomas Printing Office), commerce (Shoe Shop, Pottery Shop), banque (Thompdon Bank). Dans le cadre d'origine, travaux des champs, élevage et même gastronomie contribuent à dépayser les visiteurs, malgré un certain manque d'authenticité.

● **La Pioneer Valley** *(suivre l'Interstate 91 en direction du N.).* — C'est parce que ses habitants ont attendu le XVIIIe s. pour s'aventurer dans les montagnes voisines du Berkshire que la Connecticut River porte ici le nom de « vallée des pionniers ». Ses rives sont très verdoyantes, seulement égayées par les feuillages rouges des érables à l'automne.

Northampton *(20 mi/32 km N.).* — Ville essentiellement commerçante. Le **Smith College**, créé en 1875 pour la formation des jeunes filles, reste l'un des symboles de la valeur accordée à l'éducation en Nouvelle-Angleterre ; il accueille aujourd'hui le **Smith Museum** : art américain et français des XIXe et XXe s. *(Elm St. ; ouv. t.l.j. sf lun. 12 h-14 h, dim. 12 h-17 h).*

Deerfield* *(35mi/56km au N.).* — Malgré bien des tourments dont les affrontements entre troupes indiennes et françaises, le massacre de Bloody Brook en 1675 et un incendie en 1704, la rue principale, où se succèdent de riches demeures des XVIIIe et XIXe s., évoque la vie cossue des premiers habitants : **Historic Deerfield** *(ouv. t.l.j. 9 h 30-16 h 30)* où l'on verra **Ashley House** (1730) aux boiseries travaillées, **Dwight Barnard House*** (1725) avec sa porte sculptée, **Wright House** (1824) et ses riches tableaux, porcelaines et meubles, **Asa Stebbins House** (1810) aux anciens papiers peints français.

La Silver Shop, l'une des maisons coloniales de Old Deerfield.

Les White Mountains*

Situation : *New Hampshire, à une centaine de km au N.-O. de Portland.*

On raconte que, lorsqu'un chef indien de la Saco Valley s'éteignait, son corps était attelé aux chevaux les plus rapides et transporté en haut de la montagne afin que son âme rejoigne le Grand Esprit. Cette cime, le mont Washington, domine les 85 sommets de la Presidential Range, qui portent chacun le nom d'un président des États-Unis, et ceux de la Franconia Range. Sur ces 750 000 acres la nature a revêtu ses plus beaux atours : vallées boisées, gorges étroites et profondes, lacs enchâssés, ruisseaux et cascades se succèdent. Et, pour la plus grande joie des randonneurs, 1 500 km de sentiers sillonnent la région.

■ Visiter les White Mountains

La meilleure **saison** *est sans doute l'automne (attention à l'affluence). Le climat est très rude en hiver : renseignez-vous avant de prendre la route.*

*Les sentiers et refuges de la White Mountain National Forest sont entretenus par l'***Appalachian Mountain Club.** *Adressez-vous à cet organisme pour tout renseignement concernant les excursions en montagne (Appalachian Mountain Club, 5 Joy St., Box NH, Boston, MA 02108.)*

Sur place, renseignez-vous au **Pinkham Notch Visitor Center** *à Gorham (route 16), à la* **Saco Ranger Station** *sur Kangamus Highway (Conway), et aux* **sorties 28 et 32 de l'Interstate 93.**

Hébergement *surtout à Conway, North Conway, Glen et Lincoln.*

● **Le mont Washington****, le plus haut sommet du N. des États-Unis (1 917 m) est souvent enseveli sous les glaces, son climat étant proche de celui du pôle Nord.

On le rejoint de trois manières : à pied (pour les sportifs) si les conditions météorologiques le permettent (le temps change vite et le vent peut atteindre des vitesses vertigineuses) ; en voiture par une petite route qui débute à 16 mi/26 km au N. de **Glen** et qui mène au sommet en 2 h ; en train depuis **Bretton Woods** *(6 mi/10 km au N.-E. sur la route 302)* : le **Mount Washington Cog Railway****, train à vapeur en service depuis 1869, grimpe une pente qui atteint 37% à Jacob's Ladder (durée du trajet aller-retour : 3 h).

● **Franconia Notch*** *(défilé de 13 mi/20km de Lincoln à Echo Lake ; comptez 3h).* — De nombreux points de vue remarquables le long de cette gorge arrêtent les touristes depuis des siècles, notamment pour admirer **Indian Head** et le **Old Man of the Mountains,** deux roches qui restituent de manière assez précise les traits de visages humains. Ce dernier se contemple aussi depuis les rives de Profile Lake.

● **Kancamagus Highway*** *(33 mi/53 km de Conway à Lincoln par la route 112)*, la plus populaire des routes de l'État, traverse des paysages splendides, surtout à l'automne où les feuillages prennent des couleurs splendides. À **Sabbaday Falls*,** une cascade à plusieurs niveaux plonge à travers deux « marmites de géant ». Si vous quittez la route, vous pouvez aisément grimper les **Champney Falls** et **Piper** qui vous mèneront au sommet du **mont Chocorua****. Ce chemin est ponctué de multiples points de vue spectaculaires mais gardez-vous de laisser votre enthousiasme vous entraîner loin du sentier principal.

● **Glen** *(à l'intersection des routes 302 et 16)* propose des attractions comme la reconstitution de scènes historiques dans le **Heritage New Hampshire** ou le parc d'attractions de **Storyland** pour les enfants.

Woodstock et le centre du Vermont*

Fuseau horaire : Eastern time.
***Situation :** au centre de l'État du Vermont.*
À 9 mi/15 km à l'O. de Connecticut River et de la frontière du New Hampshire ; à 41 mi/65 km à l'E. de Rutland.
*À **voir aussi dans la région :** Bennington*, les Berkshires**, Burlington*, les White Mountains*.*

Les hommes d'affaires et avocats qui s'y installèrent il y a deux cents ans bâtirent des demeures en briques et en pierres du plus bel effet qui reflètent encore aujourd'hui l'aisance et le bon goût des habitants. Ils surent transmettre l'amour de leur ville à leurs héritiers qui veillèrent toujours à préserver l'ensemble architectural.

● **Woodstock Historical Society*** (26 Elm St. ; ouv. mai-oct. 10 h-17 h) où sont regroupées des collections de meubles, d'horloges, de poupées et de vêtements qui appartenaient aux familles du village.

● **Green*** — Ce green de forme ovale et les édifices de styles différents qui le bordent forment un charmant tableau.

● **Billings Farm and Museum*** (*River Rd. ; ouv. mai-oct. 10 h-17 h*). — Cet endroit est à la fois une ferme en activité et une reconstitution de la vie des habitants du Vermont en 1890.

■ Environs de Woodstock

● **Montpelier** (*64 mi/102 km au N.*), capitale du Vermont au bord de la Winnoski River, se distingue par le dôme doré du **State House**, le capitole construit en 1869. Le **Vermont Museum** (*109 State St.*), avec sa façade victorienne et son intérieur restauré du XIXe s. présente l'histoire, l'économie et les traditions du Vermont.

À 7 mi/11 km au S., **Barre** aligne ses carrières de granit (Rock of Ages) toujours en activité. On peut les visiter à **Graniteville** (*16 mi/25 km au S.-E.*).

● **Middleburry*** (*64 mi/103 km au S.-O.*). — Les pentes douces des collines environnantes ondulent autour de la charmante petite ville touristique où le patrimoine architectural a ouvert ses portes aux magasins, artisans et restaurants. À visiter, le **Sheldon Museum** (*One Park St. ; ouv. 1er juin-31 oct : 10 h-17 h. ; f. les dim. et vacances*). L'original propriétaire de cette maison en briques s'y installa en 1882 et la transforma immédiatement en musée : le premier musée d'histoire locale.

● **Rutland** (*110 mi/116 km au S.-O.*), surnommée « ville du marbre ». Ce fut au XIXe s. la deuxième ville du Vermont ; la montagne et les lacs environnants la placent au centre d'une zone d'activités importante en été comme en hiver. Le **Norman Rockwell Museum** (*route 4 ; ouv. de 9 h à 18 h. f. pendant les vacances*) présente une collection importante des œuvres de l'artiste.

Le Mid Atlantic :
l'Amérique aristocratique

① Pennsylvanie
② New Jersey
③ Delaware
④ Maryland
⑤ Virginie
⑥ Virginie occidentale
⑦ New York State

C'est dans le Mid Atlantic que s'est forgé le destin de l'Amérique. De grandes utopies s'y sont formées : celles des quakers de Philadelphie, qui voulaient ouvrir à tous les portes de leur paradis, et des Amish du Pennsylvania Dutch Country, qui perpétuent le mode de vie de leurs ancêtres du XVIIᵉ s. Philadelphie fut la première capitale du pays ; on y rédigea la déclaration d'Indépendance et on y adopta la constitution des États-Unis. Washington fut ensuite choisie comme capitale fédérale, tandis que l'université de Princeton se chargeait de former l'élite de la nation… C'est donc une Amérique rêvée que vous découvrirez ici. D'ailleurs, en Virginie, site d'une mémoire aristocratique entre toutes, on parle l'anglais le plus châtié et le plus pur, à cent lieues des accents traînants du Sud. Vous verrez dans le Mid Atlantic quelques-uns des plus beaux musées du pays, mais aussi des paysages superbes, sauvages et rudes au fin fond de l'État de New York, doucement vallonnés sur les contreforts des Appalaches.

● Washington, les vertes allées du pouvoir

Le **district de Columbia**, qui ne représente sur la carte que 174 km², est d'abord connu pour l'une de ses demeures : la Maison Blanche, autour de laquelle gravite **Washington**. Nulle part, on ne sera plus proche du pouvoir central que dans cette capitale où l'État fédéral emploie 21% des travailleurs, car Washington abrite aussi le Capitol, le Pentagone, le FBI et la Cour suprême. Tout cela pour le plus grand plaisir du visiteur, qui fera la queue pour découvrir quelques-unes des 130 pièces de la Maison Blanche et pour voir siéger la Cour suprême. Au Vietnam Veterans Memorial, il aura une pensée pour les GI's du Viêt-Nam mais, surtout, il ne manquera aucun des fantastiques musées gérés par la Smithsonian Institution. À deux heures de la montagne, pratiquement dépourvue d'industries (ce qui lui assure un air sans pollution),Washington est une ville agréable, proche de la mer ou plus exactement de la baie de la Chesapeake, qui abrite encore dans ses paysages mouillés une importante réserve d'oiseaux, proche aussi de villes coloniales comme Annapolis et Richmond ou portuaire comme Baltimore.

● La Virginie, l'histoire en grand apparat

Le Vieux Dominion de Virginie a plus d'histoire que les 49 autres États américains : **Jamestown** existait déjà depuis une quinzaine d'années lorsque les pères pèlerins du Mayflower débarquèrent dans le Massachusetts. La Virginie se vante d'être la mémoire du pays : elle abrite plus de 100 demeures historiques et 60% des champs de bataille de la guerre de Sécession. Même le parc naturel de **Shenandoah**, avec ses forêts de futaies bleues, accessibles par la Blue Ridge Parkway, a ses cartes de noblesse : il fut inauguré par Roosevelt. À **Alexandria**, dans la banlieue de Washington, on célèbre chaque année, en février, l'anniversaire de George Washington avec force reconstitutions historiques. Aucun Américain de passage ne manque d'aller voir, non plus, la résidence de Thomas Jefferson près de **Charlottesville**, une villa coiffée d'un dôme que le président dessina lui-même en s'inspirant de Palladio. **Williamsburg**, l'ex-capitale coloniale, fut reconstituée jusqu'au moindre détail, rue après rue, grâce à John D. Rockefeller ; des centaines de figurants-acteurs y jouent leur rôle, finissant par effrayer celui qui recherche un soupçon d'authenticité.

Peu peuplée, petite, dépourvue de grandes métropoles (sa capitale, Charleston, n'a que 57 000 habitants), la **Virginie occidentale** tient cependant dignement sa place. Ses paysages, caractéristiques des Appalaches, sont restés sauvages, sans les aménagements touristiques qui gâchent un peu ceux de sa voisine, la Virginie.

Virginie : carte d'identité

en l'honneur d'Elisabeth Ire d'Angleterre, la « reine vierge » ; abréviation VA ; surnom Old Dominion.
Surface : 105 580 km² ; 36e État par sa superficie.
Population : 6 187 358 hab.
Capitale : Richmond (202 800 hab.).
Villes principales : Virginia Beach (393 090 hab.) ; Norfolk (261 250 hab.) ; Newport News (171 440 hab.) ; Arlington (170 936 hab.) ; Hampton (133 800 hab.) ; Alexandria (111 180 hab.) ; Portsmouth (103 900 hab.).
Entrée dans l'Union : 1788 (10e État fondateur).

Virginie occidentale : carte d'identité

West Virginia ; abréviation WV ; surnom Mountain State.
Surface : 62 890 km^2 ; 41e État par sa superficie.
Population : 1 793 477 hab.
Capitale : Charleston (57 290 hab.).
Villes principales : Huntington (54 840 hab.) ; Wheeling (34 880 hab.) ; Parkesburg (33 860 hab.).
Entrée dans l'Union : 1863 (35e État).

● Humanisme ne rime pas toujours avec modernisme

Les quakers ont inspiré la création de la superbe ville de **Philadelphie**. Les Amish du **Pennsylvania Dutch Country**, à 76 km de celle que l'on nomme amicalement « Philly », continuent à mener une vie en marge du progrès. C'est dire si la **Pennsylvanie** offre aux visiteurs une conception originale de la vie en communauté.

Deux événements importants expliquent, aujourd'hui encore, la qualité de la vie à Philadelphie. Sa fondation, en 1682, par le quaker William Penn dont la statue trône en haut du City Hall : William Penn voulait « montrer un exemple aux autres nations » ; il imagina donc une Pennsylvanie (la Sylve de Penn) tolérante, pacifique, ouverte à toutes les religions et à toutes les races. Une politique qui attira beaucoup d'immigrants, de sorte qu'en 1760, Philly était devenue le plus grand centre commercial de l'Amérique anglophone. Le second événement se situe un siècle plus tard, lorsque le 4 juillet 1776, le Congrès continental approuva la déclaration d'Indépendance rédigée par Thomas Jefferson, affirmant que « tous les hommes sont créés égaux » et que chacun a un droit indéniable « à la vie, à la liberté et à la

recherche du bonheur ». Doit-on à ces textes le fait que la cinquième ville des États-Unis (4 millions d'habitants au total) ait su garder une dimension humaine ? Harmonieusement étiré entre les rivières Delaware et Schuylkill, son centre-ville marie les réalisations modernes avec les bâtiments georgiens du quartier historique. Sans compter son musée d'art, célèbre, classé troisième des États-Unis, et ses trésors cachés comme la Fondation Barnes, fabuleuse collection privée d'impressionnistes.

Pennsylvanie : carte d'identité

« la forêt de William Penn » ; abréviation PA ; surnom Keystone State (clé de voûte).
Surface : 117 400 km^2 ; 33e État par sa superficie.
Population : 11 881 640 hab.
Capitale : Harrisburg (52 376 hab.).
Villes principales : Philadelphie (1 585 577 hab.) ; Pittsburgh (369 880 hab.) ; Erié (108 718 hab.) ; Allentown (105 300 hab.).
Entrée dans l'Union : 1787 (2e État fondateur).

● Autour de New York, la sarabande des routes et des forêts

Malgré son surnom de Garden State, le **New Jersey** est avant tout le satellite industrieux et industriel de New York. Ses sols peu fertiles l'ont incité à développer une agriculture expérimentale intensive, des élevages de volailles et de vaches laitières « en batterie ». L'État se classe aussi dans les premiers rangs pour les industries chimiques et alimentaires, la construction électrique, l'électronique et les télécommunications. Son réseau autoroutier, le plus important du pays, est à l'image de sa population : dense. D'un point de vue touristique, à part **Atlantic City** et ses néons « flashy », quelques jolies stations sur la côte et l'univers estudiantin de **Princeton**, ses ressources sont assez limitées.

New Jersey : carte d'identité

ou Nova Caesaria : en référence à Caesaria, ancien nom de l'île de Jersey, dans la Manche ; abréviation NJ ; surnom Garden State.
Surface : 20 170 km^2 ; 46e État par sa superficie.
Population : 7 730 190 hab.
Capitale : Trenton (88 675 hab.).
Villes principales : Jersey City (288 520 hab.) ; Newark (275 220 hab.) ; Paterson (140 891 hab.) ; Elizabeth (110 000 hab.).
Entrée dans l'Union : 1787 (3e État fondateur).

L'**État de New York** se révèle tout autre. Les chiffres qui en font un des États les plus peuplés du pays, avec presque 18 millions d'habitants, n'indiquent pas les contrastes qui séparent sa zone métropolitaine des vastes espaces de forêts, à peu près déserts, à la frontière du Canada et des Grands Lacs. **Albany**, la capitale de l'État, ne compte guère plus de 100 000 habitants et la majeure partie de son territoire est resté rural : on y recense un million de vaches, 5 millions de poulets, et c'est le second producteur de pommes et de sirop d'érable du pays. Les **monts Adirondacks** restent l'une des dernières terres vierges de la côte Est, tandis que les **chutes du Niagara** continuent d'attirer une foule de touristes.

New York State : carte d'identité

en l'honneur du duc d'York ; abréviation NY ; surnom Empire State.
Surface : 127 200 km^2 ; 30e État par sa superficie.
Population : 17 990 455 hab.
Capitale : Albany (101 080 hab.).
Villes principales : New York City (7 322 560 hab.) ; Buffalo (328 175 hab.) ; Rochester (231 636 hab.) ; Yonkers (188 080 hab.) ; Syracuse (163 860 hab.).
Entrée dans l'Union : 1788 (11e État fondateur).

Delaware : carte d'identité

nom du gouverneur de Virginie, lord De La Warre ; abréviation DE ; surnoms First State, Diamond State.
Surface : 5300 km^2, le 2e plus petit des États.
Population : 666 100 hab.
Capitale : Dover (27 630 hab.).
Ville principale : Wilmington (71 530 hab.).
Entrée dans l'Union : 1787 (1er État fondateur).

● **Entre les montagnes et l'océan**

Le surnom du **Delaware**, le *first state*, ne lui vient pas de sa superficie pour laquelle il se classe à la 49e position (c'est-à-dire l'avant-dernier), mais de sa rapidité à ratifier la Constitution. D'ailleurs, bien qu'esclavagiste, le territoire ne fit pas sécession en 1861. Un Français, Du Pont de Nemours, fonda une fabrique de poudre près de **Wilmington** au début du XIXe s. Il est à la base de ce qui est aujourd'hui l'une des plus importantes firmes chimiques du monde. Néanmoins, la moitié du Delaware vit de l'agriculture. Quant au **Maryland**, ses sols pauvres l'ont obligé à pratiquer une agriculture intensive et à obtenir des rendements élevés. Aujourd'hui, l'État exporte les produits de ces efforts. Source de revenus traditionnelle, la pêche connaît un déclin qui semble irréversible et attriste les amoureux de la **baie de Chesapeake**. Mais **Baltimore**, qui a très bien su se rénover, reste l'une des grandes plaques tournantes de la côte Est et l'orgueilleuse **Annapolis** préserve jalousement ses édifices coloniaux.

Maryland : carte d'identité

en l'honneur de Henriette-Marie, femme de Charles Ier d'Angleterre ; abréviation MD ; surnom Old Line State, Free State.
Surface : 27 090 km^2 ; 42e État par sa superficie.
Population : 4 781 470 hab.
Capitale : Annapolis (33 190 hab.).
Villes principales : Baltimore (736 000 hab.) ; Bethesda (62 936 hab.) ; Wheaton (53 720 hab.) ; Towson (49 445 hab.).
Entrée dans l'Union : 1788 (7e État fondateur).

Découvrir le Mid Atlantic

■ Que voir ?

● Les vieilles cités

Washington* (→ p. 461), la capitale, la ville la plus aristocratique et élégante du pays. Ses musées*** justifient une visite de deux ou trois jours, sans oublier ses institutions, majestueuses et (il faut bien le reconnaître) imposantes : la Maison Blanche**, le Capitol*, les mémoriaux dédiés aux grands hommes de la nation américaine, Arlington* avec son immense cimetière militaire.

En Pennsylvanie : **Philadelphie*** (→ p. 415), le berceau de l'Amérique. Une ville imprégnée de son histoire : la visite d'Independence Park*** vous fera comprendre les difficiles début de la nation américaine. Mais Philadelphie vous révélera aussi le visage d'une Amérique sympathique et accueillante, loin de la sévérité de Washington et du gigantisme de New York. Ses musées retiendront les fous de peinture (Philadelphia Museum of

Art***) et d'impressionnisme (Barnes Foundation***).
Sans oublier **Pittsburgh****, la capitale de l'acier, qui a fort bien été rénovée (→ p. 446).

En Virginie : **Fredericksburg***, l'ancien fief de la famille Washington (→ p. 405) ; **Richmond****, l'ancien bastion des sudistes, qui mêle étroitement passé et présent (→ p. 453) ; **Williamsburg****, village colonial entièrement reconstitué (→ p. 502).

Dans le Maryland : **Annapolis***, bijou de l'époque coloniale (→ p. 393) ; **Baltimore****, qui a rénové son quartier historique, autour du port (→ p. 397).

Dans le Delaware : **Dover***, qui a conservé un joli centre historique (près de Wilmington → p. 507).

● Les belles demeures du passé

En Virginie : **l'University of Virginia***, chef-d'œuvre néo-classique, et **Monticello****, l'élégante plantation palladienne construite par Thomas Jefferson (près de Charlottesville → p. 403) ; les **plantations de la James**

River (près de Williamsburg → p. 505).

Dans l'État de New York : à **Saratoga Springs**, la grande villégiature du siècle dernier, qui conserve d'imposantes bâtisses victoriennes (près d'Albany, → p. 391).

Dans le New Jersey : à **Princeton***, qui abrite l'une des universités les plus anciennes et réputées du pays (→ p. 452).

Dans le Delaware : les résidences de la famille Du Pont de Nemours à **Wilmington** (→ p. 506).

● **Les lieux historiques**

À Washington : **Mount Vernon***, la retraite dorée de George Washington → p. 499).

En Pennsylvanie : **Independence Park*****, à Philadelphie, le cœur historique de la ville... et du pays, où furent proclamées la déclaration d'Indépendance et la Constitution (→ p. 422) ; **Eisenhower National Historic Site**, la ferme où le président se retira (à Gettysburg → p. 407).

En Virginie : **Jamestown***, la plus ancienne colonie de la côte Est, et **Yorktown*** où les Américains ont gagné la guerre d'Indépendance (près de Williamsburg → p. 504) ; **Douglas McArthur Memorial**, où est enterré le général (à Norfolk → p. 411).

● **Les souvenirs de la guerre de Sécession**

En Virginie : **Gettysburg***, où se déroula l'un des combats les plus importants du conflit (→ p. 406) ; **Richmond****, l'ancienne capitale de la Confédération (→ p. 453) ; **Petersburg**, l'enjeu des derniers combats et d'un siège très éprouvant pour les sudistes (près de Richmond → p. 455) ; **Appomattox**, où la capitulation du général Lee marqua la fin de la guerre (près de Richmond → p. 456) ; les

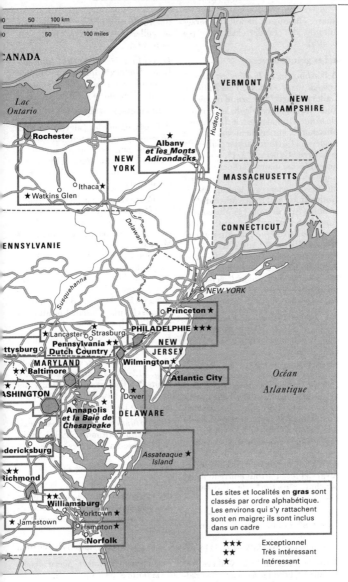

Que voir en Mid Atlantic ?

quatre champs de bataille dispersés autour de **Fredericksburg*** (→ p. 405).

• Les grands musées

À Washington, où le choix est excessivement vaste (→ p. 472) : la **National Gallery of Art*****, le grand musée du Mall, véritable temple de la peinture classique et moderne ; le **Hirshhorn Museum****, entièrement voué à l'art moderne ; l'**Arthur Sackler Gallery**** et la **Freer Gallery of Art***, qui fascineront les amateurs d'art oriental. Et, toujours sur le Mall, de fabuleux musées des sciences et techniques : le **National Air and Space Museum*****, le plus visité de tous ; le **Museum of American History****, gigantesque et très bien présenté ; le **Museum of Natural History****, qui retrace toute l'histoire des hommes et de la terre. Enfin, la **Phillips Collection*****, isolée du côté de Dupont Circle, renferme de vrais petits trésors de toutes les époques.

En Pennsylvanie, à Philadelphie (→ p. 415) : le **Rodin Museum****, dont la collection d'œuvres du grand artiste est impressionnante ; le **Philadelphia Museum of Art*****, immense et très riche ; la très intéressante **Historical Society of Pennsylvania****. Et bien sûr l'extraordinaire collection de la **Barnes Foundation***** (peintures de la fin du XIXe et du début du XXe s.).
Le **Carnegie Museum of Art***, connu pour ses collections d'art du XIXe et du XXe s., le **récent Heinz Architectural Center** et le tout nouveau **Andy Warhol Museum*** de Pittsburgh (→ p. 451).

En Virginie : le **Chrysler Art Museum***, qui présente les peintures rassemblées par le fils du magnat de l'automobile (Norfolk → p. 411).

Dans le Maryland : la **Walters Art Gallery****, beau musée d'art, et le **Baltimore Museum of Art****, réputé pour ses collections du XXe s. (Baltimore → p. 397).

Dans l'État de New York : l'**Albright-Knox Gallery***, qui abrite un bel ensemble d'art moderne et contemporain (Buffalo → p. 402).

• Les musées insolites

À Washington : les galeries du **FBI**, où vous apprendrez tout sur les plus célèbres gangsters du pays, et de la **National Geographic Society** qui a son siège dans la capitale fédérale (→ p. 494).

En Pennsylvanie : le **Norman Rockwell Museum***, qui présente les caricatures de l'un des meilleurs dessinateurs de son temps, et le **Mummer's Museum***, qui séduira les passionnés de mimes (Philadelphie → p. 415) ; les petits musées qui expliquent les traditions des Amish du **Pennsylvania Dutch Country**** (→ p. 413) ; la **chocolaterie Hershey** près de Harrisburg (Pennsylvania Dutch Country → p. 414).

En Virginie : la **Norfolk Naval Base***, où vous verrez quelques-uns des plus gros porte-avions du monde (Norfolk → p. 412) ; le **Virginia Air & Space Center*** à Hampton, dans l'enceinte de la célèbre base de la NASA de Langley (près de Norfolk → p. 412).

Dans le Maryland : le **National Aquarium*** et le **Baltimore & Ohio Railroad Museum**, consacré à la plus ancienne compagnie de chemins de fer du pays (Baltimore → p. 397).

Dans l'État de New York : la **maison de George Eastman***, le fondateur de Kodak, transformée en un passionnant **musée de la photographie** (Rochester → p. 457).

• Les ports et les stations balnéaires

En Virginie : **Norfolk**, le port d'attache de la flotte américaine (→ p. 411).

Dans le Maryland : les petits ports de la **baie de Chesapeake** (→ p. 394) ; **Ocean City**, sans grand charme mais réputée pour ses plages, et les dunes d'**Assateague Island*** (sur la baie de Chesapeake → p. 395).

Dans le New Jersey : **Ocean City**, la grande station des environs de Philadelphie, et **Cape May** (près d'Atlantic City → p. 396).

● **Les sites naturels**

Dans l'État de New York : **les chutes du Niagara****, qui comptent parmi les plus célèbres du monde (→ p. 407) ; les lacs et les forêts des **monts Adirondacks*** où se sont déroulés les Jeux Olympiques de Lake Placid en 1980 (→ p. 391) ; cascades et les paysages des **Finger Lakes** (près de Rochester → p. 457).

En Virginie : **Shenandoah National Park***, l'une des forêts les plus visitées de la côte Est, au cœur des Blue Ridge Mountains (→ p. 459).

Dans le Maryland : le **Blackwater National Refuge**, sur la baie de Chesapeake, étape de la migration des oies du Canada (→ p. 395).

Dans le New Jersey : **Brigantine National Wildlife Refuge**, grande réserve ornithologique (près d'Atlantic City → p. 396).

Dans le Delaware : **Bethany Beach** et les plages du **Delaware Seashore State Park** (près de Wilmington → p. 507).

■ Que faire ?

● **Naviguer :** sur un voilier dans la baie de Chesapeake, près d'Annapolis, ou en kayak sur les lacs des monts Adirondacks.

● **Skier :** dans les monts Adirondacks, à Lake Placid, siège des Jeux Olympiques d'hiver en 1980.

● **Marcher :** sur les sentiers du **Shenandoah National Park**, d'où vous pourrez rejoindre l'**Appalachian Trail** (qui longe le parc sur près de 160 km).

● **Jouer :** dans les casinos d'Atlantic City.

■ Propositions d'itinéraires

● **1. — L'Amérique historique**

Circuit au N. de Washington

Ce circuit vous donnera l'occasion de voyager au cœur de la vieille Amérique. À **Annapolis***, **Baltimore**** et **Philadelphie****, c'est l'image des premiers colons que vous croiserez, tandis que **Gettysburg*** garde le souvenir des héros de la guerre de Sécession. Le **Pennsylvania Dutch Country****, terre d'élection des communautés amish, vous fera pénétrer dans un monde à part, hors du temps. La vie semble s'y être arrêtée deux siècles plus tôt ; vous ne serez pas étonné d'y rencontrer des femmes vêtues d'une longue robe et coiffées d'un bonnet de coton ou des fermiers conduisant leur carriole au marché de Lancaster.

Les étapes *(435 mi/700 km)*

— 1er jour : quittez Washington pour Annapolis ;

— 2e jour : visitez Annapolis et passez la nuit à Baltimore ;

— 3e jour : Baltimore ;

— 4e jour : rejoignez le Pennsylvania Dutch Country, via Gettysburg ; vous pourrez dormir à Harrisburg ;

— 5e et 6e jours : Pennsylvania Dutch Country ;

— 7e et 8e jours : Philadelphie ;

— 9e jour : rejoignez Washington.

● **2. — La Virginie coloniale et le parc de Shenandoah**

Circuit au S. de Washington

La Virginie vous fera revivre les grands événements qui ont marqué la mémoire américaine. Voici **Jamestown***, où débarquèrent les premiers colons de la côte Est, **Willamsburg*** où ils s'installèrent au XVIIIᵉ s., **Yorktown*** qui marqua la fin de la guerre d'Indépendance, **Richmond*** la capitale des États confédérés, **Petersburg** et **Appomattox** où s'acheva la guerre de Sécession, **Monticello*** l'ancienne résidence de Thomas Jefferson. Si vous aimez la nature et les panoramas grandioses, vous choisirez certainement de faire une étape le long de la **Skyline Drive***, « l'autoroute du ciel », qui sillonne le **Shenandoah National Park***.

Les étapes *(500mi/800 km)*

— 1ᵉʳ jour : quittez Washington pour Fredericksburg ;
— 2ᵉ et 3ᵉ jours : Richmond ;
— 4ᵉ et 5ᵉ jours : Williamsburg ;
— 6ᵉ jour : revenez à Richmond puis filez vers Charlottesville ;
— 7ᵉ et 8ᵉ jours : Shenandoah National Park
— 9ᵉ jour : revenez à Washington.

● **3. — De Washington à New York**

Cet itinéraire vous conduira d'une métropole à l'autre tout en vous faisant découvrir les principaux sites historiques du Mid Atlantic : tout d'abord **Annapolis***, jolie ville coloniale, puis **Baltimore*** et ses musées trop méconnus. À **Wilmington**, vous pénétrerez dans l'univers du Du Pont de Nemours qui y ont fondé l'un des géants de l'industrie chimique. **Philadelphie****, le berceau de la nation, vous retiendra sans doute davantage. Enfin, vous filerez vers

New York** en faisant halte à **Princeton***, l'une des prestigieuses universités de l'Ivy League.

Les étapes *(350 mi/565 km)*

— 1ᵉʳ jour : visitez Annapolis, puis allez dormir à Baltimore ;
— 2ᵉ jour : Baltimore ;
— 3ᵉ et 4ᵉ jours : courte halte à Wilmington, puis visite de Philadelphie ;
— 5ᵉ jour : rejoignez New York via Princeton.

● **4. — De New York au Canada**

Cet itinéraire vous mènera, à travers l'État de New York, jusqu'aux **chutes du Niagara****, à la frontière du Canada. Depuis **New York****, vous remonterez la **vallée de l'Hudson*** en longeant les **Catskills Mountains** (encore dans les environs de New York), puis vous traverserez les **monts Adirondacks*** en direction des **Thousand Islands** sur les bords du lac Ontario et sur le Saint-Laurent. Au passage, vous pourrez visiter quelques grandes villes comme **Rochester**, **Albany** ou **Buffalo***.

Les étapes *(600 mi/960 km)*

— 1ᵉʳ et 2ᵉ jours : remontez l'Hudson vers Albany ;
— 3ᵉ jour : visitez rapidement Albany, puis commencez à traverser les monts Adirondacks ;
— 4ᵉ et 5ᵉ jours : les monts Adirondacks ;
— 6ᵉ jour : faites un détour vers les Finger Lakes avant d'atteindre Rochester ;
— 7ᵉ jour : Buffalo, puis accès aux chutes du Niagara ; de là, vous pouvez rejoindre Cleveland ou le Canada.

Albany et les monts Adirondacks*

101 000 hab. ; fuseau horaire: Eastern time.
*Situation : N. de l'État de New York ; à 156 mi/251 km N. de New York.
À voir aussi dans la région : Rochester ; en Nouvelle-Angleterre :
Bennington et le Sud du Vermont*, les Berkshires** ; New York****.*

Malgré son titre de capitale de l'État de New York et son port important sur l'Hudson, Albany n'est pas en mesure de lutter avec le charme et la folie de son illustrissime concurrente, New York. Mais elle constitue un bon point de départ pour explorer les monts Adirondacks, couverts de superbes forêts et parsemés de lacs, l'une des dernières régions vraiment sauvages du Nord-Est des États-Unis. C'est que le territoire est vaste (l'équivalent du Connecticut, du Massachusetts et du Rhode Island réunis), la foule absente et le réseau de communications assez rudimentaire. Les monts Adirondacks séduiront ceux qui veulent retrouver les joies de la nature, que ce soit à pied, en kayak ou à ski… c'est ici, à Lake Placid, que se sont déroulés les Jeux Olympiques d'hiver en 1980.

● **Empire State Plaza*.** — Cet ensemble architectural contemporain, très réussi, regroupe une dizaine d'édifices administratifs et culturels : le **Performing Art Center**, surnommé l'« Œuf » en raison de sa forme ; le **New York State Museum** (*ouv. t.l.j. 10 h-17 h*), qui présente l'histoire de l'État de New York, des collections minéralogiques et d'histoire naturelle ; la **Corning Tower** (plate-forme panoramique) ; le **New York State Capitol**, dont la construction s'est étendue sur une période de 33 ans et bel exemple de l'architecture publique du XIXe s.

● On verra aussi quelques maisons anciennes : au 523 S. Pearl St., **Historic Cherry Hill** (1787 ; *vis. mar.-sam. 10 h-16 h ; dim. 13 h-16 h*) ; au 32 Catherine St., **Schuyler Mansion** (1762 ; *vis. mar.-sam. 9 h-17 h ; dim. 12 h-17 h*).

■ Les monts Adirondacks

Les monts Adirondacks s'étendent au N. de l'État de New York. Deux autoroutes traversent la région, depuis Albany (l'Interstate 87) et Syracuse (l'Intersate 81).

Au N. d'Albany par l'Interstate 87 :

● **Saratoga Springs** *(34 mi/54 km N. d'Albany)*

Cette ancienne station thermale fut l'un des endroits de villégiature préférés des riches New-Yorkais du siècle dernier. Les temps ont changé et les modes ont passé : Saratoga Springs a perdu son éclat, notamment dans les années 50. Elle connaît aujourd'hui un nouveau sursaut, attirant beaucoup de résidants d'Albany, surtout en août pendant la saison des courses.

Elle possède d'ailleurs un **hippodrome** et un **musée national des courses hippiques** (*National Museum of Racing, à côté du champ de course*).

Congress Park marque le centre de la ville ; longeant le parc, vous pourrez vous arrêter au **Visitor Center** (*Congress Park & Broadway*). A l'intérieur du parc, le **Canfield Casino**, l'un des plus vieux du pays et l'établissement qui fit la fortune de Saratoga au début du siècle, a été transformé en musée historique.

Derrière le parc, du côté d'**Union** et **Circular Aves**, vous verrez les demeures victoriennes les plus imposantes.

En été, le **Performing Arts Center** (*Saratoga State Park*) accueille les meilleures troupes du pays, comme celle du New York City Ballet ou le Philadelphia Orchestra.

Aux environs, le **Saratoga National Historic Park** (*à l'O., via Schuylerville ; env. 10 mi/16 km*) fut le théâtre en 1777 de deux batailles décisives de la guerre d'Indépendance.

● **Glens Falls** (*55 mi/88 km N. d'Albany*) est une petite ville sur l'Hudson River. On pourra s'y arrêter sur la route du Lake George. Voir la **Hyde Collection**, qui présente des œuvres européennes du XVᵉ au XXᵉ s. (*161 Warren St.*).

● **Lake George** (*66 mi/106 km N. d'Albany*)

Ce lac est très fréquenté en été, peut-être plus que Saratoga Springs, mais son atmosphère reste beaucoup plus provinciale que celle de sa prestigieuse voisine. Il est parsemé d'îles, que l'on peut visiter en bateau (*départ depuis les quais de Lake George Village, au S. du lac*). Une belle route longe le lac.

Près du lac, on pourra faire halte à : **Warrensburg** (*10 mi /16 km N.-O.*), village joliment restauré ; **Bolton Landing** (*10 mi/16 km N.*), qui abrite une résidence de grand luxe (Sagamore) ; **Fort Ticonderoga** (*38 mi/61 km N.*), ancienne place-forte que les Français et les Anglais se disputèrent.

● **Le lac Champlain**, à la limite de la Nouvelle-Angleterre, peut être contemplé d'un très beau point de vue, du haut du **mont Defiance** (*à l'extrémité N. du Lake George*).

Au centre des monts Adirondacks :

● **Blue Mountain Lake** (*115 mi/185 km N.-O. d'Albany par la NY 30*) est l'une des principales agglomérations au centre des monts Adirondacks, d'où l'on pourra facilement rayonner. Le village abrite aussi deux institutions intéressantes : l'**Adirondack Museum**, qui propose une très bonne introduction à la région, et l'**Adirondack Lakes Center for Arts**, où de nombreux artistes viennent travailler (expositions et spectacles en été).

● **Lake Placid** (*180 mi/290 km N. d'Albany*) est naturellement la grande station des Adirondacks. La ville ne présente guère d'intérêt, excepté pour ceux qui veulent faire du ski, notamment à **Whiteface Mountain** (beau panorama) et **Mount Van Hoevenberg** où se déroulèrent en 1980 les compétitions de luge et bobsleigh.

Au N. de Syracuse par l'Interstate 91 :

● **Thousand Islands** (*à env. 100 mi/160 km N. de Syracuse*)

À l'endroit où le St Laurent quitte le lac Ontario, la côte se découpe en quelque 800 îles dont certaines sont minuscules et inhabitées. C'est à **Alexandria Bay** et à **Clayton** que l'on peut prendre un bateau pour la visite des îles.

Il faut aussi voir **Heart Island**, sur laquelle se trouve **Boldt Castle** : cette réplique un peu folle d'un petit château fut commandée par le constructeur de l'hôtel Waldorf Astoria de New York.

Plus au N., **Massena** est, à proximité du barrage de Moses Saunders, la plus importante centrale hydro-électrique sur la voie maritime du Saint-Laurent.

Annapolis et la baie de Chesapeake*

33 190 hab. ; fuseau horaire : Eastern time.

Situation : *Maryland ; à 25 mi/40 km au S. de Baltimore ; à 32 mi/50 km à l'E. de Washington DC.*

À voir aussi dans la région : *Baltimore**, Washington***.*

Joyau de la Chesapeake, Annapolis a su préserver son héritage architectural et aucun gratte-ciel ne vient troubler l'atmosphère retrouvée de l'époque coloniale. Depuis la place ronde et surélevée où se dresse le capitole de l'État, les rues en pentes douces, bordées de maisons de briques rouges ou de façades de planches joliment colorées rejoignent le port où s'alignent sagement les bateaux blancs. Car il ne faut pas oublier que la capitale du Maryland est aussi celle des fameux crabes bleus qui habitent au fond de la Chesapeake.

- **Le State House*** *(ouv. t.l.j. 9 h-17h),* construit en 1772-1779, s'élève au sommet d'une éminence. C'est le plus ancien capitole encore en fonction des États-Unis. À l'intérieur se trouve l'ancienne chambre sénatoriale où Washington résigna, en 1783, ses fonctions de commandant en chef de l'armée continentale. À côté, l'ancien **bâtiment du trésor** date de 1735 environ.

- **St John's College** *(College Ave.),* a remplacé en 1784 la King William's School fondée en 1696. Dans la même rue, on verra aussi **McDowell Hall** (XVIIIe s.), qui servit autrefois de résidence au gouverneur du Maryland, où La Fayette fut accueilli en 1824, et **Carroll-Barrister House**, la maison natale du légiste Charles Carroll (1732-1832) reconstruite ici en 1955.

- **Chase Lloyd House** *(22 Maryland Ave., à l'angle de King George St.),* de 1771, où se maria Francis Scott Key, l'auteur de l'hymne national américain.

- En face, **Hammond Harwood House** *(19 Maryland Ave.)* est un bel exemple d'architecture coloniale ; mobilier d'époque à l'intérieur.

- **William Paca House** *(186 Prince George St. ; ouv. lun. et mer.-sam. 10h-16h, dim. 12h-16h),* entourée d'un charmant jardin (XVIIIe s.), appartint à William Paca, l'un des signataires de la déclaration d'Indépendance.

- **United States Naval Academy** *(ouv. t.l.j. 9h-17h),* au bout de King George St., occupe tout le secteur N.-E. de la ville de part et d'autre de l'embouchure de la Severn. Cette célèbre école d'officiers (4 200 hommes) de la marine nationale américaine comporte un Visitor Center, un musée et une chapelle commémorative où est enterré John Paul Jones, commandant de la flotte américaine qui mourut à Paris en 1792. Remise des promotions, concerts et parades la première semaine de juin.

• **Market Square**, centre animé près du port, est bordé de restaurants et accueille souvent en été des concerts. Juste à côté, petit musée maritime : le **Victualling Warehouse Museum** *(77 Main St. ; ouv. t.l.j. 11h-16h).*

■ Chesapeake Bay

Ce gigantesque bras de mer s'étend sur près de 320 km à l'intérieur des terres, parallèlement à l'océan Atlantique dont il est séparé par la péninsule de Delmarva. D'immenses étendues de bois et de marais bordent la baie, constituant une extraordinaire réserve naturelle d'oiseaux, de poissons et de coquillages. L'équilibre écologique de la région est malheureusement menacé par la pollution et une pêche intensive, sans compter les méduses qui y font périodiquement une apparition redoutée des touristes. Mais les côtes irrégulières et découpées de la Chesapeake cachent d'autres trésors et l'on découvrira avec bonheur les charmants petits ports qui jalonnent la baie.

*Accès : depuis Annapolis, le **Memorial Bridge** (pont à péage) rejoint la péninsule, traversant la plus grande île de la baie, Kent Island. Prenez ensuite l'US 50, qui dessert le S. de la péninsule et aboutit à Ocean City.*

• **1. — D'Annapolis à Cambridge**

• **Wye Oak State Park** *(à 35 mi/56 km d'Annapolis, près de Wye Mills)* : s'y dresse l'arbre national officiel du

La côte atlantique sur la péninsule de Delmarva.

Maryland, un chêne blanc *(quercus alba)* de 29 m de haut et 9 m de circonférence, vieux de quatre siècles. À **Wye Mills**, un vieux moulin de la fin du XVIIe s. et une petite école du XVIIIe s. ont été restaurés.

● **Easton** *(à 46 mi/74 km d'Annapolis)* conserve quelques jolies maisons de l'époque coloniale, parmi lesquelles la Third Haven Friends Meeting House *(405 S. Washington St.)*, construite par des quakers à la fin du XVIIe s.

● **St Michaels** *(à 55 mi/88 km d'Annapolis)*, sur la Miles River, est un joli petit port. On peut y visiter un petit **musée maritime** *(St Mary's Square)*, et le **Chesapeake Bay Maritime Museum** *(Navy Point)*, où vous apprendrez tout sur l'histoire de la baie et de ses activités (construction navale, pêche, etc.).

● **Oxford** *(à 60 mi/96 km d'Annapolis)*, où subsistent des édifices victoriens ; l'**Oxford Museum** *(Morris & Market Sts.)* est un intéressant petit musée d'histoire locale.

● **Cambridge** *(à 63mi/102 km d'Annapolis)* est un port de pêche et une ville industrielle, sans grand charme, situé sur la Choptank River. On y verra toutefois de belles maisons du XVIIIe s., notamment sur **High St.**
Old Trinity Church *(à 8 mi/13 km au S.-O.)*, édifiée vers 1675, est l'une des plus vénérables églises américaines.
Le **Blackwater National Wildlife Refuge** *(à 12mi/19 km au S.)* est, à

partir de l'automne, l'une des principales étapes de la migration des canards et des oies du Canada. On y compte jusqu'à 13 000 oiseaux.

● **2. — La côte atlantique**

● **Ocean City** *(à 122 mi/196 km au S.-O. d'Annapolis par l'US 50)*. Unique station balnéaire du Maryland sur la côte atlantique, Ocean City est terriblement fréquentée l'été et, franchement, sans aucun charme, à part une promenade en bord de mer (littéralement bondée), des *fast foods* et des stands de jeux… En revanche, on trouvera de belles plages en allant vers le S.

● **Assateague Island*** *(à 11 mi/18 km au S. d'Ocean City par la MD 611)* forme un long cordon dunaire *(60 km env.)*, qui ferme la baie de Chincoteague. Dunes, marais, forêts où vivent de nombreux oiseaux et des poneys sauvages constituent l'intérêt de cette île partagée entre l'Assateague Island National Seashore (Maryland) et le Chincoteague National Wildlife Refuge (Virginie).

● **Chincoteague** *(en Virginie, à 54 mi/86 km au S. d'Ocean City)* est un petit port de pêche, très touristique, créé en 1662 sur une île encastrée entre la Delmarva Peninsula et Assateague Island, auxquelles elle est reliée par des ponts.

*De là, on pourra rejoindre l'US 13 qui, vers le S., mène au **Chesapeake Bay Bridge-Tunnel** (env. 100 mi/160 km, → Norfolk).*

Atlantic City

37 000 hab., fuseau horaire : Eastern time.
Situation : S.-E. de l'État du New Jersey ; à 57 mi/90 km au S.-E. de Philadelphie.
À voir aussi dans la région : Annapolis et la baie de Chesapeake*, Princeton*, Wilmington*.

Connue pour être le plus important centre de jeux après Las Vegas, Atlantic City est aussi une station balnéaire établie sur l'île d'Absecon qui bénéficie largement de l'influence du Gulf Stream. Chaque année, 32 millions de visiteurs viennent tenter leur chance dans l'enfer du jeu et hanter, comme à Deauville, les « planches » qui longent la plage.

L'atmosphère qui règne à Atlantic City risque de dérouter, voire même de démoraliser, plus d'un visiteur. On est loin ici de la folie de Las Vegas. Déjà, au début du siècle, un guide touristique parlait de la « colossale vulgarité » d'Atlantic City. Pourtant, ce n'était alors qu'une petite station balnéaire envahie par les bistrots et les restaurants bon marché, la première à avoir aménagé une immense promenade en bord de mer (Boardwalk). Ce n'est qu'en 1976 que l'État du New Jersey, souhaitant relancer l'économie locale, a autorisé l'ouverture du premier casino. Aujourd'hui, les hôtels du bord de mer abritent tous des casinos : le **Taj Mahal**, le caprice de Donald Trump, hallucinant avec ses minarets et ses dômes, le **Sands**, impressionnant de vulgarité, le **Claridge,** plus intime, etc.. Mais autant être franc : Atlantic City n'a pas grand chose à offrir au visiteur. La capitale du jeu reste incontestablement Las Vegas !

■ Environs d'Atlantic City

● **Brigantine National Wildlife Refuge** (à 5 mi/8 km env. au N.-E.). — Sur l'île d'Absecon se trouve une réserve naturelle de 8 000 ha où l'on peut voir plus de 200 espèces d'oiseaux aquatiques et migrateurs dans les baies et marécages environnants.

● **Historic Towne of Smithville** (à 7 mi/11 km au N.-O. par l'US 30 et 9) est une reconstitution du village de Smithville au XVIIIe s. (moulin à blé).

● **Ocean City** (à 13 mi/20 km au S. par la NJ 87) est le lieu de vacances des célébrités de Philadelphie. Cette charmante petite station a conservé un côté élégant et puritain (la consommation d'alcool y est interdite).

● **Wildwood** et **Wildwood Crest** (à 36 mi/58 km au S. par la NJ 87) sont deux stations balnéaires proches du cap May, installées sur 8 km de plages de sable. Tout près de là, le **Stone Harbor Bird Sanctuary** est une réserve d'oiseaux migrateurs (musée et tour d'observation à Stone Harbor).

● **Cape May** (à 40 mi/64 km au S. par l'US 9). — Principale localité de la péninsule du même nom, elle est l'une des plus anciennes stations balnéaires du littoral atlantique et fut, autrefois, la résidence d'été des présidents américains. Plage de 13 km de long et « planches » sur 4 km. Nombreuses maisons d'époque victorienne, dont l'**Emlen Physick Estate** (1048, Washington St.), construite en 1881.

Maisons sur le bord de mer, Cape May.

Baltimore**

736 000 hab. ; fuseau horaire : Eastern time.
Situation : *Maryland, à 35 mi/ 56 km au N.-E. de Washington DC, au bord de la baie de Cheasapeake.*
À voir aussi dans la région : *Annapolis et la baie de Chesapeake*, Gettysburg*, Washington***.*

Magnifiquement située sur l'embouchure de la Patapsco River, au fond de la baie de Chesapeake, Baltimore, grand port américain, assure les communications terrestres et maritimes entre la vallée de l'Ohio et l'Atlantique. Cité d'affaires moderne, Baltimore a connu une très forte expansion industrielle, mais c'est aussi une ville qui préserve jalousement plus de deux siècles d'histoire et de culture, notamment grâce à la récente rénovation de son centre historique et de son port. Trois universités, des bibliothèques, un orchestre symphonique et plusieurs musées attestent de son dynamisme culturel.

■ Baltimore dans l'histoire

La charte de fondation de la cité fut signée le 8 août 1729 par le gouverneur du Maryland, Benedict Calvert, quatrième lord Baltimore. À l'origine port d'exportation du tabac et du blé cultivés dans la région, elle connut un vif essor pendant la guerre d'Indépendance (1776-1783), car la marine anglaise bloquait alors le commerce de Boston, de New York et de Philadelphie. Baltimore obtint son vrai statut municipal en 1796, alors qu'elle avait déjà 15 000 habitants. L'essor économique de la ville, stoppé par la guerre anglo-américaine de 1812-1814, reprit de plus belle grâce au premier chemin de fer américain, le Baltimore & Ohio Railroad, mis en service le 24 mai 1830. La guerre de Sécession ne gêna que momentanément le commerce de Baltimore, mais eut comme principale conséquence un afflux important d'esclaves libérés, qui furent employés dans les industries locales, ce qui fait que la ville est aujourd'hui à plus de 60% noire.

■ 1. — Du port au City Hall

Autour du port

Ramassée autour du **Inner Harbor** *(plan B3)*, cette partie de la ville (la plus ancienne) a été totalement rénovée depuis les années 60. Les vieux entrepôts sur les quais ont été rasés pour rendre au public l'accès au rivage.

● Un excellent moyen de prendre connaissance de l'évolution de la cité est de se rendre au sommet du **World Trade Center** *(plan B3)* édifié au bord de l'eau en 1977 ; au *Top of the World*, au 27e étage, est retracée l'histoire de la ville et du port ; panorama exceptionnel sur la cité *(entrée Pier 2, Pratt St. ; vis. t.l.j. 10 h-17 h).*

● Le **National Aquarium***, *(Pier 3, Pratt St. ; plan B3 ; ouv. t.l.j. 10 h-16h30, 18 h30 le week-end en été.),* à l'E. du World Trade Center, a été construit en 1981. D'architecture futuriste, il abrite plus de 5 000 espèces aquatiques. Passant d'un étage à l'autre par des tapis roulants, le visiteur se retrouve au sommet dans une serre reproduisant une forêt tropicale, puis redescend par une rampe en spirale au milieu des requins. La conception de l'ensemble mêle de façon heureuse plaisir des yeux et souci pédagogique (coupes et dioramas de divers milieux écologiques aquatiques). Un secteur est réservé aux jeunes enfants, qui peuvent y toucher certains animaux.

● L'*USS Torsk*, sous-marin de la Seconde Guerre mondiale, et le *Chesapeake*, bateau-phare, tous deux ancrés au Pier 4 *(plan B3)*, font partie du **Baltimore Maritime Museum**.

● L'*USF Constellation,* le premier navire de la marine fédérale américaine (1797), au Pier 1 *(de l'autre côté du World Trade Center ; plan B3)*, appartient lui aussi au Baltimore Maritime Museum.

● **Harborplace** *(Light & Pratt St., juste derrière le Pier 1, ; plan B3).* Cette esplanade, bordée de deux pavillons de verre remplis de boutiques et de restaurants, est le lieu de promenade favori des habitants de Baltimore et des hommes d'affaires, en particulier à midi et le week-end.

● **Maryland Science Center** *(dans l'angle S.-O. du bassin)* abrite un planétarium et cinéma IMAX ; expositions temporaires.

● **Federal Hill Park** *(au S. du bassin)* offre une belle vue sur le port.

Art Museum, **A** **B**

Maryland Institute of Art
Penn Central Station

**Baltimore
Downtown**

0   0,2 mi
0   400 m

Old Mount Royal Station
Lyric Theatre
University of Baltimore
Mt. Royal Ave.

Larvale St.
Gettysburg
Druid Hill Park (Zoo)

Fifth Regiment Armory
Dolphin St.
Biddle St.
Charles St.
Chase St.
Preston St.
Homewood St.
Valley St.

Preston
McCulloh Ave.
Howard
State Office Building
Morton
Eager St.
Jones Falls
Greenmount St.

Read St.
St. Presbyterian Ch.
Madison St.
St.
Madison St.
State Penitentiary

Friendship Airport, Washington D.C.
B & O Transportation Museum
Edgar A. Poe House

McCulloh
St. Mary's Seminary
Maryland Historical Society
Greyhound Bus Depot
Centre St.

Washington Monument
Lafayette Mon.
Peabody Institute
Monument St.
Holliday Expressway 83
Exeter St.
R.R. Station

Franklin Street
Enoch Pratt Free Library
Mulberry Street
YWCA YMCA First Unit. Ch.

Orleans St. Viaduct

Saratoga St.
Paca
Lexington Market
Lexington
Trailways
Charles
Paul Place
Guilford
Gay St.
Low St.

New York St.
Lloyd Street Synagogue

Fayette St.
Charles
Peale Museum
Zion Lutheran Church
Post Office

Baltimore
University of Maryland Hospital
Hilton Hotel
Morris Mechanic Theatre
Md. Nat. Bank
Plaza
Shot Tower

Civic Center
Emerson Tower
Federal Office Building
Police Building
U.S. Customs House
Carroll Mansion

Holiday Inn
Pratt St.
Camden St.
Convention Center
U.S.S. Constellation
Aquarium
World Trade Center
Jewish Memorial
Flag House

Camden Station
Otterbein Church
B Inner Harbor
Pier 1 Pier 2 Pier 3 Pier 4 Pier 5 Pier 6

Md. Science Center, Fort McHenry

1 Mount Vernon Method. Church
2 Walters Art Gallery
3 Cathedral of the Assumption
4 Md. Academy of Sciences
5 Commercial Credit Building
6 Mercy Hospital
7 Old St. Paul's Episc. Church
8 Baltimore Gas & Electric Co.
9 Blaustein Building
10 Arlington Federal Bldg.
11 Court House Baltimore
12 Battle Monument
13 Old Post Office
14 City Hall
15 Municipal Office Bldg.
16 War Memorial
17 Westminster Church (E. A. Poe's Tomb)
18 Lord Baltimore Hotel
19 Hotel Morris Mechanic Theatre
20 Chamber of Commerce
21 U. S. Fidelity & Guaranty Co.
22 IBM Building
23 Federal Reserve Bank

Kartographie Huber & Oberländer, München

Vers le City Hall

- **Star Spangled Banner House** *(Flag House, 844 E. Pratt St., plan B3 ; ouv. lun.-sam. 10h-16h).* C'est dans cette maison construite en 1793, que fut cousu le drapeau qui, en 1814, inspira l'hymne de Francis Scott Key (musée de la Guerre de 1812-1814).

- **Museum Row** *(Lombard & Albemarle Sts, à deux blocs au Nord de Star Spangled House)* regroupe quatre musées répartis autour d'une cour intérieure : un centre d'exposition temporaire, un centre d'archéologie (résultat des fouilles menées à Baltimore), la **1840 House** (demeure du XIXᵉ s. reconstituée) et **Carroll Mansion** qui date de 1812 et qui fut la résidence de Charles Carroll, un des signataires de la déclaration d'Indépendance (mobilier).

- **Shot Tower** *(Fayette & Front Sts ; plan B3 ; ouv. t.l.j. 10h-16h)* est une tour de briques de 72 m de haut étroitement associée à l'histoire de la ville. Autrefois, on laissait tomber du plomb fondu dans une bassine d'eau depuis le sommet de la tour : une curieuse façon de fabriquer des balles et des munitions !

- **Le City Hall** *(100 N. Holiday St. ; plan B3, n° 14).* L'imposant hôtel de ville (1867-1875) est coiffé d'un dôme de 79 m de haut. À l'intérieur, petit musée historique *(ouv. lun.-ven. 9h-16h).*

- À proximité immédiate se trouve le **Peale Museum** *(225 N. Holiday St. ; plan B2 ; ouv. mar.-sam. 10 h-17 h ; dim. 12 h-17 h),* le plus ancien bâtiment muséographique des États-Unis (1814), consacré à l'histoire de la ville.

■ 2. — Les musées de Baltimore

- **Mount Vernon Place** *(plan A2 ; à 0,6 mi/1 km au N. du port)* au cœur du Baltimore aristocratique du XIXᵉ s. (Asbury House de 1850) est une belle place verdoyante, ornée de monuments : statue équestre du général La Fayette et Washington Monument, de 54 m de haut (1815-1842), construit en l'honneur de George Washington. En arrière se dresse la **Mount Vernon Place Methodist Church**, de style néo-gothique.

- **Peabody Institute** au S.-E. de la place *(plan A2).* Fondé par George Peabody pour encourager la formation scientifique et artistique, il dépend aujourd'hui de l'université Johns Hopkins ; bibliothèque (300 000 volumes) et conservatoire de musique ; concerts.

- La **Walters Art Gallery**** *(600 N. Charles St. ; plan A2, n° 2 ; ouv. mar.-dim. 11h-17h),* fondée en 1906, abrite une collection d'œuvres d'art très complète. On y verra, entre autres, un bel ensemble d'antiquités égyptiennes, étrusques, orientales et gréco-romaines (sculptures). Concernant l'art médiéval, le musée possède de rares manuscrits enluminés, œuvres d'artistes arméniens (du Xᵉ au XVIIIᵉ s.) et européens. Le département des peintures est lui aussi très riche : tableaux de la Renaissance italienne (Giovanni di Paolo, Antonello da Messina, Raphaël, Filippo Lippi), du XIXᵉ s. français (Ingres, Corot, Delacroix, Millet, Courbet, Monet, Manet, Boudin, Degas).

- **Maryland Historical Society** *(201 W. Monument St. ; plan A2),* fondée en 1844, renferme une bibliothèque de valeur et des collections maritimes et historiques (entre autres le manuscrit original du *Star Spangled Banner).*

- **Baltimore Museum of Art**** *(N. Charles & 31 st Sts ; hors plan A1 ; ouv. mer.ven. 10h-16h, sam.-dim. 11h-18h).* Le musée de Baltimore a, depuis sa création, changé plusieurs fois de place et connu maintes vicissitudes mais il n'a jamais cessé de s'enrichir et de s'agrandir ; les collections Cone et Epstein en particulier lui ont apporté des chefs-d'œuvre universellement connus de la première moitié du XXe s.

Le musée comprend une **section d'antiquités** égyptiennes, chypriotes, grecques et d'Asie Mineure (voyez surtout les mosaïques d'Antioche), ainsi qu'une importante section d'arts décoratifs (objets cultuels, vitraux et émaux champlevés).

Le **département des peintures** comprend quant à lui quelques chefs-d'œuvre de Giovanni di Paolo *(Déposition** ; Mise au tombeau**)*, de Titien *(Homme à la fourrure**)*, Frans Hals, Rembrandt *(Portrait de Titus**)*, Van Dyck, Poussin, etc.

Les impressionnistes et post-impressionnistes constituent l'une des grandes collections du musée. Parmi les œuvres majeures, on pourra noter celles de : Claude Monet *(Pont de Charing Cross**)*, Auguste Renoir *(les Lavandières** ; les Oliviers* ; Roses* ; Homme lisant*)*, Alfred Sisley *(Peupliers au bord de la rivière*)*, Degas, Boudin, Mary Cassatt, Berthe Morisot, Cézanne *(les Baigneurs* ; la Montagne Sainte-Victoire vue de Bibémus**)*, Vincent Van Gogh *(les Souliers*)*, Georges Rouault *(Deux Écuyères de cirque* ; Deux Clowns*)*, Gauguin, Bonnard, Derain, Rousseau, Signac, Utrillo, Vallotton, Vlaminck.

Grâce aux collections Epstein et Cone, le fonds de peinture moderne est particulièrement important puisqu'il ne comprend pas moins de 43 **Matisse** et 16 **Picasso**. Parmi ces Matisse : *le Nu bleu**, le Nu rose*, le Turban blanc**, Odalisque assise**, Branche de magnolia** sont les plus connus. Ils sont l'expression de l'univers de jeunes et jolies femmes, de luxe, de joie de vivre, de soleil et de chaleur qui était celui du peintre. L'ensemble Picasso comprend surtout des portraits : ceux d'Etta Cone et du Dr Claribel Cone qui toutes deux

réunirent la collection ; portraits aussi de *Léo Stein** et d'*Allan Stein***, frères de la célèbre Gertrude Stein qui fut l'amie du peintre ; *Étude pour la famille de saltimbanques* ; Famille d'acrobates*, etc.

L'expressionnisme nordique est représenté par Edvard Munch dont on voit ici une version du *Vampire*. Ernst Ludwig Kirchner : *Portrait de Hugo*** dans lequel l'artiste traduit les aspects spatiaux par des formes angulaires apprises des cubistes.

● La **Johns Hopkins University**, jouxte le musée. Sur le campus, **Homewood House** (1802), élégante résidence de Charles Caroll Jr., est occupée maintenant par l'administration de l'université.

■ 3. — À voir encore

● Le **Baltimore Museum of Industry** *(1415 Key Hwy, à env. 1 km du Inner Harbor)* amusera les jeunes et les enfants : démonstrations de travail en atelier, du fonctionnement d'un remorqueur, etc.

● **Fells Point** *(accès par « water taxi » depuis Inner Harbor)* concentrait au XIXe s. l'industrie navale de Baltimore. C'est aujourd'hui un quartier historique bien réhabilité et très animé le soir (nombreux restaurants).

● **Fort McHenry** *(à env. 3 mi/5 km au S. de Inner Harbor, au bout de Fort Ave. ; ouv. t.l.j. 9 h-17 h)*. Ce fort commande l'entrée du port depuis 1776 ; beau panorama. Les fortifications actuelles ont été construites de 1793 à 1803. Le 14 septembre 1814, le fort McHenry subit le bombardement d'un navire de guerre britannique. À bord de ce navire, un prisonnier américain, Francis Scott Key, à la vue de la bannière étoilée qui comportait alors 15 étoiles et 15 rayures, écrivit les vers du *Star Spangled Banner*, devenu plus tard l'hymne national ; en été, vis. guidées, tirs de mousquets, parades militaires.

● **Baltimore & Ohio Railroad Museum** *(Pratt & Poppleton Sts ; ouv. t.l.j. 10 h-17 h)*. — La Baltimore & Ohio Railroad Co fut la première société de chemin de fer du pays. La gare, construite en 1850, a été transformée en un petit musée retraçant l'histoire de la compagnie. La rotonde adjacente (1884) abrite une splendide collection de locomotives du XIXe s., et l'extérieur du musée, en plein air, présente d'impressionnantes motrices du XXe s.

● **Ellicott City** *(à 11 mi/18 km au S.-O. par Old Frederick Rd. ou la MD 144)*. — Fondée en 1774, la ville, qui fut un petit centre sidérurgique au XIXe s., devint le premier terminal ferroviaire américain de la Baltimore & Ohio Railroad Co : musée dans la vieille gare de 1830 *(Maryland Ave. & Main St. ; f. lun., mar.)*. Étagée sur les deux rives de la Patapsco River, la localité a préservé bon nombre de ses maisons anciennes en pierre ou en rondin. La vallée même de la rivière a été aménagée en plusieurs zones de loisirs constituant le **Patapsco Valley State Park.**

Buffalo*

328 175 hab. ; fuseau horaire : Eastern time.
Situation : à l'extrême O. de l'État de New York, à la frontière canadienne, sur les rives du lac Érié.
À voir aussi dans la région : Niagara Falls***, Rochester ; *dans les Grands Lacs :* Cleveland.

Deuxième ville de l'État de New York, Buffalo est une cité accueillante et chaleureuse, malgré son injuste réputation de capitale du blizzard. Les rénovations entreprises ces dernières années contribuent à redorer son image. Le nombre important d'églises et de tavernes qui s'y côtoient dénote un mélange ethnique réussi où la Saint-Patrick et le Pulaski Day (polonais) sont également et très dignement fêtés.

Les principaux édifices administratifs sont proches de Niagara Square orné d'un monument à la mémoire du président des États-Unis, W. McKinley, assassiné lors de l'exposition panaméricaine de 1901.

● **City Hall** *(65 Niagara Square, lun.-ven. : 9 h-17 h)*. — Du 28e étage de la plate-forme d'observation de ce très bel exemple d'immeuble Art déco se présente une vue imprenable sur la ville, le lac Érié et ses environs.

● **Naval and Servicemen's Park** *(1 Naval Park Cove, 1er avr.-30 nov. : 10 h-15 h)* sur la Buffalo River, où sont regroupés plusieurs navires militaires : le destroyer *The Sullivans* et le cruiser *Little Rock* que l'on peut visiter.

● **Delaware Avenue** est l'ancienne artère élégante de la ville. Au n° 388, **The Buffalo Club** où se tint le premier cabinet ministériel de Th. Roosevelt ; au n° 641, **Theodore Roosevelt Inaugural National Historic Site**, dans la maison Wilcox, où le nouveau président des États-Unis prêta serment après l'assassinat de McKinley (musée) ; au n° 805, **Temple Beth Zion** (architecte : Max Abramovitz, 1967 ; vitraux de Ben Shahn).

*Delaware Ave. aboutit au **Forest Lawn Cemetery** qui est séparé de l'Albright-Knox Gallery par le Delaware Park.*

● **Albright-Knox Gallery*** *(1285 Elmwood Ave. ; mar.-sam. 11 h-17 h), dim. 12h-17h)* est un beau musée d'art classique et surtout moderne : section d'antiquités et de peintures des XIXᵉ et XXᵉ s. (Cézanne, Gauguin, Matisse) ; importante collection d'art américain contemporain (Expres-

sionnisme abstrait, pop'art, peinture des années 70).

● **La Buffalo Erie Country Historical Society** *(25 Nottingham Court ; jeu.-sam. 10 h-17 h, dim. 12 h-17 h)* est un musée historique concernant la vie artisanale, rurale et urbaine d'autrefois, les transports aux XIXᵉ et début XXᵉ s. ainsi que la culture indienne (intérieur d'une maison de style « long-house »).

Charlottesville*

40 341 hab. ; fuseau horaire : Eastern time.
Situation : *Virginie, à 70mi/113km à l'O. de Richmond. Au pied des Appalaches.*
À voir aussi dans la région : *Richmond**, Roanoke et les Highlands*, Shenandoah National Park*, Washington***.*

Charlottesville fut l'enfant chéri de Thomas Jefferson qui considérait les douces collines alentour comme l'éden des États-Unis. Bien que signataire de la déclaration d'Indépendance et troisième président des États-Unis, c'est, semble-t-il, de l'édification de l'université de Charlottesville qu'il tira sa plus grande fierté. Dans sa magnifique plantation de Monticello, dont il fut lui-même l'architecte, on découvrira les multiples facettes de cet homme illustre et très attachant.

*Avant toute chose, allez au **Visitors' bureau** (route. 20 S) où une exposition permanente sur Thomas Jefferson rendra votre visite beaucoup plus passionnante.*

● **University of Virginia*** *(University Ave., Rudby Rd.).* — Fondée par Thomas Jefferson en 1819, c'est probablement l'établissement d'enseignement supérieur le plus élégant des États-Unis, dont le joyau est une superbe rotonde, réplique miniature du Panthéon de Rome. À la fois esthétique et parfaitement fonctionnelle, l'université fut désignée comme la plus admirable pièce d'architecture du pays. À partir de la rotonde, on peut effectuer une visite de 45 min *(ouv. t.l.j. 10 h-16 h)* à travers le cam-

pus et ses jardins aux multiples colonnades. Vous verrez également la chambre d'étudiant qu'Edgar Allan Poe occupait en 1826.

● **Monticello**** *(à 2 mi/3 km au S. par la VA 20 puis VA 53, ouv. t.l.j. 9 h-16 h 30, nov.-fév. ; 8 h-17 h le reste de l'année.)* — C'est en 1769 que Thomas Jefferson alors âgé de 26 ans dessine les plans de sa célèbre maison. La construction, sans cesse remaniée durant quarante ans, se démarque du style georgien alors dominant et de la mentalité coloniale sous-jacente. De style palladien, l'élégante façade en briques s'élève autour d'un portique dorique blanc. La parfaite symétrie de l'ensemble est entièrement démentie par les multiples bizarreries de

La demeure de Thomas Jefferson à Monticello.

l'architecture intérieure : ainsi l'escalier, jugé encombrant et peu esthétique, est ici étroit et camouflé. Le mobilier et les objets personnels du Président vous feront découvrir un personnage beaucoup plus étrange et excentrique que les historiens ne le montrent : la pendule de sept jours, le « double stylo » qui permet de rédiger l'original en même temps que sa copie, ou encore le miroir concave qui orne le hall d'entrée et vous renvoie votre image inversée. C'est dans cette maison que Thomas Jefferson mourut en 1826 ; sa tombe se trouve au cimetière de famille tout proche.

● **Ash Lawn-Highland** *(à 4 mi/8 km par la VA 795 après Monticello, ouv. t.l.j. 9 h-16 h, mars-oct. ; 10 h-17 h le reste de l'année),* plus modeste à côté de sa prestigieuse voisine, fut également dessinée par Thomas Jefferson pour son ami James Monroe (cin-quième président des États-Unis). La maison, aujourd'hui transformée en musée, possède elle aussi un mobilier original ainsi qu'une multitude de souvenirs ramenés de France par ce dernier. Alentour, une plantation active sur laquelle se promènent d'orgueilleux paons.

● **Historic Michie Tavern** *(VA 53 près de Monticello, ouv. t.l.j. 9 h-17 h)* est, elle aussi, devenue une attraction du fait de sa proximité avec Monticello. Edifiée en 1784 à Earlysville *(à 27 km de là),* elle fut débâtie et reconstruite pierre par pierre en 1927. Une hôtesse costumée vous conduira à travers les pièces de la taverne que fréquentèrent de futurs présidents des États-Unis et... le général La Fayette. Dans la tradition de deux cents ans d'hospitalité, on peut toujours y prendre un repas entre 11 h 30 et 15 h.

Fredericksburg*

19 027 hab. ; fuseau horaire : Eastern time.

Situation : *Virginie, sur la rivière Rappahannock ; à mi-chemin entre Washington et Richmond.*

À voir aussi dans la région : *Charlottesville*, Richmond**, Washington***.*

Port de commerce tranquille sur les rives de la Rappahannock, Fredericksburg conserve orgueilleusement l'empreinte de la famille Washington. C'est ici en effet que George Washington (1732-1799), appelé à devenir le premier président des États-Unis, passa sa jeunesse. On y visite encore la maison de sa mère et de ses frère et sœur. Mais Fredericksburg est également la « ville du champ de bataille » prise au cœur de violents combats durant la guerre de Sécession. Quatre champs de bataille tout proches témoignent de ce tragique passé.

*Le **Visitor Center** (706 Caroline St.) constitue un très bon point de départ pour la visite de la vieille ville. En vous y rendant, admirez les maisons une à deux fois centenaires qui bordent **Caroline St.***

*Pour en savoir plus sur **George Washington** → Washington, prom. 8 (Mount Vernon).*

● **Kenmore** *(1201 Washington ave. ; ouv. t.l.j. 9 h-17 h mars-nov. ; 10 h-16 h déc.-fév.).* — Ce somptueux manoir géorgien fut construit en 1750 pour Betty, la sœur de George Washington, peu de temps après son mariage avec son cousin Fielding Lewis. Derrière une façade d'apparence simple, l'intérieur révèle un luxe étonnant : plafond orné de délicates moulures et élégant mobilier. Après la visite, on vous invitera à la cuisine pour y déguster un thé et du pain d'épice.

● **Marie Washington House** *(Charles et Lewis Sts, ouv. t.l.j. 9 h-17 h mars-nov. ; 10 h-16 h déc.-fév.),* modeste maison que George Washington acheta pour sa mère en 1772. C'est ici qu'elle passa les 17 dernières années de sa vie. On dit que les jeunes mariés

viennent encore dans son jardin pour y prêter serment.

● **Rising Sun Tavern** *(1306 Caroline St., ouv. t.l.j. 9 h-17 h mars-nov. ; 10 h-16 h déc.-fév.)* était à l'origine la maison de Charles, le frère de George Washington, qu'il fit construire en 1760. La visite guidée de la taverne est effectuée par une « servante » costumée : vaisselle et jeux de bistrot anciens.

● **Hugh Mercer Apothecary Shop** *(Caroline et Amelia Sts, ouv. t.l.j. 9 h-17 h mars-nov. ; 10 h-16 h déc.-fév.).* — Dans la boutique de l'apothicaire Hugh Mercer une hôtesse costumée vous décrira avec force détails les diverses opérations chirurgicales qu'il pratiquait. Vous verrez également le terrible appareillage des dentistes… de quoi frémir ! Très instructif cependant sur la pratique des soins médicaux au XVIIIe s.

● **James Monroe Museum and Memorial Library** *(908 Charles St. ouv. t.l.j. 9 h-17 h)* où vécut de 1787 à 1789 celui qui allait être le cinquième président des États-Unis. Ses objets personnels et son mobilier y ont été conservés par sa famille. On verra notamment son bureau Louis XVI, qu'il avait acheté à Paris, et sur lequel il signa sa fameuse doctrine : « l'Amérique aux Américains », un des dogmes de la politique étrangère américaine.

■ Environs de Fredericksburg

● **Frederick and Spotsylvania National Military Park** regroupe, dans un rayon de 27 km autour de la ville, quatre champs de bataille : **Fredericksburg**, **Chancellorsville**, **Wilderness** et **Spotsylvania Court House**. Ils furent le théâtre de combats décisifs de la guerre de Sécession dont l'enjeu était la prise de contrôle de la capitale confédérée Richmond. Sur les 750 000 hommes engagés dans la lutte, plus de 100 000 périrent au cours de batailles particulièrement sanglantes.

Le **Fredericksburg Battlefield Visitor Center** *(dans Fredericksburg, 1013 La Fayette Blvd.)* constitue le point de départ de la visite ; une présentation audiovisuelle y retrace les principaux affrontements. Sur les champs de bataille eux-mêmes, peu de choses à voir, sinon les panneaux signalétiques indiquant les endroits stratégiques.

● **George Washington Birthplace National Monument** *(à 40 mi/64 km au S.-E. par les VA 3 et 204 ; ouv. t.l.j. 9 h-17 h)*, sur les rives du Potomac, est l'ancienne plantation familiale de la famille Washington ; George Washington y est né en 1732. La maison principale brûla en 1779. Le domaine abrite toujours les tombes de la famille.

À **Stratford Hall** *(à 8 mi/13 km au S.-E. par la VA 3)*, un autre Virginien célèbre, Robert Lee, vit le jour en 1807. Près de la très riche demeure construite en 1725 subsiste un vieux moulin à eau.

Gettysburg*

7 025 hab. ; fuseau horaire : Eastern time.
***Situation :** Pennsylvanie, au cœur du parc national de Gettysburg. À 121 mi/195 km à l'O. de Philadelphie.*
*À **voir aussi dans la région** : Baltimore**, le Pennsylvania Dutch Country**.*

Situé à une dizaine de kilomètres au N. de la « Mason and Dixon Line » —limite septentrionale des États esclavagistes avant la guerre de Sécession—, Gettysburg est l'un des champs de bataille les plus célèbres (et les plus visités) des États-Unis : ici eut lieu du 1er au 3 juillet 1863, une bataille décisive où les Confédérés du général Lee furent battus par les troupes de l'Union commandées par le général Meade. Le 19 novembre 1863, lors de l'inauguration du cimetière des Héros, Lincoln, dans sa courte et célèbre *Gettysburg Address*, appelait à la paix et à la réconciliation des États du Nord et du Sud.

● La ville est surtout connue pour ses musées consacrés à la guerre de Sécession : **National Civil War Wax Museum** et **Soldiers' National Museum** *(Baltimore St.)*, etc.

● Le **National Military Park**, champ de bataille de 65 km², regroupe plus de 1 300 monuments… Allez d'abord au **Visitor Center** *(au S. de Gettysburg ; ouv. t.l.j. 8h-17h)*, d'où vous pourrez vous orienter (grande carte lumineuse) et éventuellement vous joindre à une visite guidée. À côté, **Cyclorama** : petit musée et film de 10 mn. Dans le parc, vous pourrez voir le **National Cemetery**, le cimetière des Héros où Lincoln prononça son discours, l'**Eternal Light Peace Memorial**, dédié à la paix dans une nation unie, le **Virginia Memorial**, surmonté de la statue du général Lee, etc.

● **Eisenhower National Historic Site** *(à proximité du champ de bataille ; vis guidée depuis le Visitor Center du parc t.l.j. avr.-oct., mer.-dim. le reste de l'année) :* visite de la ferme où se retira le général Eisenhower.

La *Gettysburg Address*

Quatre mois se sont écoulés depuis la terrible bataille de Gettysburg, lorsque Abraham Lincoln se rend sur le lieu du combat, le 19 novembre 1863. Il vient y consacrer un cimetière national et prononcer une brève déclaration : la *Gettysburg Address*. Un poème, chargé d'émotion, dans lequel le président rend hommage aux soldats des deux armées, pour que « ces morts ne soient pas morts en vain, que cette nation, sous la direction de Dieu, naisse une nouvelle fois à la liberté et que le gouvernement du peuple, par le peuple, pour le peuple ne disparaisse pas de notre terre ». Ce discours d'à peine deux minutes, dans lequel Lincoln fait du combat contre l'esclavage celui de la défense de la démocratie, restera l'un des plus célèbres de l'histoire des États-Unis.

La bataille de Gettysburg a marqué un tournant dans le déroulement de la guerre de Sécession, amorçant la retraite du Sud et annonçant déjà sa défaite. C'est pourtant Lee, le grand général sudiste, qui passa à l'offensive le 1er juillet 1863, voulant marcher sur Washington. En vain : il ne réussit pas à percer la résistance du Nord. Son second assaut, le 2 juillet, se solda par un véritable carnage. Mais cela n'arrêta pas les Confédérés qui repartirent à l'attaque le 3 juillet. Cette fois ce fut un désastre : en trois jours, on dénombra plus de victimes que lors de n'importe quelle autre bataille de la guerre de Sécession (près de 50 000 au total). Vaincus, les sudistes se retirèrent en Virginie ; cette défaite fut catastrophique pour leur moral.

Niagara Falls***

Les chutes du Niagara

Situation : *État de New York, sur la frontière canadienne ; à 20 mi/32 km N. de Buffalo.*
À voir aussi dans la région : *Buffalo*, Rochester.*

Les chutes du Niagara —« tonnerre de l'eau » pour les Iroquois, qui honoraient la cataracte comme un lieu saint— sont une des curiosités naturelles les plus grandioses et les plus visitées d'Amérique du Nord. Et donc très touristiques, ce qui enlève un peu de son intérêt au spectacle…

D'une beauté surnaturelle, ce site a vu fleurir de nombreuses légendes dont celle, au début du XVIIIe s, de cette jeune Indienne retrouvée mystérieusement noyée. Certaines nuits d'été, quand les projecteurs embrasent de mille feux les chutes vertigineuses, sa silhouette apparaît à l'entrée des grottes. Le XIXe s., plus épris de rationalisme, voulut dominer la fascination que provoquaient les chutes en s'efforçant de les dompter en tant que simple phénomène naturel. Les *Niagara Daredevils* risquèrent alors leur vie dans les tentatives de traversée les plus folles. Parmi eux, le funambule français Blondin s'illustra en 1859 en affrontant à plusieurs reprises les chutes sur un câble métallique, une fois avec son imprésario sur les épaules, une autre fois avec un fourneau sur lequel il se préparait une omelette. L'Italienne Maria Spetterini fut, en 1876, la première femme à traverser la gorge sur un fil métallique.

■ Les chutes dans l'histoire

La formation des chutes. — La naissance des chutes remonte à environ 35 000-75 000 ans. Le Niagara se frayait alors un chemin nonchalant à travers un plateau calcaire de 25 m d'épaisseur, reposant sur des masses d'ardoise et de grès ; puis, du bord de ce plateau —le Niagara Escarpment, rive primitive du lac Ontario, à la hauteur de la ville actuelle de Lewiston—, il se précipitait sur le sol plus tendre en contrebas. La puissance des eaux emporta les couches de soutien et creusa le plateau calcaire. Privées de leur appui, les masses rocheuses se brisèrent finalement, de sorte que les chutes d'eau « remontèrent » peu à peu vers le haut du fleuve. Au cours des trois derniers millénaires, elles se déplacèrent de la hauteur de l'actuel Rainbow Bridge jusqu'à leur position actuelle. Aujourd'hui encore, elles reculent sur le côté américain d'environ 2 cm par an, sur le côté canadien de 6 cm (au sommet des Chutes en fer à cheval). Comme les dernières recherches menées pendant l'assèchement provisoire des chutes en 1969 (à l'occasion de la construction de la centrale Robert Moses) l'ont laissé supposer, elles auront atteint le lac Érié, près de Buffalo, dans environ 400 000 ans...

Un potentiel énergétique gigantesque. — Avant l'exploitation du Niagara pour la production électrique, la cataracte déversait 5 900 000 litres d'eau par seconde (dont 6% seulement par les chutes américaines). Un accord américano-canadien de 1951 sur l'utilisation commune garantit pendant l'été, de jour, un volume de 2 802 000 l, pendant la nuit et en hiver, un volume de 1 400 000 l. La première centrale hydroélectrique (1896) produisait 80 000 kW ; aujourd'hui 3 millions ; dans l'avenir, elle en fournira 5 millions...

■ Visiter les chutes

Saison : toute l'année. La meilleure époque pour les visiter est au printemps ou en automne ; les chutes sont également très belles en hiver, quand elles sont gelées.

Accès : en avion jusqu'à Buffalo, puis navette ou taxi vers Niagara Falls. Également, possibilité de train ou de bus depuis Buffalo . **Niagara Falls** *(États-Unis) est une ville industrielle typique, peu avenante, avec de nombreuses usines ;* **Niagara Falls** *(Ontario) est une zone franche (produits détaxés). Toutes deux sont reliées par trois ponts au-dessus du Niagara.*

Attention de **ne pas oublier votre passeport** *!*

Il y a trois chutes proprement dite : **American Falls** *et* **Bridal Veil Falls***, du*

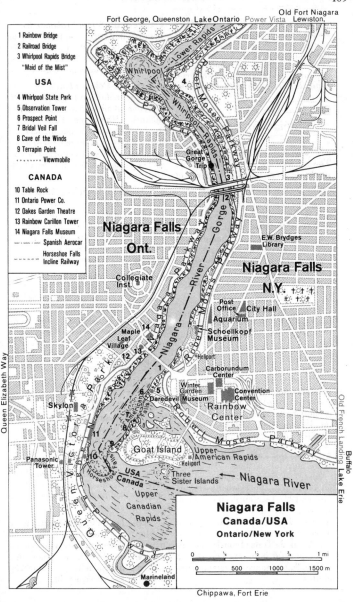

Fort George, Queenston Lake Ontario Power Vista Old Fort Niagara
Lewiston,

1 Rainbow Bridge
2 Railroad Bridge
3 Whirlpool Rapids Bridge
"Maid of the Mist"

USA

4 Whirlpool State Park
5 Observation Tower
6 Prospect Point
7 Bridal Veil Fall
8 Cave of the Winds
9 Terrapin Point
········· Viewmobile

CANADA

10 Table Rock
11 Ontario Power Co.
12 Oakes Garden Theatre
13 Rainbow Carillon Tower
14 Niagara Falls Museum
—·—·— Spanish Aerocar
– – – Horseshoe Falls
      Incline Railway

Lower Rapids

Whirlpool

Niagara Parkway

Whirlpool Rapids

Robert Moses Parkway

Great Gorge Trip

Niagara Falls Ont.

Niagara Parkway

Niagara River Gorge

E.W. Brydges Library

Niagara Falls N.Y.

Collegiate Inst.

Robert Moses Parkway

Post Office City Hall
Aquarium
Schoellkopf Museum

Maple Leaf Village

Heliport

Carborundum Center

Skylon

Daredevil Museum Winter Garden Museum Convention Center

Rainbow Center

Goat Island Upper American Rapids
Heliport

Panasonic Tower

Horseshoe Falls USA
Canada Three Sister Islands Niagara River

Upper Canadian Rapids

Robert Moses Parkway

Buffalo Lake Erie Old French Landing

Queen Elizabeth Way

Victoria Park

Queen Victoria Park

**Niagara Falls
Canada/USA
Ontario/New York**

0   ¼   ½   ¾   1 mi
0   500   1000   1500 m

Marineland

Chippawa, Fort Erie

côté américain (les plus hautes) ; **Horseshoe Falls**, *du côté canadien (moins hautes, mais plus impressionnantes). Deux ou trois heures suffisent à voir l'essentiel, mais il serait dommage de manquer la vue depuis l'Ontario. Enfin, le soir, le spectacle est superbe.*

■ 1. — Du côté américain

● **Prospect Point Observation Tower*** *(plan, n° 6),* d'une hauteur totale de 86 m, domine la gorge et offre un magnifique panorama.

● Des ascenseurs permettent au visiteur de descendre à l'embarcadère de la *Maid of the Mist,* barque qui mène au pied des chutes. La balade vaut vraiment le coup : on vous prêtera un ciré à capuche (maigre protection contre les torrents d'eau), pour approcher au maximum des cataractes.

● Le long du fleuve, un premier pont conduit à la petite île de **Green Island** (île verte), d'où l'on découvre une belle vue sur les rapides américains supérieurs (Upper Rapids), et un second pont mène à **Goat Island** (on peut également emprunter le train panoramique « Viewmobile »). Sur ces îles, aujourd'hui ornées de beaux espaces verts, furent autrefois inhumés les chefs indiens des environs et sacrifiées des jeunes filles.

● **Bridal Veil Falls** *(plan, n° 7).* La visite, autrefois périlleuse, des grottes creusées derrière le rideau d'eau rugissant n'est plus possible depuis que, en 1927, les rochers en surplomb se sont effondrés, ensevelissant quinze visiteurs et faisant quatre morts. À proximité de l'entrée, la statue de Nikola Tesla (1856-1941) rappelle qu'il fut le premier en 1896 à utiliser la puissance énergétique des chutes.

● **Cave of the Winds*** *(plan, n° 8).* — L'entrée de la grotte se trouve à peu près à mi-chemin entre les chutes américaines et les chutes canadiennes. Vous y longerez les chutes d'assez près.

● **Terrapin Point** *(plan, n° 9),* à la pointe S.-O. de Goat Island, se trouve directement au bord des chutes canadiennes, **Horseshoe Falls** (→ *ci-après),* formant une paroi rocheuse haute de 54 m et large de 640 m au sommet ; elles sont coupées en leur milieu par la frontière entre les États-Unis et le Canada.

● **Schoellkopf Geological Museum** *(à 0,5 mi/0,8 km env. au N.-E. de Rainbow Bridge dans le Prospect Park),* intéressant pour son architecture, présente des échantillons retraçant 500 millions d'années d'histoire géologique de la région du Niagara.

● Il existe également d'autres attractions dispersées à Niagara Falls, d'un intérêt très restreint : **Niagara Splash Water Park** (parc d'attractions nautiques ; derrière le Convention Center) ; le **Wintergarden** (vaste serre tropicale), etc.

■ 2. — Du côté canadien

● **Queen Victoria Park***. C'est en fait du côté canadien, depuis ce parc qui s'étend du Rainbow Bridge jusqu'au-delà de **Horseshoe Falls****, que l'on obtient les meilleurs points de vue sur les chutes. Voir notamment la pointe rocheuse de **Table Rock** *(plan, n° 10)* et les galeries aménagées sous celle-ci et qui permettent d'atteindre le pied des chutes.

● **Maple Leaf Village**, **Panasonic** et **Skylon**, trois tours qui permettent d'avoir également des vues plongeantes sur les chutes, mais qui contribuent à enlaidir le site déjà très défiguré des Niagara Falls.

Norfolk

261 250 hab. ; fuseau horaire : Eastern time.

Situation : *Virginie, sur la baie de Chesapeake ; à 93mi/150km au S.-E. de Richmond et 190 mi /305 km S. de Washington.*
À voir aussi dans la région : *Richmond**, Williamsburg** ; **dans le Sud** : Caroline du Nord : la côte et les Outer Banks*.*

Ville industrielle et port d'attache de l'impressionnante flotte atlantique américaine, Norfolk n'en possède pas moins un beau musée d'art, le Chrysler Art Museum. À Hampton, un autre port à proximité, vous passerez de la mer aux étoiles : la NASA vous ouvrira ses portes pour une exploration d'un intérêt unique.

■ Norfolk dans l'histoire

Un emplacement stratégique. — En 1692 un fermier, Nicholas Wise, achète un terrain sur l'Elizabeth River et fonde la ville de Norfolk. Grâce à sa situation exceptionnelle, elle devient rapidement un port actif et l'une des plus grandes villes de Virginie. Son essor est brutalement brisé en 1776, au début de la guerre d'Indépendance, quand la flotte britannique commandée par lord Dunmore ouvre le feu sur elle. Après la guerre, Norfolk renaît de ses cendres, mais elle sera de nouveau très convoitée par les troupes de l'Union qui s'en emparent en 1862. Aujourd'hui, Norfolk est l'un des plus grands ports des États-Unis.

■ 1. — Le centre-ville

● **Le Chrysler Art Museum*** *(245 Olney Rd. ; ouv. mar.-sam.10 h-16 h, dim. 13 h-17 h)* présente la collection de Walter Chrysler Jr., le fils du fondateur de la célèbre firme automobile, qui entretenait des relations amicales avec Picasso. Vous y admirerez des œuvres aussi diverses que prestigieuses de Titien, Georges de La Tour, Le Sueur, Gainsborough, Renoir, Boudin, Pollock, Dali, Warhol, ainsi qu'une importante collection de verreries de Lalique.

● **Moses Myers House** *(323 E. Freemason St. ouv. mar.-sam.12 h-17 h de jan. à mars ; mar.-sam.10 h-17 h, dim.12 h-17 h le reste de l'année)* est une élégante résidence de style georgien. Elle fut construite en 1792 par la première famille juive installée à Norfolk. À l'intérieur le mobilier est d'époque, et l'on peut admirer une galerie de portraits de famille peints par Gilbert Stuart et Thomas Sully.

● **St Paul's Church** *(201 St Paul Blvd. ; ouv. mar.-ven. 10h-16h)* est le seul édifice de la cité du XVIIIᵉ s. à avoir été épargné par les bombardements de la flotte britannique en 1776. Construite en 1739 mais altérée à l'époque victorienne, elle a été restaurée au début du siècle.

● **Douglas McArthur Memorial** *(Bank St. et City Hall Ave. ; ouv. lun.-sam. 10 h-17 h, dim. 11 h-17 h)*. Autrefois palais de justice, il abrite aujourd'hui la dépouille du général McArthur (1880-1964), commandant en chef des forces alliées du Pacifique durant la Seconde Guerre mondiale. L'attitude durant la guerre de Corée (1950) de cet homme au tempérament fougueux fut très controversée : McArthur fut démis de ses fonctions par le président Truman en 1951. Les pièces attenantes au mausolée présentent une collection de divers documents et d'archives retraçant sa carrière.

● **Le port,** au S. de la ville, est l'un des plus actifs de la côte Est. Principal port de commerce avec l'Angleterre et les Antilles, on peut en mesurer l'importance en s'embarquant sur le *Spirit of Norfolk (départ depuis le Waterside, 333 Waterside Drive).*

■ 2. — Au nord de Lafayette River

● **Hermitage Foundation Museum** *(7637 N. Shore Rd. ; ouv. lun.-sam. 10 h-17 h, dim. 13 h-17 h).* — Cette ravissante maison de style néogothique possède une importante collection d'art oriental, dont un exceptionnel bouddha de Chine vieux de 1 400 ans. Possibilité de promenades et même de pique-nique dans les jardins du musée, le long de la rivière Lafayette.

● **Norfolk Naval Base*** *(9809 Hampton Blvd.)* est le port d'attache de plus de 125 navires de la flotte atlantique et méditerranéenne. L'impressionnant *Theodore Roosevelt,* deuxième plus gros navire de guerre au monde avec son équipage de 6 300 personnes, mérite un coup d'œil. D'avril à octobre, à partir du **Naval Base Tour Office,** des visites guidées en bus sont organisées (☎ 444-1577 ou 444-7955).

● **Les Norfolk Botanical Gardens*** *(Azalea Garden Rd., ouv. t.l.j. de 8 h 30 jusqu'au soir)* sont le but d'une promenade enchanteresse le long de 20 km de sentiers botaniques, où s'exhale le parfum des roses, des camélias, des azalées et des rhododendrons. De mars à septembre, on

peut s'y promener en petit train ou en bateau.

■ Environs de Norfolk

Deux autres villes portuaires, à l'entrée des Hampton Roads, forment avec Norfolk une vaste agglomération urbaine : Hampton et Portsmouth.

● **Hampton*** *(à 20mi/32km au N. par l'Interstate 64),* est l'une des plus anciennes colonies anglaises du continent (1610) et, surtout, le siège du **Langley Research Center,** le célèbre centre de recherche de la NASA où les astronautes s'entraînèrent pour les missions Mercury et Apollo. Ainsi, on visitera le **Virginia Air & Space Center*** *(sur l'Interstate 64, sortie 267 ; ouv. lun.-sam. 10h-17h, 21h le ven., 12 h-17h le dim.)* : une occasion d'admirer des pierres lunaires et de voir des cabines spatiales ; grâce à des animations interactives, vous aurez la possibilité unique de vous voir en astronaute.

À voir également, **Fort Monroe** *(Mercury Blvd.),* construit en 1834 pour protéger les Hampton Roads, à l'emplacement d'un ancien fort en briques. Après la guerre de Sécession, le président de la Confédération, Jefferson Davis, y fut retenu prisonnier durant deux ans. À l'intérieur, **Casemate Museum** *(ouv. t.l.j. 10 h 30-17 h),* consacré à l'histoire du fort.

● **Portsmouth** *(à 6 mi/10 km au S.-O. par l'Interstate 64).* — Les passionnés de la marine se divertiront d'une visite au **Portsmouth Naval Shipyard Museum** *(2 High St. mar.-sam. 10 h-17 h, ouv. dim. 14 h-17 h).* La vieille ville recèle d'autre part plusieurs belles maisons anciennes des XVIIIe et XIXe s.

● **Virginia Beach** *(à 19 mi/30 km à l'E. par l'US 58)* est une grande station balnéaire urbanisée possédant une immense plage de 13 km. C'est le rendez-vous des surfers qui viennent y disputer à la fin d'août le championnat de la côte Est. Suivant leur exemple, vous pourrez y pratiquer divers sports nautiques.

Le Chesapeake Bay Bridge-Tunnel *(pont à péage)*, fermant la baie de Chesapeake, est une construction extraordinaire qui relie Virginia Beach à Kiptopeke. Construit en 1964, le pont mesure 28,5 km de long et prend appui sur Fisher-mans Island. Tel un serpent de mer, par deux fois le pont plonge sous les eaux pour permettre le passage des bateaux. À mi-construction, vous aurez la possibilité de vous restaurer et d'admirer la baie d'une jetée d'observation.

Pennsylvania Dutch Country**

Fuseau horaire : Eastern time.
Situation : E. de la Pennsylvanie, au N.-O. de Philadelphie.
À voir aussi dans la région : Gettysburg*, Philadelphie***.

Au pays des contrastes et des paradoxes, il n'est pas tout à fait inconcevable de croiser, à quelques heures de route de l'effervescence des grandes villes de la côte Est, de hautes silhouettes noires juchées sur d'authentiques calèches : le Pennsylvania Dutch Country fait partie de ces lieux où le temps semble ne plus compter. Des différentes sectes qui vivent ici (anabaptistes, mennonites ou luthériens), la plus connue est très certainement celle des Amish. Cette communauté religieuse d'origine suisse allemande a fui les persécutions de la Contre-Réforme et s'est réfugiée au fin fond de la Pennsylvanie au XVIIe s. Elle perpétue aujourd'hui encore d'antiques us et coutumes ainsi que le dialecte germanique que parlaient ses aïeux ; les Amish refusent la modernisation et tout contact avec le monde extérieur, se consacrant essentiellement aux activités agricoles.

Le paradis sur Terre existerait-il ? C'est bien la question qui vient à l'esprit en visitant la région, tant les touristes et les « curieux » sont nombreux à la belle saison : sur tous les grands axes, vous trouverez des « attractions » et des musées qui vous dévoileront tout sur les Amish. Mais c'est ailleurs, en flânant dans ce paysage plat et tranquille, au milieu des petites exploitations fermières, que vous saisirez vraiment le caractère et l'originalité du lieu.

● **Lancaster*** *(à 66 mi/106 km à l'O. de Philadelphie)* est l'un des principaux centres du Pennsylvania Dutch Country. Allez faire un tour sur le **marché de Penn Square**, souvent animé. L'Old City Hall, transformé en **Lancaster Heritage Center** *(King & Queen Sts)*, présente des expositions d'artisanat et d'objets d'art.

Dans les proches environs, le **Pennsylvania Farm Museum of Landis Valley** *(2451 Kissel Hill Rd., à 2 mi/3km N. par la PA 272)* présente les traditions rurales du Pennsylvania Dutch Country. L'**Amish Farm and House** *(4 mi/6 km E. par l'US 30)* vous montrera comment vit une ferme amish. Enfin, l'**Amish Homestead** *(2034 Lincoln Hwy, à 3 mi/5 km E. par la PA 462)*, toujours tenue par une famille amish, vous permettra de mieux comprendre les traditions de la communauté.

● **Intercourse** *(à 7 mi/11 km à l'E. de Lancaster par la PA 340)* propose une excellente introduction aux coutumes

Des us et coutumes d'un autre âge

Installés depuis deux siècles dans le comté de Lancaster, les 17 000 membres de la communauté **amish** ont conservé un mode de vie étrange, résultat de convictions religieuses basées sur une Bible strictement interprétée. Ces chrétiens prêchent la séparation de l'Église et de l'État, la non-résistance, le baptême des adultes, la fraternité, le non-conformisme et l'autorité suprême de la Bible. Excellents fermiers, ils cultivent la terre à la charrue, se déplacent en voiture attelée et se servent de lampes à pétrole car, selon eux, la technologie est une force négative qui détruit les familles et sépare les membres de leur étroite communauté. Comme au XVIIIe s., les femmes portent des robes sombres et un chignon, les hommes, eux, sont barbus et coiffés d'un chapeau noir et rond. Quant aux enfants, souvent issus de familles très nombreuses, ils vont dans des écoles paroissiales à classe unique jusqu'à l'âge de 14 ans où on leur enseigne surtout l'art de cultiver la terre.

Cette communauté protégée se voit néanmoins menacée par une natalité galopante et confrontée à un problème de surpopulation : pour installer les jeunes mariés, elle doit acheter de nouveaux terrains et trouver de l'argent. Les Amish ont donc décidé d'ouvrir leur économie traditionnellement autarcique sur l'extérieur et invitent dorénavant les touristes à venir découvrir leur communauté. Mais s'ils ont quelque peu transgressé leurs règles de conduite afin de perpétuer les traditions ancestrales, ils refusent toujours qu'on les photographie !

du Pennsylvania Dutch Country à **People's Place** (Main St. ; ouv. lun.-sam. 9h30-17h, 21h d'avr. à oct.) : film et expositions.

• **Strasburg Rail Road*** (8 mi/13 km S.-E. de Lancaster) : un voyage extraordinaire d'une quinzaine de kilomètres, à bord d'un train de 1832, dans des wagons en bois tirés par une locomotive à vapeur. En face, bien sûr, le **Railroad Museum of Pennsylvania** et ses incroyables machines.

• **Ephrata Cloister** (à 13 mi/21 km N.-E. de Lancaster, Main St. ; ouv. lun.-sam. 9h-17h, dim. 12h-17h). Des piétistes allemands (Tunker) fondèrent ici en 1732, sous la conduite de Johann Conrad Beissel, une communauté religieuse, avec des quartiers séparés pour « frères », « sœurs » et époux, qui ne se dispersa qu'en 1934. Quelque 300 hommes et femmes y vivaient selon une règle quasi monastique, cultivaient la terre et imprimaient également eux-mêmes livres et brochures. Dans leur vie quotidienne, la musique jouait un grand rôle.

• **Lititz** (à 7 mi/11 km N. de Lancaster), fondée par les missionnaires moraviens, est une jolie ville du XVIIIe s. ; promenez-vous notamment autour de la place principale.

En lisière du Pennsylvania Dutch Country :

• **Harrisburg** (à 37 mi/60 km N.-O. de Lancaster), la capitale de la Pennsylvanie, jouxte le Pennsylvania Dutch Country sans en faire partie. C'est un gros bourg industriel, où l'on verra toutefois l'un des plus élégants capitoles du pays, construit dans le style de la renaissance italienne et dont le dôme serait inspiré de celui de St Pierre de Rome (**State Capitol**, 3rd & State Sts ; ouv. mar.-sam. 9h-16h). On pourra aussi agréablement flâner sur **City Island**, au milieu de la Susquehanna River.

Mais la grande attraction de Harrisburg reste **Hershey** (à 10 mi/16 km à l'E. par l'US 322), la « capitale » du cacao ou du moins des chocolats Hershey... La cité a été créée de toutes pièces autour des usines installées ici depuis 1903 ; ainsi, ses rues répondent aux doux noms de : Chocolate ou Cocoa Ave. Pour tout connaître sur la chocolaterie, allez visiter le **Hershey's Chocolate World**.

● **Allentown** *(76 mi/122 km N.-E. de Lancaster)* et sa ville satellite Bethlehem forment une grosse agglomération industrielle, centre économique de la région. À l'angle de Hamilton et de Church Sts a été reconstruite la **Zion's Reformed Church** dans le sous-sol de laquelle avait été cachée en 1777, à la suite de la bataille de Brandwyne, la cloche de la liberté de Philadelphie. **Trout Hall** *(4th & Walnut Sts)* abrite un musée et une bibliothèque.

Bethlehem fut fondée en 1741 par des frères moraves ; quelques bâtiments et installations de cette époque sont conservés : le **Moravian Museum** *(l'ancienne Gemein Haus, 66 W Church St.)*, l'**Old Chapel** de 1751 *(à côté de Gemein Haus)*, **Brethren's House** de 1748 *(Church & Main Sts)*. Au **Moravian Cemetery** (sépultures de 1742 à 1910), les pierres tombales sont posées à plat sur le sol pour manifester l'égalité de tous devant Dieu.

Les dangers de Three Mile Island

Il est 7 heures, le 28 mars 1979, lorsque les contrôleurs de la centrale nucléaire de Three Mile Island, construite à 15 km de Harrisburg sur une île de la Susquehanna River, constatent qu'il se passe quelque chose d'anormal. L'alimentation en eau, fournie par la rivière, a cessé de fonctionner. Conséquences : la température et la pression s'élèvent. Bientôt des gaz radioactifs s'échappent par le système de ventilation, de l'eau contaminée déborde, le réacteur subit une fusion partielle... La population, qui a d'abord reçu des informations rassurantes, n'est prévenue que le 30 mars des risques réellement encourus. Les femmes enceintes et les enfants en bas âge sont alors évacués, les écoles fermées et les habitants invités à rester chez eux. La panique gagne. Pour rassurer la population, le président Carter se rend en personne à la centrale et y donne une conférence de presse. Au début du mois d'avril 1979, les États-Unis réalisent qu'ils viennent de passer à côté d'une vraie catastrophe nucléaire.

Philadelphie***

1 585 577 hab. ; fuseau horaire : Eastern time.

Situation : Pennsylvanie, à 101 mi/162 km au S.-O. de New York, à 147 mi/235 km au N.-E. de Washington, à 323 mi/517 km au S.-O. de Boston.
*À voir aussi dans la région : Baltimore**, Gettysburg*, Pennsylvania Dutch Country**, Princeton*, Wilmington*.*

Philadelphie est née d'un rêve, celui de son fondateur quaker, William Penn, qui souhaitait que la Pennsylvanie montre un exemple aux autres nations. Elle se voulait tolérante, ouverte à toutes les religions et à toutes les races, pacifique... C'était placer bien haut l'ambition : les jalousies, les luttes politiques ne tardèrent pas à endeuiller le jeune État. Pourtant, cette dimension utopique est toujours présente à Philadelphie, qui se veut exemplaire sur beaucoup de points.

La cinquième ville des États-Unis, qui compte 4 millions d'habitants dans son aire métropolitaine, a su préserver une qualité de vie telle que nombre d'entreprises new-yorkaises quittent actuellement Manhattan pour s'y établir. Harmonieusement étiré entre les rivières Delaware et Schuylkill, le centre-ville marie les réalisations modernes et audacieuses avec les bâtiments georgiens du quartier historique, propice aux flâneries sous les arbres. Le pas lent d'une calèche vous entraînera au long des monuments qui ont vu se déclarer l'Indépendance américaine. Vous aimerez vous promener sur South Street, ainsi que sur les rives de la Delaware River, récemment aménagées.

Veillée par la statue de William Penn, qui domine l'étonnant City Hall, Philadelphie a gardé une dimension humaine. Elle ravira les amateurs d'art, non seulement par son très célèbre musée mais aussi par ses trésors plus cachés, telle la fondation Barnes, une des plus riches —sinon la plus riche— collections privées d'impressionnistes et post-impressionnistes au monde. Appréciée des touristes américains, qui se rendent en pèlerinage à l'Independence National Historical Park, la belle Philly est curieusement boudée par les Européens. Voilà pourtant une métropole qui présente bien des charmes, et vous laissera approcher une Amérique modérée, tolérante et douce.

■ Philadelphie dans l'histoire

La chute de la maison quaker. — Celui qui fonda la Pennsylvanie en 1682, le quaker anglais William Penn, essaya d'attirer les immigrants avec une politique de tolérance religieuse et de pacifisme. C'est d'ailleurs un quaker français, Anthony Benezet, qui fonda la première école pour les enfants noirs. Cependant, la Delaware Valley avait déjà ses habitants : les Indiens Lemni Lenape, qui y vivaient depuis 12 000 ans. Des frictions naquirent bientôt, et, bien que Penn fût théoriquement opposé à la guerre, les Pennsylvaniens ne vécurent pas selon ses principes. Dès le milieu du XVIIIe s., les querelles autour du personnage complexe du fondateur, ainsi que les luttes pour la terre, ternirent la vision quaker.

Un développement rapide. — Au sujet de ses objectifs dans le Nouveau Monde, Penn avait écrit : « D'abord le service de Dieu, puis la gloire et l'intérêt du Roi ainsi que notre propre profit résulteront de notre attitude. »

Qu'en fut-il ? En 1701, il accorda sa charte municipale à Philadelphie qui avait alors 4 500 habitants. En 1760, Philadelphie était un grand port de commerce, le plus grand centre commercial de l'Amérique anglophone. La politique libérale d'immigration menée par Penn et ses successeurs avait encouragé un développement rapide. Avant la révolution, Philadelphie comptait 30 000 habitants.

Un tournant politique. — En 1774, les délégués de douze des colonies anglaises d'Amérique du Nord choisissent de se rassembler à Philadelphie pour examiner leurs doléances envers le roi George III d'Angleterre. Le 4 juillet 1776, le Congrès continental approuva la déclaration d'Indépendance rédigée par Thomas Jefferson. Cependant le fameux « esprit de 1776 » prit un réel essor à partir de l'année 1778, quand la France et la Hollande firent alliance avec les opposants à la domination anglaise. Est-ce pour cela qu'à Philadelphie on aime particulièrement les Français ? En 1787, seconde grande étape de la création des États-Unis, des représentants de douze États signèrent la nouvelle Constitution. Elle fut ratifiée seulement en 1789, à New York.

Capitale provisoire. — De 1790 à 1800, Philadelphie servit de capitale provisoire pendant que Washington était en construction. Durant ces dix années, Philadelphie fut témoin de l'adhésion de trois nouveaux États à l'Union, et de l'ajout à la Constitution du Bill of Rights, accordant la liberté de religion, d'expression et de la presse. La capitale de l'État de Pennsylvanie déménagea en 1799 à Lancaster, et le gouvernement fédéral à Washington en 1800. Baltimore —sur le plan commercial— et New York —sur le plan financier— rivalisaient de plus en plus avec Philadelphie qui, avant la guerre de Sécession, comptait 560 000 habitants.

L'Exposition universelle de 1876. — À la fin du XIX⁵ s., Philadelphie représentait le plus grand centre industriel du pays, ce que matérialisa, en 1876, l'Exposition universelle de Fairmount Park, où 50 pays édifièrent des pavillons : Alexander Graham Bell présenta le téléphone, George Westinghouse le frein à air et Charles Rollin Otis son ascenseur. Près de 10 millions de personnes vinrent. Cependant, on refusa de vendre des tickets aux femmes et le leader noir Frederick Douglass ne dut son entrée qu'à l'intervention d'un sénateur. Le rêve de tolérance de William Penn ne s'était pas réalisé.

Philadelphie aujourd'hui. — Philadelphie est aujourd'hui la cinquième ville des États-Unis par sa population. Ses racines très « WASP » n'ont pas résisté à l'arrivée de communautés noires, italiennes ou portoricaines, qui en ont fait une ville contrastée et cosmopolite, à l'image des grandes métropoles américaines. Philadelphie a été l'une des premières à élire un maire noir ; mais cette diversité ethnique provoque parfois des tensions.
Sa situation géographique privilégiée en a fait l'un des plus grands ports fluviaux du pays et une force industrielle (raffinage du pétrole, construction navale, électronique, industries métal-

lurgiques et chimiques, papier, alimentation, édition). Au cours des dernières décennies, la ville s'est surtout imposée comme un centre culturel incontesté, avec ses universités, son Museum of Art, ses théâtres ou encore ses bibliothèques.
À l'occasion du bicentenaire des États-Unis (1976), le centre-ville s'est doté de nouveaux pôles d'activité urbaine dans le cadre d'un projet ambitieux dont la réalisation s'est achevée en 1982 pour le 3ᵉ centenaire de la fondation de la ville.

■ Découvrir Philadelphie

• Les promenades

1. — Le quartier historique : Independence National Historical Park***. L'Amérique comme à ses débuts : des monuments de simples briques rouges, la première banque des États-Unis, le hall de l'Indépendance et la fameuse Liberty Bell.

2. — Penn's Landing et Society Hill*. Un ancien quartier résidentiel devenu le haut lieu du shopping et de l'activité nocturne.

3. — Downtown et le City Hall**. L'architecture du tournant du siècle : la fantaisie en pleine ville avec le City Hall, Broad St. et ses immeubles « nouille » ou Art déco : le décor tout trouvé pour un scénario de Scott Fitzgerald.

4. — Le quartier des musées***. Quelques-uns des plus beaux musées des États-Unis regroupés autour de la Franklin Pkwy. À voir en priorité : le Museum of Art et le musée Rodin.

5. — University City. C'est dans le quartier des étudiants, à l'audacieux Institute of Contemporary Art, qu'Andy Warhol fit sa première exposition.

6. — Germantown*. Des brasseries et les maisons d'anciens colons mennonites témoignent des débuts paradoxaux de ce quartier.

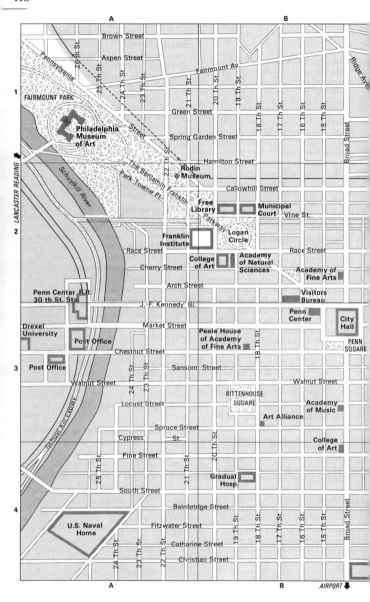

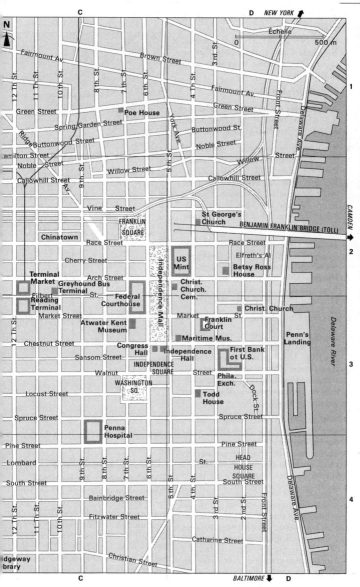

Philadelphie : plan général.

7. — La Barnes Foundation à Merion***. Plus de deux mille toiles rassemblées dans un cadre superbe. Des chefs-d'oeuvre de Renoir, Matisse et Cézanne comme vous n'en avez jamais vus.

● **Philadelphie à la carte**

Architecture : le XIXe s. et le début du XXe sont à l'honneur dans Downtown, autour de City Hall et de Broad St.

Art : des impressionnistes, mais aussi des œuvres de Chardin, du Greco, dans l'insolite fondation du docteur Barnes (prom. 7), ouverte seulement en fin de semaine. Si vous avez peu de temps, ne manquez pas le Philadelphia Museum of Art et le musée Rodin (prom. 4).

Histoire : berceau de l'Indépendance, comme en témoigne l'Independence National Historical Park (prom. 1), Philadelphie accueillit aussi bien d'autres utopies, à découvrir dans la Historical Society (prom. 3).

● **Vivre Philadelphie**

Espaces verts : vous aurez le choix entre Fairmount, le plus grand parc des États-Unis (prom. 4), l'arboretum de la Barnes Foundation, un havre à l'orée de la ville (prom. 7) et, dans le centre, Independence Park, bien arboré (prom. 1).

Restaurants : pour manger cajun, mexicain, chinois ou italien, vous aurez l'embarras du choix sur South St. ; si vous cherchez un restaurant chic, allez plutôt dans New Market (prom. 2).

Shopping : vous trouverez de nombreuses boutiques en tout genre sur South St. et dans le quartier de New Market (prom. 2). Si vous aimez les grands magasins, vous serez comblés : Wanamaker's, près du City Hall, est l'un des plus grands du monde (prom. 3). Les amateurs d'antiquités pour-

ront quant à eux se rendre à Antique Row (prom. 2).

● **Philadelphie mode d'emploi**

Se déplacer dans Philadelphie. — Philadephie est une ville qui se visite aisément à pied. Elle possède de surcroît un système de transports en commun efficace, géré par la SEPTA : bus (91 lignes desservant la ville et ses environs, de 6 h 30 à 1 h 30 du matin), métro (2 lignes, qui desservent la ville d'E. en O. et du N. au S.,

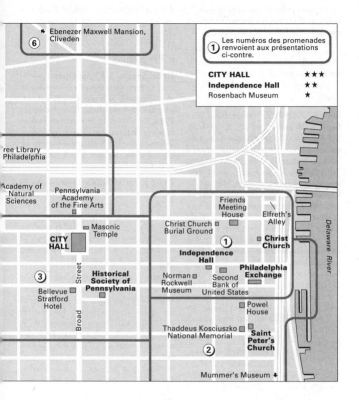

Que voir à Philadelphie ?

24 h sur 24), trolleybus (10 lignes) et trains de banlieue (3 gares principales dans Philadelphie ☎ 574-7800). La SEPTA propose également un *Day Pass*, billet pour la journée qui permet l'accès illimité à tous les transports (achat au Visitor Center, 16th St./JFK Blvd.). Le bus 76 passe par les points touristiques de la ville : le quartier historique, le centre-ville, le musée Rodin, le Philadelphia Museum of Art, le Fairmount Park et le zoo.

Visite des musées et monuments. — Presque tous les musées sont fermés le lundi et les principaux jours fériés américains. Voici, à titre indicatif, quelques musées ouverts le lundi : l'Academy of Natural Sciences Museum, le Please Touch Museum, le Franklin Institute Science Museum. Attention ; la Barnes Foundation ne peut se visiter qu'en fin de semaine (ven., sam., dim.) et elle est fermée jusqu'en 1995. En revanche, la majeure partie des maisons et monuments du centre historique (prom. 1) sont ouverts tous les jours. Musées et monuments ferment souvent à 17 h.

First Friday. — Dans Old City *(entre Race et Market, Front et 4th Sts)*, le premier vendredi de chaque mois est le jour des vernissages des galeries d'art.

Sortir. — **Jazz :** *Zanzibar Blue Jazz Café et Restaurant,* 305 S. 11th St. (☎ 829-0300). Jazz chaque soir, avec ou sans dîner. Entrée gratuite mais il faut commander au moins deux verres. *Blue Moon Jazz Club et Restaurant,* 4th St. entre Market et Chestnut Sts (☎ 413-2272). Entrée gratuite. **Blues :** *Warmdaddy's,* Front et Market Sts (☎ 627-2500). **Night Clubs :** sur Columbus Blvd, au nord de Franklin Bridge : *Egypt Nightclub et Oasis Restaurant, Dave and Buster's, Katmandu.* Il y a un service de bus entre les clubs *(Riverbus).* D'autres clubs sur 2nd St., entre Market et Chestnut Sts. **Gospel :** on peut aller écouter du gospel dans les églises, mais à condition bien sûr de respecter les services religieux et de ne pas faire de photos sans autorisation. *Mother Bethel AME Church,* 419 S. 6th St. (☎ 925-0616). *Deliverance Evangelistic Church,* 2001 W. Lehigh Ave. (☎ 226-7600).

Jours de fête. — *Freedom Week :* festival, de fin juin au 4 juil. Le 3, feux d'artifice près du fleuve Delaware. Le 4, concert au pied des escaliers du Philadelphia Museum of Art, suivi par des feux d'artifice magnifiques. *Mummers Parade :* le 1er janvier, défilé et concours sur South Broad et au City Hall. Danses, musique (banjos, saxophones...), costumes extraordinaires. *Jambalaya Jam :* le dernier w.-e. de mai, à Penn's Landing. Concert des Dixieland Jazz Bands de La Nouvelle-Orléans, cuisine créole et cajun. *Super Sunday :* un dimanche

d'oct., Benjamin Franklin Parkway est fermé aux voitures. On mange, on danse, on joue de la musique, pour célébrer... la vie !

● **Programme**

Deux heures à Philadelphie. — Si votre emploi du temps est très limité et que vous n'êtes pas amateur d'art, promenez-vous dans Independence Park, en voyant Independence Hall et Liberty Bell (prom. 1), jetez un œil au Norman Rockwell Museum (prom. 1), franchissez Sanson St. et remontez vers City Hall (prom. 3).

Deux jours à Philadelphie. — Vous consacrerez le 1er jour à la visite de la veille ville historique (prom. 1) et du centre (prom. 3). Le 2e jour, promenez-vous dans Society Hill (prom. 2), dans Fairmount Park (prom. 4), et surtout, allez visiter le très beau Museum of Art (prom. 4).

Quatre jours à Philadelphie. — C'est la durée idéale pour découvrir tranquillement les charmes de la ville et en saisir l'atmosphère. Alternez la visite des différents quartiers de la ville (prom. 1, 2, 5, 6) avec celle des musées (prom. 4, 5, 7) ; si votre séjour coïncide avec un week-end, ne ratez surtout pas la Barnes Foundation (prom. 7).

■ 1. Independence National Historical Park***

« Voilà le kilomètre carré le plus historique des États-Unis », proclament les Américains avec ce sens de l'emphase qui compte parmi leurs péchés mignons. Vos pieds, à la fin de l'itinéraire, vous garantiront que vous avez dépassé et de beaucoup le fameux kilomètre (en fait mile) carré. Les rues et les monuments (plus d'une trentaine) que vous allez voir furent témoins des premières aspirations des

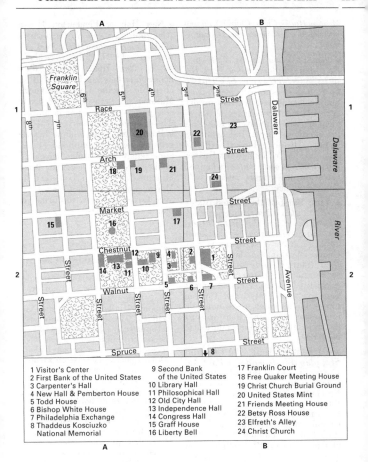

Philadelphie : Independence National Historical Park.

Américains à la liberté et à l'indépendance. Précieusement préservés, ils ont le mérite de former un quartier ombragé et aéré où l'on a plaisir à se promener, à pied ou en calèche. Les plaques ovales sur les façades attestent de l'authenticité des maisons.

Départ : *Visitor Center (angle de 3rd St. et Chestnut St.), où l'on vous remettra une carte du quartier historique.*

Durée : *comptez **env. 2 h** si vous réservez votre énergie aux hauts lieux (Philadelphia Exchange, Independence Hall, Liberty Bell, Franklin Court, Friends*

Meeting House, Christ Church), ou **une journée** si vous visitez tous les monuments.

● **Visitor's Center** (*3rd St. & Chestnut St. ; plan d'Independence Park B2, n° 1 ; ☏ 597-8974 ; ouv. t.l.j. 9 h-17 h ou 18 h*). — Ses tours évidées et son hall du bicentenaire en font un des seuls bâtiments modernes de la promenade. Vous y trouverez toutes les informations sur l'Independence National Historical Park (INHP). Ne manquez pas le film de John Huston (*en anglais, projeté toutes les heures*) retraçant les grands moments de l'indépendance.

● **First Bank of the United States** (*3rd St., plan d'Independence Park B2, n° 2 ; en face du Visitor's Center ; on ne visite pas*). — Construit en 1795 grâce à la signature par George Washington, le 25 février 1791, d'un projet de loi permettant sa création, ce bâtiment néo-classique fut le premier établissement bancaire des États-Unis. Comme toutes les banques, cette nouvelle institution avait aussi pour objectif de créer et développer l'industrie moderne.

● **Carpenter's Hall** (*320 Chestnut St. ; plan d'Independence Park A2, n° 3 ; ouv. t.l.j. sf lun. 10 h-16 h ; f. mar. en jan. et fév. ; entrée libre*). — En contournant par la dr. la First Bank, vous verrez un ensemble de trois maisons de brique. La plus à gauche est le Carpenter's Hall, qui fut le lieu de réunion d'un groupe de charpentiers de Philadelphie, qui aidèrent la révolution en offrant l'utilisation de leur hall. C'est ici que le First Continental Congress se réunit en 1774 pour faire état de ses griefs envers la Grande-Bretagne. La maison appartient toujours à la Compagnie des charpentiers, bâtisseurs, en outre, d'Independence Hall, du Old City Hall et de la maison de Benjamin Franklin. Remarquez les verrières en éventail et les arcatures des portes, très caractéristiques.

● **New Hall** et **Pemberton House** (*Chestnut St., à côté du Carpenter's Hall ; plan d'Independence Park A2, n° 4 ; ouv. t.l.j. 9 h-17 h ; entrée libre*). — Le **New Hall,** réplique d'un immeuble en bois de la fin du XVIIIe s., abrite le **Marine Corps Memorial Museum**, petit musée qui célèbre le rôle important tenu par la Marine dans la révolution américaine. Dans la **Pemberton House,** typique du style georgien par sa simplicité et qui appartenait à un riche marchand quaker, se tient le **Army-Navy Museum** (histoire de l'Armée et de la Marine américaines de 1775 à 1800, avec force drapeaux, uniformes et diaporamas épiques).

Une nation au berceau

Deux événements particulièrement importants pour la création des États-Unis se déroulèrent à l'Independence Hall de Philadelphie : le 4 juillet 1776, le Congrès continental approuva la déclaration d'Indépendance rédigée par Thomas Jefferson, qui contenait des affirmations audacieuses, à savoir que « tous les hommes sont créés égaux » et que chacun avait un droit indéniable « à la vie, à la liberté et à la recherche du bonheur » ; et le 17 septembre 1787, des représentants de douze États signèrent la nouvelle Constitution des États-Unis. Bien qu'au cours des ans des amendements y aient été apportés, elle est toujours la base du gouvernement du pays.

En descendant 4th St., vous pourrez visiter sur votre g. la Todd House, la Bishop White House, la société d'Horticulture et, deux blocs plus bas, le Thaddeus Kosciuszko Memorial. Si votre temps est limité, vous pouvez les oublier.

● **Todd House** *(4th & Walnut Sts ; plan d'Independence Park A2, n° 5 ; ouv. t.l.j. de 9 h à 17 h ; uniquement vis. guidées comprenant la Bishop White House : ticket gratuit à prendre au Visitor's Center).* — C'est ici que vivait Dolley Madison avec son premier mari, John Todd. Après la mort de ce dernier lors d'une épidémie de fièvre jaune, elle épousa James Madison et devint première dame des États-Unis en 1809. En fait, elle exerçait déjà les fonctions de maîtresse de maison à la Maison Blanche du temps du président Thomas Jefferson qui, veuf, lui avait demandé de l'assister lors des réceptions officielles. Lorsqu'on connaît les actuelles résidences de Nancy Reagan ou de Barbara Bush, on est surpris par la simplicité de cette maison.

● **Old St. Joseph's Church** *(321 Willings Alley, entre 4th et Walnut Sts)* est la première église catholique des colonies (1733) agrandie en 1838. C'était le refuge des Acadiens fuyant le Canada pour aller en Louisiane. Joseph Bonaparte la fréquenta lors de son exil.

● **Bishop White House** *(309 Walnut St. ; plan d'Independence Park B2, n° 6 ; ouv. t.l.j. de 9 h à 17 h ; uniquement vis. guidées comprenant la Todd House : ticket gratuit à prendre au Visitor's Center)* a été construite en 1787 pour William White, cofondateur et premier évêque de l'Église épiscopale de Pennsylvanie (protestante).

● **Pennsylvania Horticultural Society** *(325 Walnut St. ; ouv. lun.-ven. 9 h-17 h ; entrée gratuite).* — La plus ancienne des sociétés horticoles américaines se niche dans un vilain bâtiment moderne. Elle organise tous les ans, en plus des expositions régulièrement proposées, le Philadelphia Flower Show.

● **Philadelphia Exchange**** *(angle de 3rd et Walnut Sts. ; plan d'Independence Park B2, n° 7 ; on ne visite pas).* — Construit en 1832, ce bâtiment compte, avec sa coupole et son péristyle, parmi les plus gracieuses constructions néo-classiques américaines. Il a été dessiné par William Strickland. Ce fut la première bourse de valeurs des États-Unis.

▶ **Thaddeus Kosciuszko National Memorial*** *(301 Pine St. à l'angle avec 3rd St. ; plan d'Independence Park B2, n° 8 ; ouv. t.l.j. 9 h-17 h, juil. et août 10 h-17 h).* — Le monument à la gloire de Thaddeus Kosciuszko est en fait un petit musée dédié à cet immigrant polonais qui combattit sept ans dans l'armée américaine pendant la révolution. En 1784, Thaddeus retourna dans son pays et participa à la résistance polonaise contre la domination de la Russie tsariste. L'insurrection fut écrasée, et Thaddeus emprisonné deux ans en Russie. Il fut libéré à la condition qu'il ne remettrait jamais les pieds en Pologne. Il s'établit alors dans cette petite maison où Thomas Jefferson vint souvent le voir. Deux adorables Rangers vous apprendront tout ce que vous voulez —ou ne voulez pas— savoir sur Thaddeus. ◀

● **Second Bank of the United States*** *(420 Chestnut St. ; plan d'Independence Park A2, n° 9 ; ouv. t.l.j. de 9 h à 17 h, entrée gratuite).* — Construite en 1819-1824 sur les plans du Parthénon, cette institution avait ses prêtres et ses hérétiques. Le président Andrew Jackson la qualifiait d'« hydre de la corruption ». Aujourd'hui, l'architecture est le seul trésor visible de la banque édifiée par William Strickland. À l'intérieur, cependant, on verra des portraits de Lafayette et Washington, ainsi que la charmante toile représentant Rebecca Doz, fille d'un marchand, attribuée à James Claypoole.

• **Library Hall** *(105 S. 5th St. ; plan d'Independence Park A2, n° 10 ; ouv. aux chercheurs).* — Cette bibliothèque fut construite par souscription, sur une suggestion de Benjamin Franklin. Démolie en 1884, elle fut reconstruite par l'American Philosophical Society (fondée par Franklin sous le nom de Junto Club) qui y conserve plus de 50 000 ouvrages.

• **Independence Square*** *(sur 5th St., en face de Library Hall).* — Voilà le cœur du parc historique, le lieu où fut lu, le 8 juillet 1776, la déclaration d'Indépendance. On remarquera d'abord que la simplicité des matériaux et de la construction contraste avec l'importance historique du bâtiment. La place, carrée, est plantée d'arbres : prenez donc le temps de vous asseoir, sur un banc, afin de vous repérer.

À dr., tout en briques rouges dans ce sobre style georgien qui n'exclut pas les citations classiques, le **Philosophical Hall** *(104 S. 5th St. ; plan d'Independence Park A2, n° 11 ; vis. sur rendez-vous, ☎ 627-0706)* accueille seulement les membres de l'American Philosophical Society. Derrière, la petite maison à un étage tient lieu de **Old City Hall** *(plan d'Independence Park A2, n° 12).* C'est là que siégea la Cour suprême de 1791 à 1800, avant que le gouvernement fédéral ne déménage à Washington. On y présente aujourd'hui de modestes expositions et on y donne des conférences sur l'histoire de l'institution judiciaire.

La structure de l'**Independence Hall**** *(Chestnut St., entre 5th et 6th Sts., plan d'Independence Park A2, n° 13 ; vis. guidées seulement, ouv. t.l.j. de 9 h à 17 h, entrée gratuite),* qui dresse sa tour, surmontée d'une coupole, entre deux pavillons reliés par des arches, est à la fois simple et gracieuse. Il fut construit dans le style georgien en 1732 pour abriter le siège du gouvernement. C'est dans l'**Assembly Room** que fut promulguée la déclaration d'Indépendance des États-Unis le 4 juillet 1776. C'est là encore que fut élaborée, signée et lue pour la première fois la Constitution, en 1787. Notons qu'elle ne fut pas adoptée par tout le monde, puisque 23 représentants refusèrent de la signer, par peur que « la tyrannie de Philadelphie succède à celle de George III ». Benjamin Franklin, lui, était content : il déclara, en référence au demi-soleil gravé sur le dossier du fauteuil de George Washington : « J'ai enfin la joie de savoir que j'assiste au lever du soleil et non à son coucher. » La grande Assembly Room et ses meubles historiques —dont le fameux fauteuil— valent une petite visite guidée. Joignez-vous donc aux hordes de touristes qui patientent devant le pavillon de droite.

À g., le **Congress Hall*** *(6th et Chestnut Sts, plan d'Independence Park A2, n° 14 ; ouv. t.l.j. de 9 h à 17 h ; cassettes audio en français)* abrita le premier parlement des États-Unis. C'est là que furent élus, en 1793, George Washington et, en 1797, John Adams. Intéressant pour comprendre le système politique américain. Au 1er étage, le Sénat. On y voit deux grands portraits, de Louis XVI et Marie-Antoinette, copies de ceux de Versailles offertes en 1976 pour commémorer l'amitié franco-américaine (la France a été le premier allié des Américains en 1778).

• **Norman Rockwell Museum*** *(6th et Sansom Sts, plan général C3 ; ouv. t.l.j. de 10 h à 16 h, dim. de 11 h à 16 h ; - de 12 ans : gratuit).* — Ce musée consacré à N. Rockwell propose, outre une reconstitution de l'atelier de cet illustrateur doué, la collection complète des couvertures qu'il effectua, entre 1940 et 1960, pour le *Saturday Evening Post* et un diaporama commenté de ses œuvres. Ses personnages pleins d'humour, ses

Benjamin Franklin, le défenseur des grandes causes

Benjamin Franklin a joui d'une renommée mondiale comme savant, inventeur et diplomate. Sa réputation surpassait celle de tous les autres Américains au XVIIIe s. L'énergie sans borne et la confiance dans le progrès dont il fit preuve contribuèrent à faire de Philadelphie, qui n'était qu'une petite bourgade, la ville la plus avancée d'Amérique du point de vue social. Plusieurs projets municipaux, allant du pavage et de l'éclairage des rues à la construction du premier hôpital de Philadelphie, sont dus à son influence. Politiquement, il représenta plusieurs colonies en Angleterre avant la révolution américaine et fut envoyé en France comme ambassadeur durant la Révolution. Il signa la déclaration de l'Indépendance américaine et contribua à la rédaction de la Constitution des États-Unis. Bien que sa demeure sur Franklin Court n'existe plus, un jardin, un musée et un film rappellent l'importance qu'il eut au XVIIIe s.

petites filles à couettes raffolant de corn-flakes, ses représentations acidulées de l'*american way of life* ont fait de Rockwell un chantre de la culture populaire. Un musée sympathique qui met à la disposition des visiteurs carte et cassette audio permettant de faire, en musique, une visite commentée du National Historical Park.

● **Washington Square** (*6th, 7th et Walnut Sts*). — Ce joli parc possède deux exclusivités : la **Tomb of the Unknown Soldier**, érigée à la mémoire d'un soldat tué lors de la révolution, et le **Bicentennial Moon Tree**, arbre issu de graines qui firent le voyage jusqu'à la Lune.

● **Atwater Kent Museum*** (*15 S. 7th St., plan général C3 ; ouv. mar.-sam. de 9 h 30 à 16 h 45, entrée libre*). — Encore appelé *The History Museum of Philadelphia*, ce musée regroupe plus de 40 000 objets qui illustrent les 300 années de la cité. Un accent particulier est mis sur l'évolution de la vie urbaine des XIXe et XXe s. Régulièrement ont lieu des expositions aux thèmes variés (jouets anciens, archéologie urbaine...). Si la Historical Society est plus complète et plus pédagogique, ce musée constitue une bonne approche de Philadelphie.

● **Balch Institute for Ethnic Studies** (*18 S. 7th St. ; musée : ouv. lun.-sam. 10 h-16 h, bibliothèque : lun.-sam. de 9 h à 17 h*). — Pour une nation composée d'immigrants d'origines aussi différentes, il était important d'avoir un lieu où retrouver sinon des racines du moins une certaine identité. C'est la vocation de cet institut. On revit par procuration les expériences, souvent douloureuses, des immigrants grâce aux expositions permanentes : « Les portes de la liberté : les ports d'arrivée des immigrants », qui décrivent sept des principaux ports d'accueil, ou « Faites le point sur votre héritage culturel », qui explore au moyen d'une vidéo interactive les legs ancestraux de chacun. On peut aussi fouiller la bibliothèque, aux archives inépuisables.

● **Graff House** (*7th et Market Sts, plan d'Independence Park A2, n° 15 ; ouv. t.l.j. de 9 h à 17 h, entrée gratuite*). — C'est ici que Thomas Jefferson rédigea la Constitution, dans les deux pièces qu'il louait au propriétaire des lieux. On peut visiter la maison, reconstruite à l'identique en 1975, et visionner un petit film.

De là, on revient à l'Independence National Park, à moins que l'on ne décide d'aller, à six blocs au N. en suivant la 8th St., jusqu'à la maison d'Edgar Allan Poe.

▶ **Edgar Allan Poe House** *(532 N. 7th St., plan général C1 ; ouv. tous les jours de 9 h à 17 h, f. 25 déc. et 1ᵉʳ jan. ; entrée gratuite).* Voici la maison où habita, entre 1842 et 1844, l'auteur des *Aventures de Gordon Pym, de Nantucket* et des *Histoires extraordinaires,* —ces nouvelles fantastiques qui entraînent le lecteur dans des mondes étranges créés par les délires épileptiques et alcooliques de Poe. De toutes les maisons où vécut Poe à Philadelphie, celle-ci est la seule qui soit encore debout. Elle abrite des expositions et un programme audiovisuel, et intéressera seulement les Poe-maniaques convaincus. ◀

● **Independence Mall** *(rectangle bordé par 5th, 6th, Chestnut et Race Sts).* — Ce parc agréable, perpendiculaire à l'Independence National Historical Park avec lequel il forme un L, a été dessiné après la démolition de centaines de maisons, en 1948.

● **Liberty Bell** *(Market St ;. entre 5th et 6th Sts, plan d'Independence Park A2, n° 16 ; ouv. t.l.j. de 9 h à 17 h, entrée gratuite ; cassettes audio en français).* — Voilà bien du bruit autour d'une cloche, penserez-vous en découvrant cette cloche de bronze sous une cloche de verre assez ridicule. Oui, mais quelle cloche ! Au XIXᵉ s., la citation de Leviticus gravée sur son flanc et qui prônait « la liberté dans le pays tout entier pour tous ses habitants » fit de Liberty Bell le symbole de la liberté pour les militants anti-esclavagistes. Fondue une première fois en Angleterre, elle fut refondue aux États-Unis avant d'être installée dans l'Independence Hall. Si Liberty Bell pouvait parler, elle confierait avoir résonné lors de la première lecture de la déclaration d'Indépendance. Elle se plaindrait aussi d'avoir été la dernière victime du Chief Justice John Marshall : elle se fendit alors qu'elle sonnait son enterrement en 1735. Elle fut entendue pour la dernière fois pour l'anniversaire de George Washington en 1846. Adoptée comme symbole de réconciliation après la guerre de Sécession, elle est abritée dans le Liberty Pavilion, construit pour elle l'année du bicentenaire des États-Unis. Si vous n'êtes pas un fervent historien des États-Unis, vous penserez peut-être en la voyant que, après tout, ce n'est qu'une cloche...

L'inventeur de la science-fiction

Edgar Allan Poe (1809-1849) a créé ou renouvelé plusieurs genres littéraires : avec lui, les histoires criminelles sont passées au faisceau de la raison. Son détective excentrique et cérébral, Dupin, est le précurseur de Sherlock Holmes. La science-fiction doit donc à Poe ses racines. Quant aux récits de chasse aux trésors, que Stevenson plus tard développera à merveille, elles étaient réservées aux adolescents jusqu'à ce que Poe écrive : *The Gold Bug.* Ses « arabesques », histoires d'épouvante qu'il opposait aux « grotesques », contes fantastiques, révèlent une imagination tournée vers l'angoisse, mais aussi un sens psychologique affûté : dans *William Wilson,* deux générations avant Freud, Poe met à jour la schizophrénie. Et comment sous-estimer, à l'époque d'une supposée désaffection du roman, sa conception d'une histoire courte, tournée vers « un seul effet » et dans laquelle chaque mot compte ? Il appliquait la même rigoureuse méthode à la poésie ; ses vers annoncent Mallarmé et Rimbaud. Baudelaire, qui passa 14 ans à traduire ses histoires fantastiques, avait placé en exergue de son journal une phrase extraite de *Marginalia* : « *My heart laid bare* » (« Mon cœur mis à nu »).

● **Franklin Court** (*entre 3rd et 4th Sts, Chestnut et Market Sts, plan d'Independence Park A2, n° 17 ; ouv. t.l.j. de 9 h à 17 h, entrée gratuite*). — Un square se trouve à l'emplacement de la maison où mourut Benjamin Franklin. Les fondations de cette maison sont toujours visibles. On peut visionner un documentaire sur la vie de Franklin, et contempler meubles et souvenirs. On peut visiter une imprimerie au 320 Chestnut.

À deux pas, vous pourrez acheter vos timbres à la **B. Free Franklin Post Office** et un petit musée postal vous permettra d'envoyer une preuve concrète de votre passage à vos amis. Vous reviendrez sur vos pas pour vous rendre au Judge Lewis Quadrangle.

● **National Museum of American Jewish History** (*55 N. 5th St., Independence Mall East ; ouvert du lun. au jeu. de 10 h à 17 h, ven. de 10 h à 15 h, dim. de 12 h à 17 h, f. le sam.*). — Témoignant de la contribution des différentes communautés juives aux arts, aux sciences et à la société américaine, ce musée inclut dans ses murs une synagogue. Les expositions comprennent « l'expérience juive américaine » et des souvenirs de Philadelphiens célèbres comme Haym Salomon, financier de la guerre d'Indépendance.

● Le **Judge Lewis Quadrangle*** est un amphithéâtre moderne, en plein air, sur lequel flottent les drapeaux des États américains. Il ouvre une perspective sur la Philadelphie moderne, autour de Franklin Square et Arch St.

● **Free Quaker Meeting House** (*angle de 5th et Arch Sts, plan d'Independence Park A1, n° 18 ; ouvert du lun. au sam. de 10 h à 16 h, entrée gratuite*). — La Free Quaker Meeting House, construite en 1783, rassemblait les Free Quakers, dissidents qui

prirent, en violation totale de leur doctrine pacifiste et pacifique, fait et cause pour la révolution américaine. À côté, la Friends Meeting House est restée un lieu de réunion vivant.

● **Christ Church Burial Ground*** (*angle de 5th et Arch Sts ; plan d'Independence Park A1, n° 19 ; ouv. du Memorial Day au Labor Day quand la météo le permet*). — En face de la maison des quakers. Comme nombre de personnalités importantes de la révolution américaine, Benjamin Franklin et sa femme sont enterrés dans ce cimetière.

● **United States Mint** (*angle de 5th et Arch Sts, plan d'Independence Park A1, n° 20 ; ouv. de 9 h à 16 h 30 de jan. à avr. et de sep. à déc. les lun. et ven., en mai et juin les lun. et sam., en juil. et août les lun. et dim., f. Thanksgiving, Noël, 1er jan., entrée gratuite*). — Rien ne vous sera caché de la fabrication des pièces de monnaie. L'hôtel des monnaies actuel remplace le vieil édifice où l'on frappait la monnaie depuis 1792. Un système audiovisuel permet de pénétrer l'univers un peu technique de la création de l'argent. (Photos interdites)

● **Friends Meeting House*** (*à l'angle de 4th et Arch Sts ; plan d'Independence Park A1, n° 21 ; ouv. lun.-sam. de 10 h à 16 h*). — Cette église (1804) est la salle de réunion de la société religieuse des Friends, que leurs détracteurs appelaient *quakers* (du verbe *to quake* : trembler). Elle est toujours en activité. L'édifice, aux formes pures, est construit suivant les principes quaker de simplicité et de netteté. La Société des Amis tira sa doctrine de l'enseignement de George Fox, en Angleterre. William Penn, en fondant Philadelphie, voulut en faire un refuge pour ses coreligionnaires. Son but était de construire une société fondée sur les idéaux quaker :

la liberté de conscience, l'égalité des droits, la non-violence. Cela, et bien d'autres choses encore, une hôtesse d'accueil un brin prosélyte vous l'expliquera.

● **Betsy Ross House** *(239 Arch St. ; plan d'Independence Park B1, n° 22 ; ouv. du mar. au sam. de 10 h à 17 h, entrée gratuite).* — De style georgien, c'est la maison d'ouvrier typique. On dit que c'est dans cette maison que Betty Ross cousut le premier drapeau américain. Sans grand intérêt.

● **Seamen's Church Institute.** — Sur le même trottoir, vous remarquerez une espèce de théâtre à l'antique. C'est là que marins et capitaines trouvaient, et trouvent encore, repos et consolation lors de leurs retours sur la terre ferme.

● **Elfreth's Alley*** *(plan d'Independence Park B1, n° 23).* — La réputation de cette rue résidentielle, aux maisons anachroniques perdues au milieu des gratte-ciel, dépasse de beaucoup son charme réel. Elle passe pour être la « plus ancienne rue des États-Unis », du fait qu'elle a été continuellement habitée depuis 1727. Les maisons, construites entre 1727 et 1836, sont de style colonial et fédéral, c'est-à-dire sans grande originalité, mais elles sont typiques des maisons d'ouvriers et d'artisans. On les appelle « Maisons de la Trinité », car elles ont seulement une pièce par étage : une pour le Père, une pour le Fils et une pour le Saint-Esprit. La foule gâte ce petit coin de paradis. Les écriteaux « À vendre », eux, sont bien réels. Au 126, un petit musée montre quelques meubles.

● **Fireman's Hall Museum** *(Race et 2nd Sts, ouvert du mar. au sam. de 9 h à 17 h, entrée gratuite).* — Vous saurez tout sur le corps des sapeurs pompiers de la ville : badges, casques, outils, uniformes de parade... Les amateurs trouveront quelques souvenirs, ininflammables, à la boutique. Sachez qu'au XVIIIe s., on apposait sur les maisons une plaque qui certifiait qu'elles avaient payé leur assurance-incendie. Sans plaque, on les laissait brûler !

En redescendant sur 2nd St., vous trouverez, sur la dr., une des plus jolies églises georgiennes de Philadelphie :

● **Christ Church**** *(2nd St., entre Arch et Market Sts ; plan d'Independence Park B1, n° 24 ; vis. guidées sur rendez-vous du lun. au sam. de 9 h à 17 h, le dim. de 13 h à 17 h, entrée gratuite).* — Cette belle église épiscopalienne, dont le recteur était l'évêque White et dont les fidèles s'appelaient Franklin ou Washington, fut construite de 1727 à 1754. Les pierres tombales de quelques signataires de la déclaration d'Indépendance subsistent dans un émouvant cimetière attenant.

● **City Tavern** *(2nd St., à l'angle de Walnut St.).* — La City Tavern était, au XVIIIe s., l'un des hauts lieux de la société philadelphienne, et, selon John Adams, le plus agréable restaurant d'Amérique. Les membres du gouvernement fédéral avaient l'habitude de s'y rendre pour des réunions politiques et des banquets. Le bâtiment actuel est une reconstitution ; il abrite encore un restaurant.

■ 2. Penn's Landing et Society Hill*

Comme la plupart des villes portuaires américaines, Philadelphie a récemment aménagé les bords de la Delaware River pour en faire un lieu de promenade, avec aquarium, bateaux anciens et croisières pendant le *sunset.* Ces lieux sont souvent un peu artificiels. Cette « promenade de Penn » n'est ni plus ni moins agréable qu'une autre. En revanche, Society Hill, et spécialement South Street, vous comblera si vous cherchez à capter l'esprit des Philadelphiens. Jeune et animée, cette rue où des restaurants végétariens côtoient des magasins « branchés » est idéale pour le shopping et la balade nez au vent.

● **Penn's Landing.** — Terminé d'aménager en 1982, à l'occasion du 3e centenaire de la ville, l'endroit où débarqua William Penn en 1682 a été bâti en quelque sorte à l'image des États-Unis, à partir de rien. Ce port fluvial qui occupe actuellement la première place mondiale a su développer diverses activités pour y attirer la population. Les amateurs de musique pourront s'en donner à cœur joie durant les soirées d'été puisque plus de 60 concerts sont donnés chaque année. Les meilleurs sont les Jambalaya Jam (*dernier w.-e. de mai*) : jazz-bands de Nouvelle-Orléans, cuisine créole et cajun. On peut déguster sur le pouce les fameux *cheese-steaks* et les *pretzels* de Philadelphie.(*Informations générales* ☎ *923-8181, programmes des spectacles* ☎ *923-2061*).

Entre autres vaisseaux, on peut visiter un trois-mâts portugais du siècle dernier, la ***Gazela of Philadelphia*** *(Walnut et Spruce Sts ; ouv. t.l.j. de 10 h à 18 h du Memorial Day au Labor Day, le reste de l'année sam. et dim. de 12 h à 17 h)*, le **U.S.S. Olympia** *(Chestnut et Columbus Blvd)* et le sous-marin **USS Becuna** *(Spruce St. ; ouv. t.l.j. de 10 h à 16 h, jusqu'à 17 h en été)*. L'**Independence Seaport Museum** *(Walnut et Columbus Sts ; ouv. t.l.j. de 10 h à 17 h)*, musée d'histoire maritime et de navigation fluviale, organise des expositions temporaires.

● **Society Hill****, situé entre Walnut et South Sts, est aujourd'hui le quartier le plus résidentiel de Philadelphie. Il tire son nom de la Free Society of Traders fondée par William Penn Jr. pour lotir ces terrains. Les maisons de styles georgien, colonial et fédéral qui s'alignent le long de rues paisibles, bordées d'arbres et éclairées par des réverbères à l'ancienne, lui donnent aujourd'hui ce charme très particulier auquel ont succombé nombre de familles aisées. South St. est la rue des restaurants et boutiques. Trois gratte-ciel de I.M. Pei.

● **Man Full of Trouble Tavern Museum** *(2nd & Spruce Sts ; ouv. seulement le 2e dim. de chaque mois de 13 h à 16 h)*. — Cette maison, qui fait partie de l'Independence National Historical Park, a été restaurée dans son aspect originel des années 1750-1760 et transformée en musée (elle est difficile à visiter en raison des jours d'ouverture très limités).

● **Powel House*** *(244 S. 3rd St., ouvert du mar. au sam. de 10 h à 16 h, le dim. de 13 h à 16 h)*. — Cette élégante demeure georgienne au jardin représentatif du XVIIIe s. a été la résidence du premier maire post-révolutionnnaire de Philadelphie, Samuel Powel. Ses amis Washington et Lafayette y séjournèrent souvent, sensibles au charme de l'endroit. On peut y admirer de belles collections de meubles, porcelaines et argenterie.

● **Hill-Physick-Keith-House** *(321 S. 4th St. ; ouv. mar.-sam. de 10 h à 16 h, le dim. de 13 h à 16 h)*. — Cette maison bourgeoise d'époque fédérale a été construite pour le père de la chirurgie américaine, le docteur Philip Syng Physick. Elle abrite aujourd'hui de remarquables collections d'argenterie, de porcelaines et de meubles des XVIIIe et XIXe s. Son jardin du XIXe s. est un parfait exemple de la mode romantique d'alors.

● **Thaddeus Kosciuszko National Memorial*** *(angle de 3rd et Pine Sts. ; plan d'Independence Park B2, n° 8 ; ouv. t.l.j. de 9 h à 17 h, → prom. 1)*.

● **St Peter's Church**** *(angle de 3rd et Pine Sts).* — Cette église, dont le style colonial allie joliment massivité et charme, est édifiée le long d'une rue calme, plantée de houx, où résonnent parfois les grelots des calèches. Vous y goûterez tout le charme de Philadelphie. Elle fut construite sur un terrain donné par Thomas et Richard Penn. John Kearsley, son architecte, la voulut à la fois élégante et sobre : il a parfaitement réussi. La tour fut ajoutée en 1842 par William Strickland. Sept chefs indiens sont enterrés dans le cimetière et de petits bancs, à l'extérieur, incitent à des repos plus brefs.

● **L'hôpital de Pennsylvanie** *(8th et Locust Sts ; ☏ 829-3251).* — Premier hôpital des colonies, fondé en 1751 par Benjamin Franklin. C'est encore un centre de recherches et une bibliothèque médicale. Remarquez la rotonde au centre avec son toit en verrière. C'est là que les étudiants observaient les opérations chirurgicales. Beau jardin, avec une statue de William Penn, fondateur de la ville.

▶ **Antique Row** *(Pine St., entre 10th et 13th Sts).* — Dans ce quartier de magasins d'antiquités se tient un marché aux puces informel. Vieux disques, vaisselle plus ou moins ébréchée, dentelles, robes de stars un peu délavées. Il est très agréable d'y chiner sous les arbres. ◀

● **Head House Square** *(2nd St., entre South et Pine Sts. plan général D4).* — Cette ancienne halle du XVIIIe s. est entourée par 2nd St., qui se dédouble à cet endroit. Restaurée en 1965, comme tout le quartier, elle fait maintenant partie de **New Market,** zone qui s'étend de Pine St. à Lombards St., où pullulent boutiques et restaurants chics. Durant les weekends d'été, un petit marché aux puces s'installe sur les trottoirs.

● **South Street** *(plan général A-D4).* — Elle divise South Philadelphie et le centre de la ville. Des centaines de personnes se pressent sur ses trottoirs

ombragés, autant pour voir que pour être vus. On y trouve des restaurants cajuns, italiens, tex-mex, chinois, et surtout le meilleur fabricant de *cheese-steaks* de Philadelphie : Jim, à l'angle de 4th St.

● **Mummer's Museum*** *(angle de 2nd St. et de Washington Ave., à six blocs au S. de South St. ; ouv. mar.-sam. de 9 h 30 à 17 h, dim. de 12 h à 17 h).* — Ce musée original conserve les costumes pailletés et les bannières des mimes *(mummers)* qui, chaque jour de l'An, sont utilisés lors d'un défilé traditionnel. Une manifestation locale unique en son genre, dont l'atmosphère est bien recréée dans ce musée.

▶ **Italian Market*** *(sur 9th St., de Christian St. à Washington Ave.).* — Ici, les poivrons, les tomates, les salades sont à l'étalage des boutiques, comme en Italie ; à l'intérieur, pâtes, fromages, épices... C'est un des coins les plus sympas de Philly, où l'on a tourné une scène fameuse de *Rocky,* avec Sylvester Stallone, star locale. En plus, les aliments sont frais et les prix abordables. ◀

■ 3. Downtown et le City Hall**

Les Philadelphiens aiment à dire que leur ville marie harmonieusement l'ancien et le moderne. Cette promenade vous en convaincra. Plus intéressantes architecturalement que celles du quartier historique, les constructions de Broad St. et le surprenant City Hall méritent toute votre attention. Au sommet du Bellevue Hotel, vous pourrez vous prendre pour un milliardaire de l'époque de Scott Fitzgerald. Dans le centre-ville, d'énormes cylindres, ornés de lilas peints, protègent les piétons de la vapeur qu'émet l'antique système de chauffage. La Historical Society est un passionnant musée sur l'histoire de Philadelphie, et cette balade vous permettra aussi de découvrir un discret joyau, le Rosenbach Museum. Dans une maison particulière pleine de charme, il abrite des manuscrits du XVIe au XXe s : l'ancien et le moderne, réconciliés.

● **City Hall***** *(à l'intersection de Broad et Market Sts ; plan général B3)*. —Surprenante construction baroque (option Renaissance française) de la fin du XIXe s., le City Hall, surnommé aussi le « Wedding Cake », est le centre de Downtown. Il comprend 642 pièces, et sa tour de 167 m est couronnée d'une statue en bronze de William Penn (27 t, 10 m de haut), qui fut sculptée en 1886 par Calder. Il est resté le plus haut bâtiment de la ville jusqu'en 1987, grâce à un décret que les promoteurs ont fini par faire abroger, et Philadelphie est entrée à son tour dans l'ère des gratte-ciel.

Avant de monter, n'hésitez pas à faire le tour du bâtiment pour voir les sculptures bizarres et amusantes qui l'ornent : mention particulière pour les chats et les souris de l'entrée S.

Le site du City Hall était d'abord occupé par Center Square, une des cinq places que Penn avait dessinées pour Philadelphie. Durant la révolution, des régiments de patriotes y firent leurs exercices et, en septembre 1781, le comte de Rochambeau, commandant en chef de l'armée française, y campa avec 6 000 soldats en route pour la bataille finale de Yorktown.

Dans les alentours immédiats du City Hall, les amateurs de shopping pourront se rendre chez **Wanamaker's**, l'un des plus grands magasins du monde (il occupe un pâté d'immeubles entier). Voir aussi, très Art déco, le bâtiment du **One East Penn Square**.

● **Masonic Temple*** *(1 N. Broad St. ; vis. guidées du lun. au ven. à 10 h, 11 h, 13 h, 14 h et 15 h, le sam. à 10 h et 11 h ; f. principaux jours fériés et le*

dim. en juil. et août ; entrée gratuite). — À la sortie N. du City Hall, le bâtiment qui semble une église réunissant tous les styles connus et inconnus abrite en fait le Masonic Temple, fief de la grande loge des Maçons libres et acceptés de Pennsylvanie.

Si vous empruntez alors Market St. ou JFK Blvd., vous trouverez les centres commerciaux de Two Liberty Place et du Penn Center, à côté de la *Clothespin* (Pince à linge) géante de Claes Oldenburg.

L'art descend dans la rue

Quand un Philadelphien vous dit : « Rendez-vous à la pince à linge », il parle bien entendu de la sculpture de Claes Oldenburg qui se dresse à Center Square. Plusieurs centaines d'œuvres d'art ornent les rues de Philadelphie. C'est en 1809 que, pour la première fois, des fonds publics servirent à acheter une sculpture. En 1872, l'association artistique de Fairmount Park fut créée pour « promouvoir le sens du beau à Philadelphie ». L'association acheta un certain nombre d'œuvres, du *Penseur* de Rodin au *Cow-boy* de Frederic Remington. En 1959, fut votée une loi qui stipule que 1% des coûts de construction de tout nouveau building doit être consacré à l'art, aux jardins et aux fontaines. Depuis, Philadelphie s'enorgueillit de posséder un des plus grands mobiles de Calder, la *White Cascade*, à la Federal Reserve Bank (6th & Arch Sts) ainsi que son « stabile » *Jérusalem*, à Universal City. *Love*, de Robert Indiana, se tient à l'angle de 15th St. et de JFK Blvd., et *El gran teatro de la Luna*, sculpture en aluminium peint de Rafael Ferrer, à Fairhill Square, dans le quartier latino-américain. Parmi les œuvres les plus surprenantes, on verra aussi le pont pour piétons construit par Jody Pinto à Fairmount Park.

● En descendant **Broad Street*** *(plan général B1-4)* vous verrez quelques beaux buildings des années 30, telles la **Fidelity Bank** et, au coin de Chestnut St., la **Philadelphia Saving Funds Society** dont les étages supérieurs rythmés de colonnes ont souvent été copiés. Au **n° 140,** la petite maison rose et ocre (1865) abrite un haut lieu du conservatisme, le club très privé de l'Union League, fondé durant la guerre de Sécession.

● **Bellevue Stratford Hotel*** *(Broad et Walnut Sts).* — Au rez-de-chaussée, sont installées de belles boutiques *(ouv. mar-sam. 10 h-18 h, mer. 10 h-20 h).* Si vous tenez à votre compte en banque, gardez le nez en l'air pour admirer les plafonds à caissons et montez directement au 19e étage, où se trouve l'hôtel proprement dit. Vous y jouerez Gatsby le magnifique, dans un de ces trois théâtres : le bar anglais tout en boiseries, la salle à manger dominant la ville et le salon bleu où sont servis, le dimanche matin, des *brunches* somptueux.

● **Academy of Music** *(Broad et Locust Sts ; plan général B3).* — Construite par l'architecte français Napoléon le Brun sur le modèle de La Scala de Milan, l'Académie de musique abrite quatre célébrités : l'orchestre symphonique de Philadelphie, l'orchestre populaire ou Philly Pops, le théâtre de l'Opéra de Philadelphie et le ballet de Pennsylvanie. De septembre à mai, la saison attire les mélomanes du monde entier. Des visites guidées *(sur rendez-vous,* ☎ *893-1900 ou 1913)* permettent de pénétrer dans les entrailles du théâtre en visitant l'auditorium et les coulisses : salles de réception, salle de bal, loges des artistes, rien n'est oublié. À noter que le Philadelphia Orchestra donne durant l'été des concerts gratuits au Mann Music Center, dans Fairmount Park.

En sortant, vous pourrez aussi réserver des places de concert ou de théâtre au **Merriam Theater**, sur le même trottoir.

● **Historical Society of Pennsylvania**** *(1300 Locust St. ; ouv. mar.-sam. 10 h-17 h, le mer. jusqu'à 21 h).* — Cela fait plaisir de voir un musée qui ne triche pas avec l'histoire de sa ville et dont l'approche est à la fois pédagogique et critique. Il en est ainsi, par exemple, en ce qui concerne William Penn dont vous pourrez voir ici le seul portrait existant : il est bien précisé que les Pennsylvaniens en ont fait un héros mais que sa vie fut loin d'être irréprochable. Le musée présente, de façon vivante, les grandes époques de Philly, les personnages les plus célèbres... Les collections rassemblent plus de 300 000 photographies et nombre de manuscrits, parmi lesquels les actes de la Pennsylvania Abolition Society, la plus vieille association anti-esclavagiste du pays. On peut aussi monter à bord d'un tramway, dans la bibliothèque, rechercher ses ancêtres. Une visite passionnante !

● **Curtis Institute of Music** *(1726 Locust St.).* — Ce conservatoire mondialement connu offre libre accès aux concerts donnés par ses élèves.

● **Rosenbach Museum*** *(2010 Delancey Place ; vis. guidées uniquement : mar.-dim. de 11 h à 16 h, f. août et jours fériés).* — Dans cette charmante maison georgienne meublée en style Chippendale vivaient au début du siècle deux frères. L'un d'eux, le docteur Rosenbach, antiquaire, commença à collectionner livres et manuscrits en 1904. Le fonds, prestigieux, comprend notamment 400 volumes ayant appartenu à la bibliothèque de Shakespeare, la plus ancienne copie du *Don Quichotte* de Cervantès, les premières éditions de *Moby Dick* de Melville et de *Robinson*

Crusoé de Defoe, ainsi que 106 lettres de George Washington. Mais ce qui touchera davantage les visiteurs européens, ce sont les manuscrits de Conrad (le musée en possède les trois quarts) et le manuscrit original de l'*Ulysse* de James Joyce, acheté en 1923 pour près de 2 000 dollars.

■ 4. Le quartier des musées***

Philadelphie possède une cinquantaine de musées. Attention délicate, la ville rassemble les plus importants autour de la Benjamin Franklin Pkwy, qui court en diagonale, sur plus d'un mile, de John Fitzgerald Kennedy Plaza à Eakins Oval. Elle est l'œuvre de deux Français, J. Greber et P. Cret. Les deux édifices au nord (*Free Library* et *Contry Court*) ont pour modèles l'hôtel *Crillon* et le ministère de la Marine de la place de la Concorde à Paris. Sa largeur, les arbres qui la bordent et le nombre impressionnant de musées dans son périmètre immédiat lui ont valu d'être surnommé *America's Champs-Élysées* et *Museum Row*.
Le circuit culturel commence à Logan Circle, à l'Academy of Natural Sciences Museum, pour se terminer au Philadelphia Museum of Art, le 3e musée américain par l'importance de ses collections. En guise d'étape, nous vous proposons le charmant Rodin Museum, où un petit jardin planté de buis accueille *le Penseur* et les penseurs... Si vous avez encore du courage, vous terminerez la promenade par le Fairmount Park. Attention : il s'agit là du plus grand parc urbain d'Amérique.

● **Pennsylvania Academy of The Fine Arts*** *(118 N. Broad St. ; plan général B2 ; ouvert du mar. au sam. de 10 h à 17 h, le dim. de 11 h à 17 h, vis. guidées mar. et dim. à 12 h 30 et 14 h,*

tarif réduit le sam. de 10 h à 13 h ; f. lun. et principaux jours fériés). — Ce musée situé à l'écart de la Franklin Pkwy possède des collections importantes d'artistes américains et anglais. On peut y voir, entre autres, des œuvres de Charles Wilson Peale, Mary Cassatt, Thomas Eakins, Winslow Homer... Le bâtiment en lui même, qui est à la fois le plus ancien musée et la plus ancienne école d'art américain, vaut par son architecture du début du XVIIIe s., toute en arches, colonnes et fenêtres à vitraux. Il a été conçu par Frank Furness (1839-1912), professeur de Louis Sullivan, le créateur des gratte-ciel.

● **Cathedral of St Peter and St Paul** *(18th et Race Sts ; ouv. de 9 h à 16 h).* — Au centre du quartier des musées, cette cathédrale catholique domine Logan Circle, du haut de ses 64 m. Elle fut construite entre 1846 et 1864 dans le style de la Renaissance italienne, par le français Napoléon le Brun et John Notman.

● **Academy of Natural Sciences Museum*** *(angle de 19 th St. et de Benjamin Franklin Pkwy ; plan général B2 ; ouv. t.l.j. : lun.-ven. de 10 h à 16 h 30, week-ends et jours fériés de 10 h à 17 h ; f. Thanksgiving, 25 déc. et 1er jan.).* — C'est la plus ancienne société de sciences naturelles américaine. Autour de superbes collections de pierres et de fossiles, son joyau est un **squelette de dinosaure**** datant de 65 millions d'années. Plus près de nous dans le temps, vous rendrez aussi visite aux momies du département égyptien.

● **Goldie Paley Gallery** (Moore College of Art and Design ; *angle de 20th St. et de Benjamin Franklin Pkwy ; ouv. mar.-ven. de 10 h à 17 h, sam. dim. de 12 h à 16 h, f. jours fériés, entrée gratuite).* — Cette galerie présente des œuvres en photographie, architecture, arts plastiques et design. Certains artistes exposés, américains ou européens, jouissent d'une réputation mondiale : c'est au petit bonheur la chance.

● **Please Touch Museum** *(210 N. 21st St., ouvert tous les jours de 9 h à 16 h 30, f. Thanksgiving, 25 déc. et 1er jan.).* — Enfin un endroit où les moins de sept ans peuvent s'en donner à cœur joie. Ici, on peut tripoter avec les yeux mais aussi avec les mains. Certaines expositions sont sous-titrées en braille.

● **Franklin Institute Science Museum** *(angle de 20th St. et B. Franklin Pkwy ; plan général A2/B2 ; ouv. t.l.j. et certains soirs ; f. principaux j. fériés)* — Ce vaste musée veut permettre à chacun d'expérimenter des situations à venir, ainsi que de comprendre des lois physiques fondamentales. Une immense statue de Benjamin Franklin vous accueille au seuil de cette odyssée dans le futur. En fait, les trop vastes sujets abordés par le Franklin Institute sont mal traités. Si vous n'êtes pas arrêtés par le coût prohibitif des expositions, vérifiez votre niveau d'anglais avant de vous lancer dans l'aventure : seuls des Edison en herbe et polyglottes y prendront plaisir. L'exposition la plus agréable —et gratuite— est celle du petit Pioneer qui vous accueille à la sortie. Cet avion fut construit en 1931 pour démontrer l'utilité de l'acier inoxydable, ensuite employé dans les chemins de fer.

Le Franklin Institute regroupe trois autres musées : **The Science Center and Fels Planetarium** *(ouv. t.l.j. de 9 h 30 à 17 h)* permet de visualiser, à l'aide d'un simulateur, ce que sera la vie sur Terre dans des milliards d'années. **The Mandell Futures Center** *(ouv. lun. et mar. de 9 h 30 à 17 h, du mer. au dim. de 9 h 30 à 21 h)* propose un jeu qui ôte le stress ou une machine vieillissante qui nous donne une image, théorique, de notre visage dans 25 ans. Pas toujours agréable ! **The Tuttleman Omniverse Theatre** *(ouv. lun. et mar. de 9 h 30 à 17 h, du mer. au dim. de 9 h 30 à 21 h)* projette toutes les heures des films sur un écran à 180°.

● **Free Library of Philadelphia** ou **Central Library*** *(angle de 19th et de Vine Sts, plan général B2 ; ouv. lun.-mer. 9 h-21 h, jeu.-ven. 9 h-18 h, dim. 13 h-17 h ; f. le dim. en été et principaux jours fériés).* — Cette bibliothèque possède plus de six millions de livres, magazines, journaux, bandes enregistrées, dont la majorité est accessible au public. Les spécialistes, ou les curieux, pourront suivre la visite guidée (quotidienne) du département des livres rares et y découvrir des tablettes cunéiformes datant de plus de 3 000 ans av. J.-C., des manuscrits médiévaux allemands et des premières éditions de Poe et Dickens. Le dimanche (sauf en été) sont organisés concerts, projections et activités enfantines.

● **Rodin Museum**** *(22nd St. et B. Franklin Pkwy ; plan général A2 ; ouvert du mar. au dim. de 10 h à 17 h ; f. jours fériés).* — Ce charmant musée, qu'annonce *le Penseur*, est un véritable havre pour les promeneurs. il a été conçu par Paul Cret. L'entrée est une copie de celle du château d'Issy, que Rodin avait déjà copié à Meudon. Il est précédé d'un petit jardin planté de buis où il fait bon se reposer. Malgré sa petitesse —trois salles—, il abrite la seconde collection mondiale d'œuvres de Rodin, collection qui fut constituée par Jules Mastbaumm entre 1923 et 1926. Tous les aspects de la carrière du sculpteur (1855-1917) sont représentés. On verra entre autres *les Bourgeois de Calais****, *Jeanne d'Arc**, *Je suis belle*, *Danaïdes* et la superbe *Main de Dieu**** tenant dans sa paume un couple ; des bustes de Gustav Mahler, de George Bernard Shaw, de Victor Hugo, de Barbey d'Aurevilly, plusieurs Balzac.

● **Philadelphia Museum of Art*** (*à l'intersection de 26th St. et de B. Franklin Pkwy ; plan général A1 ; ouv. mar.-dim. 10 h-17 h, le mer. jusqu'à 20 h 45 ; f. lun. et jours fériés ; entrée libre le dim. jusqu'à 13 h ; cafétéria et boutique au rez-de-chaussée inférieur*). — « Palais de maharadjah », « temple napoléonien », les surnoms ne manquent pas pour qualifier cet étrange monument néo-classique, dont le fronton s'orne de grotesques sculptures polychromes. À l'extérieur, sculptures de J. Epstein, L. Nevelson et Lipschitz. Point de vue sur le centre-ville (du haut des escaliers que gravit un Stallone victorieux dans *Rocky*) ; vers l'ouest, le Fairmount Park et le fleuve Schuylkill. Fontaine copiée sur le jardin Borghese de Rome. À l'intérieur, en revanche, le Philadelphia Museum of Art mérite son rang de 3e musée américain : il rassemble près de 500 000 pièces, réparties entre 200 galeries. Il y en a pour tous les goûts, des sculptures de Henry Moore à une importante collection Marcel Duchamp, de l'*Ecce Homo* de Jérôme Bosch à une exposition sur le style *shaker*. On trouvera aussi ce qui, à New York, contribue au succès du Metropolitan : une maison de thé japonaise, un palais chinois de la période Ming, entièrement remontés. Prévoyez au minimum deux heures.

- Impressionnisme et post-impressionnisme

Manet : *le Bon Bock**, l'une des premières œuvres du peintre à avoir séduit le public au salon de 1873 ; **Degas** : *le Pas de trois* ; *les peupliers**, peinture presque allusive où se mêlent les reflets de l'eau, des feuilles, du soleil et de la lumière ; **Van Gogh** : l'une des six versions des très célèbres *Tournesols**, réalisée en 1888 et qui exalte la fameuse note jaune ; Renoir : les *Baigneuses** ;

Cézanne : les *Grandes Baigneuses*** (1898-1905), pièce maîtresse du musée, toile monumentale à l'atmosphère bleutée, aux rythmes poétiques et pyramidaux ; **le Douanier Rousseau** : *Soir de carnaval**.

- Art du XXe s.

Picasso : *Trois Musiciens**,* comédiens masqués de la commedia dell'arte dont Arlequin et Pierrot ; Fernand Léger : *la Ville*, panorama de formes et de signes ; de Miró, *Chien aboyant à la lune* ; **Matisse** : *le Paravent mauresque**, deux joueuses de tennis dans un intérieur qui rappelle l'Orient, et *Odalisque jaune* ; Andrew Wyeth : *Ground Hog Day*, une cuisine éclairée par un pâle soleil d'hiver, vide mais encore chargée d'une présence mystérieuse ; plusieurs toiles de Jasper Johns dont *Sculptural Numbers* (1963) ; **Rauschenberg**, *Estate**, où l'on distingue des immeubles, la statue de la Liberté, la chapelle Sixtine, une fusée, fragments du monde réel destinés, selon les propres mots de l'artiste, à combler le vide entre l'art et la vie ; Wesselmann : *Bedroom painting*, sorte de technicolor où tout est plus séduisant que dans la vie ; Lichtenstein : *Still life with godfish Bowl*, un clin d'œil à Matisse ; Louis Morris : *Beth*, couches de couleurs surimposées en image monolithique.

- Collection Arensberg

Picasso : *Autoportrait**,* figure d'une force primitive qui rappelle la sculpture ibérique préromaine ; Chagall : *le Poète** ;* Juan Gris (1887-1927) : *Nature morte devant une fenêtre ouverte*, où l'on trouve un enchantement poétique rare dans une œuvre habituellement plus précise et analytique ; Kandinsky : *Improvisation n° 29*, l'une des étapes vers une abstraction spirituelle et musicale de formes et de couleurs ; Klee (1879-1940) : *Poisson magique*, un monde enchanté où flottent fleurs, poissons et soleils mystérieux ; Dali : *Prémonition de la guerre civile de 1936*, dite aussi *Construction molle avec haricots bouillis*, monstrueuse vision d'un

Les extravagances d'un iconoclaste

Grâce au collectionneur Walter Arensberg, le Philadelphia Museum of Art comporte la plus riche collection mondiale d'œuvres de **Marcel Duchamp**. On peut y voir les principaux *ready-mades* de l'artiste tels qu'un séchoir à bouteilles de la marque Hérisson acheté au BHV de Paris ou *Fontaine*, un urinoir produit par le fabricant new-yorkais d'appareils sanitaires Richard Mutt, qui fit scandale lorsque Duchamp tenta de l'exposer en 1917. La collection retrace toute l'œuvre de Duchamp à partir de son *Nu descendant un escalier* peint en 1913 à *Étant donnés : 1° la chute d'eau, 2° le gaz d'éclairage*, une œuvre restée secrète jusqu'à sa mort en 1968 et qui est isolée dans une pièce à part, en raison de son contenu érotique. Elle contient aussi son chef-d'œuvre, que photographia Man Ray : *la Mariée mise à nu par ses célibataires, même*, une peinture sur verre « définitivement inachevée » en 1923, selon les propres termes de l'artiste.

monument humanoïde dans un monde fantastique.

L'ensemble le plus important de cette collection est constitué par les deux tiers des œuvres de **Marcel Duchamp**, qui ont été soit déposées par lui, soit léguées par des amis selon son vœu. Duchamp (1887-1968), lien vivant entre l'avant-garde européenne et la peinture américaine, a joué un rôle déterminant aux États-Unis. Il a été, selon le mot d'un auteur, « l'éminence grise de la vie new-yorkaise pendant un demi-siècle ». Le musée possède également des œuvres de son frère, le sculpteur Raymond Duchamp-Villon.

Les **collections d'art américain** comportent des reconstitutions d'intérieurs : intérieurs bourgeois de Philadelphie, intérieur d'un moulin de Pennsylvanie,

des tentures et des broderies, différents objets d'art décoratif ou d'art appliqué, mais également des collections de peinture. Benjamin West (1738-1820) : *Benjamin Franklin attirant l'électricité du ciel*, tableau officiel destiné à honorer cet homme d'État illustre qui fut également un inventeur de génie ; Charles Wilson Peale (1741-1827), *le Groupe de l'escalier**, l'un des tableaux les plus familiers aux Américains : clou de l'exposition organisée par Peale au Columbianum, en 1795, à la State House de la ville, la toile, qui représente deux des enfants du peintre, était insérée dans une porte où une vraie marche avait été disposée à ses pieds, accentuant ainsi la fausse réalité ; Edward Hicks (1780-1849) : *Arche de Noé*, l'antique récit biblique traité à la lumière de la foi profonde d'un quaker de Pennsylvanie ; Winslow Homer (1836-1910) : *la Corde de sauvetage*, le combat d'un homme et d'une femme contre une mer déchaînée, l'une des premières œuvres de la peinture américaine à s'être éloignée des paysages grandioses de l'O. pour explorer les relations entre l'homme et la nature. Œuvres de Georgia O'Keeffe et de Willem de Kooning.

- **Collection Keinbusch**** : armes et armures.
- **Arts européens du Moyen Âge au XVIe s.**

Vous verrez d'abord des reconstitutions d'églises et de salles médiévales : éléments du **portail de l'abbaye de Saint-Laurent** (XIIe s., Nièvre) ; reliefs, fonts baptismaux, chapiteaux et pierres tombales avec leurs gisants ; reconstitution du **cloître de Saint-Genis-des-Fontaines*** (1160-1180), qui était situé dans les Pyrénées et fut démantelé en 1925 : beaux chapiteaux richement décorés ; la fontaine en marbre vient de l'abbaye voisine de Saint-Michel-de-Cuxa. **Vitraux** provenant de la Sainte-Chapelle à Paris (1246-1248) et qui illustrent des scènes de l'Ancien Testament ; reconstitution d'une salle qui était jadis dans un château du Mans ; chapelle gothique de Pierrecourt (Haute-Saône, env. 1400) : le maître-autel provient de l'ancienne église des Templiers de Norroy-sur-Voir (Vosges). Tapisseries du XVe s.

L'étonnante histoire des *shakers*

Avant de connaître un certain succès aux États-Unis, la secte des *shakers* (de l'anglais *to shake* : secouer), dissidents des *quakers*, connut des débuts laborieux en Angleterre. Sa fondatrice, Anne Lee, jeune ouvrière de Manchester, prônait le développement d'une conscience sociale, assez proche du socialisme à l'américaine. Elle eut une première révélation en 1770. À la suite d'une seconde révélation, neuf membres de la secte partirent chercher refuge sur le Nouveau Continent ; ils s'installèrent dans le désert de Niskayuna, près de New York. Entre 1779 et 1780 eut lieu une série importante de conversions : la « Pentecôte Shaker ». Anne Lee voulait bâtir une société modèle, strictement hiérarchisée : les membres de la secte étaient regroupés en *families*, par groupes de 30 à 150 personnes. Il existait pour ces *families* trois niveaux d'initiation fondés sur des lois religieuses et économiques propres à la secte, le sommet de la hiérarchie étant atteint avec la *third* ou *senior family* dont les membres renonçaient définitivement à leurs biens. Chaque famille était dirigée par deux hommes et deux femmes responsables de la vie spirituelle. Les familles étaient ensuite rassemblées par groupes de 2 à 6 en *societies*. En 1840-1850, les *shakers* étaient près de 6 000. Aujourd'hui, il ne reste que deux petites communautés *shaker* à Sabbathday Lake dans le Maine et à Canterbury dans le New Hampshire. Les *shakers* sont à l'origine d'un style, fondé sur la simplicité et le fonctionnalisme inspirés par leur idéal de propreté et d'économie. On leur doit plusieurs inventions, comme l'épingle à linge, la scie circulaire, le balai plat *(flat broom)* et la chaude pèlerine à capuche que portaient, en 1900, les femmes du monde entier.

Une salle de style gothique vénitien provient du palais Soranzo tandis qu'une autre est un exemple de gothique florentin ; portes sculptées (l'une d'elles porte les armes des Médicis et date de 1440).

Renaissance italienne : objets d'art, bronzes, majoliques (faïence). Sculpture : Desiderio da Settignano, *Vierge à l'Enfant** ; Luca della Robbia, *Vierge en adoration devant l'Enfant*, tondo (tableau de forme ronde) en terre cuite. Mobilier et arts décoratifs provenant de l'Empire des Habsbourg (pays germaniques, Espagne).

Renaissance française : nombreux éléments architectoniques provenant de la collection Fould ; de la chapelle du château de Pagny (1535-1540 ; près de Dijon), on verra un jubé où une décoration Renaissance a été plaquée sur une structure gothique, un grand **retable de la Passion***, exécuté à Anvers en 1530, et une statue de la Vierge.

Le musée possède également une série de sept **tapisseries*** exécutées à Paris sur les dessins de **Rubens** et relatant la vie de Constantin le Grand. Elles ont été offertes par Louis XIII au cardinal Barberini.

En **peinture,** citons, parmi beaucoup d'autres : Pietro Lorenzetti (1305-1348) : *Vierge à l'Enfant*, d'une splendeur monumentale ; **Jan Van Eyck** (env. 1390-1441) : *Saint François recevant les stigmates***, œuvre traduisant une nouvelle forme de piété où réel et surnaturel sont mis sur le même plan ; **Rogier Van der Weyden** (1400-1464) : *Crucifixion avec la Vierge et saint Jean***, toile admirable composée de deux tableaux juxtaposés d'une étonnante modernité : les personnages ne sont plus de part et d'autre de la croix mais regroupés d'un seul côté, le Christ restant solitaire ; Dirck Bouts (1415-1475) : *Moïse et le Buisson ardent* ; **Giovanni di Paolo** (env. 1403-1482) : *Miracle de saint Nicolas de Tolentino sauvant un navire***, extraordinaire petit tableau où le rêve, la fantaisie presque surréaliste et l'humour se mêlent à un sens inné des coloris ; Jérôme Bosch (env. 1450-1516) : *Ado-*

ration des Mages*, d'un grand modernisme : aucun des mages, en effet, ne regarde Jésus ; *Ecce homo**, présentation du Christ au peuple plus un foisonnement de personnages et de couleurs ; Joos Van Cleve (env. 1485-1540) : *Portrait de François Ier* ; Breughel : la *Danse de mariage*.

- Arts européens du XVIe au XVIIIe s.

Aux magnifiques collections d'arts décoratifs s'ajoute un bel ensemble de toiles européennes dont quelques-unes sont très connues.
Zurbarán (1598-1664) : *Annonciation** où l'on retrouve l'esprit contemplatif du Moyen Âge ; Rubens (1577-1640) : *Prométhée enchaîné** ; *Officier écrivant une lettre* par Gerard Ter Borch (1617-1681) qui contribua à populariser le thème du courrier dans la peinture hollandaise ; **Poussin** (1594-1665) : **la Naissance de Vénus****, toile pleine d'équilibre et de poésie qui passa successivement entre les mains de Richelieu, du financier Crozat et de Catherine de Russie avant d'être vendue à l'Amérique par le gouvernement soviétique en 1930 ; Tiepolo (1696-1770) : *Vénus et Vulcain*.

Reconstitution de **salons des XVIIe et XVIIIe siècles** : salon du château de Draveil, chambre de Louis XVI, salon de l'hôtel Letellier, rue Royale à Paris ; table en marbre du château de Marly ; certains meubles de Trianon. Tapis de la Savonnerie, tapisserie de Beauvais. Mobilier de Boulle, Martin-Carin, Riesener. Salons et mobilier anglais du XVIIIe s. provenant de Sutton Searsdale (Derbyshire), Wrightington Hall (Lancashire) ou le **salon de Landsdowne House*** (Londres) décoré par Robert Adam.

Peinture anglaise des XVIIIe et XIXe siècles : de Gainsborough, *Portrait de Lady Anne Rodney* ; Hogarth : *Réception à Wanstead* ; *Famille Fountaine* ; Raeburn : *Portrait d'une femme en robe blanche* ; **Turner** : l'***Incendie du Parlement*****, où les lueurs violentes percent la brume du fleuve et la profonde nuit automnale, donnant à la composition un aspect presque surnaturel.

Une salle est consacrée à la technique de **Delacroix** (1798-1863) grand coloriste qui, au salon de 1827, s'imposa comme chef de file de l'école romantique.

- Arts orientaux

Collections d'objets et d'œuvres d'art, mais aussi reconstitutions en partie ou totalité de temples et ensembles architecturaux.

Proche et Moyen-Orient. Portail de l'époque sassanide provenant des fouilles de Damgham (Iran, fin Ve s.) ; dans la salle de la dynastie séfévide, ornée de mosaïques qui semblent provenir d'une mosquée d'Ispahan (XVe s.), sont exposés des manuscrits enluminés et des manuscrits persans ; une petite salle octogonale avec une charmante coupole à caissons fut recueillie dans un pavillon des environs d'Ispahan (époque de Chah Abbas, XVIIe s.). Splendides **tapis*** de Perse, du Caucase et de Turquie.

Inde. La reconstitution du hall du **temple*** (mandapam) **de Madura** (région de Madras, milieu du XVIe s.) est en fait l'assemblage d'éléments provenant de trois temples différents et qui furent cédés au musée en 1919 ; il constitue toutefois le seul exemple d'architecture religieuse en pierre, originaire de l'Inde, que l'on puisse voir aux États-Unis ; sur la corniche qui relie entre eux les piliers couverts de sculptures sont figurées des scènes extraites du célèbre poème épique du Ramayana. D'autres sculptures religieuses de l'Inde et de l'Asie du Sud-Est, chargées de symboles divins ou incarnant diverses divinités du panthéon hindou, sont pour la plupart datées du VIIe au XIIIe s. ; on remarquera entre autres une représentation d'**Avalokiteshrava*** (*le Seigneur qui regarde d'en Haut*) au sourire empreint de mystère et de sérénité (Cambodge, période pré-Angkor, fin du VIIe s.).

Chine. La salle de réception du palais de Chao (Chao Kung Fu ; Pékin, début du XVIIe s.) possède un riche **plafond peint*** où sont représentés tous les symboles du bonheur et de la longévité. Le plafond sculpté de l'ancien bâtiment principal du Chih Hua Ssu, temple de la Sagesse divine, provient également de Pékin et fut édifié vers 1444 par un dignitaire de la cour impériale ; le dragon, symbole de l'empereur, apparaît au centre. Face à l'entrée, une peinture murale du XIIe ou du XIIIe s. serait originaire de la province du Honan.

Statues bouddhistes du Xe au XVIIIe s. Bureau d'un riche personnage de Pékin (meubles laqués de la fin du XVIIIe au début du XIXe s.). Collections de **rouleaux peints***, comme celui des *Seize fleurs*, de Hsu Wei (1521-1593) ou celui de *Yi Om* (Corée, 1499). **Aquarelles** parmi lesquelles le très beau **Camélia rouge***, du XVe s. **Laques et porcelaines** de différentes familles dont un chevet-appuie-tête (pour le mort dans sa tombe) d'époque Song (960-1279) : vitrines d'objets d'art, telle cette **Lune*** taillée dans un bloc en cristal de roche (1736-1796, dynastie Qing).

Japon. Représentation d'une divinité du shintoïsme (religion nationale du Japon) de la période Fujiwara (XIe-XIIe s.) ; série de **rouleaux peints***, comme celui des *Quatre Saisons* par Sosen (XVIIe s.). Paravents, costumes. On remarquera surtout la **reconstitution du Hondo,** bâtiment principal du Shofuku ji (région de Nara, milieu du XVIIe s.), avec, sur l'autel, une statue en bois laqué et doré d'Amida Bouddha (début du XVIIe s.), et un **pavillon pour la cérémonie du thé*** provenant de Tokyo (1917), placé dans le cadre d'un petit jardin reconstitué.

Importantes collections de **sculptures,** depuis l'*Éducation de la Vierge**, magnifique groupe sculpté en bois polychromé du Maître Benedict (Allemagne, 1510) jusqu'aux œuvres de Brancusi –dont *le Baiser** (1912), l'unité d'un couple incisée dans un bloc de pierre unique aux formes primitives–, de Calder, natif de Philadelphie (*Fantôme*, 1963) ou de Lipchitz (*Marin avec sa guitare*, aux formes abstraites et cubistes).

● **Fairmount Park*** (*plan général A1 ; possibilité de vis. commentées en trolleybus ; départ : au niveau du Museum of Art ; durée : 2 h*). — Le plus grand des parcs urbains américains s'étire nonchalamment le long de la Schuylkill River, couvrant plus de 3 250 ha de jardin paysager. Les visiteurs qui ne disposent pas du temps nécessaire à une découverte pédestre du parc peuvent le visiter en trolleybus. Mais la meilleure façon de l'apprécier consiste à parcourir allées et musées au gré de son humeur.

Rendez-vous des sportifs comme des simples promeneurs, le parc propose une multitude d'activités : voile sur la rivière, concerts gratuits en été, marche ou vélo le long des 160 km de pistes qui le sillonnent, sieste au pied de l'une des 200 statues qui y sont exposées (entre autres *Swann Memorial Fountain* de Calder, *Joan of Arc* d'Emmanuel Fremiet, *Playing Angels* de Carl Milles), visite du plus vieux zoo des États-Unis, etc.

On peut encore y voir quelques maisons meublées d'époque coloniale qui appartiennent au Museum of Art (six d'entre elles se visitent), et trois des pavillons construits pour l'Exposition universelle de 1876 : **Ohio House,** maison en pierres de l'Ohio, abrite aujourd'hui le corps des Philadelphia Rangers ; **Memorial Hall,** conçu pour être la galerie d'art de l'Exposition, est maintenant le siège de la Fairmount Park Commission ; l'**Horticulture Center,** qui comprend outre des expositions régulières un arboretum, reste fidèle à sa destination première. On y voit une maison japonaise et son jardin, copie d'une maison du XVIIe. En été, cérémonie du thé (☎ 878-5097).

■ 5. University City

Philadelphie se prétend plus riche en établissements universitaires que Boston. Située à l'O. de la ville, de l'autre côté de la Schuylkill River, University City comprend, sur un vaste espace verdoyant, trois campus : l'University of Pennsylvania, Drexel University et le Philadelphia College of Pharmacy and Science. Parmi les nombreux bâtiments disséminés, on compte plusieurs musées, les deux plus renommés étant l'Institute of Contemporary Art et le University Museum of Archaeology and Anthropology.

Établissement privé subventionné par l'État, la University of Pennsylvania fut créée dans sa forme première en 1740 par Franklin. Elle s'appelait alors Charity School. Elle prit ensuite plusieurs noms avant d'adopter l'actuel en 1791. Elle reçoit plus de 22 000 étudiants.

● **Institute of Contemporary Art** *(36th St. à l'extrémité de Sansom St. ; ouv. mar.-dim. 10 h-17 h, le mer. 10 h-19 h, entrée libre le mar.).* — Créé en 1963, l'ICA présente des expositions tournantes d'art contemporain. C'est ici qu'Andy Warhol fit sa première exposition.

● **University Museum of Archaeology and Anthropology*** *(angle de 33rd et Spruce Sts ; ouv. mar.-sam. 10 h-16 h30, le dim. 13 h-17 h ; f. dim. et lun. entre Memorial Day et Labour Day ; vis. guidées de mi-sept. à mi-mai).* — Ses riches collections ont acquis une renommée internationale. Parmi les expositions permanentes, on verra : « Trésors de la Terre : les poteries des pueblos indiens », « Les momies égyptiennes : secrets et science », « Mésopotamie ancienne : les tombes royales d'Ur ». Et des collections africaines, mayas, asiatiques, gréco-romaines, polynésiennes et de l'ancienne Égypte.

■ 6. Germantown*

Germantown fut fondée en 1638, quand William Penn attribua un terrain à 10 km au N.-O. du centre-ville à un groupe de pionniers allemands, essentiellement des mennonites originaires de Rhénanie. La première école allemande des États-Unis y fut ouverte en 1702. Aujourd'hui, Germantown se trouve à l'intérieur de la ville et le quartier a été déclaré site historique. Prisé par les touristes, il entretient sa légende avec quelques brasseries. Plusieurs maisons du XVIIIe s. sont ouvertes au public ; nous mentionnons les principales.

Accès : depuis le centre-ville, on peut aller à Germantown en trolleybus (n° 23) ou en train de banlieue (dir. Chestnut Hill) ; en voiture : à partir de City Hall, prenez Broad St. vers le N. sur env. 3,5 mi/6 km jusqu'à Pike St. ; tournez à g., et continuez jusqu'à Germantown Ave. (sur la dr.).

● **Stenton** *(18th St. et Windrin Ave., ouvert du 1er avr. au 30 déc. du mar. au sam. de 13 h à 16 h.).* — À l'origine demeure de James Logan, secrétaire de William Penn puis Chief Justice de Pennsylvanie, Stenton fut utilisée par George Washington et William Howe comme quartier général.

● **Loudoun** *(4650 Germantown Ave., visite sur rendez-vous ; ☎ 685-2067).* — Cette maison néo-classique fut construite par Thomas Armat en 1801 ; elle est occupée par ses descendants depuis 1939.

● **Grumblethorpe** *(5267 Germantown Ave., ouv. mar., jeu. et sam. de 13 h à 16 h, ou sur rendez-vous ; ☎ 843-4820, 925-2251).* — Cette résidence d'été (1744) d'un négociant en vin offre un exemple remarquable de l'architecture du quartier. Elle fut aussi la maison familiale des Wisler, célèbre dynastie d'horticulteurs des XVIIIe et XIXe s.

● **Deshler Morris-House** *(5442 Germantown Ave., ouv. d'avr. à déc. mar.-dim. de 13 h à 16 h ou sur rendez-vous ; ☎ 596-1748).* — Q.G. du général anglais William Howe après la bataille de Germantown, puis résidence d'été du président George Washington en 1793 et 1794, Deshler Morris House a été entièrement restaurée (mobilier d'époque).

● **Germantown Historical Society** *(5503 Germantown Ave., ouv. mar. et jeu. de 10 h à 16 h, le dim. de 13 h à 17 h)*. — Vous pourrez vous y livrer à des recherches généalogiques ou y glaner des renseignements qui vous permettront de mieux connaître le passé de Germantown.

● **Wyck** *(6026 Germantown Ave., ouv. d'avr. à déc. les mar., jeu. et sam. de 13 h à 16 h et sur rendez-vous, vis. guidées possibles)*. — Cette maison du XVIIIᵉ s. habitée successivement par neuf générations d'une famille de *quakers* possède encore des meubles de son époque de construction. Son jardin est particulièrement renommé pour ses roses anciennes.

● **Ebenezer Maxwell Mansion*** *(200 W. Tulpehocken St., ouvert d'avr. à déc. du jeu. au dim. de 13 h à 16 h, ou sur rendez-vous ; ☎ 438-1861)*. — Construite en 1859, cette maison de style néo-gothique quelque peu extravagante est un bon exemple de l'éclectisme de l'architecture victorienne. Elle est jouxtée d'un jardin ouvert au public.

● **Cliveden*** *(6401 Germantown Ave., ouv. d'avr. à déc. mar-sam. 10 h à 16 h, le dim. 13 h-16 h et sur rendez-vous ; ☎ 848-1777)*. — La maison de campagne du Chief Justice Benjamin Chew, bel exemple d'architecture georgienne de 1763, fut un des théâtres, en 1777, de la bataille de Germantown entre Américains et Anglais.

● **Upsala** *(6430 Germantown Ave., ouv. d'avr. à déc. les mar. et jeu. de 13 h à 16 h ou sur rendez-vous ;* ☎ *842-1798)*. — Maison érigée à l'endroit même où s'est regroupée l'armée continentale durant la bataille de Germantown, Upsala est considérée comme un trésor architectural de la période fédérale.

■ 7. La Barnes Foundation à Merion***

Voilà le clou de Philadelphie, la visite que tout amateur d'art se doit de faire, une halte indispensable de votre voyage. La Barnes Foundation n'est pas seulement une des plus belles collections impressionnistes du monde ; c'est un lieu magique, singulier, encore empreint de l'esprit de son fondateur, où l'on se promène parmi les œuvres comme si l'on était chez un ami, où elles ne sont pas figées dans l'immobilité d'un musée classique. C'est enfin, à 20 mn du centre-ville, un parc luxuriant jouxté d'un splendide arboretum.

Il existe une autre raison de se rendre à la fondation Barnes. Avant qu'un arrêt de la cour de Montgomery, le 22 juillet 1992, autorise les actuels administrateurs à faire voyager certaines toiles pour des expositions à la National Gallery de Washington puis en Europe —et obtienne ainsi une aide financière pour la restauration de la fondation qui date de 1921—, les œuvres ne pouvaient pas être déplacées, selon les vœux testamentaires du docteur Barnes. La majorité d'entre elles n'ont donc jamais été montrées.

Adresse. — *300 N. Latch's Lane, Merion* ☎ *667-0290.*

Accès. — *Depuis le centre-ville, prendre le bus 44, par exemple au coin de JFK Blvd. et de 15th St.*

Visite. — **Musée** : *ouv. en principe de sep. à juin, les ven. et sam. de 9h30 à 16h30, les dim. de 13 h à 16 h 30. ; f.*

juil. et août. Les enfants de moins de 12 ans ne sont pas admis. Groupes seulement sur réservation les ven. et sam.

Arboretum *(entrée au 57 Lapsley Lane) : de sep. à juin, du lun. au sam. de 9 h 30 à 16 h 30, le dim. de 13 h à 16 h 30 ; f. juil. et août ; entrée libre.*

La fondation est fermée jusqu'en mars 1995. Après cette date, il serait prudent de téléphoner pour s'assurer des horaires.

La collection comprend 2 000 objets et 800 peintures, répartis et assemblés

L'extraordinaire docteur Barnes

Devenu riche grâce à l'invention de l'Argyrol, un antiseptique à base de nitrate d'argent, le docteur Albert C. Barnes (1872-1951), médecin né à Philadelphie, commence, à partir de 1912, à collectionner des œuvres d'art. C'est uniquement dans un but éducatif qu'en 1921 il décide de créer une fondation où il fait aussi donner des cours d'histoire de la peinture. Lui-même théoricien de l'art et remarquable pédagogue, il vend sa société en 1929 pour se consacrer entièrement à sa passion. Il écrit *l'Art de peindre,* paru en 1929, puis plusieurs volumes sur Cézanne, Matisse et Renoir. Mais sa théorie d'une méthodologie objective dans l'étude de l'art est mal accueillie. On se rit de son intérêt pour Cézanne ou Renoir. Aussi l'anti-conformiste Barnes interdit-il au début l'entrée de sa fondation aux Blancs. Seuls les Noirs y sont admis. Ensuite, il fait strictement limiter le nombre de visiteurs admis les vendredis et samedis à 100, ou à 50 le dimanche, et interdire l'entrée aux moins de 15 ans. Ces règles se sont aujourd'hui assouplies, mais la Barnes Foundation est sans doute le seul musée où une collection de vases helléniques distrait les dames du vestiaire.

dans une vingtaine de salles, suivant des critères esthétiques très particuliers mais très réfléchis. Il ne s'agit pas ici de classer les œuvres par artiste ou par époque, mais d'obtenir un subtil jeu de correspondances entre des thèmes, des couleurs ou des caractéristiques plastiques, de faire apprécier, grâce à des juxtapositions inusitées, les idées et les principes nécessaires à la compréhension de la créativité et de la qualité esthétique. Cette spécificité est l'un des charmes de la fondation.

Les artistes les mieux représentés sont les impressionnistes français (180 toiles de Renoir et 69 de Cézanne en particulier) et les grands peintres de la 1re moitié du XXe s. (60 toiles de Matisse, 44 de Picasso, 21 de Soutine, 14 de Modigliani...) ; mais Véronèse (1528-1588), le Greco (1541-1614), Frans Hals (1580-1666), Claude Lorrain (1600-1682), Watteau (1684-1721), Goya (1746-1828), Delacroix (1798-1863), Monticelli (1824-1886), le Douanier Rousseau (1844-1910 ; 18 toiles ici), ou encore le sculpteur cubiste Jacques Lipchitz —auquel sont dus aussi les bas-reliefs de la façade du bâtiment— comptent également parmi les invités « à perpétuité » de l'extraordinaire docteur Barnes.

Voici un échantillon des trésors de la fondation :

Renoir (1841-1919) : Barnes pensait qu'il était « le plus grand peintre moderne », et il entreprit de rassembler la plus grande collection au monde de ses œuvres : *Jeanne Durand-Ruel*** (1876), la petite fille du célèbre marchand, l'une des premières œuvres de Renoir à avoir eu du succès ; *la Sortie du conservatoire***, composition sobre et réaliste, qui introduit le spectateur dans une conversation animée de jeunes gens et de jeunes filles de la bourgeoisie parisienne ; *la Famille de l'artiste***, une famille bourgeoise en apparence, en fait bien peu conformiste si l'on regarde le chapeau extravagant de Mme Renoir, ou de Gabrielle, la bonne, qui semble faire partie de la famille ; *la Source**, longue femme sinueuse étendue au bord d'une rivière ; *Baigneuses*** (1918) ; *Enfants au bord de la mer à Guernesey**, une œuvre qui impressionne par ses jeux de lumière et sa palette très recherchée.

Cézanne (1839-1906) : *les Baigneurs au repos****, une œuvre belle et surprenante, sans précédent dans l'histoire de la peinture ; *Gardanne** : des maisons de Provence rouges et ocres serrées contre la montagne Sainte-Victoire dans un bain de lumière ; *les Joueurs de cartes***, intérieur provençal où trois hommes se concentrent sur leur jeu sous le regard attentif d'un paysan et d'un enfant ; *les Grandes Baigneuses****, chef-d'œuvre qui mêle la plus grande tradition picturale, de Raphaël à Delacroix, et la maturité du peintre parvenu au seuil de sa vie ; *Mme Cézanne**.

Gauguin (1848-1903) : *Mr Loulou***, petit garçon assis sur un fauteuil rose, dans un champ vert planté de quelques hortensias, magnifique portrait réalisé en Bretagne lors d'un séjour au Pouldu.

Van Gogh (1853-1890) : *Joseph-Étienne Roulin*** (1888-89), l'un des nombreux portraits du facteur d'Arles, sur un fond vert fleuri.

Seurat (1859-1891) : *les Poseuses****, l'une des toiles les plus célèbres du chef de file du néo-impressionnisme : scène de la vie quotidienne d'un modèle ou représentation des Trois Grâces, divinités subitement descendues du royaume du mythe dans le monde réel de la rue des Batignolles.

Toulouse-Lautrec (1864-1901) : *À Montrouge ou Rosa la Rouge***, simple, sensuelle et violente : sublime !

Le Douanier Rousseau (1844-1910) : *Mauvaise surprise*, une œuvre que Renoir défendit contre la critique : « Doit-on toujours comprendre la signification d'une peinture ? Ne peut-on l'apprécier uniquement pour l'har-

monie de ses couleurs ? Le face à face d'une femme nue et d'un chasseur dérange ?… Je suis certain que cela ne déplairait pas à Ingres lui même. »

Modigliani (1884-1920) : *Nu couché de dos***, nu pour lequel les contemporains ont cherché en vain un prétexte lorsque le tableau fut exposé ; mais cette femme longue et sensuelle n'était ni Diane ni Vénus et la police confisqua le tableau.

Matisse (1869-1954) : *la Joie de vivre**** (1905-1906), rêverie érotique où hommes et femmes s'abandonnent à la volupté dans un luxe de formes et de couleurs ; ce chef-d'œuvre n'est pas encore connu du grand public du fait de l'interdiction de reproduction imposée par Barnes pendant de longues années mais c'est une pièce maîtresse de l'histoire de l'art qui annonce à la fois *les Demoiselles d'Avignon* de Picasso et les *Improvisations* de Kandinsky. *Mme Matisse : Madras rouge*** (1907), une peinture clé de l'œuvre de Matisse où il abandonne progressivement la manière fauve pour un art plus décoratif ; l'*Odalisque assise** (1922) transpose un thème maure dans un intérieur français typiquement bourgeois, combinaison d'exotisme et d'ordinaire ; *les Trois Sœurs***, triptyque ludique qui met en scène trois personnages que l'œil cherche, repère et perd dans un mouvement perpétuel entre les panneaux ; *la Danse**** (1932-1933), panneaux monumentaux, commande de Barnes, que Matisse exécuta spécialement pour les lieux et sur laquelle il écrivit : « Cette danse, je l'avais en moi depuis longtemps, je l'avais placée dans *la Joie de vivre…* C'était en moi comme un rythme qui me portait. »

Picasso (1881-1973) : *l'Ascète**, vieillard affamé au regard triste et profond, l'une des plus belles œuvres de la période bleue ; *Acrobate et jeune arlequin***, mélancolique et gracieux.

Pittsburgh**

369 880 hab. ; fuseau horaire : Eastern time.
*Situation : Pennsylvanie. ; à 127 mi/204 km au S. du lac Erié, et à 308
mi/500 km à l'O. de Philadelphie.*
À voir aussi dans la région : Gettysburg, le Pennsylvania Dutch
Country** ; dans les Grands Lacs : Cleveland, Columbus.*

Pittsburgh, proche des bassins houillers des Appalaches, est depuis
le XIXᵉ s. un centre majeur de l'industrie américaine, la cité où Carnegie, Frick et Mellon ont bâti leur fortune. Longtemps réputée pour
sa pollution industrielle, la ville a connu, après la Seconde Guerre
mondiale, une spectaculaire métamorphose, tant sur le plan de la propreté de l'air que sur celui de l'urbanisme. Comme si les poussières
de charbon s'étaient évaporées par miracle, et cela malgré un climat
souvent maussade. C'est aujourd'hui une ville paisible, agrémentée de
nombreux espaces verts. Son excellente position géographique en fait
l'un des grands carrefours du N.-E. des États-Unis.

■ Pittsburgh dans l'histoire

Une place française ou anglaise ? —
L'histoire de la ville remonte à une
dispute du XVIIIᵉ s. entre les Français et les Anglais à propos du
contrôle de la vallée de l'Ohio.
Lorsque les Français venus du
Canada établirent un avant-poste au
bord de la rivière Allegheny, les
Anglais décidèrent de construire un
fort pour défendre leurs positions
occidentales. Le jeune major George
Washington, alors arpenteur dans
l'armée coloniale britannique, choisit
comme site, en 1753, la presqu'île au
confluent des rivières Allegheny et
Monongahela. Mais ce sont les Français qui y établirent une place forte,
Fort Duquesne, en 1754. Le bâtiment
fut détruit par les Anglais en 1758 et
un autre plus vaste fut rebâti, baptisé
Pittsborough en l'honneur de
l'homme d'État anglais William Pitt.

Une « ville d'acier ». — Après la
guerre d'Indépendance, la situation
de la ville comme tête de navigation

sur l'Ohio et la découverte de charbon dans les collines environnantes
permirent un essor rapide de Pittsborough devenue Pittsburgh. Dès
1792, l'industrie métallurgique commença à s'y développer et la ville put
se flatter de la publication du premier
journal à l'ouest des Appalaches.
Tout au long du XIXᵉ s., Pittsburgh
allait être le symbole de l'industrialisation du pays, y gagnant des surnoms comme « la ville d'acier » ou
« le Birmingham américain ». À la fin
du siècle, la ville produisait la moitié
de l'acier américain et le tiers du
verre et des rails de chemins de fer,
sans compter les usines textiles et
chimiques. Une partie importante de
la main-d'œuvre était d'origine italienne, slave et hongroise et
aujourd'hui encore Pittsburgh abrite
de puissantes communautés ouvrières
polonaises, italiennes ou serbo-
croates. C'est à Pittsburgh qu'est né
en 1881 un des grands syndicats du
pays, l'American Federation of Labor.

**L'ère des grands capitaines d'indus-
trie.** — Des industriels comme
Andrew Carnegie, Thomas Mellon et

Henry Clay Frick, furent à l'origine de plusieurs très grandes entreprises américaines, toujours domiciliées à Pittsburgh, quatrième ville américaine pour le nombre de sièges sociaux de grandes entreprises : US Steel (aujourd'hui USX) et la banque Mellon, mais aussi Westinghouse (ascenseurs), Alcoa (aluminium) et la firme agro-alimentaire Heinz (condiments). Les deux conflits mondiaux du XXᵉ s. contribuèrent à la prospé-

rité de la ville, grand arsenal de l'effort de guerre allié.

Le temps des réhabilitations... —
Mais tout cela s'était fait au détriment du cadre de vie. Pittsburgh était riche, mais laide et sale. À la fin des années 40, un effort conjoint fut entrepris par le maire, David Lawrence, et le banquier Richard Mellon, héritier de la fortune familiale, pour promouvoir une « Renais-

Andrew Carnegie, capitaine d'industrie et philanthrope

La réussite d'un jeune immigrant.
C'est en 1848 que la famille Carnegie, originaire d'Écosse, arrive à Pittsburgh. Le père, tisserand, fait du porte-à-porte. Le fils, lui, devient télégraphiste puis intègre rapidement la division des Chemins de fer de Pennsylvanie, à Pittsburgh. Six ans plus tard, à 24 ans, il en prend la direction, mais n'entend pas pour autant limiter ses revenus à son seul salaire. Le jeune homme ne manque pas d'audace. Il se lance dans une série d'investissements financiers et devient actionnaire de grandes compagnies industrielles (chemin de fer, métallurgie). Il fait fructifier leur capital, négocie les principaux contrats et définit leur stratégie, les incitant notamment à réduire les coûts de fabrication.

L'association de deux géants. À partir de 1870, le groupe Carnegie se lance directement dans la production de fer et d'acier. En 1882, il acquiert la majorité des actions d'un autre géant industriel, la H.C. Frick Coke Company. L'arrivée d'Henry Clay Frick, homme d'une personnalité et d'un talent comparables à ceux de Carnegie, va donner une nouvelle ampleur au groupe. En 1890, les États-Unis arrachent enfin à la Grande-Bretagne la place de premier producteur mondial d'acier. En 1899 une violente crise

oppose Frick et Carnegie. Frick démissionne et, après une longue controverse, reçoit finalement $ 15 millions, correspondant au montant de ses actions. Deux ans plus tard, le groupe Carnegie fusionne avec la toute nouvelle United States Steel Corporation (USSC). Frick en devient l'un des directeurs, mais toute relation personnelle est rompue entre les deux hommes.

Mécénat et philanthropie. Grand amateur d'art, Frick amassera jusqu'à sa mort une gigantesque collection de tableaux et de sculptures, que l'on peut visiter aujourd'hui à New York. Carnegie, quant à lui, a gagné $ 250 millions lors de la fusion avec USSC. Dès lors, conformément à la philosophie énoncée dans l'un de ses nombreux livres (The Gospel of Wealth) où il déclarait que les riches devraient distribuer leurs biens de leur vivant, il commence à faire don de sa fortune : création d'un fonds de pension pour ses employés, fondation d'établissements comme le Carnegie Institute of Pittsburgh, le Carnegie Trust for the Universities of Scotland ou la Carnegie Institution of Washington. Sans oublier les $ 50 000 offerts à Marie Curie pour sa recherche sur le radium. Fâchés, Carnegie et Frick n'en meurent pas moins la même année, en 1919.

sance » de la cité. Une vigoureuse campagne antifumées permit d'éclaircir considérablement l'atmosphère de Pittsburgh et quantité de vieux bâtiments industriels du centre-ville (pointe de la presqu'île ou Triangle d'or) furent abattus pour faire place à un grand espace vert et à des gratteciel modernes dominant des places piétonnières ornées de fontaines.

... et des reconversions. — L'industrie sidérurgique américaine est aujourd'hui en crise, y compris à Pittsburgh où de nombreuses usines le long des trois rivières ont dû réduire leur production et leurs emplois, mais le dynamisme économique de l'agglomération subsiste en se diversifiant, puisque de nombreux centres de recherche (énergie atomique, informatique, robotique ou biotechnologie : 15 000 chercheurs) se sont installés dans la région, bénéficiant entre autres d'un excellent environnement universitaire (Carnegie-Mellon University, University of Pittsburgh) et d'un bon réseau de

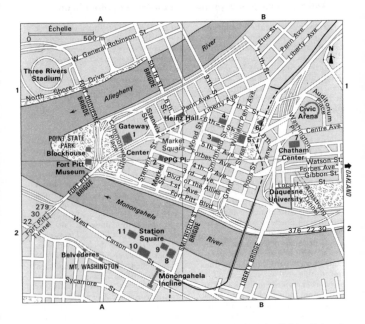

Pittsburgh : Golden Triangle.

1 Hilton Hotel
2 PPG Tower
3 Saks
4 Grimbels
5 William Penn Hotel
6 USX
7 Hyatt Regency
8 One Station Square
9 Bessemer Court
10 Commerce Court
11 Sheraton

transports (nombreuses voies ferrées convergeant vers Pittsburgh, autoroutes vers Cleveland, Philadelphie, Washington et Columbus, aéroport international remarquablement desservi par la compagnie US Air).

■ Visiter Pittsburgh

*Les rivières **Monongahela** et **Allegheny**, à l'approche de leur confluence, délimitent une presqu'île triangulaire qui fut jadis et est encore aujourd'hui le cœur de Pittsburgh.*

● **Point State Park** *(plan A1)*. À l'extrémité de la presqu'île, les opérations de rénovation urbaine ont substitué aux bâtiments industriels du XIXe s. ce paisible parc, agrémenté d'une fontaine aux jaillissements de 40 m réglés par ordinateur. Dans le parc, le petit **Fort Pitt Museum** retrace les débuts de la ville. Juste à côté, une petite construction, **Fort Pitt Blockhouse**, est le dernier vestige du fort original.

Du côté N. du parc, au-delà de la rivière Allegheny, l'imposant **Three Rivers Stadium** accueille les équipes de football américain (Pittsburgh Steelers).

● Le **Golden Triangle***, que l'on atteint en quittant le parc vers l'E. *(sous l'échangeur reliant Fort Pitt Bridge et Fort Duquesne Bridge)*, ou le Triangle d'or, est le centre des affaires de la ville, rénové depuis la guerre.

● **Gateway Center** *(plan A1)*, entre Commonwealth Place et Stanwix St., est un ensemble de dix immeubles (dont six de bureaux, l'hôtel *Hilton* et un complexe résidentiel) entre lesquels ont été aménagés des espaces piétonniers avec de nombreux arbres et fontaines. Un grand parking souterrain accompagne l'ensemble. Chaque été des concerts en plein air y sont donnés.

● **PPG Place*** *(plan A1)*. En traversant Stanwix St., on débouche sur une deuxième réalisation architecturale récente de Pittsburgh, sans doute la plus spectaculaire : PPG Place. Construit pour la firme Pittsburgh Paint and Glass, sur les plans des architectes Philip Johnson et John Burgee, cet ensemble est un mélange original d'architecture néo-gothique et de construction en aluminium et verre. La pièce centrale en est une tour de 40 étages hérissée de clochetons en verre et aluminium, sur laquelle se reflètent les lumières changeantes du ciel fort variable de Pittsburgh. Les techniques et matériaux utilisés permettent aussi des gains considérables en énergie de chauffage, de climatisation et d'éclairage dans l'immeuble.

Sur son flanc O., la tour PPG jouxte une charmante serre tropicale qui surprend en plein cœur de Pittsburgh. Du côté E., elle domine une petite place bordée par d'autres immeubles, plus petits, où l'on retrouve la même architecture.

● **Market Square** *(Forbes Ave. & Market St. ; plan A1)*, est bordé de nombreuses boutiques.

● **Heinz Hall** *(plan A-B1)*, au N. de Liberty Ave., est la principale salle de spectacles de Pittsburgh (orchestre symphonique, ballets, comédies musicales).

● **USX Corporation** *(plan B1, n°6)*. En poursuivant vers l'E. entre les hôtels, les grands magasins (Gimbels, Saks) et les immeubles de banques ou d'entreprises industrielles, on parvient, au-delà de Grant St., à l'immeuble triangulaire d'US Steel, aujourd'hui USX Corporation. Ses 62 étages en font l'immeuble le plus haut situé entre New York et Chicago.

● **Station Square** *(traversez la Monongahela River ; plan A2)*.

Un briquet à toute épreuve

Par une venteuse soirée de l'été 1929, George Grant Blaisdell voit l'un de ses amis allumer son cigare avec un briquet de tempête autrichien et imagine aussitôt d'importer ce modèle aux États-Unis. Mais l'objet, trop rustique, ne rencontre pas le succès escompté. Notre entrepreneur, qui connaît bien la mécanique et le pétrole, conçoit alors un briquet en laiton, de forme rectangulaire, le capot étant fixé à la coque par une charnière et la mèche protégée par une cheminée trouée : le **Zippo** (« Zippo », d'après le nom d'une invention qui fait alors fureur : la fermeture à glissière).

Dans son atelier de Bradford (Pennsylvanie), Blaisdell s'attache ensuite à faire de son briquet un modèle d'ergonomie et de robustesse, garanti à vie, qui devient vite l'objet indispensable du baroudeur. Les GI's puis les stars du cinéma hollywoodien en feront l'un des objets symboles de l'*american way of life*. De séries spéciales en modèles commémoratifs, c'est plus de 300 millions de Zippo qui ont été vendus dans le monde entier depuis 1932. D'ailleurs, dès 1957, Blaisdell a mis au point un code d'identification qui permet de dater la fabrication de chaque modèle. Aujourd'hui, ce code est simple : la lettre à gauche indique le mois, le chiffre romain à droite l'année (l'an II correspondant à 1986).

Le *Zippo Collector's Guide Book* est disponible à la Zippo Manufacturing Company, Bradford PA 16701.

L'espace relativement étroit entre la rivière et le mont Washington (versant très escarpé de la vallée) avait longtemps été consacré entièrement aux chemins de fer. Aujourd'hui encore, la voie ferrée est parcourue par des convois de marchandises se succédant à intervalles rapprochés. Mais les bâtiments jadis utilisés comme entrepôts ferroviaires ont été réhabilités dans les années 70. **Commerce Court**, bâti en 1917, est le plus important ; son vaste volume intérieur a été habilement converti en un immense atrium dominant plus de 60 boutiques et restaurants. Dans le même complexe, **One Station Square**, jadis gare du Pittsburgh & Erie Railroad, renferme plusieurs restaurants et bars animés. À l'extérieur ont été rassemblés quelques symboles du passé industriel de Pittsburgh, dont un imposant convertisseur Bessemer ; petit **musée des transports**.

● **Monongahela Incline** *(plan A2)*. Le funiculaire qui gravit le mont Washington fut inauguré en 1870, il était alors surtout utilisé par les immigrants allemands installés sur la colline et allant travailler dans les usines au bord de la rivière. Par la suite, 12 autres funiculaires furent construits aux abords des rivières Monongahela, Allegheny et Ohio. Depuis le sommet, le long de Grandview Ave., on jouit d'un exceptionnel **panorama**** sur la ville. Plusieurs petites plates-formes ont été construites au-dessus du vide pour le bonheur des photographes.

● **Duquesne Incline** *(à 0,6 mi/1 km plus à l'O.)* est le seul autre funiculaire subsistant à Pittsburgh. Inauguré en 1877, il offre la meilleure vue sur le confluent.

● **Oakland** *(à 1,2 mi/2 km depuis le centre-ville)*. — En suivant Forbes Ave. vers l'E. sur environ 1 mile, on atteint le quartier universitaire, siège des universités de Pittsburgh et Carnegie-Mellon. Un gratte-ciel néo-gothique de 42 étages, surnommé **Cathedral of Learning**, domine depuis 1935 le campus de l'université. Du 36e étage, une galerie offre un intéressant panorama sur la ville.

Au rez-de-chaussée, les **salles de lecture** aux voûtes gothiques sont entourées de salles de classes décorées chacune dans un style national différent, allant de la chambre Louis XVI pour la France à des coussins sur le sol pour le Maroc. La conception et le décor de chacune des 18 salles sont dus à des artistes et architectes des pays qui ont une certaine représentation ethnique à Pittsburgh : on y trouve donc de nombreuses salles honorant l'Europe centrale. À proximité immédiate, la **Heinz Chapel** (1938) se veut une réplique fidèle de la Sainte-Chapelle.

● **Carnegie Institute*** *(au S. de la Cathedral of Learning, de l'autre côté de Forbes Ave.)* abrite l'une des plus riches bibliothèques américaines (**Carnegie Library**) et deux musées : un **musée d'Histoire naturelle**, qui détient une des plus belles collections mondiales de squelettes de dinosaures, et un musée d'art.

Le **Carnegie Museum of Art*** *(4400 Forbes Ave. ; ouv. mar.-sam. 10h-17h, dim. 13h-17h)*, dans un bâtiment de style Renaissance, accueille surtout des œuvres impressionnistes (dont une belle toile de Monet : **Récifs près de Dieppe****, 1882), des peintures américaines du XIXᵉ s. et des œuvres contemporaines. Le récent **Heinz Architectural Center** vient de lui être adjoint : expositions temporaires de dessins d'architecture (Robert Adam, Richardson, Viollet-le-Duc, etc.) et reconstitution du bureau de Frank Lloyd Wright à San Francisco (1951-59).

● **Andy Warhol Museum*** *(117 Sandusky St. ; ouv. mer. et dim. 11h-18h, jeu.-sam. 11h-20h ☎ 412/237-8304)*. Ce tout nouveau musée dédié au grand artiste contemporain, natif de Pittsburgh, ouvrira ses portes au printemps 1994. Au programme : les débuts de l'artiste dans la publicité, les travaux pop' art des années 60, portraits et autoportraits, les films et vidéos, les

L'enfant terrible du pop'art

« Si vous voulez savoir qui je suis, regardez la surface de mes tableaux et de mes films. Il n'y a rien derrière ». **Andy Warhol**, « le mec aux boîtes de soupe Campbell », fut le grand imagier de la société de consommation américaine. Après un premier succès dans la publicité, il se tourne dans les années 60 vers la peinture et, très vite, vers le cinéma, la sculpture, la littérature et la musique pop. Dans son atelier new-yorkais, la Factory, lieu culte de la culture pop, il confie à ses assistants la réalisation de ses sérigraphies dont les sujets s'imposent à lui par leur simple popularité : portraits de Marilyn, le mythe de la star divinisée par les media, ou bien encore Presley, produit de consommation courante... Warhol voue un culte sans borne à tout ce qui est ennuyeux et banal. Son rêve, « être une machine » car, ajoute-t-il, « ce serait tellement merveilleux si tout le monde était pareil ». En 1963, il sérigraphie la face cachée de l'Amérique : émeutes, chaise électrique. Avec ces arrêts sur image reproduits en série, il soustrait l'événement à sa course médiatique. Ses films, *Chelsea Girl*, *Sleep* ou *Empire*, présentent en temps réel les improvisations d'acteurs face à la caméra fixe. Ennui garanti.

Provocateur, riche, très riche, l'enfant terrible du pop'art a permis aux artistes de faire de l'argent sans en avoir honte. Warhol, une machine à fabriquer des images d'images...

œuvres monumentales, sans oublier ses archives personnelles (agenda, photos, correspondances, collection complète du magazine *Interview*...). La visite de ces 70 000 m², rénovés à grands frais dans l'ancien Volkwein Building, devrait être l'occasion de plonger directement dans la culture populaire dont Warhol s'abreuva durant 30 ans, avec notamment la projection de films interprétés par Marilyn Monroe ou James Dean.

● **Frick Art Museum** *(7227 Reynolds St. ; ouv. mar.-sam. 10h-17h 30, dim. 12h-16h).* Dans cette charmante villa située en bordure d'un vaste parc sont présentées des œuvres du début de la Renaissance jusqu'au XVIIIe s. On notera en particulier des peintures italiennes du XIVe s. des écoles de Sienne et de Florence, ainsi que des œuvres du Tintoret, de Rubens, de Fragonard et de Boucher. On verra aussi du mobilier de Marie-Antoinette, des porcelaines chinoises et de l'argenterie russe du XVIIe s.

Princeton*

12 016 hab. ; fuseau horaire: Eastern time.
Situation : au cœur du New Jersey ; à 63 mi/100 km au S.-O. de New York.
*À voir aussi dans la région : Philadelphie*** ; New York****.*

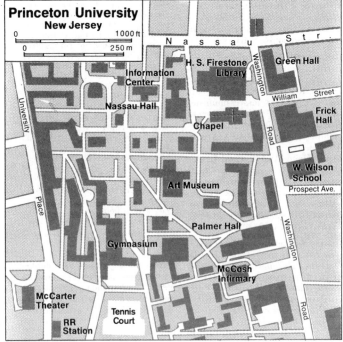

Kartographie Huber & Oberländer, München

James Forrestal Research Center

Princeton devint célèbre quand, le 3 janvier 1777, à seulement quelques miles de la ville, Washington vainquit les Britanniques. C'est aujourd'hui son université, la quatrième du pays, qui fait sa réputation : la très sélecte Princeton University, qui dépend de l'Ivy League. Un établissement qui vit Albert Einstein enseigner au sein de son Institut d'études supérieures. Princeton ne présente, malgré tout, que peu d'intérêt touristique.

• **Princeton University*** *(vis. guidées organisées par les étudiants depuis Maclean House, 73 Nassau St.)* fut fondée en 1746 à Elizabeth (sous le nom de College of New Jersey) et transférée ici en 1756. Ce fut le dernier endroit où travailla Albert Einstein, mort en 1955 ; Robert Oppenheimer et Jacques Maritain y ont également enseigné.

On y verra **Nassau Hall** (1756) dans lequel se tint du 16 juin au 4 novembre 1783 le Deuxième Congrès continental.

Le **University Art Museum*** possède quelques belles œuvres d'art (Raphaël, Bellini, Cranach, Van Dyck, Rubens, Guardi, Monet, Modigliani, Van Gogh). Sur le campus même une vingtaine de sculptures par Calder, Lipchitz, H. Moore, Noguchi, Picasso, etc.

• **Le Princeton Battle Monument** *(Monument Dr. & Stockton St.)* commémore la bataille de Princeton.

Richmond**

202 800 hab. ; fuseau horaire : Eastern time.
Situation : Virginie, sur la James River ; à 100mi/160km au S. de Washington.
À voir aussi dans la région : Charlottesville*, Fredericksburg*, Williamsburg**.

Richmond fut la capitale de la Confédération durant la guerre de Sécession. C'est donc une ville historique, qui garde l'empreinte de son engagement pour le Sud dans des lieux comme le capitole, siège du gouvernement confédéré (1861-65), ou Monument Avenue, imposante allée à la gloire de ses héros. D'ailleurs, les ultimes batailles qui devaient mener à la reddition du général Lee (à Appomattox, le 9 avril 1865) se déroulèrent à Petersburg, dans les environs proches.

Visiter Richmond : il faut compter une journée pour voir la ville. Prévoyez davantage si vous souhaitez vous rendre sur les champs de bataille des environs.

ville s'élèvent de hauts immeubles modernes. Toutefois, au cœur du centre-ville, Court End possède plusieurs belles maisons d'avant-guerre, le plus souvent transformées en musées.

■ 1. — Court End

Le long de Broad St. et des avenues parfaitement rectilignes du centre-

• **Virginia State Capitol** *(Capitol Square ; ouv. t.l.j. 9 h-17 h, avr.-nov., lun.-sam. 9 h-17 h, dim. 13 h-17 h le reste de l'année).* — Son corps central fut édifié selon un projet de l'architecte français Ch. L. Clérisseau à la demande de Thomas Jefferson entre 1778 et 1785. La construction s'inspire de la Maison carrée de Nîmes, le monument favori du Président. Durant la guerre de Sécession, il fut le siège du gouvernement confédéré. À l'intérieur, vous pourrez admirer la statue en marbre de Washington, sculptée par Houdon, ainsi que les bustes des sept autres présidents des États-Unis natifs de Virginie.

● **St Paul's Church,** à proximité *(815 E. Grace St.),* fut édifiée en 1845 dans le style néo-grec. C'est dans son enceinte que Jefferson Davis, président de la Confédération, apprit la capitulation du général Lee à Appomattox (1865).

● **Museum and White House of the Confederacy** *(1201 E. Clay St. ; ouv. lun.-sam. 10 h-17 h, dim. 13 h-17 h)* présente une exposition permanente sur la guerre de Sécession, à travers les portraits des principaux leaders confédérés. Divers souvenirs y sont rassemblés : armes, uniformes et même l'épée portée par le général Lee, lors de sa capitulation. Jouxtant le musée, la Maison Blanche, de style néo-classique, fut la résidence de Jefferson Davis durant la guerre de Sécession. On peut visiter l'intérieur qui a été soigneusement reconstitué.

● **Valentine Museum** *(1015 E. Clay St. ; ouv. lun.-sam. 10 h-17 h, dim. 12 h-17 h)* est une jolie maison de style néo-classique ornée de corniches. Elle fut habitée par le sculpteur Edward Valentine. C'est aujourd'hui un petit musée consacré à l'histoire locale, rassemblant des costumes, des jouets et d'autres objets d'avant la guerre.

● **John Marshall House** *(818 E. Marshall St. ; ouv. mar.-sam. 10 h-17 h, dim. 13 h-17 h)* construite de 1788 à

De Bull Run à Appomattox

La chute de Fort Sumter le 12 avril 1861 et la fondation, à Montgomery, de la Confédération du Sud déclenchent la guerre, dont la première bataille a lieu à Bull Run, près de Washington, le 17 juillet 1861. Cette attaque nordiste se solde par un échec, mais elle servira d'aiguillon à l'Union et lui fera prendre conscience des difficultés à venir. De fait, dès 1862, grâce au talent du général Grant, les troupes de l'Union gagnent du terrain : elles prennent Memphis en avril et La Nouvelle-Orléans en mai.

En juillet 1863, les victoires de Gettysburg et de Vicksburg, puis en septembre celle de Chattanooga, démontrent la supériorité militaire du Nord, qui ne va cesser de s'affirmer malgré l'opiniâtreté et le courage des forces armées sudistes, de plus en plus privées d'hommes et de tout soutien logistique.

Atlanta tombe aux mains de l'Union le 2 septembre 1864, suivie de Savannah le 22 décembre. Le 9 avril 1865, les Confédérés capitulent à Appomattox. Le général Lee se rend en personne au général Grant, qui salue son courage et celui de ses hommes.

Les 600 000 victimes tombées de part et d'autre, ainsi que la dévastation quasi-systématique des territoires sudistes, ont longtemps contribué à entretenir l'animosité entre le Nord et le Sud.

1790, elle fut la maison du président de la Cour suprême, John Marshall. Entièrement restaurée, elle conserve le mobilier d'époque de la famille Marshall.

● **Maggie L. Walker House** *(110 E. Leigh St. ; ouv. mer.-dim. 9h-17h).* — Dans sa maison, une exposition retrace la vie de Maggie Walker, première femme —noire et pauvre de surcroît— à avoir fondé une banque dans les années 20. La St Luke Penny Savings Bank existe toujours sous le nom de Consolidated Bank & Trust.

■ 2. — Fan District

Ainsi nommé pour ses avenues qui s'ouvrent vers l'O. en éventail, c'est le quartier le plus récent et le plus chic de Richmond, à environ 3 km à l'O. du capitole.

● **Monument Avenue** est une très belle artère résidentielle, conçue en 1889, qui traverse Fan District. Des statues, disposées sur toute sa longueur, rendent hommage aux grands hommes de la Confédération : Jefferson Davis, les généraux Lee, Jackson et Stuart, etc.

● **Virginia Museum of Fine Art** *(2800 Grove Ave., ouv. mar.-sam. 11 h-17 h ; dim. 13 h-17 h)* présente un très vaste panorama de l'Antiquité méditerranéenne à nos jours : collections égyptienne, grecque et romaine dont une rare statue de Caligula ; peinture italienne, maîtres hollandais du XVIIe s., peinture anglaise et peinture française (enrichie par la collection impressionniste et post-impressionniste de Paul Mellon). Le musée possède également une importante section d'arts décoratifs, de bijoux et objets précieux réalisés par Fabergé pour la cour de Russie.

● **Agecroft Hall** *(4305 Sulgrave Rd., ouv. mar.-sam. 10 h-16 h ; dim. 14 h-17 h).* — Édifié au XVe s. dans la région de Manchester en Grande-Bretagne, cet authentique manoir néogothique fut expédié en pièces détachées par bateau pour être reconstruit à Richmond en 1925. Outre son mobilier du XVe au XVIIe s., il contient également quelques inestimables pièces de collection, dont un vase de la période Ming.

■ 3. — Church Hill

*En suivant **Main Street** vers l'E. sur environ 1 km, on quitte Court End pour Church Hill, le quartier historique et résidentiel de Richmond. Organisé autour de l'église St John, il recèle plusieurs maisons du XVIIIe s.*

● **St John's Episcopal Church** *(2401 E. Broad St., ouv. lun.-sam. 10 h-15 h 30 ; dim. 13 h-15 h 30).* — Coiffant la colline, cette église en bois fut édifiée en 1741. C'est ici que, en mars 1775, débattant sur la nécessité d'entrer en guerre contre les Anglais, le tribun Patrick Henry lança son célèbre plaidoyer : « La liberté ou la mort ». Chaque dimanche à 14 heures, son discours est repris par un acteur.

● **Edgar Allan Poe Museum** *(1914 E. Main St. ; ouv. mar.-sam. 10 h-16 h ; dim.-lun. 13 h 30-16 h)* occupe en partie une maison de 1737 qui passe pour être la plus ancienne de la ville. S'il n'a pas habité cette maison, c'est toutefois dans ce quartier que l'écrivain fut élevé par sa famille adoptive, depuis la mort de sa mère (Edgar avait 3 ans) jusqu'à son départ pour l'université de Virginie à l'âge de 18 ans. Le musée regroupe certaines de ses possessions.

● **Richmond National Battlefield Park** *(3215 E. Broad St. ; ouv. t.l.j. 9 h-17 h)* constitue le point de départ pour une visite des champs de bataille de la guerre de Sécession. On peut y voir un film retraçant l'histoire de Richmond durant la guerre et y trouver des cartes proposant des circuits.

■ Environs de Richmond

● **Petersburg** *(à 23 mi/37 km au S. par l'US 301).* — La ville était le noyau des communications ferroviaires vers Richmond, situation stratégique qui lui valut de subir le siège des troupes de l'Union à la fin de la guerre de Sécession. Privés d'approvisionnement, le général Lee et les troupes confédérées résistèrent âprement durant près de 10 mois ; les violentes batailles firent plus de 70 000 morts. Le **musée du Siège de Petersburg**, établi dans l'ancienne bourse —édifice de style néo-classique— commémore ce tragique épisode. À partir du **centre d'informations** *(à 4 km de Petersburg par la route 36, ouv. 8 h-17 h)* on peut visiter le **champ de bataille** et suivre la route qui conduit à travers les principales lignes de défense des Confédérés où subsis-

tent batteries et forts. 6 000 victimes du siège de Petersburg reposent à **Poplar Grove National Cemetery** *(à 6 mi/10 km au S. de Petersburg par Halifax St.)*.

● **Appomattox** *(à 53 mi/85 km à l'O. par l'US 60)*. — C'est ici, dans le palais de justice, que prit fin la guerre de Sécession le 9 avril 1865, avec la capitulation du général Lee. L'édifice et la totalité du village ont été entièrement rénovés pour retrouver l'apparence qu'ils avaient en cette journée décisive ; ils forment désormais l'**Appomattox Court House National Historical Park**.

Roanoke

96 397 hab. ; fuseau horaire : Eastern time.
Situation : Virginie, au pied des Appalaches. À 233 mi/375 km au S.-O. de Washington.
À voir aussi dans la région : Charlottesville*, Richmond** ; dans le Sud : Raleigh, Winston-Salem.

Attrayant, animé, Roanoke est un petit centre industriel et ferroviaire situé en plein cœur des Alleghenies, sur la Blue Ridge, ce qui en fait un arrêt quasi obligatoire pour qui parcourt cette région. La visite des musées, et particulièrement celui qui est consacré aux chemins de fer, rendent cette halte intéressante.

● **Roanoke Museum of Fine Arts** *(Center in the Square, One Market Sq. ; f. lun.)* propose des collections de peintures américaines du XIXe s., des antiquités japonaises et de nombreuses pièces d'art régional.

● **Science Museum of Western Virginia** *(Center in the Square)* présente l'histoire naturelle au moyen de jeux vidéo et d'expositions interactives : parfait pour les jeunes visiteurs !

● **Virginia Museum of Transportation** *(303 Norfolk Ave. ; ouv. lun.-sam. 10 h-17 h ; dim. 12 h-17 h.)* est entièrement consacré aux chemins de fer et rassemble des pièces extraordinaires qui raviront les amateurs.

● **Booker T. Washington National Monument** *(à 24 mi/39 km au S.-E.)* se trouve dans l'ancienne Burroughs Plantation où le jeune esclave Booker Taliaferro (1856-1915) passa son enfance ; autodidacte, il parvint à faire du Tuskegee Institute (Alabama) la principale université noire des États-Unis.

■ Environs de Roanoke

Vers le sud par l'Interstate 81 ou l'US 11

● **Shot Tower Historical Park** *(à 72 mi/115 km au S.-O.)* est une tour de pierre de 1807 depuis laquelle on jetait du plomb fondu dans un réservoir d'eau, 44 m plus bas, pour la fabrication de boulets.

● **Wytheville** *(à 74 mi/118 km au S.-O.)* située à la limite de la Jefferson Forest ; musée de la Rock House (1800 env.).

● **Marion** *(à 101 mi/161 km au S.-O.).* — Lieu de villégiature estivale entouré par la Jefferson National Forest (268 310 ha) dont fait partie la Mount Rogers National Recreation Area à 15 mi/24 km env. au S. (nombreux conifères ; sommet de la Virginie, 1 746 m).

● **Abingdon** *(à 126 mi/200 km au S.).* — Séjour estival et centre d'élevage et de production de tabac. Barter Theatre *(saison d'avr. à oct.)* ; Virginia Highlands Festival, les deux premières semaines d'août.

Rochester

231 636 hab. ; fuseau horaire : Eastern time.

Situation : État de New York, sur les rives du lac Ontario. ; à 75 mi/120 km à l'E. de Buffalo.
À voir aussi dans la région : Albany et les monts Adirondacks*, Buffalo*, Niagara Falls***.

Dommage qu'il y ait si peu à voir dans la capitale de la photographie, la ville de George Eastman, célèbre voleur de couleurs et fondateur de la société Kodak, hormis le très intéressant musée de la photographie. Rochester est aussi le point de départ de la route des Finger Lakes qui permettent de fort sympathiques promenades.

● **G. Eastman House*** *(900 East Ave. ; ouv. mar.-sam.10h-16h30, dim. 13h-17h.).* — L'**International Museum of Photography**, le plus grand musée international des arts et techniques de la photographie, se trouve dans l'ancienne maison de l'inventeur de la pellicule photographique. Près de 600 000 clichés positifs ou négatifs et quelque 6 000 films y sont rassemblés. Notez aussi les très belles photographies du XIXe s. La demeure d'Eastman a été rénovée et fidèlement reconstituée en son état d'origine.

● **Rochester Museum and Science Center** *(657 East Ave. ; ouv. lun.-sam. 9 h-17h dim. 13 h-15 h).* Ce musée d'histoire régionale et d'histoire naturelle retrace aussi la vie des Indiens ; maisons et boutiques du XIXe s. reconstituées.

■ Les Finger Lakes

On peut faire, dans la journée, le tour de cette région de lacs qui doit son nom à leur configuration en forme de doigts. Seneca Lake, Cayuga Lake, Owasco Lake et les autres, plus petits, s'étendent dans un paysage vallonné entrecoupé de nombreuses gorges et cascades qui sont autant d'aires de loisirs. Ce pays est viticole, et il ne faudra pas négliger de visiter quelques caves.

● En chemin, vous pourrez faire halte à **Palmyra** *(à 20 mi/32 km à l'E. par la NY 31)* où, en 1823, Joseph Smith eut la révélation qui allait le conduire à établir l'Église de Jésus-Christ des Saints du Dernier Jour, ou religion mormon ; **Mormon Historic Site** sur la colline de Cumorah *(par la NY 21)* où Smith aurait trouvé les tablettes en or du livre mormon ; maison d'enfance de Joseph Smith.

● **Canandaigua Lake**

Canandaigua *(à 30 mi/48 km au S.-E. de Rochester).* Il ne faut pas manquer d'y visiter les magnifiques jardins de

L'empire Kodak

L'histoire de Kodak se confond au départ avec celle d'un petit employé de banque de 24 ans, George Eastman, qui pratique la photographie pour son plaisir mais trouve les plaques de gélatine humides peu faciles à utiliser. Nous sommes en 1875. La photographie a déjà un demi-siècle d'existence mais elle est loin d'être à la portée de tous. George Eastman entreprend donc de fabriquer des plaques photographiques sèches.

Son premier atelier ouvre en 1880 à Rochester : c'est le début d'une formidable aventure industrielle. Il installe ensuite ses bureaux au n°343 de State St. (aujourd'hui siège administratif de la société).

Pour produire à bas prix et en grand nombre, Eastman doit simplifier au maximum les appareils et les manipulations. Procédés nouveaux et inventions se succèdent sans faillir : film flexible dès 1884, verres optiques spéciaux, procédé de microfilmage, matériel pour la radiographie médicale, pour l'imprimerie et l'armée, ainsi, bien sûr, que les célèbres pellicules *Kodachrome*, en 1935, *Ektachrome*, en 1946, etc. Actuellement, une vingtaine d'unités de fabrication principales existent dans le monde. Elles produisent des films photographiques mais aussi des colorants, des fibres artificielles, des composés chimiques, des plastiques, etc. Quant aux employés de Kodak, ils sont passés de 5 000 en 1907, à 20 000 en 1927 et à 130 000 aujourd'hui.

George Eastman, atteint d'une maladie incurable, a mis fin à ses jours en 1932, léguant tous ses biens à l'université de Rochester.

la **Sonnenberg Gardens and Mansion** ainsi que la **Canandaigua Wine Company Tasting** (*151 Charlotte St. ; ouv. mai-oct.*).

Par la NY 21, on contourne ce premier lac pour arriver à la charmante petite ville de **Naples** (*21 mi/33 km S. de Canandaigua*) dont la rue principale est bordée de nombreuses maisons coloniales.

● **Seneca Lake**

Geneva (*à 50 mi/80 km au S.-E. de Rochester*) est, elle aussi, dotée d'une superbe rue principale où de belles demeures du XIXe s. se dressent à l'ombre d'arbres centenaires.

En suivant la NY 14, on parvient à **Watkins Glen***, gorges sauvages situées à l'extrême S. du lac Seneca (*36 mi/57 km S. de Geneva*).

● **Cayuga Lake**

Seneca Falls (*à 52 mi/83 km au S.-E. de Rochester*) a l'immense privilège d'avoir vu naître le mouvement pour les droits de la femme : c'est en effet ici que 18 juillet 1848, 300 personnes se sont réunies pour la première Convention de la femme, au 126 Fall St. On peut visiter le **Women's Rights National Historical Park** (*116 Falls St.*) et le **National Women's Hall of Fame** (*76 Falls St.*).

Par la NY 89, on rejoindra **Ithaca*** (*43 mi/69 km S. de Seneca Falls*). La ville la plus spectaculaire des Finger Lakes ne compte pas moins de 100 chutes d'eau ! C'est aussi le siège de la **Cornell University**, qui appartient à la prestigieuse Ivy League ; dans l'enceinte du campus, musée d'art Herbert F. Johnson (architecte I. M. Pei).

● **Owasco Lake**

Auburn (*à 60 mi/96 km au S.-E. de Rochester*) où vécurent au siècle dernier le sénateur William Henry Seward et Harriet Tubman qui lutta pour l'abolition de l'esclavage ; leurs maisons ont été transformées en musées. Site historique des Indiens owascos, occupé vers l'an mille.

● **Syracuse** (*à 97 mi/156 km à l'E. de Rochester*). — La dernière ville des

Finger Lakes est connue sous le nom de « cité du sel » en raison de l'exploitation du sel autrefois. Elle fut aussi la capitale, au XVIe s., des tribus iroquoises et la **Onondaga Indian Reservation** est, aujourd'hui, le siège de la confédération indienne. Elle est située sur le canal Érié, ouvert en 1825 pour relier New York à la région des Grands Lacs : **Erie Canal Museum** *(Erie Blvd. & Montgomery St.).* Voir aussi le **Salt Museum,** dans l'Onondaga Lake Park.

Shenandoah National Park*

Situation : dans le centre de l'État de Virginie, à 38 mi/60 km au N. de Charlottesville. ; à 70 mi/113 km O. de Washington DC.
À voir aussi dans la région : Charlottesville*, Fredericksburg*, Washington***.

« Shenandoah » ou « La Fille des étoiles ». Ce nom poétique donné par les Indiens évoque le voile de brume qui enveloppe les sommets de ce beau massif couvert d'une épaisse forêt (pins, chênes, noyers, bouleaux, érables, peupliers). L'amateur de nature trouvera ici une faune d'une exceptionnelle diversité : ours, lynx et 200 espèces d'oiseaux ainsi qu'une végétation très dense qui prend, à l'automne, des couleurs flamboyantes auxquelles il est difficile de résister, comme le prouve d'ailleurs l'intense trafic routier.

■ Visiter le parc

Accès principaux : au S. par Charlottesville (→) ; de là, suivre l'US 64 vers **Waynesboro** *et bifurquez sur la Skyline Drive (comptez env. 40 mi/64 km). Au N. par* **Front Royal** *(à 70 mi/ 113 km à l'O. de Washington). Il existe* **deux autres accès** *: Thornton Gap (par l' US 211) et Swift Run Gap (par l'US 33)*

Saison : le parc est accessible toute l'année ; installations fermées en majeure partie pendant l'hiver.

Renseignements : Park Headquarters à 5 mi/8 km à l'E. de Luray sur l'US 211. Superintendent, Shenandoah National Park, Box 348, Luray 22835 (☎ 703/999-2229).

■ La Skyline Drive**

Tout le parc est traversé, à la hauteur de la ligne de crête, par une route de montagne *(105 mi/170 km),* le long de laquelle s'échelonnent 57 points de vue offrant de magnifiques panoramas* sur le plateau du Piedmont à l'E., la vallée de la Shenandoah River et ses nombreux méandres à l'O. Cette route est prolongée au S. par la Blue Ridge Parkway qui mène au Great Smoky Mountains National Park (→).

En commençant par le Sud (entrée près de Waynesboro)

● La Skyline Drive passe d'abord par **South Entrance Station** *(1 mi/1,5 km),* puis **Loft Mountain** *(à 26 mi/42 km ; 1 030 m),* **Swift Run Gap Entrance** *(à 40 mi/64 km),* et **South River Picnic Area***(à 42 mi/62 km),* d'où part un circuit pédestre de 2,5 mi/4 km vers la South River et ses cascades.

● Elle mène ensuite à la **Lewis Mountain** *(à 48 mi/77 km ; 1 033 m)* et la **Big Meadows Area** *(à 54 mi/87 km)* où se trouvent le Byrd Visitor Center (musée des Montagnes) et le Big Mea-

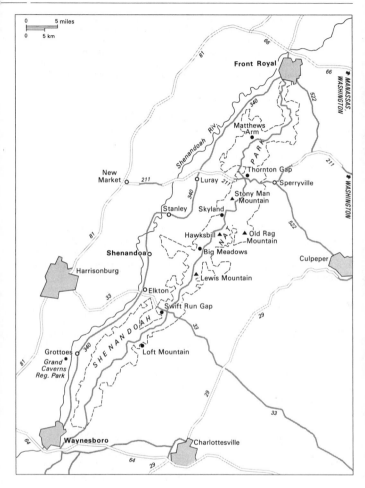

Shenandoah National Park.

dows Lodge. D'ici partent le **Swamp Nature Trail**, sentier d'observation des marais et le circuit pédestre de 1,5 mi/2,5 km vers les Dark Hollow Falls.

● Depuis le parking de **Hupper Hawksbill** *(à 60 mi/97 km)*, on atteint par des chemins faciles les sommets de l'**Old Rag Mountain** (1 003 m), à l'E. de la crête principale, et du

Hawksbill (1 234 m ; *excursions guidées*), le plus haut sommet du parc national, d'où l'on découvre au **Crescent Rock Overlook*** *(à 61 mi/98 km)* une vue particulièrement belle.

● Près du parking de **Whiteoak Canyon** *(à 63 mi/101 km)* commence un circuit pédestre de 5 mi/8 km vers les cascades du même nom. La route atteint près du **Skyland Area** *(64 mi/103 km)* son point le plus élevé (1 122 m).

● Le parking de **Little Stony Man** *(à 66 mi/106 km)* est le point de départ d'un intéressant chemin de randonnée de 1,5 mi/2,5 km vers les **Little Stony Man Cliffs**, puis vers **Little Stony Man Mountain** (1 222 m), d'où l'on a une vue splendide sur la vallée de la Shenandoah.

● La route passe ensuite dans le **Marys Rock Tunnel** *(73 mi/117 km)*. De **Thornton Gap Entrance** *(74 mi/119 km)*, un chemin pédestre mène sur le Marys Rock d'où l'on a une belle vue.

● La route conduit ensuite à **Elkwallow Picnic Area** *(à 81 mi/130 km)*, au **Matthews Arm Campground** *(à 83 mi/134 km)* ainsi qu'au **Hogback Overlook*** *(à 84 mi/135 km)* d'où, par temps clair, on peut découvrir onze boucles de la Shenandoah River. Elle atteint le **Dickey Ridge Visitor Center** *(à 101 mi/163 km)* où l'on peut trouver des informations et des expositions. Le **Shenandoah Valley Overlook** *(à 103 mi/166 km)* permet un dernier coup d'œil dans la vallée de la Shenandoah, puis la route quitte le parc national non loin au N. de **North Entrance Station** *(à 105 mi/169 km)*.

● **L'Appalachian Trail** : on croisera à plusieurs reprises ce chemin de randonnée de montagne *(longueur totale de 2 000 mi/3 200 km)* qui suit la crête des Appalaches depuis le Maine jusqu'en Géorgie.

● **Luray** *(à 9 mi/14 km à l'O. de Thornton Gap par l'US 211)* abrite le quartier général du parc. On pourra y visiter les **Luray Caverns***, grottes à côté desquelles se trouvent un musée de voitures anciennes et la « Singing Tower » (carillons de cloches en été).

Washington***

606 900 hab. ; fuseau horaire : Eastern time.
***Situation :** district fédéral de Columbia ; sur la côte Atlantique,
à 248 miles/399 km au S.-O. de New York.*
***À voir aussi dans la région :** Annapolis et la baie de Chesapeake*,
Baltimore**, Fredericksburg*, Shenandoah National Park*.*

Pas de tours, pas de gratte-ciel, pas de *skyline*. Aucune métropole ne répond moins à l'idée que l'on se fait de l'Amérique que la capitale des États-Unis. Un fleuve, le Potomac, serpentant dans la verdure. Des avenues larges, propres, aérées. Des bâtiments bas, d'un classicisme rassurant. Des temples gréco-romains à frontons et colonnes doriques où se logent ministères et organismes officiels. Une foule paisible et détendue. Le centre de Washington ressemble à l'une de ces cités idéales telles qu'on les rêvait dans l'Europe du XVIIIᵉ s. finissant. Pas étonnant puisque c'est un Français, Pierre-Charles L'Enfant, qui en a dessiné les plans vers 1790, au lendemain de l'Indépendance américaine.

Washington se déploie en bordure du Mall. Ce gazon de 300 m de largeur, allongé sur 3,5 km, crée une perspective triomphale filant du Capitol au Lincoln Memorial, rompue simplement par l'obélisque en marbre blanc du Washington Monument. De chaque côté s'alignent quelques-uns des plus beaux musées du monde : ceux de la Smithsonian Institution. Créée en 1846 par un Anglais richissime, enrichie au cours des ans par les dons de collectionneurs privés, la Smithsonian totalise aujourd'hui plus de 140 millions de pièces réparties dans 13 musées, tous gratuits et ouverts tous les jours de la semaine. De l'Antiquité à la conquête spaciale, un époustouflant panorama de tout ce que l'esprit humain a pu comprendre des mystères de l'univers et inventer sur tous les continents en matière d'art et de techniques.

Ces fabuleux musées, auxquels il faut ajouter la splendide Phillips Collection, la Corcoran Gallery et le musée Kreeger, justifient à eux seuls un arrêt de deux ou trois jours dans la capitale fédérale. L'étranger de passage, avide de grandiose et de spectaculaire, risque cependant, au début, de la trouver un peu fade. Mais outre les pèlerinages de rigueur à la Maison Blanche, au Capitol et dans les différents Memorials, il faut également se perdre, nuit et jour, dans ses quartiers inchangés depuis le siècle dernier, arpenter les rues de Georgetown, musarder autour de Dupont Circle, se perdre dans les bistrots d'Adams Morgan. C'est une autre Amérique qui se révèle : une Amérique restée fidèle à l'élégance et aux idéaux des Pères de la Nation ; une Amérique respectueuse du passé, ouverte au monde, et qui sait encore prendre le temps de vivre.

■ Washington dans l'histoire

Une ville née d'un compromis. — Un humoriste disait du district fédéral de Columbia que la seule chose qu'on y fabriquait, c'était le compromis qui met généralement fin aux batailles politiques. Washington, justement, est née d'un compromis : au lendemain de la guerre d'Indépendance, il s'agissait de savoir où l'on installerait la capitale fédérale. De l'avis des Pères de la Nation, il fallait éviter de choisir une ville trop puissante, qui aurait risqué d'être soumise aux pressions de l'intérêt ; mais devait-elle appartenir aux treize colonies ou aux États du Sud ? Ceux-ci, les plus riches, obtinrent Washington en échange de leur consentement à ce que les dettes

de guerre des treize colonies fussent prises en charge sur le plan fédéral.

Un projet visionnaire. — Le 15 avril 1791, George Washington posa solennellement sur les bords du Potomac la première borne du domaine — indépendant de tout État fédéré— qui allait porter son nom. Il ne restait plus qu'à la construire. Un plan avait été dressé par un Parisien, le major Pierre-Charles L'Enfant, fils d'un peintre du roi qui, passionné pour la cause américaine, avait précédé Lafayette outre-Atlantique. Promu urbaniste national, il avait dessiné dans la fièvre une cité gigantesque. « Il faut, disait-il, la tracer sur une échelle suffisante pour permettre les agrandissements et les embellissements que l'accroissement de la richesse nationale rendra possibles, dans un avenir si éloigné soit-il. »

N'oubliez pas DC

« Washington DC », c'est le nom officiel de la capitale fédérale. « DC » pour District of Columbia, territoire appartenant à toute la nation mais ne dépendant d'aucun État particulier. « Washington » seul s'applique à l'État du même nom, situé à l'extrémité N.-O. du pays.

L'Enfant était certainement un des rares hommes de son temps à pressentir le destin prodigieux de la nation américaine.

La Mégalopolis de L'Enfant. — L'axe central de la ville était le Mall, une avenue de 1 000 pieds de large, proportion ahurissante pour l'époque, joignant un capitole qu'il plaçait sur une petite éminence et le site qu'il assignait au palais du président. Avenue symbolique, reliant le législatif à l'exécutif. Les autres avenues, d'une largeur de 160 pieds, s'articulaient autour de cet axe central et coupaient en diagonale les rues rigoureusement quadrillées. Rigueur toute classique, corrigée par la vision d'un jardin à la française. Du Capitol partaient quatre rues North, South, East Capitol Streets et le Mall qui partageaient la ville en quatre secteurs : N.-W., N.-E., S.-W. et S.-E. L'Enfant numérota les rues N.-S. en commençant au 1. Il désigna les rues E.-O. par une lettre de l'alphabet. Mais le projet rencontra des difficultés sans nombre. En 1800, toutefois, la résidence du président ainsi que le bâtiment du Congrès étaient terminés de sorte que les représentants purent siéger pour la première fois à Washington en novembre. La population s'élevait alors à 2 464 citoyens libres, dont des Noirs qui exerçaient un métier et possédaient leurs propres terres, et 623 esclaves noirs, mais on pensait déjà à une future « Mégalopolis » de 100 000, voire de 200 000 habitants.

Un projet contrecarré. — Il survint malheureusement un grave contretemps en 1814 : les troupes anglaises attaquèrent Washington, insuffisamment défendue, et l'incendièrent. Une averse empêcha la ruine totale, mais la destruction fut si importante qu'il ne se trouva qu'une faible majorité au Congrès pour décider, à contrecœur, la reconstruction. Pendant de longues années, encore, la capitale resta à l'état de projet et Charles Dickens la décrivit, après l'avoir visitée, comme une « City of magnificent intentions ». L'état d'esprit était tel qu'en 1846 le Congrès décida de rendre à la Virginie les terrains dont elle avait fait don. Le District of Columbia se limitait aux 174 km^2 donnés par le Maryland.

Une capitale digne de ce nom. — La guerre de Sécession bouleversa la situation. Une industrie d'armement naquit, des états-majors, des troupes envahirent la ville. On installa un hôpital militaire au Capitol. À la fin de la guerre, la population s'enrichit de 40 000 esclaves libérés. En 1870, tant de nouvelles maisons et de nouvelles administrations avaient surgi du sol que l'on appelait déjà la ville le *show place* de la nation. Et lorsque l'âge industriel vint consacrer, dans sa capitale, la puissance de la nation, ce fut le plan de L'Enfant que l'on exhuma. On exhuma du même coup son auteur, mort dans l'amertume et le dénuement et enterré au cimetière des pauvres, pour le transporter dans une sépulture digne de lui, à la nécropole nationale d'Arlington.

Mais ce n'est que depuis les années 1920-1930 qu'ont été réalisés les grands édifices gouvernementaux, les monuments et les musées qui ornent le Mall et les abords de Pennsylvania Ave. (Federal Triangle). L'afflux des visiteurs s'intensifia dans l'entre-deux-guerres et se poursuit encore de

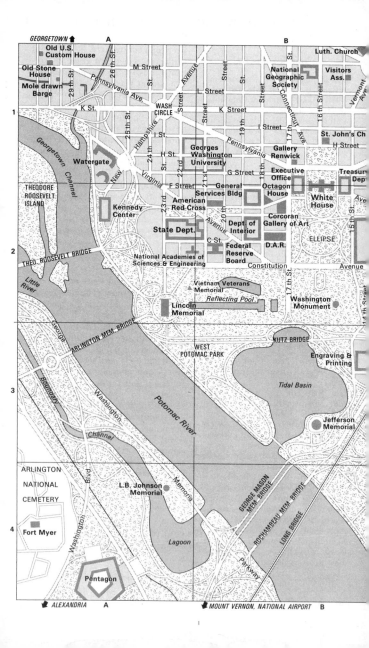

Washington : plan général.

nos jours ; il nécessita la construction d'hôtels, de restaurants, de salles de congrès, de centres commerciaux et plus récemment de salles de spectacles, le tout faisant aujourd'hui du tourisme l'une des principales sources de revenus de la ville.

Le FMI et la Banque mondiale ont leur siège à Washington.

S'orienter à Washington : un jeu d'enfant !

Comme la plupart des villes américaines, les rues à Washington se coupent à angle droit. Une seule exception notable : Pennsylvania Ave., la grande diagonale qui relie l'exécutif (la Maison Blanche) au législatif (le Capitol). La ville est partagée comme un gâteau par quatre voies partant du Capitol : North Capitol Street, South Capitol Street, East Capitol Street et le Mall. Elles délimitent les quatre secteurs : N.-W., N.-E., S.-W. et S.-E. À l'exception des avenues bordant le Mall, de Constitution à Independence, les artères nord/sud portent un numéro et les artères est/ouest, une lettre de l'alphabet.

■ Que voir à Washington ?

● **Les promenades**

1. — Capitol Hill*. La Chambre des représentants et le Sénat, la bibliothèque du Congrès, la Cour suprême, ainsi que la plus belle gare d'Amérique : une leçon d'histoire.

2 et 3. — Le Mall***. Fabuleux : tous les arts, tout le savoir humain rassemblés dans les musées de la Smithsonian Institution. Plus les mémoriaux des grands Américains.

4. — Downtown*. La Maison Blanche, les boutiques élégantes : la belle vie.

5. — Dupont Circle et Adams Morgan. Les marginaux, les bohèmes de tout poil, la cuisine éthiopienne, mexicaine et sud-américaine dans le quartier hispanique d'Adams Morgan. Exotisme et dépaysement.

6. — Georgetown*. Les cafés à la mode, la foule jeune du samedi soir et les ruelles romantiques de l'ancien temps.

7. — Arlington*. Un cimetière militaire plein d'enseignements. Et un peu plus loin, le plus beau centre commercial de la ville.

8. — Mount Vernon*. En pleine nature, la maison de George Washington. Une croisière pittoresque.

● **Washington à la carte**

Art moderne : d'Andy Warhol à Rauschenberg, de Pollock à Rothko, les Américains qui ont révolutionné la peinture contemporaine ; ils sont tous là, à la National Gallery of Art (prom. 2).

Dîner détendu : dans un des bistrots qui entourent Dupont Circle ; au Washington Harbour, sur le bord du Potomac ; plus insolite, sur la 18th St., à Adams Morgan après Florida St. (prom. 5).

Espace : du premier « plus lourd que l'air » (1903) à Apollo 11 (la Lune, 1969), pilotez un chasseur en procédure d'atterrissage sur un porte-avions. National Air and Space Museum (prom. 2).

FBI : les Incorruptibles contre Dillinger. 36 000 empreintes digitales, 3 000 analyses par an de cheveux, de sperme, de sueur et de salive (prom. 4).

Garde-robe : chez Nordstron, dans le centre commercial de Pentagon City, à Arlington (prom. 7).

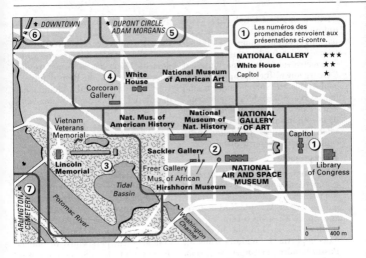

Que voir à Washington ?

Partie de campagne : chez George et Martha Washington, dans leur maison de Mount Vernon, avec une croisière à la clé (prom. 8).

Pierres précieuses : le plus gros diamant bleu du monde (45,5 carats) ; les boucles d'oreilles de diamants de Marie-Antoinette ; le collier que Napoléon offrit à Marie-Louise : National Museum of Natural History (prom. 2).

Politique : une séance au Sénat ou à la Chambre des représentants (n'oubliez pas votre passeport), une autre à la Cour suprême : vous voilà (un peu) dans le secret des dieux (prom. 1).

Samedi soir : à Georgetown bien entendu, sur M ou Wisconsin Sts (prom. 6).

• **Washington mode d'emploi**

Gare aux endroits déserts. La nuit, dans les rues mal éclairées et peu passantes, l'insécurité rôde. Ne traînez pas dans Downtown le soir, et encore moins sur le Mall. Le jour, en revanche, pas de problème, tout au moins dans la partie de la ville que nous décrivons. En revanche, les quartiers N.-E., ravagés par la drogue, sont devenus très dangereux, de jour comme de nuit.

Combien de temps ? Les Européens ne restent généralement guère plus de deux jours à Washington. C'est un peu insuffisant. Il faudrait en rajouter au moins deux pour voir l'essentiel sans passer son temps dans les musées.

Quels musées ? On serait tenté de répondre : tous. Mais il faudrait compter une douzaine de jours. Soyons plus modestes. Limitez-vous aux sujets qui vous tentent (espace, art moderne, art nègre, art chinois, sciences naturelles, etc). Mais ne faites surtout pas l'impasse sur le National Air and Space Museum ni sur l'East Building de la National Gallery of Art. Ils sont uniques au monde.

Comment se déplacer ? À moins de vouloir faire des balades aux environs, inutile de louer une voiture. La circulation en ville est diabolique (sens uniques changeant selon les heures, parkings toujours complets). Mais on trouve facilement des taxis (pas chers) et le métro vous mènera partout, sauf à Georgetown. Il est propre, rapide, confortable, très sûr, et comporte cinq lignes, reconnaissables à leurs couleurs. Une voix grave annonce le nom de la station suivante. Prix variables selon les distances. Un dollar et dix cents pour traverser le district.

- **Programme**

Deux jours. Le premier jour, allez sur le Mall (d'où vous apercevrez la Maison Blanche). Visitez surtout la National Gallery of Art et le National Air and Space Museum (prom. 2), puis rendez-vous au Lincoln Memorial, dans la partie O. du Mall (prom. 3). Passez la soirée à Georgetown (prom. 6), le meilleur endroit de Washington pour l'animation nocturne. Le deuxième jour, promenez-vous sur Pennsylvania Ave. et dans les rues voisines, qui constituent le cœur de la capitale, et visitez la Maison Blanche (Downtown, prom. 4). Remontez ensuite Connecticut Ave. jusqu'à Dupont Circle (prom. 5), où vous irez admirer la Phillips Collection.

Quatre jours. Au programme précédent, vous ajouterez, pour le 3e jour, la visite du Capitol et de la Library of Congress (prom. 1), Georgetown de jour (prom. 6), et le cimetière d'Arlington (prom. 7). Le lendemain, allez, le matin, voir la maison de Washington à Mount Vernon (prom. 8), puis consacrez le reste de la journée à un ou deux autres musées, selon vos goûts et le temps qu'il vous restera (le Museum for American History et la Sackler Gallery, par exemple).

■ 1. Capitol Hill*

Cette modeste éminence qui domine la longue perspective du Mall à son extrémité E. concentre les pouvoirs législatif et judiciaire de la Fédération. Un quartier aéré, verdoyant, aux belles façades néo-grecques, qui devient désert dès la fermeture des bureaux, vers 17 h. Rien d'autre à voir que les grands monuments décrits ici. Un conseil : évitez cette zone la nuit.

***Accès :** par le métro, descendre à Capitol South ou Union Station.*

- **Le Capitol*** *(National Mall [East End] ; plan D2 ; métro : Capitol South et Union Station ; ouv. t.l.j. sf Thanksgiving, Noël et 1er jan. ; vis. toutes les 15 mn de 9 h à 15 h 45 ; entrée libre dans la Rotonde ; ☎ 225-6827).* — Siège du Parlement fédéral, cette grosse pièce montée blanche ferme, à l'est, la longue perspective du Mall et domine toute la ville. Le Capitol se compose de trois parties principales : au milieu, la grande Rotonde, couronnée d'un dôme surmonté depuis 1863 d'une statue de la Liberté en bronze (hauteur totale : 82 m) et de part et d'autre, la Chambre des représentants (au S.), et le Sénat (au N.). L'ensemble mesure 229 m sur 107. Bizarrement, la façade principale tourne le dos à la ville car, à l'époque de sa construction, on pensait que celle-ci se développerait vers l'est. Le passant anonyme peut difficilement assister aux séances, mais en une demi-heure de visite guidée en compagnie d'enfants des écoles et d'électeurs venus de tout le pays, on découvre quelques-uns des lieux, très solennels, où se décide, en partie, le sort de la planète.

Une construction peaufinée. — Construit de 1793 à 1807, le premier Capitol, beaucoup plus modeste, fut incendié par les Britanniques en 1814. La reconstruction dura une quinzaine d'années, mais tout au long du XIXe s., on aménagea, on embellit, on agrandit le siège du corps législatif, qui allait peu à peu devenir le monument le plus

Kart. Inst. G. Schiffner, Lahr/Schwarzwald

United States Capitol

Washington, D. C.

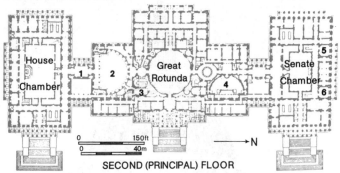

SECOND (PRINCIPAL) FLOOR

1 House Reception Room
2 National Statuary Hall
3 Congresswomen's Suite

4 Old Supreme Court Chamber
5 Room of the President
6 Room of the Vice President

spectaculaire de Washington. Les travaux n'ont en fait jamais cessé, sauf au début de la guerre de Sécession, lorsque le bâtiment fut converti en caserne pour 3 000 soldats du Nord. Les dernières transformations ont eu lieu en 1962, lorsque la façade E. fut avancée de 10 m pour gagner de nouveaux bureaux, et, en 1987, afin de renforcer les murs. Aucun bâtiment, sauf le Washington Memorial, n'a le droit de surpasser le Capitol en hauteur.

La Rotonde. — Un coup d'œil au *Génie de l'Amérique,* par Persico (sur le fronton central, en haut relief) ; une pensée pour le Président, dont l'investiture se déroule sur les larges marches du perron ; un hommage à Christophe Colomb, dont les reliefs des portes en bronze évoquent des épisodes de la vie tourmentée ; et la visite commence dans la Rotonde (29 m de diamètre, 55 de hauteur), centre symbolique de la capitale et de tout le pays. Sur les **murs,** huit peintures très académiques et un bas-relief en trompe l'œil rappelant quelques événements de l'histoire américaine, du débarquement de Christophe Colomb (1492) jusqu'à la fête du Centenaire à Philadelphie (1876) en

passant par la découverte du Mississippi par De Soto (1541) et la déclaration d'Indépendance à Philadelphie (1776). Sur la **coupole** est représentée l'apothéose de Washington. Tout autour de la Rotonde se dressent des statues de Jefferson (par David d'Angers), de Lincoln, de Grant, un buste de Washington (par Houdon) et d'autres grandes figures du passé.

Chez les représentants. — Depuis la Rotonde, on gagne, au S., **Statuary Hall,** une salle semi-circulaire en marbre qui fut, jusqu'en 1857, la Chambre des représentants et qui accueille depuis 1864 des statues de citoyens célèbres (deux par État). On fait ensuite un bref passage à l'actuelle **Chambre des représentants,** un hémicycle très sobrement décoré pouvant recevoir 435 députés, les démocrates à la droite du Président de la Chambre, ou « speaker », les républicains à sa gauche. Les visiteurs étrangers qui souhaitent accéder à la tribune du public doivent présenter leur passeport.

Chez les sénateurs. — Depuis la Rotonde, un large couloir mène, dans l'aile N., à l'ancienne salle du Sénat

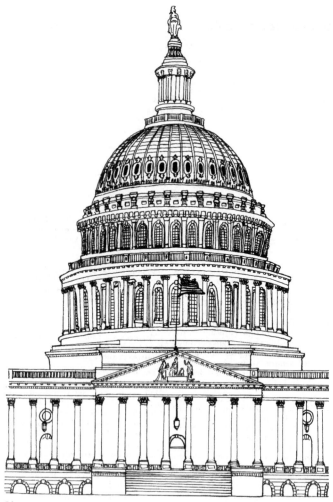

L'entrée monumentale du Capitol.

(1810-1859), dominée par l'aigle américain, puis dans la salle très austère, œuvre de l'architecte Latrobe, où la Cour suprême siégea jusqu'en 1860. La visite se termine par un coup d'œil dans l'actuelle Chambre du Sénat (100 sièges), beaucoup plus intime et chaleureuse que celle des représentants.

Un train souterrain. — Au sous-sol de l'aile N., un petit train blanc conduit directement de l'autre côté de Constitution Ave., de part et d'autre de la 1st St., aux New Senate et Old Senate Office Buildings, qui abritent les services du Sénat. Interdit au public, évidemment.

● **Supreme Court** *(Carrefour de 1st St. et de Maryland Ave. NE ; plan D2 ; ouv. lun.-ven. de 9 h à 16 h 30 ; vis. guidées ; ☎ 479-3499).* — À deux pas du Capitol, ce grand bâtiment construit en marbre blanc du Ver-

mont sur le modèle d'un temple grec (1935) abrite la salle dans laquelle siègent les neuf juges nommés à vie par le président des États-Unis afin de veiller au respect de la Constitution. Leur devise : « Equal Justice under Law ». Leurs décisions (environ 150 par an) concernent essentiellement les droits et les libertés des individus, et les problèmes liés aux discriminations raciales. Leurs sessions durent deux semaines par mois, d'octobre à avril. Le public est admis à assister aux séances. Un petit musée a été installé au rez-de-chaussée.

Le troisième pouvoir

Contrairement au droit romain qui a cours chez nous, la jurisprudence est reine aux États-Unis. C'est pourquoi la Cour suprême est l'un des rouages essentiels du système politique américain qui repose sur l'équilibre et le contrôle réciproque de l'exécutif, du législatif et du judiciaire. Elle est appelée à juger la constitutionnalité des lois ou à statuer sur la validité de la plainte d'un particulier estimant que ses droits constitutionnels ont été violés. Attentive aux changements des mœurs du pays, elle joue un rôle politique de plus en plus important et intervient souvent sur des questions de société (ségrégation, peine de mort, avortement).
Les neuf juges de la Cour —qui ne sont pas forcément des magistrats— sont nommés à vie par le Président. Mais les juges ne sont pas seulement désignés pour leurs qualifications et leur intégrité : le Président entend choisir des hommes qui, partagent sa philosophie politique, ne s'opposeront pas à son programme et le soutiendront si nécessaire. Toute nomination doit toutefois être approuvée par le Sénat. On comprend alors que le choix présidentiel ait donné lieu à de nombreux affrontements politiques...

● **Library of Congress*** *(10, 1st St. SE ; plan D2-3 ; ouv. lun.-sam. de 10 h à 17 h et dim. jusqu'à 18 h ; f. 25 déc. et 1er jan. ; tours guidés gratuits à 11 h et 14 h ; ☎ 707-9779).* — Il ne s'agit évidemment pas d'une librairie (attention aux « faux amis ») mais d'une bibliothèque, la plus riche des États-Unis : 84 millions d'objets catalogués, livres, cartes et journaux, rédigés en 470 langues. Une véritable forteresse du savoir. Contrairement à notre Bibliothèque nationale, tout un chacun (à partir de 16 ans) peut y consulter gratuitement l'ouvrage de son choix. Il faut prévoir d'une demi-heure à deux heures de délai pour obtenir un volume.

Une petite bibliothèque devenue grande. — Fondée par le Congrès le 24 avril 1800, afin de fournir aux représentants du peuple les références légales et législatives dont ils avaient besoin, la bibliothèque, alors installée au Capitol, ne contenait que 3 000 ouvrages lorsqu'elle fut incendiée par les Britanniques en 1814. Jefferson élargit son domaine en offrant au Congrès sa propre bibliothèque, 6 487 volumes traitant de tous les sujets, sans aucune exclusive. La Library se développa peu à peu, mais ce n'est qu'à partir de 1870, lorsqu'une loi du Congrès obligea les éditeurs à déposer deux exemplaires de chaque ouvrage publié aux États-Unis, qu'elle connut son véritable envol. Dès 1888, il devint nécessaire de lui construire un bâtiment séparé, un énorme building de granit, de 131 m sur 104, auquel il fallut ajouter deux annexes, en 1939 et en 1981. La Library dispose actuellement d'un budget annuel de 200 millions de dollars. Elle emploie cinq mille employés fédéraux. Elle transmet son catalogue et sa numérotation à toutes les bibliothèques du monde, qui en font large usage.

Visite. — On croit entrer dans une bibliothèque austère et rigoureuse, et on se retrouve à l'Opéra de Paris, mieux encore, dans un palais byzantin. Peintures, sculptures, dorures, marbres de toutes origines, rien n'est ici trop beau pour honorer la culture universelle. Dès l'**entrée**, trois pièces de musée vous accueillent : une bible de Mayence écrite sur parchemin en 1450 ; une bible de Gutenberg, sur velin, de 1455, l'une des trois seules existant au monde, avec celles de la BN et du British Museum ; et le brouillon de la déclaration d'Indépendance américaine, rédigée de la propre main de Thomas Jefferson, avec les additifs et les corrections de Benjamin Franklin. Ne manquez pas de monter au **second étage**. Du balcon qui domine la salle de lecture, vous pouvez détailler à loisir la décoration exubérante de la grande salle de lecture. Il en existe plusieurs autres, consacrées à des disciplines particulières, mais beaucoup moins spectaculaires, réparties dans les trois bâtiments.

● **Folger Shakespeare Library** *(201 East Capitol St. SE ; plan D2 ; musée ouv. lun.-sam. de 10 h à 16 h ; ☎ 544-3600).* — Située en arrière de la bibliothèque du Congrès, elle abrite l'une des plus grandes collections du monde de livres et de manuscrits de la Renaissance. Avec, bien sûr, une prédilection pour Shakespeare et le théâtre élisabéthain. Également des spectacles (musique, théâtre, lectures...) ; renseignements au ☎ 544-7077.

▶ À un petit kilomètre du Capitol, **Union Station** *(50 Massachusetts Ave. NE ; métro : Union Station),* la gare de Washington, est l'une des plus vastes des États-Unis. Une gare qui vaut le détour, même si l'on n'a aucune intention de voyager. Construit en 1908 dans le style des thermes de Dioclétien, à Rome, ce grandiose monument en pierre blanche se situe comme un temple païen élevé à la gloire de la consommation. Des statues de légionnaires romains dominent un hall gigantesque où boutiques de luxe (avec faux palmiers), bars et restaurants de toutes catégories se tiennent au coude à coude. Le tout d'une élégance, d'un luxe, d'un confort incroyables dans une simple gare. On en oublie les trains, qui mettent pourtant New York à 3 h 15 de Washington. On ne les voit d'ailleurs pas. Ils sont derrière, cachés. Au sous-sol, le *Food Court* attire une foule jeune qui y mange sur le pouce de la cuisine indienne, mexicaine ou asiatique.◀

■ 2. Le Mall et les principaux musées de Washington***

Ce tapis de verdure planté en pleine ville, qui s'étend, du Capitol au Potomac, sur 3,5 km de long et 300 m de large, concentre sur ses bords un ensemble de musées —ceux de la Smithsonian Institution— qui comptent parmi les plus riches du monde et, sur ses pelouses ou dans leurs prolongements, des mémoriaux élevés à la gloire des hommes qui ont fait l'Amérique *(→ prom. 3).*

Loin de rester figée hors de la vie, cette perspective royale est animée tout le long du jour par les jeux des enfants et des adolescents, par les employés de bureau des environs qui viennent croquer un sandwich allongés sur l'herbe, et par la masse des visiteurs qui entrent et sortent des musées. Le miracle, c'est que ce gigantesque gazon demeure impeccablement propre. Pas un papier gras, pas un détritus. On est fier ici de posséder de telles richesses. Et on les protège.

Dès la fermeture des musées, vers 17 h 30, les pelouses deviennent peu à peu désertes. Il est déconseillé de rester sur le Mall après la tombée de la nuit : une agression est toujours possible.

Visites. — Tous les musées sont ouv. t.l.j. de 10 h à 17 h 30 ; f. le 25 déc. Entrée libre. Boutique, librairie, bar et restaurant dans chaque musée.

Que choisir ? — Pour visiter tous les musées du Mall, il faudrait compter au moins une semaine. Plutôt que, faute de temps, butiner de musée en musée, mieux vaut se limiter aux domaines qui vous intéressent. Mais ne manquez quand même pas la National Gallery of Art ni le National Air and Space Museum.

— National Museum of American History** (p. 474)
— National Museum of Natural History** (p. 475)
— National Gallery of Art*** (p. 476)
— National Air and Space Museum*** (p. 481)
— Hirshhorn Museum and Sculpture Garden** (p. 482)
— Arts and Industries Building (p. 483)
— National Museum of African Art* (p. 483)
— Arthur Sackler Gallery** (p. 484)
— Freer Gallery of Art* (p. 484)
— US Holocaust Memorial Museum (p. 485)

Les musées de la Smithsonian Institution. — Treize musées dont neuf groupés de part et d'autre du Mall, un zoo dans la banlieue de Washington, 140 millions d'œuvres et d'objets, une maison d'édition publiant chaque année plus de cent vingt livres et monographies, une radio privée, des millions de visiteurs... La Smithsonian Institution est le plus grand complexe culturel du monde. Arts de tous les temps et de tous les pays, techniques, sciences de l'homme et de la nature,

La revanche du bâtard

Ironie du destin, la **Smithsonian Institution**, qui fait aujourd'hui la gloire de Washington, fut fondée par un Anglais qui ne mit jamais les pieds en Amérique. Fils illégitime de Hugh Smithson, premier duc de Northumberland, James Lewis Macie naquit en France en 1765 et passa toute sa vie en Europe. Refusant son état de bâtard, il finit, aux alentours de sa cinquantième année, par obtenir de la Couronne britannique le droit de porter le nom (mais non le titre) de son père. Célibataire, savant renommé, grand voyageur, il légua sa fortune (120 000 livres sterling de l'époque) aux États-Unis d'Amérique, pour fonder à Washington, sous le nom de Smithsonian Institution, un établissement pour le développement et la diffusion de la connaissance. Et il ajouta dans son testament : « Mon nom vivra dans la mémoire des hommes quand le titre de Northumberland sera éteint et oublié. » James Smithson mourut à Gênes en 1829, mais ce n'est qu'en 1904 que son corps fut transféré à Washington. Il repose aujourd'hui dans une petite chapelle située à l'entrée du Smithsonian Institution Building, appelé plus communément The Castle, le château.

elle rassemble dans ses multiples bâtiments tout le savoir humain.

Créée par le Congrès en 1846, la Smithsonian Institution est aujourd'hui dirigée par un conseil présidé par le ministre de la Justice et comprenant le vice-président des États-Unis, trois sénateurs, trois membres de la Chambre des représentants et neuf citoyens privés. À l'exception cependant de la National Gallery of Art qui, bien qu'affiliée, possède son propre conseil d'administration.

● Les premières collections et les premiers centres d'études furent réunis dans le **Smithsonian Institution Building,** encore appelé **The Castle** *(1000 Jefferson Drive ; plan C2 ; SW ; métro : Smithsonian ; ouv. t.l.j. de 9 h à 17 h 30 sf le 25 déc ;* ☎ *357-2700).* Ce bâtiment de grès rouge flanqué de neuf tours fut construit en 1847 par James Renwick Jr. sur le modèle d'un château médiéval. S'étant prodigieusement développées depuis un siècle et demi, les différentes collections ont peu à peu émigré dans d'autres bâtiments construits aux environs. Aujourd'hui, The Castle n'abrite plus que les services administratifs, un vaste bureau d'information et le Centre international Woodrow Wilson, destiné aux étudiants.

National Museum of American History**

Plan C2

Deux **entrées** *: Constitution Ave., entre 12 th et 14th Sts NW ; et sur le Mall par Madison Drive, entre 12th et 14th Sts ;* ☎ *357-2700.*

Métro : *Smithsonian ou Federal Triangle.*

Visite : *t.l.j. de10 h à 17 h 30 sf Noël. ; entrée libre.*

Ce colossal labyrinthe peut vous retenir prisonnier, fasciné, ébloui, pendant des heures, sinon des jours. Sur trois niveaux élevés en 1964 par Mc Kim, Mead et White, c'est toute l'histoire quotidienne des États-Unis qui défile, avec l'évolution des techniques, des costumes, des décors, des modes de vie. Seize millions d'objets au total, admirablement classés et mis en scène. Un musée gigantesque, merveilleusement vivant, constitué d'une multitude de petits musées. Un formidable monument à la gloire du progrès humain.

● **Rez-de-chaussée** (*first floor*, entrée sur Constitution Ave.). — Autour de la vaste rotonde où se balance le pendule de Foucault, des objets de la vie quotidienne témoignent de l'évolution des matériaux au cours des deux derniers siècles, du bois et du cuivre aux matières synthétiques.

Aile Est : des trains et des bateaux. — À elles seules, les salles consacrées à la marine constituent un véritable musée, avec leurs dizaines de maquettes, du *Mayflower* (1620) à un pétrolier long de 300 m, en passant par les grands voiliers du XVIIIe s., les premiers steamers, les bateaux à aubes du Mississippi et les Libertyships de la Seconde Guerre mondiale. Plus étonnante encore, la section des trains avec ses authentiques wagons de 1836, sa loco Pacific de 1926 des Southern Railways et son cable-car de San Francisco datant de 1888. Dans tous les domaines (machines, ponts, tunnels, etc), l'évolution des techniques est évoquée de manière passionnante et claire, même pour le non-initié.

Aile Ouest : les sciences. — C'est ici le domaine des sciences physiques, de l'astronomie, des mathématiques, des ordinateurs (depuis la machine à faire des divisions de Ramsden, 1770), des sciences médicales (dentier de George Washington), de l'industrie pétrolière, textile et nucléaire.

● **Premier étage** (*second floor* ; entrée par le Mall, sur Constitution Drive). — Les grands moments de l'histoire américaine, évoqués par des reconstitutions avec mannequins grandeur nature, présentés dans leurs décors quotidiens. Dans le hall central, la **première bannière étoilée,** qui fut déployée sur le Fort Mc Henry, près de Baltimore, après l'échec d'une attaque des Britanniques, le 13 septembre 1814, et qui inspira à Francis Scott Key l'hymne américain. Cachée ordinairement par une peinture la représentant avec tous les symboles de la puissance US (aigle, cocarde, clairon, etc), elle est dévoilée toutes les heures, de 10 h 30 à 16 h 30.

Aile Ouest : Noirs et Indiens. — Scènes de la vie des Noirs dans le Sud profond, leur migration des champs de coton vers les usines du Nord. Rencontres avec les Indiens : présentation de leurs coutumes, leurs fêtes, de leur résistance à la conquête blanche.

Aile Est : les First Ladies. — Le rôle politique et social des « First Ladies » (épouses des présidents des États-Unis) dans la vie américaine. Leurs robes de mariée et de cérémonie. La place des femmes dans l'Amérique du début de ce siècle. La vie quotidienne des présidents. Tout cela admirablement présenté avec costumes et objets d'époque.

● **Deuxième étage** (third floor). — Imprimerie, tissage, photo, presse enfantine, céramiques venant des manufactures européennes, monnaies et billets de banque... Dans le département militaire est exposé le développement des techniques militaires et de l'art de tuer les hommes, de la canonnière « Philadelphia » (1776), qui passa près de deux siècles au fond des eaux, jusqu'au matériel utilisé par l'US Army pendant la Seconde Guerre mondiale.

National Museum of Natural History**

Plan C2

Deux entrées : *Constitution Ave., au niveau de 10th St., NW, et sur le Mall, Madison Drive, entre 9th et 12th Sts.* ☏ 357-2700.

Métro : *Smithsonian ou Federal Triangle.*

Visite : *t.l.j. sf le 25 déc. de 10 h à 17 h 30 ; entrée libre.*

Un musée unique aux États-Unis, et peut-être au monde. Minéraux, plantes, animaux vivants ou disparus, mais aussi sociétés anciennes ou traditionnelles : toute l'histoire de la Terre et de l'espèce humaine est ici résumée, expliquée, illustrée par une multitude de dioramas, mannequins, squelettes, croquis, films, dessins animés et par 120 millions de spécimens de tous les genres dont seuls les élé-

ments les plus significatifs sont régulièrement exposés. Avec, en vedette, une fabuleuse collection de pierres précieuses. Pour les esprits curieux des mystères de notre globe, la visite s'impose de cet impressionnant bâtiment aux colonnes néo-classiques ouvert en 1910, envahi en permanence par des foules d'Américains de tous les âges.

● **Rez-de-chaussée** (ground floor ; entrée par Constitution Ave.). Expositions temporaires et services généraux.

● **Niveau Mall** (first floor ; entrée par le Mall) : **le tour des mondes.** — Un énorme éléphant d'Angola naturalisé vous accueille dans la grande rotonde. Et le voyage commence : monstres préhistoriques, dont un diplodocus dépassant 24 m ; animaux marins, sur lesquels plane la reproduction d'une baleine bleue de 28 m de long, pesant 135 t ; oiseaux de l'Arctique, plus vrais que nature ; enterrement d'un homme du Néanderthal ; survol des grandes religions, des cultures africaines, asiatiques, amérindiennes, etc.

● **Premier étage** (second floor) : **insectes et pierres précieuses.** — Parmi beaucoup d'autres sections passionnantes, notamment des dioramas retraçant l'évolution de l'humanité, deux salles méritent une attention exceptionnelle : le **zoo des insectes**, où l'on peut observer, derrière des parois de Plexiglas, le travail des fourmis et des abeilles, le repas des tarentules (trois fois par jour) et le jeu des sauterelles géantes d'Amérique centrale. Et surtout la **salle des pierres précieuses***, où scintillent plus de 1 000 pierres précieuses ou semi-précieuses. La vedette en est le plus plus gros diamant bleu du monde (45,5 carats), le légendaire Hope, qui porte toujours le nom de l'un de ses anciens propriétaires, l'Anglais Henry Philip Hope. Présenté dans sa monture d'origine, il trône dans une chambre forte transparente. D'autres merveilles l'entourent : le saphir Bismark (98,6 carats) ; le diamant Victoria du Transvaal, de couleur champagne (67,81 carats) ; et aussi des parures « historiques », comme ces boucles d'oreilles de diamants (36 carats) que Marie-Antoinette porta jusqu'à Varennes, et le collier que Napoléon avait offert à Marie-Louise.

National Gallery of Art***

Plan C2

Deux bâtiments : *West Building (Constitution Ave. et Madison Drive, au niveau de 6th St. NW) et East Building (entre Constitution Ave. et Madison Drive, au niveau de 4th St. NW).* ☎ 737-4215.

Métro : *Judiciary Square, Smithsonian ou Archives.*

Visite : *t.l.j. de 10 h à 17 h, le dim. de 11 h à 18 h ; f. 25 déc. et 1er jan. ; entrée libre.*

Face à face, deux énormes buildings en marbre rose pâle du Tennessee, reliés par un large souterrain. L'art d'hier face à l'art d'aujourd'hui. Du côté O., un gigantesque ensemble néo-classique abrite l'une des plus belles et des plus vastes collections mondiales de peinture européenne, de la Renaissance au début de ce siècle. Du côté E., un blockhaus aveugle, aux lignes anguleuses, signé I.-M. Pei, accueille la production d'artistes contemporains, essentiellement américains. Ce formidable complexe constitue la vedette numéro un du Washington culturel : 70 000 œuvres, sept millions de visiteurs par an. Une Mecque pour tous les amateurs d'art occidental, ancien et actuel.

● **1 — West Building*** : un sanctuaire de l'art classique**

À première vue, on le croirait plus que centenaire. Construit dans le style néo-classique par John Russell Pope, auteur également du Jefferson Memorial, ce bâtiment d'une majesté

Un collectionneur passionné

Troisième fortune américaine après Rockefeller et Henry Ford, secrétaire d'État au Trésor pendant onze ans et sous trois présidents, ambassadeur des États-Unis en Grande-Bretagne pendant les années 30, **Andrew W. Mellon** n'éprouva finalement que deux passions : l'art et Nora Mac Cullen, une Anglaise de vingt ans sa cadette qu'il épousa à 44 ans, alors qu'il était déjà riche et célèbre. Celle-ci ne supportant pas de vivre à Pittsburgh, loin de son mari surchargé d'affaires, ils se séparèrent après avoir donné naissance à deux enfants, mais Mellon ne cessa jamais de poursuivre avec son ex-épouse des relations tendres et fidèles, encore que d'une totale chasteté. Jusqu'à sa mort, il lui écrivit des lettres enflammées, la couvrit de fleurs et de cadeaux. C'est probablement son échec conjugal qui renforça chez Andrew Mellon la volonté de constituer l'une des plus belles collections d'art du monde et d'en faire, à la fin de sa vie, don au peuple américain. Ce fut le point de départ de la très célèbre National Gallery of Art.

à l'ancienne n'a pourtant ouvert ses portes qu'en 1941. Andrew Mellon souhaitait offrir au peuple américain la totalité de ses collections, et notamment 21 toiles (Botticelli, Raphaël, Titien, etc.) qu'il avait achetées dans les années 20 à l'Ermitage de Léningrad. Seule condition : les installer dans un cadre digne d'elles. Il fut convenu que l'État offrirait le terrain et que Mellon financerait le bâtiment. C'est ainsi que, le 17 mars 1941, quatre ans après la mort du généreux donateur, Roosevelt inaugura ce qui allait devenir l'un des plus grands musées du monde. Au vieux fonds du musée de Washington, aménagé en 1836 dans les deux salons d'une maison particulière, et surtout aux collections Mellon s'ajoutèrent bientôt les dons privés de richissimes mécènes (Samuel Kress, Joseph Widener, Chester Dale, Lessing Rosenwald, Edgar Chrysler). Si bien qu'au bout d'une trentaine d'années la National Gallery of Art totalisait plus de 50 000 œuvres, ce qui nécessita la construction d'un second bâtiment, qui devint l'East Building.

● **Niveau Constitution Avenue** (ground floor). — Rien ici de la rigueur d'un musée traditionnel. On plonge dans un patchwork où, de salle en salle, vous mène de 36 bustes de Daumier (horreurs de la bourgeoisie triomphante !) et d'une sublime danseuse de Degas (plâtre et tissus) au calice en or et pierres précieuses de l'abbé Suger à St-Denis, de porcelaines chinoises à des tapisseries de Bruxelles (le Triomphe du Christ, dit « tapisserie Mazarin », vers 1500), de majoliques italiennes à des naïfs américains. Très beau, mais l'essentiel se trouve à l'étage supérieur.

● **Niveau Mall** (main floor). — C'est là que sont concentrés tous les chefs-d'œuvre du musée. Aucune énumération ne peut rendre compte de la variété et de la beauté de ces collections. Plutôt que tenter de suivre un ordre logique (la succession des salles est parfois chaotique), mieux vaut se promener selon son inspiration, et découvrir, au hasard de ses pas, telle ou telle œuvre que l'on aurait juré se trouver au Louvre, aux Offices, au Prado, au British Museum, ou à l'Ermitage. Ainsi, citons, parmi des dizaines d'autres :

École italienne. — Chez les Primitifs : *Couronnement de la Vierge** de Paolo Veneziano ; *Vierge à l'Enfant** (1320-1330) de Giotto, qui se situe à l'aube des Temps modernes ; *Nativité avec les prophètes Isaïe et Ezéchiel*** et *Vocation des apôtres André et Pierre* de Duccio de Buoninsegna ; *Ange de l'Annonciation*** de Simone Martini dont le pendant *(la Vierge de l'Annonciation)* se trouve au musée de l'Ermitage, à Leningrad ; *Vierge à l'Enfant avec donateur** de Lippo Memmi (c'est au cours du XIVe s. que le portrait des donateurs fut introduit dans les tableaux religieux).

Annonciation** et *Adoration des Mages** de Giovanni di Paolo (la préciosité chromatique —celle des enluminures— témoigne de la tradition gothique ainsi que de l'observation exacte du paysage) ; *Adoration des Mages*** de Fra Angelico (éblouissement et humilité devant l'incarnation divine) ; *la Vierge à l'Enfant* de Filippo Lippi (l'inquiétude de la mère en opposition avec la sérénité de Jésus) ; *Portrait d'homme*** de Andrea Mantegna, qui a introduit les lois de la perspective picturale à Venise ; *Adoration des Mages*** (vers 1480) de Botticelli ; *Portrait de Ginevra de Benci***, le seul tableau de Léonard de Vinci existant en Amérique (acheté 6 millions de dollars en 1967) ; plusieurs toiles de Raphaël, dont la petite *Madone Cowper***, la *Madone Niccolini-Cowper***, la *Madone d'Albe** et *Saint-Georges et le Dragon**, œuvre parvenue en Amérique après un long périple et deux révolutions : elle appartenait à la collection de Charles Ier d'Angleterre, fut vendue à Mazarin par le gouvernement révolutionnaire de Cromwell, puis acquise par Catherine II et revendue, vers 1925, à Andrew Mellon par le gouvernement soviétique ; *Visitation** de Piero di Cosimo (la netteté du trait donne une pathétique intensité à la confrontation de la Vierge avec saint Nicolas et saint Antoine) ; le cycle de fresques de Bernardino Luini racontant l'histoire de *Céphale et Procris*, dont le bref mariage se termine avec la mort de la jeune épouse tuée accidentellement par son mari.

L'école vénitienne est dominée par l'un des trésors de la galerie : le *Portrait du doge Andrea Gritti**** (amateur d'art, cruel et puissant) de Titien, duquel on notera aussi la *Vénus au miroir**, d'une pudeur incroyablement impudique ; de Giovanni Bellini, un *Condottiere**, le *Portrait d'un jeune homme en rouge** ;

du **Tintoret**, *le Christ au bord de la mer de Galilée*** —l'élongation des personnages, les couleurs glauques, le pouvoir émotionnel de ce tableau justifient que l'œuvre ait souvent été attribuée au Greco— et la *Conversion de saint Paul**, l'ouragan de la foi qui bouleverse la terre et les hommes et balaie les anciennes certitudes.

Dans la peinture italienne des XVIIe et XVIIIe s., arrêtez-vous devant la *Jeune Femme au tricorne** de Tiepolo : ce visage interrogatif surgi du noir du domino vous suit et vous obsède.

École flamande. — *Marie Reine du ciel*, du Maître de la légende de sainte Lucie (grave, yeux baissés, petit bloc de foi et de certitude, indifférente aux anges qui tendent les bras vers sa fragile silhouette) ; *la Vierge à l'Enfant avec des saintes dans un jardin clos*** du **Maître de Flémalle**, œuvre intime et recueillie, aussi rigoureuse que poétique ; l'*Annonciation*** de Jan Van Eyck ; *Portrait d'une Dame** de **Rogier Van der Weyden**, un des plus beaux portraits de l'histoire de la peinture ; *la Vieille Dame** de Frans Hals ; *Daniel dans la fosse aux lions* de Rubens ; *la Marquise Balbi** et *Suzanne Fourment et sa fille* de Van Dyck (un regard à vous percer l'âme, contrastant avec les flamboiements rouge et or de la robe).

École hollandaise. — L'un des trésors du musée reste l'ensemble de **Vermeer** : la *Dame au chapeau rouge*** (vers 1664), remarquable par la recherche du nacré naturel, l'accord des bleus et des rouges, la science des ombres ; *Dame écrivant une lettre*** ; *la Peseuse de perles****, un miracle de silence, de mystère et de légèreté. Vous verrez aussi de sublimes portraits de **Rembrandt**, dont un fameux *Autoportrait****, *le Turc***, *le Noble polonais***.

École allemande. — Portraits d'Albert Dürer (*Madone Haller**, interprété à la manière de Bellini), de Hans Holbein le Jeune (*Portrait d'Édouard prince de Galles*) et de Lucas Cranach l'Ancien. La *Petite Crucifixion** de Grünewald

fut peinte vers 1510, à la veille de la Réforme ; cette toile, particulièrement expressive, met l'accent sur le réalisme et l'expérience vécue.

École espagnole. — *Saint Martin et le mendiant** (deux versions du même thème) et *Laocoon et ses fils*** du **Greco** (des corps en transe devant une Troie qui est encore Tolède) ; *Portrait du pape Innocent X* de Vélasquez ; plusieurs toiles de Goya, dont *la Marquise de Pontejo*, *la Señora Sabasa Garcia* ; *Femme qui coud* ; *Doña Teresa Sureda* ; la *Jeune Fille à la fenêtre*** de Murillo.

École française. — Deux surprises : l'énigmatique *Dame au bain** (probablement Diane de Poitiers) de François Clouet et *Napoléon dans son bureau** de David (l'empereur fatigué, mal rasé, après une nuit de travail sur le Code civil). Signalons aussi la *Madeleine repentante*** de **Georges de La Tour**, le portrait *d'Omer Talon** de Philippe de Champaigne ; les *Comédiens italiens*** de **Watteau**, *La Jeune Fille lisant** de Fragonard, *Portrait d'une jeune fille* de Courbet, *Arabes bataillant dans la montagne*, de Delacroix. Enfin une série de tableaux de **Manet**, la *Gare Saint-Lazare***, le *Vieux Musicien***, *le Bal de l'Opéra***, *le Chemin de fer**, *le Torero mort**, où l'on retrouve l'art de Vélasquez dans la noblesse de la composition et dans l'utilisation des noirs.

Et aussi une superbe série d'impressionnistes : **Monet** (*Femme à l'ombrelle**, *le Pont d'Argenteuil**, *le Pont de Waterloo à l'aube et au crépuscule***, *le Pont de Waterloo par temps gris***, *le Berceau**, *le Palais de Mula à Venise**, *la Cathédrale de Rouen au soleil***) ; **Renoir** (*la Petite Fille à l'arrosoir**, *les Canotiers à Chatou***, *Fleurs dans un vase**) ; Degas (*la Loge**) ; **Sisley** (*Première neige à Veneux-Nadon***) ; Mary Cassatt (*la Promenade en bateau**).

À noter également de très belles œuvres de **Van Gogh** (*la Mousmé***, portrait d'une jeune paysanne provençale, influencé par l'art des

Les Américains et l'impressionnisme

L'engouement du public américain pour les œuvres impressionnistes n'a rien d'un phénomène de mode. Il y a plus d'un siècle, en 1886, Paul Durand-Ruel, le célèbre marchand des impressionnistes, écrivait : « Ne croyez pas que les Américains soient des sauvages. Au contraire, ils sont moins ignorants, moins prisonniers de la routine que nos collectionneurs français. » Le 10 avril 1886, un mois avant l'ouverture à Paris de la VIIIe exposition impressionniste, ces mêmes impressionnistes faisaient une entrée spectaculaire à New York, sur Madison Square. Paul Durand-Ruel avait relevé ce défi avec l'aide de son ami James Sutton, fondateur de l'American Art Association, qui permit l'entrée des œuvres sans franchise. Boudée par les marchands américains à qui l'on reprocha de ne pas s'être intéressés plus tôt à ces artistes d'avant-garde, l'exposition connut un immense succès auprès du public. Au programme, plus de 300 œuvres aux signatures prestigieuses : Renoir, Degas, Pissarro, Sisley, Monet, Caillebotte... L'exposition fut même prolongée d'un mois et transférée ensuite à l'académie nationale de Dessin. Une belle récompense pour le peintre Mary Cassatt, qui avait livré une bataille acharnée afin de faire connaître l'art impressionniste à ses compatriotes, et pour le collectionneur new-yorkais Erwin Davis, qui n'hésita pas à prêter pour l'occasion quelques tableaux achetés à Paris.

estampes japonaises que le peintre avait découvert à Paris, et *Champs de tulipes en Hollande***, de Cézanne (*le Fils de l'artiste***, *Paysage à l'Estaque***, *Nature morte à la bouteille de menthe**, *La Maison du père Lacroix**) et de **Gauguin** (*Bretonnes dansant à Pont-Aven***, qui montre que Gauguin rejette l'écriture impressionniste pour un style plus intellectuel et plus élaboré ; *Autoportrait-Charge**, *les Baigneuses**). On trouve aussi **le Phare de Honfleur**** de **Seurat**, un des meilleurs exemples de l'école pointilliste, et *Femme en robe à rayures** de Vuillard.

École anglaise. — Elle comprend un grand nombre de portraits et de paysages du XVIIe s. de Gainsborough (*Portrait de Mrs. Sheridan**), Reynolds, Ramsay, Lawrence, Constable ainsi que d'admirables Turner, dont le fameux *En approchant de Venise***.

● **2 — East Building*** : un temple de l'art contemporain**

On peut l'aborder de deux manières : soit directement, par l'entrée monumentale sur 4th St., soit en passant par le souterrain qui relie les deux bâtiments. Quittant en quelques marches ce sanctuaire de l'art classique européen que constitue le West Building, vous découvrez d'abord un splendide Dali de 1955, une *Cène* insolite se détachant sur une terrasse vitrée qui donne sur un lac et des montagnes dénudées. Un long tapis roulant mène au « concourse », vaste hall où s'alignent des boutiques (guides, livres d'art) et un restaurant-cafétéria parfaitement organisé, face à un mur d'eau cascadant derrière une baie vitrée depuis l'un des bassins qui séparent les deux ailes. Encore quelques marches, et vous voilà dans un des temples mondiaux de l'art contemporain. Conçu par I.M. Pei, l'architecte sino-américain qui a restructuré le Louvre, financé par la famille Mellon et Mellon Foundation, ce bâtiment inauguré en 1978 constitue déjà, à lui seul, une véritable œuvre d'art. Le nouvel édifice devait s'accommoder d'un terrain complexe, puisque le plan en étoile établi par l'architecte L'Enfant lui imposait un espace en trapèze. Vu de face, depuis

4th St., il ressemble à un gigantesque H étiré dans le sens de la largeur, aux flancs massifs, aux arêtes vives, sans autre ouverture sur le monde extérieur que la large porte d'entrée où un énorme bronze de Henry Moore monte la garde. Vu de côté, mais surtout d'avion, ou sur plan, on s'aperçoit qu'il se compose de deux triangles réunis en un point central. Une merveille de force, d'équilibre, de sobriété, mais aussi de souplesse et de flexibilité, les galeries pouvant être divisées, agrandies, rabaissées à volonté.

● **Atrium.** — C'est en pénétrant dans le hall que l'on découvre le génie de ce musée unique au monde : la lumière. Elle entre à flots par les verrières en tétraèdres (comme celles des pyramides du Louvre) qui couvrent la totalité de l'atrium. Un atrium haut de cinq étages, ouvrant sur des galeries d'exposition, traversé de passerelles, aux dallages et aux murs de marbre clair animés par des sculptures de Maillol, de Calder, une composition de George Segal (la Danse*), une immense tapisserie de Miro, un Dubuffet noir et blanc (l'Homme assis*) et, luxe suprême, un vrai arbre cerclé de bancs de pierre où l'on peut se rencontrer, se reposer, rompre avec la vie quotidienne. La culture s'intègre ici merveilleusement à la cité.

● **Sous-sol** (concourse level). — Ils sont tous là, les grands de la **peinture américaine** d'après la Seconde Guerre mondiale : Robert Rauschenberg et ses toiles pop inspirées par ses voyages en Malaisie, Morris Louis et ses vibrantes rayures obliques, Sam Francis et ses taches de couleurs, Jasper Johns et son drapeau US passé au blanc, Frans Kline et ses épaisses zébrures noires, Andy Warhol et ses boîtes de soupe Campbell, Roy Lichtenstein et son Mickey, Mark Rothko, ses monochromes noirs et blancs et ses séries de larges aplats de couleurs très élaborées. Et Jackson Pollock (**Number 7****, 1951) et De Kooning, les illustres prédécesseurs.

Culture pub

Pop' art : « L'art qui fait de l'impersonnalité un style » ! Né simultanément en Grande-Bretagne et aux États-Unis dans les années 50, le pop'art sacralise la société de consommation en reprenant les images stéréotypées des mass-médias : bande dessinée, publicité, cinéma... Cet « usage de tout ce qui est méprisé » se fait en dépit des techniques picturales traditionnelles. Les artistes se livrent à la copie passive d'objets anonymes en excluant leur fonction plastique ou esthétique : Hamburger, Boîtes de lessive Brillo, icône gigantesque de Bugs Bunny... « On insiste sur les moyens les plus pratiques, les moins esthétiques, les plus beuglants des aspects de la publicité », renchérit Lichtenstein. L'objet est grossi, répété indéfiniment. L'image est simple et directe. À chaque signature, son imagerie populaire : Jasper Johns, les drapeaux, Robert Rauschenberg, les « Combine paintings », James Rosenquist, les panneaux publicitaires, Roy Lichtenstein, la BD, Claes Oldenberg, l'alimentation... Andy Warhol, l'auteur de la forme la plus subversive du pop'art, utilise la sérigraphie, répétition mécanique d'images banales et imposées par leur popularité, telles que les Boîtes de soupe Campbell. L'enfant terrible du pop'art magnifie l'objet au mépris de toute sensibilité. Violente attaque contre l'art ? À dire vrai, la réalité moderne a bel et bien troqué ses prairies « impressionnistes » contre la frénésie audiovisuelle et les bouteilles de Coca-Cola.

La France aussi tient ici son rang avec de splendides **papiers découpés**** de Matisse (Composition aux masques, Pianiste et Joueurs de dames), un monochrome bleu d'Yves Klein, l'Antonin Artaud* de Dubuffet, le Chariot* de Giacometti. A ne pas manquer non plus : le

New York

Plans
en
couleurs

Sommaire

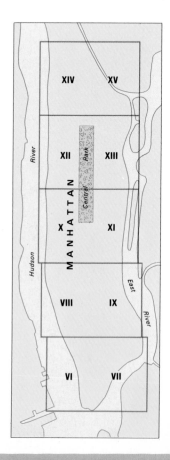

A   B

1

YONKERS

208

17

208

River

87

PATERSON

4

4

80

80

46

Englewood
Cliffs

46

80

BRONX

TETERBORO
AIRPORT

17

95

Long
Island
Sound

Hudson

95

98

East River

278

3

95

LA GUARDIA
AIRPORT

2

21

Central
Park

278

Astoria

295

280

Union
City

MANHATTAN

Long Island
City

Flushing

Hoboken

NEWARK

495

495

95

QUEENS

JERSEY
CITY

NEW YORK

Forest
Hills

Jamaica

78

Williamsburg

NEWARK
INTERNATIONAL
AIRPORT

Statue
of Liberty

Bedford-
Stuyvesant

618

ELIZABETH

South
Brooklyn

Aqueduct
Race Track

27

95

Newark Bay

278

Flatbush

J.-F. KENNEDY
INTERNATIONAL
AIRPORT

Upper Bay

BROOKLYN

Bay
Ridge

Jamaica

Bay

278

3

STATEN ISLAND

Lower Bay

Coney Island

Rockaway Beach

ATLANTIC   OCEAN

0   5 km

0   5 miles

A   B

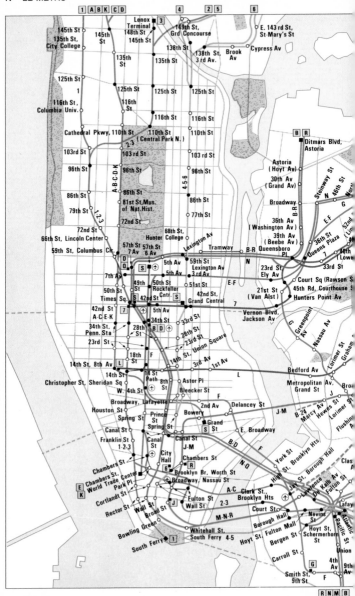

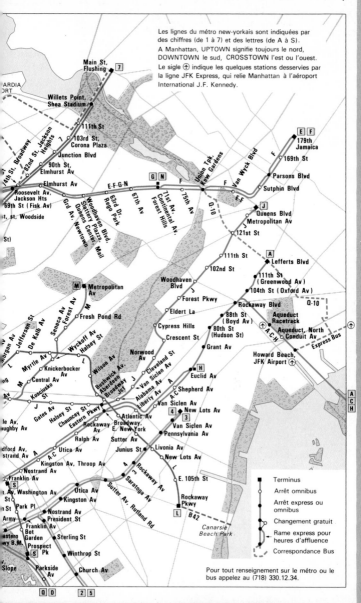

Les lignes du métro new-yorkais sont indiquées par des chiffres (de 1 à 7) et des lettres (de A à S).
A Manhattan, UPTOWN signifie toujours le nord, DOWNTOWN le sud, CROSSTOWN l'est ou l'ouest.
Le sigle ⊕ indique les quelques stations desservies par la ligne JFK Express, qui relie Manhattan à l'aéroport International J.F. Kennedy.

Légende:
- Terminus
- Arrêt omnibus
- Arrêt express ou omnibus
- Changement gratuit
- Rame express pour heures d'affluence
- Correspondance Bus

Pour tout renseignement sur le métro ou le bus appelez au (718) 330.12.34.

A   B

Leroy   St.   St.
Clarkson   West   Houston   Houston   Street   Broad
King   St.   Prince   Prince St.   Lafay
Charlton   Washington   Sprin
Vandam   Varick   St.
Spring   St.   Spring St   Spring   S O H O

N

Hudson   Americas   Wooster   Greene   Mercer   Broadway   Crosby
Canal   Watts   St.   Broome
           Canal   Grand   Museum of
HOLLAND   TUNNEL   St.   Holography

Side   Greenwich   West   Canal St
Vestry   St.   Thompson   Lispenard   St.   Cana
Laight   St.   (Sixth   St.
Hubert   St.   ERICSSON   Av.)   Walker   St.
           PL.   White   St.
North Moore   Franklin Franklin   St.
                        Street   Leonard   St.
Harrisson Street   Worth   St.
TRIBECA   Broadway   Lafayette

Duane   Street
Reade   St.
Chambers   Chambers   City   Chambers
Warren   St.   St.   St.
                      Church   City Hall   City Hall
Murray   West   St.
Park   Park Pl   City   Brookly
Barclay   St.   Woolworth Hall   Wort
Vesey   St.   Building   St. Paul's Hos
World   Chambers St Chapel   Ann
Financial   World Trade C   Bdway Nas
Center   World   Dey   Fulton   Fulto
North   Cortlandt St   St.   St.
Cove   Trade Center
                      Liberty   Maiden   Chase
           Side   ONE   Nassau   Manha
Battery   Highway   LIBERTY
                      PLAZA
Park   Cedar   Trinity   Federal
           Waterfront Albany   St.   Wa
RECTOR   Trinity Wall St   Hall
PLACE   Church   Broad   Wall
City   Esplanade Rector St St Stock
W. Thames St.   Rector St Exchange   St.
                                 FINANCIA
South   Beaver   Broad
Cove   THIRD PL.   St.
           SECOND PL. BOWLING   U.S. Customs
                       GREEN   House
           Bowling Green   Whitehall   Fraur
                      BATTERY   State   Pearl St.
                      PL. Battery   DISTRI
                      Park   P. MINUIT
Castle Clinton   PLAZA
Nat. Monument   BROOKLYN   BATTERY   South
                     TUNNEL   Ferry   Fe
           Ferry   Term
           Statue of Liberty   BROOK

Hudson

River

NEW-JERSEY

North End Avenue
West Side Highway

1

2

3

0   500 yds
0   500 m

A   B

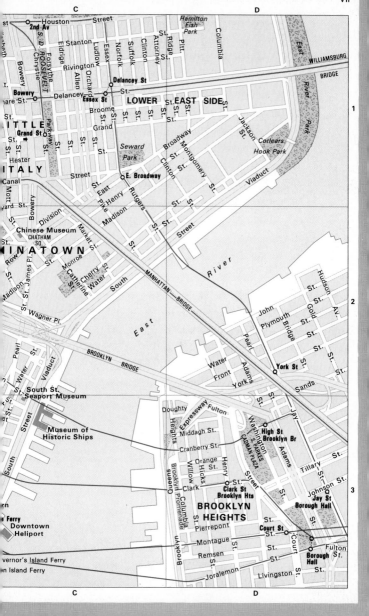

A B

Javits Convention Center

W. Avenue

W. Avenue

W. 39 th St.
W. 38 th St.
W. 37 th St.
W. 36 th St.
W. 35 th St.
Macy's
W. 34 th St. 34th St
Penn Sta Penn Sta
34th St
HERALD SQ.

Twelfth

Tenth

33 rd St. GARMENT CENTER

W. Central Post Office
W. 31 st
32 nd St. Pennsylvania Station St.
W. 30 th Madison Square Garden
W. 29 th
W. 28 th 28th St St.
Chelsea Park 28th St

Eleventh

W. 27 th
W. 26 th Fashion Institute of Technology
Starret-Lehigh Building

W. 25 th
W. 24 th
West Avenue 23 rd 23rd St 23rd St St. 23rd St
W. 22 nd Chelsea Hotel
W. 21 st CHELSEA
W. 20 th

Eleventh

W. 19 th
W. 18 th 18th St Barney's
W. 17 th
W. 16 th
W. 15 th
West 14 th 14th St St. 6th Av
Tenth W. 8th Av 14th St 14th St

Ninth

13 th
Greenwich
Gansevoort St. 12 th St. St. Vincent's Hospital 11 th
Horatio St. W. 10 th
Jane St. W. 9 th
12 th 11 th Seventh Avenue W. 8 th

Hudson

Washington

Hudson Greenwich

Christopher St Sheridan Sq Washington Waver
Charles St. 10 th Bleecker St.
Perry St. Christopher St. W. 4th St W.
Grove St. Washington
WEST Bedford St. South
VILLAGE Barrow St. Commerce Bleec
Morton St. ST. LUKE'S PL.
Leroy St. Houston St. Houston St.
Clarkson St. W. Houston St. King St. Sulliv

0 500 yds
0 500 m

A B

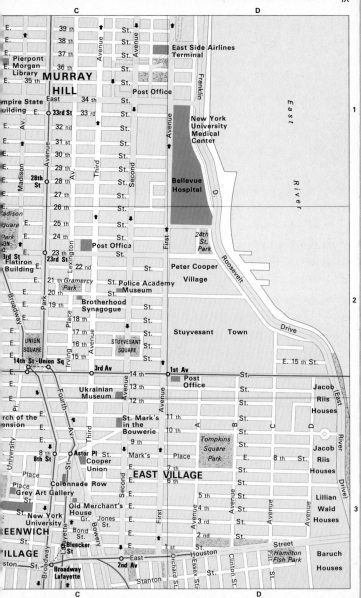

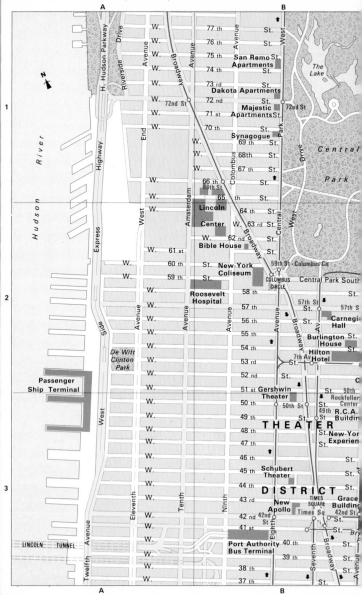

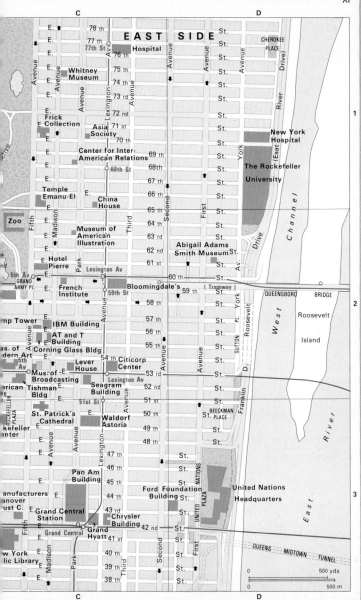

EAST SIDE

C

78 th
E.
77 th — 77th St
E.
76 th — Hospital
75 th
E. — Whitney Museum
74 th
73 rd
E.
72 nd
Frick
Collection — 71 st — Asia Society
E. — 70th
Center for Inter-American Relations — 69 th — 68th St
E. — 68th
67 th
Temple Emanu-El — 66 th — China House
E.
65th
Zoo
E. — 64 th
Museum of American Illustration — 63 rd
62 nd
E. — 61 st
Hotel Pierre — Lexington Av — 60 th
E. — 5th Av — GRAND ARMY PL.
French Institute — 59th St — Bloomingdale's — 59 th — (Tramway)
58 th
mp Tower — 57 th
IBM Building — 56 th
AT and T Building — 55 th
Corning Glass Bldg
us. of dern Art — Lever House — 54 th — Citicorp Center
Mus of Broadcasting — 53 rd
erican Tishman Bldg — Seagram Building — 52 nd
Bldg — 51 st
St. Patrick's Cathedral — 50 th — Waldorf Astoria
kefeller nter — 49 th
E. — 48 th
47 th
46 th
Pan Am Building — 45 th
anufacturers anover ust C. — 44 th — Ford Foundation Building
Grand Central Station — 43 rd — Chrysler Building
Grand Hyatt — 42 nd
w York lic Library — 41 st
40 th
39 th
38 th

D

CHEROKEE PLACE
New York Hospital
The Rockefeller University
East Channel
Abigail Adams Smith Museum
QUEENSBORO BRIDGE
Roosevelt Island
West Channel
BEECKMAN PLACE
River
United Nations Headquarters
East River
QUEENS MIDTOWN TUNNEL

Avenue — Lexington Av — Madison — Park — Third — Second — First — York — Roosevelt — Sutton Pl. — Franklin — UNITED NATIONS PLAZA

Fifth — Madison — Park — Grand Central

0 — 500 yds
0 — 500 m

A B

116th St

W.
W.
W.
W.
W.

Columbia University

Morningside Park

116th
115th
114th
113th
112th
111th

Broadway

Riverside Drive

Parkway

Riverside Park

Cathedral of St. John the Divine
110th St Cathedral

Parkway

Frederick-Douglas-Blvd (Eighth Av.)

Adam-Clayton-Powell-Jr.-Blvd (Seventh Avenue)

Nicholas

116th St

S
S
P

W. 109th
W. 108th
W. 107th
W. 106th
W. 105th
W. 104th
W. 103rd St 103rd
W. 102nd
W. 101st
W. 100th
W. 99th
W. 98th
W. 97th

St.
St.
St.
St.
St.
St.
St.
St.
St.
St.
St.
St.
St.

Avenue

Avenue

West

110th St

Central

103rd St

UPPER WEST SIDE

Centr

Park

Riverside Park

Hudson

Avenue

Broadway

96th St 96th
W. 95th
W. 94th
W. 93rd
W. 92nd
W. 91st
W. 90th
W. 89th
W. 88th
W. 87th

St.
St.
St.
St.
St.
St.
St.
St.
St.
St.

End

Amsterdam

Columbus

96th St

Park

Drive

Receiv

Reservo

Riverside

Henry

Hudson

River

Soldiers and Sailors Monument

86th St 86th
W. 85th
W. 84th
W. 83rd
W. 82nd
W. 81st
W. 80th
79th St 79th
W. 78th
W. 77th
W. 76th

St.
St.
St.
St.
St.
St.
St.
St.
St.
St.
St.

West

Broadway

Riverside

Central

86th St

West

Beresford Apartments
81st St

American Museum of Natural History and Hayden Planetarium

New-York Historical Society

Centra

Park

Cleopatr
Nee

Belvedere Lake

The Lake

0   500 yds
0   500 m

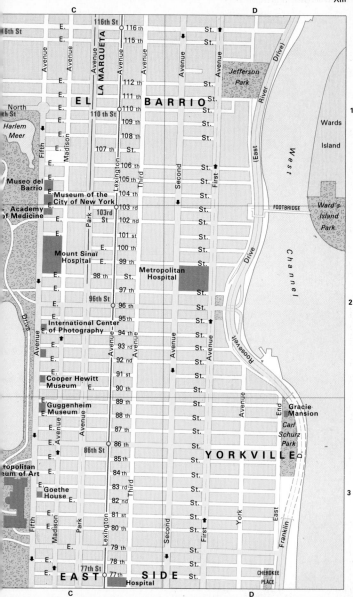

Fort Tryon Park, The Cloisters **BRONX** **A**   **B** Morris-Jumel Mansion

George Washington Bridge

0   500 yds
0   500 m

N

Hudson River

1

2

3

Parkway

Hudson

Riverside Drive

Broadway

Henry

Martin Luther King Jr.

Claremont

Riverside

Hudson

Parkway

Avenue

Amsterdam

Hamilton Place

Convent

Convent

Broadway

W.

W.

W.

W.

W.

W.

W.

W.

W.

W.

W.

W.

W.

W.

W.

W.

W.

W.

W.

W.

W.

W.

W.

W.

W.

W.

W.

W.

W.

W.

W.

Trinity Church

155 th St
154 th
155 th St

153 rd St.
152 nd St.
151 st St.
150 th St.
149 th St.
148 th St.
147 th
146 th St.
145 th St.

145th St

144 th
143 rd
142 nd
141 st

Aunt Len's Doll and Toy Museum

Hamilton Grange

C.U.N.Y. (North)

C.U.N.Y. (South)

145th St

137th St

135th St
135 th
134 th
133 rd
132 nd
131 st

140 th
139 th
138 th
137 th
136 th

130 th
129 th
128 th
127 th
126 th
125 th
124 th
123 rd
122 nd
121 st
120 th
119 th
118 th
117 th
116 th
115 th

125th St

116th St

Avenue

Nicholas

Edgecombe

Bradhurst

Colonial Park

St-Nicholas

Nicholas Terrace

St-Nicholas Park

Macombs

(Eighth

(Seventh

Avenue

Av.

Av.

Av.

Av.

Av.

Blvd

Blvd

Blvd

Blvd (W. 125th St

Powell

Douglas

Jr.

Adam

Clayton

Frederick

Manhattan

Morningside

Morningside

Morningside Park

Striver's Row

Studio Museum

S
S
S
S
S
S
S
S
S

General Grant National Memorial

Riverside Church

MORNINGSIDE HEIGHTS

Columbia University

116th St

A   **B**

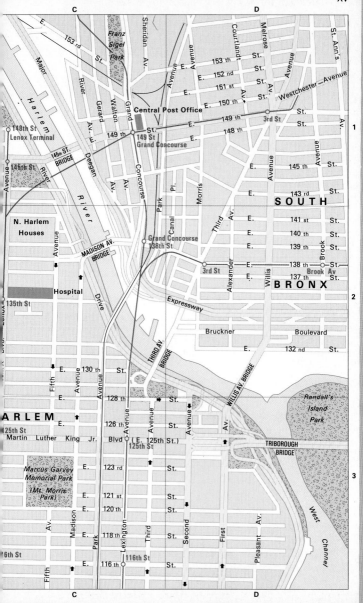

Assurez-vous comme un Américain pour 23 F par jour !

IDENTIFICATION CARD

NAME — MR DUBOIS Richard
DAYS FROM — TERM OF COVERAGE — IDENTI-NUMBER
10 07 92 — 25 07 92 — A20689
DATE DE DÉPART — DATE DE RETOUR

Tourist Medical and Assistance Benefit Program
CARTE SANTÉ AMERIQUES

A comprehensive medical insurance and assistance program has been issued to the above person. Kindly facilitate hospital admission if required and contact immediately AMERICAN INTERNATIONAL ASSISTANCE SERVICE, a 24 hour assistance and claims service, at one of the numbers noted on the other side of this card, in order to verify coverages and arrange claims payment.

- Frais médicaux à concurrence de **1 000 000 F**
- Prise en charge automatique à l'hôpital
- Centre d'assistance à Houston-Texas
- Rapatriement sanitaire - Retour anticipé
- Assistance juridique - Responsabilité civile.

Et si vous louez une voiture …

… le contrat AVAssist vous offre, en plus des garanties de la CARTE SANTÉ :

- Assurance annulation de voyage
- Garantie perte, vol ou retard de bagages
- Assurances complémentaires de location de voiture (CDW/LDW, PAI, PEP) soit 13 à 15 dollars par jour d'économie sur place.

Souscription par téléphone avec carte de crédit.

☎ **(1) 48 78 11 88**

26, rue de La Rochefoucauld
75009 PARIS - Métro Trinité

Compagnie d'Assurance A.I.G. Europe (Member of American International Group)

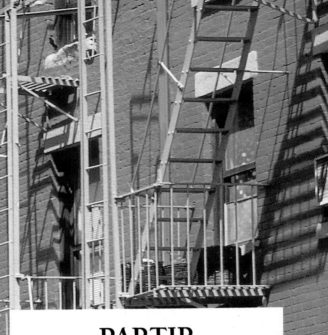

**PARTIR
AVEC JET TOURS,
DÉCOUVRIR
L'AMÉRIQUE
ET VIVRE À L'EST,
L'EDEN !**

Jet tours
l'exigence de vos rêves

LAGON ✳ LIC 472 A · Photo : E.Courtade

Travel'Am

LE SPECIALISTE DE L'AMERIQUE DU NORD

- Tarifs aériens attractifs
- Voyages individuels
  sur mesure
- Circuits accompagnés
- Réservations d'hôtels
  villas, appartements,
  location de voiture,
  motorhome,
  excursions...

U S A
CANADA
MEXIQUE
GUATEMALA
BAHAMAS
JAMAÏQUE

BROCHURE
• CHEZ VOTRE •
AGENT DE VOYAGES

LES COULEURS DE L'AMÉRIQUE

*Chemin de croix*** de Barnett Newman (1905-1970), 15 toiles blanches coupées verticalement de bandes noires, superbement présentées dans une salle ronde.

● **Mezzanine.** — On observe l'atrium, on se perd dans une gigantesque toile abstraite de Motherwell... Un instant de repos avant d'aborder les étages supérieurs.

● **Niveau supérieur** *(upper level).* — Coups au cœur devant une série de fabuleux Picasso : *la Tragédie*** (une famille écrasée par le destin, le point extrême du désespoir ; époque bleue) ; la *Famille de saltimbanques**** (personnages de baraque foraine abandonnés, tels des héros de Beckett, dans un paysage lunaire ; époque rose) et *les Amants***,* deux toiles essentielles de la période expressionniste ; *Femme nue*** (un chef-d'œuvre de la période cubiste). Également de superbes toiles de Modigliani (*Soutine**), Matisse (*Feuille de palmier**, 1912, qui rompt avec le classicisme de ses débuts), Picabia (*Parade amoureuse**, 1917, l'un des actes fondateurs du surréalisme), Mondrian, Max Ernst (*Un peu de calme*, 1939, une forêt inquiétante au titre provocant), Georgia O'Keeffe et ses formes souples qui évoquent de perfides plantes exotiques, et un précurseur peu connu en Europe : Arshile Gorky (1904-1948), dont l'évolution, de ses portraits figuratifs à ses épaisses toiles abstraites, annonce la grande explosion des années 50.

National Air and Space Museum***

Plan C2-3

Deux entrées : par le Mall, sur Jefferson Drive, et par Independence Ave., toutes deux au niveau de la 6th St. SW ; ☎ *357-2700.*

Métro : L'Enfant Plaza.

Visite : t.l.j. sf le 25 déc. 10 h-17 h 30 ; entrée libre.

La conquête de l'espace en grandeur réelle. Une collection unique au monde d'avions, de fusées, de missiles, de matériels aéronautiques, animés par des mannequins, expliqués par des multitudes de petits films mis en scène avec un sens du spectacle exceptionnel. On peut passer en quelques minutes des premiers vols humains à l'exploration des planètes, mais on peut tout aussi bien arpenter pendant des heures, si ce n'est des jours, ce foisonnant vaisseau aux murs transparents donnant sur les pelouses du Mall.

● **Rez-de-chaussée : l'odyssée de l'espace.** — Dès l'entrée dans l'énorme hall haut de deux étages, vous plongez au cœur de l'odyssée de l'espace. Le *Flyer* des frères Wright, le premier avion plus lourd que l'air à avoir quitté le sol terrestre (pendant 12 secondes, en 1903) voisine avec la capsule de Gemini 4, d'où le premier Américain se hasarda en apesanteur (1965). Le *Spirit of Saint Louis*, sur lequel Charles Lindbergh effectua en 1927 le premier vol transatlantique (en trente-trois heures et demie), avec les deux fusées à tête nucléaire rivales des années 70, la Pershing américaine et la SS 20 soviétique. Au fil des salles se succèdent les monstres qui nourrirent l'imaginaire de ce siècle finissant : le module d'Apollo 11 qui, le 20 juillet 1969, déposa sur la Lune Armstrong et Aldrin (lesquels sont représentés par des mannequins) ; Apollo et Soyouz, accolées dans l'espace en 1975 ; Skylab, où trois hommes ont vécu pendant des mois en faisant le tour de la Terre en 90 mn. Et des dizaines d'autres engins de mort ou de paix dont les médias nous ont relaté les exploits durant ces dernières décennies. Commentaires en français sur cassettes audio.

Au rez-de-chaussée toujours, le **cinéma Samuel P. Langley** (entrée payante) est l'une des attractions les plus fortes de ce vertigineux musée : un écran géant sur lequel passent plusieurs fois par jour quatre films « Imax » consacrés à la Terre et à la découverte du cosmos. Dont le fameux *The Dream is a live*, première sortie dans l'espace d'une Américaine (en 1984, sur la navette Challenger). Mais l'émotion la plus intense est ressentie à la fin du film *Blue Planet*, tourné par une équipe de spationautes lorsqu'on survole depuis l'espace les mers et les continents de notre planète et qu'une voix de femme adjure chacun des spectateurs de protéger la Terre, « notre *home* à tous ».

● **Premier étage : les pilotes de chasse.** — Face au Mall, vous dominez maintenant les colossaux engins que vous considériez tout à l'heure nez en l'air. Retournez-vous et pénétrez dans les salles intérieures. Le temps soudain recule. Voici des héros et des appareils volants plus classiques, ceux des guerres de 14-18 et de 39-45, français, anglais, américains, allemands. Des films d'actualité de combats aériens et d'opérations aéronavales, des reconstitutions de « bars de l'escadrille », d'usines d'armement, de salles de commandement ressuscitent l'atmosphère de l'époque.

Revenons à notre temps avec un gadget amusant : l'entraîneur de vol, qui permet de piloter à vue un chasseur en procédure d'atterrissage sur un porte-avions.

Et filons dans les étoiles au planétarium Albert Einstein, où l'on ne peut malheureusement accéder en dehors des séances (entrée payante).

Hirshhorn Museum and Sculpture Garden**

Plan C2-3

Independence Ave., au niveau de 8th St. SW ; ☎ 357-2700.

Métro : *L'Enfant Plaza, sortie Maryland Ave.*

Visite : *t.l.j. sf le 25 déc. 10 h-17 h 30 ; entrée libre ; visites en français, réservations ☎ 357-3235 ; restaurant dans la cour intérieure ouv. en été .*

Ce gigantesque cylindre ouvert sur une cour centrale qu'anime une fontaine de bronze décentrée (archi-

tecte : Gordon Bunshaft) est l'un des plus riches musées d'art moderne des États-Unis. Si riche —5 500 peintures, 2 500 sculptures, 2 000 œuvres graphiques— que les œuvres présentées au public par roulement changent régulièrement. Inauguré en 1974 pour abriter les collections offertes à l'État par Joseph Hirshhorn, un homme d'affaires d'origine lettonne (1899-1981), il se double, au bord du Mall, d'un musée de la sculpture à ciel ouvert réunissant les plus grands noms de l'art contemporain (Calder, Moore, Oldenburg, Snelson, D. Smith...).

● **Premier niveau.** — Outre sept pathétiques Francis Bacon aux corps torturés, une immense fresque de Larry Rivers, *Histoire de la révolution russe de Marx à Maïakovski* — torrentueux mélange de peintures, collages et reliefs —, ainsi que d'autres œuvres de peintres européens (Léger, Delaunay, Mondrian, Arshile Gorky, Dubuffet, Balthus, Tanguy, de Staël...), cet étage propose, dans ses salles intérieures, un éblouissant **panorama de la peinture abstraite américaine** après la Deuxième Guerre mondiale : Sam Francis, Franz Kline, Mark Rothko, Helen Frankenthaler, Robert Motherwell, Jackson Pollock, Morris Louis, William De Kooning, Jasper Johns, Clyfford Still, Ad Reinhardt, Frank Stella, toutes les vedettes sont au rendez-vous.

Retour en arrière sur la **galerie circulaire** ouvrant par des baies vitrées sur la cour intérieure, avec des **sculptures françaises** du XIXe et du début du XXe s. : une superbe suite de Matisse, notamment les différentes versions en bronze de la *Tête de Jeannette*, des années 1910-1913, des bronzes de Maillol (Renoir), Bourdelle (Beethoven), Rodin (Baudelaire), Carpeaux (Dumas fils), etc.

● **Deuxième niveau.** — Les salles intérieures sont consacrées aux expositions temporaires. En revanche, la galerie aligne des dizaines d'œuvres (de petites dimensions) de sculpteurs contemporains renommés comme Henry Moore *(Roi et Reine),* Miro, Lipchitz, Picasso *(Fernande,* 1905), Louise Nevelson,

Giacometti, ou plus confidentiels, comme Robert Arneson (une terrifiante tête de général américain, farouche dénonciation des horreurs de la guerre, 1984).

● **Sculpture Garden.** — La plus grande originalité de ce musée tient à ce vaste

---

Une sculpture en symbiose avec la nature

Henry Moore, le célèbre sculpteur anglais, répétait inlassablement : « Je préfère voir ma sculpture dans un paysage, même indifférent, plutôt que dans le plus beau bâtiment. La sculpture, ajoutait-il, est un art de plein air. Son meilleur cadre et son complément sont pour moi la lumière du jour et la nature ». Né en 1898 dans une petite ville industrielle du Yorkshire, le petit Moore découvre l'art dans les églises gothiques de la région. De là viendra peut-être son goût prononcé pour le gigantisme et le matériau brut. Ses premières sculptures, exécutées au début des années 20, sont prédéterminées par les accidents que contient la matière, que ce soit les nœuds du bois ou la fêlure de la pierre.

Le grand thème de la *Mère et l'Enfant*, imposante figure de la mère nourricière, est prédominant dans son travail. Moore renoue sans cesse avec les arts dits « primitifs », sans renoncer aux expériences d'avant-garde du début du XXe s. telles que le cubisme ou le surréalisme auquel il adhérera en 1938. Mais sa découverte fondamentale restera l'introduction de vides dans la sculpture. Ses nouvelles réalisations ainsi trouées, percées, lui permettront de célébrer le mariage tant souhaité entre son œuvre et l'espace environnant. Son travail acharné sera couronné de succès, avec l'obtention, en 1948, du prix de la Biennale de Venise et, neuf ans plus tard, du prix Carnegie.

---

espace vert où jouent les écureuils, aménagé en contrebas du Mall et où se dressent quelques-unes des sculptures les plus marquantes de ces 100 dernières années. Une part belle est faite, là encore, à la France avec *les Bourgeois de Calais* de Rodin, quatre hauts-reliefs de Matisse (réalisés en 1909, de plus en plus stylisés jusqu'en 1930) et aussi Daumier, Maillol, Bourdelle, Laurens, Picasso, Arman, Ipoustéguy. Également un étrange « cardinal » de Giacomo Manzi, dont n'apparaissent que la tête et les mains, un « Prophète » décharné de Pablo Gargallo, un rigoureux « cavalier » de Marino Marini et, inévitablement, Henry Moore, coqueluche de l'Amérique d'aujourd'hui.

Arts and Industries Building

Plan C2-3
900 Jefferson Drive SW ; ☏ *357-1300.*
Métro : *Smithsonian, côté Mall.*
Visite : *t.l.j. 10 h-17 h 30 sf le 25 déc ; entrée libre.*

L'ère victorienne triomphe dans ce bâtiment tarabiscoté, hérité de l'exposition du Centenaire qui se tint à Philadelphie en 1876. Locomotive Baldwin, calèches, meubles, machines diverses, produits manufacturés venus du monde entier ressuscitent le temps où les Américains achevaient de découvrir leur propre continent et célébraient avec enthousiasme le dieu Progrès. Un siècle plus tard, leurs descendants retrouvent avec délices —et un rien de nostalgie— cette époque bénie où les bienfaits de la technique paraissaient sans limite. Jules Verne aurait adoré.

National Museum of African Art*

Plan C3 ; n°3
950 Independence Ave. SW ; ☏ *357-4600.*
Métro : *Smithsonian.*

Visite : t.l.j. sf le 25 déc. 10 h-17 h 30 ; entrée libre.

Face à la Sackler Gallery, à laquelle il est relié par un souterrain, voilà le seul musée des États-Unis consacré à l'étude de l'art de l'Afrique sud-saharienne.

Chefs-d'œuvre de l'art nègre. — Deux collectionneurs passionnés, Warren Robbins et Dillon Ripley, ont sélectionné depuis le début des années 60 quelques-uns des plus beaux témoignages d'art nègre existant au monde : porte de palais en bois du Bénin, relatant la vie d'un chef yorouba du siècle dernier, suivi et entouré de serviteurs, soldats portant fusils et prisonniers de guerre ; têtes en bronze de rois obas, avec leurs sacs en peau de léopard, des XVIe et XVIIe s ; superbe tambour de Guinée, sur lequel les femmes bagas célébraient les initiations et les funérailles ; figures baoulés et masques bétés (Côte-d'Ivoire) ; statue de femme et enfant du Moyen-Niger, d'une pureté qui évoque l'art roman ; masque punu du Gabon, que l'on dirait japonais ; et bien d'autres pièces trouvées dans une vingtaine de pays, qui vous plongent dans la magie du continent noir.

Arthur Sackler Gallery**

Plan C3 ; n°2

1050 Independence Ave. SW ; ☎ 357-2700

Métro : *Smithsonian, sortie côté Mall.*

Visite : *t.l.j. 10 h-17 h 30, f. le 25 déc. ; entrée libre.*

Une fête pour les amateurs d'arts asiatiques, de 3000 av. notre ère jusqu'à nos jours. Des pièces splendides, réunies durant toute sa vie par Arthur M. Sackler (1913-1987), un chercheur médical et éditeur fasciné par l'Orient. Ses collections, d'une qualité rare, se répartissent sur les trois niveaux, dont deux en sous-sol, du joli bâtiment aux lignes moyen-orientales qu'il conçut et finança pour les abriter.

De l'Iran à la Chine. — Au fur et à mesure que l'on s'enfonce dans les profondeurs de ce musée exceptionnel, on découvre des trésors venant de Chine (bronzes Shang, pots d'argent peint Han, chevaux Tang, portraits Ming, d'une subtilité psychologique envoûtante), d'Inde (miniatures mogholes d'un raffinement exquis, dont certaines viennent de l'album du roi ShahJahan, contemporain de Louis XIV, enivrantes statues de Shiva dansant, du XIe s.), d'Iran (rhyton en or, en forme de tête de bélier, datant de la dynastie des Achéménides, du VIe au IVe s. av. J.-C.) et enfin du Cambodge (une déesse du Xe s., merveille de force et de grâce). On peut y voir également depuis 1988 la célèbre collection Vever d'art islamique du livre. Cachée pendant la Seconde Guerre mondiale par son propriétaire, le joaillier parisien Henri Vever, et considérée comme perdue, elle a été retrouvée depuis peu. Ceci constitue le fonds de l'exposition permanente, mais de nombreuses expositions temporaires se succèdent également toute l'année, organisées ou non par des grands musées étrangers. Depuis le deuxième sous-sol, on peut gagner, par un couloir, le National Museum of African Art.

Freer Gallery of Art*

Plan C2-3 ; n°1

Intersection de Jefferson Drive et 12th St. SW ; ☎ 537-4880.

Métro : *Smithsonian (sortie côté Mall).*

Visite : *t.l.j. de 10 h à 17 h 30 sf le 25 déc. ; entrée libre.*

Fermé pendant plusieurs années pour restauration et agrandissement, ce petit palais de style florentin a enfin rouvert ses portes en mai 1993 sur les splendides collections (27 000 objets) d'art d'Asie et du Proche-Orient — auxquelles s'ajoutent des œuvres de peintres américains du XIXe s. et de Whistler— constituées au tournant de ce siècle par Charles Lang Freer (1854-1919).

Freer établit sa fortune à Detroit en construisant des wagons de chemin de fer. En 1894, il fit la connaissance à Paris du peintre Whistler. De leur amitié naquit l'intérêt de Freer pour l'art, surtout celui d'Extrême-Orient. Il légua en 1904 ses collections ainsi que le bâtiment à la Smithsonian Institution, qui accepta le legs après plusieurs années d'hésitation. La collection fut ouverte au public en 1923.

La richesse des collections ne permet pas d'assurer une présentation permanente des objets et œuvres d'art oriental, qui sont donc exposés par roulement. Mais, quel que soit le choix des conservateurs, on est assuré de voir des merveilles .

● **Merveilles de l'Orient.** — Les **pièces chinoises** les plus anciennes sont de la vaisselle et des objets cultuels en bronze des dynasties Chang et Tchou (1523-221 av. J.-C.). On peut suivre l'évolution de la céramique depuis l'époque néolithique jusqu'à nos jours. A l'époque des Han (206 av. J.-C.-200 apr. J.-C.), la décoration devient incisée sur l'objet préalablement moulé ; les nombreux miroirs à dessins symboliques se multiplient. C'est sous cette dynastie que le bouddhisme fait son apparition en Chine, entraînant la production de sculptures et de peintures religieuses (bel ensemble de **sculptures bouddhiques*** de la dynastie Wei septentrionale, VIe s.). Influencée aussi par le confucianisme, la **peinture** s'attache à la représentation de héros légendaires, de grands personnages, et témoigne souvent, à l'époque Tang (VIIe-Xe s.) d'un très grand réalisme ; puis, sous la dynastie des Song (960-1279), elle marque une prédilection pour les paysages. Les époques ultérieures sont caractérisées par un retour vers un certain traditionalisme. Beaux **rouleaux peints** de diverses périodes.

L'**art japonais** vous séduira aussi avec sa céramique, ses sculptures —les plus belles étant celles de l'époque Kamakura (1185-1334)— et surtout sa **peinture** (rouleaux, paravents...), remarquablement représentée ici : fleurs et oiseaux, splendides paysages qui, en quelques traits rapidement esquissés, rendent si bien l'atmosphère de la nature japonaise, scènes de la vie quotidienne. La peinture de l'époque Momoyama (1573-1615) est bien illustrée, avec des paravents peints de la célèbre école des Kano. Vers la même époque, l'arrivée des missionnaires portugais correspondit au développement des peintures dites Namban, avec vaisseaux et personnages vêtus à la mode européenne. Pour les XVIIIe et XIXe s., œuvres d'Utamaro, Toyoharu, Hokusai. Par ailleurs, une salle toute nouvelle est consacrée à l'art du thé au Japon.

En dehors de ces deux départements majeurs, vous pourrez aussi vous passionner pour des sculptures et miniatures indiennes et persanes, des objets originaires d'Iran, de Syrie et d'Égypte, ou des **enluminures byzantines***.

● **Whistler.** — Le musée possède aussi de très nombreuses toiles et aquarelles du peintre anglais James Whistler (1834-1903), qui devait devenir l'ami et le conseiller de Charles Freer. C'est lui qui décora, pour un armateur de Liverpool, la fameuse **Peacock Room***, l'un des pôles d'attraction de ce musée : une harmonie en bleu et or (des plumes de paon), qui sert notamment d'écrin à l'un de ses tableaux les plus fameux, le portrait de la fille du consul général de Grèce à Londres, intitulé *The Princess from the Land of Porcelain*. Quant aux *Nocturnes*, Whisler les exécuta de 1870 à 1880 sous l'influence des estampes japonaises, qu'il avait découvertes à Paris.

US Holocaust Memorial Museum

Raoul Wallenberg Place, à l'angle d'Independence Ave. et de 14th St.

Visite : *t.l.j. de 10 h à 17 h 30 ; entrée libre ; système de réservation gratuite pour le jour même ; visites individualisées ;* ☎ 488-0400.

Ce tout nouveau musée a ouvert ses portes en 1993. Œuvre de l'architecte James I. Freed, il est consacré à l'histoire de l'extermination des Juifs par les nazis pendant la Seconde Guerre mondiale. Il comprend un mémorial dédié à toutes les victimes, le Hall of Remembrance, ainsi qu'une importante bibliothèque rassemblant de nombreux documents d'archives.

■ 3. Les mémoriaux*

Le Mall, c'est aussi, un peu, le gardien du souvenir. Dans sa partie occidentale, quatre monuments, de styles et d'inspirations divers, témoignent de la reconnaissance des Américains pour leurs grands hommes et pour ceux qui sont tombés au combat.

● **Washington Monument** (*sur le Mall, 15th St., plan B2 ; NW ; métro : Smithsonian ; vis. t.l.j. de 9 h à 17 h, en été de 9 h à 24 h ; f. à Noël ; entrée libre*). — Planté sur le Mall, face à la Maison Blanche, cet obélisque creux en marbre blanc, la plus haute structure maçonnée du monde (169 m), a été élevé de 1848 à 1855 et de 1877 à 1884 sur les plans de Robert Mills en souvenir du premier président des États-Unis. La pointe pyramidale est couverte d'une calotte en aluminium… 188 plaques en pierre offertes par différents États et corporations sont fixées dans les murs. Des files ininterrompues de visiteurs attendent patiemment, quelquefois pendant des heures, l'accès à l'ascenseur (ou à l'escalier de 897 marches) qui les conduira aux huit fenêtres panoramiques situées à 153 m de hauteur. Vue splendide, évidemment.

● **Vietnam Veterans Memorial*** (*Constitution Ave., plan A2 ; entre Henry Bacon Drive et 21st St. NW ; ouv. nuit et jour*). — C'est le projet d'une étudiante de 21 ans de l'université de Yale, Maya Ying Lin, que le Congrès choisit parmi 1 421 autres pour honorer la mémoire des militaires américains tombés au Viêt-Nam : une simple allée bordée de deux murs de granit noir poli s'enfonçant dans la pelouse des Constitution Gardens, sur lesquels sont gravés, dans l'ordre chronologique de leur disparition, les noms des 58 156 victimes.

Ce monument, d'une bouleversante sobriété, a été financé par des donations privées (7 millions de dollars). En 1984, deux ans après l'inauguration, une sculpture de Frederick Hart, représentant trois soldats grandeur nature, a été installée à 100 mètres des murs. Dépourvu de toute signification politique, cet ensemble d'une dignité exceptionnelle se veut le symbole de la réconciliation nationale.

● **Lincoln Memorial**** (*West Potomac Park, plan A2 ; au niveau de 23rd St. NW ; ouv. nuit et jour sf le 25 déc.*) — Ce temple grec en marbre blanc, élevé par Henry Bacon en 1922, est le plus solennel et le plus émouvant de tous les monuments élevés à la mémoire des grands Américains. Ceinturé de 36 colonnes doriques qui symbolisent les États de l'Union à l'époque de la guerre de Sécession, il se compose d'une seule salle, largement ouverte sur le Mall, à laquelle mène une volée de marches abruptes. À mesure que vous en gravissez les degrés, une monumentale statue d'Abraham Lincoln (6 m de hauteur) surgit peu à peu entre les colonnes. Assis très droit dans un fauteuil à l'antique, bras posés sur les accoudoirs, mèche sur le front, le président assassiné vous fixe avec gravité. Devant la majesté et l'humanité de cette figure emblématique, mille fois représentée, de la démocratie américaine, on en oublie la performance du sculpteur, Daniel Chester French, qui tailla cette statue dans 28 blocs de marbre blanc parfaitement joints. Sur les murs sont gravés les extraits les plus généreux des discours d'investiture du président. Peu de monuments officiels dégagent une telle sensation de force et de noblesse

La mort d'un président

C'était le 14 avril 1865. La guerre de Sécession tirait à sa fin. Le général sudiste Robert Lee était sur le point de capituler à Appomattox. Pour fêter la victoire prochaine, le président Abraham Lincoln et son épouse avaient décidé d'aller applaudir au Ford's Theatre une pièce intitulée *Notre cousin américain*. Soudain, au cours du IIIe acte, un homme bondit sur la scène et tira sur le président en criant : « Sic Semper Tyrannis » (Ainsi finissent les tyrans). C'était John Wilkes Booth, un comédien favorable aux sudistes. Il avait auparavant prévu d'enlever Lincoln et de l'échanger contre des prisonniers de la Confédération, mais son plan ayant échoué, il avait alors résolu de l'assassiner. Transporté dans la maison d'un ami, de l'autre côté de la rue, Abraham Lincoln mourut le lendemain matin. Booth, lui, réussit à s'enfuir au sud du Maryland. Retrouvé douze jours plus tard, il fut exécuté.

—surtout la nuit, lorsque la statue, brillamment éclairée, émerge de l'ombre.

● **Korean War Memorial** *(West Potomac Park, près du Lincoln Memorial).* — Érigé en juillet 1995, il rend hommage aux combattants de la guerre de Corée. Les architectes, Cooper et Lecky, ont utilisé les techniques les plus modernes. Sur un hologramme, des visages de soldats semblent, de loin, se fondre dans un paysage coréen. Une patrouille de 19 hommes, en acier, est éclairée par un système de fibres optiques et laser. Visite nocturne spectaculaire.

● **Jefferson Memorial** *(West Potomac Park ; plan B3 ; ouv. nuit et jour).* — Féru d'Antiquité, Thomas Jefferson, l'auteur de la déclaration d'Indépendance et 3e président des États-Unis aurait aimé cette colonnade ionique et cette coupole en marbre blanc rappelant le panthéon de Rome, élevées en 1943 —à l'occasion de son 200e anniversaire— par John Russell Pope. L'ensemble est d'ailleurs inspiré de sa maison de Monticello, près

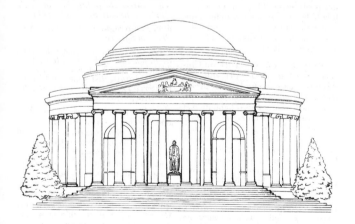

Jefferson Memorial.

de Charlottesville. Dans la rotonde centrale, immense statue en bronze (6 m de hauteur) du plus intellectuel des Pères de la Nation, dont quatre citations sont gravées sur les murs. Une promenade reposante en bordure du **Tidal Basin** (bassin des marées), pour oublier les rumeurs de la ville, au milieu de 650 cerisiers offerts par le Japon en 1912.

*S'il vous reste du temps, vous pouvez, dans la foulée, aller voir le **Arlington Cemetery** (→ prom. 7). Accès en voiture par le Arlington Bridge, non loin du mémorial de Lincoln, ou par le métro.*

■ 4. Downtown et la Maison Blanche*

La ville moderne, celle des magasins élégants et des grands hôtels, mais aussi et surtout celle des administrations et des affaires. Elle s'étend, autour de la Maison Blanche, de Constitution Ave. à K St. Une diagonale, la Pennsylvania Ave., la traverse du Capitol à la Maison Blanche, avant de filer sur Georgetown. C'est là que bat véritablement le pouls de la capitale fédérale. Les amateurs de shopping chic trouveront, eux, leur bonheur dans le bas de Connecticut Ave., ainsi que sur K St.

Contrairement à New York ou Chicago, Washington ne présente pas d'intérêt majeur sur le plan architectural, tout au moins en ce qui concerne les bâtiments d'habitation et de bureaux. N'attendez donc pas dans ce centre-ville de grandes émotions artistiques. Bien que sans commune mesure avec ceux qui sont alignés sur le Mall, quelques musées ou monuments méritent cependant une visite. Et ne ratez pas, bien sûr, la Maison Blanche.

Visiter Downtown. — *Downtown consiste presque exclusivement en monuments et est assez étendu d'E. en O., de part et d'autre de la Maison*

Blanche (env. 3 km entre le National Building Monument et Kennedy Center) ; c'est pourquoi nous ne vous proposons pas à proprement parler d'itinéraire. La découverte de ce quartier vous prendra plus ou moins de temps en fonction de ce que vous choisirez de visiter. N'hésitez pas à prendre le métro ou le bus, en particulier pour aller voir le Watergate et Kennedy Center.

Quand ? — *La mi-journée, quand les fonctionnaires et les employés ont quitté leurs bureaux, est le meilleur moment pour apprécier la vie intense du quartier. En revanche, tout s'arrête très tôt dans l'après-midi, vers 17 h, et la nuit, Downtown est désert.*

Où se détendre ? — *Allez reprendre des forces au bar de l'un des palaces de Pennsylvania ou de Connecticut Ave. Vous y verrez des Américaines richissimes célébrer l'heure du thé. Du grand cinéma.*

Départ : *Visiter Information Center, 1455 Pennsylvania Ave. Métro : Center.*

La Maison Blanche**

Plan B1-2

White House, *1600 Pennsylvania Ave. NW ; entrée du public par la grille située sur la 15th St.* ☎ *456-1414.*

Métro : *Farragut West ; Center ; Mac Pherson Square.*

Visite : *mar.-sam. de 10 h à 13 h en été, de 10 h à 12 h en hiver ; f. lun., dim., Thanksgiving, Noël et 1er jan. L'été, billets gratuits distribués au Visitors Center, au coin des 15th et E Sts, dès 8 h. Brochures en français.*

N'espérez pas rencontrer le président dans les couloirs. Les visiteurs ne sont admis que dans une dizaine des 130 pièces de la résidence officielle du président des États-Unis. Consolez-vous en pensant que, à l'exception du fameux salon ovale, le bureau personnel du président, les invités de marque, eux non plus, ne connaissent que celles que vous allez visiter. Ouvertes le matin au public anonyme, ces pièces de réception, meublées dans le style fin XVIIIe, début

XIXe s., retrouvent l'après-midi leur fonction. Malgré les énumérations des guides qui conduisent les groupes, vous n'êtes donc pas ici dans un musée, mais dans une partie vivante de l'auguste Maison Blanche.

Une maison pour des hommes honnêtes. — La première pierre de la demeure présidentielle fut posée le 13 octobre 1792, sur un site choisi par George Washington lui-même. Le premier président, cependant, n'y habita jamais. C'est son successeur, John Adams, qui s'y installa alors qu'elle était encore inachevée. « Je prie le Ciel de répandre ses bénédictions sur cette demeure et sur tous ceux qui l'habiteront par la suite. Puissent seuls des hommes honnêtes et sages gouverner sous ce toit », écrivit-il à sa femme, en novembre 1800, alors qu'il grelottait dans une chambre non chauffée. Cette profession de foi est aujourd'hui gravée sur le marbre de la cheminée de la salle à manger officielle, qui servait alors de buanderie à l'épouse du Président. À cette époque, la nouvelle capitale ne comptait encore que 501 foyers. Conçue par James Hoban, un architecte d'origine irlandaise, peinte en blanc dès sa construction afin de camoufler la tristesse de ses murs de grès, la « Maison Blanche » connut avant même son achèvement d'incessants agrandissements et modifications. C'est Thomas Jefferson, le troisième président, qui y ajouta les terrasses et qui décida qu'elle serait ouverte chaque matin aux visiteurs.

On la croyait enfin terminée en 1814 lorsque les troupes anglaises occupèrent Washington et incendièrent la demeure du Président pour venger la destruction d'édifices publics au Canada par les troupes américaines. Reconstitution, réaménagement, création des portiques N. et S. vers 1820, alimentation en eau de source en 1834, éclairage au gaz en 1848, chauffage central en 1853, ascenseur en 1881, électricité en 1891, la Maison Blanche suivit tout au long du siècle les progrès de la technique. Ce n'est cependant qu'en 1903, sous la présidence de Théodore Roosevelt, puis en 1948, sous celle de Harry Truman, que la Maison Blanche devint le siège de l'exécutif américain tel que nous le connaissons, convenant aussi bien à l'intimité de la vie quotidienne de ses occupants qu'à la pompe des réceptions et des grandes rencontres internationales. En 1979, on a établi sur l'aile O. des panneaux capteurs d'énergie solaire. Au cours de cette même année, Jean-Paul II fut reçu à la Maison Blanche, et c'est là que fut signé le traité de paix entre l'Égypte et Israël (26 mars). En 1980, un crédit de 25 millions de dollars a été alloué pour l'acquisition de meubles et d'œuvres d'art qui doivent être attachés en permanence à l'édifice.

Visite. — Les amateurs d'art risquent de rester sur leur faim. La Maison Blanche ne contient aucun objet ou tableau exceptionnel. Il est cependant fascinant de découvrir le cadre où vivent et se consultent les maîtres du monde. On remarquera particulièrement : le **salon des réceptions diplomatiques** (au rez-de-chaussée) où le président Roosevelt présentait ses causeries au coin du feu ; le **salon Est** (East Room, à l'étage) : c'est là que se déroulent les bals et les conférences de presse —sous le regard glacé de George Washington, peint par Gilbert Stuart— et que fut exposée la dépouille de J.F. Kennedy ; le **salon Bleu** (Blue Room), célèbre pour sa forme elliptique et considéré comme la plus belle pièce de la Maison Blanche, avec son ameublement rassemblé par le président Monroe après l'incendie de 1814 ; le **salon Rouge**, où les first ladies offrent le thé à leurs invitées ; la **salle à manger officielle** (State Dining Room), qui peut accueillir 140 convives ; un portrait d'Abraham Lincoln (par Healy) veille sur les repas de gala ; le **vestibule** et le **grand hall** où sont accrochés les portraits des derniers présidents. La sortie s'effectue par les **jardins**, seule partie de la Maison Blanche où les photos sont autorisées. En décembre, la résidence est magnifiquement décorée (les horaires changent ; se renseigner au Visitors Center).

Au S. de la Maison Blanche s'étend, jusqu'à Constitution Ave., l'**Ellipse**, une vaste pelouse souvent utilisée pour des manifestations.

Washington :
une ville noire ?

Si l'on en croit les statistiques, sept habitants de la capitale fédérale sur dix sont des Noirs. Une proportion surprenante pour le visiteur débarquant dans Downtown et sur le Mall, qui n'y voit pratiquement que des Blancs. Ce sont, dans leur écrasante majorité, des fonctionnaires fédéraux (plus de 300 000) qui travaillent dans la capitale, mais habitent dans les États voisins de Virginie et du Maryland. Les grandes concentrations noires, on les découvre loin des ministères et des organismes officiels ou privés, dans les quartiers pauvres du N. et du S.-E., minés par le crack et les gangs. Touristes s'abstenir.

Autour de la Maison Blanche

● À l'E. de la Maison Blanche, le **Treasury Building,** *(plan B1-2)*, conçu par Roberts Mills dans le style classique (1838-1842), est occupé par le ministère du Trésor.

● En face de la Maison Blanche, sur Pennsylvania Ave., se trouve **Lafayette Square.** On a érigé dans ce petit parc cinq statues à la mémoire des héros étrangers de la guerre d'Indépendance : celle du Marquis de Lafayette, du comte de Rochambeau, du baron von Steuben, du général polonais Kosciuzko, et de Andrew Jackson, 7e président des États-Unis. Curieusement, c'est le lieu préféré des manifestants et des sans-abris.

● À l'ouest, un grand immeuble gris qui fut autrefois le ministère de la Guerre : **Old Executive Office.** C'est là que Lincoln attendait les messages télégraphiés des champs de bataille. C'est aujourd'hui le bureau du vice-président et des conseillers.

● En face du Old Executive Office, **Blair House,** la résidence des invités du président. Le drapeau national de l'hôte y est hissé. C'est là que le Plan Marshall a été élaboré et que le général Lee a refusé le commandement des troupes de l'Union pour aller se battre avec les Confédérés.

● Au N.-E., le **National Museum of Women in the Arts** *(1250 New York Ave. NW ; plan C1 ; métro : Center ; ouv. t.l.j. sf lun. de 10 h à 17 h, le dim. de 12 h à 17 h ; f. Thanksgiving, 25 déc. et 1er jan. ; ☎ 783-5000)* est le seul musée américain consacré uniquement à des œuvres d'artistes femmes, de la Renaissance à nos jours. Il en est d'intéressantes, d'autres plus académiques, mais aucune ne se distingue particulièrement des productions des artistes masculins des mêmes périodes. Paradoxe amusant : c'est un bastion du pouvoir mâle (la grande Loge maçonnique de Washington, construite en 1907 dans le style néo-Renaissance) qui abrite, sur trois niveaux, ces centaines de témoignages de la sensibilité et de l'imagination féminines.

Rez-de-chaussée : un palais italien. Marbres blancs et roses, chandeliers de cristal, escaliers monumentaux, le hall d'entrée évoque beaucoup plus un palais italien qu'un musée classique. Une excellente entrée en matière.

Mezzanine. Deux œuvres de deux artistes contemporaines parmi les plus novatrices se cachent dans un recoin de la grande galerie : Louise Nevelson *(Reflexions of a Waterfall II)* et Joan Mitchell *(Sale neige).* À l'autre extrémité, un petit restaurant très coquet.

Troisième étage. C'est ici qu'est rassemblé l'essentiel des collections. Tous les styles des différentes époques se succèdent de salle en salle. À noter, pour la qualité de l'exécution : au XVIe s., l'Italienne Ivana Fontana *(Portrait d'un jeune noble)* et la Hollandaise Rachel Ruysch *(Fleurs dans un vase)* ; au XVIIe s., l'Allemande Maria Sibylla Merian (splendides gravures d'insectes) ;

au XVIIIᵉ s., Marianne Loir *(Portrait présumé de Madame Geoffrin)* et Madame Vigée-Lebrun *(Jeune enfant)*. Jusque-là, rien que de très classique. Changement de registre à la fin du XIXᵉ s. avec Suzanne Valadon *(Nus à la toilette)* et Berthe Morisot *(la Cage)*, mais surtout avec la première génération d'Américaines, influencées par l'impressionnisme français. Notamment Lilla Cabot Perry *(Femme en robe du soir)* et Mary Cassatt *(Study of Reine)*. De nos jours, les peintres femmes ont suivi les mêmes courants que les hommes : surréalisme (Dorothea Tanning, la compagne de Max Ernst), abstraction lyrique (Judith Goodwin), abstraction géométrique (Valéry Jaudon), pop'art (Nancy Graves). Certaines suivent une voie plus personnelle, comme Audrey Flack qui se déchaîne dans des toiles exubérantes, très colorées, où passent des reflets d'Orient.

C'est cependant dans la **photographie** que les femmes, ici tout au moins, se distinguent le plus nettement des hommes. À commencer par Eva Watson-Schütze (1867-1935) et Gertrude Käsebier (1852-1934) qui ont porté sur leurs contemporains (dont Rodin) un regard plein de tendresse et de nostalgie.

● **National Museum of American Art** et **National Portrait Gallery** *(G et F Sts, à l'intersection des 9th et 7th Sts ; plan C1 ; métro : Gallery Place ; ouv. t.l.j. de 10 à 17 h 30 ; f. 25 déc. ; entrée libre ; ☎ 357-2700)*. — Ces deux importants musées, qui dépendent aujourd'hui de la Smithsonian Institution, se partagent un grand bâtiment néo-classique édifié au milieu du siècle dernier ; c'est l'un des derniers qui subsistent dans le quartier.

Le **National Museum of American Art**** (aile N.) comprend une importante collection de sculptures et de peintures des trois derniers siècles. Georges Catlin, le fameux peintre des Indiens (1796-1872), particulièrement bien représenté avec plus de 400 toiles, et l'impressionniste Mary Cassatt (1844-1926) illustrent avec brio la peinture américaine classique. Également

de belles œuvres d'artistes américains contemporains : F. Kline, R. Rauschenberg, Clyfford Still, M. Louis ; sculptures de Calder, Lipton, etc.

Dans la **National Portrait Gallery*** (aile S.) figurent tous les grands personnages de l'histoire des États-Unis, à commencer par George et Martha Washington, par G. Stuart.

● En continuant F St., on arrive au **National Building Museum** *(entre 4th et 5th Sts ; ouv. lun.-sam. de 10 h à 16 h, dim. de 12 h à 16 h ; ☎ 272-2448 ; entrée libre)*. — Ce musée veut sensibiliser le public à l'**architecture** : expositions, films, photographies, maquettes informent le visiteur sur les grandes réalisations architecturales américaines, anciennes ou actuelles. Son objectif est aussi d'inciter le public à réfléchir sur les rapports entre architecture et environnement naturel.

Tout autour, le quartier est conquis par des artistes qui ont ouvert des galeries de peintures auxquelles se sont ajoutées des boutiques de produits exotiques.

● **Ford's Theater** *(51, 10th St., plan C2 ; NW ; métro : Center ; ouv. t.l.j. de 9 à 17 h ; entrée libre ; ☎ 426-6924)*. — Le théâtre où Abraham Lincoln fut assassiné le 14 avril 1865. Nombreux souvenirs du drame. Les programmes se trouvent dans le *Washington Post*.

● **Federal Bureau of Investigation : FBI** *(carrefour de 10th St. et de Pennsylvania Ave., plan C2 ; NW ; métro : Federal Triangle ; ouv. lun-ven. de 8 h 45 à 16 h 15 ; entrée libre ; ☎ 324-3447)*. — C'est avec émotion que les fans de polars de la grande époque pénètrent dans l'énorme bâtiment en béton, construit en 1975, bardé de drapeaux étoilés flottant sur Pennsylvania. Ils traversent une vaste cour où trône un monument à la gloire des vertus cardinales du FBI (Fidelity, Bravery, Integrity), montent l'escalier à gauche et prennent place sur un long banc pendant que la sono déverse de la *country music*. Bientôt une charmante Noire apparaît, vous fait passer par un détecteur et, pendant une heure, vous promène devant des vitrines illustrant les cibles fixées par la loi au redoutable bureau : contre-espionnage, drogue, prostitution, racket, corruption, terrorisme. Au fil des salles, on découvre les silhouettes de gangters célèbres (Al Capone, Dillinger), des affiches « wanted », d'impressionnantes collections d'armes de toutes nationalités. On jette un œil sur un laboratoire d'analyses. Et on apprend que le FBI, créé par Edgar Hoover en 1934, dispose aujourd'hui de 400 agences aux États-Unis, fiche 36 000 empreintes digitales, analyse 3 000 cas par an (sueur, sperme, salive, cheveux). Pour des renseignements plus confidentiels, motus. La grande maison préserve ses secrets.

● **National Archives** *(8th St. et Constitution Ave, plan C2 ; NW ; métro : Archives ou Federal Triangle ; ouv. t.l.j. de 10 h à 17 h 30, jusqu'à 21 h en été ; f. le 25 déc. ; ☎ 501-5240).* — Le sanctuaire de la démocratie américaine. Exposés dans une vaste rotonde construite en 1933 par John Russell Pope (l'architecte de la National Gallery et du Jefferson Memorial), la déclaration d'Indépendance, la Constitution, le « Bill of Rights »(les dix premiers amendements de la Constitution), difficilement déchiffrables sous le verre à l'hélium qui les protège. Des documents tels que la Magna Carta britannique —qui, 575 ans avant l'Indépendance, fut le premier acte officiel à garantir les droits des citoyens—, le traité d'alliance avec la France, signé par Benjamin Franklin en 1778, le traité de Paris de 1783, l'acte de cession de la Louisiane par la France (1803), avec les signatures de Bonaparte et Talleyrand… Plus quelques témoignages, textes et photos, sur les différentes communautés qui formèrent le peuple américain.

● À l'O. de la Maison Blanche, la **Corcoran Gallery of Art*** *(17th St. et New York Ave. NW ; plan B2 ; métro : Farragut North ou West ; ouv. t.l.j. de 10 h à 17 h, 21 h. le jeu. ; f. mar., 25 déc. et 1er jan. ; entrée payante ; ☎ 638-3211)* vous emmène en pèlerinage dans l'Amérique des XVIIIe et

---

À la poursuite du scoop

Tiré à 840 000 exemplaires, le *Washington Post* occupe une place exceptionnelle. D'abord, en raison de sa proximité géographique avec le pouvoir. Ensuite, par la qualité et le dynamisme de ses collaborateurs, qui ont pratiquement carte blanche. Le *Post* était à l'origine un quotidien conservateur qui connaissait de sérieuses difficultés financières. En 1948, il fut racheté par Eugène Meyer, à qui succéda sa fille, Katharina Graham. Dès lors, le journal prit une orientation « libérale » (de gauche).

C'est le *Post* qui, sous l'impulsion de Ben Bradlee, son rédacteur en chef, s'empara de l'affaire du Watergate et mena une offensive qui aboutit à la démission de Nixon. Le journal a ainsi pris un grand poids politique, qui lui vaut d'être haï par les républicains conservateurs. Mais même ses adversaires ne contestent pas à Ben Bradlee son énergie, ni ses talents à la tête d'une équipe spécialisée dans le journalisme d'investigation, très développé aux États-Unis. Par son esprit, le *Post* perpétue la tradition des premières publications qui, luttant pour l'émancipation des colonies, dénonçaient l'arbitraire du pouvoir anglais.

Aujourd'hui le *Washington Post*, qui contrôle l'hebdomadaire *Newsweek*, exerce un quasi-monopole dans la capitale. Le *Washington Times*, très à droite, a brisé cette exclusivité, mais son tirage reste limité (96 000 exemplaires).

XIXe s. Démarrée en 1859 par le banquier William Wilson Corcoran, cette collection de peinture, l'une des plus importantes du genre, nous ramène au temps des Pères de la Nation, de la montée de la bourgeoisie et de la conquête de l'Ouest. Le bâtiment de marbre blanc, édifié en 1897 par l'architecte Ernest Flagg, mérite l'attention. « C'est le mieux dessiné de Washington », disait Frank Lloyd Wright.

L'histoire américaine. — On découvre tout à la fois des portraitistes très estimables, comme John Singleton Copley, de Boston (1738-1815), Joshua Johnson, l'un des premiers peintres noirs des États-Unis (mort en 1825), Charles Peale Polk (1767-1822), Samuel Morse (1791-1872), et des documents d'histoire, comme le célèbre portrait de Washington par Jane Stuart (1812-1888), la bataille de York Town, la chambre des Représentants en 1822 et des paysages encore inviolés des Rocheuses par Albert Bierstadt (1830-1902). Quelques toiles abstraites, pas parmi les meilleures, complètent cette collection d'art américain.

Au **rez-de-chaussée,** la collection léguée par le sénateur Clark en 1926, et qui comprend notamment des Hollandais et des Flamands du XVIIe s. (dont Rembrandt), vient d'être très joliment réinstallée dans un grand salon XVIIIe provenant de l'hôtel particulier du duc de La Trémouille.

● **John F. Kennedy Center for the Performing Arts** *(New Hampshire Ave. & Rock Creek Parkway ; plan A2 ; NW ; métro : Foggy Bottom ; vis. guidées de 10 h à 13 h ; ☎ 416-8400 ; n° vert : 800/444-1324).* — Allongé au bord du Potomac, c'est le centre culturel du Tout-Washington. Toutes les formes de spectacles (opéra, théâtre, ballet, concert, cinéma, cabaret) se succèdent ou coexistent dans les six salles de cet immense bâtiment de 210 m de longueur, construit à la fin des années 60 par E.G. Durell Stone. Un bâtiment austère et dépouillé, qui ne laisse en rien présager la variété et la fantaisie de l'intérieur. Une dizaine de nations ont contribué à sa décoration, la France avec des tapisseries de Lur-

L'affaire du Watergate

Le 17 juin 1972, à la veille de la campagne électorale, le siège du Parti démocrate (de gauche) est cambriolé. L'enquête policière établit que les cinq hommes arrêtés — baptisés par la presse les « plombiers » car leur rôle était de « boucher les fuites » de documents officiels— sont liés aux collaborateurs immédiats du président Nixon. C'est le début de ce qui allait devenir le scandale du Watergate. « Une infraction sans importance », déclare imprudemment un des officiels. En effet, Nixon est réélu en novembre 1972. Mais une enquête parlementaire, fertile en rebondissements, révèle que Nixon était au courant et avait, sinon inspiré, du moins approuvé une entreprise visant à discréditer ses adversaires politiques. Le *Washington Post* multiplie les révélations sur la responsabilité du président. En vain Nixon invoque-t-il le privilège du pouvoir exécutif pour refuser de communiquer à la Commission d'enquête les enregistrements de ses conversations avec ses collaborateurs. Le coup fatal lui est porté par la Cour suprême qui, en juillet 1974, lui enjoint de remettre ses enregistrements à la Commission. Menacé de destitution, Nixon démissionne le 9 août 1974.

Les effets de cette crise furent importants. Les démocrates, majoritaires au Congrès, se révoltèrent contre ce qu'ils appelèrent la « Présidence impériale », amenant le Congrès à restreindre les pouvoirs du président dans ses actions militaires à l'étranger et à empiéter sur les pouvoirs de l'exécutif (notamment en matière budgétaire).

çat, le Japon et le Canada avec les rideaux de scène, l'Autriche et la Suède avec les lustres en cristal. Certaines salles sont d'une rigueur monacale, d'autres d'une fantaisie inattendue dans un tel cadre (ainsi, l'Opera House, entièrement capitonnée de velours rouge, avec un plafond éclairé comme par un feu d'artifice). Toutes communiquent par un immense foyer orné d'un buste géant de J.F. Kennedy par Robert Berks. Aux entractes, les *beautiful people* de la capitale fédérale se retrouvent sur les terrasses dominant le fleuve, face à des rives couvertes de végétation d'où émergent au loin quelques grands immeubles. Déjà la Virginie. On entend les criquets, les oiseaux. Nulle part comme ici, on ne comprend combien Washington est une ville à la campagne.

● **Watergate Building A** *(2650 Virginia Ave. NW ; plan A1 ; métro : Foggy Bottom).* — Ironie de l'histoire, quelques dizaines de mètres séparent J.F. Kennedy Center de l'immeuble où son concurrent malheureux, Robert Nixon, trébucha et perdit la présidence. Un bâtiment que rien ne distingue, si ce n'est son nom.

■ 5. Dupont Circle et Adams Morgan

À deux pas de l'élégante K Street, montez Connecticut Ave. vers le N. ; vous arrivez à Dupont Circle, un vaste rond-point où se rejoignent Noirs, Hispaniques et Blancs, héritiers des Flower People des années 70. Tout ce petit monde prend le frais sur le gazon et regarde passer le temps autour d'une fontaine de style néo-classique. Bien qu'à seulement 10 mn à pied de Downtown, cette place est le centre d'une zone déjà provinciale, aux habitués détendus et sans complexes, où abondent antiquaires et petits restaurants de toutes nationalités, notam-

ment dans P street. C'est l'un des nouveaux quartiers, sinon à la mode, du moins où l'on se retrouve l'été dans une atmosphère de vacances.

Au N.-O. de Dupont Circle, Massachusetts Avenue est surnommée « Embassy Row », la rue des ambassades (une trentaine), bien que la majorité des missions diplomatiques se trouvent plus à l'écart, notamment dans la zone du Rock Creek Park.

Au-delà de Dupont Circle, en suivant à droite la rue Florida, un second quartier lui aussi très détendu, mais beaucoup plus cosmopolite, attire, surtout la nuit, les amateurs d'exotisme : **Adams Morgan** *(à env. 20 mn à pied de Dupont Circle).* Peuplées jusqu'il y a peu d'Hispaniques, la 18th St. et Columbia Rd proposent désormais toutes sortes de cuisines, notamment l'éthiopienne ; les librairies se multiplient ; les bourgeois délurés se mêlent aux marginaux de tout poil et de toute race. Ainsi naissent les modes.

À quelques blocs à peine, sur la gauche, *Kalorama* continue en revanche d'entretenir les grandes traditions de la haute société d'autrefois. Des dizaines d'ambassades et d'hôtels particuliers, d'un style très *british*, s'y cachent dans la verdure.

Que voir ? — *Pour goûter l'atmosphère de ces deux quartiers, ne restez surtout pas sur les grands axes. D'autant que des musées passionnants se dissimulent dans les rues alentour, notamment celui de la Geographic Society et la Phillips Collection.*

*Comptez **une demi-journée** pour flâner dans Dupont Circle et Adams Morgan et visiter les deux musées décrits ci-dessous.*

Départ : K street ; métro : Farragut North.

● **National Geographic Society** *(Carrefour de 17th St. et de M St. NW ; plan B1 ; métro : Farragut North et Farragut West ; ouv. lun.-sam. de 9 h* *à 17 h, dim. de 10 h à 17 h ; f. le 25 déc. ; entrée libre ;* ☎ *857-7588).* — « D'où venons-nous ? » « Pourquoi certains dinosaures étaient-ils si gros ? » « Qu'y a-t-il à l'intérieur de la Terre ? »... Illustrées par des photos, des dessins, des graphiques, de brefs commentaires, les réponses apparaissent sur des panneaux disposés dans l'immense hall, tout autour d'une gigantesque mappemonde de 3 m de diamètre. Fondée en 1888 pour pénétrer et expliquer les mystères de la vie, de la Terre et du cosmos, l'auguste société a financé en un siècle plus de 4 000 projets de recherche et d'exploration, de l'expédition Peary au pôle Nord jusqu'au vol de Byrd au pôle Sud, de plongées au fond des mers avec Cousteau, à l'étude des gorilles par Dian Fossey. Elle place aujourd'hui au premier plan de ses préoccupations l'interaction des hommes et de l'environnement, multiplie avec de plus en plus de dynamisme expositions temporaires, conférences, projections de films, éditions de livres et de cartes (en vente sur place).

● **Phillips Collection***** *(1600 21st St. NW ; métro : Dupont Circle ; ouv. t.l.j. de 10 h à 17 h, le dim. jusqu'à 12 h ; droit d'entrée : 5 dollars pour les adultes ; 2,50 pour les étudiants et les plus de 62 ans ;* ☎ *387-2151 ; boutique, cafétéria).* — L'un des plus petits, mais aussi l'un des plus beaux musées de peinture des États-Unis. Peu de tableaux, mais rien que des chefs-d'œuvre.

Art moderne et musique. — Créée en 1918 par Duncan Phillips (1886-1966), petit-fils d'un magnat de l'acier, cette collection privée fut l'une des premières aux États-Unis consacrées à l'art moderne. Son propriétaire en ouvrit les portes au public dès 1921 et, au cours des décennies suivantes, l'enrichit avec quelques-unes des plus grandes œuvres de toutes les époques.

Une société qui a bien prospéré

Le vendredi 13 janvier 1888, 33 scientifiques américains se réunissaient au *Cosmos Club* de Washington pour fonder la **National Geographic Society**. Mission de cette société sans but lucratif : « accroître et diffuser les connaissances géographiques ». Par géographie, il fallait entendre : « le monde et tout ce qu'il contient ». Vaste ambition... mais pari tenu. Aujourd'hui, plus d'un siècle après sa création, la *National Geographic Society* compte plus de 10 millions de membres répartis dans 170 pays. Pour accroître les connaissances des hommes sur eux-mêmes et sur leur planète, elle soutient financièrement des milliers de projets de recherche et des expéditions dans le monde entier. Certaines opérations, notamment en Antarctique, sont restées célèbres. Pour diffuser le savoir recueilli, la société —dont le siège est toujours à Washington— édite, depuis l'origine, le remarquable *National Geographic Magazine* (10 millions d'abonnés, 40 millions de lecteurs), mensuel dès 1896, qui est aujourd'hui vendu dans le monde entier, essentiellement par abonnement. Elle publie, par ailleurs, un hebdomadaire réservé aux professeurs et aux étudiants (le *National Geographic School Bulletin*) ainsi que de nombreux ouvrages destinés à un plus large public. Son important service cartographique diffuse chaque année des millions d'exemplaires de cartes. Les recettes —considérables— de la société sont intégralement réinvesties, ce qui permet d'entretenir de nombreuses équipes : explorateurs, chercheurs, rédacteurs, photographes, cartographes...

Toujours installée dans l'ancienne maison familiale des Duncan, réaménagée en 1984 et augmentée d'un bâtiment

Mobiles ou stabiles ?

« Je veux faire des Mondrian qui bougent », s'était écrié le sculpteur américain **Alexander Calder**, lors d'une visite à l'atelier de son ami le peintre Piet Mondrian. Deux ans plus tard, en 1932, c'était chose faite, comme on put le constater à la première exposition de ses curieux engins à la galerie Vignon. D'étranges objets abstraits étaient nés, constitués de plaques de métal aux couleurs vives suspendues au bout de fils de fer, le tout actionné par un petit moteur : ces sculptures aériennes baptisées « mobiles » par Marcel Duchamp.

Originaire de Lawton, Philadelphie, ce jeune Américain avait débarqué à Paris à l'âge de 28 ans, après avoir abandonné de brillantes études d'ingénieur. Il avait très vite conquis les artistes de Montparnasse en animant dans son atelier son célèbre *Cirque* composé de marionnettes articulées, faites de bobines, de fils de fer et d'autres matériaux insolites. Malgré le succès de ses premiers « mobiles », il renonça peu à peu au mouvement mécanique et laissa au vent le soin de les actionner. Parallèlement, il continua la création de ses « stabiles » —néologisme suggéré par son camarade Jean Arp—, énormes « insectes » d'acier fermement cloués au sol. Son imagination et son habileté de mécanicien lui permirent de créer un monde rythmé se renouvelant sans cesse. Son humour et son dynamisme, maîtres mots de sa vie comme de son œuvre, lui assurèrent une popularité croissante auprès du public. Il fut le premier artiste à vendre très cher des œuvres exécutées à l'aide de matières premières sans valeur.

concerts du dimanche après-midi, où se produisent les plus grands virtuoses.

Bref aperçu des œuvres. — Parmi les vedettes de cette collection d'une rare qualité, des précurseurs de la peinture moderne (Greco, Goya, Chardin) voisinent avec Manet (*le Ballet espagnol***, 1863), Renoir (le *Déjeuner des canotiers***, 1881), Degas (*Danseuses à la barre**, 1884), Cézanne (**Autoportrait****, 1880), Van Gogh (*les Cantonniers*, 1889), Picasso (*la Chambre bleue**, 1901), Matisse (**Quai Saint-Michel****, 1916), Bonnard (*le Palmier*, 1926), Paul Klee (*Rêve d'Arabie*, 1932), et les grands Américains contemporains, parmi lesquels Mark Rothko (1903-1970), dont les œuvres occupent une salle entière, et Alexander Calder.

● **Kreeger Museum** *(2401 Foxhall Rd, NW ; ouv. mar.-sam. de 10 h à 13 h et de 14 h à 17 h ; visite guidée à 10 h 30 et 13 h 30, ☎ 338-3552).* — Ce musée, ouvert en 1994, était la maison du mécène David Lloyd Kreeger. Impressionnisme, post-impressionnisme et art moderne se côtoient dans un cadre créé par l'architecte Philip Johnson.

■ 6. Georgetown*

Un petit pont sur Rock Creek, vallon ombragé au fond duquel coule un mince ruisseau, et vous abordez, à l'extrême O. de la ville, dans le prolongement de Pennsylvania Ave., l'un des plus anciens quartiers de Washington. Une vraie ville dans la ville. La capitale fédérale n'existait pas encore que, déjà, Georgetown était le plus important port de la région pour le commerce du tabac et des céréales. Le développement des voies ferrées puis la guerre de Sécession entraînèrent son déclin.

Dans les années 30, intellectuels et esthètes fortunés redécouvrirent le charme de ses vieilles rues, rasèrent les taudis, restaurèrent les maisons de

mitoyen en 1989, la collection poursuit aujourd'hui sa traditionnelle politique d'acquisitions, multiplie les expositions temporaires et demeure fidèle à ses

bois et de briques rouges, redonnèrent leur lustre aux antiques manoirs de style géorgien. J.F. Kennedy lui-même habita l'une de ces maisons (3307 N St.) avant d'entrer à la Maison Blanche. Georgetown est devenu aujourd'hui l'un des quartiers résidentiels les plus chargés d'âme (et les plus chers) de la capitale. Et en même temps, dans quelques-unes de ses rues, notamment la M et Wisconsin, l'un des plus animés et des plus envahis par les foules du samedi soir.

Au choix : calme ou animation. — Distinguez entre les deux aspects parfaitement contradictoires de Georgetown. Sur M et Wisconsin Sts, restaurants, bars, boutiques et centres commerciaux de bonne qualité se tiennent au coude à coude et attirent jour et nuit belle jeunesse, bourgeois à la mode et foules de tout genre. Très animé donc, bruyant et parfaitement anodin.

Tout le reste du quartier est au contraire paisible, provincial et même campagnard. On peut y passer des heures délicieuses au fil des rues étroites qui montent du Potomac vers les hauteurs de Dumbarton Oaks. À ne visiter que le jour. La nuit, rien à voir, et mieux vaut rester dans les zones bien éclairées.

Durée. — Si vous voulez vous promener tranquillement dans Georgetown et goûter à son atmosphère bien spécifique, prévoyez 3 h. Et rien ne vous empêche d'y retourner le soir, pour l'animation nocturne.

Accès : Pas de métro. On peut prendre, devant la Maison Blanche, les bus pairs numérotés de 30 à 38, ou, à pied, remonter Pennsylvania Ave.

Départ : carrefour de M et Wisconsin Sts.

● **Washington Harbour** *(au S. de Georgetown, en bordure du Potomac, au niveau de la 30th St.).* — Faites-y un tour si vous aimez le calme et souhaitez profiter de la présence du fleuve. Une architecture intéressante pour ce complexe de boutiques élégantes, cafés, terrasses et bureaux, égayé la nuit par des jets d'eau de couleurs.

En remontant la 30th St., vous croiserez un joli canal avec des voies piétonnes sur la berge et quelques anciennes écluses.

● **Old Stone House** *(3051 M St. NW ; plan A1 ; vis. : de 8 h à 16 h 30 ; entrée libre ; ☎ 426-6851).* — Cette petite maison à un étage, en pierres brutes et briques, est, paraît-il, la plus ancienne de Washington (1765). C'est là que P. L'Enfant et G. Washington auraient conçu les plans de la nouvelle capitale. Réaménagée à l'ancienne, elle témoigne avec éloquence du cadre dans lequel vivaient des petits bourgeois avant l'Indépendance.
À 500 m au N.-O., **Old St John's Church** (3240 O St.) est une église épiscopalienne construite en 1794.

● **Tudor Place** *(32nd St. NW ; vis. payantes du mar. au sam. Pas de photo. ☎ 965-2262).* — De style néo-classique, ce joli manoir à portique, caché dans un parc ombragé de sycomores, est très représentatif des demeures patriciennes du début du XIXe s. Construit en 1805 par Martha Peter, petite-fille par alliance de George Washington, il rassemble de nombreux souvenirs du Père de la Nation. Habité pendant 180 ans par la famille Peter, il est devenu un musée en 1984.

● **Dumbarton Oaks*** *(1703, 32nd St. NW ; vis. : mar.-dim. de 14 h à 17 h ; ☎ 338-8278).* — C'est dans cette vaste maison datant des dernières années du XVIIIe s. que se sont tenues, après la Seconde Guerre mondiale, les deux conférences internationales qui ont préparé la création des Nations Unies. Elle abrite aujourd'hui les superbes **collections d'art byzantin** réunies par Robert Woods Bliss, un diplomate qui rêvait de construire une « maison de campagne à la ville ». Pari tenu. Très beau parc avec jardins en terrasses.

● **Oak Hill Cemetery** *(entrée à l'extrémité de 30th St. ; ouv. lun.-ven. de 9 h à 16 h 30, f. week-end et j.*

fériés). — C'est l'un des cimetières les plus vieux (1844) et les plus romantiques de la ville. Il comprend de nombreux mausolées et tombes anciennes, dans un cadre bucolique.

■ 7. Arlington*

Il suffit de franchir le Potomac pour se retrouver en Virginie. Rien n'indique qu'on ait quitté le territoire fédéral, si ce n'est que les bâtiments peuvent ici dépasser la hauteur du Capitol —ce qu'ils commencent à faire sans vergogne. Beaucoup de fonctionnaires et d'employés de bureau habitent désormais Arlington, moins cher que la capitale. Le visiteur, lui, profite de l'existence du luxueux centre commercial de Pentagon City (magasin Nordstron notamment), pour renouveler à bon prix sa garde-robe. Il rêve, en passant, de visiter l'énorme édifice du Pentagone, ce ministère de la Défense construit pendant la Seconde Guerre mondiale et qui totalise 28 km de couloirs. Il prend le cas échéant un avion au National Airport (plutôt qu'à Dulles, beaucoup plus éloigné). Mais surtout, il va en pèlerinage au romantique cimetière militaire d'Arlington, le plus célèbre des États-Unis.

Accès. — *Les cinq ponts routiers qui relient les deux rives du Potomac étant constamment embouteillés, prenez le métro pour venir du centre-ville. Station :* Arlington Cemetery.

● Arlington National Cemetery*

Plan A4

Arlington, État de Virginie ; métro : Arlington Cemetery ; ☎ 703/607-8052.

Visite : t.l.j. de 8 h à 17 h, 19 h en été ; entrée libre.

Sur un terrain boisé et vallonné de 240 ha, plus de 175 000 soldats américains reposent dans la verdure, face aux bâtiments officiels de Washington, de l'autre côté du Potomac. Parmi eux, deux figures aujourd'hui

mythiques, le président Kennedy et son frère Robert, dont les tombes sont le but d'incessants pèlerinages.

Visite. — Depuis le Visitor Center, des autobus effectuent en permanence des tours à travers cet immense domaine consacré depuis 1864 aux héros de la nation. Un cimetière certes, mais aussi un superbe morceau de nature à deux pas de la ville, où, de loin en loin, des dalles parfaitement alignées tachent de blanc les immenses pelouses. Ce sont celles des militaires (et maintenant aussi d'astronautes) morts en mission, et aussi quelquefois de leurs propres parents. Des monuments funéraires, toujours très sobres, signalent également des tombes d'officiers et d'hommes célèbres morts dans leur lit, comme le président Taft, les généraux Pershing et Marshall, et le boxeur Joe Louis.

Tombe du soldat inconnu. — Au plus élevé de cet immense parc, elle domine le **Memorial Amphitheatre,** construit en 1920 sur le modèle du théâtre de Dionysos à Athènes. C'est un bloc de marbre de 70 t sous lequel reposent les restes de soldats tués pendant les deux guerres mondiales et la guerre de Corée. C'est là que chaque heure, d'oct. à mars, et chaque demi-heure d'avril à sept., jour et nuit, se déroule une relève de la garde particulièrement musclée. Gants blancs et gestes saccadés, un officier vérifie, à grand renfort d'aboiements, de claquements de talons, de regards menaçants, si le fusil du prochain factionnaire est propre et en bon état. Alors seulement, la garde montante remplace la garde descendante.

Tombeau de J.F. Kennedy. — Changement d'atmosphère ici : un simple lit de pierres brutes où brûle une flamme perpétuelle. Sur un mur de pierre blanche sont gravées quelques-unes des formules les plus généreuses du président assassiné (1917-1963). Celle-ci, par exemple, adressée à ses compatriotes : « Ne demande pas ce que l'Amérique peut faire pour toi. Demande-toi plutôt ce que tu peux faire pour l'Amérique ». À proximité, une autre dalle, encore plus modeste, celle de son frère Robert, lui aussi assassiné (1925-1968), et celle de Jacqueline Kennedy Onassis.

En remontant la colline, on arrive à la **Arlington House** qui se niche derrière un imposant portique. Cette élégante maison patricienne fut construite de 1802 à 1817 par George Curtis, un gentleman-farmer peintre et écrivain, dont la grand-mère Martha avait épousé en secondes noces George Washington. En 1831, sa fille Mary Anna épousa Robert Lee, et c'est ainsi que le domaine devint la propriété du futur commandant en chef des forces sudistes pendant la guerre de Sécession. Après la défaite, Arlington fut confisqué et transformé en cimetière militaire. Il fallut attendre 1925 pour que, la famille ayant été indemnisée, la demeure soit restaurée et réaménagée dans son style d'origine. On découvre ainsi le cadre, à la fois sobre et raffiné, dans lequel vivait une famille aristocratique des premiers temps de l'Indépendance. Et un paysage dont le marquis de Lafayette, venu ici en 1824, disait qu'il était « le plus beau du monde ».

Sur le gazon, devant la maison, repose le Français **Pierre-Charles L'Enfant** (1754-1825), qui dessina le plan de la ville de Washington en 1791. Celui-ci a été reproduit sur la plaque funéraire, en guise d'hommage.

● **Iwo Jima Memorial** (*Route 50, près du cimetière d'Arlington ; État de Virginie*). — Transposée dans une immense statue de bronze (la plus grande jamais réalisée), la fameuse photo d'un groupe de marines dressant le drapeau américain sur une île perdue du Pacifique, pendant la Seconde Guerre mondiale. Un hommage à tous les soldats de ce corps d'élite morts au combat depuis sa création, en 1775.

● **Pentagone** (*métro : Pentagon ; plan A4 ; à 1,5 km au S. du Arlington Memorial Bridge*). — Le ministère américain de la Défense, surnommé le Pentagone en raison de sa forme, est un complexe administratif construit de 1941 à 1943 sur une superficie de 13,8 ha. Il est constitué de cinq cercles concentriques de 5 étages chacun et abrite 23 000 employés. Le bâtiment est ouvert au public dans sa plus grande partie (*lun.-ven. de 9 h à 15 h 30*). Il faut cependant avouer que l'endroit n'a rien de spécialement attrayant !

De l'entrée du bâtiment (*Underground Concourse Entrance*), on arrive, en passant devant des magasins, à l'**Information Desk** où l'on obtient un plan avec des indications sur les points les plus intéressants. Les couloirs totalisent 28 km. Les lieux les plus importants sont au cercle E., les bureaux du ministre de la Défense au 3e étage, ceux du chef d'état-major au 2e étage, et ceux du ministre de la Marine au 4e étage. Multiples cafétérias et snack-bars ouverts aux visiteurs.

■ 8. Mount Vernon : la maison de George Washington*

Un million de visiteurs se rendent chaque année à Mount Vernon, à une vingtaine de km au S. de Washington, pour défiler religieusement dans le manoir tout blanc où vécut et mourut George Washington, le Père de la Nation. C'est dire que, par week-end de beau temps, la foule submerge aussi bien les pelouses que les bars et les restaurants, et que les files d'attente s'allongent sur des dizaines de mètres. Mais le domaine a quand même bien du charme, sa visite est très instructive et, si vous y allez par bateau, la croisière sur le Potomac est tout à fait reposante. Si vous vous y rendez en voiture, vous pourrez, en chemin, visiter la petite ville d'Alexandria.

Comment aller à Mount Vernon ? — *Par le fleuve :* deux bateaux de croisière très confortables, le Spirit of Washington et le Potomac Spirit, relient chaque matin Washington (Pier 4 ; 6th et Water Sts ; Métro : Waterfront) à Mount Vernon, où ils restent environ 2 heures avant de repartir. La croisière aller, très agréable, dure une heure et demie. Réservations au ☎ 554-8000.

Par la route : 24 km par la Mount Vernon Memorial Highway.

Par les transports en commun : prendre le métro jusqu'à National Airport, puis le bus 11P à la sortie de la station de métro.

● **Alexandria** (Virginie ; à 12 km de Washington par la Mount Vernon Memorial Highway). — Cette petite ville des bords du Potomac, fondée en 1749 par des commerçants écossais, est devenue aujourd'hui une banlieue résidentielle de la capitale. On y vient aux beaux jours dîner en plein air sur le nouveau port, s'habiller dans les boutiques de mode et retrouver un parfum de passé dans Royal St., bordée de charmantes maisons du XVIIIe s., parfaitement restaurées.

● **Mount Vernon*** (Virginie ; vis. : de 9 h à 17 h, 16 h en hiver ; entrée payante ; ☎ 703/780-2000 ; ouv. même les jours fériés ; décorée à Noël). — Rien ici n'a changé depuis deux siècles. Ni le paysage —interdiction de construire aux alentours, afin de préserver la pureté de la vue—, ni la maison de style georgien, conçue, décorée, meublée par George Washington lui-même. Venant du fleuve, on l'aperçoit sur une butte verdoyante dominant le Potomac, classique maison de planteur du Sud. Un chemin grimpe entre les arbres vers le tombeau familial, abritant les sarcophages de Washington et de « Martha, consort of Washington », ainsi que le dit l'épitaphe. Un sentier conduit à une stèle —la seule du genre aux États-Unis— élevée à la mémoire des esclaves noirs du domaine. Washington en possédait

L'étonnante réussite d'un jeune général Virginien

Rien ne prédestinait **George Washington** à devenir un héros national : excellent cavalier, bon tireur, mais sans prétention intellectuelle, il grandit entre sa mère et un demi-frère soucieux de l'intégrer à la bonne société locale. D'ailleurs, il ne brillera jamais dans les salons ni à la tribune. La guerre de Sept Ans, contre la France, en fait toutefois un bon officier. Quand s'amorce la révolte contre la Grande-Bretagne, Washington est l'un des sept délégués élus au Ier congrès de Philadelphie (1774). L'année suivante, le IIe congrès le nomme « commandant de toutes les forces continentales levées en vue de la défense de la liberté américaine ». Son armée de 15 000 miliciens est peu fiable. Il réussit pourtant, avec l'aide de La Fayette, à la mener à la victoire. Sans ambition politique mais glorifié par tous, il se retire à Mount Vernon qu'il veut embellir et valoriser : de 1784 à 1789, la Virginie le passionne bien davantage que la confédération naissante…

Les hommages du monde entier et l'admiration de ses compatriotes le conduisent pourtant, en mai 1787, à la présidence de la Convention constitutionnelle de Philadelphie, qui publie en septembre le texte fondateur du système politique américain. En 1789, il est élu à l'unanimité premier président des États-Unis et réélu quatre ans plus tard. Dès 1793, il est critiqué pour sa politique étrangère après la signature d'un traité de neutralité avec la Grande-Bretagne. Sa mission présidentielle terminée, il est heureux de retrouver Mount Vernon, mais il y meurt le 17 décembre 1799, quelques semaines avant que la nouvelle capitale vienne glorifier à jamais son nom.

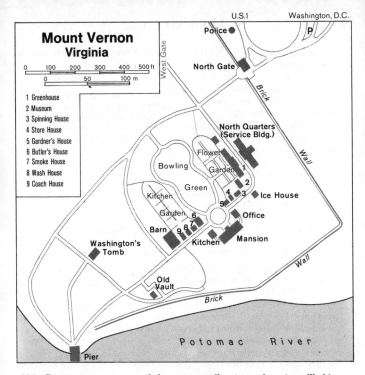

Mount Vernon
Virginia

0 100 200 300 400 500 ft
0   50   100 m

1 Greenhouse
2 Museum
3 Spinning House
4 Store House
5 Gardner's House
6 Butler's House
7 Smoke House
8 Wash House
9 Coach House

U.S.1   Washington, D.C.

Police
West Gate
North Gate
Brick
Wall
North Quarters
(Service Bldg.)
Flower
Garden
Bowling
Green
Kitchen
Garden
Barn
Washington's
Tomb
Old
Vault
Brick
Ice House
Office
Kitchen
Mansion
Wall
Pier

Potomac River

300. Dans son testament, il leur accorda la liberté et fit don à chacun d'une somme d'argent pour survivre.

Une histoire de famille — C'est l'arrière-grand-père de George, arrivé d'Angleterre en 1659, qui le premier s'installa en 1674 sur cette plantation des bords du Potomac. Trois générations plus tard, à la mort de son frère aîné qui en avait hérité et l'avait baptisée du nom de l'amiral britannique Vernon, sous les ordres duquel il avait servi aux Caraïbes, George Washington en devint, en 1761, l'unique propriétaire. Jusqu'à sa mort en décembre 1799 et malgré ses nombreuses absences dues aussi bien à ses campagnes militaires qu'à ses mandats présidentiels, il l'augmenta de nouveaux terrains, créa des fermes, planta des arbres (dont l'allée qui mène à l'entrée principale), ne cessa de décorer et d'aménager la maison d'habitation, et de se passionner pour les travaux de la plantation. Il s'y retira définitivement en 1797 mais ne put profiter de la vie paisible qu'il s'y était aménagée que pendant deux ans et demi. Son épouse Martha ne lui survécut que deux ans. D'abord morcelés entre différents héritiers, les 8 000 acres du domaine furent finalement réunifiés en 1853 par la Mount Vernon Ladies Association, créée par Ann Pamela Cunningham, une « southern matron » comme elle se nommait elle-même, afin de préserver la mémoire du premier président. C'est cette association qui gère aujourd'hui encore Mount Vernon.

Visite. — La maison elle-même apparaît singulièrement austère, à l'image de son ancien propriétaire. Pièces petites, peintes de couleurs foncées

(19 en tout), meubles du XVIIIe s. d'une extrême sobriété. On s'attarde dans la bibliothèque et dans la chambre du premier étage où mourut Washington. On s'étonne de voir la clé de la Bastille de Paris, que lui offrit La Fayette en 1790, et qui reste accrochée dans le vestibule. Mais la partie la plus accueillante demeure la façade à colonnes, tournée vers le Potomac.

La cuisine elle aussi est restée en l'état. Quant aux quartiers des esclaves, en grosses pierres brunes, il est difficile de les imaginer dans leur réalité. Ils ont été soigneusement restaurés et aménagés en boutiques et petits musées.

Williamsburg**

11 530 hab. ; fuseau horaire : Eastern time.
Situation : Virginie, sur la côte atlantique ; à 43mi/69km au N.-O. de Norfolk.
À voir aussi dans la région : Charlottesville*, Norfolk, Richmond**.

Visiter Williamsburg, c'est effectuer un bond de deux siècles en arrière. Le centre de la ville, Colonial Williamsburg, a retrouvé son visage du XVIIIe s. : grâce à soixante années de patient travail, 88 édifices ont été restaurés et d'autres reconstruits sur leurs fondations anciennes. Les grandes demeures campées sur leurs jardins solennels y côtoient les plus simples habitats, les tavernes y sont bruyantes et gaies et, dans les boutiques, les artisans s'activent. La reconstitution a certes quelque chose d'un peu théâtral, mais l'effet est réussi : le son du fifre court le long des rues pavées et l'esprit de la jeune Amérique y souffle !

Avec Jamestown et Yorktown, situées dans ses environs, Williamsburg forme le fameux triangle historique, foyer de la liberté pour les premiers colons jusqu'à la guerre d'Indépendance.

■ Williamsburg dans l'histoire

La plantation du milieu. — En 1622, victimes des massacres perpétrés par les Indiens, les premiers colons de Virginie hissent une palissade entre les rivières James et York, le long de laquelle ils créent une plantation dite du Milieu (Middle Plantation). Très tôt, en 1693, ils édifient sur les terrains de celle-ci le collège de Guillaume et Marie, deuxième collège sur le territoire américain, ainsi

nommé en l'honneur du roi Guillaume III d'Angleterre et de son épouse. La plantation du milieu est rebaptisée Williamsburg en 1699, date à laquelle la ville reçoit le nouveau siège gouvernemental de Virginie. Devenue capitale de la Virginie, la ville se développe et devient une puissante colonie anglaise.

Le réveil de l'ancienne cité. — En 1780, en pleine guerre d'Indépendance, la cité perd son titre de capitale au profit de Richmond qui semble mieux protégée. Privée de sa fonction politique, Williamsburg s'assoupit lentement. C'est en 1926 que John D. Rockefeller entreprend la restauration de l'ancienne cité du XVIIIᵉ s. ; les travaux durèrent soixante ans et Williamsburg retrouvera sa personnalité historique.

■ Visiter Williamsburg

Deux jours sont nécessaires pour flâner à Williamsburg et parcourir le fameux triangle historique.

*Au N. de la ville se trouve le **Visitor's Center** (Colonial Parkway par l'Interstate 64, sortie 56 ; ouv. t.l.j. 8 h 30-18 h ; ☎ 220-7643) : on peut s'y procurer un carnet de tickets donnant accès aux principaux lieux de Colonial Williamsburg, ainsi qu'à l'autobus qui en fait le tour et que l'on peut prendre ou laisser à n'importe lequel de ses arrêts. Sans ticket on peut toutefois se promener partout, mais sans visiter le capitole, la boutique du perruquier, ni voir le travail des artisans.*

■ Colonial Williamsburg

Les automobiles sont proscrites de cette zone historique ; l'on s'y promène donc à pied ou en carrosse attelé, comme au XVIIIᵉ s.

● **Duke of Gloucester Street** traverse le quartier historique d'E. en O. Vous y croiserez de nombreuses **tavernes**, dans lesquelles il est possible de déguster des mets cuisinés comme autrefois et servis par un personnel en costume d'époque. Entrez chez les **artisans** qui, avec des outils traditionnels, perpétuent les techniques ancestrales de plus de 36 métiers. Vous verrez travailler le boulanger, le relieur, l'orfèvre, mais aussi le perruquier et l'apothicaire. La mise en scène superbe permet d'oublier le côté un peu trop touristique.

● **Le capitole** (à l'E. de Duke of Gloucester St.) fut entièrement reconstruit sur les fondations de l'édifice de 1705. L'intérieur, richement orné, est tout à fait caractéristique de la Virginie aristocratique. En début de soirée, le capitole est le point de départ de la fanfare de fifres et de tambours qui sillonne les rues de la ville.

● **Palace Green** (à mi-chemin de Duke of Gloucester St.) est une belle pelouse qui conduit au **Palais du Gouverneur** où résidèrent Patrick Henry et Thomas Jefferson. L'édifice actuel est une reconstruction du XXᵉ s. sur les fondations de l'ancien palais détruit par le feu en 1781. Vous pourrez y admirer une grande salle de bal ainsi qu'un mobilier somptueux. 800 fusils et épées disposés sur les murs de nombreuses pièces ajoutent une touche insolite à la décoration.

● **Bruton Parish Church** fut construite en 1755, lorsque la loi obligea tous les Blancs de Virginie à suivre au moins une fois par mois le service religieux. C'est aujourd'hui une église épiscopale.

● **College of William and Mary** (à l'O. de Duke of Gloucester St.). — Fondé en 1693, c'est, après Harvard, le deuxième collège des États-Unis par ordre d'ancienneté. Thomas Jefferson, troisième président des États-Unis, y étudia et plus tard y enseigna le droit.

● **Abby Aldrich Rockefeller Folk Art Center** (South England St.) présente une amusante collection de jouets, outils, lingerie et tout un bric-à-brac d'objets usuels ou décoratifs.

● **De Witt Wallace Decorative Arts Gallery** (Francis St.). — On peut y voir une intéressante collection de meubles, de figurines en porcelaine et de portraits dont celui, grandeur nature, de Washington peint par Charles Willson Peale.

Fifres à Williamsburg.

■ Jamestown et Yorktown

Aucun bus, malheureusement, ne dessert les deux sites ; si vous n'avez pas de voiture, le Visitor's Center vous renseignera sur les possibilités de vis. guidées en car ou en mini-bus. Les sportifs pourront louer une bicyclette ; comptez 30 km au minimum *(Bikes limited 759 Scotland Ave. ☎ 229-4620)*. Dans tous les cas, vous emprunterez **Colonial Parkway**, une route sinueuse qui traverse un superbe paysage.

● **Jamestown Island*** *(à 9mi/14km au S.-O. par Colonial Parkway)*.

C'est sur cette île que fut fondée, en 1607, la cité historique de **Jamestown**, première colonie anglaise permanente au N. de l'Amérique. Les colons anglais, venus chercher de l'or, y trouvèrent du tabac : en 1619, la ville exportait 20 tonnes de tabac par an vers l'Angleterre. Elle subit les attaques répétées des Indiens powhatans, mais c'est de ses propres troupes que vint le plus grand péril : pour protester contre le manque de protection de la Couronne anglaise, la colonie mit le feu à son fort en 1675. Elle fut alors transférée à Williamsburg, et Jamestown disparut lentement. De la cité du XVIIᵉ s., il ne reste plus que les fondations et les ruines du clocher de l'église de 1639, aujourd'hui intégré à **Memorial Church**.

Jamestown Settlement* *(ouv. t.l.j. 9 h-17 h).* — À proximité de l'ancienne cité se trouve une reconstitution historique vivante de la vie des premiers colons. Vous y découvrirez un village indien powhatan où des femmes en costume pratiquent le tissage et la poterie, mais vous trouverez sans doute plus intéressante la reconstitution du **Fort James**. Pour revivre le voyage des anciens colons, montez à bord de la *Susan Constant*, du *Godspeed* ou du *Discovery*, trois répliques grandeur nature des navires des premiers immigrants.

● **Yorktown*** *(à 14 mi/23 km au S.-E. de Williamsburg par Colonial Parkway).*

Ce site vallonné a donné son nom à la bataille décisive qui mit un terme à la guerre d'Indépendance (18 oct. 1781). Le général Cornwallis et les troupes britanniques y furent défaits par l'armée franco-américaine placée sous les ordres de Washington. Depuis le **Visitor's Center** *(ouv. t.l.j. 9 h-17 h),* on part sur le **champ de bataille** où tous les points stratégiques sont signalés. On verra notamment **Moore House** où fut signée la capitulation.

Yorktown Victory Center* a été édifié à l'occasion du bicentenaire des États-Unis en 1976 *(ouv. t.l.j. 9 h-17 h ; du 15 juin au 15 août 9 h-19 h).* Une

reconstitution vidéo vous plongera dans l'ambiance sonore et visuelle de la guerre d'Indépendance ; tandis que sur un campement de l'armée (reconstitué) des soldats répondront volontiers à vos questions concernant la bataille d'hier, ou bien celle qui sera livrée demain…

■ **À voir encore**

● **Old Country** *(à 5 mi/8 km au S.-E. par l'US 60).* — Si vous êtes amateur de sensations et que, las d'histoire, vous souhaitez vous divertir, courez à ce parc d'attractions de 121 ha où chacune des sections représente une nation européenne. Vous y serez brinquebalé dans tous les sens !

● **Carter's Grove Plantation** *(à 10 mi/16 km au S.-E. par l'US 60).* — La partie ancienne de cette demeure (1750) est tout à fait remarquable car, par son luxe, elle se démarque des autres plantations construites à la même époque. Il est intéressant de visiter le quartier des esclaves reconstruit dans l'esprit du XVIIIᵉ s. Cette plantation accueillit George Washington, Thomas Jefferson et Franklin Roosevelt.

● **Vers Richmond par la James River.**— D'autres plantations sont accessibles par la VA 5 qui remonte la James River vers l'O. Entourées d'un domaine superbe, elles sont les témoins de la vie des riches planteurs du S. : **Sherwood Forest** *(env. 20 mi/32 km),* construite en 1730, fut agrandie par le président John Tyler qui s'y retira en 1845 ; **Evelynton Plantation** *(env. 22 mi/35 km),* élevée à la fin du XIXᵉ s. dans le style colonial ; **Berkeley Plantation** *(24 mi/38 km)* où W. H Harrison, 9ᵉ président des États-Unis, vit le jour.

Wilmington*

71 530 hab. ; fuseau horaire : Eastern time.
Situation : N. de l'État du Delaware ; à 29 mi/47 km au S.-O. de
Philadelphie.
À voir aussi dans la région : Atlantic City, Baltimore**, Philadelphie***.

Avec son flegme tout britannique, Wilmington a su résister à la pression des grandes villes affairées de la côte Est et préserver une certaine ambiance, presque provinciale. Elle n'en est pas moins considérée comme la métropole de l'industrie chimique avec la présence, dans ses immeubles ultra-modernes, des industries Du Pont de Nemours. C'est d'ailleurs presque un pèlerinage sur les pas de la prestigieuse famille que vous entreprendrez ici, tant sa destinée a marqué celle de la petite cité.

● **Fort Christina Monument** *(à l'extrémité orientale de 7th St.)* rappelle que la ville a été fondée par les Suédois (1638), sous le commandement de Peter Minuit. Le centre historique de la ville s'étend alentour, près du front de mer, dans un quartier assez décrépi et inhospitalier.

● **Old Swede's Church** et **Hendrickson House** *(606 Church St.).* Cette église, l'une des plus anciennes de la nation, fut fondée par la colonie suédoise en 1698. La maison, une ancienne ferme des années 1690, abrite un petit musée historique.

● **Le Delaware Art Museum** *(2301 Kentmere Pkwy ; ouv. mar.-sam. 10h-17h, dim. 12h-17h)* abrite une importante collection de peintures américaines de 1840 à nos jours (Winslow Homer, Edward Hopper, Thomas Eakins) ; nombreuses toiles préraphaélites.

● **Nemours Mansion and Gardens** *(à 2,5 mi/4 km au N. par la DE 141 et l'US 202 ; ouv. mar.-sam. 9h-15h, dim. 11h-15h).* Cet immense palais, résidence d'Alfred Du Pont (1910), fut construit sur le modèle de la maison familiale des Du Pont en France. Autant dire que l'ensemble, inspiré du style Louis XVI, est cossu, voire même un peu lourd ; beau parc.

● **H.F. Du Pont Winterthur Museum*** *(à 6 mi/10 km au N.-O. par la DE 52 ; ouv. mar.-sam. 9h30-17h, dim. 12h-17h ; les horaires étant variables, mieux vaut se renseigner avant d'y aller ☎ 888-4600).* Ce beau musée d'arts décoratifs illustre la variété des intérieurs américains entre 1640 et 1860. Vous y verrez près de 200 pièces *(period rooms)* reconstituées. Les jardins* sont aussi superbes.

● **Hagley Museum** *(à 3 mi/5 km au N.-O. par la DE 141 ; ouv. t.l.j. 9 h 30-17 h, en hiver seulement le week-end)* : vous y visiterez la poudrerie fondée par Eleuthère Du Pont de Nemours en 1802 et la résidence familiale (1803) ; petit musée.

■ Environs de Wilmington

● **New Castle** *(à 6 mi/10 km au S. par l'US 40).* — Fondée en 1651, cette ancienne ville portuaire très bien restaurée possède des rues pavées et de beaux édifices des XVIIIe et XIXe s (G. Read House de 1804) ainsi qu'**Old Dutch House**, de la seconde moitié du

L'étonnante destinée d'un petit fabricant de poudre

Les Du Pont de Nemours (Eleuthère Irénée, son frère Victor et leur père Pierre Samuel) débarquent sur le sol américain en 1800 ; le père, économiste célèbre, collaborateur de Turgot et royaliste convaincu, a fui la France après le 18 Fructidor. La famille souhaite fonder une colonie française, mais le projet s'avère difficile à réaliser. C'est alors qu'Eleuthère Irénée, qui a appris d'Antoine Lavoisier la fabrication de la poudre noire, décide de fonder, près de Wilmington, une petite usine capable de fabriquer une poudre d'excellente qualité. Pendant 30 ans, cette poudre noire sera la seule production des usines Du Pont. La diversification s'amorce vers 1832 (dynamite, explosifs à base de nitroglycérine) et, dès lors, l'expansion de la société sera aussi régulière qu'irrésistible. Grâce, bien sûr, aux innovations de la firme (plastiques, rayonne, cellophane, Fréon, engrais, etc.), mais aussi aux nombreuses acquisitions du groupe ; la plus spectaculaire reste la fusion avec *Conoco Inc.*, en 1981, qui lui permit de doubler de volume. L'ancienne poudrerie emploie aujourd'hui plus de 130 000 personnes et déclare un CA de près de $ 39 milliards. Gigantesque multinationale présente dans près de 40 pays, la *Du Pont Company* est devenue le n°1 mondial de l'industrie chimique.

XVIIe s. New Castle est considérée comme la plus jolie ville de l'État.

● **Smyrna** *(à 33 mi/53 km au S. par l'US 13).* — La ville possède quelques édifices du XVIIIe et du début du XIXe s. (Allee House, 1765).

À 8 mi/13 km au S.-E. se trouve le **National Wildlife Refuge de Bombay Hook**, réserve naturelle de plus de 6 000 ha, paradis d'oiseaux aquatiques *(sentiers et tours d'observation).*

● **Dover*** *(à 46mi/74 km au S. par l'US 13).* — Au centre d'une région fortement agricole, la capitale de l'État est une petite ville tranquille avec un centre historique assez bien conservé. Il faut y voir **Town Green**, grand espace ovale aménagé en parc, bordé de belles maisons des XVIIIe et XIXe s. et, parmi les nombreuses constructions d'époque coloniale : l'**Old State House** (1787) et le **Delaware State Museum**, en partie installé dans une église de 1790. **John Dickinson Home** *(à 5 mi/8 km au S.-E.)*, la maison de « l'homme de plume de la Révolution », présente la reconstitution d'une ferme (1740).

● **Lewes** *(à 84 mi/135 km au S.-E. par l'US 13 jusqu'à Dover, puis l'US 113 et la DE 1)* fut fondée en 1631 par des marins hollandais ; plusieurs édifices sont restaurés, comme le Thompson Country Store ou le Rabbit's Ferry House, et rassemblés dans le quartier historique *(ouv. lun.-sam. 11 h-16 h juin-sep.).* Le Zwaanendael Museum *(ouv. mar.-dim.)* est une reproduction de l'hôtel de ville de Hoorn (Pays-Bas), en souvenir des premiers immigrants.

● **Cape Henlopen State Park** *(à 87 mi/139 km au S.-E. par l'US 13 jusqu'à Dover, puis l'US 113 et la DE 1.)*, qui entoure l'ancien Fort Miles, est une péninsule de sable (dunes) offrant plus de 1 000 km de plages, baies et pinèdes. À 4 mi/6 km au S.-E., **Rehoboth Beach** est la principale station estivale de l'État, surtout depuis 1920.

● **Bethany Beach** *(à 97 mi/156 km au S.-E. par l'US 13 jusqu'à Dover, puis l'US 113 et la DE 1)*, au cœur du **Delaware Seashore State Park**, est l'une des plus belles plages de l'État sur la côte atlantique. N'hésitez pas à flâner alentour : vous y trouverez des kilomètres de plages encore sauvages.

Les Grands Lacs
ou la Symphonie
du Nouveau Monde

① Minnesota

② Wisconsin

③ Michigan

④ Iowa

⑤ Illinois

⑥ Indiana

⑦ Ohio

C'est avec tout le confort possible que vous visiterez aujourd'hui les denses forêts et les rives lacustres explorées par nos ancêtres, avec tant de difficultés, au XVIIᵉ s. Vous conduirez peut-être une voiture de la marque Ford (fabriquée à Detroit) en écoutant une chanson de Diana Ross sous le label Motown (légendaire maison de disques de Detroit). Vous dévorerez des corn-flakes le matin (du maïs de l'Iowa transformé à Battle Creek, dans le Michigan) et le soir trinquerez à la santé des trappeurs d'autrefois devant un verre de vin de l'Ohio et du fromage du Wisconsin. Vous visiterez quelques beaux musées et certaines des villes les plus cosmopolites des États-Unis, sillonnerez une campagne rythmée de granges et de silos et savourerez les plaisirs simples de l'Amérique profonde. Car si la puissance de l'industrie américaine règne sur ces Grands Lacs, la région est restée fondamentalement rurale.

● **Chercheurs d'or et lacs blottis dans l'immensité des forêts**

La plus importante réserve d'eau douce au monde, reliée par le Saint-Laurent à l'océan, pâtit sur certaines de ses rives (surtout celles du lac Erié) de son développement industriel. Mais les cheminées d'usines restent circonscrites autour des grandes villes : sur ses 3 500 kilomètres de rivage, le **Michigan** (41% de cet État sont aquatiques) en consacre la plupart à la pêche, au camping et à la randonnée. Les arbres de sa péninsule supérieure et du **parc d'Isle Royale** s'embrasent l'automne de pourpre et d'or, tandis que les vergers de la péninsule inférieure se couvrent au printemps d'une délicate neige de fleurs. Si les saisons sont marquées (Detroit se trouve à côté de la frontière canadienne) avec des moyennes de 28° C en été et de 3° C en hiver, certaines villégiatures semblent échapper à ce climat rigoureux, comme **Mackinac Island**, au décor intemporel de station balnéaire, fréquemment investie par Hollywood.

Loin de l'eau, on découvre un paysage vallonné de pâturages, de grandes fermes exploitant toutes les techniques modernes, et se hérissant de constructions à l'approche des villes. Près de 1,5 million d'habitants (sur les 5 millions que compte le **Wisconsin**) vivent dans la périphérie de **Milwaukee**, où sont implantées des industries mécaniques et alimentaires et des usines de fabrication de papier. Mais c'est ailleurs, dans ses campagnes aux courbes douces, presque vides d'hommes, que le premier producteur du pays de fromage, de beurre, de produits laitiers et de haricots verts, construit sa richesse. En revanche, la partie Nord de l'État, riche en or, en argent, en cuivre, en zinc, semble encore attendre les trappeurs... La neige est l'or blanc du Wisconsin, ses 60 stations étant dévolues au ski nordique et à la moto des neiges (le Tim's Hill ne culmine qu'à 600 m).

Michigan : carte d'identité

de l'indien « michigana » (grande étendue d'eau) ; abréviation MI ; surnom Wolverine State (État glouton).
Surface : 151 680 km² ; 23e État par sa superficie.
Population : 9 295 297 hab.
Capitale : Lansing (127 320 hab.).
Villes principales : Detroit (1 027 974 hab.) ; Grand Rapids (189 126 hab.) ; Warren (144 860 hab.) ; Flint (140 760 hab.) ; Ann Arbor (109 580 hab.) ; Livonia (100 850 hab.).
Entrée dans l'Union : 1837 (26e État).

Wisconsin : carte d'identité

de l'indien « réunion des eaux » ; abréviation WI ; surnom Badger State (blaireau).
Surface : 145 440 km² ; 26e État par sa superficie.
Population : 4 891 769 hab.
Capitale : Madison (190 770 hab.).
Villes principales : Milwaukee (628 090 hab.) ; Green Bay (96 470 hab.) ; Racine (84 300 hab.).
Entrée dans l'Union : 1848 (30e État).

A la frontière canadienne, dans le **Minnesota**, la **Superior National Forest** est le royaume des élans, des castors, des loups, des pygargues, des loutres, des ours noirs et des moustiques. Les plus fortunés sillonnent en hydravion le « pays des 15 000 lacs », l'un des espaces naturels les plus recherchés du Middle West, alors que les simples touristes partis à l'aventure en canoë ou en 4 × 4, dans les territoires quasiment vierges du **Voyageurs National Park**. Les deux tiers du Minnesota sont couverts de forêts, les espaces boisés du Sud offrant aussi des points de vue sur le Mississippi, qui prend sa source dans l'État et continue de donner leur personnalité aux villes jumelles de **Minneapolis** et **Saint Paul**.

● **Au rythme des fermes joufflues**

Rien d'aussi spectaculaire dans **l'Indiana** : 75 % de la superficie de l'État appartient à des fermes. Cette terre au climat changeant est aussi l'un des grands rendez-vous des amateurs de courses automobiles (l'Indianapolis 500 se court le dernier lundi de mai) et, pour la bonne note, le premier fabricant d'instruments de musique du pays.

Le plus rural des États des Grands Lacs est **l'Iowa** : sa plus grande ville, **Des Moines**, compte à peine 200 000 habitants. Mais, comme l'atteste sa grande foire d'été, avec ses présentations de bêtes à cornes et de moutons parés comme des mannequins, c'est aussi le plus riche des États agricoles,

Indiana : carte d'identité

abréviation IN ; surnom Hoosier State (quand on frappait à leur porte, les colons auraient crié « Who's here ? »)
Surface : 93 700 km² ; 38ᵉ État par sa superficie.
Population : 5 544 160 hab.
Capitale : Indianapolis (700 800 hab.).
Villes principales : Fort Wayne (173 072 hab.) ; Evansville (126 270 hab.) ; Gary (116 650 hab.) ; South Bend (105 511 hab.).
Entrée dans l'Union : 1816 (19ᵉ État)

premier producteur de maïs, d'avoine et de soja des États-Unis. Quadrillé de plus de 100 000 fermes opulentes, il compte en effet 93 % de terres fertiles. Fermiers et éleveurs vont se distraire en pêchant la truite dans la région d'Okoboji, à la frontière du Minnesota.

● **Une couronne de villes conquérantes**

Les Grands Lacs communiquent avec la côte Est grâce à une sorte de ceinture urbaine, baptisée la Ruhr amé-

Minnesota : carte d'identité

des mots sioux « eau » et « couleur du ciel » ; abréviation MN ; surnom North Star State (État de l'Étoile polaire).
Surface : 218 600 km² ; 12ᵉ État par sa superficie.
Population : 4 375 100 hab.
Capitale : Saint Paul (272 235 hab.).
Villes principales : Minneapolis (368 383 hab.) ; Duluth (85 500 hab.) ; Rochester (70 745 hab.).
Entrée dans l'Union : 1858 (32ᵉ État).

Iowa : carte d'identité

de la tribu sioux des Ioways (« ceux qui ont sommeil ») ; abréviation IA ; surnom Hawkeye State (oeil de faucon), Little Switzerland (petite Suisse).
Surface : 145 790 km² ; 25ᵉ État par sa superficie.
Population : 2 776 750 hab.
Capitale : Des Moines (193 187 hab.).
Villes principales : Cedar Rapids (108 751 hab.) ; Davenport (95 333 hab.) ; Sioux City (85 925 hab.).
Entrée dans l'Union : 1846 (29ᵉ État).

ricaine et comptant de grandes conurbations : Cleveland, Toledo, Detroit, Columbus, Indianapolis, Milwaukee entourant leur reine, Chicago. Signe particulier : leur cosmopolitisme. Les Français furent suivis par des millions d'Européens dès la seconde moitié du XIXe s. et les faramineux salaires proposés par Henry Ford (5 dollars par mois) à partir de 1896 attirèrent dans la capitale automobile quantité d'émigrants... Des Allemands, Suisses, Hollandais, les plus grandes communautés de Belges et de Polonais hors de leurs pays respectifs vivent dans la région des Grands Lacs. Detroit revendique ainsi plus de 50 communautés ethniques et Milwaukee ressemble davantage à une juxtaposition de quartiers qu'à une ville homogène.

Autre signe distinctif de ces métropoles : elles utilisent à merveille l'automobile qu'elles ont promue, et leurs centres se désertifient au profit des banlieues. Detroit comptait 1,5 million d'habitants en 1970 et seulement un million aujourd'hui, malgré des opérations de prestige comme le Renaissance Center.

Affairées pendant la semaine, elles sont quasiment vides les week-ends, et c'est le meilleur moment pour profiter de leurs ressources culturelles, car les Grands Lacs comptent quelques-uns des plus beaux musées du pays : à **Chicago**, bien sûr, avec l'Art Institute, mais aussi à **Detroit** (Detroit Institute of Arts, Henry Ford Museum et, pour les amateurs de musique, Motown Museum), **Cleveland** (le Museum of Art et le Museum of Natu-

---

Illinois : carte d'identité

de l'indien « illini » (hommes) ; abréviation IL ; surnom Prairie State.
Surface : 145 930 km² ; 24e État par sa superficie.
Population : 11 430 600 hab.
Capitale : Springfield (105 000 hab.).
Villes principales : Chicago (2 783 730 hab.) ; Rockford (139 430 hab.) ; Peoria (113 504 hab.)
Entrée dans l'Union : 1818 (21e État).

---

ral History), **Cincinnati** (Art Museum), **Indianapolis** (la plus grande collection de Turner des États-Unis).

● **Un pôle artistique de premier plan**

L'État le plus urbanisé reste incontestablement l'**Illinois** : 9 de ses 11 millions d'habitants sont des citadins, 8 millions vivent autour de **Chicago.** La ville vaut, bien sûr, une longue escale. Le premier gratte-ciel y fut édifié en 1890. L'incendie qui ravagea la ville en 1871 permit à des architectes comme Louis Sullivan, Daniel Burnham, Frank Lloyd Wright ou Mies van der Rohe, de bâtir le Loop, mémoire in situ de l'architecture du XIXe s. finissant et du XXe s. D'après la légende, ce serait une vache, la vache de Madame O'Leary qui, en renversant une lanterne, aurait provoqué le désastre. Une vache à l'origine de l'une des plus belles villes des États-Unis : cela pourrait bien être le symbole des Grands Lacs.

Découvrir les Grands Lacs

■ Que voir ?

● Les métropoles

Dans l'Illinois : **Chicago*****, le berceau de l'architecture moderne et la grande cité des affaires du Middle West, dont les ressources culturelles et touristiques sont inépuisables (→ p. 520).

● Les belles demeures du passé

Dans l'Illinois : les vieux quartiers de **Chicago*****, pieusement conservés autour de Lincoln Park** (→ p. 550).

Dans l'Indiana : à **Vincennes***, construite par des explorateurs français au XVIIIᵉ s. (près d'Evansville → p. 588) ; Lockerbie Square Historic District*, à **Indianapolis**, élégante enclave victorienne (p. 590).

Dans le Wisconsin : les imposantes demeures de pierre de **Cedarburg*** (près de Milwaukee → p. 600).

Dans l'Ohio : le quartier de Mount Adams*, à **Cincinnati***, avec ses maisons fin de siècle (→ p. 568).

● L'architecture moderne

Dans l'Illinois : à **Chicago*****, bien sûr, où est né le gratte-ciel et où s'est épanoui le génie de Frank Lloyd Wright (→ p. 520).

Dans le Wisconsin : la **fondation Taliesin***, à Spring Green, où Frank Lloyd Wright fonda une école d'architecture (près de Madison → p. 594).

Dans le Michigan : le Renaissance Center*, construit pour revitaliser le centre de **Detroit*** (→ p. 578).

Dans le Minnesota : à **Minneapolis/Saint Paul*** (→ p. 602).

Dans l'Indiana : **Colombus***, où vinrent travailler les plus grands architectes de l'après-guerre (près d'Indianapolis → p. 591).

● Les grands musées

Dans l'Illinois, à *Chicago* (→ p. 545) : l'**Art Institute*****, dont les départements d'art européen (impressionniste) et asiatique n'ont rien à envier aux prestigieuses collections new-yorkaises ; mais aussi le **Terra Museum of American Art***, qui vous fera découvrir les meilleurs peintres américains du XIXᵉ s. ; le **Field Museum of Natural History****, dont les collections de sciences naturelles et d'ethnologie sont très riches ; le **Museum of Science and Industry****, remarquable « laboratoire » des sciences et techniques du XXᵉ s. ; sans oublier le **John Shedd Aquarium****, le plus grand du monde.

Dans l'Ohio : le **Cincinnati Art Museum**** (→ p. 568) et le **Cleveland Museum of Art**** (→ p. 572), tous deux riches en peintures anciennes ; le **Museum of Fine Arts**** de **Toledo**, qui couvre près de 5 000 ans d'art et d'histoire (→ p. 611).

Dans le Michigan : le **Detroit Institute of Arts*****, l'un des cinq plus grands musées d'art du pays, aussi riche en art oriental qu'en peinture européenne (→ p. 581) ; le **Henry Ford Museum****, dont les superbes reconstitutions permettent d'imaginer la vie des pionniers (près de Detroit → p. 583).

Dans le Minnesota : les présentations d'art moderne du **Walker Art Center**** et le **Minneapolis Institute of Art*****, très riche musée d'histoire générale de l'art (Minneapolis → p. 605).

Dans l'Indiana : l'**Indianapolis Museum of Art****, réputé pour sa collection d'œuvres de Turner (→ p. 590).

● **Les musées insolites**

Dans l'Illinois : le **DuSable Museum**, qui retrace les grands moments de l'histoire des Noirs aux États-Unis (Chicago → p. 557) ; le **musée Mac Donald**, installé dans le premier restaurant de la chaîne, et la **Pullman Community**, la ville modèle créée par le fondateur de la société des wagons-lits (dans les faubourgs de Chicago → p. 566).

Dans l'Iowa : le **village tchèque** de Cedar Rapids, qui raconte la grande aventure de ces immigrants arrivés ici au siècle dernier (→ p. 519) ; les **Amana Colonies**, qui conservent le souvenir des traditions piétistes (près de Cedar Rapids → p. 519).

Dans le Michigan : **Motown Museum**, où vous apprendrez tout sur les vedettes lancées par la célèbre maison de disques (Detroit → p. 583). Quant à l'automobile, elle est à l'honneur avec le **Olds Museum** de Lansing et la visite des usines de montages **Buick-Oldsmobile-Cadillac** à Flint (près de Detroit → p. 585). Dans un tout autre registre : les **écluses de Soo** (à Sault Sainte Marie → p. 597), qui comptent parmi les plus importantes du monde, et les **mines de cuivre** dispersées dans le N. de l'État, sur la Keweenaw Peninsula (→ p. 597).

Dans l'Indiana : les petits musées de **New Harmony**, derniers témoignages des tentatives de vie communautaire lancées, au XIXe s., par une poignée d'illuminés d'origine allemande (près d'Evansville → p. 587).

● **Les lieux historiques**

Dans le Minnesota : **Grand Portage National Monument***, ancien comp-

toir de fourrure aux confins du Canada et des États-Unis (→ p. 586).

Dans le Michigan : l'ancienne colonie française de **Mackinac Island*** (→ p. 597).

Dans l'Illinois : **Springfield**, presque entièrement dévouée à la mémoire d'Abraham Lincoln (→ p. 609).

● **Les sites naturels protégés**

Dans le Minnesota : le **pays des lacs***, au N. de Duluth et jusqu'à la frontière canadienne, paradis des pêcheurs et des randonneurs qui enthousiasmera les derniers aventuriers en quête de territoires vierges (→ p. 586) ; **Itasca State Park***, dont les eaux cristallines sont à la source du Mississippi, qui commence ici son périple vers le Golfe du Mexique (→ p. 587) ; **Voyageurs National Park***, que sillonnaient autrefois trappeurs et coureurs de bois entre le Canada et les États-Unis (→ p. 611).

Dans le Michigan : **Isle Royale National Park***, dont les épaisses forêts sont le refuge des renards rouges, des élans, des visons, des castors et de plus de 200 espèces d'oiseaux (→ p. 591) ; les dunes du **Sleeping Bear Dunes National Lakeshore*** et, plus au N., les falaises aux formes étonnantes du **Pictured Rock National Seashore*** (→ p. 596, 597).

Dans le Wisconsin : les grottes de **Cave of the Mounds*** et les falaises de **Wisconsin Dells*** (près de Madison → p. 594, 595).

● **Les sites indiens**

Dans l'Ohio : **Serpent Mound State Memorial***, étonnant tumulus en forme de reptile, et **Fort Ancient State Memorial** dédié aux Indiens Hopewell (près de Cincinnati → p. 569) ; les tombes et vestiges des Indiens Hopewell, découverts autours de **Chillicothe** (près de Columbus → p. 575).

Dans l'Indiana : l'ancien village préhistorique d'**Evansville** (→ p. 587).

Dans le Wisconsin : les tombes d'**Effigy Mounds National Monument**, à Prairie du Chien (près de Madison → p. 596).

■ Que faire ?

Soutenir... un match de base-ball : c'est l'un des spectacles les plus insolites et les plus déroutants pour un non initié ! Mais n'hésitez pas à perdre une après-midi au **Wrigley Field de Chicago** (d'avril à octobre) : l'ambiance est unique.

Danser : n'oubliez pas que **Chicago** est la capitale du jazz dans le N. du pays. Le temps des précurseurs et de la grande école du blues est révolu, mais les clubs et les bars sont toujours là, notamment à Lincoln Park.

Naviguer : en canoë, sur les innombrables lacs du Minnesota. C'est de Duluth que vous pourrez le plus facilement rejoindre ces plans d'eau souvent inaccessibles par la route et même, parfois, dépourvus de nom ; ceux qui souhaitent rester en « pays connu », préféreront les étendues du **Voyageurs National Park,** à l'extémité N. de l'État. Un autre parc, dans le Michigan, se prête à merveille aux périples lacustres : l'**Isle Royale National Park***.

Skier : le N. des Grands Lacs est le domaine du ski de fond et du *snowmobile* (moto des neiges), notamment le **N.-E. du Wisconsin** et la région des Northwoods (près de la frontière avec le Michigan). La **péninsule supérieure du Michigan** possède quelques domaines de ski alpin (autour de Marquette) et offre de nombreuses possibilités de ski de fond (dans les State Parks).

Pêcher : c'est évidemment l'une des activités les plus populaires. Les opportunités ne manquent pas, que ce soit la pêche au lancer dans les rivières ou la pêche à la cuiller dans les lacs du **Michigan**, du **Wisconsin** et du **Minnesota**. Les réglementations varient d'un État à l'autre : nous vous recommandons de vous renseigner auprès de l'Office du tourisme des États-Unis avant votre départ.

■ Propositions d'itinéraires

● 1. — Le haut cours du Mississippi

Itinéraire de Chicago à Duluth via Minneapolis

Les étapes qui jalonnent cet itinéraire vous feront saisir les contrastes du Middle West : de **Chicago***** à **Minneapolis/Saint Paul*** s'étendent de grandes plaines vallonnées sur lesquelles règne un monde à la fois industriel et agricole. **Madison***, cité très jeune et estudiantine, **Prairie du Chien***, où se retrouvaient les trappeurs indiens et anglais, **La Crosse*** ou encore **Wisconsin Dells***, bordée par les falaises du Mississippi, vous dévoileront les différents visages de cette région. Et si vous aimez la nature sauvage, vous apprécierez **Duluth*** et son arrière pays : ainsi, vous pourriez louer une barque dans le **Voyageurs National Park*** et suivre la route des trappeurs qui venaient de l'Ontario, ou remonter à pied l'ancienne piste indienne qui traverse le **Grand Portage National Monument***. Moins fatigante, mais tout aussi belle, la North Shore Drive (au départ de Duluth) longe le **lac Superior** et offre de beaux panoramas sur cette immense forêt.

Les étapes *(660 mi/1061 km de Chicago à Duluth)*

— 1er jour : quittez Chicago pour Madison ;

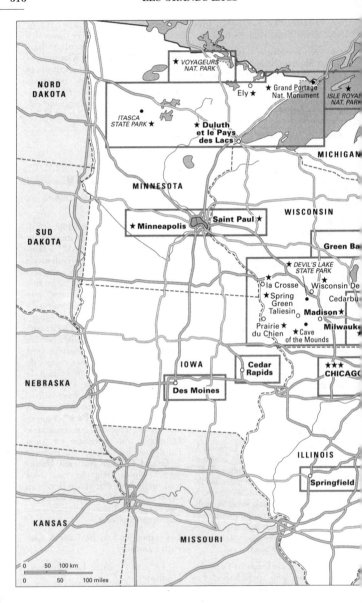

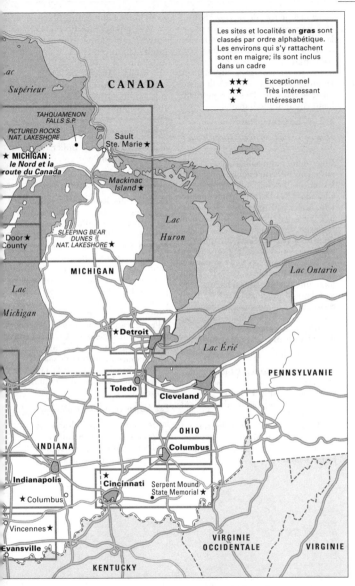

Les sites et localités en **gras** sont classés par ordre alphabétique. Les environs qui s'y rattachent sont en maigre; ils sont inclus dans un cadre.

★★★	Exceptionnel
★★	Très intéressant
★	Intéressant

CANADA

Lac Supérieur

TAHQUAMENON FALLS S.P.

PICTURED ROCKS NAT. LAKESHORE

Sault Ste. Marie ★

★ MICHIGAN : le Nord et la route du Canada

Mackinac Island ★

Lac Huron

Lac Ontario

Door ★ County

SLEEPING BEAR DUNES NAT. LAKESHORE ★

MICHIGAN

Lac Michigan

★ Detroit

Lac Érié

PENNSYLVANIE

Toledo

Cleveland

OHIO

Columbus

INDIANA

Indianapolis

★ Columbus

★ Cincinnati

Serpent Mound State Memorial ★

Vincennes ★

Evansville

VIRGINIE OCCIDENTALE

VIRGINIE

KENTUCKY

Que voir dans les Grands Lacs ?

— 2e et 3e jours : découvrez Madison et ses environs ; vous pourriez passer la nuit à La Crosse ou Wisconsin Dells ;
— 4e et 5e jours : visitez Minneapolis/St Paul ;
— 6e jour : rejoignez directement Duluth, d'où vous pourrez sillonner à loisir le pays des lacs et éventuellement rejoindre le Canada.

● 2. — Le Grand Nord

Itinéraire de Chicago à Duluth via le Michigan

Vous aimez l'atmosphère des grandes cités, l'architecture contemporaine et les musées ? Alors, vous apprécierez **Chicago***** et **Detroit***. Mais ensuite, vous aurez peut-être envie de séjourner au bord des lacs Michigan et Superior. Pourquoi ne feriez-vous pas un arrêt à **Traverse City**, la capitale de la cerise, superbe en mai quand ses vergers sont en fleurs ? Ou dans la séduisante **Mackinac Island*** ? Ou bien, une promenade en barque vers les falaises du **Pictured Rock National Seashore***. Chemin faisant, vous croiserez les anciens comptoirs fondés par les trappeurs français au XVIIe s. : **Sault Sainte Marie*** et **Marquette.**

Les étapes *(1120 mi/1800 km)*

— 1er jour : quittez Chicago pour Detroit ;
— 2e jour : visitez Detroit ;
— 3e jour : rejoignez directement Traverse City ;
— 4e et 5e jours : allez doucement vers Sault Sainte Marie ; vous pourriez faire une halte agréable à Mackinac Island ;

— 6e jour : Sault Sainte Marie ;
— 7e et 8e jours : profitez de la route entre Sault Sainte Marie et Marquette (Pictured Rock, Tahquamenon Falls…) ;
— 9e jour : Marquette ; de là, vous pouvez aller sur la Keweenaw Peninsula et rejoindre Isle Royale National Park (comptez bien 2 ou 3 jours) ou aller directement à Duluth (nombreuses forêts et lacs sur le chemin).

● 3. — Au pays des Indiens et de la course automobile

Itinéraire de Detroit (ou Cleveland) à Chicago, via l'Ohio et l'Indiana

Désirez-vous découvrir les vestiges de l'une des plus anciennes civilisations du continent nord-américain ? Les sites de **Chillicothe** et du **Serpent Mound State Memorial*** vous révéleront des monticules aux formes sinueuses et stylisées à l'image de totems, premiers monuments dressés par les Indiens. Cet itinéraire vous permettra aussi de visiter **Columbus**, **Cincinnati*** et **Indianapolis**, trois villes agréables et un peu à l'écart de la zone industrielle des Grands Lacs. Si vous vous intéressez à l'automobile faites ce circuit au mois de mai ; vous pourrez ainsi assister à la fameuse course de bolides d'Indianapolis (l'Indy 500).

Les étapes *(env. 600 mi/965 km)*

— 1er jour : ralliez Columbus ;
— 2e et 3e jours : Cincinnati ;
— 4e et 5e jours : Indianapolis ;
— 6e jour : gagnez Chicago.

Cedar Rapids

108 751 hab. ; fuseau horaire : Eastern time.
Situation : Iowa ; à 122 mi/200 km à l'O. de Des Moines, sur les rives de Cedar River.
À voir aussi dans la région : Des Moines, Madison*, Milwaukee*.

Cedar Rapids est au cœur de l'*open field*, cette terre extraordinairement riche qui fournit aux États-Unis une bonne partie de ses céréales. Ce sont les rapides de la Cedar River qui, en inondant ses rues, lui ont donné son nom. Principale ville industrielle d'Eastern Iowa, c'est aussi un centre culturel dynamique. Entre 1840 et le début du XXᵉ s., une importante colonie tchèque s'y installa, comme en témoigne aujourd'hui le village et le musée tchèques.

• Le Musée tchèque (*Czech Museum & Immigrant Home, 10 16th Ave. S.W. ; ouv. 9 h 30-16 h du 15 avr. au 15 nov., f. dim. & lun.*) reconstitue leur vie quotidienne : importante collection de costumes traditionnels.

• Une promenade dans le village tchèque (*16th Ave. S.-W. ; ouv. t.l.j. 9 h-17 h.*) permet de longer les vieilles rues, les anciennes boutiques, témoins d'une culture et d'une époque.

• Le Museum of Arts (*410 3rd Ave. S.-E. ; ouv. de mar. à sam. 10 h-16 h.*) présente de nombreux tableaux de Grant Wood, enfant de Cedar Rapids.

■ Environs de Cedar Rapids

• Amana Colonies (Amana, East Amana, West Amana, South Amana, Middle Amana, High Amana, Homestead, *à 21 mi/34 km au S.-O. par l'US 151*). Cette commune agricole est constituée de sept villages établis en 1855 par des membres de la *Community of True Inspiration*. Ce mouvement religieux issu du réformisme piétiste est né en Allemagne en 1714. Ses membres se sonts installés aux États-Unis en 1842, en Iowa treize ans plus tard. Ils y menèrent une vie communautaire jusqu'en 1932, date de la dissolution de la communauté. Mais cela n'a pas empêché les colons d'Amana de conserver leur unité culturelle. L'ancienne secte se perpétue aujourd'hui encore sous le nom d'Amana Society.
À voir l'Amana Woolen Mill Museum (Amana ; *ouv. lun.-ven. 9 h-16 h, et le sam. de mai à déc.*).

• Iowa City (*à 28 mi/45 km au S. par l'Interstate 380)*, première capitale de l'Iowa (1839-1857), située sur l'Iowa River. L'University of Iowa, fondée en 1847, contribue à faire de la ville un centre culturel et justifie son surnom d'*Athènes du Midwest*. Elle regroupe l'ancien capitole (*ouv. t.l.j.*), bâtiment d'architecture néo-classique, et deux musées : le Museum of Art (*ouv. mar.-sam. 10 h-17 h*) et le Museum of Natural History (*ouv. lun.-sam. 9 h 30-16 h 30*).
Robert Lucas, premier gouverneur territorial d'Iowa (1838-1841), vivait à

Iowa City. Sa résidence a été restaurée   *(1030 Carroll St. ; ouv. mer.-dim. 13 h-*
et se visite : **Plum Grove Historical Site**   *16 h 30, 15 avr.-15 oct.).*

Chicago***

2 783 730 hab. ; fuseau horaire : Central time.

Situation : *Illinois, à 740 mi/1 180km à l'O. de Washington, à 275 mi/440 km*
au S.-O. de Detroit.

A voir aussi dans la régon : Detroit*, Madison*, Milwaukee*, Toledo.

Après avoir quitté l'aéroport d'O'Hare, le taxi roule sur une dizaine
de kilomètres à travers le quartier N.-O. de Chicago, habitat pavillon-
naire en brique entouré de jardins. Soudain, la ligne d'horizon passe
à la verticale. Dressées comme des orgues, serrées comme des aiguilles,
alignées comme des soldats, ces tours géantes, gratte-ciel de verre, de
marbre, d'acier, jettent un défi orgueilleux à l'immensité du lac qui
s'étend à leurs pieds. Le taxi se faufile dans le damier de ces rues
encaissées, profonds canyons qui obligent à regarder toujours vers le
haut pour ne pas voir l'horizon coupé comme une photo mal cadrée.
Soudain, plus d'horizon du tout, la voiture s'engage sous les travées
du métro aérien qui passe dans un grincement effroyable de freins et
d'essieux ébranlant la structure métallique datant, paraît-il, de l'Exposition universelle de 1893. Anachronisme ? Non, ce métro est l'âme de
ce quartier des affaires où tout disparaît si vite. Arrivés sur Michigan,
l'avenue la plus prestigieuse de Chicago, la circulation est ralentie par
le passage du pont dont l'un des tabliers se dresse à la verticale : la
rivière de Chicago, dont on a détourné le cours, traverse la ville en son
centre ; il y a d'ailleurs plus de ponts à Chicago qu'à Paris… Sur le
Michigan Bridge, des gens pressés vont et viennent dans tous les sens,
indifférents à la circulation.

Entreprenante et dynamique, Chicago est aujourd'hui, avec 7 millions
d'habitants dans son aire métropolitaine, la troisième ville des États-
Unis. Berceau de l'architecture moderne, cette cité ambitieuse a même
tendance à négliger un passé pourtant glorieux, toute tournée qu'elle
est vers l'avenir : dans le quartier du Loop, les monuments de la première école de Chicago ont été préservés de justesse de la démolition,
l'Auditorium de Sullivan est devenu une université, le Manhattan et
le Fisher Building ont mauvaise mine. Par l'audace de ses constructions, Chicago reste fidèle à sa tradition de précurseur dans le domaine
de l'architecture : les cubes de la Sears Tower, le quadrilatère mar-
moréen de l'Amoco Building, les cascades de verre de l'Atrium Center, œuvre de Helmut Jahn, l'architecte le plus admiré et le plus
controversé à qui l'on reprocha, lors de l'édification du State of Illinois Center (devenu officiellement le James R. Thompson Center),
d'avoir construit un capitole en forme de camion-poubelle. Chicago

peut aussi se vanter d'immenses ressources culturelles : la réputation de son orchestre symphonique est internationale et ses musées, admirablement situés en bordure du lac, abritent des trésors de collections dans tous les domaines de la connaissance. Toutefois, en dépit de son importance économique et de son caractère dynamique, Chicago reste provinciale en comparaison du cosmopolitisme new-yorkais.

■ Chicago dans l'histoire

Une ville au nom indien. — Le père jésuite Jacques Marquette, le trappeur Louis Jolliet et leurs cinq pagayeurs français explorèrent la région dès 1673. Il fallut pourtant attendre 1779 pour que J. B. Point du Sable y établisse un comptoir devenu, à partir de 1790, un important relais pour le commerce de la fourrure et des céréales. Le site ayant été acquis par les États-Unis en 1795, ceux-ci entreprirent, en 1803, la construction de Fort Dearborn, base d'opérations contre les Indiens, dont la garnison devait d'ailleurs être massacrée en 1812. Vingt ans plus tard, la région ayant été pacifiée, la petite localité née du fort comptait une centaine d'habitants. Elle avait pris le nom indien de sa rivière, Checagua, qui signifie « oignon sauvage » mais également « fort, puissant », par allusion à l'odeur alliacée de cette plante à bulbe sauvage qui poussait sur ses rives.

Un développement spectaculaire. — En 1833, avec 550 citoyens, Chicago devenait une *town*, et en 1837 une *city* forte de 4 100 habitants. L'heure de Chicago allait véritablement sonner avec la cloche de la première locomotive, sur la ligne de chemin de fer la reliant à l'E. de l'Union, et avec la réalisation du rêve du père Marquette : un canal entre le lac Michigan et l'Illinois River, c'est-à-dire une liaison fluviale avec le Mississippi et le golfe du Mexique. Alors commença le fantastique développement de Chicago (110 000 habitants en 1860), encore accéléré par la guerre de Sécession, durant laquelle elle fut le principal centre de ravitaillement des armées de l'Union. En 1870, avec 300 000 habitants, Chicago était l'une des métropoles économiques du Nouveau Monde.

L'incendie de 1871. — Le 8 octobre 1871, un énorme incendie embrasa la plus grande partie de la ville pendant trois jours ; 17 450 maisons furent détruites et 300 personnes trouvèrent la mort. Mais rien ne pouvait arrêter la croissance de Chicago : elle fut reconstruite en pierre et sur un plan d'urbanisme plus cohérent et mieux conçu, sur lequel repose aujourd'hui encore le réseau de ses rues. En 1880, la ville comptait 503 000 habitants. En dix ans, sa population doubla : presque 1 100 000 en 1890. La renommée mondiale vint peu après avec l'Exposition universelle de 1893 (*World's Columbian Exposition*) commémorant la découverte de l'Amérique, qui attira quelque 27 millions de visiteurs.

Croissance sur fond de gratte-ciel, gangsters et jazz. — En cette fin du XIXe s., Chicago était entrée dans l'ère industrielle et connaissait ses premiers problèmes sociaux : 1886 et 1894 furent marqués par des troubles sanglants. Pour en finir avec la pollution du lac Michigan par les effluents industriels déversés dans la rivière Chicago naquit le projet assez extraordinaire d'en inverser le cours. Atteinte d'un vertige de croissance, Chicago inventa le gratte-ciel vers 1885-1890.

Avec la Prohibition s'ouvrit un nouveau chapitre, celui du banditisme, des gangs et des gangsters. Favorisées par une administration et une police corrompues, les bandes rivales monopolisaient les *speakeasies* —débits d'alcool clandestins—, contrôlant les distilleries, le jeu et, d'une façon générale, tous les secteurs du « vice » que l'Amérique puritaine s'efforçait d'endiguer. C'était aussi le temps du jazz. Né de la nostalgie nonchalante des Noirs de la Nou-

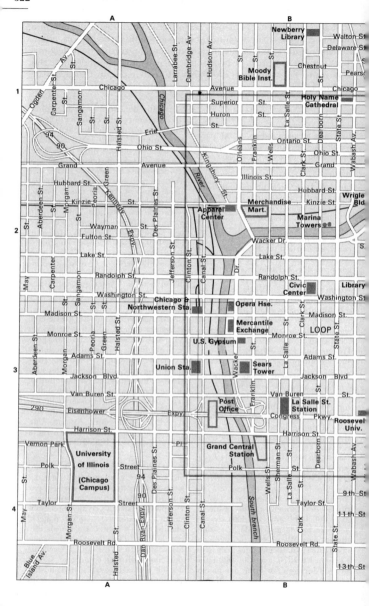

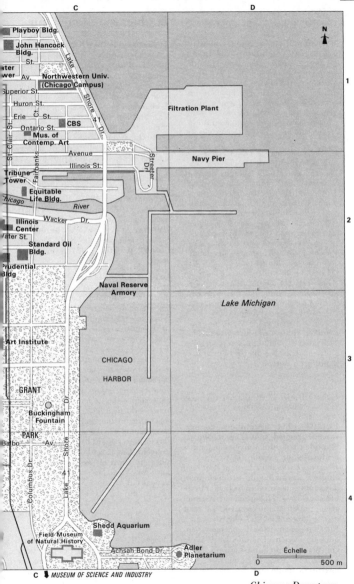

Chicago : Downtown.

Al Capone, le balafré

Pendant les treize années qu'allait durer la Prohibition (1920-1933), Chicago tomba entre les mains de contrebandiers et de hors-la-loi qui donnèrent à la ville une réputation de gangstérisme qui la poursuit encore aujourd'hui. Le nom d'Al Capone, dit le Balafré à cause d'un coup de rasoir qu'il avait reçu sur la joue gauche au cours d'une rixe, est associé à Chicago.

Al Capone naît le 17 janvier 1899 dans le quartier de Brooklyn à New York. Entraîné à Chicago par un chef de bande, il prend la tête d'un réseau de contrebande et de commerce illicite d'alcool. Commanditaire de nombreux crimes, il se protège par d'habiles pots-de-vin et par la corruption de gens bien placés. Sa tête est mise à prix par la police fédérale qui fait la guerre aux débits de boisson clandestins.

En 1931, la police réussit enfin à inculper Al Capone... non pas pour ses crimes, mais pour fraude fiscale ! Le gangster passera huit ans dans les prisons d'Atlanta et d'Alcatraz. Relâché en 1939, il mourra huit ans plus tard d'une attaque, le 25 janvier 1947, dans son palace de Miami. Une fin de vie bien tranquille, en somme...

velle-Orléans, il trouva ici un merveilleux épanouissement.

En 1933-1934, 29 millions de personnes (record battu) visitèrent la Seconde Exposition universelle pour le centenaire de la ville, la *Century of Progress Exposition*. Le nom était bien choisi. La grande ville se développait dans toutes les directions de l'activité humaine. En 1942, la première réaction atomique en chaîne contrôlée y était menée à bien. En 1953, elle ravissait à Pittsburgh son titre de premier producteur d'acier du monde. En 1959, la voie maritime du Saint-Laurent *(Saint Lawrence Seaway)* l'ouvrait aux navires de haute mer.

■ Chicago aujourd'hui

Troisième ville des États-Unis. — À partir des années 60, Chicago s'est efforcée d'assurer sa position de troisième ville des États-Unis, face au challenge de Los Angeles, et de rivaliser avec New York dans tous les domaines. Accumulant les richesses, attirant à elle les grands organismes internationaux, comme le Lions Club (Liberty Intelligence Our Nations' Safety) dont elle est le siège mondial, elle s'est distinguée par des édifices toujours plus hauts et plus hardis dans la conception et dans les formes : 1964-1965 : Marina City ; 1969 : John Hancock Center et First National Bank ; 1973 : Standard Oil Building ; 1974 : Sears Tower ; les bâtiments du 333 W. Wacker, de Pederson (1983) et du 77 W. Wacker (ce dernier est officiellement le R.R. Donnely Center), de Bofill (1992) en verre et en acier.

Le sursaut après la crise. — Une aussi formidable expansion ne va pas sans problème. Affaiblie par la grande dépression des années 80, Chicago, dont l'économie était traditionnellement axée sur les industries dérivées de l'agriculture, du fer et du charbon, a développé des sociétés de service qui font appel à des moyens de communication sophistiqués. Aujourd'hui, la région se redresse et redevient une rampe de lancement pour les exportations américaines dans les secteurs de l'acier, des machines outils et du *high tech*. Le Middle West concentre un bon tiers de l'industrie américaine et 175 des 500 entreprises les plus fortunées des États-Unis, dont 50 se trouvent dans la seule ville de Chicago qui vient ainsi en deuxième position après New York. Le centre de recherche nucléaire d'Argonne National Laboratory, six universités et un institut de technologie témoignent de l'importance prise également par cette ville dans le domaine de la recherche.

Chicago 21. — Pour réanimer le centre de la cité et y réinsérer des quartiers résidentiels attrayants, un programme a été établi sous le nom de code « Chicago

21 » (Chicago au XXIᵉ s.). Au N. et au S. du Loop, depuis ces dernières années, des ateliers et des fabriques désaffectés de toutes sortes, notamment des imprimeries, sont transformés et restaurés en lofts et appartements de luxe (Printer Row, au 800 S. Dearborn, par exemple). Le quartier de Su Hu (entre 300 O. Superior St. et 600 N. Huron St.) abrite de nombreux cafés et galeries.

Le Navy Pier, jusqu'alors abandonné, propose aujourd'hui toute sorte d'attractions : grande roue, restaurants, boutiques, et les Crystal Gardens ; on peut faire de très belles croisières sur le lac ; un Children's Museum va bientôt ouvrir.

■ Les architectes qui ont fait Chicago

● **William Le Baron Jenney** (1832-1907). — Avant tout ingénieur, il fut le grand spécialiste de l'ossature métallique qu'il fut le premier à utiliser pour un immeuble (Manhattan Building, 1890). Ses constructions se caractérisent par une grande pureté géométrique et une décoration très restreinte. C'est lui qui introduisit les

Une ville Janus

Chicago est une ville à plusieurs visages. La splendeur du centre masque mal la misère de certains quartiers du S. Le métro, à peine sorti du Loop, traverse un paysage oppressant : immeubles sans toits, fenêtres sans vitres, terrains vagues, carcasses de voitures, puis des lumières brillent à nouveau aux fenêtres des immeubles.
Chicago est l'une des villes les plus ségrégationnistes des États-Unis. Elle regroupe 77 communautés du monde entier où se répartissent populations blanche, noire et hispanique. Les Noirs et les Hispaniques vivent dans les quartiers de l'O., les Blancs sont installés au N. et au N.-O.

Chicago windows, fenêtres constituées d'un grand panneau vitré encadré de deux panneaux mobiles, permettant un éclairage intérieur important.

● **Louis Sullivan** (1856-1924). — Le grand maître de l'école de Chicago, également théoricien. Il travailla beaucoup sur la verticalité des immeubles. Contrairement à celle des autres architectes, son œuvre se caractérise par une abondante décoration (motifs géométriques et floraux au rez-de-chaussée, frise au dernier étage) adaptée à une structure rationnelle aux lignes très pures. Pour lui, chaque bâtiment était unique et devait répondre rigoureusement aux exigences de sa fonction (Auditorium, 1889 ; Carson Pirie Scott & Co, 1893-1903).

● **Daniel H. Burnham**. — Ayant adopté rapidement la structure à charpente métallique, il réalisa, le plus souvent en collaboration avec John W. Root, des constructions très modernes pour leur époque, telles le Rookery Building (1886) et surtout le Reliance Building (1894), dont la façade est presque totalement vitrée. Pourtant, suite à l'Exposition universelle de 1893, il amorça un retour en arrière, influencé par l'académisme de l'école des Beaux-Arts de Paris.

● **Frank Lloyd Wright** (1869-1959). — Le grand précurseur de l'architecture moderne. Élève de Sullivan, il hérita de son maître un certain goût pour la décoration et l'idée du caractère unique de chaque construction. Mais, bien que très au fait des techniques et des matériaux nouveaux, il rejeta dans un premier temps l'architecture verticale et le fonctionnalisme. Grand admirateur de l'architecture japonaise, il développa un type de maisons individuelles très personnalisées, les Maisons de la Prairie, intégrées à leur cadre naturel et répondant à un concept d'espace entièrement nouveau (maisons d'Oak Park → prom. 7, Robie House → prom. 6).

● **Mies van der Rohe** (1886-1969). — Né en Allemagne, il fut influencé par le groupe De Stijl et dirigea de 1930 à 1933 l'école d'architecture du Bauhaus, où il prôna un strict rationalisme. En 1937, il émigra à Chicago, où il allait définitivement inaugurer l'ère de l'architecture moderne (Crown Hall, 1950-1956 ; Lake Shore Drive Building, 1951 ; Federal Center, 1964 ; etc). Ses constructions se caractérisent par la recherche toujours plus grande de la hauteur, des formes simples et rigoureuses, de grands pans de verre sur ossature d'acier et des proportions raffinées.

Ces principes ont été perpétués par des architectes contemporains tels que **Skidmore, Owings et Merrill** (Sears Tower, 1974).

■ Découvrir Chicago

● **Le temps**

De –30 °C en janvier 1994 à + 42 °C en juillet 1995, les températures peuvent atteindre des extrêmes !

● **Les promenades**

1. — Le Loop***, pour l'architecture. Découvrez l'école de Chicago et l'école moderne (→ p. 528).

2. — Magnificent Mile** et les grands magasins. Laissez-vous séduire par le luxe étourdissant des Champs-Élysées à l'américaine (→ p. 540).

3. — L'Art Institute***. Une très belle collection d'impressionnistes français. Incontournable (→ p. 545).

4. — Lincoln Park**. Vieux quartier où se côtoient population estudiantine et professions libérales. Animé de jour comme de nuit (→ p. 550).

5. — Grant Park*. L'un des plus beaux points de vue sur le *skyline* de Chicago. Et le triangle des musées : Histoire naturelle, Aquarium et Planétarium (→ p. 554).

6. — Hyde Park*. Visitez une des plus prestigieuses universités des États-Unis et découvrez le musée des Sciences et de l'Industrie (→ p. 557).

7. — Oak Park et les Maisons de la Prairie**. Une véritable leçon d'architecture : les maisons de l'architecte Frank Lloyd Wright, dans un des faubourgs résidentiels de Chicago (→ p. 560).

● **Chicago à la carte**

Architecture : des premiers buildings de l'école de Chicago aux gratte-ciel contemporains les plus vertigineux (prom. 1 et 2), en passant par les maisons victoriennes de l'Old Town (prom. 4) et celles, révolutionnaires pour leur époque, de F. L. Wright (prom. 7 et 6), le panorama complet de plus d'un siècle d'architecture.

Chicago cosmopolite : quartier chinois de Chinatown (prom. 8), italien de Little Italy (prom. 8), mélange de races et de cultures à Hyde Park (prom. 6)...

Peinture : Chicago détient des trésors artistiques à l'Art Institute (prom. 3) et au musée Terra (prom. 2). Points forts sur les peintres américains et français du XIXe s.

Sciences : vous saurez tout sur les techniques passées, présentes et futures au Museum of Sciences and Industry (prom. 6).

Sport : le passe-temps favori des Chicagoans. Pour vous en rendre compte, vous avez le choix entre les équipes de base-ball – Chicago Cubs à Wrigley Field (prom. 4) et Chicago White Sox (Comiskey Park, stade 333 W. 35th St.) – l'équipe de basket-ball, Chicago Bulls (stade 1901 W. Madison St.) – et l'équipe de football, Chicago Bears, à Soldier Field (stade au 425 E. Mc Fetridge Dr.).

● **Vivre Chicago**

Années 60 : Chicago nostalgique revit l'époque des Beatles au rock and roll

① Les numéros des promenades renvoient aux présentations ci-contre.

SEARS TOWER ★★★
Tribune Tower ★★
Marina City ★

Graceland Cemetery ✦
Lincoln Park

④ Armitage Ave ✦
Old Town
Chicago Hist. Soc.

Chicago River

OAK PARK ✦

⑦

Playboy Bulding
■ John Hancock Center

② ■ Terra Museum of American Art

Lake Point Tower

Wrigley Bulding ■
■ **Tribune Tower**

Marchandise Mart

Marina City

Leo Burnett Bldg ■

Prudential Bldg
Amoco Bulding

State of Illinois Center

① Reliance Bldg

Associates Center

Northwestern Atrium

Inland Steel Bldg
Xerox Center
Marquette Bldg
SEARS TOWER

Carson Pirie Scott and Compagny

ROOKERY BUILDING

Santa Fe Bldg

③ **ART INSTITUTE**

Chicago Board of Trade

Monadnock Bulding

Federal Center

Auditorium

Lac

Michigan

Grant

⑤

Park

Chicago River

John G. Shedd Aquarium

Field Museum of Natural History ■ ■

Adler Planetarium

HYDE PARK

Robie House ⑥

Institut Oriental

Museum of Science and Industrie

Lac Michigan

University of Chicago

Jackson

Park

✦ *HYDE PARK* ⑥

Que voir à Chicago ?

McDonald's, à Clark et Ontario Sts, et au Hard Rock Café qui lui fait face, 63 W. Ontario St. Ed Debevic's (reconstitution d'un dîner des années 50) ne désemplit pas, 640 N. Wells St. ; humour et ambiance assurée (River North).

Blues : écoutez du blues à Lincoln Park (prom. 4), au Kingstone Mines ou au B.L.U.E.S., ou encore, pour les puristes, le dimanche matin à Maxwell St.

Concerts d'été : la musique ouvre ses portes ; concerts gratuits au Chicago Cultural Center (prom. 1), au Petrillo Music Shell (prom. 5) et dans les environs de Chicago (par le Chicago Chamber Orchestra ; → Chicago Cultural Center, prom.1).

Points de vue : les plus beaux panoramas sur Chicago du haut de la Sears Tower (prom. 1), de la Hancock Tower (prom. 2), du Adler Planetarium (prom. 5), ou en bateau sur le lac ; départ : 400 N. Michigan Ave.

● **Chicago mode d'emploi**

Comment se déplacer ? — Les promenades 1, 2 et 5 sont réalisables à pied. Pour les promenades assez éloignées du centre, nous indiquons les moyens de transport les plus commodes. Vous pouvez également utiliser le taxi dont les tarifs sont sensiblement les mêmes qu'en France.

Chicago n'est pas une ville aussi dangereuse qu'on le dit mais il est préférable de ne pas s'aventurer dans les quartiers du centre seul le soir, ni dans les quartiers de la périphérie S., de jour comme de nuit.

S'orienter dans Chicago. — Les rues de Chicago sont numérotées d'E. en O. et du N. au S. à partir du carrefour de Madison et State Sts.

● **Programme**

Deux jours à Chicago. — Équilibrez vos journées entre une visite d'archi-

tecture moderne ou classique (prom. 1 et 2) le matin et un musée (prom. 3, 5 ou 6) l'après-midi.

Découvrez la vie nocturne de Chicago dans Lincoln Park (prom. 4) : restaurants, boîtes de jazz et de blues.

Quatre jours à Chicago. — C'est le temps nécessaire pour voir Chicago tranquillement. Outre la visite architecturale de la ville qui vous occupera les deux premiers jours, vous aurez le temps de vous rendre à Oak Park (prom. 7) pour voir les maisons de la Prairie ; à Hyde Park (prom. 6), pour visiter l'université de Chicago et le musée des Sciences et de l'Industrie. Vous pourrez également découvrir des quartiers typiques de Chicago—chinois, italien, polonais, etc.— qui vous donneront une image plus complète de cette ville aux multiples ethnies (prom. 8).

■ 1. Le Loop***

Animé le jour et déserté la nuit, c'est le quartier des affaires. Pourquoi ce nom ? À cause de la boucle *(loop)* que forme le métro aérien en le traversant. Ce métro, le « L » (elevated), dont la construction remonte à l'Exposition universelle de 1893, rappelle le caractère historique de ce quartier qui a connu son âge d'or à la fin du siècle dernier. Le Loop est l'un des rares endroits de Chicago où vous verrez le présent et le passé intégrés.

Ce parcours vous fera découvrir les monuments de la première école de Chicago (1880-1920), regroupés au S. du Loop, et ceux de l'école moderne, élevés au N.-O. C'est ici que vous pourrez découvrir les tout premiers gratte-ciel de l'histoire, mais aussi quelques-uns des plus récents et des plus audacieux, dont le plus haut existant à ce jour : la vertigineuse Sears Tower.

C'est à pied que l'on découvre le mieux ce quartier où chaque bâtiment, qu'il soit banque, grand magasin, théâtre, hôtel ou immeuble de bureaux, est lié au nom d'un architecte de talent. À vous de faire votre choix... La ville de Chicago est, dit-on, la rivale de la Rome baroque pour la splendeur de son architecture commerciale.

Savez-vous...

qu'un système de tunnels court sous le Loop ? Créé au siècle dernier pour approvisionner les entreprises, il a été endommagé en avril 92 lors de la rénovation d'un pont. L'eau s'est engouffrée dans les tunnels... et un déluge s'est abattu sur le Loop, qu'on a dû fermer pendant deux semaines ! Le bilan des dégâts s'est élevé à plusieurs millions de dollars.

Situation. — *Le Loop est circonscrit au N. par la Chicago River, à l'O. par le bras droit de celle-ci et au S. par le Congress Pkwy.*

Accès : bus (CTA) : Madison, Randolph.

Quand visiter le Loop ? — *Faites de préférence cette promenade dans la journée et en semaine.*

Durée. — *Ce parcours est assez long ; si vous voulez l'effectuer à pied dans sa totalité, le mieux est de prévoir 2 fois 3 h.*

Faire une pause — *À la plate-forme panoramique de la Sears Tower. Pour prendre un verre, à l'atrium du State of Illinois Center, dans l'atmosphère feutrée du Palmer House Hotel ou au salon de thé « Crystal Palace » du Marshall Field.*

Si vous ne disposez que de 2 heures. — *Allez voir en priorité le Rookery Building, le Board of Trade, le Federal Center et la Sears Tower.*

Départ : Angle de Michigan Ave. et de Washington St.

● **Chicago Cultural Center** *(78 E. Washington St. ; plan du Loop A3, n° 1 ; ouv. lun.-jeu. de 10 h à 19 h, ven. de 10 h à 18 h, sam. de 10 h à 17 h, dim. de 12 h à 17 h ; entrée libre ; visite guidée mar.-mer. à 13 h 30 et sam. à 14 h).* — Un des plus anciens bâtiments de Chicago (1897), construit dans le style néo-classique des monuments publics de la ville. Il sert aujourd'hui d'office de tourisme et abrite le Museum of Broadcast Communications, petit musée où se trouvent rassemblés pêle-mêle des postes de TSF et de télévision qui retransmettent d'anciennes émissions sans grand intérêt. Le centre organise aussi des expositions de peintures, des concerts et des spectacles ouverts librement au public.

L'entrée sur Washington St. mérite le coup d'œil : un escalier monumental en marbre blanc et en mosaïque conduit au salon du 1er étage magnifiquement éclairé par un dôme en verrière de Tiffany.

● **Marshall Field & Company Store** *(angle de Washington St. et de State St. ; plan du Loop B3, n° 2).* — Cette célèbre chaîne de magasins fut fondée en 1868 par Marshall Field, le « prince des marchands », qui, arrivé à Chicago en 1856 à l'âge de 22 ans, devint l'un des richissimes mécènes de la ville. Le bâtiment actuel *(entrée principale sur State St.),* sobre et fonctionnel, date de 1907 (architecte : Burnham). Seul ornement, les horloges ouvragées à chacun des angles du magasin.

N'hésitez pas à monter au 7e étage : depuis le salon de thé « Crystal Palace », **vue dégagée*** —exceptionnelle au milieu du Loop— sur le Civic Center, due à l'interruption pour des raisons financières de la construction d'un building. Cet espace dégagé est maintenant réservé à des expositions d'art qui ont lieu à ciel ouvert pendant les deux mois d'été ; il est aménagé en patinoire l'hiver.

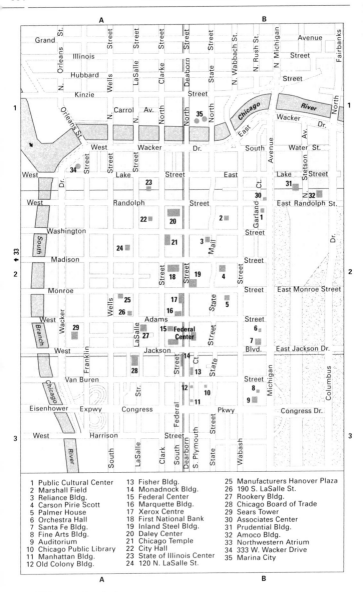

1 Public Cultural Center
2 Marshall Field
3 Reliance Bldg.
4 Carson Pirie Scott
5 Palmer House
6 Orchestra Hall
7 Santa Fe Bldg.
8 Fine Arts Bldg.
9 Auditorium
10 Chicago Public Library
11 Manhattan Bldg.
12 Old Colony Bldg.
13 Fisher Bldg.
14 Monadnock Bldg.
15 Federal Center
16 Marquette Bldg.
17 Xerox Centre
18 First National Bank
19 Inland Steel Bldg.
20 Daley Center
21 Chicago Temple
22 City Hall
23 State of Illinois Center
24 120 N. LaSalle St.
25 Manufacturers Hanover Plaza
26 190 S. LaSalle St.
27 Rookery Bldg.
28 Chicago Board of Trade
29 Sears Tower
30 Associates Center
31 Prudential Bldg.
32 Amoco Bldg.
33 Northwestern Atrium
34 333 W. Wacker Drive
35 Marina City

Chicago : plan du Loop.

● **Reliance Building*** *(32 N. State St. ; plan du Loop B1, n° 3).* — Également dû à Burnham (1895). Le prototype des grands gratte-ciel modernes par l'épuration des formes. L'ossature métallique, en remplaçant les murs porteurs, laisse une grande place aux surfaces vitrées. La ville a acheté le Reliance en 1993, et a réalisé un extraordinaire travail de rénovation extérieure. Rien n'a encore été fait à l'intérieur mais il est question d'en faire un hôtel ou des bureaux.

● **Carson Pirie Scott & Co*** *(angle de Madison et State Sts, plan du Loop B2, n° 4).* — Une référence dans l'histoire de l'architecture. Ce magasin de prêt-à-porter est l'œuvre du grand architecte Sullivan. L'originalité de la construction (1893-1903) vient des grandes ouvertures, les « Chicago windows » —un grand panneau vitré et deux panneaux mobiles sur les côtés—, qui font ressortir la structure métallique et valorisent la fonction commerciale du bâtiment. L'austérité des lignes horizontales est rompue par l'angle arrondi au croisement de State et Madison Sts. Sur les deux étages de vitrines du magasin, ornementation végétale en filigrane de fonte.

● **Palmer House** *(17 E. Monroe St. ; plan du Loop B2, n° 5).* — Splendide établissement à son époque, c'est aujourd'hui un hôtel élégant dont le luxe est un peu démodé. Potter Palmer, qui fit fortune dans l'immobilier, avait ouvert sur State St. un premier hôtel, qu'il vit brûler quelques jours plus tard dans l'incendie de 1871. Un second fut reconstruit en 1873 et assuré contre les risques d'incendie.

On peut s'arrêter sans être résident dans le **lobby***, décoré dans un style victorien particulièrement réussi. Une volée d'escaliers ornés de candélabres donne sur ce vestibule entouré d'une galerie en arcades fermées comme des loges de théâtre par des tentures de velours rouge. Plafond décoré par des peintures de Louis Rigal.

● **Michigan Avenue** *(plan du Loop B1-3),* l'artère principale de Chicago qui traverse la ville du N. au S., est réputée pour être la plus belle avenue de Chicago. Les immeubles qui la bordent face à Grant Park et au lac ont été protégés des démolisseurs, si bien qu'aujourd'hui la perspective que l'on a de cette partie de l'avenue est quasi identique à celle que l'on pouvait avoir il y a cent ans.

● **Orchestra Hall** *(220 S. Michigan Ave. ; plan du Loop B3, n° 6).* — L'élégance de ce bâtiment témoigne de la vie artistique et culturelle de Chicago au

---

La rivière inversée

En 1885, le niveau de la rivière ayant monté après de fortes pluies, ses eaux se déversèrent dans le lac, au-delà des stations d'épuration, et l'approvisionnement de la ville en eau fut contaminé. Quelque 80 000 personnes moururent du choléra et de la typhoïde. Le Metropolitan Sanitary District ne pouvait livrer au hasard des intempéries la santé des habitants. C'est pourquoi il envisagea de détourner la rivière pour préserver l'eau du lac, seul réservoir en eau potable de la ville. On envisagea donc de creuser un canal, le « Sanitary & Ship Canal », long de 44 km et profond de 7 m, pour permettre l'écoulement de la rivière du lac vers le Mississippi. Les travaux, colossaux, durèrent huit ans, de 1892 à 1900. Peu de temps avant l'ouverture du canal, l'État du Missouri s'alarma à l'idée que la rivière de Chicago pût polluer l'eau de Saint Louis, mais le canal fut ouvert avant que des poursuites judiciaires ne fussent entreprises.

début du siècle. Construit par Burnham en 1905 sur la demande de Théodore Thomas, alors directeur de l'Orchestre symphonique de Chicago qui trouvait la salle de l'Auditorium trop vaste, il est aujourd'hui le siège de ce prestigieux orchestre actuellement dirigé par Daniel Barenboïm. Ce bâtiment néo-georgien reflète l'intérêt nouveau de Burnham pour le style Renaissance après l'exposition de 1893. La façade symétrique est en briques romaines rouges rehaussées de pierres blanches. Au second étage, grande salle de bal qui sert pour les réceptions et les concerts de musique de chambre. La salle de l'auditorium où se produit l'orchestre, haute de quatre étages, est située à l'O. du bâtiment.

● En face, l'**Art Institute*** (→ *prom. 3*) a été construit dans le style de la Renaissance italienne à l'occasion de l'Exposition universelle de 1893.

● **Santa Fe*** (*224 S. Michigan Ave. ; plan du Loop B3, n° 7 ; départ des visites guidées du Loop ; ☏ 922-8687 ; librairie*). — Ce bâtiment de 17 étages, autrefois *Railway Exchange* à une époque où Chicago centralisait le réseau de chemin de fer du pays, est l'œuvre de Burnham (1904) qui y eut ses bureaux au 14e étage jusqu'en 1909. Cette construction répond à la définition du gratte-ciel tel qu'on le concevait à cette époque : un 1er étage formant socle, des bureaux distribués verticalement et un large attique réservé aux équipements techniques. La façade habillée de céramique blanche est animée d'un mouvement élégant donné par l'encorbellement des fenêtres.

Au rez-de-chaussée, aujourd'hui occupé par la **Chicago Architecture Foundation**, spacieux *lobby* éclairé par la lumière naturelle venant de la verrière du toit.

● **Fine Arts Building** (*410 S. Michigan Ave. ; plan du Loop B3, n° 8*). — À proximité de l'Auditorium, ce bâtiment (1885) sert d'ateliers d'artistes. Des célébrités comme l'architecte F. L. Wright et le sculpteur Lorado Taft y avaient leur studio. La façade d'inspiration classique (colonnes de pierre et arcs romans) présente une asymétrie qui n'est pas très réussie. Depuis 1982, les deux théâtres sont devenus des cinémas d'art et d'essai.

● **Auditorium**** (*angle de Michigan Ave. et de Congress Pkwy ; plan du Loop B3, n° 9*). — La première œuvre importante commandée à l'agence Adler et Sullivan (1889). Pour garantir le rendement financier de l'opération, plusieurs fonctions furent attribuées au bâtiment : un hôtel en façade sur Michigan Ave., un auditorium de 4 000 places sur Congress Pkwy et un immeuble de bureaux sur Wabash St. La composition de la façade est d'inspiration néo-romane (arcs en plein cintre, colonnes, regroupement des fenêtres de plusieurs étages sous un même arc). L'intérieur de l'hôtel est richement décoré : colonnes surmontées de chapiteaux à motifs floraux en plâtre doré, sol en mosaïque, poutres décorées, escalier monumental en fer forgé...

Pour l'Auditorium, Adler dut faire preuve d'ingéniosité pour résoudre un problème d'équilibre de construction dû à une répartition inégale du poids sur les murs porteurs. Egalement remarquables pour l'époque, l'invention d'un système de ventilation de l'air (ancêtre de l'air conditionné qui ne sera inventé qu'en 1923) et l'acoustique de la salle de concert. La prospérité de l'Auditorium dura jusqu'en 1930. En 1960, l'Auditorium Theater Council entreprit la restauration de la salle de spectacles qui rouvrit en 1968.

Retourner sur State St. par Congress Pkwy.

● **Chicago Public Library** *(Harold Washington Library Center, 400 State St. ; plan du Loop B2-3, n° 10 ; ouv. lun. de 9 h à 19 h, mar. et jeu. de 11 h à 19 h, mer., ven. et sam. de 9 h à 17 h, et dim. de 13 h à 17 h. Vis. guidées lun.-sam. à 12 h et 14 h, dim. à 14 h).* — La plus grande bibliothèque municipale des États-Unis (1,7 million de livres et 8,9 millions de documents). Œuvre de Thomas Beeby (1991), elle est construite dans la tradition classique des monuments publics de Chicago et n'a que dix étages. Entre le socle et l'attique (en parement rustique de granit rose), les murs de la façade en briques rouges sont découpés par de grandes ouvertures en arc qui regroupent les différents étages de la bibliothèque. Hall d'entrée entièrement en marbre desservant les huit départements de la bibliothèque. Au 10e étage, jardin d'hiver servant de hall d'expositions.

Se rendre sur Dearborn St. par Congress Pkwy.

● **Manhattan Building** *(431 S. Dearborn St. ; plan du Loop B3, n° 11).* — Le premier gratte-ciel (1891 ; 16 étages) ; son système constructif repose uniquement sur une ossature en fer. Son concepteur, William Le Baron Jenney, était avant tout ingénieur. Son architecture n'est à vrai dire pas très réussie : les différences de matériaux et de formes produisent un effet disharmonieux. Le Baron Jenney eut cependant le mérite d'avoir trouvé un système porteur continu et rigide, résistant au feu.

● **Old Colony Building** *(407 S. Dearborn St. ; plan du Loop B3, n° 12).* — C'est le dernier bâtiment restant dans le Loop à avoir des avancées arrondies en forme de tourelles aux angles. Ce dessin fut souvent utilisé par Holabird et Roche pour gagner de l'espace à l'intérieur tout en créant une silhouette harmonieuse à l'extérieur. L'Old Colony Building (1894 ; 17 étages) est aussi le premier bâtiment à utiliser un système d'arches porteuses qui lui permet de résister à la pression du vent.

● **Fisher Building** *(343 S. Dearborn St. ; plan du Loop B3, n° 13).* — Architecte : Burnham (1896). Un des

Décadence et pastiche à l'Exposition colombienne

Chicago : 1893

« Le nom de Chicago, qui semblait synonyme d'innovation et d'audace, risque fort de se ternir après cette « World's Columbian Exhibition » où triomphe le carton-pâte ! Ces immeubles pointés vers le ciel feront bien plus sa gloire que cette exposition dédiée au 400e anniversaire de la découverte de l'Amérique. Burnham, qui nous avait habitués aux hardiesses du Monadnock Building ou du Masonic Building, s'est rallié ici à l'académisme des Hunt et McKim qui siègent, par ailleurs, à la commission architecturale.

Aussi, bien qu'inaugurée par le duc de Veragua, descendant de Christophe Colomb, et le président Cleveland, l'exposition déçoit ceux que n'épate pas un pompeux décor de stucs et de faux marbres. L'esprit pionnier serait-il perdu ? Certes les structures métalliques sont employées, mais tout est de pure imitation et recouvert de plâtres ! Les quelques édifices originaux, tel celui de Louis Sullivan, n'ont pas obtenu le succès des pastiches classiques ou florentins. À l'en croire, la pâtisserie académique et grandiloquente devrait orienter le goût américain pour au moins cinquante ans. On a, selon lui, tué l'architecture au pays de la liberté ! »

Extrait de *l'Aventure de l'art au XIXe siècle*, Le Chêne-Hachette, 1991, p 798.

premiers exemples de l'influence du néo-gothique sur l'architecture des gratte-ciel. Les motifs de poissons de l'ornementation évoquent le nom du propriétaire.

● **Le Monadnock Building** ** *(53 W. Jackson, entre S. Dearborn et S. Federal Sts ; plan du Loop A2, n° 14).* — Cet immeuble de 16 étages a la particularité d'avoir une partie N. de construction traditionnelle dont les murs porteurs ont plus de 1,50 m d'épaisseur, œuvre de Burnham (1891), et une partie S. construite selon les principes modernes de l'ossature métallique, œuvre de Holabird et Roche (1893). C'est pourtant l'élégante façade de Burnham, dépouillée d'ornements, qui servit de référence aux architectes de l'école moderne de Chicago.

● **Le Federal Center** ** *(219 Dearborn St. ; plan du Loop B2, n° 15).* — Autour d'une place où trône une sculpture géante de Calder *(le Flamingo),* un ensemble de trois constructions de Mies van der Rohe : sur Dearborn St., le **Dirksen** (1964), palais de Justice de 30 étages, sur Jackson Blvd, le **Kluczinsky** (1974), bâtiment administratif de 45 étages, et au N.-O., un bureau de poste, sur un étage.
La modernité s'exprime par des volumes simples et géométriques, par l'utilisation du verre et de l'acier, par la construction en hauteur, expression d'une haute technicité, et par la libre circulation dans le hall du bâtiment considéré comme une prolongation de l'espace public.

● **Marquette Building** * *(140 S. Dearborn St. ; plan du Loop B2, n° 16).* — Dans ce bâtiment (architectes : Holabird et Roche, 1895) mis en valeur par la Federal Center Plaza, l'ossature métallique est soulignée par un dessin consistant en de larges piliers montant à la verticale et d'étroits tympans courant à l'horizontale. De belles mosaïques à l'intérieur et des panneaux de bronze à l'entrée illustrent la vie du père Marquette, missionnaire français qui fut un des premiers Européens à traverser le haut Mississippi au XVIIᵉ s.

● **Xerox Center** * *(55 W. Monroe St. ; plan du Loop B2, n° 17).* — À l'angle de deux rues, un bâtiment de 40 étages construit d'après un dessin de Helmut Jahn en 1980. La forme arrondie du bâtiment rappelle le Carson Pirie Scott de Sullivan. Le mur-rideau est en aluminium blanc et en verre réfléchissant. Pour des raisons thermiques, la surface vitrée est plus importante sur la façade O. de Dearborn St. que sur la façade S. de Monroe St.

● **Inland Steel Building** * *(30 West Monroe St. ; plan du Loop A2, n° 19).* — Cette tour rectangulaire de 18 étages construite par la SOM (Skidmore Owings et Merrill) en 1958 est un exemple de modernisme. Les colonnes portantes sont placées à l'extérieur du mur-rideau en verre teinté. Les services techniques (ascenseurs, escaliers) localisés dans une structure à l'E. du bâtiment permettent une totale liberté pour l'aménagement de l'espace intérieur.

● **First National Bank of Chicago** *(Madison St., entre Dearborn et Clark Sts ; plan du Loop A2, n° 18).* — La First National Bank donne sur une place située en contrebas et animée par des orchestres l'été. Au centre, un mur en mosaïque de Chagall, *Les Quatre Saisons,* illustrant des vues originales de la ville. Construite en 1965-1969 par Murphy, Perkins et Will, la First National Bank a ouvert la voie au gigantisme avec ses 60 étages et ses 259 m de haut. L'originalité de ce monument vient de la forme incurvée de sa façade.

● **Richard J. Daley Center** *(sur la place du même nom, entre Washington et Randolph Sts, et Deaborn et Clark Sts ; plan du Loop A2, n° 20).* — Ce bâtiment administratif (1965) de 198 m en verre sombre et en acier couleur rouille n'a que 31 étages ; ses bureaux sont extraordinairement spacieux. Les colonnes cruciformes larges à la base s'amenuisent vers le sommet. Sur la place, sculpture de Picasso de 1967 (une tête de femme) haute de 5 m, réalisée dans le même matériau inoxydable que le bâtiment. Une sculpture féminine de Miró (béton recouvert de céramiques de couleurs vives) achetée par la Ville en 1981 lui fait face au pied du Brunswick Building (1965).

● **Chicago Temple** *(77 W. Washington St., à l'angle de State St. ; plan du Loop A2, n° 21).* — Église méthodiste construite par Holabird et Roche en 1923 et dont la particularité est d'avoir une chapelle au 21e étage à 173 m.

● **Chicago City Hall County Building** *(121 N. La Salle St./118 N. Clark St. ; plan du Loop A2, n° 22).* — Ce lourd bâtiment d'architecture néo-classique à 12 étages (Holabird et Roche, 1911) constitue un impressionnant arrière-plan à la Daley Center Plaza. Au 5e étage, les bureaux du maire, et au deuxième, le Conseil de la ville.

● **State of Illinois Center**** *(James R. Thompson Center, 100 O. Randolph St., à l'angle de Clark St. ; plan du Loop A1, n° 23).* — Ce capitole qui abrite les bureaux du gouverneur de l'État a été construit entre 1979 et 1985 par Helmut Jahn. C'est le monument le plus controversé de Chicago : large à la base, écrasé au sommet, rectangulaire sur trois côtés, arrondi en façade, imposant par sa taille et peu sérieux par ses couleurs... Un défi à toutes les règles de l'esthétique ! À l'intérieur, les bureaux sont disposés de façon circulaire autour d'un immense atrium. La structure métal-

lique peinte en rouge et les panneaux de verre bleu et rouge font référence aux couleurs de l'Illinois. Sur la place, sculpture de Dubuffet, *Monument à la bête debout*, don de l'artiste à la Ville en 1985.

● **120 N. La Salle Street** *(plan du Loop A2, n° 24).* — Autre œuvre de Helmut Jahn (1991), cette tour de 39 étages très étroite est enserrée entre deux immeubles de La Salle St. Pour pallier le manque d'espace au sol, l'architecte a imaginé une façade arrondie et vitrée qui agrandit l'espace des bureaux. Au-dessus de l'entrée, loggia décorée par une mosaïque de Roger Brown.

● **Chemical Plaza** *(anc. Manufacturers Hanover Plaza ; 10 S. La Salle St. ; plan du Loop A2, n° 25).* — Préservant le bâtiment originel de Holabird et Roche (1912), les architectes japonais Moriyama et Tesima ont peint en vert lumineux l'ancienne structure de 4 étages sur laquelle ils ont construit une tour de 37 étages en acier bleu et vitre foncée (1989).

● **190 S. La Salle Street** *(plan du Loop A2, n° 26).* — Petit clin d'œil à la première école de Chicago —et donc au Rookery qui lui fait face— avec la base en granit rouge, les arcs en plein cintre et les pignons de cette tour récente (1987) de 42 étages due à Philip Johnson.

● **Rookery Building***** *(209 S. La Salle St. ; plan du Loop A2, n° 27).* — Une colonie de pigeons (*rookery*, en anglais) qui venait se nicher là avant la construction a donné son nom au monument. Construit par Burnham et Root entre 1885 et 1888, il entoure une cour intérieure couverte au 2e étage par une verrière. La combinaison de murs massifs, de larges ouvertures en arcades et de colonnes renforcées aux angles, au centre et au sommet, forme un ensemble équilibré et harmonieux. Hall d'entrée en marbre blanc ciselé de F.L. Wright (1905).

L'école de Chicago :

L'incendie qui détruit entièrement Chicago en 1871 a pour effet positif d'y attirer des architectes désireux de reconstruire la ville sur des bases nouvelles. Ainsi, entre 1880 et 1893 se développe une architecture commerciale très novatrice, qui prend a posteriori le nom d'école de Chicago. Les constructions effectuées pendant cette période dépassent de loin, par leur audace et leur qualité, celles réalisées pendant le même temps à New York.

■ Une architecture révolutionnaire

Les principes essentiels de cette architecture: l'utilisation de matériaux adaptés à l'âge industriel (fonte, verre, acier) et la construction en hauteur. Celle-ci devient possible par la suppression des murs porteurs au profit d'une ossature métallique rigide, capable de résister au feu et à la pression du vent, et par l'invention de l'ascenseur à grande vitesse (1857). C'est ainsi qu'est réalisé en 1890 le premier gratte-ciel de 16 étages, le Manhattan Building, dû à William Le Baron Jenney. Plusieurs autres architectes d'exception imprimèrent aussi leur marque à Chicago : Adler, Sullivan (Auditorium, Carson Pirie Scott Store), Burnham et Root (Reliance Building, Rookery Building), Holabird et Roche (Monadnock Building).

◀ *Le Monadnock Building, de Holabird et Roche (1891-1893)*

L'un des précurseurs du gratte-ciel moderne. La façade, d'une très grande pureté pour l'époque, est animée par des Chicago windows, typiques de cette école.

la naissance du gratte-ciel

Carson Pirie Scott Building, de Sullivan (1893-1903) ▶

Sur les vitrines du magasin, l'ornementation végétale en filigrane de fonte tranche avec le dépouillement des étages supérieurs, réservés aux bureaux. Elle montre le goût de Sullivan pour la décoration.

■ L'esthétique de l'école de Chicago

Dans les premiers temps, les architectes continuent à afficher leur goût pour le pastiche des styles du passé, alors très en faveur aux États-Unis (néo-roman, néo-gothique...). Mais assez rapidement se fait jour une tendance à l'épuration des formes, à l'affirmation du côté fonctionnel des immeubles (essentiellement bureaux, banques, grands magasins), allant jusqu'à faire ressortir complètement l'ossature métallique sur la façade. Certains architectes, en particulier Sullivan, restent cependant plus sensibles à l'aspect décoratif, essayant d'apporter une dimension esthétique et humaine à cette architecture fonctionnelle.

■ Postérité de l'école de Chicago

L'Exposition colombienne de 1893 met un frein à cet élan novateur : Burnham, son organisateur, se met à prôner un retour à l'académisme, se référant à l'école des Beaux-Arts de Paris. Après la dépression des années 30, il faut attendre l'après-guerre pour qu'un architecte venu d'Europe, Mies Van der Rohe, renoue avec les grands principes de l'école de Chicago. Il crée une architecture sobre et fonctionnelle qui, associée à la recherche d'un élan vertical toujours plus grand, ouvre définitivement la voie à l'architecture moderne.

Le hall du Rookery Building.

● **Chicago Board of Trade Building**** (141 W. Jackson Blvd. ; plan du Loop A3, n° 28 ; au 5ᵉ étage, une galerie accessible aux visiteurs de 8 h à 13 h 15, du lun. au ven., permet d'observer les opérations boursières ; film de présentation en anglais, vis. guidée à 9 h 15 et toutes les 30 mn de 10 h à 12 h 30, ☎ 435-3590). — Style Art déco pour ce monument édifié par Holabird et Root en 1930, qui ferme la perspective de La Salle St. Une addition de 23 étages, œuvre de Helmut Jahn, a été réalisée en 1983. L'architecte a repris avec des matériaux modernes les motifs Art déco de l'ancien bâtiment (au 10ᵉ étage, une vue d'ensemble sur la décoration du nouveau bâtiment permet de comparer l'ancien et le moderne).

Les six premiers étages sont réservés à la bourse. Remarquez les hautes baies vitrées, qui rendent compte de la hauteur des salles. La structure du bâtiment est une pyramide dont le faîte est couronné par une sculpture en aluminium de John Storr représentant Cérès, la déesse agraire de l'Antiquité romaine. De chaque côté de l'horloge, deux sculptures représentent le marché des céréales : un homme encapuchonné tient une botte de blé et un Indien des épis de maïs.

● **Sears Tower***** *(444 W. Jackson Blvd. et 233 S. Wacker Dr. ; plan du Loop A2, n° 29 ; ouv. t.l.j. de 9 h à 24 h).* —443 m, 110 étages : actuellement le plus haut building du monde, qui se détache par sa hardiesse de l'horizon des gratte-ciel de Chicago. En 70 secondes, un ascenseur vous monte au 103e étage *(skydeck, accès payant au 444 W. Jackson)*, sur une plate-forme panoramique : **vue**** superbe sur Chicago assurée ! Dans le hall d'entrée de la Sears Tower, au 233 S. Wacker, mobile géant de Calder, *Universe* : neuf éléments tournant à des vitesses différentes symbolisent le mouvement des planètes dans l'espace. Terminée en 1974 (architectes Skidmore, Owings et Merrill), la Sears Tower est un assemblage de neuf cubes qui se scindent par paliers au 49e, au 66e et 90e étages pour ne garder qu'un rectangle de deux cubes sur les 20 derniers étages. Cette structure permet de résister à la pression du vent. La compagnie des grands magasins Sears occupe la base du bâtiment. 16 500 personnes travaillent dans la tour, desservie par 100 ascenseurs. Restaurants et galeries commerciales dans les sous-sols.

● **Nordwestern Atrium Center*** *(500 W. Madison ; plan du Loop A2, n° 33)*. — Cette tour de bureaux en verre teinté, œuvre de Helmut Jahn, a été construite en 1987 sur l'ancienne gare Nordwestern. Elle reprend les éléments décoratifs « en cascade » du style Art déco des années 20. L'entrée principale sur Madison St. est indiquée par une arche télescopée en verre. Un passage permet de traverser le bâtiment d'E. en O. La décoration intérieure en marbre et poutrelles rappelle l'ancienne gare.

● **333 W.Wacker Drive** *(plan du Loop A1, n° 34)*. — Tour triangulaire —conformation du site oblige— de 36 étages construite par Kohn Pedersen Fox, Perkins et Will en 1983. Une des façades de cette tour d'acier épouse la courbe de la rivière, l'autre, l'angle de la rue.

● **Vous pouvez voir encore :**

● **Le Stone Container Building**** *(anc. Associate Center ; à l'angle de Michigan Ave. et de Randolph St. ; plan du Loop B2, n° 30)*. — Construit en 1984 par Epstein et Sons, ce monument de 41 étages se remarque de loin en raison de son orientation S.-E. Son mur-rideau est composé de bandes de métal et de verre qui alternent. Au sommet, les deux pointes jumelles coupées en biseau sur dix étages dessinent, face au parc et au lac, un quadrilatère vitré qui donne à ce bâtiment son caractère incomparable.

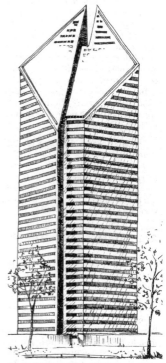

Le Stone Container Building, achevé en 1984.

● **Le Prudential Plaza*** *(130 E. Randolph St. ; plan du Loop B1, n° 31).* — Un complexe de deux buildings reliés entre eux. D'une part, le One Prudential Plaza, monolithe rectangulaire, qui fut, en 1955, le premier bâtiment construit dans le Loop après la dépression de la Seconde Guerre mondiale. D'autre part, le Two Prudential Plaza (1990 ; architecte : Loebl Schlossman et Hackl) qui, avec ses 64 étages, domine l'horizon des gratte-ciel ; la tour se termine par une pointe effilée qui sert d'antenne de radio.

● **L'Amoco Oil Building**** *(200 E. Randolp St. ; plan du Loop B2, n° 32).* — Revêtement de marbre blanc pour cette tour de 82 étages —le 2e plus haut building de Chicago— construite par Perkins et Will en 1973. Les lignes verticales, mises en valeur par les angles rentrés, contribuent à renforcer la silhouette haute et mince du bâtiment. Sur la place, une sculpture « musicale » de Harry Bertoïa est placée au milieu d'une pièce d'eau renouvelée par une fontaine.

● **Hyatt Regency Chicago** *(151 E. Wacker Drive ; ☎ 482-8670).* — *Départ du « Chicago Trek » à la* réception de cet hôtel : tour de la ville en 3 heures en autocar, avec un guide qui parle français ; lun. à 13 h, jeu. et sam. à 9 h.

■ 2. Magnificent Mile**

Magnificent Mile... C'est le nom que donna Arthur Rubloff, un riche marchand de biens, au N. de Michigan Ave. en 1947. Savait-il que son rêve allait se réaliser ? En tout cas, c'est aujourd'hui l'une des avenues où l'immobilier est le plus cher du monde. On est bien loin de la paisible petite Pine St. réputée pour ses pensions de famille. C'était avant 1920, avant la construction du pont Michi-

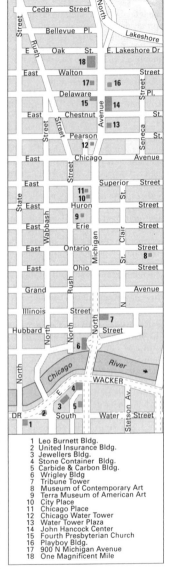

1 Leo Burnett Bldg.
2 United Insurance Bldg.
3 Jewellers Bldg.
4 Stone Container Bldg.
5 Carbide & Carbon Bldg.
6 Wrigley Bldg
7 Tribune Tower
8 Museum of Contemporary Art
9 Terra Museum of American Art
10 City Place
11 Chicago Place
12 Chicago Water Tower
13 Water Tower Plaza
14 John Hancock Center
15 Fourth Presbyterian Church
16 Playboy Bldg.
17 900 N Michigan Avenue
18 One Magnificent Mile

Chicago : Magnificent Mile.

gan qui allait marquer le début du spectaculaire développement de ce quartier. Pine St. devint alors Michigan Ave., et aujourd'hui, immeubles luxueux, hôtels, boutiques de mode, galeries commerciales, groupes de presse et grandes sociétés bordent le « Magnificent Mile ». Vous serez surpris par le tableau architectural contrasté qu'il offre, mariant classicisme et modernisme.

À côté de Michigan Avenue, Rush Street connut, dans les années 70-80, un sort moins heureux que son élégante voisine : les bars mal famés et les cabarets de strip-tease qui s'y installèrent lui valurent le nom de « World's Worst Half Mile » (« le demi-mile le pire du monde »)... On y trouve aujourd'hui des bars et des cafés fréquentés par les yuppies. Seul le quartier Cabrini, à 1 km à l'O. du John Hancock Building, est encore dangereux.

Situation : partie N. de Michigan Ave. entre Chicago river et Oak St.
Départ : Michigan Bridge (rive S.)
Durée : une demi-journée.

Magnificent Mile commence au-delà du Michigan Bridge. Mais, avant de franchir le pont, retournez-vous : une très belle perspective s'ouvre sur les monuments de **Wacker Drive**, qui composent un ensemble harmonieux d'architecture classique et moderne.

On peut notamment voir d'O. en E. sur **Wacker Drive** :

● **Leo Burnett Building*** *(35 W. Wacker Drive ; plan de Magnificent Mile, n° 1).* — Expression de l'architecture contemporaine, le Leo Burnett Building, construit en 1989 par Kevin Roche, offre une silhouette carrée de 50 étages. Le mur-rideau, damier de granit poli vert gris et de vitres réfléchissantes, est égayé par l'éclat de meneaux en acier ; cette élégante ornementation fait toute la beauté du bâtiment.

● **United Insurance Building** *(United of America Building, 1 E. Wacker Drive ; plan de Magnificent Mile, n° 2).* — Un exemple de l'architecture commerciale des années 60 par sa forme rectangulaire, sobre et fonctionnelle ; 41 étages.

● **Jewellers Building** *(35 E. Wacker Drive ; plan de Magnificent Mile, n° 3).* — Contrairement aux bâtiments modernes qui le jouxtent, le Jewellers Building (1926) est de style plutôt baroque par l'éclectisme de son ornementation. Il est coiffé de quatre petits temples au 24e étage et couronné d'une rotonde au 41e étage où Helmut Jahn, l'architecte de l'Illinois Center, a installé ses bureaux.

Sur **Michigan Avenue** :

● **360 N. Michigan** *(anc. Stone Container Building ; plan de Magnificent Mile, n° 4).* — Cet élégant monument d'Alfred S. Alschuler (1923), construit à la même époque que le Wrigley Building et la Tribune Tower qui lui font face, est couronné d'un petit temple grec emprunté à l'art classique. Il doit la forme incurvée de sa façade à sa position entre Michigan Ave. et Wacker Drive.

● **Carbide et Carbon Building** *(230 N. Michigan Ave. ; plan de Magnificent Mile, n° 5).* — Parfaite illustration du style Art déco, cette tour, œuvre de Burnham (1929), est construite en plusieurs matériaux : revêtement en granit poli noir à la base, terre cuite vert sombre pour la partie centrale et feuille d'or pour la décoration du sommet.

● **Michigan Bridge.** — Le pont Michigan marque la limite entre le quartier N. et le quartier S. de la ville. Les tourelles aux quatre extrémités de ce pont ouvrant sont ornées de sculptures illustrant les étapes de la construction de Chicago : les explorateurs français Marquette et Jolliet ; les pionniers (côtés N.), la défense de Fort Dearborn et la reconstruction de la ville après l'incendie (côtés S.).

Traverser le pont pour continuer Michigan Ave. vers le N.

● **Wrigley Building**** *(N. Michigan Ave. ; plan de Magnificent Mile, n° 6)*. — Le premier monument construit après l'ouverture du pont sur la rive N. (1920). Œuvre de Graham, Anderson, Probst et White, il est considéré comme l'une des plus remarquables réalisations architecturales de l'époque en raison de sa division en deux bâtiments distincts mais unifiés. L'ornementation de la tour horloge est inspirée de la Giralda de la cathédrale de Séville. Entièrement recouvert de céramique blanche, le Wrigley Building conserve un éclat qui le distingue des autres monuments.

Derrière l'étroit passage qui relie les deux bâtiments, jolie petite place agrémentée d'une fontaine.

● **Tribune Tower**** *(435 N. Michigan Ave. ; plan de Magnificent Mile, n° 7)*. — Œuvre de Hood et Howells, cette tour néo-gothique (1923-1925) est inspirée de la tour de Beurre de la cathédrale de Rouen. Elle fut très controversée à l'époque de sa construction car elle ne correspondait pas aux critères fonctionnels de l'école de Chicago. Les arcs-boutants purement décoratifs qui entourent le sommet de la tour ont notamment donné lieu à de vives polémiques. Dans les murs de soubassement sont incrustées des pierres provenant des monuments les plus célèbres du monde (cathédrale de Cologne, Westminster Abbey, arc de triomphe de Paris, Parthénon, Taj Mahal...).

● **Museum of Contemporary Art** *(237 E. Ontario St. ; plan de Magnificent Mile, n° 8 ; ouv. du mar. au sam. de 10 h à 17 h, dim. de 12 h à 17 h ;* *entrée libre le mar. ; ☎ 280-5161)*. — Fondé en 1967, ce musée présente des expositions consacrées à des artistes d'avant-garde, tels Claes Oldenburg, Jeff Koons ou encore Christo, qui « emballa » le musée en 1969. On reconstruit actuellement ce musée au 243 E. Chicago Ave. Ouverture au public le 2 juillet 1996 ; ouv. mer. et 1er ven. de chaque mois de 10 h à 21 h, les autres jours de 10 h à 18 h sauf Thanksgiving et 25 déc.

● **Terra Museum of American Art*** *(666 N. Michigan Ave. ; plan de Magnificent Mile, n° 9 ; ouv. lun. et mer.-sam. de 10 h à 17 h, mar. de 12 h à 20 h et dim. de 12 h à 17 h ; f. jours fériés ; ☎ 664-3939)*. — Ce petit musée, installé d'abord à Evanstone, a emménagé sur Michigan Ave. en 1988. Milliardaire et mécène, J. Daniel Terra, grand admirateur des peintres impressionnistes américains, rassembla à partir de 1940 une importante collection d'œuvres de cette période. Il fonda en 1980 ce musée qui réunit plus de 500 tableaux de maîtres américains allant du XVIIIe au XXe s. La qualité des œuvres, associée à une présentation agréable, en font l'un des musées les plus plaisants de la ville malgré sa taille relativement réduite.

On remarquera parmi les œuvres les plus connues *Our Banner in the Sky* (1861) de **Frederic Church** (1826-1900), peinture qui suggère de façon symbolique l'étendard américain menacé pendant la guerre de Sécession.

Parmi les toiles impressionnistes, on remarquera *The Siesta* ** (1882) de **Whistler** (1834-1913) ; l'auteur procède par larges touches et le modèle, Maud Franklin —qui fut sa maîtresse dans les années 70— apparaît dans une pose moins académique que dans ses peintures habituelles. *Salem Willows* (1904), l'une des plus grandes des dix toiles de **Prendergast** (1859-1924) ici présentes, rappelle Seurat et les post-impressionnistes. Citons encore *Dennis Miller Bunnker Painting at Calcot** (1888) de **John Singer Sargent** (1856-1925), scène charmante représentant son ami peintre invité un été en Angleterre dans sa maison de Calcot, et le très beau tableau de **Charles Courtney Curran** (1881-1942), *Lotus Lilies** (1888), peinture qui fut exposée au Salon des impressionnistes en 1890 à Paris. On remarquera aussi, parmi les peintures du XXe s., *Pip and Flip* (1932) de **Reginald Marsh**, des scènes de ville qui s'apparentent plus à l'illustration, *Nature symbolized* (1911) d'Arthur Dove et *Marsh Hawk* (1964), paysage d'un réalisme inquiétant de Andrew Wyeth.

● **City Place** (*676 Michigan Ave., à l'angle de Huron St. ; plan de Magnificent Mile, n°10*). — L'illustration parfaite de l'audace des architectes de la nouvelle école. Avec sa façade miroitante rose et bleu découpée comme une tranche de cake, ce bâtiment à multiples fonctions de 40 étages échappe difficilement au regard sur Michigan Ave. Il comprend trois étages de magasins en soubassement ; hôtels et bureaux occupent la partie supérieure.

● **Chicago Place** (*700 Michigan Ave., à l'angle de Superior St. ; plan de Magnificent Mile, n° 11*). — Autre exemple intéressant d'architecture commerciale contemporaine, le Chicago Place, construit par Skidmore, Owings et Merrill en 1990. Il comprend 18 étages de galeries marchandes et 28 étages d'appartements. Les auteurs se sont délibérément inspirés de l'école classique de Chicago : « Chicago windows », coin en arrondi de Carson Pirie Scott, décoration et couleur ocre des piliers dans l'impressionnant hall de Saks Fifth Ave. (temple des boutiques de luxe qui méritent le coup d'œil).

● **Chicago Water Tower** (*806 N. Michigan Ave., à l'angle de Chicago Ave. ; plan de Magnificent Mile, n° 12 ; ouv. t.l.j. de 10 h à 17 h*). — Ce vieux château d'eau qui tient compagnie à Chicago depuis 1869 — il fut épargné par l'incendie de 1871 — abrite aujourd'hui l'**office du tourisme de la ville** (ouv. lun.-ven. de 9 h 30 à 18 h, sam. de 10 h à 18 h, dim. de 11 h à 17 h). Tout droit sorti d'un film de Walt Disney avec ses tourelles telles des poivrières (qualifiées par Oscar Wilde de monstruosité !), il est d'un anachronisme sympathique.

● **Water Tower Plaza Building** (*835 N. Michigan Ave. ; plan de Magnificent Mile, n° 13*). — Bien que l'extérieur ressemble à un bloc de marbre blanc peu attrayant, le hall d'entrée luxueusement décoré de marbres, cascades et jardins intérieurs mène à 12 étages de galeries commerciales desservies par des ascenseurs en verre.

● **John Hancock Center**** (*875 N. Michigan Ave. ; plan de Magnificent Mile, n° 14*).— Les Chicagoans l'ont surnommée « Big John »... Cette tour en forme de derrick est l'une des plus hautes du monde (343 m) et la 3e de Chicago après la Sears Tower et l'Amoco Building. Édifiée en 1969 par Skidmore, Owings et Merrill, elle est consolidée sur 18 étages par des diagonales croisées qui la protègent de la pression du vent.

Allez donc prendre un verre le soir au 94e étage (*ouv. de 9 h à 24 h ; également un observatoire, entrée payante*) : la **vue*** sur Chicago est splendide ; ou, moins abordable, allez dîner au restaurant « le 95th ».

● **Fourth Presbyterian Church** (*125 E. Chestnut St. ; plan de Magnificent Mile, n°15*). — Église néo-gothique construite en 1912 par Ralph Adams. Le presbytère, séparé de l'église par un cloître et un joli jardin abrité du bruit de l'avenue, peut être une halte agréable et reposante.

● **Playboy Building**** *(919 N. Michigan Ave. ; plan de Magnificent Mile, n° 16)* — Dessiné dans le pur style vertical, le bâtiment, œuvre de Holabird et Root (1929), fut pendant longtemps le plus haut monument de l'avenue (49 m). L'équipe du journal *Playboy*, fondé en 1953, prit la direction d'*Esquire* à Chicago en débauchant le dessinateur Alberto Vargas —dont les dessins de filles déshabillées étaient si célèbres que le magazine *Esquire* avait pu réclamer des allocations supplémentaires de papier pendant la Seconde Guerre mondiale, sous prétexte que les *Vargas' girls* servaient à élever le moral des GI's !

● **900 N. Michigan Avenue** *(plan de Magnificent Mile, n°17).* — Construit en 1989 par Kohn Pedersen Fox, Perkins et Will, cette tour (66 étages) reprend de façon monumentale le dessin du Playboy Building qui lui fait face. Second temple du luxe et de l'argent après la Water Tower, la galerie commerciale qui occupe les huit premiers étages se visite comme un monument. Sa décoration tout en marbre a de quoi impressionner !

● **One Magnificent Mile** *(950 N. Michigan Ave. ; plan de Magnificent Mile, n° 18).* — Très bel ensemble de trois tours hexagonales en granit poli rose (respectivement 21, 49 et 58 étages), construit par Skidmore Owings et Merrill en 1983. Il est malheureusement complètement éclipsé par son encombrant voisin, 900 N. Michigan.

● **Drake Hotel.** — Construit dans le style des palais italiens Renaissance en 1920 par Ben Marshall, l'hôtel est depuis 1981 classé monument historique. Grâce à son orientation privilégiée, les façades N. et E. ont vue sur le lac. Au rez-de-chaussée, galerie de boutiques de luxe, prêt-à-porter masculin et féminin, antiquités. Le vestibule donne sur une fontaine en marbre réalisée dans le style français du XVIIIe s.

● **Vous pouvez voir encore :**

● **Musée de l'Académie des Sciences** *(North Pier, 435 E. Illinois St. ; bus : CTA 29, 56, 65 et 66 ; ouv. lun.-sam. 9 h 30-16 h 30 et dim. 12 h-17 h ; entrée libre le mar. ; ☏ 871-2668).* — Le musée des Sciences naturelles propose des activités pédagogiques pour sensibiliser les enfants au monde végétal et animal. Centre d'activités informatiques et station hydrographique où l'on peut construire des barrages et tester la qualité de l'eau.

● **Lake Point Tower*** *(505 N. Lake Shore Drive ; plan général C1).* — Située à l'entrée du Navy Pier, cette tour d'appartements de 197 m de haut (70 étages) se remarque à 30 km à la ronde. Elle a été construite en 1968 par John Heinrich et Georges Schipporeit sur des plans dessinés en 1921 par Mies van der Rohe pour un gratte-ciel de Berlin qui ne fut jamais réalisé. Son originalité : sa forme trilobée d'un seul volume. La structure métallique légère renforcée de béton est recouverte d'un mur-rideau en verre teinté de bronze. Ce plan en arrondi libère les espaces intérieurs et joue sur les reflets des parois vitrées.

● **Marina City*** *(North River Side ; plan général B2).* — Sur la rive N. de la rivière, deux tours jumelles cylindriques en béton, le matériau de prédilection des années 60 (architecte : Bertrand Goldberg, 1964-67). Leur caractère original réside dans les balcons en encorbellement disposés en une succession verticale de pétales de fleurs. Ces tours d'appartements (60 étages, 168 m) offrent également théâtre, studio de télévision, banque, restaurant et port de plaisance ; les 18 premiers étages sont réservés au parking desservi par une rampe hélicoïdale.

● **Merchandise Mart*** *(Merchandise Mart Plaza, env. 350 Wells St. ; North River ; plan général B2).* — C'est le bâtiment qui a la plus grande superficie au sol après le Pentagone à Washington. Œuvre de Graham, Anderson, Probst et White (1930), ce marché central du meuble reçoit des acheteurs venus de partout aux États-Unis.

■ 3. Art Institute***

Plan général, C3

Au départ, ce fut une Académie des beaux-arts fondée par les riches bourgeois de la ville qui avaient amassé des fortunes colossales dans le commerce, l'immobilier ou l'acier. Après l'incendie de 1871, la fondation fut fermée, puis remplacée en 1882 par une nouvelle académie composée d'hommes d'affaires et d'artistes, et qui devint l'*Art Institute*. À l'occasion de l'Exposition universelle de 1893, on construisit un grand bâtiment de style Renaissance, mais l'*Art Institute* n'avait alors que quelques moulages de plâtres d'inspiration antique et pas une seule toile d'importance à présenter !

Deux riches citoyens, Charles Hutchinson et son ami Ryerson, décidèrent de se mettre en quête d'œuvres significatives et originales pour le musée. À leurs noms gravés en lettres d'or sur les murs des galeries du musée s'en ajoutèrent d'autres, dont celui de l'étonnante Mrs. Potter Palmer. Féministe, elle organisa sur les lieux mêmes une exposition destinée à faire connaître les talents des femmes américaines. Surtout, elle possédait une collection de plus de 300 toiles acquises en France, pour la plupart impressionnistes, avec une prédilection particulière pour Monet. Avec elle, le ton était donné. L'Art Institute possède donc une collection d'impressionnistes de tout premier plan mais vous y verrez également des peintures et sculptures du XIIIe s. à nos jours. Le musée possède aussi un important département d'architecture, de dessins et d'estampes, un département d'arts décoratifs et une belle collection d'art oriental.

***Adresse :** Michigan Ave. face à Adams St.* ☎ *443-3600*

***Accès :** CTA Adams.*

***Visites :** du lun. au ven. 10 h 30-16 h 30, mar. jusqu'à 20 h (gratuit), sam. 10 h-17 h, dim. et fêtes 12 h-17 h ; f. le 25 déc. et Thanksgiving.*

Restaurant en plein air l'été.

● **Rez-de-chaussée** *(main floor)*

● **Art asiatique.** — Ce département, riche de plus de 30 000 pièces admirablement présentées, s'organise autour de la Chine et de son aire géographique. Il permet de parcourir les siècles selon l'ordre chronologique depuis le IIIe millénaire avant notre ère jusqu'au XVIIIe s. La préhistoire et l'époque Tang (618-906), les estampes japonaises et les porcelaines coréennes sont particulièrement bien représentées.

Chine. — **Bronzes*** : les vases, découverts dans les tombes, étaient utilisés par la noblesse lors des sacrifices rituels destinés à honorer les ancêtres et à assurer la continuité de la dynastie. **Tripode à vin** (XIIe-XIe s. av. J.-C., dynastie Shang) : les énigmatiques figures animales, becs, trompes et cornes gravées sur la partie centrale du vase, à la fois décoratives et figuratives, pourraient représenter le monde invisible des esprits.
Nombreux **jades** (collection Sonnechein) : cadeaux funéraires placés dans les tombes en raison de la croyance dans le pouvoir régénérateur de cette pierre, dont la matière dure était beau-

coup plus difficile à graver que l'or. Le **pendentif** figurant un dragon symbolise l'énergie créatrice (dynastie Chou, IVe-IIIe s. av. J.-C.).

Portes de tombeau* en terre cuite avec ornements en impression (dynastie Han, Ier s. av. J.-C.). Ces portes, dont le nombre variait selon la richesse du défunt, étaient placées dans la chambre des morts. Leurs motifs évoquent l'immortalité : au centre, un masque d'ogre avec un anneau protège l'occupant de la tombe des esprits malins ; le dessin de cyprès en forme de cœur apporte à la famille protection et longévité ; sur les contours, des équipages, chevaux, chariots, chasseurs en procession évoluent dans un paysage montagneux habité de dragons-phœnix et d'immortels ailés. Ils représentent la classe moyenne des officiers et des marchands de l'État bureaucratique de la Chine unifiée du IIIe millénaire.

Figure de cheval (poterie vernissée ; dynastie Tang, VIIIe. s.) : pour s'assurer une meilleure vie dans l'au-delà, les officiers de cour gardaient dans leurs tombes des poteries représentant les serviteurs, les chevaux et les chameaux qui transportaient des produits de luxe sur la route de la soie entre la Chine, l'Inde, la Perse et la Méditerranée. Le cheval était particulièrement apprécié par l'aristocratie Tang.

Le Bouddha Maitreya* (dynastie Tang, VIIIe s.) est destiné à parvenir à l'état de bouddha dans un âge ultérieur. Il est assis non pas dans une position de méditation mais comme s'il allait quitter son trône pour répandre la foi dans le monde. L'inscription sur le piédestal est une dédicace respectueuse du donateur à sept générations d'ancêtres, parents décédés et relations en vie.

On notera encore un **brûleur d'encens*** en forme de canard (porcelaine vernie ; dynastie Song, XIIe s.), fabriqué par les potiers Jingdezen, potiers officiels du gouvernement, une assiette en émail décorée de pêches et de chauves-souris (dynastie Qing, 1723-1735) et un ensemble exceptionnel de **dessins et estampes**** parmi lesquels un paysage

(dynastie Ming, 1540), petit mais très raffiné et qui illustre parfaitement cet art où est si bien maîtrisée l'alliance entre aquarelle et encre de chine.

Japon. — **Bosatsu assis** (VIIIe s.) : dans cette représentation typique de la sculpture de l'époque Nara (710-794), l'usage de la laque est perfectionné par l'emploi d'une résine légère et résistante qui durcit une fois sèche. Les couches de laque sont modelées comme du papier mâché et donnent forme à la statue qui est dorée dans une étape finale.

Estampes* de la période Edo (1603-1867) : portraits saisissants d'acteurs qui interprètent des drames de kabuki (genre théâtral où alternent chant, danse et ballet). Celui de l'acteur *Morita Kanya VIII* par Sharaku faisait partie d'une série de 140 portraits : l'expression dramatique est d'autant plus intense que l'artiste a placé le personnage seul face au spectateur, sans décor. De Kinagawa Utamaro, série de trois panneaux (1801), remarquables par la beauté et l'élégance des modèles féminins. Elle illustre la fabrication des estampes : la préparation du papier, le travail sur le bois et l'impression finale. Les estampes sont exposées alternativement pour les protéger des effets de la lumière.

Corée. — **Vase Maebyong*** (dynastie Koryo, XIIIe s.) dont les motifs gracieux évoquent d'heureux auspices : le bambou signifie la force, les grues la longévité, le canard la fidélité conjugale et les enfants la prospérité. **Fiasque** (dynastie Choson, XVe s.) : elle était utilisée par les moines Zen pour la cérémonie du thé.

● **Arts décoratifs européens.** — Ce département présente toutes sortes d'objets (meubles, céramiques, verres, émaux, ivoires, etc.) et de sculptures de l'époque médiévale à 1900. La collection d'argenterie anglaise du XVIIIe s. et celle d'armes et armures d'origine européenne (XVe-XIXe s.) sont particulièrement importantes.

À ne pas manquer dans ce département : une *Vierge à l'Enfant* en majesté* (ivoire, 1240, nord de la France) ; une tête de prophète en calcaire (XIIIe s. ; atelier d'Ile de France) et une commode* de Reisener (env. 1791-1792).

● **Aile orientale** .— Située à l'extrémité du Gunsaulus Hall, elle ouvre sur les ***American Windows**** : ces vitraux de Chagall donnés par l'artiste au musée en l'honneur du bicentenaire américain offrent une représentation symbolique de la musique, de la peinture, de l'architecture, du théâtre, de la poésie et de la danse, figures dans lesquelles apparaissent la statue de la Liberté, l'aigle américain et la signature de la déclaration d'Indépendance. Cette aile, achevée en 1976, abrite également l'Académie des beaux-arts, l'auditorium et la reconstitution de la Bourse de l'ancien Stock Exchange d'Adler et Sullivan (1893).

● **Art américain**. — Mobilier (notamment de F.L. Wright), sculptures et peintures du XIXe s. à nos jours sont rassemblés dans le Rice Building. L'ensemble est assez touffu mais il ne faut surtout pas manquer les tableaux des premiers peintres américains du siècle dernier. Ces œuvres sont entrées à l'Art Institute grâce à l'association fondée en 1910 *(The Friends of American Art)* dans le dessein de recueillir les travaux d'artistes américains vivants, puis de toutes les périodes.

John Copley (1738-1815) : *Mrs. Daniel Hubbard*, portrait d'un réalisme méticuleux. **Winslow Homer** : *Partie de croquet**(1866), où les robes des femmes renvoient des reflets lumineux annonçant l'impressionnisme. **Mary Cassatt** (1844-1926) : *la Toilette*—la mère et l'enfant, thème cher à cette artiste dont Mrs. Potter Palmer tint particulièrement à exposer les œuvres dans l'exposition qu'elle consacra aux femmes peintres. **William Harnett** (1848-

1892) : *For Sunday's dinner**, une nature morte pleine d'impertinence, qui représente un gibier attendant d'être cuit, suspendu à une porte en trompe l'œil à la manière des Hollandais. **Frederic Remington** (1861-1909) : *l'Avant-garde* (1890), peinture de l'O. américain, un soldat tué par un Indien dissimulé dans la montagne. **Thomas Eakins** (1844-1916) : *Mary Adeline Williams*, œuvre d'un réalisme presque photographique. **William Chase** (1849-1916) : *le Parc*, où Alice, la femme de l'artiste vêtue de noir et rose, pose dans la lumière d'un après-midi d'été.

● **Rez-de-chaussée bas** *(lower floor)*

Cet étage est réservé à une collection de textiles et de broderies (Rubloff Building), à la photographie et à l'architecture (Allerton Building), ainsi qu'à la **collection Thorne**. Celle-ci comporte 68 intérieurs en miniature anglais, français, américains exécutés à l'échelle 1/12e, chacun étant aménagé dans le style de son époque. Rien ne manque, pas même les tableaux à l'huile aussi petits que des timbres-poste. Ces salles, avec leur tapis et leurs rideaux, ont été conçues par Mrs. James Thorne qui a également réalisé les objets décoratifs.

● **Premier étage** *(second floor)*

Il est entièrement consacré à la peinture, qui forme la plus grande partie des collections du musée. Autrefois, les œuvres étaient exposées en fonction du donateur qui les avaient offertes, puis à partir de l'année 1930, on réorganisa les salles en fonction des styles et de la chronologie des œuvres. On peut ainsi parcourir plusieurs siècles de peinture européenne et américaine depuis le XIIIe s. jusqu'à nos jours, les XVIIIe, XIXe et XXe s. étant particulièrement bien représentés.

● **XIIIe-XVe siècles** (salles 207 à 211). — **Meliore Florentine** : *Vierge à l'Enfant* en majesté (XIIIe s.), dans la tradition byzantine. **Bernardo Martorell** (Catalogne, actif de 1427 à 1452) : *Saint Georges et le Dragon**, panneau d'un retable où l'on reconnaît le style gothique aux nombreux petits personnages du décor. Il illustre le triomphe du Bien (saint Georges) sur le Mal (le dragon) dans un luxe de détails d'une grande finesse. **Giovanni di Paolo** (école siennoise ; 1403-1482/83) : six panneaux d'un retable relatent les scènes de la *Vie de saint Jean-Baptiste**. Si l'œuvre colorée et précieuse révèle un sens profond du sacré, la scène où le prophète est décapité est presque drôle tant l'artiste a forcé les traits, allongeant le cou et faisant couler le sang à flots. **Hans Memling** (1433-1494) : *Vierge à l'Enfant *** et *Portrait d'un donateur*** ; Maître de Moulins (actif de 1490 à 1510) : *Annonciation***, œuvre à la fois médiévale (dans la conception et la spiritualité) et moderne (par le jeu des perspectives). *Ève et le serpent*, typique des figures féminines de **Lucas Cranach l'Ancien** (1472-1553) : blondes et fines, et dont l'hédonisme s'harmonise avec le monde de Luther et de la Réforme. **Le Corrège** (1494-1534) : *Vierge à l'Enfant avec Saint Jean-Baptiste**, dont les personnages sont idéalisés et terrestres à la fois. **Gérard David** (1455-1523) : *Lamentation au pied de la croix**, où l'expression des visages touche au sublime.

● **XVIᵉ-XVIIᵉ siècles** (salles 212 à 217). — Giovanni Minelli dei Bardi : *Vierge à l'Enfant** (terre cuite, env. 1520). **Alessandro Vittoria** : *Saint Luc** (terre cuite, 1570). **Rubens** (1577-1640) : *la Sainte Famille avec sainte Élisabeth et saint Jean-Baptiste**, couleurs brillantes, éclat des chairs, un avant-goût de la sensualité exubérante du peintre flamand. **Manfredi** (1582-1622) : *Cupidon châtié*, une toile caravagesque pleine de contrastes et de mouvements. **Poussin** (1594-1665), *Saint Jean de Patmos*** : la campagne romaine, quelques ruines antiques et saint Jean vêtu comme un personnage de Michel-Ange, s'ordonnent dans une composition architecturale. *L'Assomption de la Vierge**** : toile immense, première grande commande au **Greco** (1541-1614) pour le monastère Santo Domingo de Tolède, mais œuvre déjà pleine de maturité, une des plus belles du musée. **Zurbarán** (1598-1664) : *Crucifixion***, le Christ, sculptural, émerge d'un fond noir et semble suspendu en dehors de l'espace et du temps, sublime. **Rembrandt** (1606-

1669) : *Vieil Homme à la chaîne en or****, l'un des modèles préférés du peintre, vêtu de noir, dans une attitude théâtrale d'une grande majesté.

● **XVIIᵉ-XIXᵉ siècles** (salles 218 à 226). — Les trois œuvres de **Tiepolo** (1696-1770), pleines de l'exubérance du rococo, illustrent un épisode de la *Délivrance de Jérusalem*, poème épique du Tasse : comment la belle Armide, païenne et magicienne, a détourné Renaud de sa mission (sauver la Terre Sainte des Infidèles). **Boucher** (1703-1770) : *Pensent-ils au raisin ?*, voluptueuse scène pastorale. **Fragonard** : *Portrait d'un homme*, dont la grande barbe se mêle au vêtement dans un plissé original. **Reynolds** (1723-1792) : *lady Sarah sacrifiant aux Grâces*. **Goya** (1746-1828) : *la Capture du bandit Maragato par le frère Pedro Zaldivia*, série de six petits tableaux qui racontent, non sans humour, à la manière d'une bande dessinée, un fait divers réel : comment un moine pacifique se transforma d'un coup en justicier. **Delacroix** (1798-1863) : la *Chasse au lion***, une scène mouvementée, pleine de couleurs et d'exotisme au cœur du Maroc où le peintre accompagna une mission diplomatique. **Ingres** : *Amédée David, marquis de Pastoret***, portrait d'un jeune aristocrate bien de son époque. **Turner** (1775-1851) : *Bateaux de pêche hollandais**, qui montre la vulnérabilité des hommes face au pouvoir dévastateur des éléments déchaînés, thème romantique. **Corot** (1796-1875) : *la Lecture interrompue***, œuvre romantique où une jeune femme mélancolique rêve, son livre posé sur ses genoux. **Courbet** (1819-1877) : *la Mère Grégoire**, dont on ne sait si elle était la patronne d'une brasserie parisienne ou d'une maison close, offre une fleur à un habitué. **Manet** (1832-1883) : *le Christ raillé par les soldats** : le Christ vulnérable et humain dans une œuvre qui rappelle Goya et Vélasquez et annonce l'impressionnisme.

● **Impressionnisme et post-impressionnisme** (salles 201 à 206). — **Monet** (1840-1926) : *la Seine à Bennecourt** (1868) nous montre Camille, la maîtresse du peintre, assise au bord du fleuve qui reflète le village endormi, un beau jour d'été ; *la Plage de Sainte-Adresse*** : rencontre de pêcheurs sous un ciel chargé. La plus belle œuvre de **Caillebotte** (1848-1894) : *Paris, un jour de pluie***, scène de rue située place de l'Europe, près de la gare Saint-Lazare. **Renoir** (1841-1919) : *Deux Petites Filles de cirque**, jongleuses du cirque Fernando de la rue Rochechouart, entourées d'un halo jaune, orange et rose qui contraste avec le public vêtu de noir. **Degas** (1834-1917) : *Chez la modiste**, une jeune femme absorbée par la confection d'un nouveau chapeau. **Pissarro** (1830-1903) : *le Crystal Palace*, promeneurs devant l'immense structure de verre et de métal imaginée par Paxton pour l'Exposition universelle de Londres en 1871. **Seurat** (1859-1891) : *Un dimanche après-midi sur l'île de la Grande Jatte****, l'un des chefs-d'œuvre du musée. **Toulouse-Lautrec** (1864-1901) : *Au Moulin rouge**, où une palette de couleurs acides, des visages de masque et une perspective oblique recréent l'atmosphère nocturne de la bohème de Montmartre à la fin du XIXe s. *La Lectrice* : l'une des peintures les plus impressionnistes de **Manet** (1832-1883), qu'il exécuta quelques heures avant sa mort. **Cézanne** (1839-1906) : *Corbeille de pommes***, un tableau qui préfigure le mouvement cubiste. **Gauguin** (1814-1903) : *Vieilles Femmes à Arles***, une œuvre colorée, mystérieuse, énigmatique, aux formes presque abstraites, exécutée lors du séjour du peintre à Arles auprès de Van Gogh. **Van Gogh** (1853-1890) : *La Chambre à coucher***, dont la vitalité et les couleurs contrastent avec le vide de la chambre. **Modigliani** (1884-1920) : *Jacques et Berthe Lipchitz*, un couple énigmatique.

● **Peinture du XXe siècle** (salles 230 à 249). — **Picasso** (1881-1973) : *Daniel-Henry Kahnweiler*** (1910), portrait cubiste du célèbre collectionneur qui se fit lui-même le chantre du mouvement ; *Mère et Enfant* (1921), dans un style monumental. **Juan Gris** (1887-1927) : *Portrait cubiste de Picasso****, d'une grande présence malgré la fragmentation des objets et la multiplication des plans. **Delaunay** (1882-1941) : la *Tour Eiffel rouge*** dans un « contexte de destruction » selon les mots mêmes du peintre ;

Un dimanche après-midi sur l'île de la Grande Jatte de Georges Seurat

L'histoire du tableau commence en août 1886, lorsqu'il est exposé à la VIIIe Exposition impressionniste. Une manifestation à laquelle Monet et Renoir ont refusé de participer ; Degas est présent mais il a demandé que le mot impressionniste soit retiré de l'affiche. Car il faut désormais compter avec une nouvelle tendance : le néo-impressionnisme. Pissarro, Signac exposent mais c'est incontestablement l'œuvre de Seurat qui provoque le plus de réactions : le public ricane, et la critique n'hésite pas à écrire que « la toile n'est bonne que comme plaisanterie » ou encore que « le but même de l'art a été négligé ».

Pourquoi tant de scandale ? Le sujet est moderne mais il n'est pas nouveau. En réalité, c'est la facture même de l'œuvre qui surprend. Seurat a fait sienne la théorie du mélange optique qui veut que des couleurs, qui s'atténuent et s'éteignent par leur mélange, s'exaltent au contraire, à distance, sur la rétine du spectateur.

Un dimanche après-midi sur l'île de la Grande Jatte est le fruit d'un immense travail pour lequel près de 60 dessins et esquisses ont été réalisés. Selon la technique divisionniste, chaque point de couleur a été arrêté d'avance dans la vision du peintre, fixant les figures dans l'immobilité. Les personnages, hiératiques, rigides, véritables « poupées de bois » selon les mots mêmes des contemporains, apparaissent comme des archétypes, faisant de l'œuvre de Seurat une grande fresque sociale. Depuis 1886, de nombreuses interprétations n'ont pas suffi à résoudre toutes les énigmes du tableau, comme ce petit singe tenu en laisse à droite de la toile.

Kandinsky (1866-1944) : *Improvisation avec centre vert (n° 176)**, jeu de couleurs vives et d'un graphisme libre, l'une des premières œuvres de l'abstraction lyrique. **Matisse** (1869-1954) : *Baigneuses au bord d'une rivière**, toile monumentale où toutes les formes ont été réduites au plus simple, l'une de ces œuvres qui font de Matisse un grand innovateur. **Miró** (1893-1983) : *Personnages avec des étoiles**. **Mondrian** (1872-1944) : *Composition Gris-Rouge*. **Edward Hopper** (1882-1976) : *Nighthawks***, une œuvre devenue mondialement connue représentant trois noctambules dans le bar d'une ville, scène de la vie américaine entre réel et irréel. **Grant Wood** (1892-1942) : *American Gothic***, un fermier et sa femme devant une maison blanche, peints comme aux XVIᵉ s. (le tableau fit sensation en 1930, si bien qu'il est aujourd'hui l'une des œuvres américaines les plus célèbres, symbole de la culture populaire). **De Kooning** (1904) : *Excavation*, où l'on peut voir les traces de création et de destruction, typique de l'Action Painting. **Georgia O'Keeffe** (1887-1986) : *Croix noire, Nouveau-Mexique*, œuvre abstraite inspirée par les nombreuses croix qui couvrent les campagnes du Nouveau-Mexique « comme un fin voile noir », selon les mots de l'artiste. La *Tête d'homme entre les flancs d'un bœuf écorché*** est le *Portrait du pape Innocent X* de Vélasquez transposé dans le monde cru et torturé de **Bacon** (1909).

● **Département des dessins et des estampes.** — Créé en 1887, il est exceptionnel, comprenant des œuvres majeures du XVᵉ au XXᵉ s. À ne pas manquer : Rembrandt, *la Présentation au temple* ; Watteau : *le Vieux Savoyard* ; Tiepolo : *la Mort de Sénèque* ; Ingres : *Charles Gounod* ; Gauguin : *la Femme sur le rivage* ; Daumier : *la Discipline paternelle* ; Van Gogh : les *Cyprès* ; Picasso : le *Repas frugal* ; Mondrian : *Composition*.

■ 4. Lincoln Park**

Il est agréable de se promener dans ce quartier très vivant qui offre à la curiosité des passants le charme de ses galeries d'art et de ses bouquinistes aux trésors enfouis sous des échafaudages de livres. Vous apprécierez son cadre agréable, en bordure du lac Michigan, et sa vie culturelle.

Commune rurale au début du siècle dernier, le quartier s'urbanisa lorsque la Ville décida en 1870 d'aménager la rive N. du lac en un parc de 400 ha. La communauté allemande fut la première à s'y établir. L'installation de l'université Depaul en 1898 et la création de deux hôpitaux, Children's Memorial et St Joseph, favorisèrent l'essor de Lincoln Park.

Pendant l'entre-deux-guerres, Lincoln Park connut le même déclin que Hyde Park. L'appauvrissement de l'O. du quartier entraîna des conflits raciaux entre les communautés noire et hispanique. La riche bourgeoisie émigra plus au N. et l'appauvrissement gagna tout le quartier. Depuis les années 60, plusieurs associations se sont créées pour réhabiliter Lincoln Park. Le quartier est habité aujourd'hui par la moyenne bourgeoisie et de nombreux étudiants, tandis que la communauté noire s'est retirée à l'O. Lincoln Park reste pourtant le quartier « latin » de Chicago pour ses clubs de jazz et ses restaurants latino-américains.

Situation : au N. de Chicago, de North Ave. au S. à Diversey Parkway au N. et du lac à l'E. à la Chicago river à l'O.

Durée : un après-midi suffit pour effectuer cette promenade, mais Lincoln Park étant très étendu, il faudra parfois que vous preniez le bus ou le métro pour aller d'un endroit à un autre.

● **Chicago Historical Society*** (*N. Clark Ave.* ; *bus : CTA 22* ; *ouv. lun.-sam. de 9 h 30 à 16 h 30, dim. de 12 h à 17 h, f. Thanksgiving, 25 déc. et 1ᵉʳ jan.* ; *entrée libre le lun.* ; ☏ *642-4600*). — Fondée en 1856, la Chicago

Historical Society est la plus ancienne institution culturelle de la ville. La vocation du musée est d'organiser des expositions sur l'histoire américaine : des documents visuels et des objets rendent compte non seulement des événements, mais aussi des lieux et de leur cadre.

Le musée rassemble 20 millions d'objets, images et documents, parmi lesquels le lit de mort d'Abraham Lincoln, l'arme de John Dillinger et la première locomotive à vapeur. Des expositions permanentes racontent la vie des premiers pionniers, l'histoire de Chicago, la guerre d'Indépendance, l'Amérique de Lincoln ou encore la guerre de Sécession.

● **Old Town*** *(à l'E., entre North Ave. et Armitage Ave.)* — C'est le quartier « branché » : appartements luxueux aménagés dans d'anciens entrepôts, galeries d'art, magasins d'antiquités. C'est ici que vivent les « yuppies » de Chicago.

Dans **Piper's Alley** *(1608 N. Wells St.)* se trouve Second City, célèbre école d'improvisation théâtrale où les acteurs Elaine May et Mike Nichols ont fait leurs débuts.

Old Town Triangle. C'est un îlot résidentiel autour de Michael's Church, construite en 1866 par les premiers colons allemands. Ce village protégé de la circulation urbaine par un ensemble de petites rues et de passages ombragés d'arbres abrite d'anciennes maisons restaurées dans le goût de l'époque et habitées aujourd'hui par des artistes connus.

Crilly Court, passage privé entre Eugénie St. et St Paul St., est l'une des plus anciennes rues de Chicago.

Sur **N. Lincoln Park West** subsistent deux petites maisons en bois peint (nos 1836-1838) construites avant l'application des mesures contre l'incendie. Elles relèvent d'un mélange de style Queen Ann pour le portique de l'entrée et la véranda, et de chalet suisse pour les couleurs pimpantes et la décoration sur bois au fronton des fenêtres et du toit.

La grande école du blues

Expression transitoire entre la musique noire du Sud et celle du Nord, le blues de Chicago a été une étape importante dans l'histoire de la musique. Il est né au contact du blues traditionnel et folklorique du « deep South » avec la guitare électrique des orchestres du Nord industrialisé, lorsque, dans les années 1920, les Noirs du delta du Mississippi vinrent s'installer à Chicago. Les accents durs et hachés du blues se prêtaient aux amplifications. Des bars de blues s'ouvrirent un peu partout à Chicago, et la pratique de l'enregistrement favorisa le développement de cette nouvelle musique, surtout dans les années 50. Les maisons de disques Chess Records et Alligators Records furent créées. Ce fut l'âge d'or du blues, dont B. B. King et Muddy Waters furent les plus célèbres interprètes. Initiateur de la grande école de jazzmen blancs, le blues de Chicago allait engendrer le rock and roll. Elvis Presley, les Rolling Stones, Led Zeppelin vinrent s'initier à ses rythmes électrifiés.

Aujourd'hui, on peut encore écouter du blues dans la rue le dimanche matin à Maxwell St., berceau de ce genre musical, et dans de nombreux bars et clubs, notamment à Lincoln Park.

Armitage Street, dernier vestige du vieux Chicago.

● **Armitage Street*** *(bus ou métro, station : Armitage).* — C'est une rue pittoresque dont les maisons sont typiques de l'architecture de Chicago : maisons en brique pour la plupart comportant une boutique au rez-de-chaussée et deux étages d'habitation. Celles qui sont situées à l'intersection d'une rue ont un angle arrondi et proéminent, terminé par une colonne décorative en bois qui donne l'illusion d'un support (n° 859 et n° 1024). La rue est animée le soir par des restaurants et des bars.

● **Depaul University** *(2300 N. Webster Ave.).* — Le campus de l'université est situé au cœur de Lincoln Park. Dans les rues N. Fremont et W. Belden qui entourent l'université, belles maisons de style fédéral en briques rouges, avec linteaux de pierre sculptés au-dessus des fenêtres et des portes. La porte d'entrée est parfois rehaussée d'un tympan en vitrail représentant des motifs floraux.

● **N. Lincoln Avenue.** — La section de Lincoln Ave. qui va de Fullerton Pkwy à Diversey Pkwy est un lieu mémorable dans l'histoire du gangstérisme de Chicago. C'est en effet au Biograph Theater *(2433 N. Lincoln Ave.)* que fut éliminé par le FBI John Dillinger, l'ennemi public n° 1, le 24 juillet 1934. Pour avoir donné rendez-vous à une jeune femme vendue au FBI, John Dillinger a trouvé la mort en sortant du cinéma : la police avait su trouver son point faible. On raconte qu'on achetait alors pour un quarter un morceau de journal trempé dans le sang de Dillinger. Aujourd'hui, cette partie de Lincoln Ave. est animée par les étudiants de l'université qui fréquentent les cinémas d'art et d'essai, les petits restaurants et les boutiques de livres et de disques.

● **Lincoln Park Zoo** *(2200 N. Cannon Drive ; ouv. t.l.j. de 9 h à 17 h ; entrée libre).* — Fondé en 1868, ce zoo, qui occupe le quart de la superficie du parc, est le plus ancien des États-Unis. Il abrite 1 800 espèces animales élevées dans des sites naturels, ce qui rend la promenade agréable pour le visiteur. À noter : un zoo pour les enfants, et une vraie ferme en exploitation (« A Farm in the Zoo »).

● **Le Lincoln Park Conservatory*** *(2400 N. Stockton Dr., au S. de Fullerton Pkwy ; ouv. t.l.j. de 8 h à 17 h, entrée libre).* — Ce jardin des plantes qui existe depuis 1892 présente une belle collection de plantes tropicales, de palmiers, d'orchidées et de fougères dans 18 grandes serres.

● **Vous pouvez voir encore :**

● **Graceland Cemetery*** *(4001 N. Clark St. ; bus [CTA] : Sheridan).* — Ce n'est pas n'importe quel cimetière. C'est ici que sont enterrés une bonne partie des hommes qui ont contribué à la grandeur de Chicago : les illustres architectes Burnham et Sullivan, le milliardaire Potter Palmer (tombe entourée de colonnes grecques), Pullman, dont la tombe avait été recouverte d'une dalle de ciment pour la protéger du ressentiment de ses

---

Le sport favori des Américains

Dérivé du cricket britannique, le base-ball fait fureur aux États-Unis. Pour le spectateur étranger qui en ignore les règles, rien de plus déroutant au premier abord que ce jeu. Il semble accumuler les temps morts et les lancers ratés, mais c'est en fait un jeu tout en finesse, où la tactique offensive et défensive est très subtile. Le gérant de l'équipe *(manager)* donne depuis la touche des consignes gestuelles à ses joueurs et n'hésite pas à les remplacer en cours de match en fonction de leur efficacité et des adversaires rencontrés. C'est surtout en fin de match que les manœuvres tactiques se multiplient si le résultat s'annonce indécis.

Les rencontres opposent deux équipes de neuf joueurs qui évoluent sur un terrain autour d'un losange. La partie se déroule en neuf manches *(innings)*, une manche supposant le passage successif des deux équipes à l'attaque et à la défense. À l'attaque, le batteur de l'équipe doit renvoyer le plus loin possible, avec sa batte, les balles que le lanceur de l'autre équipe lui envoie. Le batteur doit ensuite partir en courant pour faire le tour des bases —nom donné aux quatre coins du losange— avant que la balle ne soit récupérée par l'équipe du lanceur. S'il réussit, il marque un point. S'il échoue, il est éliminé et remplacé par un autre joueur. En cas d'égalité après les neuf manches réglementaires, on continue jusqu'à ce qu'une équipe prenne le dessus. Ce qui explique que les rencontres, qui durent en moyenne 2 à 3 h, puissent être parfois beaucoup plus longues... En tout cas, l'ambiance est assurée sur un terrain de base-ball : pour le public, chaque match est une fête et produit sur lui un enchantement toujours égal. Il y a là « une beauté supérieure à la beauté bousculée du basket-ball, une beauté conquise sur les herbages de la campagne, un jeu d'isolement, d'attente, attente que le lanceur complète de son long regard vers la première base en lançant son coup de foudre, un jeu dont la saveur même, de salive et de poussière, d'herbe et de sueur, de cuir et de soleil, était l'Amérique » (John Updike, *Rabbit rattrapé*, Éditions Gallimard, 1973).

ouvriers. Certaines sépultures sont des monuments d'architecture : la tombe de Getty, œuvre de Sullivan, celle de la famille Graves, représentée par une sculpture de Lorado Taft (*Éternel Silence*).

● **Wrigley Field** (*N. Clark et Addison Sts ; bus CTA 22 ou « L » Howard : Addison*). — C'est le stade des Chicago Cubs, l'équipe nationale de base-ball depuis 1980. Pour avoir des impressions vives sur la ville de Chicago, ne manquez pas, un bel après-midi d'été, d'assister à un match. L'ambiance vaut le déplacement ! La saison de base-ball commence en avril et se termine le dernier week-end d'octobre ; les matches ont lieu dans la journée. Achetez les billets sur place ou réservation : ☎ 831-2827.

■ 5. Grant Park*

Plan général, C2-4

Un immense parc à proximité immédiate du centre-ville, avec bosquets d'arbres, parterres fleuris et une promenade au bord du lac Michigan... Grant Park est assurément un lieu de détente agréable, nonobstant les grandes voies de circulation routière et ferroviaire qui le traversent. À voir la longue perspective de la Colombus Drive bornée par le bâtiment néo-classique du Field Museum, l'énorme fontaine de Buckingham et, de part et d'autre, les larges pelouses décorées de sculptures, on pourrait presque se croire dans un jardin à la française.

Au siècle dernier, il existait déjà, en bordure du lac, un terrain réservé au public et protégé de toute construction par une loi de 1837. L'incendie de 1871 lui profita : des tonnes de gravats ayant comblé le lac entre Michigan Ave. et l'actuelle route qui longe le lac, le parc gagna du terrain sur l'eau. Dans son plan de Chicago

de 1909, l'architecte Burnham envisageait pour Grant Park d'ajouter à l'Art Institute et à l'Orchestra Hall — qui existaient déjà— d'autres musées pour faire de cet endroit le centre culturel de Chicago. À cette époque, Grant Park fut préservé des constructeurs, mais l'esprit du projet demeure : l'Art Institute (→ *prom. 3*) et le triangle des musées —Planetarium, Aquarium et Histoire naturelle— attirent toute l'année des milliers de visiteurs.

Grant Park fut le lieu de manifestations historiques : des affrontements violents eurent lieu entre policiers et manifestants lors de la convention nationale démocrate d'août 1968. Le 27 juillet 1970, 50 000 fans déçus par l'annulation du concert du groupe rock *Sly and the Family Stone* s'en prirent aux policiers. Enfin, le 4 octobre 1979, le pape Jean-Paul II y célébra une messe devant plus de 150 000 personnes.

Festival de blues fin mai et de jazz début septembre.

Situation. — *Parc de 127 ha en bordure du lac Michigan ; il est délimité d'E. en O. par le lac et Michigan Ave., et du N. au S. par Randolph St. et Roosevelt Rd.*

Combien de temps ? — *Comptez une demi-journée pour vous promener dans le parc et visiter l'un des musées. Si vous souhaitez voir les quatre musées, prévoyez un (ou deux) jour(s), en fonction du temps que vous consacrerez à l'Art Institute.*

Accès. — *Congress Plaza, au niveau de l'intersection de Michigan Ave. et de Congress Pkwy (bus 156 Marine-Michigan).*

● **Entrée sur Congress Plaza.** — Elle est marquée par les statues équestres des deux guerriers indiens, œuvre du Yougoslave Ivan Mestrovic (1883-1962) : le *Tireur à l'arc* et le *Lanceur* *de javelot.* Les silhouettes de ces deux hommes tendus, prêts au combat, se détachent fièrement et constituent le décor d'un tableau historique dont la fontaine Buckingham est le centre.

● **Buckingham Fountain** *(plan général, C3 ; en activité de mai à sept., éclairée la nuit de 21 h à 21 h 30).* — Située au milieu du parc, cette gigantesque fontaine a presque deux fois la taille de celle du château de Versailles qui lui a servi de modèle. Elle porte le nom de sa donatrice (1927), Kate Buckingham. Les quatre groupes de chevaux marins symbolisent les quatre États riverains du lac Michigan. Trois bassins circulaires en marbre rose, 133 jets d'eau dont certains atteignent 60 m.

● **Lincoln Statue** *(entre Congress Drive et Jackson Drive, près de Colombus Drive).* — Cette statue de Lincoln assis est le deuxième portrait du président réalisé par le sculpteur Auguste Saint-Gaudens en 1907. Elle est érigée sur un piédestal de granit au centre de la cour des Présidents, petit amphithéâtre semi-circulaire.

● **Petrillo Music Shell** *(à l'E. de l'Art Institute, près de Jackson Drive ; plan général, C3).* — Espace de concert en plein air où, chaque été, le festival de musique de Grant Park organise des concerts gratuits.

Les musées de Grant Park :

● **Art Institute***** *(Michigan Ave., face à Adams St. ; plan du Loop, B2 et plan général, C3 ; → prom. 3).*

● **Field Museum of Natural History**** *(Lake Shore Drive at E. et Roosevelt Rd ; plan général C4 ; bus CTA 10 et 146 : Roosevelt. Roosevelt Rd. Vis. : t.l.j. de 9 h à 17 h ; gratuit le mer. ; f. Thanksgiving, Noël et 1er jan. ☎ 922-9410).* — Ce musée porte le nom de Marshall Field, ce propriétaire de grands magasins et mécène qui fit

don aux musées d'importants capitaux. C'est ainsi que la collection, abritée depuis 1893 dans un bâtiment de l'Exposition universelle, put s'établir dans l'actuel bâtiment, terminé en 1920. Avec quelque 200 000 pièces exposées, c'est l'un des plus importants musées d'histoire naturelle et d'ethnologie du monde. La collection, présentée dans 47 salles (halls) sur trois étages, couvre tous les domaines de la géologie, de la botanique, de la zoologie, de l'anthropologie, de la préhistoire, de l'archéologie et de l'ethnologie.

Sous-sol *(ground floor).* — Dans l'aile centrale, collections archéologiques d'Égypte, d'Étrurie, de Rome ; parmi les **collections égyptiennes**** : des momies, le tombeau de Netjer User (Saqqarah, 2400-2300 env. av. J.-C.), la barque mortuaire de Sésostris III (XIIe dynastie, 1842 av. J.-C.) et des tissus coptes.
Dans l'aile occidentale, présentation de dioramas de mammifères marins (morses, phoques, etc.) ainsi qu'un théâtre.

Rez-de-chaussée *(first floor).* — Au milieu, dans le hall d'entrée *(Stanley Field Hall)*, deux éléphants africains, le squelette en plâtre d'un Brachiosaurus, ainsi que des totems d'un village indien Haisa provenant de Queen Charlotte Islands (Colombie britannique) ; à dr., arts de tribus primitives.
Dans l'aile E., **ethnies indiennes*** précolombiennes et contemporaines d'Amérique du N., du Centre et du S., avec la reconstitution d'une hutte pawnee du XIXe s. ; expositions.
Dans l'aile O., mammifères (Amérique, Afrique, Asie), oiseaux, reptiles et insectes.

Premier étage *(second floor).* — Dans l'aile E., botanique : des arbres nord-américains ainsi que la célèbre plante du désert sud-africain *Welwitschia mirabilis.*
Dans l'aile centrale, **culture chinoise***, de l'âge de la pierre taillée jusqu'au début du XIXe s. (mobiliers funéraires de la période Han, 202 av. J.-C.-200

apr. J.-C.), collection de **jades chinois***, joyaux et pierres précieuses du monde entier dont la topaze Chalmers (5 890 carats), culture tibétaine et lamaïsme. Dans l'aile O., géologie : lune, météorites, minerais et minéraux industriels ainsi que des pétrifications ; reconstitution d'une forêt marécageuse de l'Illinois d'il y a 250 millions d'années ; squelettes et fossiles de vertébrés.

Également une nouvelle exposition (*Life Over Time*) sur l'origine de la vie et l'évolution des espèces. Activités pédagogiques, vidéos.

Dans l'aile O., les cultures (ustensiles d'usage courant, outils, armes, habillement, ornements, artisanat, etc.) de l'Asie du S.-E., de la Malaisie et de l'Indonésie, de l'Australie, de la Polynésie et de la Micronésie, enfin de l'Afrique (Afrique orientale, Madagascar, Bénin) dans une petite salle, on verra un orchestre gamelan (Indonésie) avec bande musicale enregistrée.

● **John G. Shedd Aquarium**** (*1200 S. Lake Shore Drive ; ouv. lun.-ven. de 9 h à 17 h et sam.-dim. de 9 h à 18 h ; entrée libre le jeu. ; f. 25 déc. et 1ᵉʳ jan. ☎ 939-2438*). — Avec quelque 9 000 poissons de 700 espèces différentes, c'est le plus grand aquarium du monde. Le bâtiment octogonal en marbre blanc, achevé en 1929 par Graham, Anderson et Probst, s'ouvre sur un portique dorique aux portes de bronze ornées de motifs aquatiques. Les 203 aquariums et bassins d'eau salée et d'eau douce sont disposés autour d'un récif de corail de 90 000 gallons, où nagent requins et tortues de mer.

L'**Oceanorium** (*plus d'entrées après 17 h*), récente addition de 1991, reconstitue la faune aquatique et la flore de la côte N.-O. du Pacifique. Les belugas et les dauphins en constituent l'attraction principale, dans le plus grand bassin du monde (il contient un récif de corail). Des démonstrations de dauphins ont lieu tous les jours.

● **Adler Planetarium*** (*1300 S. Lake Shore Drive ; ouv. t.l.j. de 9 h à 17 h, le ven. de 9 h à 21 h. ; f. le 25 déc. ☎ 322-0300*). — Ce bâtiment de granit couronné par le dôme du planétarium porte le nom de son fondateur, Max Adler (1930). Le musée d'astronomie (Astronomical Museum) contient l'une des plus remarquables collections au monde d'**instruments astronomiques et mathématiques**** anciens et modernes. Une démonstration de 15 min sur le fonctionnement de l'un de ces instruments a lieu chaque jour. En été, observations au télescope.

Au sous-sol, dans l'**Astro-Science Center,** bibliothèque, exposition sur les vols spatiaux, etc.

Pour qui est intéressé par les étoiles et les planètes, une projection commentée du ciel a lieu tous les jours dans le planétarium.

Depuis la presqu'île où est situé le planétarium, la **vue sur Chicago**** est particulièrement impressionnante.

■ 6. Hyde Park*

Quartier cosmopolite, ouvert politiquement et culturellement, mêlé racialement, Hyde Park surprend dans une ville ségrégationniste comme Chicago. Deux événements importants favorisèrent son développement au siècle dernier : l'Exposition universelle de 1893 et la fondation, en 1892, de l'université de Chicago. Celle-ci, soucieuse d'établir son corps professoral dans un quartier résidentiel, construisit à cet effet de beaux hôtels particuliers.

Avec la crise de 1929 puis la Seconde Guerre mondiale, le quartier déclina. Faute d'argent pour les entretenir, les belles demeures furent laissées à l'abandon ou partagées par plusieurs familles. L'appauvrissement de la population modifia à tel point l'environnement que le quartier fut considéré comme à risque. Devant cette situation alarmante, une association constituée en 1950 par des citoyens et l'université se lança, avec l'aide de l'État, dans la réhabilitation de Hyde Park. C'est ainsi que les maisons de 55th St. furent rasées pour être remplacées par un immeuble de Peï et de Harry Weese, destiné aux professeurs et aux étudiants de l'université. Il fallut plus de vingt ans pour que Hyde Park retrouve son lustre d'antan.

Si le quartier a perdu le charme de ses maisons d'artistes, qui en faisaient l'âme, et l'animation de ses bars de jazz ouverts jour et nuit, vous y passerez quand même un agréable moment. Au détour des rues, vous rencontrerez de belles constructions, dont la Robie House signée Frank Lloyd Wright ; vous pourrez faire une halte à l'Institut oriental, et, pour tout savoir sur les techniques passées et futures, au musée des Sciences et de l'Industrie.

Situation. — *Quartier de la banlieue S. de Chicago, délimité du N. au S. par Kenwood (47th St.) et Midway Plaisance (60th St.), et d'E. en O. par le lac Michigan et Cottage Grove.*

Accès. — *Par le train : Metra (Illinois Central Gulf), sortie : 55th St. Par le bus : Jeffery Express South Bound (Loop), sortie : 56th St. En voiture : S. Lake Shore Drive, sortie : 57th St.*

● **University apartments** *(1400-1450 E. 55th St., entre Blackstone et Dorchester Aves.).* — Ces deux immeubles en béton de 10 étages (1959-1962), conçus par l'architecte Peï dans le style des cités dortoirs de Le Corbusier, constituent l'un des premiers projets de rénovation urbaine à grande échelle. Ils sont habités par les professeurs et les étudiants de l'université.

Un peu plus loin, sur **Blackstone Avenue,** se trouve un ensemble de petites maisons qui valent aujourd'hui des centaines de milliers de dollars ; c'était à l'origine de petits cottages réservés aux ouvriers car ils étaient situés près de la ligne de tramway partant vers l'O.

● **DuSable Museum of African American History** *(740 E. 56th Pl. ; ouv. lun.-sam. de 10 h à 16 h et dim. de 12 h à 16 h, f. Pâques, Thanksgiving, 25 déc. et 1er jan. ; entrée libre le jeu. ☎ 947-0600).* — Ce musée consacré à l'histoire des Noirs et au patrimoine africain des États-Unis est dédié à Jean-Baptiste Point du Sable (1750-1818), qui est considéré comme le fondateur de Chicago et incarne à lui seul le creuset de la population américaine : né d'un père français du Québec et d'une esclave noire de Saint-Domingue, il épousa une Indienne. Dans l'auditorium du musée, une peinture murale de 10 pieds de haut, œuvre de Robert Witt Ames, raconte l'histoire des Noirs d'Afrique jusqu'en 1960. Une autre galerie présente la vie d'hommes noirs célèbres : Martin Luther King, Rosa Parks, Paul Robeson, etc.

● **Museum of Sciences and Industry**** *(57th St. & Lake Shore Drive ; vis. : de 9 h 30 à sep. à mai, 17 h 30 de mai à sep., les week-ends et jours fériés ; f. à Noël ; ☎ 684-1414 ; entrée libre le jeu.).* — Dans un bâtiment de style néo-classique construit pour l'Exposition universelle de 1893 puis agrandi et modernisé, le Museum of Sciences and Industry offre un impressionnant aperçu des sciences naturelles appliquées, des techniques et des moyens de communication et de transport des origines jusqu'à nos jours. Fondé par Julius Rosenwald, un président du trust Sears, Roebuck et Co, et ouvert en 1933, ce musée est le plus grand du monde en ce domaine et aussi l'un des plus visités (3 millions de personnes par an).

On peut manœuvrer soi-même les appareils. Un **film** spectaculaire sur les astronautes est présenté à l'Omnimax Theater Space Center ; il retrace l'évolution de la planète, en particulier du Grand Canyon.

En raison du nombre des sujets traités et de la diversité des départements, nous nous bornerons à signaler quelques-unes des présentations les plus intéressantes.

Sous-sol *(ground floor)*

La salle des **maquettes de bateaux anciens** contient des modèles d'embarcations égyptiennes des IVe-IIIe s. av. J.-C., des voiliers phéniciens de 850 av. J.-C., des caravelles du temps de Christophe Colomb, ainsi qu'une maquette du *Mayflower*. Dans la salle suivante, réservée aux **voitures de course**, on peut voir une Mercedes de 1913 et une Lola, qui dépassaient les 200 mi/ 320 km/h.

Dans la salle de la **recherche nucléaire** est reproduite la réaction en chaîne du 2 décembre 1942 sur Stagg Field. Dans l'aile centrale, le Colleen Moore Fairy Castle, maison de poupée aménagée en château de contes de fées.

Rez-de-chaussée *(entrance floor).*

Dans le hall d'entrée, en haut, un *Spitfire* et un *Stuka* allemand. Dans la salle consacrée au téléphone, on peut voir sa propre image télévisée retransmise par un module du satellite « Early Bird » et entrer dans le monde virtuel grâce à un système d'ordinateurs et de caméras. À l'extrémité S. de l'aile centrale, l'entrée d'une mine de charbon dans laquelle on peut suivre l'extraction souterraine. À cet étage également, on peut voir les *Oldtimers*, automobiles anciennes.

Dans la salle de la **marine américaine**, des armes stratégiques, des reproductions du *Bon Homme Richard*, navire de J.-P. Jones, et d'un sous-marin nucléaire lanceur de fusées « Polaris » ; puis le département de l'histoire de l'**aviation navale américaine** (simulations de vol sur un F.14). À l'exté-

rieur du bâtiment, le *U 505*, un sous-marin capturé en 1944 au large des côtes africaines *(vis.)* ; un film montre comment le sous-marin fut poursuivi, pris avant d'avoir pu se saborder, et rapatrié dans un port américain. À côté du *U 505*, le train *Zéphyr*, le premier train américain aérodynamique pour voyageurs, mû par le moteur Diesel, voisine avec une locomotive de 1893, la plus rapide des États-Unis à l'époque.

Dans la salle du **chemin de fer** de l'aile E., locomotives (maquettes et originaux).On peut y voir aussi un film sur le train 999 (180 km/h en 1893), et la voiture *Spirit of America* (337 km/h dans les années 60). La salle consacrée à l'**alimentation** expose des couveuses à poussins. Ailleurs, on peut effectuer des tests à vue.

La salle attenante est consacrée à l'énergie nucléaire. Dans la salle de la **navigation aérienne,** maquettes : des premières « machines volantes » pour passagers (1926) jusqu'au gros-porteur ou Jumbo Jet *(Boeing 747 ;* coupe de la carlingue).

Dans l'aile N.-O., le **département de la NASA** et de l'armée de l'air américaine propose des simulations de vol sur le *Space Shuttle*.

Premier étage *(balcony floor).*

Dans les salles du **magnétisme,** de l'**électricité** et de l'**optique,** des installations expérimentales comportent une impressionnante quantité de boutons qu'on actionne soi-même. Un gigantesque générateur d'un million de volts produit un coup de tonnerre artificiel assourdissant. Le plus vieux des avions exposés date de 1913. On peut monter dans un Boeing 727, suspendu au plafond. Dans le département du voyage spatial, des copies grandeur nature des capsules « Mercury » et « Gemini ».

Le département de la **médecine** est particulièrement intéressant. Il comporte une exposition sur le virus du SIDA, le traitement du cancer, la vie humaine avant la naissance, un corps féminin transparent grandeur nature et le modèle de 5 m de haut d'un cœur humain qui bat.

● **Université de Chicago***

Accès : 1116 E. 59th St. ; bus CTA : University.

Vis. guidée : lun.-ven. à 12 h 30 du bureau des College Admissions, le sam. à 9 h 30 et 11 h ; pendant l'été, lun.-sam. à 12 h et 14 h ; ☎ 702-8650.

L'université de Chicago, qui reçoit 10 000 étudiants par an, fut fondée en 1891 par William Rayner Harper, qui fit appel à J. D. Rockefeller pour financer son projet. Elle ouvrit ses portes en 1893, l'année de l'Exposition universelle, ce qui facilita le recrutement des étudiants et des professeurs. Spécialisée dans les sciences physiques et médicales, elle se range parmi les institutions les plus remarquables des États-Unis et compte parmi ses professeurs une dizaine de prix Nobel. Ses publications ont la plus large diffusion dans le milieu universitaire américain.

Elle est construite sur le modèle des universités anglaises. Avec ses bâtiments de style néo-gothique entourés de verdure, que l'on découvre les uns après les autres au fil de la promenade, le campus a beaucoup de charme. Il comprend notamment un auditorium de 1 000 places, le Mandel Hall —construit sur le modèle du hall de Crosby Place (1450) en Angleterre—, où se produisent l'ensemble du Chicago Symphony et le groupe des Arts florissants.

● **Rockefeller Memorial Chapel** *(1156-1180 E. 59th St., à l'angle de Woodlawn Ave.).* — Ainsi nommé en l'honneur du fondateur et bienfaiteur de l'université, ce mémorial construit en 1928 par Bertram G. Goodhue est un exemple de style néo-gothique. Son carillon (72 cloches) est réputé pour sa justesse et la qualité du son. À l'intérieur se trouvent les 44 bannières créées pour le pavillon du Vatican de l'Exposition universelle de New York en 1964. La chapelle remplit diverses fonctions : cérémonies, remises de diplômes, spectacles, concerts.

● **Robie House**** *(5757 S. Woodlawn Ave., au croisement de 57th St. ; vis. guidée t.l.j. à 12 h ; ☎ 702-9636).* — Cet hôtel particulier en brique et en pierre, construit en 1909 par Frank Lloyd Wright, aujourd'hui classé monument historique, abrite un centre de recherche de l'université de Chicago. C'est une des plus représentatives des célèbres Maisons de la Prairie de cet architecte (→ *ci-après, prom. 7*). Construite selon un plan longitudinal en bordure de l'avenue, la toiture, de faible pente mais largement débordante, semble rattachée à la cheminée centrale. L'intérieur, largement éclairé par les fenêtres qui courent sous les avant-toits, est un espace ouvert communiquant avec l'extérieur. Considérés comme les seuls vrais espaces d'habitation, les étages sont mis en valeur, par opposition au rez-de-chaussée, sombre et caché par un muret en brique et en pierre. La plus grande partie du mobilier, inamovible, est due à Wright. Attention, la *Robie House* est fermée jusqu'en oct. 96.

● **Bibliothèque Joseph Regenstein** *(1100 E. 57th St.).* — Construite par Skidmore Owings et Merrill en 1970 en harmonie avec les bâtiments gothiques environnants (collection de 1,9 million de livres en sciences sociales et humaines).

● À l'angle de 57th St. et de Ellis Ave., *Nuclear Energy** est une sculpture en bronze de 3 t réalisée par Henry Moore en 1967 pour commémorer la première réaction atomique en chaîne contrôlée, qui eut lieu le 2 décembre 1942 à l'université. La sculpture représente en même temps le champignon atomique et le crâne humain.

■ 7. Oak Park et les Maisons de la Prairie**

Patrie d'Ernest Hemingway, ce faubourg résidentiel de l'O. de Chicago connut une certaine prospérité au siècle dernier grâce à la première voie ferrée, construite en 1840, la Galena et Chicago Union devenue aujourd'hui la Nord Western. Mais Oak Park n'est pas seulement l'une des banlieues les plus anciennes de Chicago, c'est aussi et surtout un haut lieu de l'architecture américaine. Site national classé, Oak Park est en effet marqué par l'empreinte du grand architecte Frank Lloyd Wright qui y vécut de 1889 à 1909 et y construisit une trentaine de demeures où sont déjà explicites les caractéristiques essentielles de l'architecture organique qu'il allait développer tout au long de sa vie : le plan ouvert et l'intégration au site —d'où le nom de Maisons de la Prairie, en raison de leur adaptation aux plaines du Middle West. C'est donc à la visite d'un véritable musée d'architecture en plein air que vous serez convié en vous promenant dans Oak Park.

Accès. — À 15 km à l'O. du centre de Chicago. Métro : ligne Lake/Dan Ryan, station Oak Park. Train : Nord Western, station Oak Park. Voiture : Eisenhower Expressway West (I-290), sortie Harlem.

Visite. — Seuls la maison où vécut Wright et son studio se visitent de manière régulière. Pour les autres maisons, il vous faudra probablement vous contenter de les admirer de l'extérieur car elles ne sont ouvertes qu'une fois par an, le 3e samedi du mois de mai. Renseignements : Visitors Center, 158 Forest Ave., ☎ (708) 848-1500.

Départ. — F. L. Wright Home et Studio, 951 Chicago Ave.

● **Maison et studio de F. L. Wright*****
(951 Chicago Ave. ; ouv. t.l.j. de 10 h à 18 h sf Thanksgiving, Noël et 1er jan. ; vis. guidées du lun. au ven. à 11 h, 13 h, 15 h ; sam. et dim. de manière continue de 11 h à 16 h ; ☎ 708/848-1976). — Cette maison de 25 pièces, commencée en 1889 et agrandie progressivement, fut celle qu'habitèrent pendant 20 ans l'architecte et sa nombreuse famille (il eut six enfants). Elle est très représentative du style de l'école de la Prairie. L'influence se fait déjà sentir dans l'espace épuré, presque abstrait.

Au départ, Wright construisit une petite maison de style *shingle*, de forme triangulaire avec bardeaux sur la façade, donnant sur Forest Ave. En 1895, il ajouta l'aile E. : cuisine et office au rez-de-chaussée, grande salle de jeux avec plafond en berceau au 1er étage. Il agrandit la salle à manger au S. et installa son bureau au rez-de-chaussée N.

De 1898 à 1909, fort de son succès à Oak Park, Wright installa son agence sur Chicago Ave. qu'il relia à la partie domestique. L'affirmation de son style est bien nette : le bureau des dessinateurs, sur deux niveaux avec mezzanine, ainsi que la bibliothèque sont de forme octogonale, le hall d'entrée est éclairé au plafond par des panneaux de vitraux colorés représentant un dessin abstrait.

● Sur **Chicago Avenue**, on verra trois maisons de la « clandestinité » —elles furent construites à l'insu de Sullivan, le maître de Wright, dans l'atelier duquel ce dernier travaillait alors— en enfilade :

Maison R. P. Parker, 1892 *(1019 Chicago Ave.).* — Maison conventionnelle en bois de style Queen Ann. « Je ne pouvais pas inventer mon propre langage d'un jour à l'autre », écrit Wright.

Maison Thomas Gale*, 1892 *(1027 Chicago Ave.)*. — Le toit pentu, les pignons et le porche sont de style Queen Ann.

Maison W. M. Gale, 1893 *(1031 Chicago Ave.)*. — Parmi les formes traditionnelles de la maison Queen Ann, on distingue quelques particularités de Wright : l'élégance des fenêtres, les grandes vérandas qui établissent une continuité entre l'extérieur et l'intérieur.

● Sur **Forest Avenue**, cinq maisons de la Prairie :

Maison N. G. Moore, 1895, remaniée en 1923 *(333 Forest Ave.)*. — Wright dut se soumettre aux exigences de son client qui voulait une maison dans le style cottage anglais. Néanmoins, la cheminée centrale au croisement de deux ailes, l'accentuation des lignes horizontales et verticales, l'influence japonaise dans la décoration des fenêtres supérieures (les travaux furent repris au retour de son premier voyage au Japon en 1905) sont des marques de l'auteur. Malgré tout, Wright ne se reconnut pas tellement dans cette maison : « Ce fut la dernière fois que je me laissais aller à considérer que j'avais une famille avec trois enfants à nourrir. »

Maison Heurtley, 1902 *(318 Forest Ave.)*. — À mi-chemin entre l'architecture fortifiée et l'architecture japonaise. De forme ramassée, située parallèlement à la route, cette habitation est un des premiers exemples des maisons de la Prairie. La construction est en briques rouges, avec des assises dont les joints alternent, créant ainsi un effet esthétique. L'entrée et le rez-de-chaussée sont cachés par un parapet. Les pièces d'habitation au premier étage sont mises en valeur par des fenêtres regroupées en bandes horizontales que surplombe un toit à faible pente autour d'une cheminée centrale.

Maison Mme Thomas H. Gale**, 1909 *(6 Elisabeth Court)*. — Ce style de maison très répandu aujourd'hui était révolutionnaire à l'époque de Wright. Le toit plat en console avance dans l'alignement des balcons projetés en avant ; les fenêtres courent tout au long de la façade marquant les angles. Le crépi couleur crème souligné par une bordure en bois fait apparaître les lignes géométriques. Tous ces éléments font de cette maison un archétype de la maison moderne d'aujourd'hui et annoncent la célèbre maison Kaufmann ou maison sur la cascade de 1936 (Pennsylvanie), un des chefs-d'œuvre de Wright.

Maison Beachy, 1906 *(238 Forest Ave.)*. — Cette maison est l'œuvre de Wright et de son collaborateur Harry Byrne. Construite selon un plan libre centré, comme très souvent, autour d'une cheminée. Peu de hauteur d'étages. Les matériaux utilisés sont la brique, le bois et le crépi. Les toitures sont largement débordantes et les fenêtres à vantaux sont disposées en longueur. Le bois accentue l'ornement géométrique.

Maison Frank Thomas*, 1901 *(210 Forest Ave.)*. — L'entrée indirecte dans la maison, les toits de faible pente à trois niveaux rappellent les maisons orientales. C'est d'ailleurs pour cette raison qu'elle a été surnommée le harem. La maison dont le plan est celui d'un L renversé est située parallèlement à la chaussée. Le jardin fait partie intégrante de la maison. Les pièces sont toutes situées au-dessus du niveau de la terrasse, elle-même en surplomb. Les fenêtres, décorées avec art, sont placées dans les parties supérieures de la façade et s'alignent en rangées continues.

Frank Lloyd Wright,

*C*e qui compte dans une maison, ce sont les pièces et non la façade. Rien là de bien extraordinaire ? Au début du siècle pourtant, c'est une révolution. Il faudra toute la détermination de Frank L. Wright (1869-1959) pour donner priorité aux besoins de l'habitant et mettre un terme à des siècles de diktat ornemental et stylistique. Refusant le principe du gratte-ciel, il élabore une architecture vivante, à échelle humaine, en réaction contre le fonctionnalisme. Ses conceptions audacieuses en font l'un des grands précurseurs du modernisme.

■ La notion d'architecture organique

Dès le début, Wright exprime son goût pour la nature et son aversion pour les grandes villes, qu'il juge propices aux conflits sociaux. Selon lui, une maison est un organisme vivant, qui doit être conçu en fonction de l'homme et de l'environnement. Pour concrétiser son rêve d'architecture «organique», il commence dès 1889 à construire à Oak Park de vastes demeures résidentielles, les Maisons de la Prairie, dont l'horizontalité des lignes basses épouse les plaines dépouillées du Middle West. Fort de ses premiers succès, il ouvre en 1893, après cinq ans de formation auprès de Louis Sullivan, son propre bureau à Chicago. Jusqu'en 1909, plus de 30 projets sont réalisés à Oak Park, dont la propre maison de Wright.

◄Maison Gale (Oak Park, 1909)

Avec son plan qui se développe librement, ses volumes simples et ses lignes épurées, elle est l'archétype de la villa moderne; les toits en terrasse et les larges balcons sont projetés vers l'extérieur pour s'intégrer à la nature environnante.

un architecte hors du commun

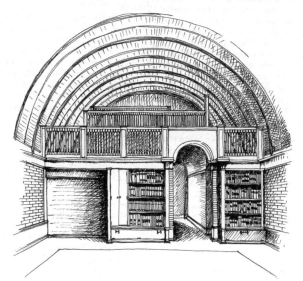

▲ *Maison de Wright à Oak Park : la salle de jeux*

Wright concevait non seulement les plans d'une maison, mais aussi, souvent, l'aménagement intérieur et l'ameublement, avec une prédilection pour les matériaux naturels (bois, pierre, verre).

■ Une nouvelle conception de l'espace

Les habitations de Wright, faites de volumes simples, sont uniquement commandées par le plan intérieur, articulé autour de la cheminée. Plus de murs, mais des cloisons mobiles. Non des pièces, mais des espaces ouverts et libres, comme dans l'architecture japonaise qui influence Wright. Chaque maison, intégrée dans le paysage, possède une allure personnelle, la forme extérieure exprimant l'intérieur. C'est dans la maison Kaufman en Pennsylvanie (1936), plus connue sous le nom de Maison sur la Cascade, que cette architecture organique trouva son expression la plus parfaite.

Dessiner des maisons ne fut pas le seul souci de Wright. Le Larking Building à Buffalo et l'Imperial Hotel de Tokyo, qui lui assura une renommée internationale, comptent parmi ses œuvres majeures. Sans oublier l'énorme spirale du Guggenheim Museum de New York, conçue dans les toutes dernières années de sa vie.

● **L'église unitarienne**** *(875 Lake St.).* — C'est en tant que membre de la communauté unitarienne que F. L. Wright construisit cette église à Oak Park en 1906. Il fut confronté à des problèmes de budget et de localisation (bruit du chemin de fer). Renonçant aux formes et aux symboles religieux traditionnels, ses options furent novatrices et révolutionnaires : forme cubique, béton, plan binucléaire.

Une entrée commune relie le temple au presbytère. La lumière provenant du plafond de la nef et des fenêtres est l'élément principal du temple. Il n'y a aucun objet liturgique ; le message est entièrement confié à la parole. L'Église unitarienne, précurseur de l'architecture moderne, a eu une influence déterminante en Europe.

■ **8. À voir encore**

● **Rivernorth** *(bus : CTA n° 16, arrêt : Canal St.).* — Ce quartier est délimité au S. et à l'O. par les bras de la rivière de Chicago ; ses frontières N. et E. restent mal définies. Au milieu du XIXe s., c'était un quartier industriel et commerçant important, habité par des immigrants irlandais. Les maisons, en briques rouges typiques de Chicago, sont larges et rectangulaires, avec de hauts plafonds, des planchers en bois et une élégante décoration aux linteaux des portes et des fenêtres. Touchées par la crise économique des années 70, les entreprises ont été contraintes de fermer et les habitants ont été obligés de s'installer en banlieue. Des artistes attirés par la situation de ce quartier à proximité du centre-ville et par la baisse des loyers sont venus s'y installer, et les maisons ont été transformées en galeries d'art et en ateliers. Curieusement, il n'y a

aucune construction contemporaine dans ce quartier.
À voir : **SuHu** *(Wells St., entre Hudson et Superior).* — Imitant le quartier new-yorkais de SoHo, cet endroit réunit une cinquantaine de galeries d'art contemporain (peinture, mobilier, sculpture) que l'on peut visiter librement. Malheureusement le projet n'attire pas énormément de visiteurs et le quartier de SuHu n'est pas très vivant.

● **Downtown South** *(entre Congress Pkwy/Eisenhover Expressway au N., Michigan Ave. à l'O., Roosevelt Rd. au S. et Chicago River à l'O. ; plan général A4-B4 ; accès : Jeffrey Express n° 6).* — Ancien quartier des imprimeurs désaffecté depuis une dizaine d'années, le S. du Downtown intéresse les investisseurs qui tentent de rénover les anciennes imprimeries en bureaux et appartements. Quelques restaurateurs audacieux s'y sont installés pour redonner vie au quartier. Bertrand Goldberg a commencé en 1984 une seconde Marina City dans le coude de la rivière, à l'O. *(River City, 800 S. Wells St.).* Mais ces tentatives restent particulières et le quartier n'a pas encore pris un nouvel essor. De beaux immeubles côtoient des habitations délabrées et le manque de magasins et de supermarchés n'incite pas les habitants à venir s'installer ici.
Au **Spertus Museum of Judaica** *(618 S. Michigan Ave. ; ouv. du dim. au jeu. de 10 h à 17 h, et ven. de 10 h à 15 h. ; f. le sam. ;* ☎ *322-1747),* petit musée établi dans Spertus College, vous pourrez voir une collection très intéressante sur l'art juif médiéval.

● **Prairie Avenue Historic District*** *(Prairie Ave., entre 18th et Culleston Sts).* — Entre 1880 et 1890, Prairie Avenue était l'avenue la plus prestigieuse de Chicago. Les personnalités qui y résidaient (George Pullman, Marshall Field, Bertha et Potter Palmer, milliardaires de Chicago) firent appel aux architectes de l'école de Chicago pour construire leurs superbes villas. Après la Première Guerre mondiale, la riche société émigra plus au N., au bord du lac, et beaucoup de ces maisons furent abandonnées, voire détruites. Le site est devenu « historic district » depuis 1970 et certaines maisons ont été restaurées.

Vous pourrez visiter la **Glessner House** (1800 S. Prairie Ave. ; vis. guidées t.l.j. sf lun. à 13 h, 14 h, 15 h), dessinée par l'architecte Richardson qui influença Sullivan et Wright. Cette maison, aujourd'hui site classé, est le siège de la Chicago Architecture Foundation. On peut également visiter la **Clarke House**, la plus vieille de la ville (1836), en bois, de style néo-classique (ouv. t.l.j. sf lun. à 12 h, 13 h, 14 h). Pour les deux maisons, renseignements au ☎ 326-1480.

● **Chinatown** (au S.-O. du centre, aux abords de Cermark Road et S. Wentworth Ave.). — Ce quartier qui abrite une petite communauté chinoise (env. 4 000 personnes) est assez pittoresque pour ses nombreuses échoppes et ses restaurants typiques. On remarquera la porte monumentale construite en 1975, l'hôtel de ville chinois, le temple bouddhiste et le Ling Long Museum.

● **Little Italy** (Taylor St.). — Quelques bons restaurants ainsi que sur Oakley Ave. et 63rd St., et beaucoup d'églises à l'intérieur richement décoré (ouvertes le dimanche).

● **American Police Center et Museum** (1717 S. State St. ; ouv. de lun. à ven. de 8 h 30 à 16 h 30 ; f. w.-e. et jours fériés). — Expositions sur le travail de la police et son fonctionnement,

expliquant, entre autres, comment fut réprimée l'émeute de Haymarket.

● **Balzekas Museum of Lithuanian Culture** (6500 S. Pulaski Rd. ; ouv. t.l.j. de 10 h à 16 h ; ☎ 582.6500). — Un siècle d'histoire et de culture lithuanienne occupe les trois étages de ce musée.

● **Mexican Fine Arts Center Museum** (1852 W. 19th St. ; ouv. mar.-dim. de 10 h à 17h ; f. les jours fériés ; entrée libre ; ☎ 738-1503). — Expositions temporaires d'artistes mexicains contemporains.

● **Peace Museum** (314 W. Institute Place au 1er étage ; ouv. mar.-sam. de 11 h à 17 h ; f. les jours fériés ; ☎ 440-1860). — Expositions sur le thème de la paix et de la guerre. Photographies et films.

● **Polish Museum of America** (934 Milwaukee Ave. ; ouv. t.l.j. de 11 h à 16 h ; f. Noël et ven. saint ; entrée libre). — L'histoire du peuple polonais en Amérique. Collection éclectique comprenant une galerie de peinture et l'histoire d'artistes célèbres, pianistes et actrices de théâtre.

■ Les environs de Chicago

● **Pullman Community** (autoroute I-94, sortie 66A, entre 104th et 115th Sts ; Visitor Center : 11141 S. Cottage Grove Ave. ; ouv. sam. de 11 h à 14 h et dim. de 12 h à 15 h). — Cette cité ouvrière, rattachée à Chicago depuis 1889, fut construite en 1880 par le magnat des chemins de fer George Pullman (le fondateur de la société des wagons-lits). Il voulait créer une ville pour ses employés sur le modèle de celle de Saltaire, dans le N. de

Petite histoire du hamburger

Le premier restaurant MacDonald's a ouvert ses portes le 15 avril 1955 à Desplaines, faubourg de Chicago. Preuve, s'il en faut, de l'extraordinaire réussite de cette chaîne, c'est aujourd'hui un musée.

À l'origine, MacDonald est le nom de deux frères, inventeurs du hamburger, sandwich permettant de constituer un repas rapide, économique et assez complet. En 1954, Ray Kroc leur en achète la franchise. La formule vaut de l'or : chaque année, la firme double son chiffre d'affaires. Pour 2,8 millions de dollars, Ray Kroc rachète ensuite aux deux frères la firme qui depuis ne cesse de se développer. La société crée un réseau de franchises tout en s'assurant la propriété des sites. Dès les années 70, les arches jaunes s'implantent partout dans le monde, aux États-Unis, en Europe, au Japon. La firme est fidèle à son image « MacDo » qu'elle a su promouvoir auprès d'un public jeune par une campagne publicitaire efficace. Les chiffres témoignant de son succès sont exorbitants : elle est la société la plus importante dans le domaine de la restauration, et la firme qui détient le plus gros capital de terrains commerciaux au monde. Il existe 11 800 restaurants MacDonald's, répartis dans 54 pays ; 20 000 sont prévus pour l'an 2000. Il y a quelques années, un MacDonald's a même ouvert ses portes à Moscou. Tout un symbole...

(Musée MacDonald's : 400 Lee Street, Desplaines)

l'Angleterre, qu'il avait visitée lors d'un voyage en Europe en 1873. En fait, ses intentions étaient loin d'être philanthropiques : en installant ses ouvriers à proximité de l'usine, Pullman comptait exercer un contrôle absolu sur leur mode de vie. Lors de la crise économique de 1883, il licencia un grand nombre d'ouvriers, diminua les salaires sans baisser le prix des loyers. Le conflit dégénéra en une grève générale —l'une des plus importantes dans l'histoire sociale de l'Amérique—, qui fut réprimée dans le sang. Pullman ne sortit pas pour autant vainqueur de ce conflit car il fut déconsidéré à cause de sa dureté envers les ouvriers, et cette grève devint un symbole de la lutte ouvrière. En 1897, c'est dans la clandestinité, pour éviter les représailles, qu'il fut enterré à Graceland Cemetery. En 1907, la ville fut vendue à la population.

Vous pouvez vous promener dans la cité et visiter l'hôtel *Florence*, dont le bar est le seul de la ville de Pullman, malheureusement un peu cher pour le porte-monnaie des ouvriers. Également un restaurant et un musée.

● **Evanston*** *(19 km/12 mile N. par Lake Shore Drive et route US 41).* — Cette petite ville résidentielle située au bord du lac Michigan allie le charme d'une ville balnéaire —larges avenues bordées d'arbres et de pelouses, plages aménagées et pistes cyclables— et l'animation culturelle d'une ville universitaire : Evanston abrite en effet la Nordwestern University (10 000 étudiants), l'une des plus prestigieuses universités de l'Illinois.

Le centre d'Evanston rappelle davantage une ville européenne du S. qu'une cité américaine, avec ses restaurants mexicains et français à l'accueil chaleureux et ses bouquinistes qui offrent des trésors dans un dédale de pièces mal éclairées, étouffées par le poids des livres.

Sur le campus de l'université, voir notamment le **Dearborn Observatory** *(2131 Sheridan Rd.),* le Shakespeare Garden et Pick Staiger Concert Hall.

● **Le Baha'i House of Worship** *(100 Linden Ave.,Wilmette).* — C'est le sanctuaire principal de la religion Baha'i qui rassemble les principes des quatre plus grandes religions. Le bâtiment en forme de coupole à neuf côtés rappelle les temples hindous.

Cincinnati*

364 114 hab. ; fuseau horaire : Eastern time.
Situation : Ohio, à 111 mi/178 km au S.-O. de Columbus, à 253 mi/405 km au S. de Cleveland, à 272 mi/435 km au S. de Detroit.
À voir aussi dans la région : Columbus, Indianapolis ; dans le Sud :
Lexington, Louisville.*

Son nom lui vient d'un groupe de vétérans de l'armée révolutionnaire qui admiraient le général romain Cincinnatus. Fondée en 1788, Cincinnati s'étage en terrasses sur la rive N. de l'Ohio, encadrée par trois lignes de collines le long du Kentucky. C'est après l'ouverture du canal de Miami qu'elle connut son plus grand développement. Elle est aujourd'hui l'un des centres industriels les plus dynamiques du pays. Empreinte d'une atmosphère tout européenne apportée au XIXᵉ s. par les nombreux immigrants allemands, c'est une ville agréable où il fait bon vivre.

● **Fountain Square.** — En plein cœur de Downtown, Fountain Square a bien changé depuis le XIXᵉ s. : cet ancien marché bruyant et nauséabond est aujourd'hui une agréable place entourée d'arbres et d'immeubles modernes en verre et en acier. C'est un endroit très populaire pour déjeuner. On peut y voir la Tyler Davidson Fountain (1871).

● Fountain Square est dominé par la **Carew Tower** *(5th et Vine Sts),* de style Art déco (48 étages, 175 m) ; au dernier étage, belle **vue panoramique*** sur la ville et ses alentours *(ouv. lun.-ven. 9 h-17 h).*

● **Taft Museum*** *(316 Pike St. ; ouv. lun.-sam. 10 h-17 h, dim. et jours fériés 14 h-17 h).* — Ce bâtiment de 1820 était autrefois la résidence du président américain W. H. Taft. Il abrite une importante collection de porcelaines chinoises, d'arts décoratifs européens et américains et de peintures européennes (Rembrandt, Hals, Goya, Turner, Gainsborough).

Devant le musée, dans **Lytle Park,** la statue d'Abraham Lincoln fut traitée d'antipatriotique lorsqu'elle fut inaugurée en 1917 ; elle est maintenant considérée comme un très bon exemple d'art réaliste.

● **Mount Adams*** *(au N.-E. du Downtown à env. 1 mi/1,5 km).* — Sur les pentes de Mount Adams s'accroche un quartier semi-bohème, semi-résidentiel. À la fin du XIXe s., ses restaurants élégants attiraient les gens riches et célèbres qui fuyaient le bruit et la chaleur de la ville. Les maisons fin de siècle y côtoient maintenant les magasins de mode, les boutiques branchées en tout genre, les restaurants de tous pays.

● **Cincinnati Art Museum**** *(Eden Park ; ouv. mar.-sam. 10 h-17 h, le mer. jusqu'à 21 h, dim. 12 h-17 h).* — Situé dans **Eden Park** (expositions florales ; Krohn Conservatory de plantes tropicales), ce musée qui couvre 5 000 ans d'histoire, présente, entres autres, une remarquable collection d'art islamique et une importante sélection de peintures européennes et américaines. À ne pas manquer : la très belle œuvre du **Greco** : *Christ en croix***, et la collection Mary E. Johnston, constituée par un remarquable ensemble de toiles de la première moitié du XXe s., avec une prédilection pour l'abstraction.

Collection Mary E. Johnston. — Paul Cézanne : *Nature morte en bleu avec citrons*** de 1873-1877 et *Pain et Œufs*, de 1865. **Van Gogh** : *Sous-bois avec deux personnes* (1890), une de ses dernières toiles. Œuvres de A. de Jawlensky, Modigliani, Bonnard, **Matisse** *(Blouse roumaine*)*, Rouault, Theo Van Doesburg *(Composition-Variation,* de 1918), **Laszlo Moholy-Nagy** *(Collage-Espace** de 1926).

Natures mortes dans une interprétation cubiste de Picasso, Braque, **Juan Gris** *(Violon et Partition***). Piet Mondrian : *Échafaudage*, de 1912. **Paul Klee** : *Outdoor Theater*, aquarelle qui, à l'instar de nombre des œuvres de ce peintre, apparaît comme la transcription visuelle d'un rythme musical. **Chagall** : le *Poulet rouge**, de 1940, où l'on retrouve, dans un univers infiniment poétique, le surnaturel qui lui est propre.

Œuvres abstraites de Joseph Albers, et surtout de Serge Poliakoff et de **Nicolas de Staël**, dont le *Port de Dunkerque* montre néanmoins un retour à la figuration. Lyonel Feininger : *Une vieille route de campagne**, de 1942, avec la pureté et la fluidité des coloris qui caractérisent ses œuvres à cette époque. Ensemble de dessins de Klee, Modigliani, Braque, Picasso, Matisse et Brancusi.

● Toujours dans Eden Park se trouvent le **Cincinnati Playhouse in the Park** (premières théâtrales américaines) et le **Harriet Beecher Stowe House** *(2950 Gilbert Ave. ; ouv. lun.-ven.),* construit en 1833, et qui fut la maison d'Harriet Beecher Stowe, auteur de *la Case de l'oncle Tom* (centre culturel sur l'histoire des Noirs).

● **Dayton Streeet** — Dans cette rue située au N.-O. du *Downtown*, on peut encore voir plusieurs maisons de la fin du XIXe s., dont la **John Hauck House** (au n° 812 ; ouv. mar., jeu., sam.), qui abrite un petit musée d'Histoire.

● **Museum Center*** *(Union Terminal, 1301 Western Ave. ; accès depuis le centre-ville : prendre l'Interstate 75N vers Ezzard Charles Drive, sortie :1H ; ouv. lun.-sam. 9 h-17 h, dim. 11 h-18 h ; f. Thanksgiving et Noël).* — Ce vaste complexe de musées, installé dans l'ancien Union Terminal et agrandi en 1992-1993, présente un vaste panorama de l'évolution de la nature, de la culture et des technologies, de l'époque glaciaire jusqu'à nos jours. Vous y trouverez le **Cincinnati Museum of Natural History** (reconstitution d'une grotte, la vallée de l'Ohio à l'époque glaciaire, sections sur le corps humain et l'adaptation de l'homme à son environnement spécialement conçues pour les enfants, etc.) ; le **Cincinnati Historical Society Museum** et sa bibliothèque ouverte au public ; le **Robert D. Lindner Family OMNIMAX Theater** *(films à partir de 13 h du lun. au ven., à partir de 11 h sam., dim. et juin-août)*, le **Newsreel Theater**, l'**Arts Consortium** (African American Museum), des galeries d'expositions temporaires, les boutiques des musées et des endroits pour se restaurer.

■ Environs de Cincinnati

● **Covington** *(à 6 mi/10 km env. au S., de l'autre côté de la rivière Ohio)*. — Cette ville de 49 000 hab., située dans le Kentucky, est séparée de Cincinnati par un pont suspendu dressé en 1867 et dont s'inspira celui de Brooklyn à New York. La cathédrale de l'Assomption (1901) est un pastiche de Notre-Dame de Paris et de la basilique de Saint-Denis. Dans le Devon Park, musée d'Histoire et des Sciences naturelles.

● **Fort Ancient State Memorial** *(à 30 mi/48 km au N.-E. par l'Insterstate 71 puis l'OH 350)*. — Cet endroit abrite d'importants vestiges de la civilisation des Indiens Hopewell sur un site défensif occupé avant le VIIᵉ s. de notre ère (mur d'enceinte, tumuli, musée).

● **Serpent Mound State Memorial*** *(à 68 mi/109 km à l'E. par l'US 50 et l'OH 73, au S. d'Hillsboro)*. — Ce tumulus indien en pierre et en argile, long de 407 m, fut sans doute façonné entre 800 av. J.-C. et 400 apr. J.-C. par des populations Adenas. Il est en forme de serpent, d'où son nom *(vis. mai-sep.)*.

Cleveland

505 516 hab. ; fuseau horaire : Eastern time.
Situation : *Ohio, à 178 mi/248 km au S.-E. de Detroit, à 157 mi/252 km au N.-O. de Pittsburgh.*
À voir aussi dans la région : *Columbus, Toledo ; dans le* **Mid Atlantic** : *Pittsburgh**.*

Allongée sur près de 50 km sur la rive S. du lac Érié, l'agglomération de Cleveland est la plus importante de l'État d'Ohio. Bien située entre Pittsburgh et Detroit, disposant d'excellentes installations portuaires, Cleveland est une métropole industrielle qui doit aujourd'hui s'adapter au déclin de la métallurgie et combattre la pollution. Avec ses riches musées et son orchestre de renommée mondiale, elle se distingue par une vie culturelle intense. Depuis une dizaine d'années, d'importants travaux ont été entrepris pour rénover le centre-ville et les bords du lac.

■ Cleveland dans l'histoire

Naissance de la ville. — Après la guerre d'Indépendance, plusieurs États, dont New York, le Maryland et le Connecticut, proclamèrent leurs droits sur les territoires situés entre la rivière Ohio, le Mississippi et les Grands Lacs. Le Connecticut, revendiquant plus de 12 000 km² le long du lac Érié, accorda à une compagnie privée le droit d'y établir des foyers de peuplement. Le général Moses Cleaveland, arpenteur en chef de la compagnie, choisit en 1796 un site au débouché de la rivière Cuyahoga dans le lac Érié. Après l'inauguration, en 1832, d'un canal vers la rivière Ohio et Pittsburgh, la petite cité se transforma vite en un des principaux centres de commerce de ce qui était devenu l'État d'Ohio en 1803.

Un grand centre industriel. — Après la guerre de Sécession, Cleveland, utilisant le charbon des Appalaches et le minerai de fer du Minnesota (venu par bateau), devint une des capitales de la sidérurgie américaine et le principal centre de construction navale des Grands Lacs. C'est aussi à Cleveland que fut mise en route la première raffinerie de pétrole du pays et que John Rockefeller fonda la célèbre Standard Oil Company. À la fin du XIXᵉ s., les capitaux industriels accumulés à Cleveland financèrent largement le parti républicain, amenant James Garfield et William McKinley à la présidence. Entre les deux guerres, Cleveland pouvait rivaliser avec Chicago et Pittsburgh comme centre industriel et financier. Pour un temps, Cleveland eut même le plus haut gratte-ciel hors de New York, et en 1950, avec 900 000 habitants, elle était la septième ville du pays. Mais elle était aussi devenue un symbole de la dégradation de l'environnement.

Cleveland aujourd'hui. — À partir des années 70 cependant, un vigoureux effort de la municipalité a permis, malgré une situation financière peu brillante, d'éliminer progressivement les aspects les plus choquants de la dégradation urbaine. Un effort de reconversion industrielle est en cours pour résorber le chômage causé par les fermetures d'usines. Les rives de la Cuyahoga, près du centre-ville, ont vu des restaurants prendre la place d'ateliers vétustes. La rigueur du climat en hiver (c'est l'une des villes les plus enneigées du pays) est cependant un handicap pour cette « côte N. de l'Amérique ».

Visiter Cleveland

Durée. — *Une journée suffit pour voir le centre de la ville et surtout le Museum of Art.*

La dynastie Rockefeller

Symbole du capitalisme industriel, John D. Rockefeller (JDR) est aussi le fondateur de l'une des plus grandes fortunes du monde. Né à Richford (New York) en 1839, mais élevé à Cleveland dans la plus stricte tradition protestante, il crée en 1870 la Standard Oil Company dont il fait un immense *trust*. Il la dirige jusqu'en 1895, année où il commence à réinvestir les gigantesques profits du pétrole dans la sidérurgie et la banque. Dès lors, il peut entamer une seconde carrière dans... la philanthropie. Rockefeller pense, en effet, qu'il a le devoir de prodiguer une partie de son immense fortune à des cause humanitaires. Il fait ainsi don de centaines de millions de dollars à la recherche médicale et à l'éducation, notamment à travers la Fondation Rockefeller et l'Université Rockefeller, avant de disparaître à l'âge de 98 ans, en 1937.

Son fils, JDR junior, moins brillant que lui, est également très sensible aux problèmes sociaux : après la Première Guerre mondiale, JDR junior se consacre entièrement à des activités philanthropiques, à l'art et à l'architecture. Il aura six enfants, dont le plus célèbre, Nelson Aldrich, sera plusieurs fois gouverneur (républicain) de l'État de New York et vice-président des États-Unis (1974-1975) sous la présidence de Gerald Ford.

Comment s'orienter ? — *Pour la numérotation des rues (2nd St. Ouest ou 2nd St. Est), ce n'est pas la coupure naturelle de la rivière Cuyahoga qui établit la distinction entre les deux secteurs de la cité, mais l'axe N./N.-O.-S./S.-E. d'Ontario St., qui traverse Public Square. Perpendiculaire à Ontario St. et parallèle à la rive du lac Érié, l'axe O./S.-O.-E./N.-E. traversant Public Square s'appelle Detroit Ave. à l'O. et Superior Ave. à l'E.*

Visite. — *Nous vous indiquons non pas un itinéraire précis, mais les principaux centres d'intérêt de la ville. Attention : le centre-ville (au N.-O.) et University Circle, le quartier des musées (à l'E.), sont éloignés l'un de l'autre. Utilisez votre voiture ou les transports en commun. Vous pouvez vous procurer un plan de Cleveland au* **CVB**, *3100 Tower City Center (dans le centre de Public Square).*

● **Public Square.** — C'est ici que se doit de commencer toute visite de Cleveland. Cette place carrée est le noyau originel de la ville, conçue selon le schéma habituel des communautés de Nouvelle-Angleterre : une esplanade centrale vers laquelle convergent les axes principaux de la ville.

Dans l'angle S.-O. de Public Square, une statue en bronze (1888) rend hommage au fondateur de la ville, Moses Cleaveland. Au N.-E. de la place, un monument appelé *Light of Friendship* est un cadeau de la compagnie General Electric, rappelant que, en 1879, Cleveland fut la première ville au monde à disposer d'un éclairage public à l'électricité. Un autre monument, érigé en 1894, rend hommage aux soldats ayant combattu lors de la guerre de Sécession.

Public Square est dominé au S.-O. par le **Terminal Tower***, un gratte-ciel de 52 étages (238 m) inauguré en 1929 et qui fut pendant trente ans le plus haut immeuble hors de Manhattan *(plate-forme d'observation au 42e étage, ouv. le week-end).* Au 200 Public Square (Euclid & Superior), le **Sohio Building** (46 étages, 1986), siège de la Standard Oil of Ohio, contient de nombreuses boutiques et des fontaines dans le splendide hall d'entrée*.

● **Mall** *(en direction du lac, au N. de Public Square).* — Esplanade rectangulaire ornée d'une fontaine dédiée aux vétérans de la Seconde

Petite histoire de la pâte à mâcher

L'histoire du chewing-gum est particulièrement rocambolesque. Elle commence en 1869 lorsque le général mexicain Antonio Lopez de Santa Anna, chassé par la révolution, arrive à New York avec 250 kilos d'une pâte brune et molle, le *chicle*, qui est du latex séché provenant d'un arbre du Yucatan. Le général pensait que cela ferait un bon substitut du caoutchouc. Bien sûr, le *chicle* se révèle impropre à cet usage. Santa Anna retourne au Mexique en laissant son stock inutilisable à son collaborateur, Thomas Adams.

À cette époque, seuls les Mexicains mastiquent cette gomme, les Américains, eux, mâchent de la paraffine. Adams propose alors à un pharmacien de remplacer la paraffine par du *chicle*, meilleur marché. Le stock s'étant rapidement épuisé, Adams se lance dans la production et fonde, à New York, l'*American Chicle Company.* L'industrie du chewing-gum est née. Mais la gomme reste fade car aucun arôme ne lui est incorporé.

C'est un ancien vendeur de pop-corn de Cleveland, William J. White, qui parvient à parfumer le chewing-gum en lui ajoutant un sirop de glucose aromatisé à la menthe. Le succès est immédiat : en 1887, il en vend 5 millions, en 1893, 150 millions ! Avec la fortune amassée, White se fait construire une somptueuse propriété sur les rives du lac Érié. Célèbre dans tous les États-Unis, le premier roi du chewing-gum est élu sans difficulté maire de Cleveland, mais une association malheureuse le conduit au désastre financier. Ruiné, il repart à zéro en créant, à Niagara Falls cette fois, la *W. J. White Chicle Company*, et refait fortune. C'est ensuite grâce à la publicité à grande échelle que cette friandise élastique connaîtra son expansion mondiale.

Guerre mondiale, le Mall est entouré de plusieurs immeubles administratifs : City Hall, Public Auditorium and Convention Center (10 000 places). Au-delà de l'autoroute, en bordure du lac, le Cleveland Stadium (football américain, base-ball) peut accueillir 80 000 spectateurs.

À l'E. du stade, au bout de East 9th St. *(parking)*, se trouvent le sous-marin *USS Cod (vis. payante, en été)* et l'embarcadère. Depuis East 9th St. Pier, la vedette *Goodtime II* longe le port lacustre et remonte la rivière Cuyahoga. Au passage, on pourra voir l'effort de rénovation des basses berges (**« The Flats »** : restaurants, boutiques), puis, plus en amont, d'impressionnants témoignages de la vigueur industrielle passée de Cleveland. La rivière sinue au pied des gratte-ciel du centre-ville et sous une multitude de ponts de toutes sortes.

● **University Circle** *(à l'E. ; accès depuis Public Square par Euclid Ave. que l'on prend sur 2 mi/3,5 km)*, le quartier universitaire, concentre les principales attractions culturelles de la ville : le Severance Hall, siège de l'orchestre symphonique, et plusieurs musées.

● **Cleveland Health Education Museum** *(musée de la Santé ; 8911 Euclid Ave., University Circle. ; ouv. lun.-ven. 9 h-16 h 30, sam. 10 h-17 h, dim. 12 h-17 h,)*. — Unique en son genre, ce musée à vocation pédagogique présente des maquettes de l'intérieur du corps humain et explique les principaux mécanismes physiologiques (salles conçues pour les jeunes enfants).

● **Museum of Art**** *(11150 East Blvd., University Circle ; ☎ 421-7340 ; ouv. mar., jeu. et ven. 10 h-18 h ; mer. 10 h-22 h ; sam. 9 h-17 h ; dim. 13 h-18 h ; f. lun.)*. — Le musée, bâtiment néo-classique de 1916

auquel une aile plus récente fut ajoutée en 1957, s'est donné pour ambition de posséder le plus grand nombre possible d'œuvres exceptionnelles illustrant toutes les civilisations.

On notera l'intéressant département des civilisations méditerranéennes de l'Antiquité, celui d'art médiéval —art byzantin et européen, avec en particulier les pièces d'orfèvrerie du Trésor des Guelfes* (VIIIe-XVe s.)—, les sections d'arts décoratifs européens, d'art d'Extrême-Orient (Inde, Chine, Japon). Le **département des peintures**, particulièrement développé, comprend des œuvres maîtresses de toutes les époques :

Italie. — D'Ugolino de Sienne, un *Polyptyque***, qui, à l'exception d'un seul panneau, est pratiquement dans son état originel ; **Botticelli** : *Vierge à l'Enfant avec saint Jean** (tondo, 1444-1450) ; **Filippino Lippi** : *Sainte Famille avec saint Jean et sainte Marguerite* (tondo) ; **Giovanni di Paolo** : *Adoration des Mages**.

Le *Baptême du Christ*, du Tintoret, et l'*Adoration de la Vierge*, de Titien, sont deux œuvres complexes caractéristiques du maniérisme italien. Du **Caravage**, le dramatique *Martyre de saint André***, exécuté à Naples trois ans avant la mort tragique et mystérieuse du peintre, est resté pratiquement inconnu pendant plus de trois siècles, jusqu'en 1973.

Œuvres de **Lorenzo Lotto** *(Portrait d'homme*)*, Jacopo Bassano *(Lazare et le mauvais riche)*, G. B. Salvi, Salvator Rosa, Guardi, Canaletto *(Vue de la place Saint-Marc)*, etc.

Espagne. — Maître de Rubielos : *Couronnement de la Vierge**, une œuvre gothique saisissante ; du Greco, qui fut le plus mystique des maniéristes, *Christ sur la croix***; **Zurbarán** : *la Sainte Famille de Nazareth*, d'une curieuse modernité. De **Vélasquez**, *le Bouffon Calabazas****, tableau dont une restauration permit de se rendre compte que le malheureux bouffon avait subi un traitement de beauté au XIXe s. : ses jambes grêles de nain avaient été rectifiées et son strabisme supprimé ; aujourd'hui Calabazas a retrouvé son strabisme et le tableau sa fraîcheur. **Ribera** : *Saint Jérome***, un des thèmes favoris du peintre. De Goya, une série de **portraits **,** admirables et sans complaisance.

Allemagne. — *Polyptyque de la Passion du Christ*, par le Maître de l'autel de Schlägl (1re moitié du XVe s.). Œuvres de **Hans Baldung Grien** *(la Messe de saint Grégoire)*, Matthias Grünewald, du Maître de Heiligenkreuz ; gravures de Dürer. Du début du XXe s., une toile de l'expressionniste **Ernst Ludwig Kirchner** : *les Lutteurs dans un cirque*.

Pays-Bas. — **Bouts** : *Annonciation***, un des chefs-d'œuvre de la peinture gothique, d'où émane une grande spiritualité. J. **Gossaert** (ou Mabuse) : *Vierge à l'Enfant* dans un paysage. **Rubens** : *Portrait d'Isabelle Brandt* ; **Pieter de Hooch** : *Concert dans un intérieur*, où l'on retrouve le dallage des intérieurs hollandais, qui paraît rythmer la composition, et les portes ouvertes qui entraînent le regard vers les profondeurs de la maison. **Rembrandt** : *Autoportrait* de 1632, *Vieillard en prière* (1661), et surtout *l'Étudiant juif***, admirable de finesse et de sensibilité. Nombreuses eaux-fortes de Rembrandt et de Hendrick Goltzius.

États-Unis. — Essentiellement des portraits depuis le XVIIIe s. : Robert Feke, John Singleton Copley, Benjamin West, Joseph Wright, Gilbert Stuart, Charles Willson Peale *(Washington à la bataille de Princeton)*. Paysages (Thomas Cole, Thomas Eakins), scènes de genre (Winslow Homer), œuvres symbolistes (Albert Pinkham Ryder) et toiles impressionnistes (Mary Cassatt : *Après le bain*).

France. — La collection du musée est moins riche en peinture qu'en sculpture médiévale et elle ne débute vraiment qu'avec les peintres du XVIIe s. (Geoges de La Tour, *Saint Pierre repentant*). Les impressionnistes sont bien représentés : toiles de **Claude Monet** *(Marée basse à Pourville, près de Dieppe* ; Mme Monet ; les Nymphéas*)*, **Renoir** : (Trois Baigneuses* ; la Vendeuse de pommes), *Pissarro, Sisley, Berthe Morisot*.

Post-impressionnisme : de **Cézanne**, le *Pigeonnier de Bellevue*** (1888-1889), lumineuse composition dans laquelle les éléments sont réduits aux notations essentielles, ou encore la *Montagne Sainte-Victoire***, dans la version très épurée de 1894-1900. **Van Gogh** : *Portrait de Mlle Ravaux* (1890), *les Peupliers sur la colline* ; Seurat : *les Bords de la Seine à Suresnes* (1883, écriture pointilliste) ; *Gauguin* : *l'Appel** (1902), caractéristique de l'artiste, avec les contours bien définis et les couleurs violentes appliquées en larges à-plats ; Odilon Redon : *Vase de fleurs* ; *Portrait de Violette Heymanns*. Œuvres intimistes de Bonnard et de Vuillard.

Plusieurs tableaux de **Picasso,** dont *la Vie** (1903, période bleue) —toile dénuée de toute complaisance émotionnelle où la gamme des tonalités éteintes, les figures allongées et délicates, cernées par un contour net, donnent à la fois une impression d'austérité et de fragilité— et *Arlequin au violon**** dit aussi *Si tu veux*, œuvre cubiste entrée au musée en 1975. Natures mortes cubistes de Georges Braque *(Nature morte au violon*, 1913), *Tête de Christ* de Rouault, *Intérieur au vase étrusque** de **Matisse**.

Peinture du XXe siècle. — Cubisme de la Section d'Or (après 1912) : Lyonel Feininger ; expressionnisme : Orozco, Nolde ; abstraction : compositions d'Arshile Gorky, Mondrian. Expressionnisme abstrait américain : Hard Edge avec Mark Tobey et Mark Rothko, Motherwell ; pop'art avec Rauschenberg et Jasper Johns. Minimal Art : Kenneth Noland, Julius Olitski.

Sculptures : série des *Cathédrales du ciel*, de Louise Nevelson.

● **Western Reserve Historical Society** *(10825 East Blvd., University Circle ; ouv. mar.-sam. 10 h-17 h ; dim. 12 h-17 h).* — Installé dans deux villas construites en 1900, ce musée retrace l'histoire de la ville de Cleveland et de la Connecticut Western Reserve, mais aussi celle de la secte des *shakers*. Collection de mobilier et d'arts décoratifs. Souvenirs napoléoniens.

● Juste à côté, le **Crawford Auto-Aviation Museum** (*10825 East Blvd. ; ouv. mar.-ven. 10 h-17 h ; sam.-dim. 12 h-17 h*) retrace les débuts de l'industrie automobile. Collection de 200 voitures d'époque.

● Toujours sur East Blvd., au N.-O. des précédents musées, le **Cleveland Museum of Natural History*** (*Wade Oval, University Circle ; ouv. lun.-sam. 10 h-17 h, dim. 13 h-17 h 30 et le mer. 20 h 30-22 h pour l'observatoire ; entrée libre mar. et jeu. de 15 h à 17 h*) est le plus grand musée d'Histoire naturelle de l'Ohio (planétarium, dinosaures, papillons, etc.).

● **Rock'n Roll Hall of Fame** (*sur les rives du lac Erié*) : le plus grand musée consacré au Rock'n Roll, dans un bâtiment conçu par l'architecte I.M. Pei. Murs d'écrans vidéo, clips, films, et les inévitables « reliques » : costume orange de Chuck Berry, cabriolet Porsche de Janis Joplin...

Columbus

632 910 hab. ; fuseau horaire : Eastern time.
Situation : *Ohio, au centre de l'État ; à 144 mi/230 km au S. du lac Érié.*
À voir aussi dans la région : *Cincinnati*, Cleveland, Toledo.*

Fondée en 1812, aujourd'hui capitale de l'Ohio, Columbus est une ville assez agréable. Située au centre de l'État sur la Scioto River, elle est au centre d'un réseau de communications essentiel et possède une industrie diversifiée. C'est aussi une ville étudiante, jeune et dynamique : l'Ohio State University est l'une des plus grandes universités du pays.

● Le **Columbus Museum of Art** (*480 E. Broad St. ; ouv. mar.-dim. 10 h-17 h*) possède des collections de peintures et de sculptures européennes et américaines, dont quelques œuvre impressionnistes. Expositions temporaires.

● L'**Ohio Historical Center** (*17th Ave., au niveau de l'Interstate 71. ; ouv. t.l.j.*), spécialisé dans l'histoire de l'État, est également un musée d'histoire naturelle et d'archéologie. On peut coupler cette visite avec une promenade dans l'**Ohio Village** voisin, qui reconstitue un village rural typique en Ohio vers 1850 ; les artisans sont vêtus de costumes traditionnels.

● **German Village** (*renseignements à la German Village Society, 588 S. 3rd St.*) fut construit par des immigrants en 1843 ; il reste célèbre par son architecture, ses boutiques et ses restaurants d'époque.

● Avec des enfants, on peut visiter le **COSI, Center of Science & Industry** (*280 E. Broad St. ; ouv. t.l.j.*), centre de découvertes technologiques. Le **Columbus Zoo** (*9990 Riverside Drive ; ouv. t.l.j.*) vaut aussi le détour pour ses très nombreux reptiles et amphibiens, et plusieurs générations de gorilles nés en captivité ; c'est un des plus beaux zoos du pays. Enfin, l'**Ohio State Fair** (*Exposition Center, 11th Ave. E., au niveau de l'Interstate 71. ; ouv. généralement en août*) est l'événement de l'année : grande foire agricole et industrielle.

■ Environs de Columbus

● **Chillicothe** *(à 46 mi/74 km au S. par l'US 23).* — En indien shawnee, « chillicothe » signifie « ville ». Première capitale de l'Ohio (1803-1810), Chillicothe n'a pas pour autant oublié ses lointaines origines : le **Ross county Historical Society Museum** *(45 W. 5th St.)* retrace l'histoire des Indiens Hopewell (100 av J.-C.-500 apr. J.-C), bâtisseurs d'immenses constructions en terre *(moundbuilders)*, et des premiers pionniers du territoire du N.-O. Et chaque été, on peut assister à *Tecumesh !,* reconstitution historique théâtrale en plein air.

Aux environs de Chillicothe, nombreuses sépultures indiennes : à 3 mi/5 km au N., **Mound City Group National Monument** *(route 104)* est une nécropole dont les 23 tombes préhistoriques en terre sont encore intactes. À 14 mi/22 km au S.-O. sur l'US 50 s'élève le **Seip Mound State Memorial** (53 m de long, 10 m de haut).

Sur l'Adena Rd., à 1mi/1,6 km à l'O. de Chillicothe, se trouve également l'**Adena State Memorial,** château de style georgien, qui fut la demeure du 6e gouverneur d'Ohio Thomas Worthington (1814-1818) à partir de 1807.

● **Lancaster** *(à 27 mi/44 km au S.-E. par l'US 33),* lieu de naissance du général de la guerre de Sécession, William Tecumseh Sherman (1820-1891). Le **Sherman House Museum** *(Square 13, N. de Broad, Main & Wheeling Sts ; f. dim.-lun.)* présente du mobilier d'époque et des souvenirs de famille.

Des Moines

193 187 hab. ; fuseau horaire : Central time.
Situation : au centre de l'Iowa, à 345 mi/550 km à l'O. de Chicago.
À voir aussi dans la région : Cedar Rapids, Springfield.

Située au confluent des rivières Racoon et Des Moines River, la capitale de l'Iowa est également le centre de l'État à tous les points de vue : géographique, commercial et industriel. Des Moines est au carrefour des grandes plaines. Ville universitaire et important nœud routier, c'est aussi un grand centre d'affaires ; elle abrite plus de 50 compagnies d'assurance. Les gigantesques tours qui ont poussé ces dernières années, gratte-ciel de verre et d'acier, ont bien changé la physionomie de la ville.

● Le **capitole** (1873-1884, rénové en 1904) domine la ville de son dôme doré.

● Les élégantes demeures de **Sherman Hill Historic District** *(16th St.)* datent du XIXe s. et de l'époque victorienne. **Salisbury House** *(4025 Tonanwanda Drive)* est un manoir anglais de la période Tudor.

● Le **Des Moines Art Center** *(4700 Grand Ave.)* se trouve dans un ensemble architectural contemporain édifiée d'après les plans des architectes E. Saarinen, I. M Pei et R. Meier en 1948. On peut y voir des œuvres modernes européennes (Picasso, Matisse Renoir) et américaines (Wood, Hopper, O'Keeffe).

● L'**Iowa Historical State Building** *(E. 6th & Locust Sts),* qui abrite le **Iowa State Historical Museum & archives,** est un bâtiment post-moderniste rose et brun.

Detroit*

1 027 974 hab. ; Eastern time.
Situation : *Michigan, à 178 mi/248 km au N.-O.de Cleveland, à 279 mi/446 km à l'E. de Chicago.*
À voir aussi dans la région : *Cleveland, Michigan : le Nord et la route du Canada, Toledo.*

Située entre le lac Huron et le lac Érié et au bord du lac St-Clair, Detroit n'est séparée du Canada que par la Detroit River. Elle est, de loin, la plus grande ville du Michigan, et la ville industrielle la plus importante des États-Unis après New York et Chicago. « Capitale de l'automobile », elle possède aussi des industries performantes dans de nombreux autres domaines. Son port fluvial est le troisième du pays, accessible aux navires de haute mer depuis l'aménagement du Saint-Laurent. Detroit est également le plus grand marché de voitures d'occasion des États-Unis, surtout dans Livernois Ave.

Mais Detroit ne s'en tient pas là. Importante ville universitaire (université Wayne, université catholique de Detroit, deux écoles supérieures techniques), elle compte plusieurs musées, dont le remarquable Detroit Institute of Arts.

Elle ne ressemble pas tout à fait aux villes américaines : le réseau des rues du centre de la ville tracé en étoile selon les conceptions de Pierre L'Enfant, l'architecte de Washington, est devenu confus par la superposition d'un plan en échiquier et, plus récemment, de voies rapides.

■ Detroit dans l'histoire

Un démarrage difficile. — Le site de Detroit, dont le nom vient de la Detroit River, l'étroite voie d'eau (détroit) reliant le lac Huron et le lac Érié, fut explorée par les Français dès 1610. Cavelier de La Salle y vint en 1679. En 1701, un Français, le sieur de La Mothe Cadillac, y fonda le fort Pontchartrain qui devint propriété britannique en 1760. La place fut défendue avec succès pendant quinze mois en 1763-1764, contre le chef indien Pontiac. En 1783, elle fut cédée aux États-Unis ; mais c'est seulement en 1796, après la victoire du général Anthony Wayne sur les Britanniques à la bataille de Fallen Timbers, qu'elle tomba aux mains des Américains. Détruite par un incendie en 1805, puis reconstruite, Detroit devient la capitale du Michigan en 1807. Son essor (elle ne comptait que 1 500 habitants en 1824) commença avec les débuts de la navigation à vapeur et l'ouverture du canal Érié (1825).

Une croissance fondée sur l'automobile. — À partir de 1825, le développement de Detroit fut rapide : 21 000 habitants en 1850, 116 000 en 1880 et 286 000 en 1900. Mais c'est l'industrie automobile, fondée par Henry Ford à la fin du siècle dernier, qui fit s'accélérer prodigieusement la croissance (en 1930, 1,5 million d'habitants). Aux usines Ford vinrent s'ajouter les géants de l'automobile, General Motors (GM), Chrysler, et quelques autres constructeurs comme Studebaker et Dodge, qui ont été absorbés plus tard par les trois grands et dont les noms de marque, universellement connus, subsistent. Cadillac, Buick, Chevrolet, Pontiac et Oldsmobile sont ainsi construites main-

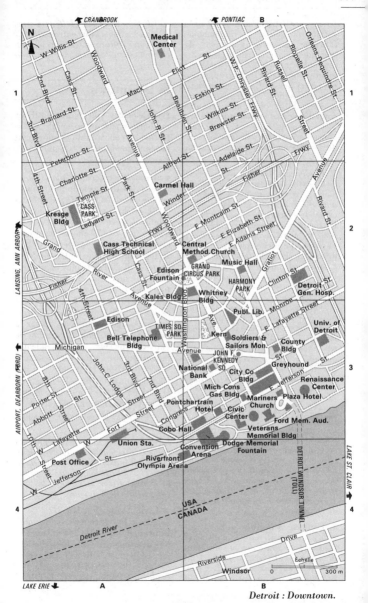

Detroit : Downtown.

tenant par la General Motors Corporation qui, outre les automobiles, fabrique également des avions, des machines à laver, des réfrigérateurs, des roulements à billes, etc. Dodge, Plymouth, Imperial et De Soto appartiennent à la Chrysler Corporation. Mais à la fin des années 70, l'industrie automobile subit de plein fouet le contrecoup de la crise économique, des problèmes énergétiques et de la lutte antipollution ; des milliers d'ouvriers durent être mis en chômage technique.

Detroit aujourd'hui. — À la fin de 1991, General Motors a dû procéder à de nouvelles fermetures d'usines. Néanmoins, avec une tentative d'adaptation nouvelle et la recherche dans l'application de moteurs Diesel ou électriques, Detroit demeure la première ville mondiale de construction automobile, et Ford occupe encore plus de la moitié du marché. Par ailleurs, le centre-ville a attiré de nouvelles entreprises. Depuis 1960, le nombre d'habitants de Detroit a sensiblement diminué, mais l'aire métropolitaine compte environ 4,5 millions d'habitants, avec une composition ethnique d'origine très variée (Noirs, Mexicains, Polonais, Allemands, Italiens, Grecs, Belges, etc.). Pour tenter de remédier à sa mauvaise image de marque, la ville a entrepris la rénovation de plusieurs quartiers, notamment Theater District et Greektown (le quartier grec).

■ Visiter Detroit

Durée. — *Passez deux jours à Detroit : vous pourrez ainsi combiner la flânerie en ville — dans le centre et le long des avenues élégantes — et la visite des deux principaux musées : l'Art Institute de Detroit et le Henry Ford Museum à Dearborn (grand faubourg de Detroit).*

Se déplacer à Detroit. — *Le centre-ville peut se visiter assez facilement à pied. Si vous y circulez en voiture, un plan est nécessaire : la plupart des rues sont en sens unique. Les deux principales rues du centre sont Wood-*

ward Ave. (N./S.) et Jefferson Ave. (E./O.). En dehors du centre-ville, utilisez votre voiture ou les transports en commun (People Mover, autobus, trolleybus).

■ Downtown

Dans le centre-ville, la Detroit River est bordée par un ensemble architectural remarquable comprenant notamment le Civic Center et le Renaissance Center.

● **Renaissance Center*** (*plan B3*). — Œuvre de l'architecte John Portman, cette « cité dans la cité », réalisée en 1978, est le symbole de la nouvelle vitalité donnée à la ville. Entouré de quatre tours de 39 étages chacune, il comprend, outre le Detroit Plaza Hotel —une tour cylindrique de 73 étages et de 228 m, la plus haute de la ville, avec un restaurant panoramique tournant au sommet—, des bureaux, des salles de congrès, de réceptions et de spectacles, des boutiques, des restaurants, une piscine, etc. Voyez la luxueuse et originale décoration de l'**atrium intérieur*** (plantes, balcons, bassin) autour duquel sont coordonnés les différents bâtiments.

Dans la Tour 200, dans les locaux de la National Bank of Detroit, le **Money Museum** présente une histoire de la monnaie depuis ses origines jusqu'à nos jours.

Le Renaissance Center est séparé du Civic Center par la route d'accès au **Detroit-Windsor Tunnel,** *ouvert en 1930 (1 573 m de long), qui passe sous la Detroit River et mène à la ville canadienne de Windsor.*

● **Civic Center*** (*plan B3*). — À l'angle de Jefferson Ave., la **Mariners Church,** déplacée de 244 m vers l'E. lors de la construction du Civic Center, est la plus vieille église en pierre de la ville (1848-1849 ; clocher moderne). De l'autre côté de Jeffer-

Les belles Américaines

L'automobile a fait ses premiers pas en Europe, mais c'est aux États-Unis qu'apparaissent les premières grandes usines. D'emblée, cette industrie s'est concentrée dans la région de Detroit, fournissant des emplois à environ 30% de la population active locale.

■ Des voitures pour tous

Ranson Eli Olds est âgé de 35 ans lorsqu'il ouvre à Detroit, en 1899, la première usine de construction automobile au monde. C'est le début, grâce au dynamisme de quelques capitaines d'industrie, de la spectaculaire expansion de la ville. Ford vient s'y installer en 1903, suivi de Cadillac. En 1907, Olds et Buick s'associent pour fonder General Motors. Il faut néanmoins attendre 1914 pour que commence la production à la chaîne avec le célèbre *Model T* de Henry Ford. Dès 1920 de nombreux modèles sont proposés, dans toutes les gammes de prix et de styles. La production américaine excède alors celle de tous les autres pays réunis (à lui seul, le *Model T* de Ford représente la moitié des véhicules de fabrication américaine utilisés à travers le monde). La dépression de 1929 puis la Seconde Guerre mondiale ralentissent le développement du marché aux États-Unis comme partout ailleurs dans le monde.

■ La concurrence des Belles Étrangères

Après la guerre, le besoin de changement et les phénomènes de mode touchent aussi l'automobile. Chaque année, des modèles aux lignes nouvelles font leur apparition. Ces belles Américaines rivalisent avec les voitures de sport étrangères. Dans les années 60-70, crise du pétrole aidant, les voitures américaines subissent l'influence des véhicules compacts d'inspiration européenne qui consomment moins d'essence. Une tendance qui se confirme dans les années 80 à cause, cette fois, de la concurrence des modèles japonais.

L'Electra

Ce modèle est le plus luxueux produit par Buick en 1959. Sa silhouette basse (à 1,40 m du sol) est typique de ce qui se faisait à l'époque. Notez sa longueur (5,51 m).

son Ave., à l'entrée de Woodward Ave., le **City and County Building** *(plan B3)*, avec une tour de 20 étages, abrite 40 services de l'administration de la ville et du comté ainsi que 37 salles d'audiences ; devant le bâtiment, statue assise, en bronze doré, du *Spirit of Detroit* par Marshall Fredericks. De l'autre côté de Woodward Ave., le **Michigan Consolidated Gas Co. Building** est un gratte-ciel de verre (40 étages, 148 m de haut) édifié par Minoru Yamasaki. Face à l'entrée de Woodward Ave. se dresse le **Pylône** d'Isamu Noguchi.

Plus à l'O., sur la **Philip A. Hart Plaza** *(W. Jefferson Ave.)* qui s'étend jusqu'au fleuve, la **Dodge Fountain** *(plan B3)* est une curieuse fontaine métallique avec jeux d'eau et de lumières programmés sur ordinateur. Avec ses deux amphithéâtres découverts —dont l'un en hiver se transforme en patinoire—, son théâtre souterrain, ses galeries d'art et son restaurant, cette place est l'un des endroits « branchés » de Detroit où se produisent tout au long de l'année diverses manifestations culturelles (ainsi, fin mai, le festival de jazz de Montreux-Detroit).

Non loin, le **Veterans Memorial Building** *(151 W. Jefferson Ave. ; plan B3)* est proche de l'emplacement de Fort Pontchartrain et de l'endroit où abordèrent Cadillac et ses compagnons français en 1701. Au-delà, la **Convention Arena** *(plan B4)* est une salle de sports (équipe de basket-ball Detroit Pistons) de 11 960 places à laquelle est relié le **Cobo Conference/Exhibition Center** *(301 Civic Center Drive ; ouv. lun.-ven. 9 h-17 h)*, un des plus grands espaces d'expositions au monde (salles de conférences —dont le Cobo Hall de 12 000 places—, parking sur le toit).

● **Washington Blvd.** — Ce boulevard, qui rejoint vers le N. Grand Circus Park *(→ ci-dessous)* est bordé de nombreuses boutiques, agences de voyages, compagnies aériennes, restaurants et cafés avec terrasses. (On peut aller jusqu'à Grand Circus Park par un vieux tramway dont les voitures ont été importées de Lisbonne).

Dans l'angle formé par Jefferson Ave. et Washington Blvd., le **Pontchartrain Hotel** *(plan B3)* de 23 étages (102 m de haut) possède une terrasse animée en été par les P'Jazz Outdoor Concerts. En remontant Washington Blvd, on croise **Fort Street,** qui forme le Financial District de Detroit, puis Michigan Ave.

● **Michigan Avenue.** — C'est l'une des artères maîtresses de la ville. Sur la dr. depuis Washington Blvd., elle rejoint le **John F. Kennedy Square***, l'un des lieux les plus animés de la ville, où se produisent des concerts et diverses manifestations en été. En bordure de cette place, à l'angle de Fort et Griswold Sts, on voit le **National Bank Bldg.** et le **Penobscot Building** (47 étages, 170 m), le plus haut immeuble de bureaux du Michigan.

● **Woodward Avenue** *(plan A1/2)*, l'artère principale de Detroit, est bordée de grands magasins et réservée aux piétons. En la prenant vers le N.-O., on laissera sur la dr. le **Kern Block**, centre d'animation estivale et de commerce de fleurs. Plus au N., Woodwark Ave. traverse **Grand Circus Park** *(plan B2)*, un parc semi-circulaire —le cercle originellement prévu n'ayant pas été achevé—, agrémenté de deux fontaines dédiées à Th. Edison et Hazen Pingree, anciens maires de Detroit.

■ Cultural Center

Au-delà du Grand Circus Park, Woodward Ave. conduit, au bout de 3 km environ, à la **Wayne State University** —dont quelques bâtiments sont d'une remarquable qualité architecturale—, et surtout au **Cultural Center**, où sont regroupés les principaux musées de la ville.

● Le **Detroit Historical Museum** *(5401 Woodward Ave. ; ouv. mer.-dim. 9 h 30-17 h 30, f. jours fériés)* présente l'histoire de la ville depuis 1801. On verra notamment la reconstitution de rues du vieux Detroit du XIXe s. ainsi que des intérieurs reconstitués, des maquettes de chemins de fer, des dioramas, une collection récemment constituée de costumes et accessoires féminins, et des expositions temporaires.

● **Children's Museum** *(67 E. Kirby St., entre Woodward Ave. et John R. St. ; ouv. toute l'année lun.-sam. 13 h-16 h, et d'oct. à mai à partir de 9 h le sam. ; entrée libre).* — Ce musée intéressant —et pas seulement pour les enfants— expose des collections relatives à l'histoire des Indiens d'Amérique, à l'histoire naturelle du Michigan (oiseaux), aux voyages d'exploration dans les pays étrangers, ainsi qu'une collection de jouets, de marionnettes et de poupées. Attenant au musée, un planétarium.

● **Detroit Institute of Arts*****

5200 Woodward Ave. ; tél. 833-7900.

Visite : mer.-ven. 11 h-16 h, sam. et dim. 11 h-17 h, f. lun., mar. et jours fériés ; départements ouv. par roulement : la moitié de 11 h à 13 h 30, l'autre moitié de 13 h 30 à 16 h.

Ce musée, fondé en 1885, fait partie des cinq plus grands musées d'art des États-Unis. Il comprend, parmi ses nombreux départements, trois sections importantes : les arts décoratifs, axés surtout sur le XVIIIe s. anglais, français et américain ; l'art d'Extrême-Orient, où l'on peut voir quelques pièces de grande valeur, telles des urnes funéraires chinoises

en bronze datant de plusieurs millénaires ; et la peinture européenne (du Moyen Âge à la fin du XIXe s.) où l'accent est mis sur la peinture flamande et hollandaise. Notons encore, dans la section consacrée au XXe s., une importante collection d'expressionnistes allemands (Klee, Kandinsky, Kirchner, etc.). Certaines fresques du musée ont été exécutées par le peintre mexicain réaliste Diego Rivera.

Pour vous donner un petit aperçu de la richesse du **département de peinture européenne*****, nous mentionnons quelques-unes des œuvres maîtresses que vous pourrez y voir, parmi beaucoup d'autres.

École italienne des XIVe-XVIIe s. — **Sassetta** : *Agonie au mont des Oliviers***, peint dans la tradition siennoise, mais avec un sens de la perspective linéaire moderne pour l'époque. **Carlo Crivelli** : *Déposition du Christ***, tableau dans lequel le peintre pousse le réalisme jusqu'à indiquer les veines gonflées sur la main de la Vierge. **Le Corrège** : *Mariage mystique de sainte Catherine* ; œuvre de jeunesse qui montre déjà la science délicate des gradations du clair au sombre. De **Titien**, *l'Homme à la flûte*** est caractéristique des portraits sobres et puissants de ce peintre. **Orazio Gentileschi** : *Jeune Femme au violon*, au dynamisme caractéristique du baroque. Du **Caravage** : la *Conversion de Marie-Madeleine****, entrée au musée en 1971, est une œuvre clé du baroque en raison des moyens d'expression (voir le relief de la lumière dans le miroir) et du sujet. Le thème de la conversion et de la révélation a été un des plus souvent traités par les artistes de la Contre-Réforme et dans cette œuvre-ci tout l'art du Caravage a consisté à capter sur le visage de Marie-Madeleine l'instant du passage de l'incroyance à la foi.

École flamande. — **Jan Van Eyck** : *Saint Jérôme étudiant** (vers 1430), où la fluidité des couleurs, l'extrême minutie de l'exécution, le sens de la réalité sont les traits marquants du style de Van Eyck. Du Maître de la Légende de sainte Lucie, *Vierge au jardin de roses*[*] ; avec, au fond, la ville de Bruges ; le mur de roses sauvages est le symbole médiéval de la vertu et de la chasteté ; c'est un tableau double en ce sens qu'il combine le motif de la Vierge au jardin de roses et le mariage mystique de sainte Catherine ; sainte Ursule, patronne de Bruges, est figurée par une princesse richement vêtue. **Pieter Bruegel l'Ancien** : *Noce villageoise*[*] ; **Rubens** : *Rencontre de David et Abigail.*

École espagnole. — **Diego Vélasquez** : *Portrait*[**] d'homme ; **B. E. Murillo** : *Fuite en Égypte* ; **Francesco Goya** : *Portrait d'Amali Bonnelles de Costa*[**].

École hollandaise du XVIIe siècle. — **Frans Hals** : *Portrait de Hendrick Swalmius*[**], dont le pendant, le portrait de l'épouse, se trouve au musée de Rotterdam : la prestesse de la touche, la justesse du ton et des accords et la verve du peintre font qu'on croit avoir toujours connu ses modèles. **Rembrandt** : *la Visitation*[*], seul exemple de ce thème dans l'œuvre de l'artiste, qui a peint ce tableau l'année de la mort de sa mère ; **Jacob Van Ruisdael** : *le Cimetière juif.*

École française. — **Edgar Degas** : *Un violoniste et une jeune femme*[*] où toute l'attention est portée sur les expressions et les mains ; **Claude Monet** : *les Glaïeuls*[*].
Paul Cézanne : *Mme Cézanne*[**] ; **Vincent Van Gogh** : *Autoportrait*[*] ; *Bord de l'Oise à Auvers*[**], de 1890, c'est-à-dire une des dernières œuvres. **Paul Gauguin** : *Autoportrait*[**] (de 1890), dont les larges bandes chromatiques engendrent l'espace et le mouvement. **Henri Matisse** : *la Fenêtre ; Coquelicots*[*] (papiers découpés et vitrail). **Picasso** : *Portrait de Manuel Pallarès*, dans une interprétation très proche du cubisme. **Joan Miró** : *Autoportrait II.*

Peinture américaine. — Depuis les portraits et les scènes de la vie américaine de Blackburn, Copley, Peale, **Cole** (*Vue d'un lac des Catskill*[*]), jusqu'aux impressionnistes Whistler et Mary Cassatt, en passant par les *Scènes de la guerre de Sécession* de Winslow Homer et les portraits de Thomas Eakins et de John Sargent.

● Le **Detroit Science Center's Storefront Museum** *(5020 John R. St. at Warren St. ; ouv. mar.-ven. 9 h-16 h ; sam. 10 h-17 h ; dim. 12 h-17 h)* comporte des collections scientifiques concernant tous les domaines (nombreuses manipulations à faire soimême) et le Domed Space Theater (films sur écran panoramique à 180°).

● Le **Museum of African and American History** *(301 Frederick Douglas St. ; ouv. mer.-sam. 9 h 30-17 h ; dim. 13 h-17 h ; entrée libre)*, installé dans ce bâtiment trapézoïdal depuis 1987, est la plus récente adjonction au Cultural Center ; il est consacré à l'histoire et à l'apport culturel des Noirs en Amérique, et comporte deux petites galeries d'art africain.

■ À voir encore

● **Belle Isle**[*] *(à 3 mi/5km du centre ; accès par la Jefferson Ave. puis le Grand Blvd. et le General MacArthur Bridge qui enjambe un bras de 800 m de large de la Detroit River).* — Cette île de 3 mi/5 km de long sur 1 mi/1,5 km de large a été aménagée en parc (plans d'eau reliés par des canaux, plages, jardins, réserves forestières..) et constitue un but de promenade très populaire, spécialement en été. Au centre, le **Belle Isle Zoo** *(ouv. seulement du 1er mai au 31 oct. : lun.-sam. 10 h-17 h, dim. et jours fériés 9 h-18 h)*, zoo pour enfants, abrite de jeunes animaux dans un parc de conte de fées. Au S.-O. de ce zoo se trouvent le **Belle Isle Aquarium** *(ouv. t.l.j. 10 h-17 h)* et le **Dossin Great Lakes Museum** *(100 Strand Drive ; ouv. mer.-dim. 10 h-17 h 30 ; f. lun., mar. et jours fériés)*, musée de la navigation sur les Grands Lacs, qui présente de nombreuses maquettes de bateaux.

● **Ambassador Bridge** (à 2 mi/3,8 km au S.-O. du Civic Center par Fort St.). — Par ce pont suspendu à péage de 564 m de long, construit en 1929, qui enjambe la Detroit River, on peut rejoindre la ville canadienne de **Windsor** (il est interdit aux piétons).

● **Motown Museum** (2648 Grand Blvd. ; ouv. lun.-sam. 10h-17h, dim. 14h-17h). — Un petit musée qui retrace la destinée de l'une des plus grosse maison de disques du pays, celle qui lança les plus grands chanteurs des années 60.

● **Fort Wayne Military Museum** (6325 W. Jefferson Ave., ouv. 1er mai-Labor Day mer.-dim. 9 h 30-17 h). — Le fort, construit en 1843 pour protéger la frontière N. des États-Unis, est très bien conservé, avec ses casemates, ses tunnels, ses magasins à poudre. Le musée est consacré à l'histoire militaire et indienne de la région des Grands Lacs. Attention : il est fermé jusqu'à nouvel ordre.

● **BobLo Island** (île de Bois Blanc ; à 18 mi/28 km au S. ; 90 mn de traversée par ferry ; embarcadère : Boblo Dock, Clark Ave.). — Située en territoire canadien, cette île comporte un vaste parc d'attractions avec shows, revues et nombreux stands et restaurants (ouv. t.l.j. à partir de 11 h de fin mai au Labor Day, heure de fermeture variable).

● **Royal Oak** (à 11 mi/18 km au N.-O. de Detroit ; accès par Woodward Ave). — Sur la g., le **Detroit Zoological Park*** (8450 W. Ten Mile Rd. ; ouv. de mai à oct. t.l.j. 10 h-17 h, de nov. à avr. mer.-dim. 10 h-16 h) est un des plus riches et des plus modernes zoos des États-Unis (5 000 bêtes env.) desservi par un chemin de fer miniature ; dans le Holden Amphitheater, présentations d'animaux.

■ Dearborn et le Henry Ford Museum**

Dearborn est un grand faubourg de Detroit (90 700 hab.) qui abrite le Henry Ford Museum et Greenfield Village. Le musée et le village ont été créés en 1929 par Henry Ford en hommage aux qualités et au dynamisme du peuple américain. Ils retracent l'évolution rapide de la vie des Américains grâce aux progrès de la technologie dans les domaines de la vie domestique, des communications, des transports, de l'agriculture et de l'industrie. Ils constituent un véritable monument national qui reçoit 1,5 million de visiteurs chaque année.

Accès. — Dearborn est un grand faubourg (90 700 hab.), à 9 mi/14 km à l'O. de Detroit. Suivez l'US 12 (Michigan Ave.) ; laissez sur la dr. l'University of Michigan Dearborn Campus et, peu après, prenez sur la g. Oakwood Blvd.

Adresse : 20900 Oakwood Blvd. (☎ 271-1620).

Visite. — Ouv. t.l.j. 9 h-17 h sf Thanksgiving, 25 déc. et 1er jan. ; en outre, les bâtiments du village sont f. du 4 jan. à la mi-mars.

Durée. — Prévoyez au moins une journée pour visiter le musée et le village. Il est possible d'acheter un billet valable deux jours. Pour ceux qui disposent de peu de temps, une carte remise à l'entrée indique les points principaux.

● **Henry Ford Museum**. — Le musée Henry Ford donne un excellent aperçu de l'évolution de la vie américaine, de l'époque des pionniers jusqu'à nos jours. Sur la longue façade d'entrée ont été reproduits les trois bâtiments de Philadelphie : Independence Hall, Congress Hall et Old City Hall.

À l'intérieur le long de la façade d'entrée, dans des pièces aménagées avec goût dans le style de l'époque, la **collection of Fine Arts** rassemble des objets artisanaux, meubles, montres, porcelaines, poteries, verrerie, étains, argenterie, dont des chefs-d'œuvre de l'orfèvre Paul Revere de Boston.

Le hall principal s'ouvre sur une **reconstitution d'une rue commerçante** (Street of Early American Shops), avec 22 boutiques et ateliers différents du début du XIX⁰ s., droguerie, boutiques de chapelier, de pelletier, ateliers de luthier, d'armurier, de fabricants de jouets, de bougies, salon de coiffure, forge, etc.

Dans le **Main Exhibition Hall** ou Mechanical Arts Hall, l'histoire industrielle des États-Unis fait l'objet de sept sections : machines agricoles, artisanales et industrielles, machines électriques ou à vapeur, information (y compris radio et télévision), éclairage, transports par eau, terre et air. Parmi les locomotives, on peut voir une reproduction de la *Rocket*, la première locomotive à vapeur conçue en 1829 par George Stevenson et une locomotive Allegheny de 600 t. Parmi les 200 automobiles figurent la première voiture de Henry Ford ainsi que des véhicules des débuts de Daimler et de Benz (entre 1884 et 1902).

Parmi les avions enfin, citons le Fokker à bord duquel l'amiral Byrd survola le premier le pôle Nord, le 9 mai 1926, un Ford avec lequel il survola le pôle Sud en 1929 et le *Bremen*, un junker W 33, avec lequel les Allemands Harmann Köhl et von Hünefeld, ainsi que le colonel irlandais James Fitzmaurice, traversèrent l'Atlantique dans le sens E.-O., en avril 1928.

● **Greenfield Village*.** — Ce musée en plein air d'une centaine d'hab. offre une bonne image de la vie américaine aux XVII⁰, XVIII⁰ et XIX⁰ s. Près de 100 maisons typiques de toutes les parties des États-Unis y ont été fidèlement reproduites : hôtel de ville, église, école, gare, ainsi que des **maisons historiques** comme le tribunal où Abraham Lincoln était avocat (on voit son chapeau et sa canne), le laboratoire d'Edison (provenant de Menlo Park),

l'atelier de bicyclettes où les frères Wright ont construit leur premier avion rudimentaire et la maison natale de Henry Ford, près de l'entrée. Dans les nombreuses boutiques, on vend des objets d'artisanat. On peut assister au travail dans les ateliers du tisserand, du souffleur de verre, du potier, du sellier et du fondeur d'étain.

Un véritable **quartier industriel** réunit une tuilerie, une scierie, différents moulins à céréales, etc.

Des véhicules sont à la disposition des visiteurs, qui peuvent se promener dans de vieilles voitures à cheval, en Ford *Model T*, ou monter sur le bateau à aubes *Swannee*.

● Face à l'entrée du musée Ford et de Greenfield Village, de l'autre côté de Village Rd., le **Ford Plant Tour Guest Center** est le point de départ de la vis. guidée des usines Ford de River Rouge *(tour de 2 h : ouv. lun.-ven. sf jours fériés)* qui fabrique plus d'une voiture par minute.

● Au-delà de Village Rd., Oakwood Ave. conduit aux **Dearborn Inn & Colonial Homes,** autre réalisation de Henry Ford qui, sur 10 ha, regroupe des bâtiments de style georgien et la reproduction de cinq maisons d'Américains célèbres ; toutes ces constructions sont aménagées en hôtel.

■ Environs de Detroit

● **Ann Arbor** *(à 36 mi/58 km à l'O. par l'Interstate 94).* — L'atmosphère « studieuse » de cette ville (107 300 hab.) est donnée par l'université et les nombreux instituts de recherche qui s'y rattachent. L'University of Michigan, fondée en 1817, fut transférée ici en 1837 et compte aujourd'hui env. 46 000 étudiants. Elle regroupe notamment plusieurs bibliothèques et musées d'art, d'archéologie, d'antiquités et d'histoire médiévale, d'instruments de musique, d'histoire naturelle, ainsi qu'un parc botanique, les **Matthaei Botanical Gardens** *(à 7 mi au N.-E. ;*

1800 Dixboro Rd. ; ouv. t.l.j. 10 h-16 h 30, f. Thanksgiving, 25 déc. et 1er jan.).

● **Flint** *(à 57 mi/91 km au N. de Detroit).* — Située dans la région de villégiature du Genese Recreation Area, Flint fait partie de l'aire économique de la capitale du Michigan. Comme Detroit, son activité essentielle reste la construction automobile (Buick, Chevrolet). C'est aussi une ville universitaire.

On peut y voir les **usines de montage Buick-Oldsmobile-Cadillac***, ce qui ne manque pas d'intérêt *(4300 S. Saginaw St. ; vis. guidées).* Le **Flint College and Cultural Center** *(E. Kearsley St.)* abrite un planétarium, un musée d'art et un musée de l'Automobile, le Sloan Museum.

Au 6140 Bray Rd., on verra le **Cross-roads Village and Huckleberry Railroad,** reconstitution d'un village avec ses artisans à la fin du XIXᵉ s.

● **Lansing** *(à 84 mi/135 km au N.-O. de Detroit).* — Capitale du Michigan depuis 1847, Lansing englobe dans son agglomération East Lansing. Ensemble, les deux villes forment un gros centre industriel surtout tourné vers la construction automobile (Oldsmobile), ainsi qu'un important carrefour universitaire avec la Michigan State University (44 000 étudiants) localisée à East Lansing.

Lansing. — La ville est dominée par le State Capitol (1878) d'inspiration Renaissance. On peut voir trois musées intéressants : le **R.E. Olds Museum** *(240 Museum Drive ; ouv. mar.-ven. 9 h 30-17 h, sam., dim. et jours fériés 12 h-17 h)* est consacré à l'automobile d'hier et d'aujourd'hui ; l'**Impression 5 Museum** *(200 Museum Drive ; ouv. lun.-sam. 10 h-17 h, dim. 12 h-17 h)* est un musée des Sciences ; le **Michigan Historical Museum** *(208 N. Capitol Ave. ; ouv. lun.-ven. 9 h 30-16 h 30, sam. et jours fériés 12 h-16 h 30)* présente l'héritage historique de l'État.

East Lansing. — Elle mérite d'être visitée pour son université qui compte un planétarium et pour le **Kresge Art Museum*** *(Auditorium Rd. ; ouv. lun., mer. et ven. 9 h 30-16 h 30, mar. 12 h-20 h, sam.-dim. 13 h-16 h),* qui présente des œuvres couvrant une immense période (du néolithique à nos jours). Le **Michigan State University Museum** *(West Circle Drive ; ouv. lun.-ven. 9 h-17 h, jusqu'à 21 h le jeu., sam.-dim. 13 h-17 h)* est, lui, spécialisé dans la géographie et l'écologie propres à la région des Grands Lacs.

Duluth et le pays des lacs*

85 500 hab. ; fuseau horaire : Central time.

Situation : dans le N.-E. du Minnesota, sur le lac Supérieur ; à 156 mi/251 km au N. de Minneapolis/St Paul.

À voir aussi dans la région : Minneapolis/St Paul*, Voyageurs National Park*.

Duluth bénéficie d'un cadre exceptionnel, avec ses hautes falaises boisées qui dominent le lac Supérieur. La ville doit son nom au pionnier français Daniel Greysolon, sieur du Luth, qui visita la région en 1679. Son port, qui relie les Grands Lacs à l'Atlantique via le Saint-Laurent, concentre des navires de gros tonnage. Point de départ de la North Shore Drive, route de crête qui offre de superbes panoramas sur le lac, Duluth attire de plus en plus de touristes. C'est aussi une bonne étape vers les quelque 15 291 lacs perdus vers la frontière canadienne… Mais ne venez pas y chercher trop de douceur estivale. Le Minnesota mérite bien son surnom d'« Étoile du Nord » : ses paysages et son climat rappellent ceux de la Scandinavie et même les soirées d'été peuvent être fraîches.

● **L'Aerial Lift Bridge**, pont élévateur haut de 42 m, enjambe l'entrée du port. Juste à côté, le musée de la Marine de Canal Park présente des maquettes de bateaux, des épaves.

● Le **Tweed Museum of Art**, dans l'enceinte de l'University of Minnesota *(2400 Oakland Ave.)* abrite une galerie de peintures (XVIe-XXe s.) et un planétarium.

● Le centre culturel « The Depot », encore appelé **St Louis County Heritage and Arts Center** *(506 W. Michigan St.)*, regroupe des associations artistiques et trois musées : le **St Louis County Historical Museum** qui fait revivre Duluth au temps du comptoir de fourrures ; le **Lake Museum of Transportation** et le **Chisolm Museum**, dédié aux enfants.

● Outre les musées, vous apprécierez les élégantes maisons et les nombreux parcs de la ville : dans le **Leif Eriksson Park** se dresse la statue du Viking norvégien, fils d'Erik le Rouge, qui aurait traversé l'Atlantique en 997 en venant du Groenland.

● **Superior**, le port de Duluth, est situé sur la rive opposée, dans le Wisconsin. Ses immenses quais et docks accueillent plusieurs millions de tonnes de marchandises par an, essentiellement du minerai et des céréales *(vis. en bateau ☎ 722-6218).*

■ Le pays des lacs

● **La North Shore Drive : le long du lac Supérieur**

Two Harbors *(à 21 mi/34 km au N.-E. par l'Old US 61).* — La route offre de beaux panoramas sur le lac. Cette ville doit son nom à ses deux ports (Agate Bay et Burlington Bay), qui accueillent de gros navires. **Depot Museum** *(Waterfront Drive)* : petit musée consacré à la mine et à la navigation sur les Grands Lacs.

Gooseberry Falls State Park *(à 36 mi/58 km par l'US 61)*, avec cinq cascades ; petit parc et sentiers.

Split Rock Lighthouse *(à 38 mi/61 km par l'US 61).* — Ce phare, construit en 1910, s'élève de 50 m au-dessus du lac, là où la côte est particulièrement dangereuse ; petit musée.

Grand Marais *(à 109 mi/175 km par l'US 61)*, village au creux d'un port naturel, est une bonne base pour explorer la Superior National Forest (randonnées, canoë-kayak, ski de fond).

Grand Portage National Monument* *(à 152 mi/244 km par l'US 61)*, à l'extrémité N.-E. de l'État, sur la frontière canadienne. Cet ancien comptoir de fourrures construit en 1778 a conservé son atmosphère d'autrefois, dans un superbe cadre naturel. Une piste de 32 km contourne les chutes d'eau et les rapides de l'embouchure de la Pigeon River pour conduire aux terres canadiennes. En été, un service de bacs permet de se rendre à Isle Royale National Park (→).

● **Ely*** *(à 118 mi/188 km au N. de Duluth par l'US 61 et la MN 1).* — Cette petite ville est le principal accès à la **Superior National Forest**, région encore préservée, ponctuée de lacs, le long de la frontière canadienne. Ici, pas de routes, de téléphones, de poubelles. La **Boundary Waters Canoe Area** (BWCA) est un véritable paradis pour les amateurs de pêche et de promenades en canoë.

● **La Mesabi Range**

Hibbing *(à 77 mi/133 km au N.-O. de Duluth par l'US 53 et 169).* — Ville natale du chanteur Bob Dylan, Hibbing mérite son surnom de « capitale du minerai de fer » : on peut y visiter l'une des plus grandes mines de fer à ciel ouvert du monde, celle de **Hull-Rust Mahoning** *(3rd Ave. E. ; ouv. t.l.j.)*, véritable canyon de 8 km de long et 152 m de profondeur. À l'au/3 km N., près de Chisholm, **Ironworld USA** est un paisible parc dans lequel sont proposées des expositions sur la sidérurgie.

Grands Rapids *(à 35 mi/59 km au S.-O. de Hibbing par l'US 169)*, villégiature sur le cours supérieur du Mississippi (sports nautiques, ski), à proximité d'anciennes mines de fer. Un musée est consacré à l'actrice Judy Garland, enfant de Grands Rapids, dans le **Central School Heritage & Art Center** *(ouv. t.l.j.)*. Au **Forest History Center** *(County Rd. 76, ouv. t.l.j.)*, qui retrace l'évolution de la forêt, on verra la reconstitution d'un campement de pionniers.

● **Le centre de l'État et les sources du Mississippi**

Bemidji *(à 152 mi/244 km au N.-O. de Duluth par l'US 2)*. — C'est ici qu'est née la légende de Paul Bunyan, le bûcheron le plus fort de la région, et de Babe, son gigantesque bœuf bleu ; leurs statues se dressent face au lac, à l'entrée du **Bunyan House Information Center** *(Hwy 197 ; musée ouv. t.l.j.)*.

Voir aussi le **Beltrami Historical Wildlife Museum** *(Third St. Bemidji Ave. ; ouv. t.l.j. 9 h-18 h 30, juin-août)*, qui présente une collection d'objets indiens. Le **parc régional** du lac Bemidji offre un site superbe pour se baigner, pêcher et faire du canotage.

Itasca State Park* *(à 40 mi/64 km au S.-O. de Bemidji)*. — Ce superbe parc naturel, situé au cœur de la région des North Woods, est resté sauvage. C'est là que le Mississippi prend sa source. Les forêt de pins blancs ou rouges (autre nom des pins nordiques) et les eaux transparentes du lac Itasca font la joie des randonneurs (canoë en été, ski en hiver). La végétation est abondante et variée (visitez l'arboretum de l'université du Minnesota) ; on rencontre également toutes sortes d'animaux.

Evansville

126 270 hab. ; fuseau horaire : Central time.
Situation : dans le S.-O. de l'Indiana, à la frontière du Kentucky.
À voir aussi dans la région : Indianapolis, Springfield ;
dans le Sud : Louisville*, Mammoth Cave National Park**.

Evansville est au carrefour de deux régions : les Grands Lacs et le Sud. C'est en effet un grand centre industriel et commercial, mais aussi une ville de loisirs assez agréable.

● Le **Riverside Historic district** mérite une promenade pour admirer l'architecture de ses maisons : ainsi, la **Williard Library** *(21 1st Ave. ; f. lun)*, de style victorien, est une des plus anciennes bibliothèques d'Indiana (1885).

● On peut visiter **Reitz House Museum** *(224 S.E. 1st St. ; f. lun. & mar.)*, l'élégante demeure du baron français J. A. Reitz, de style second Empire.

● Dans le même quartier, l'**Evansville Museum of Arts & Science** *(411 S.E. Riverside Drive, f. lun.)* est un musée artistique, scientifique et historique

(peintures européennes et américaines du XVIIIe au XXe s ; planétarium).

● À 6 mi/10 km au S.-E. du centre se trouve **Angel Mounds State's Historical Site** *(8215 Pollack Ave. ; f. lun.)*. Ce village préhistorique de 400 m², sans doute construit au Ier s. de notre ère, a été habité par les Indiens de 1250 à 1450 environ ; pour y élever leurs maisons, ceux-ci bâtirent des plates-formes en terre très bien conservées.

■ Environs d'Evansville

● **New Harmony** *(à 28 mi/45 km N.-O. par l'IN 66)*, commune religieuse des harmonistes, fondée en 1814 par le Wurtembergeois George Rapp. La vie communautaire prônée par les « rappistes » prit fin en 1825 en raison des dissensions à l'intérieur du groupe ; une nouvelle expérience, le « new moral world », fut alors lancée par l'industriel écossais Robert Owen. Jusqu'à sa mort en 1847 la société rayonna, mais l'absence de chef et la persistance de règles de vie trop strictes entraînèrent sa disparition au début du XXᵉ s. L'héritage de ces deux communautés a été préservé dans les nombreux sites historiques de la ville : **Historic New Harmony** et **The Atheneum** *(Arthur & North Sts)* ; le **New Harmony Historic Site**, qui organise la visite de six bâtiments historiques.

● **Vincennes*** *(à 54 mi/86 km au N. par l'US 41)* est la plus vieille ville d'Indiana, construite (en 1732) par des explorateurs français à l'emplacement d'un comptoir de fourrures, créé en 1683. Ce fut la capitale du territoire de l'Indiana de 1800 à 1813. Située sur la Wabash River, elle est aujourd'hui connue pour ses orangers et ses pommiers.
Vincennes possède quelques petits musées : ainsi, **Grouseland** *(3 W. Scott St.)*, bâtie en 1803, fut la maison de William Henry Harrison, 1ᵉʳ gouverneur d'Indiana et 9ᵉ président des États-Unis ; **George Rogers Clark Historical Park** *(401 S. 2nd St., ouv. t.l.j.)*, sur la Wabash River, raconte la campagne militaire du général Clark pendant la guerre d'Indépendance (1779).

● **Owensboro** *(à 35 mi/56 km au S.-E. par l'IN 66 puis l'US 231)*. — Située dans l'un des coudes de la rivière Ohio, Owensboro est la troisième ville du Kentucky. C'est un centre industriel et commercial essentiel dans l'économie de l'État. D'abord dénommée « Yellow Banks » (rives jaunes) à cause des hautes falaises qui, à cet endroit, bordent l'Ohio, la ville doit son nom actuel au colonel Abraham Owen, tué en 1811 à la bataille de Tippecanoe.

Deux petits musées méritent une visite : l'**Owensboro Area Museum** *(2829 S. Griffith Ave. ; ouv. lun.-ven. 8 h-14 h ; sam.-dim. 13 h-16 h)* est un musée d'histoire régionale et d'histoire naturelle ; le **Museum of Fine Arts** *(901 Frederica Ave. ; lun.-ven. 10 h-16 h ; dim. 13 h-16 h)* présente des collections d'art américain, français et anglais.

Green Bay

96 940 hab. ; fuseau horaire : Central time.
Situation : *Wisconsin, au bord du lac Michigan ; à 201 mi/323 km au N. de Chicago.*
À voir aussi dans la région : *Madison*, Milwaukee*.*

Cette importante ville portuaire, située au fond d'une profonde baie, est aussi la plus ancienne colonie du Wisconsin : elle fut découverte en 1634 par le Français Jean Nicolet, puis établie comme comptoir de fourrures en 1669. Grand centre de production de bois et de poissons dans la seconde moitié du XIXᵉ s, elle est aujourd'hui spécialisée dans le papier et le fromage.

● L'**Heritage Hill State Park** *(2640 S. Webster Ave.)* est un musée historique vivant, retraçant l'histoire de la région autour de quatre thèmes : les pionniers (1672-1825), avec le Roi-Porlier-Tank Cottage ; la période militaire (1836) avec le Fort Howard Hospital ; la petite ville de 1871 avec Beaupre Place et les fermes belges du début du XXᵉ s.

• On peut aussi visiter le **Neville Public Museum** *(210 Museum Place ; ouv. mar.-sam.)* qui retrace l'histoire du N.-E. du Wisconsin depuis l'ère glaciaire et propose aux visiteurs de découvrir la civilisation indienne.

• Dans les années 60, son équipe de football américain, les « Green Bay Packers », la rendit célèbre. Le **Green Bay Packer Hall of Fame** *(855 Lombardi Ave. ; ouv. t.l.j.)* leur est consacré.

■ Environs de Green Bay

• **Le Door County*** *(à 46 mi/74 km au N.-E. par la WI 57)*. — Cette péninsule, qui sépare Green Bay du lac Michigan, évoque la Nouvelle-Angleterre par son paysage boisé et ses rives rocheuses. Les explorateurs français furent impressionnés par les innombrables naufrages près du détroit situé au N. de la péninsule. Ils l'appelèrent la Porte des morts, et ce nom est resté « Door of Death ».

Depuis un siècle, cette région est très touristique grâce à son climat doux en été. Ses côtes sont parsemées de plages de sable fin, de phares et de villages de pêcheurs dont la spécialité est le poisson bouilli au feu de bois, avec des pommes de terre et des oignons. On peut séjourner dans de petits ports pittoresques comme **Sturgeon Bay**, **Baileys Harbor**, **Sister Bay** et **Fish Creek**.

• **Manitowok** (à 39 mi/62 km au S.-E. par l'Interstate 43). — Centre commercial et industriel sur le lac Michigan, Manitowok fit sa fortune au XIXe s. avec la construction de bateaux en bois ; sa flottille de pêche est d'ailleurs toujours réputée. Le **Maritime Museum** *(75 Maritime Drive ; ouv. t.l.j. 9 h-17 h)* vous présentera l'histoire de la navigation sur les Grands Lacs, et vous pourrez y découvrir différentes maquettes de bateaux. À voir aussi le **Rahr-West Art Museum** *(Park St. ; ouv. t.l.j.)*, musée d'art local dans une élégante maison victorienne.

Indianapolis

700 800 hab. ; fuseau horaire : Central time.
Situation : *Indiana, à 185 mi/296 km au S.-E. de Chicago, à 328 mi/525 km au S.-O. de Detroit.*
À voir aussi dans la région : *Evansville, Springfield ;*
dans le Sud : *Louisville*.*

La capitale de l'Indiana, située dans une plaine fertile sur les bords de la White River, a été fondée en 1820. Elle est aujourd'hui devenue un nœud routier et ferroviaire, une ville universitaire dotée de plusieurs collèges et universités et un important centre commercial et industriel (céréales, aéronautique, électronique). La ville est également spécialisée dans l'industrie médicale (cardiologie) et pharmaceutique.

Indianapolis s'enorgueillit d'être la patrie de l'acteur Steve McQueen. Mais elle doit surtout sa célébrité à son fameux circuit automobile, où se tient chaque année, depuis 1911, l'Indy 500, une des courses les plus spectaculaires du monde, qui met la ville en ébullition pendant un mois : en effet, si la course elle-même se déroule sur un seul jour — Memorial Day—, tout le mois de mai est consacré aux essais et aux épreuves de qualification pour la pole position.

Le plan du centre-ville est inspiré de celui de Washington DC. Bien que spacieux, le *Downtown* est assez terne et manque à l'évidence de cohérence et d'un véritable centre nerveux. Il est réparti autour de Monument Circle, d'où partent les principales rues.

● Sur **Monument Circle,** point central du *Downtown*, le **Soldiers and Sailors Monument** *(ouv. t.l.j. 10 h-19 h ; entrée libre)* est un monument commémoratif (32 étages, 87 m) érigé de 1887 à 1902 sur les plans de l'architecte berlinois Bruno Schmitz. Un ascenseur permet d'aller admirer au dernier étage la vue —à vrai dire pas spécialement spectaculaire— sur la ville et ses environs.

● **World War Memorial Plaza** *(au N. de Monument Circle)*, bordée par Pennsylvania St., est entourée par plusieurs édifices dont le World War Memorial (Musée militaire) consacré aux morts des deux guerres mondiales, le Federal Building et la cathédrale de rite écossais, construite en 1929 dans le style Tudor.

● **Union Stadion** *(sur Capitol et Louisiana Sts)*, complexe de style néoroman en briques rouges et en granit rose, comprend des magasins et des bars animés qui insufflent un peu de vie au centre-ville.

● **Lockerbie Square Historic District*** *(en bordure E. de New York et East Sts)* est une petite enclave paisible et pleine de charme, avec ses rues pavées, ses petites villas pittoresques —maisons d'artisans au XIXᵉ s.— peintes de couleurs gaies. Dans Lockerbie St., on peut voir la maison victorienne (1872) où habita le poète James Whitcomb Riley.

● Au 1204 North Park Ave., la **Morris Butler House** (1862) abrite un intéressant musée d'arts décoratifs de l'époque victorienne (collection Helena Rubinstein).

● Le **Eiteljorg Museum of America Indian and Western Art** *(500 W. Washington St., à l'extrémité O. du Downtown ; ouv. mar.-ven. 10 h-17 h, sam. 12 h-17 h)*, dans White River State Park, a été créé par Harrison Eiteljorg, un industriel d'Indianapolis qui, parti dans l'O. dans les années 40 pour faire fortune dans les minéraux, tomba amoureux de l'art de cette région : nombreuses œuvres d'artistes du Nouveau-Mexique (en particulier de la petite ville de Taos, située près d'un village indien à l'architecture remarquable), mais aussi de peintres allant de Frederic Remington à Andy Warhol.

● **Children's Museum*** *(3000 N. Meridian St., à 5 km env. de Monument Circle ; ouv. lun.-sam. 10 h-17 h ; dim. 12 h-17 h).* — Ce musée des Enfants présente des collections et des créations d'ambiance très vivantes : paléontologie, préhistoire (grotte de l'Indiana reconstituée), tombeau égyptien ; transports ; salle de spectacles, etc.

● **Indianapolis Museum of Art**** *(1200 W. 38th St., à 5 mi/8 km N.-N.-O. ; ouv. mar.-sam. 10 h-17 h, le jeu. jusqu'à 20 h 30, dim. 12 h-17 h ; entrée libre).* — Ouvert depuis 1883, il mérite que vous lui consacriez un moment : arts du Moyen Âge et de la Renaissance, néo-impressionnisme, collection d'œuvres de **Turner** —la plus importante hors Angleterre—, arts décoratifs anglais, français et italiens du XVIIIᵉ s., arts orientaux (collection Krannert, la plus belle de ce type dans le Midwest). Le bâtiment principal est entouré d'un lac, un jardin botanique, une terrasse de concerts et un espace réservé à des sculptures. Devant s'élève la sculpture pop art de Robert Indiana, *Love.*

● **Indianapolis Motor Speedway** *(à 6 mi/10 km au N.-O. du centre ; ouv.*

t.l.j. 9 h-17 h). — C'est le célèbre circuit automobile (longueur : 2,5 mi/4 km) où chaque année, à la fin de mai, a lieu la non moins célèbre course des 500 miles, l'Indy 500 (le dimanche précédant le Labor Day ou, en cas de pluie ce jour-là, le dimanche suivant). Le jour de la course, 33 pilotes prennent le départ dans des monoplaces plus puissantes que les formules 1 (env. 700 chevaux), mais aussi plus lourdes (700 kg). Le début de la matinée est consacré au discours du shérif et à des défilés, puis, à 11 h, le départ est donné. Durant tout le mois de mai ont lieu les préparatifs de la course et les essais.

■ Environs d'Indianapolis

● **Colombus*** (*à 46 mi/74 km au S. par l'Interstate 65*). — Après la Seconde Guerre mondiale, la Cummins Engine Compagny décida de financer la reconstruction des installations scolaires de Columbus, qu'elle trouvait arriérées, à la condition que les nouveaux bâtiments de la ville soient conçus par des architectes contemporains de renommée internationale. C'est pourquoi vous pourrez voir à Colombus une impressionnante « collection » d'architecture comtemporaine (une cinquantaine d'édifices publics et privés).

Avant de commencer votre visite de la ville, arrêtez-vous au **Visitor Center** (*506 5th. ; ouv. lun.-sam. 9h-17 et d'avr. à oct. le dim. 10h-14h ; f. aussi lun. et mar. en jan. et fév.*), où vous pourrez vous procurer plans et renseignements nécessaires. Possibilités de vis. guidées en bus au départ du Visitor Center.

Parmi les réalisations les plus intéressantes, citons la **Cleo Rogers Library** conçue par I. M. Pei, la **First Christian Church** —construction cubique assortie d'une tour rectangulaire— et la **North Christian Church** —dont l'extérieur futuriste a été copié partout dans le monde—, deux édifices religieux dus à Eero Saarinen, la **St Peter's Luthern Church** de Gunnar Birkerts, l'**Otter Creek Clubhouse** de Harry Weese, et l'ultra-moderne **Common**, un centre commercial abritant une galerie d'art et une cour intérieure, œuvre de Cesar Pelli.

Isle Royale National Park*

Superficie : 2 195 km². — Fondation : 1931 en tant que National Monument, parc national depuis 1940.

Situation : île au N.-O. du lac Supérieur, État du Michigan, près de la frontière canadienne.

À voir aussi dans la région : Duluth et le pays des lacs*, Michigan : le nord et la route du Canada*.

Entourée de quelque 200 îlots, la somnolente Isle Royale, ainsi nommée par des chasseurs de fourrures français, est une terre sauvage et enchanteresse : ses épaisses forêts, ses berges humides et fraîches, ses lacs interieurs sont les derniers retranchements d'une nature vierge. Ici, la civilisation n'a pas de prises ; dans ce sanctuaire naturel, l'homme doit s'adapter aux rythmes biologiques. Plus de 200 espèces d'oiseaux —dont les aigles pêcheurs— et de nombreux mammifères peuplent l'île. Les castors sont arrivés vers 1900, les loups au cours de l'hiver 1947-1948 : ils ont vraisemblablement traversé les 24 km qui séparent l'île de la rive canadienne par le lac Supérieur, alors gelé. Renards rouges, élans, visons, lièvres blancs vivent aussi dans le parc naturel. Les étangs, les ruisseaux et les baies sont riches en poissons.

Bien avant l'arrivée des Européens, l'île était habitée par des Indiens qui exploitaient les mines de cuivre. Les archéologues ont trouvé des sites d'extraction remontant à plus de 4 500 ans. Au début du XIXe s., l'île devint un centre commercial de pêche. Parc national depuis 1931, l'Isle Royale est désormais un espace naturel préservé, ouvert aux visiteurs en été.

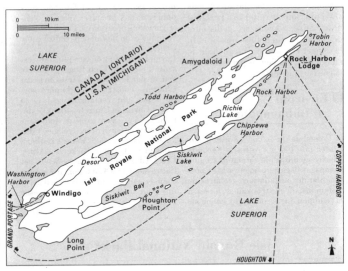

Isle Royale National Park.

■ Visiter Isle Royale National Park

Saison. — *De mai à octobre ; climat frais et humide ; vêtements chauds toujours conseillés.*

Accès. — *En bateau ou en hydravion depuis le continent : au départ de* **Houghton** *et de* **Copper Harbor** *(→ Michigan : le nord et la route du Canada), de* **Grand Portage** *(→ Duluth et le pays des lacs). Attention : il vaut mieux réserver son pas-*sage à l'avance : s'adresser à Isle Royale National Park, Houghton, MI 49931 (☎ 906/482-0984) ou Isle Royale Ferry Service, Box 24, Copper Harbor, MI 49918 (☎ 906/289-4437).

Renseignements : Park Headquarters, Mott Island (en été). — Superintendent, Isle Royale National Park, Houghton, MI 49931 (☎ 906/482-0984).

● **Randonnées.** — L'Isle Royale est sillonnée par plus de 270 km de chemins pédestres, dont le **Greenstone Ridge Trail** qui la traverse dans toute sa longueur et le **Minong Ridge Trail** qui la parcourt aux deux tiers. Des excursions à pied, en bateau, ou combinées sont recommandées aux visiteurs.

Les voitures, les animaux familiers sont interdits ; en revanche, le camping est autorisé en été, à condition de respecter certaines règles élémentaires : faites toujours bouillir l'eau avant de la boire, méfiez-vous des moustiques et du froid la nuit, etc. La baignade est impossible sur les côtes en raison de la température de l'eau, très froide ; les lacs intérieurs sont plus chauds, mais on y trouve des sangsues.

● **Excursions et promenades en bateau.** — Circuits au départ de **Rock Harbor** ; location de canots automobiles sur la côte, de canots à rames sur les lacs intérieurs ; renseignements au Rock Harbor Lodge, à l'extrémité E. de l'île (restaurant, chambres).

Madison*

190 770 hab. ; fuseau horaire : Central time.
Situation : Wisconsin, à 144 mi/230 km N.-O. de Chicago, 77 mi/123 km à l'O. de Milwaukee.
*A voir aussi dans la région : Chicago***, Green Bay, Milwaukee*.*

Capitale du Wisconsin, Madison bénéficie d'une situation géographique privilégiée : elle s'étale sur les rives de trois lacs —Mendota, Monona et Wingra— et se trouve toute proche d'un quatrième, le lac Kegonsa. Si la présence de l'eau confère à Madison un charme particulier, la ville doit plutôt son ambiance à l'envahissante présence des quelque 46 000 étudiants qui fréquentent l'University of Wisconsin, l'une des plus grandes du monde : cette université, qui s'est fait une spécialité de produire des chercheurs de haut niveau, possède une réputation exceptionnelle tant pour la qualité de l'enseignement qu'on y dispense que pour la bonne humeur générale qui règne sur les campus.

● **Downtown.** — Le centre-ville s'étend du lac Mendota au lac Monona et est marqué en son centre par le State Capitol qui domine la ville. Le cœur de Madison est State St., une rue aujourd'hui piétonne, bordée de boutiques et toujours très fréquentée, qui va du capitole à l'université.

Le **State Capitol*** (*vis. guidées gratuites lun.-sam. 9 h-11 h et 13 h-15 h, dim. 13 h-15 h ; départ au bureau d'accueil dans la rotonde ; f. jours fériés*), construit de 1906 à 1917 en style Renaissance italienne, ressemble à celui de Washington ; il est le deuxième des États-Unis par la taille. Du sommet, on jouit d'une vue très étendue sur l'agglomération et les trois lacs.
Sur **Capitol Square,** un immense marché rassemblant plusieurs centaines de vendeurs se tient le samedi de mai à octobre *(de 6 h du matin à 14 h)*. En juil., l'Art Fair attire des centaines d'artistes et des milliers de visiteurs.

● **University of Wisconsin.** — L'université a ouvert ses portes en 1849 avec 20 étudiants et elle en compte aujourd'hui 46 000. Son campus est l'un des plus beaux du pays. Derrière **Memorial Union** *(800 Langdon St. ; cafétéria, pub)*, la UW Terrace fait face au magnifique lac Mendota. Le **Elvehjem Museum of Art*** *(800 University Ave., ouv. lun.-sam. 9 h-16 h 45, dim. 11 h-16 h 45)* est l'un des meilleurs musées de Madison : peinture, sculpture (notamment égyptienne, grecque et romaine), céramique, icônes russes, arts graphiques, arts décoratifs.

On trouve aussi sur le campus un observatoire (Washburn Observatory), un planétarium, un **arboretum** *(1207 Seminole Hwy ; ouv. lun.-sam. 9 h 30-16 h, dim. 12 h 30-16 h ; f. jours fériés ; vis. guidées gratuites)*, splendide surtout au début de mai, divers centres culturels et un stade immense (Camp Randall).

● **À voir encore :** la **First Unitarian Church**, une église construite par F. L. Wright, l'Institut de recherche sur le bois et le **Henry Vilas Park Zoo** *(Lake Wingria ; ouv. t.l.j. 9 h 30-16 h 45 sf 1er janv., Thanksgiving et 26 déc. ; entrée libre ; Children's Zoo ouv. du Memorial Day au LaborDay).*

Des **promenades en bateau** sont organisées sur les lacs.

■ Environs de Madison

● **Blue Mounds State Park** et **Cave of the Mounds*** *(à 22 mi/36 km au S.-O. ; ouv. t.l.j.).* — Situé à 1 mile (1,6 km) de la petite localité de Blue Mounds, qui abrite, ainsi que ses environs, une forte proportion d'immigrants norvégiens, le **Blue Mounds State Park**, où se niche une grande variété d'oiseaux, propose des chemins de randonnée, des aires de pique-nique et une piscine.

À 1 mile vers l'E. de Blue Mounds se trouvent les grottes calcaires de **Cave of the Mounds*** *(Cave of the Mounds Rd. ; ouv. mi-mars-mi nov. t.l.j. 9 h-17 h, jusqu'à 19 h en juil. et août ; mi-nov.-mi-mars sam. et dim. 9 h-17 h ; vis. guidées d'1 h, départ toutes les 15 mn en été)* ; très touristiques, ces grottes sont aussi les plus belles du Middle West.

● **New Glarus** *(à 25 mi/40 km à l'O. par l'US 18 et la WI 69).* — Cette ville (18 567 hab.) fondée par des immigrants suisses en 1845 a conservé son caractère suisse. De nombreuses fêtes dans la tradition suisse ont lieu tout le long de l'année et chaque été se tient le festival de Guillaume Tell *(représentations en anglais et en allemand).*

Le **Chalet of the Golden Fleece** (chalet de la Toison d'or ; *618 2nd St. ; ouv. mai-oct. t.l.j. 9 h-16 h 30)*, construit en 1937 sur le modèle d'un chalet suisse, est aujourd'hui un musée suisse (timbres, numismatique, poupées, sculptures sur bois, etc.).

Dans le **Swiss Historical Village** *(612 7th Ave. ; ouv. mai-oct. t.l.j. 9 h-17 h)*, 12 bâtiments reconstitués retracent la vie des premiers immigrants suisses.

● **Spring Green et la fondation Taliesin*** *(à 25 mi/40 km à l'O. par la WI 60).* — C'est près de la petite localité de fermiers de Spring Green (1 298 hab.), où il avait passé de nombreux étés durant son enfance, que Frank Lloyd Wright, le célèbre architecte des Maisons dans la Prairie et de l'hôtel Impérial de Tokyo, décida, vers 1930, d'installer une fondation incluant une école d'architecture, la **Taliesin Fellowship** *(à 3 mi/5 km au S. de Spring Green sur la Highway 23 ; ouv. mi-mai-mi-oct. 9 h-16 h)*. Wright expliqua que « Taliesin » était le nom d'un barde gaulois qui, dans ses chants, louait la merveille des arts. Le lieu choisi est situé au sommet d'une colline dominant la Wisconsin River. Wright y avait déjà sa propre maison d'habitation, reconstruite à deux reprises après deux incendies tragiques, en 1914 et en 1925. Il voulait donner à son projet une dimension humaine et philosophique. Les apprentis architectes devaient habiter sur place et partager leur temps entre l'étude de l'architecture, le travail à la ferme et la construction des nouveaux bâtiments.

La visite de la Taliesin Fellowship comprend plusieurs des bâtiments dessinés et construits par Wright.

À 9 mi/14 km au S. de Spring Green, on pourra voir la **House on the Rock*** ou « maison sur le rocher », l'une des principales attractions touristiques du Wisconsin, ainsi que l'**Artists Village** *(accès par la Highway 23 ; ouv. avr.-oct. de 8 h 30 à la tombée de la nuit ; arrêt de la vente des tickets 2 h 30 avant la fermeture)*. La **House on the Rocks**, à plusieurs niveaux, fut réalisée par l'architecte Robert Jordan au début des années 40. Elle est accrochée à 140 m au-dessus de la Wisconsin River. Jordan achemina les matériaux jusqu'en haut dans de grands sacs qu'il portait sur le dos. Par la suite, d'autres constructions suivirent, qui forment l'**Artists Village** (boutiques et bâtiments comprenant des collections diverses).

● **Wisconsin Dells*** et **Baraboo***(à 55 mi/88 km au N. et à 65 mi/104 km par l'US 51 et la WI 16)*. — Cette petite cité (2 900 hab.) est située dans une région particulièrement pittoresque : ses rochers de grès aux colorations diverses, façonnés par les eaux de la Wisconsin River, forment par endroits de véritables étranglements de falaises à pic *(the Dells)*. Possibilités de croisières en bateau et de randonnées dans les canyons. Des embarcations amphibies (les *Canards*) sont à la disposition des touristes.

Dans la ville même, on peut voir la **Bennett House** (1863) qui fut habitée par le photographe H. H. Bennett (musée). Aux alentours plusieurs pôles d'attractions tels que le **Wisconsin Deer Park** *(à 0,5 mi/1 km au S.)*, le **Riverside & Great Northern Railway** *(à 1 mi/1,5 km au N.)*, les **Storybook Gardens** *(à 1,5 mi/2,5 km au S.)* ou le **village-musée des Indiens winnebagos** *(danses en été ; à 4 mi/6,5 km au N.)*.

À 10 mi/16 km au S. de Wisconsin Dells, **Baraboo** (8 456 hab.) est un centre laitier qui accueille, l'été, le cirque Ringling. Le **Circus World Museum** présente des attractions et des collections de matériel de cirque

d'autrefois. On visitera également le musée de la Photographie et celui d'Histoire.

À 3 mi/5 km S., le **Devil's Lake State Park*** comprend un superbe lac, encadré de gigantesques falaises de quartzite (mise en évidence de la glaciation au Wisconsin), et plusieurs tumulus indiens.

● **La Crosse*** *(142 mi/227 km au N.-O.)* — Installée en surplomb au-dessus du Mississippi, La Crosse (env. 50 000 hab.) est un centre commercial et industriel situé au cœur d'une belle région agricole vallonnée. Fondée, à la frontière du Minnesota, par une importante colonie allemande, la ville est aujourd'hui le siège de l'une des branches de l'université du Wisconsin (8 600 étudiants). La Crosse a la réputation d'être, l'hiver, l'un des endroits les plus froids des États-Unis !

La Crosse compte quelques parcs superbes. On peut y voir le **Viterbo College** et la **Hixon House** qui date de 1857 *(429 N. 7th St. ; ouv. du 1er juin au Labor Day, t.l.j. 13 h-16 h)*, aujourd'hui musée (céramiques d'Europe et d'Orient, meubles de style Empire et victorien). Une croisière sur le Mississippi peut commencer ici, à bord du *La Crosse Queen*.

● **Prairie du Chien*** *(à 98 mi/157 km à l'O.)* — Cet ancien comptoir français (1673), qui compte env. 6 000 hab., jouit d'une situation privilégiée sur les bords du Mississippi, en amont du confluent de la Wisconsin River (région très escarpée). Son nom, français, vient de celui d'un chef indien qui signifiait « chien ». Beau panorama sur le fleuve du haut du parc régional de Wyalusing situé à 1,6 km au S.

Ne manquez pas, à la sortie N. de la ville, de visiter la **Villa Louis Mansion*** *(521 Villa Louis Rd. ; ouv. mai-oct. t.l.j. 9 h-17 h)*, splendide demeure édifiée en 1843 par un négociant en fourrures à l'emplacement des forts Shelby et Crawford eux-mêmes élevés sur les vestiges d'un tumulus indien. À l'intérieur, on verra l'une des plus belles collections d'arts décoratifs de style victorien du pays.

À 7 mi/11 km au N.-O. près de Marquette, sur l'autre rive du Mississippi (dans l'Iowa), on peut voir l'**Effigy Mounds National Monument** qui abrite des tombes indiennes préhistoriques en forme d'animaux.

Michigan : le Nord et la route du Canada *

Situation : de Traverse City *à* Marquette *(basse et haute péninsules du Michigan).*

À voir aussi dans la région : Detroit*, Grenn Bay, Isle Royale National Park*.

Cet itinéraire vous mènera aux confins du Michigan et du Canada, sur l'ancienne terre des trappeurs et des « coureurs » des bois français, qui se sont installés ici dès le XVIIe s. À ces aventuriers des premiers temps ont succédé les colons qui ont afflué vers les mines de fer et de cuivre dans la seconde moitié du XIXe s., ne craignant ni le froid ni l'isolement. Car vous pénétrerez ici dans l'une des régions les plus rudes du pays : le thermomètre y descend jusqu'à - 40 °C et il y tombe en moyenne 5 m de neige par an. Jusqu'en 1957, date de la construction du Mackinac Bridge, on ne pouvait d'ailleurs y accéder que par ferry… Autant dire que cette terre a conservé une beauté un peu sévère avec ses immenses étendues vierges, ponctuées de lacs et d'épaisses forêts, ourlées d'un fin cordon de dunes.

*L'itinéraire : de Traverse City (sur le bord du lac Michigan, à env. 250 mi/400 km au N.-O. de Detroit) à Marquette (à l'extrémité N.-O. du Michigan). Comptez au minimum deux ou trois jours (env. 700 km). Nous vous recommandons d'associer ce trajet avec la visite d'**Isle Royale National Park*** (→).*

Saison : en raison du climat, la saison touristique est assez brève : de juin à sep. ; les premières neiges tombent souvent dès la mi-octobre. En hiver (circulation difficile), nombreuses pistes de ski de fond.

■ De Traverse City à Sault Sainte Marie

● **Traverse City** se proclame la capitale de la cerise, et à juste titre : au centre d'une riche région agricole, cette bourgade (à peine plus de 15 000 hab.) fournit, à elle seule, 30 000 t. de cerises par an, soit la plus grosse production mondiale ! C'est en mai qu'il faut voir ses vergers en fleurs. La fête de la Cerise, en juillet, attire aussi quantité de visiteurs qui viennent déguster tous les produits imaginables à base de cerise *(cherry)*.

● **Sleeping Bear Dunes National Lakeshore*** *(à env. 30 mi/48 km à l'O. de Traverse City).* — Ces dunes, qui courent sur près de 300 km, offrent un paysage superbe alternant une végétation désertique et des forêts de pins. Leur nom évoque une belle légende indienne à laquelle sont associées les deux îles de South et North Manitou : la plus grande des dunes, sur la côte, serait une mère ours affligée par la perte de ses petits lors de la traversée du lac Michigan, les deux îles Manitou figurant les oursons. Sur **South Manitou Island**, boisée de cyprès nains, on peut voir la vallée des Géants ; sur **North Manitou Island**, beaux paysages sauvages *(accès aux deux îles, en été, par bateau depuis Leland).*

● **Mackinaw City** *(à 106 mi/170 km au N. de Traverse City par l'US 31)*, au point de jonction du lac Michigan et du lac Huron. On pourra y visiter le **Fort Machilimackinac**, reconstitution d'un fort de 1714 qui servit pendant la guerre entre les Français et les Indiens et le **Mackinaw Maritime Park** dédié à l'histoire de la navigation sur les Grands Lacs *(au pied du Mackinac Bridge, Interstate 75, sortie 339 ; ouv. mai-oct.).*
Le **Mackinac Bridge** *(à péage)*, « Big Mac », long de 5,8 km et haut de 61 m, relie les péninsules inférieure et supérieure du Michigan.

● **Mackinac Island****(ferry depuis Mackinaw City et St Ignace ; piétons seulement).* — Cette île rocheuse couverte de forêts est superbe en juin lorsque les lilas sont en fleur. Elle fut l'enjeu de conflits au XVIIIᵉ s. entre les Français et les Anglais. C'est un lieu de villégiature très fréquenté en été. Le **fort Mackinac** (1780) abrite une maison indienne (1838), un musée, un comptoir commercial américain (1809) et 13 bâtiments restaurés des XVIIIᵉ et XIXᵉ s

● **Sault Sainte Marie*** *(à 153 mi/246 km au N. de Traverse City).*

■ De Sault Sainte Marie* à Marquette

● **Sault Sainte Marie***, la plus vieille colonie du Michigan, a été connue des trappeurs français dès la seconde moitié du XVIIᵉ s. et fondée en 1668 par le père Marquette. La ville est sur la St Mary's River, entre le lac Supérieur et le lac Huron, à la limite de la frontière canadienne (un pont d'accès conduit à son homonyme au Canada). Ne manquez pas d'aller voir les **écluses de Soo** qui comptent parmi les

plus importantes du monde. Elles peuvent élever et descendre des cargos de gros tonnage sur un dénivelé de 6,40 m entre le lac Supérieur et les autres grands lacs *(vis. avec Soo Locks Boat Tours ☎ 632-6301 ou 632-2512).*
Proche des écluses, le **SS Valley Camp** *(Johnston et Water Sts)*, bateau désaffecté qui transportait autrefois des minerais, est aujourd'hui transformé en musée de la Marine.
Beau point de vue sur les écluses et la ville du haut de la **Tower of History** qui abrite un petit musée.

● **Tahquamenon Falls State Park*** *(à 63 mi/101 km au N.-O. de Sault Sainte Marie par les MI 28 et 123).* — Sur la rivière Tahquamenon, entre Paradise et Newberry, les chutes forment une succession impressionnante de rapides et de cascades.

● **Pictured Rock National Seashore*** *(à 114 mi/183 km à l'O. de Sault Sainte Marie par les MI 28 et 77 en direction de Grand Marais) est* une succession de falaises sculptées par l'érosion, de dunes et de plages. Deux Visitors Center, près de Munising et Grand Marais sont ouverts en été, proposant diverses activités dans le parc ; possibilité de croisières *(3h env.)* au départ de Munising.

● **Marquette** *(à 170 mi/273 km à l'O. de Sault Sainte Marie par la MI 28)*, carrefour commercial de cette région, est riche en minerai de fer. La ville compte une université, la Northern Michigan University. On peut aussi visiter le **Marquette County Historical Society Museum** *(213 Front St.)*, qui raconte comment les mines étaient autrefois exploitées et le bois abattu.

● **Keweenaw Peninsula** *(à l'extrémité N. de l'État).* — Cette presqu'île, particulièrement froide en hiver, s'est développée grâce à l'exploitation intensive des mines de cuivre jusqu'aux années 60. Les tempêtes y sont si rudes qu'un canal a dû être construit au milieu de la presqu'île pour permettre aux navires de s'abriter en cas de mauvais temps.

À **Hancock** *(à 101 mi/161 km au N.-O. de Marquette par l'US 41)*, vous pourrez visiter une mine de cuivre : **Quincy Mine Hoist** *(☎ 482-3101)* ou **Arcadian Copper Mine** *(☎ 482-7502)*. **Houghton** *(face à Hancock, sur Portage Lake)* est le point de départ des

ferries pour Isle Royale National Park (→).

À **Copper Harbor** *(à 149 mi/238 km au N.-O. de Marquette par l'US 41)*, à l'extrémité de la presqu'île, le **Fort Wilkins State Park** reconstitue le fort établi par l'armée de 1844 à 1870. Beaucoup de possibilités de pêche aux alentours (truites, saumons). Également bateaux, en été, pour Isle Royale National Park (→).

Milwaukee*

628 090 hab. ; fuseau horaire : Central time.
Situation : Wisconsin, à 90 mi/144 km au N. de Chicago.
À voir aussi dans la région : Chicago***, Green Bay, Madison*.

Milwaukee est la plus grande ville du Wisconsin. Sa population étant en forte majorité allemande, elle est toute empreinte de traditions germaniques. C'est en particulier la capitale de la bière : les brasseries constituent son activité industrielle principale, avant les équipements électriques, les machines agricoles et la construction de moteurs.

Née d'un comptoir de fourrures créé vers 1820 par le Français Salomon Juneau (1793-1856), Milwaukee est un important carrefour commercial situé à l'embouchure de la Milwaukee River, d'où partent des *ferries* pour Ludington et Muskegon dans le Minnesota. Elle compte aussi une université importante (University of Wisconsin), de nombreux collèges et écoles professionnelles et un orchestre symphonique de premier ordre.

Le centre-ville *(Downtown)* de Milwaukee est assez restreint : il est long d'un peu plus d'un mile seulement et large de quelques blocs. Il est borné à l'E. par le lac Michigan et coupé en son milieu par la Milwaukee River, qui sert de séparation entre la partie E. et la partie O. de la ville. Dans sa partie S., il est traversé par Wisconsin Avenue, la rue la plus commerçante de la ville.

À l'est de la Milwaukee River :

● **Iron Block Building** *(à l'angle de N. Water St. et d'E. Wisconsin Ave.)*. — Construit pendant la guerre civile,

c'est l'un des rares bâtiments à revêtement de fonte restant aux États-Unis. Sa façade fut apportée à Milwaukee par bateau. Une récente restauration lui a redonné sa couleur blanche originelle.

● **Mackie Building** *(225 E. Michigan Ave. ; ouv. lun.-ven. 8 h 30-17 h ; entrée libre)*. — Il fut bâti en 1879 pour abriter la **Grain Exchange Room**. Le port de Milwaukee était en effet au milieu du XIXᵉ s. le plus grand exportateur au monde de blé. Entre les piliers de granit flanquant l'entrée, représentation de Mercure, le dieu romain du commerce. À l'intérieur, dans l'imposante salle, sont exposées des peintures murales personnifiant le Commerce, l'Industrie et l'Agriculture.

La capitale de la bière

Depuis plus d'un siècle, Milwaukee est à l'Amérique du N. ce que Munich est à l'Allemagne : l'incontestable capitale de la bière. Au point que son équipe de base-ball s'appelle The Brewers (les brasseurs).

Comme la plupart des brasseries des États-Unis, celles de Milwaukee ont été fondées au XIXe s. par des immigrants allemands. En 1850, Milwaukee, qui n'avait encore que 20 000 habitants, comptait une bonne douzaine de brasseries, presque toutes dirigées par des immigrants d'origine allemande. Tout naturellement, ceux-ci fabriquèrent une bière semblable à celle qu'on appréciait alors en Bavière, à Vienne ou en Bohême : légère, faiblement houblonnée et riche en acide carbonique (de type *lager*). C'est ainsi que ces *lagers* sont aujourd'hui des bières qui nous paraissent typiquement américaines.

Avec une cinquantaine de sociétés qui produisent un quart de toute la bière bue sur la planète, les États-Unis sont devenus le plus grand pays brassicole du monde. Mais les Américains sont d'assez modestes buveurs de bière : ils n'en consomment que 80 litres par habitant et par an. Pour l'anecdote, on peut noter qu'avant l'arrivée de Christophe Colomb les Indiens pratiquaient déjà le brassage en faisant fermenter, dans des cruches d'eau, jus de bouleau et grains de maïs.

● **St John's Cathedral** *(N. Jackson St. près du croisement avec Kilbourn Ave.).* — Cette église consacrée en 1853 fut la première du Wisconsin a être spécifiquement destinée au culte catholique romain. Elle est également l'une des plus anciennes églises de la ville.

● **War Memorial Center** *(750 N. Lincoln Memorial Drive).* — Construit en bordure du lac Michigan, dans Juneau Park, par Eero Saarinen, il comprend le War Memorial, élevé à la mémoire des morts de la Seconde Guerre mondiale et de la guerre de Corée, et le **Milwaukee Art Museum*** *(ouv. mar., mer., ven. et sam. 10 h-17 h, jeu. 12 h-21 h, dim. 12 h-17 h ; f. lun., Thanksgiving, 25 déc., 1er jan.),* galerie de peinture axée essentiellement sur les peintres européens et américains des XIXe et XXe s. (œuvres de Degas, Toulouse-Lautrec, Miró, Picasso, Andy Warhol, des expressionnistes allemands, etc.).

Au N. s'étend le grand port de plaisance **McKinley Public Marina**.

À l'ouest de la Milwaukee River :

● **Milwaukee County Historical Center.** — *(910 N. Old World 3rd St. ; ouv. lun.-ven. 9 h 30-17 h, sam. 10 h-17 h, dim. 13 h-17 h ; f. jours fériés ; entrée libre).* — Il retrace l'histoire et le développement de Milwaukee à l'aide de photographies, de montages audiovisuels, de collections d'objets anciens (jouets, vêtements, équipement des premiers pompiers), de reconstitutions (un ancien cabinet de médecin, un drugstore des premiers temps).

● Le **Civic Center** *(de part et d'autre de W. Kilbourn Ave.)* regroupe le Milwaukee Exposition and Convention Center and Arena (MECCA, 1974) : halls d'expositions et de sports, auditorium.

● **Milwaukee Public Museum*** *(800 W. Wells St., à l'angle de 7th St. ; ouv. lun. 12 h-20 h, mar.-dim. 9 h-17 h).* — Il dispose de nombreux procédés audiovisuels mettant en lumière l'histoire naturelle, la géographie, l'ethnographie, et présente de remarquables **dioramas*** montrant les animaux d'Afrique et d'Amérique dans leur cadre naturel ou évoquant des scènes de la vie quotidienne à travers les cinq continents ; on y verra par ailleurs une reconstitution du vieux Milwaukee au XIXᵉ s.

Les grands brasseurs de Milwaukee

— **Pabst.** Créée en 1844 par Jacob Best, qui venait de Rheinhausen, c'est la plus ancienne brasserie de Milwaukee. Elle fut très vite reprise par Frederich Pabst, capitaine d'une compagnie de steamers des Grands Lacs, qui lui donna son nom. Sa principale marque est aujourd'hui la Blue Ribbon, une *lager* assez douceâtre.

— **Miller.** Fondée approximativement à la même époque que Pabst, la brasserie Miller occupe la première place depuis que le Groupe Philip Morris l'a reprise, organisant une importante diversification de sa production. Miller a notamment lancé une bière *light* (la Lite) qui lui a permis de devenir leader. Sa bière la plus connue est la Hight Life, classique, douce et très désaltérante.

— **Schlitz.** Après être restée, jusqu'au début des années 60, le nᵒ 1 sur le plan national, cette brasserie, créée en 1849, ne peut plus aujourd'hui revendiquer que la deuxième place, à Milwaukee. C'est sa bière, la Schlitz, comparable pour le goût à la Hight Life de Miller, qui fit la réputation de Milwaukee.

— Actuellement, les six plus grands brasseurs des États-Unis (dont Miller et Pabst) contrôlent, à eux seuls, 90 % du marché national. Au milieu de ces géants survivent malgré tout de petites brasseries de bonne réputation (Walter, Leinenkugel, Heileman, par exemple, dans le Wisconsin).

● **St Joan of Arc Chapel** *(601 N. 14th St.).* — Provenant de France, elle date du XVᵉ s. et possède de beaux vitraux et du mobilier du Moyen Âge.

● **À voir encore :**

● **Annunciation Greek Orthodox Church*** *(9400 W. Congress St., au N.-O. du Downtown ; vis. guidée de 9 h à 16 h sur rendez-vous, ☎ 461-9400).* — L'église de l'Annonciation, grecque orthodoxe, est l'une des dernières réalisations importantes du célèbre architecte F. L. Wright (mort en 1959), qui l'appelait d'ailleurs son « petit bijou ». Cet édifice néo-byzantin à coupole bleue attire, depuis son ouverture en 1961, des visiteurs du monde entier.

● **Mitchell Park Conservatory** *(524 S. Layton Bvld., au S.-O. de Downtown ; ouv. t.l.j. 9 h-17 h).* — Situé dans le beau Mitchell Park, il est plus connu des habitants de Milwaukee sous le nom de *the domes* ; il est en effet constitué de trois immenses serres à coupole (nombreuses espèces de plantes, expositions florales).

● **Milwaukee County Zoo*** *(à 6 mi/10 km à l'O ; 10001 W. Blue Mound Rd. ; ouv. du Memorial Day au Labor Day lun.-sam. 9 h-17 h, dim. et jours fériés 9 h-18 h ; de sep. à mai, t.l.j. 9 h-16 h 30).* — Ce zoo, l'un des plus beaux du monde, comprend environ 4 000 animaux, dont de nombreuses espèces en voie d'extinction. Zoo pour enfants, promenades à travers le zoo en petit train ou à dos de poney, chameau ou éléphant. Pour voir l'ensemble du zoo, prévoyez au moins 4 h.

■ Environs de Milwaukee

● **Cedarburg*** *(à 20 mi/32 km au N.).* — Peuplée au XIXᵉ s. par des meuniers irlandais et allemands, Cedar-

W. F. Kuehneman House, à Racine, est typique des demeures néo-classiques construites dans le Middle West vers 1850.

burg est aujourd'hui une localité tranquille (10 000 hab.) aux belles demeures de pierre calcaire. Toute la zone du centre-ville a été classée site historique. Le **Cedar Creek Settlement** (*Bridge Rd. ; ouv. lun.-sam. 10 h-17 h, dim. 12 h-17 h*) est une sorte de village historique reconstitué dans le **Wittenberg Woolen Mill,** moulin construit en 1864 et qui fut en activité jusqu'en 1969 (magasins d'antiquités, de poterie, galeries d'art, restaurants). Au niveau inférieur, le **Stone Mill Winery** (*ouv. lun.-sam. 10 h-17 h, dim. 12 h-17 h ; f. Thanksgiving, 25 déc. 1er jan. Pâques*) propose une vis. guidée (45 mn) incluant le musée du Vin et les caves où le vin est mis en bouteille après fermentation et vieillissement.

● **Racine** (*à 26 mi/42 km au S., par l'Interstate 94 Sud puis la Highway 20*). — Cette ville industrielle de 90 000 hab. (dont une majorité de Danois) est située sur les bords du lac Michigan. Elle est le siège du trust Johnson (produits d'entretien) dont le bâtiment principal, le S. C. **Johnson Wax Administration Building,** a été conçu par F. L. Wright entre 1936 et 1939 (*vis. guidées de 30 mn du lun. au ven. ; film d'information au Golden Rondel Theater*). La ville a récemment agrandi sa marina, qui est maintenant la plus grande du lac Michigan. Au **Wustum Museum of Fine Arts** (*2519 Northwestern Ave. ; ouv. mar., mer., ven. sam. 13 h-17 h, lun. et jeu. 13 h-21 h ; entrée libre*), qui dispose d'un beau parc, histoire régionale, peinture, sculpture et photographies des années 30.

● **Old World Wisconsin** (*à 24 mi/38 km au S.-O. ; accès : prenez l'Interstate 94 ouest puis la Highway 67 jusqu'à Delafield puis continuez env. 12 mi vers le S. jusqu'au village d'Eagle ; ouv. t.l.j. 10 h-17 h de mai à oct.*). — Ce musée en plein air rassemble une cinquantaine de maisons et de bâtiments des XIXe et XXe s. qui illustrent la vie rurale dans le Wisconsin à ces époques. Tous furent construits et habités par des immigrants européens (fermes yankees, allemandes, danoises, norvégiennes, finlandaises, etc.). Des acteurs en costumes d'époque racontent l'histoire de l'immigration dans le Wisconsin. Prévoyez du temps pour voir l'ensemble du site —il s'étale sur 2,5 miles (4 km)— et de bonnes chaussures. Il existe toutefois un service de tramways reliant les différentes fermes entre elles.

Minneapolis/Saint Paul*

Minneapolis : 368 383 hab. ; Saint Paul : 272 235 hab. ; fuseau horaire :
Central time.
Situation : *Minnesota, à 156 mi/250 km au S. de Duluth, à 398 mi/640 km au*
N.-O.de Milwaukee, à 465 mi/744 km au N.-O. de Chicago.
À voir aussi dans la région : *Duluth et le pays des lacs*, Madison*,*
Voyageurs National Park*.

« Twin Cities », les villes jumelles, tel est le surnom donné à ces deux
villes indissociables tant par leur position géographique, —au
confluent du Mississippi, qui seul les sépare, et de la Minnesota
River— que par leur économie, complémentaire. Avec 2,2 millions
d'habitants répartis sur 300 km² seulement, elles forment la plus forte
concentration urbaine du N. des États-Unis entre les Grands Lacs et
le Pacifique.

Jumelles, certes, mais non identiques, chacune ayant un caractère bien
spécifique. Saint Paul, surnommée « la dernière ville de l'Est », est la
ville la plus ancienne et, avant tout, la capitale politique de l'État. Elle
a conservé le charme un peu vieillot de l'atmosphère victorienne dont
ses jolies maisons sont le témoignage. Elle se distingue également par
un plan faisant converger ses principales artères vers un capitole
majestueux. Minneapolis, « la première ville de l'Ouest », est la capitale économique et le principal centre financier ; elle bourdonne de
cette effervescence commerciale qui caractérise les grandes cités.
Depuis une vingtaine d'années, une fièvre de construction s'est empa-
rée de Minneapolis, dont les nouveaux immeubles ont complètement
modifié le *skyline*.

Les deux villes sont le siège de plusieurs collèges et universités (celle
de Minneapolis est l'une des plus grandes du monde). Elles possèdent
aussi des centres d'intérêt de premier ordre, comme l'Institute of Arts
de Minneapolis ou l'Ordway Music Theatre de Saint Paul. La présence
de beaux parcs et de lacs à la périphérie de ces villes y rend le séjour
agréable et incite à la pratique des sports nautiques. Mais il faut éviter de s'y rendre entre novembre et février : les hivers y sont si rigoureux que le centre-ville a vu se multiplier les « ponts de cristal » qui,
enjambant les rues commerçantes, permettent aux piétons de passer
d'un magasin à l'autre sans avoir à sortir à l'extérieur.

■ Minneapolis et Saint Paul dans l'histoire

De Fort Snelling à Saint Paul. — Bien
que la région ait été parcourue à la fin
du XVIIᵉ s. par des explorateurs d'origine française, il fallut attendre le
début du XIXᵉ s. (1807) pour voir l'ins-

tallation, au confluent de la Minnesota
River et du Mississippi, du futur Fort
Snelling. Bientôt une scierie et un moulin à farine s'établirent en vue d'approvisionner le fort situé non loin de là ;
mais une implantation plus forte se
heurta à l'hostilité des militaires désireux de préserver leurs terrains et au
fait que les territoires à l'O. du Missis-

sippi étaient considérés comme propriété des Indiens. Si le Canadien français Pierre Parrant put se maintenir à proximité du débarcadère desservant Fort Snelling, les autres émigrèrent un peu plus en aval du fleuve, à l'endroit où le père L. Galtier fonda une première chapelle en rondin, en 1841, et rebaptisa la communauté du nom de St Paul. Celle-ci fut élevée en 1849 au rang de capitale du territoire du Minnesota et devint le siège d'un important archevêché catholique.

Naissance de Minneapolis. — Au cours de la décennie suivante, alors que la limite des territoires indiens était repoussée vers l'O., se développa, à proximité des chutes du même nom, la localité de St Anthony. À partir de 1880, la population de St Anthony, renforcée, comme celle de sa rivale, d'immigrants allemands, irlandais et scandinaves, devenait plus importante que celle de St Paul et la ville devait alors recevoir le nom de Minneapolis (du mot indien *minne* : eau, et du grec *polis* : ville).

Une économie complémentaire. — Traditionnellement rivales, Minneapolis et Saint Paul ont en fait une économie complémentaire. Dès la fin du XIXe s., elles ont su tirer parti de la puissance hydraulique des chutes de St Antony. Important nœud ferroviaire et routier, au centre d'un grand bassin agricole, elles constituent une place de commerce en gros pour les céréales et le bois. Elles possèdent des industries de construction de machines, d'électronique, d'alimentation, du bois, du papier, ainsi que des activités dérivant de ces dernières : arts graphiques, imprimerie, édition. Minneapolis est le siège de géants internationaux tels Pillsbury, General Mills et Cargill.

■ Visiter Minneapolis et Saint Paul

Se déplacer. — *On peut se promener facilement à Minneapolis et à St Paul en toute saison grâce au système de passages aériens couverts et climatisés (skyways)qui relient entre eux des cen-*

taines d'immeubles, magasins et restaurants. Un réseau de **bus** très développé dessert l'aire métropolitaine. Des tickets de bus et des plans de ville sont disponibles à Minneapolis, à l'**IDC Crystal Court** (7th St. et Nicollet Mall) et au **MTC Transit Store** (719 Marquette St.).

S'orienter. — *Les deux villes sont organisées selon un plan quadrillé, mais il faut savoir que beaucoup de rues du centre-ville parallèles au Mississippi se poursuivent en diagonale et que, par ailleurs, toutes les rues ne traversent pas le fleuve. Un plan de la ville pourra donc vous être utile.*

■ Minneapolis

● **Falls of St Anthony** (à l'extrémité N. de Portland Ave. ou de 3rd Ave.). — Ces chutes de 15 m de haut (barrage, centrale hydro-électrique et écluse) sont le point de départ de la navigation sur le Mississippi. Elles furent découvertes en 1680 par un missionnaire, le père Hennepin. Une plate-forme d'observation (ouv. avr.-oct. t.l.j. 8 h-22 h) permet d'avoir un bon aperçu du fonctionnement de l'écluse et présente des expositions sur le Mississippi, les écluses et les barrages.

● **Downtown.** — Le centre-ville est bordé au N. par le Mississippi et au S.-O. par le Loring Park. Les deux artères principales en sont Nicollet Mall, piétonne, et Hennepin Ave. (plan B2/3 et C 1).

La **Public Library** (300 Nicollet Mall ; plan C1) abrite, outre la bibliothèque et un musée d'histoire naturelle, le **Minneapolis Planetarium.**
L'**IDS Tower*** (angle de 8th St. et de Nicollet Mall ; plan C2), construite en 1973, est le plus haut bâtiment de la ville (235 m) avec une tour d'observation au 57e étage (beau panorama sur la région). Elle abrite notamment un centre commercial avec des res-

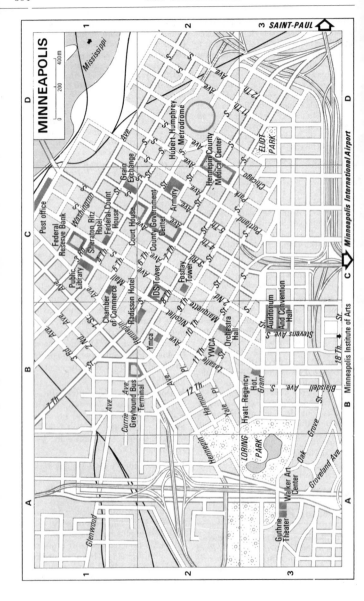

MINNEAPOLIS

taurants donnant sur un vaste atrium vitré et relié par des passages couverts aux magasins et aux hôtels environnants du Gateway Center et du Nicollet Mall.

La **Foshay Tower** *(821 Marquette St. ; plan C 2)* fut, en 1929, le premier gratte-ciel de la ville et pendant longtemps le plus haut. Au 31e étage, très belle **vue*** panoramique sur le *Downtown*.

Plus à l'E., le **Hennepin County Government Center*** *(3rd Ave., entre 5th et 7th Sts ; plan C2)*, de 1978, constitue un des centres d'intérêt du Civic Center. Deux tours de granit rose, de 106 m de hauteur chacune, s'élèvent de part et d'autre d'un atrium éclairé par des baies vitrées qui atteignent la même hauteur.

● **Walker Art Center**** *(Vineland Place ; plan A3 ; ouv. mar. sam. 10 h-20 h, dim. 11 h-17 h ; f. lun. et jours fériés ; entrée libre le jeu. et le 1er sam. de chaque mois).* — Outre des collections permanentes, ce vaste musée consacré à l'art américain et européen du XXe s., du post-impressionnisme à nos jours, propose de très intéressantes expositions temporaires, ainsi que des programmes réguliers de spectacles (films, théâtre, musique, danse).

Bien que les points forts du musée soient la peinture, la sculpture et la photographie des 20 dernières années, l'œuvre la plus importante du musée est la toile de **Franz Marc** intitulée *Chevaux bleus***, de 1911 ; avec ses coloris expressifs et ses volumes puissants, elle annonce les deux courants qui, au cours des années suivantes, vont apparaître comme déterminants : le réalisme et l'abstraction. Au courant réaliste appartiennent Edward Hopper, Richard Lindner, les artistes du pop'art tels que Andy Warhol, Robert Rauschenberg, Robert Indiana et Claes Oldenburg, les nouveaux réalistes comme Chuck Close et Jerry Ott.

Au second courant, l'abstraction, se rattachent **Lyonel Feininger** *(Church of the Minorities II*,* de 1926, très pur de coloris et de conception), Joseph Stella Stuart Davis, Nicolas de Staël, Frank Stella, Burgoyne Dillet *(First Theme,* de 1963-1964, interprétation américaine du constructivisme de De Stijl et Mondrian). Parmi les expressionnistes abstraits, citons **Clyfford Still** *(Œuvre**,* sans titre) et Willem De Kooning, tous deux dans l'écriture gestuelle de Pollock. James Rosenquist, Barnet Newman, Robert Motherwell, Adolf Gottlieb et Ellsworth Kelly représentent l'aspect opposé de l'expressionnisme abstrait. Cette peinture de méditation mène au minimalisme d'Helen Frankenthaler, de Kenneth Noland —dont les surfaces sont structurées de bandes parallèles colorées à l'acrylique—, de Frank Stella ou encore de Morris Louis.

En 1988 a été adjoint au Walker Art Center le **Minneapolis Sculpture Garden*** *(ouv. t.l.j. 6 h-24 h ; entrée libre),* qui est le plus grand espace urbain de sculpture des États-Unis. Il rassemble des sculptures du début du XXe s. jusqu'à nos jours. Son œuvre la plus célèbre : *Spoonbridge and Cherry* (1987-1988) de Claes Oldenburg et Coosje Van Bruggen —en fait, plutôt une fontaine qu'un pont.

● Le **Guthrie Theatre** *(725 Vinelo Place),* attenant au musée, dispose d'une salle qui enserre une scène sur 200° et possède une troupe réputée, spécialisée notamment dans le répertoire shakespearien (☏ 377-2224).

● **Minneapolis Institute of Arts***** *(2400 3rd Ave. S. ; plan B2 ; ouv. mar.-sam. 10 h-17 h, jusqu'à 21 h le jeu., le dim. 12 h-17 h ; f. lun., 4 juil., Thanksgiving, 25 déc. ; entrée libre).* — Ce remarquable musée abrite une importante collection de peintures, sculptures, arts graphiques, tapisseries, photographies, arts décoratifs d'Amérique, d'Europe, d'Asie, d'Afrique et d'Océanie, de la protohistoire à nos jours. Parmi les principaux chefs-d'œuvre des collections permanentes, l'une des acquisitions les plus récentes est le **Doryphore****, copie romaine du Ier s. av. J.-C. de la célèbre sculpture grecque. Dans la collection de peinture, toutes les écoles sont représentées, avec quelques véritables chefs-d'œuvre et un grand nombre d'œuvres maîtresses dont nous vous indiquons, de manière non exhaustive, les principaux.

Peinture italienne. — Elle débute avec l'école siennoise et permet de voir le passage du hiératisme hérité de Byzance (*Triptyque** de Bernardo Daddi, l'un des héritiers directs de Giotto) à la vision plus élaborée et plus humaine des Florentins (Angelico, Ghirlandaio..) qui marque la naissance de la peinture des Temps modernes. Parmi les œuvres vénitiennes, la *Vierge à l'Enfant** de **Cima da Conegliano** n'est pas sans rappeler, avec plus d'intensité, les Vierges de Bellini. La *Tentation du Christ*** (vers 1540-1550) du **Titien** a fait partie de nombreuses collections privées d'Europe. De **Pietro da Cortona**, l'un des plus importants artistes du baroque romain, le *Portrait du cardinal Borghèse*** (vers 1630) se situe dans la grande tradition des portraits du XVIIe s.

Peinture flamande. — Maître de la légende de sainte Lucie : *Triptyque***, avec, à l'arrière-plan, le beffroi de Bruges. **Van Dyck** : *le Christ trahi*, plein de désordre et de mouvement, ce qui est inhabituel chez ce peintre qui n'a pas achevé cette toile.

Peinture hollandaise. — L'œuvre phare de cette section est le *Lucrèce**** de **Rembrandt**, dont il existe une version plus emphatique à Washington ; le caractère un peu théâtral, l'expression douloureuse et la verticalité de la composition caractérisent cette toile. Le *Bois d'oliviers*** de **Vincent Van Gogh** fait partie du groupe de dix œuvres exécutées à l'automne 1889 pendant le séjour du peintre à l'asile de Saint-Rémy ; on retrouve le trait cursif et la violence des tourbillons traduisant le désarroi mental. Plus proche de nous, la *Composition en rouge, jaune et bleu*** de **Piet Mondrian** est caractéristique du néoplasticisme.

Peinture française. — La *Mort de Germanicus** de **Nicolas Poussin** est une œuvre qui a eu une grande influence au XIXe s. sur David en particulier et sur Gustave Moreau ; Poussin en a fait trois dessins conservés à Chantilly, au Louvre et au British Museum. *Les Attributs des arts** de **Chardin** font partie de la série des tableaux allégoriques.

Le musée est riche en tableaux de l'école de Barbizon (XIXe s.) : Millet, Dupré, Harpignies, Ch.-E. Jacques, N. Diaz de la Peña et surtout **Corot,** qui est représenté ici par une série d'œuvres révélatrices de son art de traduire la légèreté et la fluidité d'une atmosphère, les tons nacrés et perlés, la délicatesse des traits.

Une large place est laissée aux impressionnistes et post-impressionnistes. **Degas** : *Portrait d'Achille de Gas*** ; **Monet** : *Vue de la côte, au Havre*** de 1865, *Nymphéas avec le pont japonais*** de 1922 ; **Cézanne** : *les Marronniers du Jas de Bouffan***, une des nombreuses versions, celle-ci déjà très épurée et annonçant les œuvres de la dernière période. **Paul Gauguin** : *I Raro te oviri***. D'**Odilon Redon**, qui est surtout un symboliste : *Le Silence** dont il existe deux autres versions, la plus connue étant au musée d'Art moderne à New York.

XXe siècle français. — Le musée possède des œuvres montrant la simultanéité des courants artistiques qui ont marqué notre siècle, qu'il s'agisse du fauvisme, du cubisme, du surréalisme ou de l'abstraction pure. **Robert Delaunay** : *Saint-Séverin***, la seconde des huit versions de cette église de Paris. **Matisse** : *Plumes blanches*** ; *Trois Baigneurs**, qui montrent comment Matisse est « fauve » sans agressivité. **Derain** : *Autoportrait**, de 1911-1912 ; **Rouault** : *Crucifixion**.

Peinture espagnole. — Elle est très diverse, depuis l'*Homme de douleurs** de Luis de Morales, le *Christ chassant les marchands du temple*** du Greco (on reconnaît à dr. en bas au premier rang, Titien, Michel-Ange et Raphaël) et l'*Autoportrait avec le docteur Arrieta** de **Goya**, jusqu'aux toiles cubistes de **Juan Gris** *(Arlequin assis***, *Nature morte avec bouteille et compotier***), aux toiles surréalistes de Joan Miró et aux deux œuvres très dissemblables de **Picasso** : *la Femme au fauteuil** (cubiste) et *la Femme au bord de la mer* (dans la série des femmes colossales).

À signaler encore les sections consacrées à la peinture russe de l'école de Paris (**Chaïm Soutine** : l'une des quatre versions du *Bœuf écorché***), à la peinture nordique (Munch, Ensor), à l'expressionnisme allemand (Emil Nolde ; **E. L. Kirchner** : *Femme assise** de 1908-1910, très caractéristique de cette peinture à larges cernes noirs et aux couleurs violentes ; Max Beckmann : triptyque du *Colin-Maillard**), Oskar Kokoschka, Egon Schiele —dont l'œuvre, avec le temps, prend une importance de plus en plus grande ; Paul Klee).

● **À voir encore :**

Minnehaha Park *(à 5 mi/8 km au S.-E. de Downtown, sur le Mississippi, près du Minneapolis/St. Paul International Airport)*. — Ce parc, l'un des plus populaires de Minneapolis, renferme les **Minnehaha Falls*** (« eau riante »), chutes hautes de 17 m et qui furent chantées par Longfellow. Là se trouve la 1re maison en bois construite à l'O. du Mississippi à l'époque coloniale. Le Minnehaha Pkwy, qui suit le cours du Minehaha, propose, sur 15 miles, des chemins pour le jogging, le cyclisme, le patin à roulettes, allant vers l'O. en direction du lac Harriet.

Minnesota Zoo* *(1300 Zoo Blvd., à Apple Valley ; à 16 mi/26 km au S. : depuis Minneapolis, prenez Cedar Ave. jusqu'à Cliff Rd., puis suivez les* pancartes ; *ouv. t.l.j. 10 h-18 h avr.-sep., 10 h-16 h oct.-mars)*. — Ce zoo, ouvert en 1978, est l'un des plus intéressants des États-Unis (1 700 animaux, plus de 2 000 variétés de plantes).

■ Saint Paul

Le centre-ville *(Downtown)* est dominé par la masse du Minnesota State Capitol et par la tour du World Trade Center, nouveau centre international de commerce.

● **Minnesota State Capitol** *(University Ave., entre Wabasha et Cedar Sts ; vis. guidées gratuites de 45 min : lun.-ven. 8 h 30-17 h, sam. 10 h-16 h, dim. 13 h-16 h)*. — Rebâti de 1898 à 1905 par Cass Gilbert —le premier bâtiment, de 1853, fut détruit par un incendie, et le deuxième, de 1892, s'avéra trop petit—, cet imposant capitole est couvert par une puissante coupole de marbre inspirée du dôme de St-Pierre de Rome. L'édifice situé au milieu de jardins est entouré de bâtiments administratifs majestueux ; l'un d'eux abrite la **Société historique du Minnesota** *(690 Cedar St.)*, consacrée à l'histoire de l'État.

● **Science Museum of Minnesota** *(30 E. 10th St./505 Wabasha St. ; ouv.l lun.-sam. 9 h 30-21 h, dim. 11 h-21 h 30 ; f. le lun. du Labor Day à Pâques, et le 25 déc.)*. — Cet intéressant musée de Sciences naturelles regroupe des collections de biologie, de paléontologie (squelette d'un dinosaure *triceratops prorsus*), d'anthropologie, d'instruments scientifiques. Une section concerne la préservation de l'énergie. On y voit en outre le McKnight 3 M Omnitheater avec écran hémisphérique et des expositions artistiques y sont également organisées. Il est relié par une passerelle, de l'autre côté de la rue, au **Chi-**

mera **Theatre.** Le récent **Ordway Music Theater** *(345 S. Washington St. ; ☎ 224-4222)* reçoit des artistes du monde entier.

● Au-delà s'étend, jusqu'au Mississippi, le centre administratif et des affaires de la cité. On remarquera notamment sur 4th St., à l'angle de Minnesota St., le **First National Bank Building,** le plus haut bâtiment de la ville (158 m).

● **City Hall** et **Ramsey County Courthouse** *(4th St., entre St Peter et Wabasha Sts ; ouv. t.l.j. 8 h 30-16 h 30 ; entrée libre).* — Cet édifice de 20 étages, qui abrite le tribunal (Courthouse) et l'hôtel de ville (City Hall) a été construit en 1932. L'intérieur relève du style Art déco. Au 2e étage, dans les salles du Conseil, sont exposées des peintures représentant la fondation et le développement de St Paul. Le **Memorial Hall*** *(entrée 4th St.)* est assez impressionnant avec ses 26 m de long, ses trois étages de hauteur, son revêtement de marbre bleu foncé et son plafond à feuilles d'or. À l'extrémité du hall a été installé le *Indian God of Peace*, statue d'un Indien de 11 m de haut, due au sculpteur suédois Carl Milles ; c'est la plus grosse statue en onyx au monde (60 t).

● **Minnesota Museum of Art** *(305 St Peter St. ; ouv. mar.-sam. 10 h 30-16 h 30, dim. 11 h 30-16 h 30, f. lun. et jours fériés ; entrée libre).* — Il abrite, dans l'un des plus jolis bâtiments Art déco de la ville, des collections d'art africain et asiatique, d'art américain des XIXe et XXe s., et de sculptures, peintures, dessins et photographies contemporains. Une partie du musée est située dans le **Landmark Center** *(75 W. 5th St.),* en face du **Rice Park,** le plus ancien parc urbain de St Paul et l'un des plus beaux.

● **Cathedral of St Paul** *(239 Shelby Ave., à l'O. de Downtown, par 5th St.*

et Kellogg Blvd.). — Cette cathédrale, fidèle réplique de Saint-Pierre de Rome, a été construite de 1906 à 1915. Elle est dotée d'une coupole de 53 m de haut. Ne manquez pas d'y visiter le « Sanctuaire des Nations ».

■ Environs de Minneapolis/St Paul

● **Stillwater et la vallée de la St Croix River** *(à 24 mi/39 km au N.-E. de St Paul par la MN 36).* **Stillwater** (12 300 hab.) est une localité qui a su préserver son cachet d'autrefois, tout en étant un lieu à la mode (cafés, boutiques).

On peut ensuite remonter par la MN 95 la **vallée de la St Croix,** le long de laquelle s'établirent les Indiens dakotas (Sioux), chippewas et objiwas. Elle forme de nos jours la Lower St Croix National Scenic River Way. La St Croix River marque la frontière entre le Minnesota et le Wisconsin vers le N., dans le prolongement du Mississippi. Ce sont des trappeurs français qui lui donnèrent son nom actuel.

● **Vers La Crosse et Chicago en longeant le Mississippi** *(par l'US 61).*

Red Wing *(à 57 mi/91 km au S.-E.),* fondée en 1836, est située au cœur de la Hiawatha Valley, remarquable pour ses escarpements. Au **Goodhue County Historical Museum** *(1166 Oak St., ouv. mar.-dim. 13 h-17 h),* collections de géologie et d'archéologie, et exposition sur l'histoire des Indiens de la région. La **Pottery** *(2000 W. Old Main St. ; ouv. lun.-ven. 9 h-20 h, sam. 9 h-18 h, dim. 11 h-18 h)* est l'ancienne fabrique de la célèbre céramique de Red Wing, produite par la Minnesota Stoneware Co. de la fin des années 1880 à 1967 ; aujourd'hui, outre des magasins, on peut encore y voir des fours, des moules et une exposition sur la production de la céramique.

Possibilité de mini-croisières sur le Mississippi entre Red Wing et Lake Pepin *(Princess Red Wing River Cruise Boat, Waterfront).*

En continuant vers La Crosse, **Winona** (*à env. 160 mi/255 km de Minneapolis ; 25 000 hab.*) est située sur un gigantesque ban de sable formé il y a des siècles par les méandres du Mississippi. À la fin du XIXᵉ s., elle était l'un des principaux centres de navigation du pays (transport de bois, de blé, etc.). Le **Julius C. Wilkie Steamboat Center** (*Main St. dans Levee Park, sur le fleuve ; ouv. mai-oct. t.l.j. 9 h-17 h ; vis. guidées de 30 min*) est une réplique à l'échelle d'un ancien bateau à vapeur. Le **Winona Armory Museum** (*160 Johnson St. ; ouv. lun.-ven. 10 h-17 h, sam.-dim. 13 h-17 h*) est l'un des plus importants musées d'histoire du Minnesota.

À **Homer** (*à 5 mi/8 km au S. de Winona par l'U.S. 61*), **Bunnell House**, construite au milieu du XIXᵉ s. par le premier résident permanent non indien, est considérée comme l'un des plus beaux exemples d'architecture néo-gothique du Minnesota.

● **La vallée de la Minnesota River**

Mankato (*à 75 mi/120 km au S.-O. par l'US 169*), en indien « terre bleue », est une cité industrielle et commerçante mais aussi universitaire (14 000 étudiants), située dans une riche région agricole, au centre de gorges formées par la Minnesota et la Blue River. En 1862, après l'attaque de New Ulm (→ *ci-dessous*), une quarantaine d'Indiens sioux y furent pendus en représailles. On peut y voir le **Blue Earth County Historical Museum** (*606 S. Broad St. ; ouv. mar.-dim. 13 h-17 h ; f. lun. et jours fériés*). À 7 mi/11 km à l'O., on peut admirer les gorges et les cascades de Minneopa.

New Ulm (*à 28 mi/45 km au N.-O. de Mankato par l'US 14*), fondée en 1854 par des immigrants allemands, a conservé son atmosphère germanique. En 1862, elle subit une violente attaque des Indiens (une trentaine de tués parmi les habitants). Le Defender's Monument commémore cet épisode tragique. Au 27 N. Broadway, le **Brown County Historical Museum** (*ouv. du Memorial Day au Labor Day lun.-ven. 10 h-17 h, sam. 13 h-17 h, de sep. à mai lun.-sam. 13 h-17 h ; f. dim. et jours fériés*) présente des objets fabriqués par les Indiens et les colons. Dans **Schonlau Park** se dresse une tour possédant une horloge musicale et des figurines animées (Glockenspiel).

● **Rochester** (*à 88 mi/141 km au S.-E. par l'US 52 ; 58 000 hab.*). — Ville industrielle (conserves, IBM), Rochester doit sa notoriété à la **Mayo Clinic** (*2nd Ave. S.E. et 2nd St. S.W.*) hôpital fondé en 1889 par le docteur William Worrall Mayo et ses fils. Ce complexe de 11 bâtiments, où exercent 800 médecins, comprend le Plummer Building (carillon de 56 cloches) qui abrite les laboratoires et une bibliothèque médicale, le Mayo Building avec les installations thérapeutiques (*vis. guidées en semaine à 10 h et 14 h*) et un musée de la Médecine.

On pourra également visiter l'**Olmsted County Historical Museum** (*à la jonction de l'US 52 et de la MN 122*) : histoire régionale et instruments agricoles ; et le **Rochester Art Center** (*320 E. Centre St. ; ouv. mar.-dim. 10 h-17 h*), qui présente des créations d'artisanat contemporain.

Springfield

105 000 hab. ; fuseau horaire : Central time.

Situation : au centre de l'Illinois ; à 312 km à l'O. d'Indianapolis.
À voir aussi dans la région : Chicago***, Evansville, Indianapolis.

Capitale de l'État depuis 1837, Springfield, située sur les rives de la Sangamon River, est une cité commerçante et industrielle. Le State Capitol (1868-1887), avec son dôme de 110 m de haut, domine toute l'agglomération. Mais Springfield est avant tout la ville d'Abraham Lincoln et le visiteur pourra marcher dans les pas du grand président à travers une succession de petits musées.

● Dans le **Lincoln Home**, à l'angle de 8th St. et de Jackson St., Lincoln vécut avec sa famille de 1844 jusqu'à son départ en 1861 *(musée ouv. t.l.j. 9 h-17 h).* On visite aussi le **Lincoln-Herndon Law Official Building** *(6th & Adams Sts),* le cabinet juridique dans lequel il exerça comme avocat de 1845 à 1852, avec son associé William Herndon.

● L'**Old State Capitol** fut le centre du gouvernement de 1839 à 1876 : Lincoln y prononça son fameux discours sur « la division de la Chambre », juste avant la guerre civile ; ç'est aujourd'hui une bibliothèque d'État.

● Enfin, dans Oak Ridge Cemetery se trouve le **Lincoln Tomb State Memorial** *(ouv. t.l.j. 7 h 30-18 h)* qui abrite la tombe de Lincoln (assassiné en 1865), de son épouse et de trois de ses fils. Dans ce cimetière repose aussi le poète Vachel Lindsay.

● Springfield possède par ailleurs un musée consacré à l'histoire naturelle et au folklore de la région : l'**Illinois State Museum** *(Spring et Edwards Sts, ouv. lun.-ven. 8 h 30-17 h ; sam. 8 h 30-15 h ; dim. 14 h-17 h).*

● La **Dana-Thomas House** *(301 E. Lawrence Ave. ; ouv. t.l.j. 9 h-17 h)* mérite également un coup d'œil : c'est l'une des premières constructions de l'architecte Frank Lloyd Wright (1903).

● À la limite N. de la ville, le grand parc d'exposition de **State Fair Grounds** accueille chaque année d'importantes manifestations dont la grande foire agricole de l'Illinois (Illinois State Fair, mi-août).

● Au S.-E. se trouve le lac Springfield avec, sur sa rive orientale, le parc botanique du **Lincoln Memorial Garden** et **Henson-Robinson Zoo**.

Le président abolitionniste

Connu pour sa lutte contre l'esclavage, **Abraham Lincoln** (1809-1865) est devenu une figure mythique de l'Amérique. Avocat autodidacte, après une enfance difficile dans l'Indiana, il commence sa carrière politique assez tardivement, comme député de l'Illinois au Congrès (1847). Ses opinions anti-esclavagistes le rendent célèbre. Mais son anti-esclavagisme ne se confond pas avec une volonté d'instaurer une réelle égalité politique et sociale entre les Blancs et les Noirs, auxquels il ne souhaite pas accorder le droit de voter, de détenir des charges politiques ou même de se marier avec des Blancs. Dans ce domaine, comme dans les autres, ses prises de position resteront toujours modérées.

C'est la division des démocrates qui permet à ce républicain convaincu d'être élu, en 1860, à la présidence. Élection qui déclenche immédiatement la sécession du Sud. Hostile à l'idée d'imposer ses idées par la force, Lincoln tente vainement d'éviter le conflit en appelant ses adversaires au pouvoir : la guerre, qui débute en 1861, durera quatre ans. Le 1er janvier 1863, l'émancipation est proclamée, mais l'esclavage n'est véritablement aboli qu'en 1865.

Par son style comme par sa personnalité, Lincoln sut s'imposer à tous. Son autorité, au service d'une politique modérée, et sa grandeur d'âme ont contribué à faire de lui un grand homme d'État, proche du peuple. Il mourut en plein triomphe, à Washington, assassiné, en 1865, par un acteur sudiste fanatique, John Wilkes Booth.

Toledo

332 940 hab. ; fuseau horaire : Eastern time.
Situation : *Ohio, à 62 mi/100 km au S. de Detroit, à 116 mi/186 km à l'O. de Cleveland.*
À voir aussi dans la région : *Cleveland, Columbus, Detroit*.*

Ville portuaire et industrielle fondée en 1817, au débouché de la Maumee River à l'extrémité O. du lac Érié (Maumee Bay), Toledo est spécialisée dans l'industrie du verre depuis 1888. C'est en outre une importante ville universitaire. L'intérêt principal de Toledo réside dans son musée des Beaux-Arts.

● Le **Museum of Fine Arts**** *(2445 Monroe St., ouv. mar.-sam. 10 h-16 h, dim. 13 h-17 h ; f. lun., 1er janv., 4 juil., Thanksgiving et Noël)* possède de remarquables collections couvrant 5 000 ans d'art et d'histoire. Ses points forts sont les vases grecs, la verrerie, la peinture européenne et américaine et les arts graphiques et décoratifs. On pourra aussi voir deux cloîtres médiévaux provenant du midi de la France (Saint-Pons-de-Thomières et de Pontault). Les galeries d'art européen du XVIIIe s. et d'art asiatique viennent d'être complètement rénovées.

Voici un aperçu des œuvres maîtresses du musée en peinture. Du IIIe s., un **portrait funéraire de femme***, originaire de la région du Fayoum (Égypte) ; *Ulysse et Pénélope*** par le **Primatice** (1504 ou 1505-1570), l'une des rares œuvres de cet artiste qui lui aient été attribuées avec certitude. Francesco Solimena (1657-1747) : *Héliodore chassé du Temple.*
De **Diego Vélasquez** (1599-1660) : *l'Homme au verre de vin***, portrait d'un homme à l'étrange sourire qui ser-

vit également de modèle pour *l'Homme à la mappemonde*, appelé aussi *Démocrite*, qu'on peut voir au musée des Beaux-Arts de Rouen. Dans ces deux œuvres, on retrouve les volumes donnés par la lumière, le trait magistral, la façon très personnelle de traiter les noirs et une étonnante modernité d'esprit. Une œuvre importante et authentique de **Murillo** (1618-1682) : *Adoration des Mages**, exécutée en 1650, et qui est l'une des rares toiles de ce peintre qu'on puisse voir en Amérique.

Œuvres d'artistes français du XVIIe s. (J. Blanchard, E. Le Sueur, P. de Champaigne, N. Poussin, **Valentin** : *la Diseuse de bonne aventure**), ainsi qu'un cabinet de boiseries et de peintures (par J. Mosnier) provenant du château de Chenailles. Parmi les toiles du XVIIIe s. : *la Conversation** de **Watteau**. Du XIXe s. : *le Treillis* de **Courbet** et *Danseuses** (1899) de Degas qui, perdant la vue, se rapproche de la palette des fauves. De G. H. Breitner : *Entrepôts à Amsterdam**, toile caractéristique de ce peintre hollandais de la fin du XIXe s. De **P. Mondrian** : *Composition abstraite en rouge, jaune et bleu**.

Voyageurs National Park*

Superficie : 890 km². — Fondation : 1971.
Situation : *dans le N.-E. de l'État du Minnesota ; à la frontière de la province canadienne de l'Ontario et au N.-O. du lac Supérieur.*
À voir aussi dans la région : *Duluth et le pays des lacs*.*

Le Voyageurs National Park occupe la région frontalière américano-canadienne, riche en forêts et en lacs et encore peu ouverte au tourisme. Il a été établi dans les années 70 pour préserver l'environnement naturel et dispose d'un prolongement du côté canadien, le Quetico Provincial Park.

C'est sur les plans d'eau de cette région, une trentaine de lacs, que les trappeurs voyageaient depuis la côte atlantique. Ces pionniers francocanadiens, auxquels le parc doit son nom, développèrent le commerce de la fourrure de la fin du XVIIᵉ au XIXᵉ s. Ils naviguaient dans de solides bateaux, à travers le réseau ramifié des lacs, et rapportaient des peaux vers Montréal. Ces aventuriers d'un autre temps, ces hommes durs et courageux ont marqué la région ; ils ont risqué leur vie pour son commerce et lui ont laissé leurs noms (Lake Kabetogama, Cutover Island). Les paysages témoignent pour eux de cette époque révolue.

■ Visiter Voyageurs National Park

Saison. — *Le parc est accessible toute l'année ; la meilleure époque pour le visiter est de mai à oct. ; vêtements chauds toujours conseillés, même en été.*

Accès. — *On peut approcher par la route (l'US 53) entre Duluth et International Falls. En avion, liaisons vers Hibbing, International Falls et Fort Frances (au Canada), puis bus ou taxi vers les entrées du parc.*

Renseignements : *Superintendent, Voyageurs National Park, HCR 9, Box 600, International Falls, MN 56649 (☎ 218/283-9821).*

● Il n'existe pas de route à l'intérieur du parc ; l'approche se fait en bateau à partir des 4 principaux points d'accès, **Crane Lake**, **Ash River, Kabetogama** et **Rainy Lake**. Cependant, en hiver, l'usage de la voiture est autorisée sur les lacs gelés ; c'est alors une magnifique expédition.

● **Activités.** — Le parc national (2/3 de forêts et 1/3 d'eau) offre au visiteur de multiples possibilités de détente au sein d'une nature vierge et giboyeuse : on y côtoie cormorans, échassiers, loutres et aigles, mais aussi élans, loups (il est rare de voir autre chose que leurs traces) et ours noirs (attention à vos provisions !)..

En été, on pratique la pêche à la ligne ainsi que les sports nautiques et la randonnée ; c'est la meilleure saison pour observer la nature.

De décembre à mars le paysage est enneigé ; le rythme se ralentit. C'est l'époque du ski de randonnée, des raquettes et des longues promenades en *snowmobile*.

Les plus beaux endroits du parc sont les trois lacs communicants de **Rainy Lake**, **Namakan Lake** et **Kabetogama Lake**.

Sur la presqu'île de Kabetogama, le **Kettle Falls Hotel** construit en 1913 hébergeait des chasseurs et des marchands de passage.

● **Randonnées** : 100 mi/160 km env. de chemins balisés. Il est possible de camper, à condition de rester prudent, sur des îles ou des plages accessibles en bateau. Attention, préparez votre excursion : le parc est sauvage, pensez à la boussole, l'hiver aux vêtements chauds et au nécessaire de survie.

● **Promenades en bateau** : bateaux à moteur, voiliers, *houseboats* et canoës peuvent être loués dans les centres d'hébergement proches du parc ; par ailleurs, des croisières sont organisées de mai à septembre. Il est conseillé de réserver l'aide : adressez-vous au Superintendent (→ *ci-dessus*).

Le Sud : l'accent entraînant de la jeune Amérique

① Kentucky

② Tennessee

③ Alabama

④ Caroline du nord

⑤ Caroline du sud

⑥ Géorgie

« Nashville ou Belleville, où sont mes racines ? » demande Eddy Mitchell. Signe que le Sud américain a irrigué aussi bien les mythologies modernes que le coton ou le tabac. Que l'on pense à Scarlett O'Hara à Atlanta, à Elvis à Memphis, à la *country music* de Nashville ou à l'épopée de Daniel Boone, premier pionnier à avoir franchi les Appalaches ouvrant ainsi la voie vers l'Ouest : le Sud a brillamment contribué à la constitution de l'identité américaine. Et quantité d'autres noms méritent d'être cités : Davy Crockett, Alex Haley (l'auteur de *Racines)* et bien sûr les chefs indiens, dont Sequoyah qui transcrivit l'alphabet cherokee.

La guerre de Sécession a laissé ses marques dans les paysages (les 4/5e de la Géorgie furent détruits) et dans tous les cœurs, mais les métropoles s'emploient à oublier ce passé traumatisant. La Géorgie et l'Alabama se sont reconstruits autour des services et de l'industrie. Le Tennessee et le Kentucky, moins tendus vers l'avenir, plus attachés à leur mode de vie dans les grands espaces, plus isolés et pauvres aussi, sont peut-être ceux où survit davantage le regret d'un mythique « âge d'or ». Mais, partout ailleurs, la nostalgie n'est plus ce qu'elle était.

● Dans la solitude des champs de coton

Le Sud est d'abord une région agricole et, dès que s'effacent les côtes pâles, moutonnent des forêts dans lesquelles l'homme a installé de vastes exploitations agricoles. Forêts luxuriantes en Caroline du Sud, véritable jardin d'Eden où abondent les magnolias, les azalées, les cyprès, les camélias, et ces palmiers nains qui ont donné son surnom à l'État : Palmetto State. Forêt plus monotone, d'un vert mat, de **Caroline du Nord**, que ponctuent d'immenses champs de maïs, de coton ou de tabac. La Caroline du Nord reste le premier producteur de tabac des États-Unis, suivie par le Kentucky et le Tennessee. Cet État pauvre et rural exploite également de nombreuses pêcheries, mais le tourisme, servi par une étonnante variété de paysages naturels, depuis les dunes et les marécages des côtes jusqu'aux lacs de l'intérieur, prend de plus en plus d'importance.

La **Caroline du Sud** fut la première à se séparer de l'Union en 1860, donnant ainsi le coup d'envoi de la guerre de Sécession. Ce petit État (le quarantième pour la superficie) reste pauvre, malgré la reconversion de Greenville en centre textile. Mais le tourisme, qui s'adresse aux citadins amateurs de flore et de plages, est une ressource importante : **Charleston** reste l'une des plus belles cités du pays et l'une des dernières à préserver les accents de nostalgie du vieux Sud.

De l'Est vers l'Ouest, on monte peu à peu vers les **Great Smoky Mountains**. De belles routes panoramiques, comme la Blue Ridge Parkway ou sa

---

Caroline du Nord : carte d'identité

North Carolina, en l'honneur de Charles Ier d'Angleterre ; abréviation NC ; surnoms Tar Heel State, Old North State.
Surface : 136 520 km² ; 28e État par sa superficie.
Population : 6 628 637 hab.
Capitale : Raleigh (207 950 hab.).
Villes principales : Charlotte (395 934 hab.) ; Greensboro (183 900 hab.) ; Winston-Salem (143 485 hab.) ; Durham (136 611 hab.).
Entrée dans l'Union : 1789 (12e État fondateur).

Caroline du Sud : carte d'identité

South Carolina ; abréviation SC ; surnom Palmetto State.
Surface : 80 580 km², 40e État par sa superficie.
Population : 3 486 700 hab.
Capitale : Columbia (98 050 hab.).
Villes principales : Charleston (80 400 hab.) ; Greenville (58 280 hab.).
Entrée dans l'Union : 1788 (8e État fondateur).

---

version pédestre, l'Appalachian Trail, traversent des paysages majestueux, non par leur altitude —le Mount Mitchell, le point culminant du Sud-Est des États-Unis ne mesure que 2 037 mètres— mais par leurs vagues de conifères, leurs étendues de rhododendrons fleuris en juin et en juillet, leurs sommets arrondis, couronnés de feuillages. Ces montagnes furent baptisées Shaconage —ou « Lieu de la fumée bleue »— par les Indiens cherokees. À cheval sur le Tennessee et la Caroline du Nord, le **Great Smoky Mountains National Park** est le plus populaire des parcs nationaux américains. Il borde des villégiatures de montagne chic, comme Asheville qui marie un château inspiré de la Renaissance (Biltmore House) à des bâtiments de style Tudor. C'est aussi le dernier espace de forêt primaire du Sud.

Depuis cet Est montagneux, on redescend vers les grandes plaines de l'ouest en passant par les terres fertiles du delta du Mississippi.

● **Au pays de la** *country music* **et de l'herbe bleue**

La *country music* est issue des *folksongs* des Appalaches : le **Tennessee** peut à juste titre être appelé l'État-musique. Les festivals et les *fiddler's jamborees* (la traduction littérale signifie : « réjouissances tapageuses des violons », tout un programme !) y sont innombrables. Près de **Memphis**, Graceland, la maison d'Elvis Presley, accueille plus de fans que le National Civil Rights Museum installé sur le lieu où fut assassiné Martin Luther King. **Nashville** est plus connue par son « Grand Ole Opry », le plus ancien programme de variétés des États-Unis, et ses studios d'enregistrement que comme capitale du Tennessee. Une exception dans ce paysage bucolique : la vallée de la Tennessee River. Créée en 1933 par Roosevelt afin de fournir de l'électricité à l'État et à ses voisins, la TVA (Tennessee Valley Authority, près de Knoxville) a bâti des barrages monumentaux sur le fleuve. Cette réalisation fut qualifiée de « soviétique » par ses détracteurs et critiquée par le président Hoover. On lui doit cependant l'implantation d'entreprises telles que Boeing et Levi Strauss ainsi que la formation d'un « Technology Corridor » entre Oak Ridge et Maryville, dont le fleuron est l'Oak Ridge National Laboratory, mondialement réputé dans le domaine de la recherche nucléaire.

Tennessee : carte d'identité

de Tennese, capitale des Indiens cherokees ; abréviation TN ; surnom Volunteer State.
Surface : 109 150 km² ; 34ᵉ État par sa superficie.
Population : 4 877 185 hab.
Capitale : Nashville (488 374 hab.).
Villes principales : Memphis (610 340 hab.) ; Knoxville (165 120 hab.) ; Chattanooga (152 470 hab.).
Entrée dans l'Union : 1796 (16ᵉ État).

Entre le Mississippi et le plateau de Cumberland, les plaines orientales alternent des vallées fertiles et de denses forêts, royaume des chevaux, et... des distilleries de bourbon, les deux maîtresses du voisin du Nord, le **Kentucky**. Un proverbe dit qu'il n'existe pas de Kentuckien qui ne soit en train de retourner chez lui. De fait, la population du Kentucky (3,6 millions d'hab.) reste stable, malgré l'un des revenus les plus faibles des États-Unis, et un certain isolement dû à une histoire difficile avec la Virginie. Entre le whisky (le Kentucky produit la moitié du bourbon américain), les chevaux (le derby de Louisville, début mai, est aussi célèbre que celui d'Epsom) et l'affirmation d'une identité propre, il semble être l'État viril par excellence. Ses vastes plaines, dont l'herbe prend au printemps des reflets azuréens —d'où le surnom de *bluegrass state*—, roulent doucement vers l'Ohio.

Kentucky : carte d'identité

du wyandot « Ken-tah-teh » (pays de demain) ; abréviation KY ; surnom Bluegrass State.
Surface : 104 660 km² ; 37ᵉ État par sa superficie.
Population : 3 685 290 hab.
Capitale : Frankfort (25 970 hab.).
Villes principales : Louisville (269 000 hab.) ; Lexington (225 000 hab.) ; Owensboro (53 550 hab.) ; Covington (43 260 hab.) ; Bowling Green (40 641 hab.).
Entrée dans l'Union : 1792 (15ᵉ État).

Alabama : carte d'identité

« alibamu » (défrichage de la terre) dans le dialecte des Indiens choctow ; abréviation AL ; surnom Cotton State.
Surface : 133 916 km² ; 29ᵉ État par sa superficie.
Population : 4 040 587 hab.
Capitale : Montgomery (187 543 hab.).
Villes principales : Birmingham (266 000 hab.) ; Mobile (196 278 hab.) ; Huntsville (160 000 hab.).
Entrée dans l'Union : 1819 (22ᵉ État).

• Terres noires où naquit le blues

L'**Alabama** s'annonce par des collines rugueuses et boisées et se fait plat et sablonneux à mesure qu'il approche de la Floride. Les sols noirs de la *black belt* et la mousse espagnole suspendue aux chênes confèrent à ses paysages une originalité certaine. Malgré son surnom de *Cotton State*, il cultive aujourd'hui davantage les cacahuètes, les noix de pécan, le blé et les fruits. Important nœud ferroviaire, l'Alabama possède le centre industriel le plus important du Sud profond, avec Birmingham : 1,6 million de personnes travaillent dans le secteur non-agricole. Le problème racial reste patent. Dans les années 60, lorsque le gouvernement de Washington entreprit d'imposer l'intégration dans l'enseignement, **Montgomery** devint le bastion le plus acharné de la résistance des Blancs. C'est pourtant un Noir d'Alabama, W. C. Handy, qui a fait connaître l'État au monde en popularisant le rythme lent et mélancolique du blues. Cornettiste et compositeur, il est l'auteur de quelques morceaux célèbres, comme *Memphis Blues* et *St Louis Blues*.

Géorgie : carte d'identité

du roi d'Angleterre George II ; abréviation GA ; surnoms Peach State, Empire State of the South.
Surface : 152 490 km², 21ᵉ État par sa superficie.
Population : 6 478 200 hab.
Capitale : Atlanta (394 020 hab.).
Villes principales : Columbus (179 280 hab.) ; Savannah (137 560 hab.) ; Macon (106 600 hab.).
Entrée dans l'Union : 1788 (4ᵉ État fondateur).

• Les nouveaux combats du jeune Sud

Grande comme le quart de la France, la **Géorgie** partage les caractéristiques communes du Sud : un habitant sur quatre est noir et elle a connu la dure loi du coton et du tabac. Margaret Mitchell a peint de couleurs tendres sa ville d'**Atlanta**, mais Erskine Caldwell, l'auteur de la tragique *Route du tabac*, était également géorgien. Aujourd'hui la Géorgie a considérablement évolué, diversifié son agriculture, abordé la culture des arbres fruitiers pour devenir l'État de la Pêche, *Peach State*. Elle est le premier producteur de granit des États-Unis et cultive toujours du coton, mais Atlanta s'enorgueillit plutôt d'héberger de grandes industries nationales —dont Coca-Cola. Les nobles demeures où d'insouciants planteurs faisaient étalage de leurs richesses ne subsistent plus qu'à **Savannah**, qui a pieusement conservé les vestiges de son passé. Depuis 1980, la population de l'État a augmenté de 20% et Atlanta se prépare à recevoir les jeux Olympiques en 1996.

Fonçant vers l'avenir pour mieux oublier les séquelles du passé, mais manifestant dans son élégance et sa sensualité une approche épicurienne du présent, ainsi va le Sud. Sans contradictions. Après tout, le succès du personnage de Scarlett O'Hara ne vient-il pas aussi de ce qu'il s'agit de l'un des premiers portraits de « femme d'entreprise » des États-Unis ?

Découvir le Sud

■ Que voir ?

● Les vieilles cités

En Caroline du Nord : **Asheville***, aux portes du Great Smoky Mountains National Park (→ p. 623).

En Caroline du Sud : **Charleston****, la cité aux teintes pastel, réputée pour ses maisons et ses jardins tropicaux (→ p. 638).

En Géorgie : **Savannah****, miraculeusement préservée par la guerre de Sécession (→ p. 678) ; **Washington***, représentative de la Géorgie coloniale (→ p. 637).

En Alabama : **Mobile***, ancien comptoir français du XVIIIe s. (→ p. 671).

● Les belles demeures du passé

En Caroline du Sud : les **plantations** dispersées le long de l'Ashley River, près de Charleston (→ p. 644).

En Géorgie : **Atlanta History Center**** qui regroupe les rares vestiges de la cité avant la guerre de Sécession (→ p. 634).

Dans le Tennessee : le **Victorian Village** de **Memphis***, dernier souvenir des

capitaines d'industries qui ont fait la fortune de la ville au XIXe s. (→ p. 666).

● Les lieux historiques

En Caroline du Sud : **Fort Sumter**, où se déroula le premier conflit de la guerre de Sécession (→ p. 644).

En Géorgie : **Martin Luther King Memorial***, dans l'ancien quartier noir d'Atlanta, la ville natale du grand homme (→ p. 630).

Dans le Tennessee : le **Lorraine Motel** où Martin Luther King fut assassiné (Memphis → p. 666).

Dans le Kentucky : l'**Abraham Lincoln Birthplace** (Louisville → p. 659).

En Alabama : le **Civil Rights Memorial**, qui reprend les étapes du grand mouvement noir pour les droits civiques dans les années 60 (Montgomery → p. 672).

● Les musées insolites

En Caroline du Sud : le grand musée naval de **Patriot's Point*** (Charleston → p. 644).

En Géorgie : l'extraordinaire **Coca-Cola Museum**** où l'on vous apprendra tout sur l'histoire de cette réussite industrielle et où vous pourrez goûter

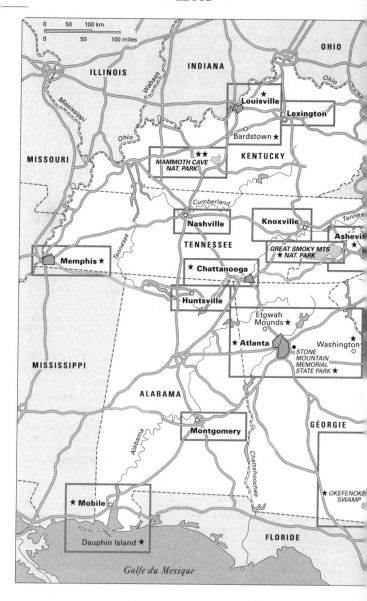

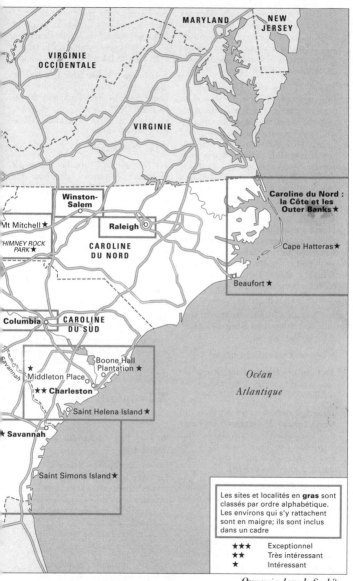

VIRGINIE
OCCIDENTALE

MARYLAND

NEW
JERSEY

VIRGINIE

Winston-
Salem

Caroline du Nord :
la Côte et les
Outer Banks ★

Mt Mitchell ★

Raleigh

HIMNEY ROCK
PARK ★

CAROLINE
DU NORD

Cape Hatteras ★

Beaufort ★

Columbia

CAROLINE
DU SUD

Boone Hall
Plantation ★

★
Middleton Place

Océan
Atlantique

Savannah

★★ Charleston

Saint Helena Island ★

★ Savannah

Saint Simons Island ★

Les sites et localités en **gras** sont
classés par ordre alphabétique.
Les environs qui s'y rattachent
sont en maigre; ils sont inclus
dans un cadre

★★★   Exceptionnel
★★   Très intéressant
★   Intéressant

Que voir dans le Sud ?

les dernières saveurs concoctées par les chimistes du groupe... (Atlanta → p. 628) ; l'immense **complexe de CNN**, l'une des plus grandes chaînes d'information diffusées par le cable (Atlanta → p. 632).

Dans le Tennessee : **Graceland***, la folle demeure d'Elvis Presley, et sa maison natale à **Tupelo** (Memphis → p. 671) ; le **musée du Mississippi** qui nous raconte l'histoire du grand fleuve (Memphis → p. 667) ; le **Country Music Hall of Fame*** qui vous révèlera les tendances les plus subtiles de la musique populaire américaine (Nashville → p. 675) ; le complexe nucléaire de **Oak Ridge** (→ p. 656).

Dans le Kentucky : le **Kentucky Horse Park***, entièrement dédié au cheval (Lexington → p. 656), et le **Kentuchy Derby Museum** (Louisville → p. 658) ; le **Barton Museum of Whiskey History** (Louisville → p. 659) ou les distilleries de whisky de **Frankfort** (→ p. 657).

En Alabama : les reconstitions spatiales du **Space and Rocket Center*** (Hunstville → p. 654).

● **Les sites naturels protégés**

En Géorgie : **Okefenokee Swamp***, le plus grand marécage du continent (→ p. 688).

Dans le Tennessee : les sommets des **Great Smoky Mountains***, au cœur des Appalaches, traversées par l'Appalachian Trail (→ p. 651) ; les lacs artificiels dissimulés dans la **Tennessee Valley** (→ p. 646).

Dans le Kentucky : les labyrinthes souterrains du **Mammoth Cave National Park**** (→ p. 660).

● **Les plages**

En Caroline du Nord : les dunes des **Outer Banks***, sauvages et battues par les vents (→ p. 637).

En Caroline du Sud : vous aurez le choix entre la côte, hélas un peu trop bétonnée du côté de **Myrtle Beach,** ou les îles sauvages comme **Edito Island** et **St Helena Island*** (→ p. 645-646).

En Géorgie : **Tybee Island,** la grande plage de Savannah qui connut son heure de gloire dans les années 20, ou les **îles d'Or**** paradis pour touristes en quête de luxe et grands hôtels (→ p. 686-687).

● **Les sites indiens**

En Géorgie : les tumulus d'**Etowah Mounds***, construits par l'un des anciens « peuples du Mississippi » (→ p. 636).

Dans le Tennessee : **Chattanooga***, ancienne cité cherokee, au départ de la fameuse Piste des larmes (→ p. 646) ; le village indien de **Oconaluftee**, du XVIIIe s. (→ p. 651).

● **Et si vous voulez en savoir un peu plus sur la guerre de Sécession...**

Les vestiges historiques sont rares, le Sud ayant été terriblement détruit et les principaux champs de bataille que l'on visite aujourd'hui étant plutôt dans le Mid Atlantic. Mais vous en retrouverez quelques traces à **Atlanta** (→ p. 623) et **Charleston** (→ p. 638).

■ Propositions d'itinéraires

● **1.— Des champs de coton aux Appalaches**

Circuit au départ d'Atlanta
La Caroline et la Géorgie sont une terre de contrastes et ce circuit vous révélera leurs différentes facettes. De **Savannah**** à **Chattanooga***, sans oublier **Charleston****, vous passerez de l'univers un peu romantique des vieilles villes portuaires du Sud à une région boisée et luxuriante, dans laquelle l'homme a installé de vastes

exploitations agricoles. Du côté de **Asheville***, vous pénétrerez dans les High Lands ; s'ouvrent alors de belles routes panoramiques qui traversent les Appalaches et le **Great Smoky Mountains National Park*** .

Les étapes *(980 mi/1 500 km)*

— 1er jour : Atlanta-Savannah ;

— 2e-4e jour : visite de Savannah puis de Charleston ;

— 5e jour : Charleston-Columbia-Asheville ;

— 6e-7e jour : Great Smoky ;

— 8e-9e jour : retour à Atlanta, via Chattanooga.

● **2. — Vers la Floride**

Itinéraire de Richmond (en Virginie) à Saint Augustine (en Floride)

Traversant les deux Carolines, cet itinéraire associe les plaisirs de l'océan aux charmes de la campagne. Le littoral de la Caroline du Nord, bordé par les dunes des **Outer Banks***, offre des paysages préservés et encore sauvages. C'est ici que fut fondé Fort Raleigh, la première colonie du Nouveau Monde, et que de nombreux pirates trouvèrent refuge à l'abri des récifs du cap Hatteras.

Vous aurez peut-être envie de musarder dans l'un des petits ports qui jalonnent la côte, certains imprégnés d'un parfum d'autrefois (**Charleston****), d'autres aménagés en stations balnéaires bétonnées (**Myrtle Beach**). Et si vous avez apprécié l'ambiance de **Savannah****, doucement bercée par l'Atlantique et les brises marines, poursuivez votre chemin vers le S. en direction de Brunswick, où se déroule l'archipel des Golden Isles. Vous y rencontrerez de longues plages baignées par le Gulf Stream et couvertes d'une abondante végétation tropicale. Mais sans doute préférerez-vous prendre une barque et flâner dans les marais de Waycross, au milieu des alligators,

des tortues, des aigrettes et de la faune aquatique la plus étonnante.

Les étapes *(900 mi/1 450 km)*

— 1er jour : quittez Richmond (en Virginie) pour les Outer Banks ;

— 2e-3e jour : les Outer Banks ;

— 4e-5e jour : Charleston ;

— 6e-7e jour : Savannah ;

— 8e jour : les îles d'Or ;

— 9e jour : Saint Augustine (en Floride)

● **3. — Le Sud profond**

Itinéraire de Memphis à Atlanta (par le S.)

C'est un pèlerinage aux sources de la musique américaine que vous propose ce circuit : **Memphis*** n'est-elle pas l'ancienne capitale du blues, et **Nashville** ne vibre-t-elle pas tout entière au rythme de la country music ? Mais il y a aussi **Chattanooga***, associée au souvenir des Cherokees, et **Hunstville** au carrefour du vieux Sud et du modernisme. Et si les traditions du vieux Sud commencent à s'estomper à **Atlanta***, elles restent très présentes dans la région de **Montgomery**, où vous saisirez l'atmosphère des anciennes cités sudistes devenues les symboles d'un passé disparu avec la guerre de Sécession.

Les étapes *(745 mi/ 1 200 km)*

— 1er jour : quittez Memphis pour Nashville ;

— 2e-3e jour : flânez autour de Chattanooga ;

— 4e jour : Hunstville ;

— 5e jour : Montgomery ;

— 6e ou 7e jour : trajet vers Atlanta

● **4. — Le pays de l'herbe bleue**

Itinéraire de Memphis à Atlanta (par le N.)

Vous traversez ici une région souvent oubliée par les touristes et pourtant séduisante. Des labyrinthes du **Mammoth Cave National Park**** à la splendide **Daniel Boone National Forest,** défilent les images colportées par les country songs : Kentucky et Tennessee sont le pays des chevaux, du tabac et de l'alcool, distillé dans des cités au charme désuet. Entre les Appalaches et les Alleghenies se dessine la Great Valley avec ses vieilles cités qui ont gardé quelques belles demeures ; **Knoxville***, siège de la Tennessee Valley, abrite maintenant un important centre industriel. Vous pouvez aussi faire halte au **Great Smoky Mountains National Park***, forêt dense et escarpée qui couvre les plus hauts sommets des Appalaches et avec un peu de patience... vous y verrez peut-être des daims, des ours bruns ou des renards rouges. Si vous aimez les routes panoramiques, empruntez la **Blue Ridge Parkway**** qui longe la Jefferson National Forest et vous mènera vers la Virginie et le Mid Atlantic.

Les étapes *(850 mi/1 360 km)*

— 1er jour : quittez Memphis pour Nashville ;
— 2e jour : aller au Mammoth Cave National Park et dormez à proximité ;
— 3e jour : flânez entre Mammoth Cave et Lexington ;
— 4e jour : Lexington-Knoxville ;
— 5e-6e jour : Great Smoky Mountains National Park ;
— 7e jour : retour à Atlanta.

Asheville*

61 000 hab. ; fuseau horaire : Eastern time.
Situation : à l'O. de la Caroline du Nord, à 206 mi/330 km au N.-E. d'Atlanta.
À la lisière des forêts appalachiennes.
À voir aussi dans la région : *Great Smoky Mountains National Park*,
Knoxville, Winston-Salem*

Aux portes du Great Smoky Mountains National Park, Asheville, charmante station thermale nichée au cœur de la chaîne de la Blue Ridge, est très prisée des Américains. La silhouette de ses immeubles Art déco un peu massifs se découpe sur un très beau paysage montagneux, l'air est vif mais la température clémente et les possibilités d'activités sportives sont considérables. Autant de bonnes raisons pour choisir Asheville comme point de départ pour la visite du Great Smoky Mountains National Park (→).

● **Thomas Wolfe Memorial** *(48 Spruce St.).* — Construite en 1880, la maison familiale de l'écrivain est la plus vieille du centre-ville et expose des photos de famille, des vêtements et du mobilier.

● **Biltmore House** *(ouv. t.l.j. 9 h-17 h),* la résidence d'été de G. W. Vanderbilt de 1891 à 1895. Construite dans le style de la Renaissance française par R. M. Hunt, elle est devenue un musée : œuvres d'art ; jardins, roseraie.

● **Excursions**

Mount Mitchell* *(à 27 mi/ 43 km N.-E. par la Blue Ridge Pkwy, puis à 5 mi/8 km au N. par la NC 128).* — Le plus haut sommet des Appalaches culmine à 2 037 m ; au sommet, vous découvrirez un belvédère et un musée.

Chimney Rock Park* *(à 19 mi/30 km au S.-E. par l'US 74)* où l'on trouve de nombreuses curiosités naturelles à explorer : cascades, grottes.

Asheville est aussi une étape de la **Blue Ridge Parkway** → *Great Smoky Mountains National Park.*

Atlanta*

394 020 hab. ; fuseau horaire : Eastern time.
Situation : au N.-O. de la Géorgie. À 256 mi/400 km à l'O. de Savannah et la côte atlantique.
À voir aussi dans la région : *Charleston**, Chattanooga, Columbia, Great Smoky Mountains National Park*, Savannah**.*

Ne rêvez plus de Scarlett O'Hara. Dès l'aéroport, le train moderne que vous empruntez pour rejoindre vos bagages vous en persuadera : Atlanta ne vit pas de nostalgie. Au moment de la guerre de Sécession, la capitale de la Géorgie était, avec ses 20 000 habitants, brillante et animée, joyeuse et capricieuse, élégante et prodigue, un peu cruelle et un peu folle. Telle, en somme, que l'a si bien décrite Margaret Mitchell dans *Autant en emporte le vent.*

Atlanta est aujourd'hui la capitale de la région la plus dynamique des États-Unis en terme de puissance économique. Avec 2,8 millions d'habitants répartis dans son aire métropolitaine, elle est la plaque tournante du S.-E. du pays : l'aéroport de Hartsfield —siège de Delta Airlines— occupe la deuxième place mondiale pour le trafic, après celui de Chicago. La présence de 25 banques étrangères, de consulats ou de chambres de commerce de plus de 40 pays indique l'importance de la ville comme centre d'import-export et comme position stratégique pour les investisseurs de la *sunbelt.* Ainsi, Nabisco et Coca-Cola ont leurs sièges à Atlanta. Côté médias, la ville est tout aussi bien dotée avec 8 quotidiens et 25 magazines. Quant au pragmatique Ted Turner, fondateur de CNN (Cable News Network), il a déjà fait oublier Rhett Butler... D'autant que du point de vue architectural, le vent a tout emporté, ou presque, des maisons de bois d'autrefois. Mais la présence de quelques beaux buildings et de magnifiques hôtels dressant leurs tours sur la *skyline* confère à la cité une beauté contemporaine.

Atlanta n'est pas une ville pour les piétons et c'est ce qui la rend, *a priori,* d'un abord difficile. Pourtant, elle est plus sympathique qu'il n'y paraît avec son petit Downtown, CNN, Martin Luther King Memorial, Underground, Peachtree St., son infrastructure olympique. La ville abrite plus de 50 % de Noirs, les Blancs ayant fui depuis les années 60 vers des faubourgs plus verdoyants.

En organisant les jeux Olympiques de 1996, la dynamique Atlanta veut faire définitivement oublier la romantique Atlanta de Scarlett O'Hara.

■ Atlanta dans l'histoire

Tous les chemins mènent à Atlanta. — Le premier Blanc à s'y installer fut un lieutenant de l'armée américaine qui, en 1813, établit, avec un détachement de 22 cavaliers, un petit poste militaire pour faire régner l'ordre parmi les Cherokees de Standing Peachtree. Le poste devint bien-tôt un centre d'échanges avec les Indiens. L'endroit, admirablement situé du point de vue des communications, fut choisi par la Western & Atlantic Railroad en 1837 comme point de départ de sa nouvelle ligne de chemin de fer. Le premier village qui s'édifia autour du « Mile Zero » s'appela Terminus. Six ans plus tard, en 1843, Terminus recevait le nom de Marthasville en l'honneur de la fille du gouverneur de Géorgie de l'époque. En 1845, Marthasville fut élevée au rang de municipalité avec le nom d'Atlanta. Une version féminine de l'Atlantique vers lequel la ville tourne ses regards.

Et le Phénix renaît de ses cendres. — Atlanta fut ravagée par la guerre de Sécession ; lorsqu'elle fut livrée aux flammes le 2 septembre 1864, au terme d'un siège de 117 jours, elle n'avait pas vingt ans. Seuls, 400 bâtiments, sur les 4 500 qu'elle comptait, échappèrent au désastre. La tragédie de 1864, on la rencontre partout à Atlanta, mais on sent que la ville n'a jamais renoncé à sa vocation d'alors : celle de capitale sudiste de l'élégance, du raffinement, de la culture et de la joie de vivre. Dès 1887, la ville choisit pour emblème le Phénix et prit pour devise « Resurgens ». Dévastée une nouvelle fois en 1917, elle entra néanmoins avec dynamisme dans le XXe s.

Coca City. — C'est Atlanta qui, en 1886, a donné au monde cet insolite breuvage dont nul ne pouvait alors soupçonner la fantastique destinée, le Coca-Cola. Né dans une pharmacie, ce médicament a conquis l'univers. Un siècle après sa naissance, la puissante Coca-Cola Company s'est lancée dans un défi risqué : changer la formule secrète qui avait assuré sa renommée et.. sa fortune. Une révolution qui n'a pas manqué de donner un sérieux choc aux millions de consommateurs américains, qui, si l'on en croit les statistiques, absorbent chaque année... 35 litres de Coca-Cola par personne !

■ Découvrir Atlanta

● Les promenades

1. — Le quartier du State Capitol*. Du dôme doré du State Capitol aux bulles pétillantes de Coca-Cola, un itinéraire tonique autour de Peachtree St.

2. — Martin Luther King Memorial*. Le combat pour l'égalité des droits, sur les lieux mêmes des ses origines.

3. — Le CNN Center. L'univers des médias, les centres de congrès et les salles de jeux de la future capitale olympique : Atlanta futuriste.

4. — Les musées. À voir, autant pour son architecture que pour ses collections, spécialement italiennes, le High Museum of Art. Et pour connaître l'itinéraire d'un défenseur des droits de l'homme, la Jimmy Carter Library.

5. — De l'Atlanta History Center** à Wren's Nest. Une balade qui vous permettra de mieux imaginer la ville de Scarlett O'Hara et la bataille d'Atlanta.

● Atlanta mode d'emploi

Se déplacer. — Atlanta est une ville faite pour les voitures : les distances entre les centres d'intérêt sont trop importantes pour être parcourues à pied (nombreux parkings obligatoires dans le centre). Le métro — MARTA — ne possède que deux lignes, mais elles desservent tous les points névralgiques (aéroport y compris) et sont complétées par un dense réseau de bus : il est aisé de se déplacer en n'utilisant que les transports en commun. En périphérie, depuis le terminus de MARTA, des bus vous conduiront au Stone Mountain Park ou à Historic Atlanta. Au mois de juin 1996, trois nouvelles lignes seront ouvertes.

S'orienter. — Il est assez facile de s'orienter depuis Downtown (autour du Peachtree Center et du State Capitol) et Midtown (autour du Woodruff Arts Center), mais attention aux faux amis : « Peachtree » se décline avec tous les nom d'artères imaginables (Ave., Rd., St., etc.). Soyez donc attentifs !

Dîner ou boire un verre. — À côté du musée Coca-Cola, Underground Atlanta offre des ambiances pétillantes (attention, parfois dangereux le soir) : jolies serveuses en short et bustier, comédiens de rues, musiciens. La Géorgie coquette, un brin coquine. Quant aux restaurants, ils sont nombreux dans le quartier de Buckhead (au N. de Downtown ; métro : MARTA, arrêts Arts Center ou Lenox, puis bus n° 23).

● **Programme**

Deux ou **trois jours** sont nécessaires pour visiter Atlanta.

Premier jour : consacrez-le au quartier du State Capitol, au musée du Coca-Cola et à Underground Atlanta (→ prom. 1). **Deuxième jour :** allez à l'Omni International et visitez le complexe de CNN (→ prom. 3), avant de vous rendre à l'High Museum of Art (→ prom. 4) et enfin à l'Historic Atlanta, à Buckhead (→ prom. 5). **Troisième jour :** choisissez entre le Grant Cyclorama (→ prom. 5) et le Stone Mountain Memorial State Park (→ Les environs d'Atlanta).

■ 1. — Le quartier du State Capitol*

Cette calme promenade vous permettra de prendre contact avec la ville. Vous la commencerez au State Capitol, dont le dôme doré est le symbole d'Atlanta. Après une étape rafraîchissante au musée Coca-Cola, et une pause-déjeuner dans l'animation d'Underground Atlanta, vous remonterez, comme Scarlett O'Hara, Peachtree St., avant de jeter un coup d'œil aux fabuleux

hôtels entourant le Peachtree Center.

Accès : MARTA, arrêt Five Points.

● **Georgia State Capitol*** *(206 Washington St. ; plan B2 ; ouv. t.l.j., vis. guidées lun.-ven. 8 h-17 h).* — Avec ses trois étages donnant sur des halls majestueux par des galeries à colonnades, surmonté d'un dôme, il ressemble comme un frère au capitole de Washington. Mais ce dôme-là est plaqué d'or. Il rappelle que la première grande ruée vers l'or eut lieu après 1828, dans les montagnes de Géorgie. Au 4e étage, dans le **State Museum of Science and Industry,** vous verrez des minéraux, des fossiles, un bison empaillé, des miniatures représentant la vie d'autrefois, et même la plus ancienne —et poussiéreuse— balle de coton du pays : ficelée en 1870, elle remporta un prix à la foire de Saint-Louis en 1904. Le « roi coton », dont le premier plant fut cultivé à Savannah en 1734, domina l'économie de la Géorgie pendant un siècle et demi. Au sous-sol, le **Hall of Flags** expose plusieurs drapeaux confédérés.

● **City Hall*** *(68 Mitchell St. ; plan A 3).* — Le magnifique hôtel de ville construit en 1930 avec des références au gothique flamboyant s'élève à l'endroit même où le général Sherman tenait son quartier général.

● **The Shrine of the Immaculate Conception** *(48 Martin Luther King Jr. Drive ; plan A2 n° 23 ; ouv. t.l.j.)* se dresse là où fut construite en 1848 la première église catholique romaine. Jolis volumes et peintures placées de façon originale sur les voûtes.

● **Coca-Cola Museum**** *(55 Martin Luther King Jr. Drive ; ouv. lun.-sam. 10 h-21 h 30, dim. 12 h-17 h.).* — Ce pourrait n'être qu'une boutique un peu aménagée, un hall publicitaire vantant les délices controversés du

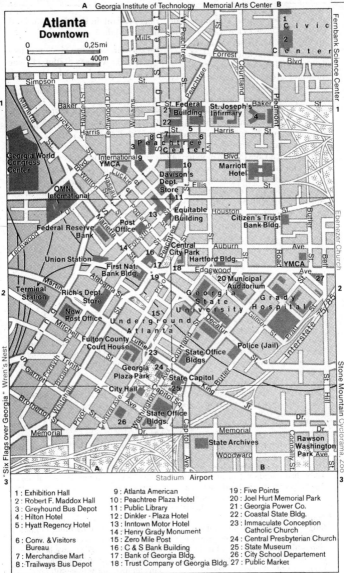

Atlanta Downtown

0 0,25mi
0 400m

Labels on map: Georgia Institute of Technology, Memorial Arts Center, Fernbank Science Center, Civic Center, Mills, St, W. Peachtree, Peachtree, Forrest, Courtland, Piedmont, Baker, Simpson, Luckie, Harris, St. Federal Building, St. Joseph's Infirmary, Georgia World Congress Center, Harris, Peachtree Center, International, YMCA, Davison's Dept. Store, Marriott Hotel, OMNI International, Ellis, Equitable Building, Houston, Citizen's Trust Bank Bldg., Post Office, Federal Reserve Bank, Central City Park, Auburn, Ave., Union Station, Hartford Bldg., First Nat. Bank Bldg., Edgewood, Municipal Auditorium, YMCA, Terminal Station, Rich's Dept. Store, Georgia State University, Grady Hospital, New Post Office, Underground Atlanta, Decatur, Fulton County Court House, State Office Bldgs., Police (Jail), Georgia Plaza Park, State Capitol, City Hall, State Office Bldgs., State Archives, Rawson Washington Park Ave., Woodward, Stadium, Airport, Interstate 75/85, Ebenezer Church, Stone Mountain, Grant Park, Cyclorama, Zoo, "Six Flags over Georgia" "Wren's Nest", Memorial Dr., Martin Luther King, Peachtree, Marietta, Forsyth, Spring, Nassau, Walton, Baker, Luckie, Harris, Mitchell, Garnett, Brotherton, Whitehall, Trinity, Pryor, Central, Capitol, Washington

1 : Exhibition Hall
2 : Robert F. Maddox Hall
3 : Greyhound Bus Depot
4 : Hilton Hotel
5 : Hyatt Regency Hotel
6 : Conv. & Visitors Bureau
7 : Merchandise Mart
8 : Trailways Bus Depot
9 : Atlanta American
10 : Peachtree Plaza Hotel
11 : Public Library
12 : Dinkler - Plaza Hotel
13 : Inntown Motor Hotel
14 : Henry Grady Monument
15 : Zero Mile Post
16 : C & S Bank Building
17 : Bank of Georgia Bldg.
18 : Trust Company of Georgia Bldg.
19 : Five Points
20 : Joel Hurt Memorial Park
21 : Georgia Power Co.
22 : Coastal State Bldg.
23 : Immaculate Conception Catholic Church
24 : Central Presbyterian Church
25 : State Museum
26 : City School Departement
27 : Public Market

Kartographie Huber & Oberländer, München

soda à bulles le plus consommé au monde. Il n'en est rien. Grâce à une architecture colorée et raffinée, à des collections retraçant un siècle de vie de la célèbre petite bouteille, à quelques attractions judicieuses, la visite du musée est un vrai plaisir. On rit des premières publicités, mettant en valeur « les propriétés toniques du cola », qui seraient aujourd'hui durement réprimandées... Et on s'amuse à goûter, dans la dernière salle, les goûts du Coca-Cola dans le monde : la firme commercialise plusieurs centaines de sodas, différents suivant les traditions des pays consommateurs. Nous vous conseillons le soda à l'abricot et à la bétacarotène du Japon, le soda aux fleurs du même pays, le guarana pétillant du Brésil et le ginger ale de Thaïlande.

En sortant, on peut voir la reconstitution de la **Railway Station of Georgia,** avec ses anciennes locomotives.

● **Underground Atlanta** (plan A2 ; délimité par Central Ave. et Peachtree St., Wall St. et Martin Luther King Jr. Drive ; entrée principale à l'angle de Central et d'Alabama Aves.). — Soyez attentif : vous risquez de manquer cette minuscule cité souterraine, débordante de restaurants et d'animation. Ce vieux quartier servit, pendant le siège d'Atlanta, d'hôpital aux blessés. Enfoui par les travaux de la reconstruction, il fut redécouvert par la suite, et on entreprit de le restaurer

Une potion... magique !

Le sirop du pharmacien. — Le premier verre de Coca-Cola fut vendu à la pharmacie Jacobs d'Atlanta le 8 mai 1886. Selon la légende, le docteur Pemberton, pharmacien de son état, aurait mélangé accidentellement un sirop de son invention à de l'eau gazeuse ; les clients de la pharmacie goûtèrent cette boisson et la trouvèrent délicieusement rafraîchissante. Frank Robinson, son assistant, lui trouva alors un nom et un logo qui ne changeront plus jamais mais qui ne profiteront guère à son inventeur, mort peu de temps après avoir vendu la recette.

Des bulles et de la « pub ». — En 1889, la formule est rachetée par Asa G. Candler, qui fonde la Coca-Cola Company et qui fait feu de tout bois pour la promouvoir. On la dit bonne contre le mal de tête, la fatigue, les rages de dents, l'asthénie. Candler installe —autre innovation— des distributeurs, fait faire des calendriers, des plateaux, des verres publicitaires, s'attache les services de cantatrices célèbres, accompagne des courses cyclistes, des tournois de golf et de tennis. En 1915, la Root Company of Indiana dessine les courbures de la fameuse bouteille, que le designer Raymond Loewy salue d'un regard admiratif : « le plus parfait emballage encore utilisé ».

Du Coca sur les champs de bataille. — En 1919, Ernest Woodruff, banquier d'Atlanta, rachète la Coca-Cola Company et lui donne une dimension véritablement internationale. Au début des années 40, la potion magique est embouteillée dans 44 pays (160 actuellement). Coca-Cola soutient le moral des troupes engagées dans la Seconde Guerre mondiale en fournissant 5 milliards de boîtes en aluminium aux soldats américains et redouble sa notoriété. Aujourd'hui, la compagnie (qui a aussi concocté Fanta, Sprite, etc.) assure vendre la moitié de toutes les boissons non alcoolisées consommées dans le monde.

dans un décor du siècle dernier. Sous le pont de Central Ave. on voit encore le **Zero Mile Post** *(plan A2, n° 15)* du Western & Atlantic Railroad ainsi que la limite de l'incendie de 1864. **Atlanta Heritage Row :** photographies, vidéos et expositions sur l'histoire d'Atlanta.

• **Woodruff Park** *(Central City Park, à l'angle de Peachtree St. et d'Edgewood Ave., plan B2)*, particulièrement fréquenté à l'heure du déjeuner, a été financé par Robert W. Woodruff, le magnat du Coca-Cola.Le parc a été entièrement refait pour les J.O.

• **Peachtree Street** *(plan A2-B1)* — L'avenue bien-aimée de Scarlett O'Hara s'est profondément transformée. Mais c'est encore un lieu de shopping et de flânerie. Vous remarquerez au **n° 74**, mince comme une tranche napolitaine, le plus vieux building de la ville, le **Flatiron**, construit en 1897.

Au **n° 133**, la belle et sobre architecture du **Georgia Pacific-Center** abrite des expositions montées par le High Museum of Art *(ouv. en semaine 10 h-17 h ; renseignements : ☎ 577-6940)*. Au **n° 127**, l'entrée monumentale et l'escalier sculpté du **Candler Building.**

Continuez de remonter un peu l'avenue.

Le Peachtree Center *(285 Peachtree Center Ave. ; plan A-B1)*, rassemble un groupe de gratte-ciel intéressants du point de vue architectural, pour la plupart construits par John Portman. On verra notamment le **Westin Peachtree Plaza Hotel** qui se distingue par une haute tour de verre fumé. Il s'honore d'être le plus haut hôtel du monde et plaira à ceux qui veulent dormir, sinon au 7e ciel, du moins au 72e étage. Du restaurant panoramique, au 70e étage, on voit Stone Mountain. Notez aussi le **Merchan-**

En attendant les J.O.

Pour la première fois dans l'histoire olympique, les jeux Olympiques se déroulent dans une ville du Sud américain, à l'E. du Mississippi. Après une compétition qui vit s'opposer Toronto, Athènes, Melbourne et Manchester, Atlanta a en effet été sélectionnée pour les XXVIe olympiades qui célèbrent également le centenaire du mouvement olympique moderne. Ouverture le 19 juillet 1996 ; fermeture le 4 août. Les compétitions dans les 26 disciplines olympiques seront réparties entre trois grands centres : l'Olympic Ring, dans le centre d'Atlanta, l'Olympic Park, à Stone Mountain, et Savannah pour les compétitions nautiques. Traditionnellement éloignées du centre névralgique des Jeux, celles-ci se dérouleront sur un plan d'eau situé dans les terres, mais en liaison directe avec l'océan. De nouvelles règles —parcours plus petits, manches moins longues, remaniement des séries— et pour la première fois une réelle volonté de médiatiser ces parentes pauvres des Jeux marquent ce centenaire. **Pour en savoir plus :** adressez-vous à l'*Atlanta Committee for the Olympic Games, P.O. Box 1996 Atlanta GA 30301* ou ☎ *404-224-1996.* **The Olympic Experience** *(au coin de Peachtree St. et de Upper Alabama dans Underground Atlanta ; ouv. lun.-sam. de 9 h 30 à 21 h 30 ; dim. de 12 h à 18 h : pour acheter un souvenir des J.O.*

dise **Mart** (92 m de haut) et le **Hyatt Regency Hotel** qui fut en 1967 le premier édifice à s'ouvrir sur un atrium central de 23 étages (au sommet, un autre restaurant panoramique tournant). Sur Harris St., le **Marriott** est lui aussi remarquable.

Plus haut sur l'avenue (à 1,5 km env.) s'élève le Fox Theater.

Le **Fox Theater** *(au n° 660 ; métro : MARTA, arrêt North Ave. ; vis. lun. jeu. sam. ; Preservation Center : ☎ 876-2041).* — Cet édifice étonnant fut construit après la découverte de la tombe de Toutankhamon en 1922, à une époque de réelle frénésie pour l'art égyptien. À l'occasion d'un concert ou d'une représentation théâtrale, vous verrez à l'intérieur la cour mauresque, avec son plafond d'étoiles, de couchers de soleil et de nuages pastel.

Au **n° 695,** le **Georgia Terrace Hotel** où furent accueillis Vivien Leigh, Clark Gable et Olivia de Havilland pour la première d'*Autant en emporte le vent*, en 1939. L'hôtel abrite le **Road to Tara Museum** *(lun.-sam. 10 h-17 h., dim. 13 h-17 h).*

● La **maison de Margaret Mitchell** *(au coin des Peachtree et 10th Sts) :* le berceau d'*Autant en emporte le vent.*

*En continuant quelques miles, vous arriverez au **High Museum of Art** (1280 Peachtree St., MARTA arrêt Arts Center, → prom. 4).*

■ 2. — Martin Luther King Memorial*

Atlanta possède aussi son chemin de la liberté : le quartier où naquit Martin Luther King. Si la tombe du prédicateur est présentée, d'une façon un peu ridicule, au milieu d'un bassin, sa maison natale ainsi que les villas en bois début de siècle qui l'entourent témoignent du temps où Atlanta n'était qu'une aimable petite ville de province. On y respirera donc avec nostalgie une ambiance début de siècle en même temps que l'on fera connaissance avec un personnage historique hors du commun. Le tout en jouissant d'un point de vue élevé sur l'actuelle Atlanta.

*Accès : Le Martin Luther King Memorial est situé un peu à l'E. de Downtown. Le mieux est d'y aller en métro : **MARTA,** arrêt Five Points puis prendre le bus n° 3 ou arrêt King Memorial.*

● **Ebenezer Baptist Church** *(407 Auburn Ave. hors plan B2 ; bonne musique gospel le dim. à 7 h 15 et 10 h 15).* — Le père de Martin Luther King en était le révérend, et Martin Luther King y donna son premier sermon à l'âge de 17 ans. C'est là aussi que sa mère fut assassinée en 1974 alors qu'elle s'asseyait à l'orgue. Au-delà de l'enseignement purement religieux, l'église se voua à faire évoluer la situation des Noirs et à les soutenir dans leur combat social.

Près de trois millions de pèlerins se rendent chaque année, à côté, sur la **tombe de Martin Luther King.** Posée au milieu d'un plan d'eau, elle porte inscrits ces vers : « Libre enfin, libre enfin, merci Dieu tout-puissant, Je suis libre enfin. » Le bâtiment de briques jaunes avoisinant abrite l'**Institute for Nonviolent Social Change,** fondé en 1968 et présidé par sa veuve, Coretta Scott King. Vous trouverez toutes les informations sur le célèbre prédicateur au **Martin Luther King Center** *(449 Auburn Ave., ☎ 524-1956).*

● **La maison natale de Martin Luther King**** *(501 Auburn Ave. ; ouv. t.l.j.).* — Martin Luther King naquit le 15 juillet 1929 à midi dans cette maison simple et charmante, avec son petit jardin et son escalier extérieur. Le quartier de l'avenue Auburn, où étaient venus s'établir nombre d'anciens esclaves, était très dynamique ; hommes d'affaires, professeurs, docteurs, tailleurs et même paysans y cohabitaient parfaitement. On le surnomma donc « Sweet Auburn », le maire, Maynard Jackson, aimant à dire que Sweet Auburn avait offert aux Noirs « The Three B's : Bucks, Ballots and Books » (« les trois B : le droit de contester, de voter et de lire »). Peu à peu, le quartier s'est appauvri ; des travaux de réhabilitation sont en cours.

• Voir aussi, sur **Sweet Auburn : nos 427-488**, des maisons victoriennes construites pour les travailleurs de l'Empire Mill Company ; on les a baptisées « shotgun » car, d'après la légende, une balle de fusil pouvait entrer par la porte et ressortir par la fenêtre sans rien abîmer. Au **n° 522**, la maison Bryant-Graves, où vécut le révérend Peter James Bryant, éditeur du journal *Voice of the Negro*.

« J'ai fait un rêve... »

Le célèbre rêveur noir de la grande marche pour les droits civiques d'août 1963 figure depuis 1984 au panthéon d'une Amérique majoritairement blanche : le troisième lundi de janvier, jour de congé national, honore la mémoire de Martin Luther King, prix Nobel de la paix en 1964.

L'apôtre de la non-violence. — Martin Luther King naît en 1929 à Atlanta, l'un des principaux fiefs de la ségrégation raciale. Suivant l'exemple de son père, il est ordonné pasteur baptiste à 19 ans et étudie la théologie jusqu'à 27 ans. C'est à Montgomery (Alabama), en 1955, qu'il prend la tête de la lutte contre la discrimination à la suite d'un simple fait divers : l'arrestation de Rosa Parks, qui refusait de céder sa place à un Blanc dans un autobus. En réaction, les Noirs organisèrent le boycott des transports publics pendant plus d'un an et obtinrent leur première victoire. En 1960, King revient à Atlanta, en tant que co-pasteur de l'Ebenezer Baptist Church.

La lutte le politise. — Pratiquant la désobéissance civile devant ce qu'il appelle « les lois immorales », il est condamné à quatre mois de prison pour être entré dans un magasin interdit. Son emprisonnement devient un des points de cristallisation dans la lutte électorale entre J. F. Kennedy (qui le soutient) et

R. Nixon. Les années suivantes, Martin Luther King multiplie les boycotts à Albany en Géorgie et à Birmingham en Alabama. Les réponses des autorités sont violentes : il est de nouveau emprisonné.

La Marche de la liberté. — En août 1963, 250 000 personnes de toutes races et religions marchent sur Washington. King électrise la foule avec son fameux discours : « J'ai fait un rêve. J'ai rêvé qu'un jour sur les collines rouges de Géorgie les enfants des anciens esclaves et ceux des anciens propriétaires d'esclaves s'assiéraient ensemble à la table de la fraternité. »

La radicalisation du conflit. — Les années 1964 et 1965 voient se réaliser l'essentiel du programme d'intégration politique de Martin Luther King : Johnson signe les décrets sur les droits civiques puis sur le droit de vote des Noirs. Mais l'action de Martin Luther King ne suffit pas aux jeunes partisans du Black Power. La lutte se radicalise.

Martin Luther King est assassiné le 4 avril 1968, à Memphis, alors qu'il soutient une grève des travailleurs de la santé. Sa mort entraîne immédiatement une vague de violence : de graves émeutes éclatent dans les quartiers noirs des grandes villes. Le sens de son combat est rappelé par le président Johnson, qui signe, une semaine plus tard, la dernière loi sur les droits civiques.

▶ À voir aussi sur **Sweet Auburn** : le n° 184, le **Royal Peacock Club**, où se sont produits Cab Calloway, Louis Armstrong, Aretha Franklin. Le n° 148, qui fut le siège de l'**Atlanta Life Insurance Company** (aujourd'hui dans un bâtiment moderne au n° 100), l'une des plus grandes compagnies d'assurances possédées par des Noirs ; elle se développa à partir d'une société d'aide mutuelle créée par l'Église baptiste de Wheat Church. ◀

■ 3. — CNN Center

Dans les années 90, le mythe CNN est vivace. La chaîne a couvert la libération de Mandela, la guerre du Golfe, et son fondateur, Ted Turner, a épousé la toujours séduisante Jane Fonda (à savoir : Ted Turner est en train de vendre CNN à Time Warner). On comprend que les visiteurs soient nombreux à se presser au siège de CNN, même si la visite est décevante. Comment lutter contre un mythe ? On en profitera donc pour jeter un coup d'œil au dôme et à l'Omni Coliseum, où se dérouleront certaines des compétitions des J.O. de 1996.

Accès : MARTA, arrêt Omni Station.

● **Le dôme** (*pas de visites*). — Rayé de rose, ce nouveau stade de 70 000 places est le nid des *Falcons*. Son toit seul pèse 68 t, son système d'air conditionné pourrait rafraîchir 1 666 maisons et il a coûté 210 millions de dollars. Le Super Bowl s'y est déroulé et en 1996, pendant les J.O., il accueillera le basket-ball et la gymnastique.

● **Georgia World Congress Center** (*285 International Blvd. ; plan A1*). — Ennuyeux comme un centre de congrès, il accueille pourtant chaque année des milliers d'hommes d'affaires.

● **CNN Complex** (*100 International Blvd. ; vis. guidées entre 9 h et 18 h t.l.j. sf fêtes.* ☎ *827-1500*). — Lorsque le 1ᵉʳ juin 1980, la première chaîne d'informations télévisées 24 h sur 24 commence à diffuser, elle est accueillie dans l'indifférence générale. Elle atteint alors 1,7 million de foyers. Quinze ans plus tard, elle en touche 130 millions, simplement aux États-Unis, et possède 28 bureaux dans le monde. En 1992, son fondateur, Ted Turner, a été sacré homme de l'année par *Time*. TBS (Turner Broadcasting System) et CNN (Cable News Network) emploient 5 000 personnes, dont la moitié dans cet immeuble moderne d'Atlanta. On peut voir les studios et surtout les fameux bureaux des Headline News, mais la visite, très encadrée, est un peu décevante ; on assiste à la préparation du journal derrière des baies vitrées.

■ 4. — Les musées

● **Le High Museum of Art**** (*1280 Peachtree St. au N.-E. ; ouv. mar.-sam. 10 h-22 h, dim. 12 h-17 h ; MARTA, arrêt Arts Center*) expose des peintures de la Renaissance et des sculptures de la célèbre collection Kress, des toiles modernes et impressionnistes ainsi que des collections africaines et d'éblouissantes pièces de mobilier rococo. Avec sa blancheur, ses grandes verrières et ses plans inclinés qui rappellent le Guggenheim de New York, c'est un beau musée calme et lumineux. Richard Meier, l'architecte, a pris soin de lui conserver une qualité d'intimité en favorisant les décrochements, en creusant les volumes et en multipliant les points de vue intérieurs.

La **collection Kress*** comprend beaucoup d'œuvres italiennes, notamment de l'école vénitienne.

Perugino (1445/50-1523) : *Pietà**, séduisante par la finesse de trait des visages. **Giovanni Bellini** : *Madone à l'Enfant*** (env. 1510), une composition épurée et équilibrée pour une œuvre typique des peintures sacrées sur fond de paysage. **Romanino** (1484-1559) : *Vierge à l'Enfant entourée de saint Jacques le Majeur et de saint Jérôme** : une peinture religieuse plus classique et plus conformiste que les précédentes. **Véronèse** : *Repos lors de la fuite en Égypte**. La *Crucifixion*** d'**Annibal Carrache** (1560-1609) faisait autrefois partie des collections du Régent (1715-1723) : c'est une composition dramatique aux effets de clair-obscur, une toile étonnante dans l'œuvre de l'artiste habituellement plus académique. **Sebastiano Ricci** (1659-1734) : *Bataille des Lapithes et des Centaures* (env. 1705), fluidité et élégance dans une œuvre qui anticipe le style rococo. **Giovanni Battista Tiepolo** : *Prêtresses faisant des offrandes à Junon**, œuvre qui faisait partie des quatre toiles peintes entre 1745 et 1750 destinées au Palazzo Barbaro de Venise.

La collection s'est agrandie d'acquisitions du XVIIᵉ s. flamand, parmi lesquelles *Paris et Oenone*, de Pieter Lastman (1610).

Parmi les œuvres françaises : Girodet, les *Funérailles d'Atala* (1767-1824) et Eugène Fromentin (1820-1876), *Arabes sur le chemin du pâturage*.

Intéressantes **toiles américaines** du début du siècle, parmi lesquelles George Bellows, *Anne* (1915) : Anne, qui était la fille de l'artiste, lui réclamait 25 cents par heure de pose.

Parmi les **œuvres du XXᵉ s.,** il ne faut pas manquer : *l'Arbre de vie*, de Max Ernst ; *Fabriques*, de Fernand Léger ; *Tête de jeune femme*, d'Henri Laurens ; des toiles de Mark Rothko, de Robert Rauschenberg et de Frank Stella.

● **Robert W. Woodruff Arts Center** *(1280 Peachtree St. au N.-E. ; métro MARTA, arrêt Arts Center).* — Ouvert en 1968, ce centre culturel fut érigé en souvenir des 122 membres de l'Atlanta Art Association tués lors d'une catastrophe aérienne à Paris, en 1962. Il abrite notamment l'Alliance Theater et l'orchestre symphonique de la ville (salle de concerts, 1 848 places) ainsi qu'une école des beaux-arts. Des expositions y présentent régulièrement les talents de demain.

● **Emory Museum of Art and Archaeology** *(Michael C. Carlos Hall, 571 South Kilgo circle ; métro MARTA, arrêt Arts Center puis bus n° 36 ; ouv. lun.-sam. 10 h-17 h, dim. 12 h-17 h).* — À 8 km env. au N.-E. du Civic Center, au cœur du campus de l'Emory University, ce musée abrite des collections d'art du Proche et de l'Extrême-Orient, d'art africain et indien et une collection d'animalcules du S.-E. des États-Unis.

● **Fernbank Science Center-Planetarium** *(156 Heaton Park Drive N.-E. ; métro MARTA, arrêt Decatur puis bus n° 123 ; heures d'ouv. variables ☎ 378-4311),* dans la banlieue E. d'Atlanta, au milieu d'un parc boisé.

● **Fernbank Museum of Natural History** *(767 Clifton Rd N.-E. ; métro MARTA, arrêt North Ave. puis bus n° 2 ; ☎ 378-0127)* s'affirme comme le plus grand musée de sciences naturelles au sud de Washington. Les adultes apprécieront le Harris Naturalist Center, consacré à la recherche scientifique et à l'équipement de laboratoire, et l'exposition prospective *Into The Future.* Les enfants seront à la fête dans la Fantasy Forest, destinée aux 3 à 5 ans, ou dans la Georgia Adventure, qui donnera des émotions aux 6-10 ans.

• **Jimmy Carter Library and Museum** *(1 Copenhill Ave. ; métro : MARTA, arrêt Five Points Station puis bus n° 16 ; ouv. lun.-sam. 9 h-16 h 45, dim. 12 h-16 h 45)*. — Depuis les accords de Camp David jusqu'aux combats pour la démocratisation du tiers-monde, l'itinéraire d'un président méchamment surnommé le « marchand de cacahuètes »... Sans doute l'occasion de s'en faire une idée plus juste.

■ 5. — De l'Atlanta History Center** à Wren's Nest

Nous avons réuni ici les sites un peu plus éloignés du centre de la ville. Ne cherchez pas à les voir tous ensemble, mais faites plutôt un choix.

• **Atlanta History Center**** *(3101 Andrews Drive au N.-O. ; métro : MARTA, arrêt Lenox puis bus n° 40 ; ouv. lun.-sam. 10 h-17 h 30, dim. 12 h-17 h 30)*. — Dans une forêt de pins, de magnolias, de chênes et de buis, se nichent les derniers souvenirs de l'Atlanta Ante Bellum (d'avant la guerre de Sécession). Entourées de jardins de menthe et de roses trémières —et même d'un petit champ de coton—, irriguées par un ruisselet, deux demeures historiques, Tullie Smith House et Swan House, témoignent du temps jadis.

Tullie Smith House. — C'est une simple maison de planteurs de coton, tout en bois, construite en 1835. Un guide, vêtu à l'ancienne, explique tout du tissage, du cardage et autres activités des grands-mères du Sud.

Swan House *(Vis. guidées de 10 h à 16 h t. l. 1/2 h)*. — Changement d'échelle avec ce vrai palais construit en 1932 dans le style classique que les Géorgiens nomment « palladien ». Les cygnes, emblème de la Swan House, se répètent à l'infini dans la décoration raffinée conçue par l'épouse du propriétaire, Mrs. Edward H. Inman.

Ne manquez pas : le passionnant **musée de la guerre civile** *(près du parking)*. Une exposition est aussi consacrée au tournage d'*Autant en emporte le vent*. À l'entrée du parc, un **pavillon** abrite une bibliothèque et une boutique.

Au-delà du parc, Peachtree St. devient Peachtree Rd. et atteint **Buckhead**, centre animé avec des restaurants, à la limite d'un luxueux quartier résidentiel.

• **Grant Park** *(Cherokee Ave. au S.E. ; métro : MARTA, arrêt Five Points puis bus n° 31, 97, ou 32 ; cyclorama ouv. t.l.j. 9 h 30-17 h 30 en été, 16 h 30 en hiver)*. — Au centre du plus beau parc d'Atlanta, le **cyclorama***, fresque circulaire de 15 m de haut et de 122 m de long, représente la bataille d'Atlanta le 22 juillet 1864. L'effet tridimensionnel est renforcé par l'adjonction d'arbres et de buissons. Dans le même bâtiment se trouve un musée également consacré à la bataille d'Atlanta. Au sous-sol, on verra la locomotive *Texas* mise en service pour le « St Andrews Raid » (12 avril 1862), et qui fonctionna jusqu'en 1907. Toujours dans Grant Park, **Fort Walker** a conservé les canons de la guerre civile ; on peut visiter aussi le **jardin zoologique** et avoir du belvédère une vue plongeante sur la capitale de la Géorgie.

• **Wren's Nest** *(1050 R.D. Abernathy Blvd. ; métro : MARTA, arrêt West End puis bus n° 71 ; ouv. mar.-sam. 10 h-16 h, dim. 13 h-16 h)*. — À 3 km

Gone with the wind

C'est près d'un demi-siècle après la bataille d'Atlanta que Margaret Mitchell connut l'une de ces émotions qui forgent les grands destins. « J'avais douze ans, raconte-t-elle, lorsque j'ai compris que le Sud avait perdu la guerre, et je n'ai jamais autant pleuré de ma vie. » Cette petite fille sensible n'aura de cesse que de retrouver cette Atlanta de rêve qu'elle réinventera en écrivant *Autant en emporte le vent*. Avec elle, des millions de lecteurs revivront l'histoire du Sud et la blessure d'un pays marqué par cette rupture nationale.
En 1936, Hollywood découvre Atlanta et son héroïne, Scarlett O'Hara. Pas moins de trois metteurs en scène (George Cukor, Victor Fleming, Sam Wood) et de 2 400 figurants seront nécessaires pour réaliser cette fantastique épopée. La majorité des scènes furent tournées dans les studios de Selznick, baptisés « Forty Acres », mais il fallait les débarrasser des décors de *King Kong* et du *Roi des Rois*. Le directeur artistique eut alors l'idée de les brûler pendant que l'on tournerait l'incendie d'Atlanta : ainsi, le 10 décembre 1938, 27 *cameramen* s'activèrent pendant une heure et demie alors que des centaines de voisins affolés appelaient les pompiers...

de l'Atlanta Stadium, la désuète maison de Joël Chandler Harris (1848-1908), rend hommage à ce délicieux auteur des *Histoires de l'oncle Remus*, légendes qui ont fait le bonheur des bambins américains.

• **Piedmont Park** ou le Jardin des Merveilles *(Park Drive ; métro : MARTA, arrêt Arts Center puis bus n° 36 direction North Decatur ; ouv. mar.-dim. 9 h-18 h, et jusqu'à 19 h en été).* — À l'exemple de plusieurs parcs américains, ce **jardin botanique** est très varié : on y traversera aussi bien un désert aride qu'une jungle luxuriante, des jardins japonais qu'une roseraie. En saison, expositions de roses, de camélias et de bonzaïs.

■ Environs d'Atlanta

• **Stone Mountain Memorial State Park*** *(à env. 19 mi/30 km du centre vers Athens par l'US 78 ; métro : MARTA, arrêt Avondale puis bus n° 120 ; dernier retour du parc à 19 h 30 ; attractions ouv. 10 h-17 h 30, jusqu'à 21 h en été).* — Le plus grand bloc de granit du monde (8 km de circonférence et 263 m à son sommet) domine un parc de 13 km² érigé à la mémoire des soldats confédérés tombés pendant la guerre de Sécession. Sur le versant E. de Stone Mountain un bas-relief de 24 m sur 55 représente les chefs de la confédération, le président Jefferson Davis et les généraux « Stonewall » : Jackson et Robert E. Lee, ce dernier portant une épée de 15 m.

Dans le parc, une **plantation** d'avant-guerre reconstitue 19 bâtiments d'un domaine antérieur à la guerre civile : maisons d'habitation, logements des esclaves, différentes dépendances... L'atmosphère est plutôt familiale que commémorative : le Stone Mountain Park est d'abord un grand **parc d'attractions** présentant entre autres le Game Ranch, une réserve de cervidés dans le bois ; l'Antique Auto and Music Museum ; un clocher de 13 étages comprenant 732 cloches amplifiées électriquement (l'après-midi, carillons) ; une exposition

Industries of the Old South sur les débuts de l'industrie dans le Sud ; des moulins à céréales, des pressoirs à jus et à arachides ; un Confederate Hall ; une carte en relief *War in Georgia*, et une reconstitution de la bataille d'Atlanta à l'aide d'effets sonores et lumineux.

Un **téléphérique** mène en haut du dôme de Stone Mountain, où l'on trouve un belvédère.

En été, un **train** fait le tour de la masse granitique.

Sur le flanc E. de la Stone Mountain s'étend un grand **bassin** de retenue circulaire. Les soirs d'été, concerts et *laser show* projeté sur le flanc de la montagne.

● **Dahlonega** *(à 64 mi/102 km au N.-E. par l'US 19).* — C'est là que l'on découvrit de l'or en 1828 : deux musées dont le **Gold Museum State Historic Site**. À 6 mi/10 km au Sud, la ville fantôme d'**Auraria** (parties de mines intactes) ; au N.-O. se trouve Chattahoochee National Forest, région forestière des Blue Ridge Mountains (cascades).

● **Etowah Mounds*** *(Etowah Valley, au N.-O. d'Atlanta, à 8 mi/12 km au S.-E. de Cartersville par l'US 411 ; musée ouv. mar.-dim.)* : ces tumulus comprennent six pyramides indiennes en terre, réparties en deux groupes (1000-1500 apr. J.-C.).

● **Macon** *(82 mi/132 km au S.-E. par l'Interstate 75).* — Centre économique et culturel prospère dans une région productrice de kaolin, Macon est située sur l'Ocmulgee River. La ville abrite quelques édifices anciens du XIXe s. : l'opéra (1884), le City Hall (1936), ainsi que la maison natale du poète Sydney Lanier (1842-1881). Hay House (1855) est une belle demeure qui abrite des antiquités *(934 Georgia Ave. ; f. lun.).* À 2 mi/3 km E., l'**Ocmulgee National Monument*** *(ouv. t.l.j. 9 h-17 h)* est un champ de fouilles sur le site d'une colonie indienne habitée de 8000 av. J.-C. à 1717 ; plusieurs tumulus (mounds).

Et des hommes sortirent des entrailles de la terre…

Au commencement du monde, l'Écrevisse porta un peu de boue hors des eaux. En battant des ailes, la Buse la sécha, et ce fut la terre ; lorsque, fatiguée, elle rabattit ses ailes, elle créa les collines et les vallées. Les premiers Indiens sortirent alors des entrailles de la terre. Ils vécurent d'abord en petits groupes, isolés par un brouillard épais. Un jour, le vent d'E. souffla et dispersa le brouillard : les premiers à voir clair et à distinguer enfin la végétation prirent le nom de *Wind clan* (« le clan du Vent ») ; les autres groupes, qui émergeaient progressivement du brouillard, choisirent chacun le nom du premier animal qu'ils aperçurent.

Ainsi, les Indiens s'installèrent à Etowah, de 1200 apr. J.-C jusqu'à la fin du XVe s. Ils ensevelissaient leurs morts, accompagnés des statues de leurs ancêtres, dans de grands tumulus en terre sur la plate-forme de laquelle s'élevaient des temples mortuaires : c'est par ces constructions que nous les connaissons.

Un jour, les statues se brisèrent au cours de la mise au tombeau. Ce fut une catastrophe : le cycle des cérémonies funéraires fut stoppé. Les Indiens qui vécurent là encore pendant deux siècles laissèrent les temples sacrés se dégrader. En 1818, lorsque les Blancs découvrirent ces tumulus, les Indiens n'avaient plus aucune idée de leur signification.

● **Augusta** *(151 mi/243 km à l'E. par l'Interstate 20)* a été fondée en 1735 au bord de la Savannah par laquelle pouvait être exporté le tabac ; la ville, aujourd'hui plus tournée vers le coton, a conservé plusieurs maisons anciennes de la fin du XVIIIe et du début du XIXe s.

● **Washington*** *(à 109 mi/175 km à l'E. par l'US 78, via Athens)* : très représentative de la Géorgie coloniale, Washington fut la première des villes américaines (dès 1773) à porter ce nom. C'est là que se tint en 1865 le dernier cabinet ministériel de la confédération. De ce passé elle a gardé de nombreuses maisons de la première moitié du XIXᵉ s.

Caroline du Nord : la côte et les Outer Banks*

Situation : de Kill Devil Hills (au N. des Outer Banks) à Wilmington, sur la côte.
À voir aussi dans la région : Charleston**, Raleigh ; dans le Mid Atlantic : Norfolk.

Un long ruban de bancs de sable s'étend depuis le S. de la Virginie jusqu'à Cape Lookout. Surnommés le « cimetière de l'Atlantique », les Outer Banks ont de tout temps constitué une menace pour les navires s'aventurant dans la région. Pendant longtemps la beauté naturelle et sauvage des différentes îles a été préservée par les difficultés d'accès, et seules quelques familles de pêcheurs et de nombreux oiseaux qui venaient ici se reproduire l'habitaient. Aujourd'hui reliées entre elles par des ponts et des *ferries*, elles attirent des touristes toujours plus nombreux, alléchés par leurs 112 km de plages de sable fin.

■ Visiter les Outer Banks

*Accès : commencez de préférence votre visite par **Kill Devil Hills** au N.-E. de la Caroline du Nord (à env. 85 mi/137 km au S. de Norfolk).*

Hébergement : → Carnet d'adresses ; également motels à Kill Devil, Nags Head et Ocracoke.

Saison : Si vous voyagez en hiver, prenez garde à la météo ; les tempêtes qui s'abattent sur la région sont dévastatrices. Les routes et les ponts deviennent alors inaccessibles.

Durée : Prévoyez au moins deux jours pour une visite complète car vous devrez souvent attendre le ferry qui relie les îles.

■ Les Outer Banks

● **Kill Devil Hills** *(sur l'US 158 ; à env. 85 mi/137 km au S. de Norfolk)* ne présente pas beaucoup d'intérêt mais l'exploit des frères Wright en 1903 l'a élevée au rang de ville historique. C'est en effet d'ici, à Kitty Hawk, que Wilbur et Orville Wright s'envolèrent en décembre 1903. Le Wright Brothers National Memorial, monument en granit en forme d'avion, célèbre cette aventure. On peut y admirer la réplique du *Flyer*, l'appareil des deux frères. À quelques miles au S., **Jockey's Ridge State Park** possède la plus grande dune de sable fin de la côte E.

● **Roanoke Island,** accessible par l'US 158 puis l'US 64 ; On y verra le **Elizabeth II Historic Site** et le **Fort Raleigh** *(ouv. sep.-mai 9 h-17 h ; juil.-août t.l.j. 9 h-20 h, dim. 9 h-18 h),* une reconstitution de ce que l'on pense avoir été le premier fort de Caroline, fondé par des colons anglais en 1584 que l'on n'a jamais revu.

● **Pea Island National Wildlife Refuge** *(ouv. avril-nov t.l.j. 8h-16h)*, situé sur la NC 12, entre Oregon Inlet et Rodanthe, est composé d'une cinquantaine d'hectares de marais ; réserve naturelle.

● **Cape Hatteras***, toujours sur la NC 12, est une bande de terre de 112 km de long qui protège la baie de Pamlico. Ses longues plages de sable sont restées sauvages et de nombreuses espèces d'oiseaux viennent s'y reproduire. À l'extrême S. de l'île, vous pourrez prendre le *ferry* pour Ocracoke.

● **Ocracoke Island** fut tellement coupée du monde que ses habitants conservèrent longtemps leurs anciennes coutumes. L'île est aujourd'hui envahie par les touristes qui peuvent trouver autour du port, où le célèbre pirate Blackbeard mourut en 1718, un complexe composé de restaurants, d'hôtels et de magasins en tout genre.

● **Cape Lookout National Seashore :** 88 km de marais et de plages sans habitations ni voies de communication *(accès en ferry depuis Cedar Island, sur la côte ; prévoir du matériel de camping)*.

■ La côte de Caroline

● **Beaufort*** *(en face de Cape Lookout ; 150 mi/240 au S.-E. de Raleigh)* est une ravissante petite ville du bord de mer. Son principal avantage est d'être à quelques miles de longues plages de sable comme Bogue Bank ou Atlantic Beach.

● **Wilmington** *(134 mi/214 km au S. de Raleigh).* — Le premier port de l'État a conservé quelques demeures intéressantes parmi lesquelles on retiendra particulièrement : la **Burgwin-Wright House** (1771) qui servit à Cornwallis de quartier général en 1781 (musée), la **Zebulon Latimer House** (1852) et la **Governor Dudley Mansion** (env. 1825).

Charleston**

---

80 400 hab. ; fuseau horaire : Eastern time.
Situation : *Caroline du Sud, sur l'océan Atlantique ; à 105 mi/169 km au N.-E. de Savannah.*
À voir aussi dans la région : *Atlanta*, Caroline du Nord : la côte et les Outer Banks*, Columbia, Savannah**.*

La plus élégante des villes américaines est une cité aux teintes pastel, à la silhouette brisée par les flèches et les clochers de plus de 180 églises. Se promener dans ses rues, c'est aller à la rencontre de l'histoire. Fière de son passé, Charleston s'enorgueillit en effet de posséder plus de 1 500 monuments historiques. Mais ce sont surtout ses maisons, très harmonieuses avec leurs magnifiques jardins, qui lui confèrent un charme particulier, tandis que les grandes plantations des environs témoignent de sa lointaine opulence. Bénéficiant d'une implantation géographique exceptionnelle, Charleston offre également une côte bordée de plages et morcelée d'îles à la végétation luxuriante.

Des fous du volant
sur une drôle de machine

Clément Ader fut le premier à s'envoler dans un engin à moteur, qu'il baptisa «avion». Mais ce sont les frères Wright qui, les premiers, décollèrent et se propulsèrent dans un appareil plus lourd que l'air.

■ L'épopée de deux vendeurs de bicyclettes

Cette conquête du ciel commence au mois de mai 1900, quand Wilbur et Orville Wright, vendeurs et réparateurs de bicyclettes à Dayton, prennent contact avec Octave Chanute, un ingénieur d'origine française qui a fait paraître aux États-Unis un livre sur les «machines» volantes. C'est avec son aide et les travaux de précurseurs comme Lilienthal, que les Wright mettent au point leur premier planeur en octobre 1900, à Kitty Hawk mais les essais se soldent par des échecs.

Le Flyer des frères Wright

L'exemplaire original du Flyer de 1903 est exposé au National Air and Space Museum de Washington.

■ L'envol de deux pionniers

Les modestes réparateurs de bicyclettes décident alors de construire selon leurs propres calculs le *Flyer*, machine volante sur laquelle ils montent un moteur de 16 chevaux. L'exploit a lieu sur les dunes de Kitty Hawk, le 17 décembre 1903. Ce jour-là, les Wright accomplissent quatre envolées, la plus longue durant 59 secondes et frôlant les 300 mètres. C'est la première fois que décolle sur une longue distance un appareil plus lourd que l'air, propulsé par un moteur.

Les deux frères ne s'arrêtent pas là: en 1904, ils réussissent le premier virage dans les airs et, en 1905, volent sur près de 40 km. Deux ans plus tard, ils font une tournée triomphale en Europe et se lancent dans le montage de filiales pour la construction de leurs avions. En 1908, ils signent un contrat avec le Département américain de la Guerre.

■ Charleston dans l'histoire

Charles Towne. — Fondée en 1670, la première colonie permanente de Caroline est baptisée Charles Towne en l'honneur de Charles II d'Angleterre. Immédiatement, elle acquiert son visage aristocratique avec l'établissement d'une aristocratie nobiliaire —exemple unique aux États-Unis qui ne durera toutefois qu'une cinquantaine d'années. Dès 1680, la colonie émigre de l'autre côté de l'Ashley River pour occuper le confluent de l'Ashley et de la Cooper River ; sa population augmente de nouveaux arrivants : Écossais, Irlandais, Allemands, huguenots français, mais aussi immigrants originaires des Antilles et de Virginie. À la veille de la guerre d'Indépendance, Charleston est l'un des principaux ports maritimes de la côte américaine. Elle pratique le commerce du riz et de l'indigo issus des grandes plantations alentours, mais également celui des esclaves. Charleston perd toutefois, en 1790, son titre de capitale de Caroline du Sud, au profit de Columbia.

Le temps des sécessions. — Au lendemain de l'élection de Lincoln, en décembre 1860, le congrès national qui se tient à Charleston décide du retrait de l'Union de la Caroline du Sud. Un exemple qui sera suivi par plusieurs autres États sudistes. La prise de Fort Sumter par les troupes confédérées en avril 1861 donne le coup d'envoi aux hostilités entre le N. et le S. Assiégée, la ville résiste aux forces de l'Union et engage même dans une bataille navale le premier sous-marin jamais utilisé : le *Hunley*. Elle ne capitulera qu'après son bombar-

Un paradis pas si tranquille...

Avec ses airs de paradis terrestre, la Caroline du Sud peut se targuer de l'une des histoires les plus mouvementées des treize colonies. Dès 1693, elle entre en conflit avec l'administration coloniale anglaise qui la punit de la façon la plus radicale en refusant, en 1715, de venir à son secours au cours de la guerre contre les Indiens yamassees.

Cela n'empêchera pas la colonie de progresser tout en réglant à la fois ses conflits avec les Espagnols (dès 1686), les Français (en 1706), les Cherokees (en 1761) et en matant un soulèvement d'esclaves en 1739. Dans la guerre d'Indépendance, la Caroline du Sud a partagé avec fougue la lutte des treize colonies, et l'on rappelle avec fierté que quelque 140 combats d'intensité et d'ampleur diverses ont été livrés sur son sol. Mais c'est dans la guerre de Sécession que la Caroline du Sud s'est particulièrement distinguée. Elle a été la première à se séparer de l'Union dès 1860. Ce sont aussi ses miliciens qui sont montés à l'attaque du Fort Sumter, à l'entrée du port de Charleston, donnant ainsi le « coup d'envoi » à ce conflit. Un mouvement national commémore d'ailleurs l'événement à Fort Sumter.

dement et son évacuation sous la poussée des hommes de Sherman, en avril 1865.

Une ville historique engagée dans l'avenir. — Fière de son passé historique, Charleston, vit aujourd'hui principalement de son activité portuaire qui s'est considérablement développée après la Seconde Guerre mondiale. Cette activité est complétée par l'implantation d'industries pétrochimiques et l'essor d'une agriculture fortement mécanisée.

■ Visiter Charleston

*Il faut prendre le temps de flâner à Charleston. **Deux jours** sont nécessaires pour explorer la vieille ville et visiter au moins une plantation à proximité. Prévoyez **trois jours**, si vous avez l'intention de vous prélasser sur une plage.*

*Le **Spoleto Festival** attire chaque année des artistes de grand renom durant deux semaines de fin mai à début juin (œuvres symphoniques, musique de chambre, opéras, théâtre, ballets).*

*Commencez votre visite au **Visitor Information Center** (375 Meeting St., ouv. t.l.j. 8 h 30-17 h) : vous y trouverez une foule d'informations utiles.*

■ 1. — En descendant Meeting Street

● **Charleston Museum** *(360 Meeting St., en face du Visitor Center ; ouv. lun.-sam. 9 h-17 h ; dim. 13 h-17 h).* — Fondé en 1773, c'est le plus ancien musée des États-Unis. Une occasion de découvrir l'histoire de Charleston à travers une collection de 500 000 objets : vêtements, meubles, jeux, véhicules, photographies qui retracent la vie de Charleston et de ses habitants. Le musée possède également une collection de diverses pièces d'archéologie et d'anthropologie. Dans le billet d'entrée est incluse la visite de trois maisons à caractère historique : Joseph Manigault Mansion, Aiken-Rhett Mansion et Heyward-Washington House.

● **Joseph Manigault Mansion*** *(350 Meeting St., à côté du musée ; ouv. lun.-sam. 10 h-17 h ; dim. 13 h-17 h).* — Dessinée en 1803 par l'architecte Gabriel Manigault pour son frère Joseph, c'est un bel exemple de style néo-classique avec ses corniches et ses chambranles sculptés. Un majestueux escalier en encorbellement orne le hall d'entrée. La maison est entièrement meublée de pièces d'époque, françaises, anglaises et américaines.

● **Aiken-Rhett Mansion** *(48 Elizabeth St., un peu au N. du musée ; ouv. lun.-sam. 10 h-17 h ; dim. 13 h-17 h).* — À voir dans le cadre de la visite groupée avec le Charleston Museum. Quelques pièces de style néo-grec et rococo. Le général confédéré Beauregard y installa son poste de commandement durant les bombardements de 1864.

● **Old Citadel Building** *(face à Marion Square).* — Construite en 1822 après la tentative de soulèvement des esclaves, elle s'appelait à l'origine l'Arsenal. C'est ici que naquit le grand collège de Caroline du Sud —la Citadelle— actuellement établi sur les bords de l'Ashley River. Aujourd'hui, le bâtiment est un centre administratif.

● **Congregation Beth Elohim** *(90 Hassell St., ouv. lun.-ven. 10 h-12 h).* — En 1794, la communauté juive, installée depuis 1670 à Charleston, y construisit ce qui devait être la deuxième synagogue des États-Unis. Détruite par le feu en 1838, la synagogue fut reconstruite deux ans plus tard dans son style néo-grec actuel.

● **The Confederate Museum** *(188 Meeting St.).* — Dans Market Hall, ce musée, tenu depuis 1898 par les « Filles de la Confédération » fait revivre l'armée confédérée à travers ses drapeaux, épées et uniformes.

● **Old City Market** *(entre East Bay St. et Market Hall, à partir de 9 h 30 jusqu'au soir)* est resté un marché vivant et coloré, où la brocante du marché aux puces en plein air jouxte les étalages de fruits et légumes. On y trouve des paniers tressés dont la fabrication est héritée des traditions des esclaves ouest-africains.

• **Gibbes Museum of Art** *(135 Meeting St., ouv. mar.-sam. 10 h-17 h ; dim. et lun. 13 h-17 h).* — Le musée possède une remarquable collection de miniatures : plus de 300 portraits et surtout de très délicates reproductions d'intérieurs de maisons. Vous y trouverez également d'anciennes vues de Charleston.

• **Old Powder Magazine** *(79 Cumberland St., ouv. lun.-sam. 9 h 30-16 h).* — Édifié en 1713, c'est le plus vieux bâtiment commercial de la ville. On y entreposa les munitions durant la guerre d'Indépendance. On y verra costumes, armes et mobilier du XVIIIe s. Remarquez à l'entrée les deux canons estampillés du sceau du roi Georges III.

■ 2. — Le quartier historique

Le quartier historique reflète le faste et le raffinement des grands propriétaires et marchands du S., enrichis avant la guerre de Sécession dans le commerce du riz, du coton et de l'indigo. Il est situé à l'extrémité de la péninsule, près d'Ashley River.

• **Nathaniel Russell House*** *(51 Meeting St., ouv. lun.-sam. 10 h-17 h ; dim. 14 h-17 h)* est un très beau témoignage de style néo-classique. Construite en 1809, la maison est remarquable pour son étonnant escalier qui s'élève sans support apparent, comme suspendu dans les airs. Les pièces, toutes richement meublées, sont agrémentées de porcelaines de Chine et de pièces d'argenterie.

• **Calhoun Mansion*** *(16 Meeting St., ouv. t.l.j. de 10 h à 16 h).* — Sans doute la plus extravagante des maisons de Charleston, surchargée de moulures et de boiseries. Vous verrez sa fastueuse salle de bal aux lustres de porcelaine peints à la main, et son dôme imposant de plus de 22 m.

• **Edmonston-Alston House*** *(21 East Battery St. ouv. lun.-sam. 10 h-17 h ; dim. 13 h 30-17 h).* — Imposante demeure de style néo-grec, d'où l'on peut jouir d'une très belle vue sur le port. Construite en 1828, la maison a conservé son mobilier d'époque.

En continuant East Battery St., vous traverserez le **Cabbage Row** (ou Cat-

Le riz Caroline

Une légende raconte qu'à la fin du XVIIe s. un navire en provenance de Madagascar, mis à mal par les orages, trouva refuge à Charleston. Les avaries réparées, le capitaine du navire offrit au gouverneur quelques sacs de riz brut. Les colons auraient planté les grains, obtenant spontanément une qualité de riz remarquable. Progressivement, la culture du riz s'est répandue à l'E. du Mississippi et au S. de l'Ohio River, mais la Caroline est restée, pendant près de deux siècles, le plus gros cultivateur des États-Unis, supplantée à la fin du XIXe s. par la Louisiane (à Crowley où se déroule encore chaque année une fête du riz). Le Texas se lança également dans la riziculture. Puis ce fut le tour de l'Arkansas (1905) et de la Californie (1912), aujourd'hui les deux plus gros producteurs.
Si les rizières ont pratiquement disparu en Caroline, le grain qui y poussait était considéré comme le meilleur qui puisse se trouver ; Alexandre Dumas comptait d'ailleurs parmi les amateurs inconditionnels du « riz Caroline », comme on disait alors. Appellation qui ne désigne plus aucune variété particulière mais simplement un riz de qualité supérieure, à grains longs.

Les «élégantes» de Charleston

*A*u premier coup d'œil, les vieilles maisons
de Charleston semblent avoir été construites dans
un même style, très homogène. Et pourtant, à mieux
regarder leurs façades, on verra que souvent le style
georgien côtoie le néo-grec ou le néo-classique.

■ Une architecture «cosmopolite»…

À cette diversité, plusieurs raisons. Tout d'abord le mélange de population: Anglais, Huguenots français, Juifs se sont établis à Charleston et y ont laissé l'empreinte de leur propre culture. Les premiers colons anglais, venant de la Barbade et des autres îles des Caraïbes, ont transposé le style de leurs maisons, parfaitement adapté à un climat chaud et humide. Des plafonds hauts, des pièces prolongées par des galeries s'ouvrant aux brises marines témoignent d'une quête permanente de fraîcheur.

■ …et préventive

Mais la variété des styles résulte aussi des nombreuses reconstructions qui ont suivi les catastrophes naturelles dont la ville fut victime. En 1740, 300 maisons furent ravagées par le feu, tandis que le cyclone de 1752 en détruisit 500. Mitoyennes à l'origine, comme le voulait la tradition européenne, les maisons furent reconstruites en préservant des espaces entre elles, de façon à enrayer la propagation des sinistres.

Maison du quartier historique

Le régime d'imposition de la Couronne d'Angleterre établissait des taxes proportionnelles à la largeur des façades. Les maisons furent donc construites de façon à ne présenter sur rue que leur façade la plus étroite.

fish Row), un ensemble de ravissantes maisons qui inspira à Dubose Heyward le décor de sa nouvelle « Porgy », dont George Gershwin tira son célèbre opéra noir *Porgy and Bess* (1935).

● **White Point Gardens** *(le long d'Ashley River).* — Au bout d'East Battery St., près de l'ancienne batterie pillée autrefois par les pirates, White Point Gardens est un jardin tranquille, ombragé de chênes. Rafraîchi, même en été, par une brise marine, on peut y jouir d'une large vue sur le port.

● **Heyward Mansion House** *(8 Church St. ; ouv. lun.-sam. 10 h-17 h, dim. 13 h-17 h).* — Sa visite complétera celle du Charleston Museum. Construite pour Daniel Heyward, magnat du riz, elle fut habitée par George Washington en 1791. À l'intérieur se trouve un beau mobilier.

■ 3. — Le port

● **Fort Sumter** *(à partir du port de plaisance, Municipal Marina, 17 Lockwood Blvd. ; plusieurs départs par jour en haute saison).* — Situé à l'entrée du port, là où les rivières Ashley et Cooper rencontrent l'Atlantique, on ne peut y accéder qu'en bateau. C'est ici qu'eut lieu le premier conflit armé de la guerre de Sécession. En avril 1861, la Caroline du Sud, premier État sécessionniste, demanda l'évacuation du fort par les troupes de l'Union (nordistes). Refusant la capitulation, le fort fut pilonné durant trente-quatre heures, et il ne fallut pas moins de 3 000 tonnes de métal pour venir à bout de la résistance des forces de l'Union. Aujourd'hui, Fort Sumter reste un site impressionnant. Classé monument national, il possède un bon musée qui retrace toute son histoire.

● **Patriot's Point*** *(Charleston Harbor, Mount Pleasant par l'US 17 ; ouv. t.l.j. 9 h-17 h).* — Le plus grand musée naval au monde. Vous pourrez y voir le sous-marin *Clamagore*, marcher sur le pont du porte-avions *Yorktown* ou admirer les impressionnants canons du destroyer *Laffey*. Bien d'autres navires y sont encore exposés.

■ Environs de Charleston

● **Les plantations le long de l'Ashley River**

Remontez l'Ashley River par la SC 61 (au N.-O.) ; passé les 20 premiers kilomètres, cette route, la plus jolie de l'arrière-pays, vous mènera au cœur de ce que furent les opulentes plantations d'avant-guerre.

Drayton Hall *(9mi/15km à l'O. par la S 61).* — C'est la seule maison de planteurs sur l'Ashley River à avoir survécu à la guerre d'Indépendance et à la guerre de Sécession. Construite entre 1738 et 1742, dans le plus pur style georgien, elle fut habitée par sept générations de Drayton jusqu'en 1969. N'ayant subi aucune restauration, son aspect est demeuré tel qu'à l'origine, pour le plus grand plaisir des amateurs d'histoire et d'architecture.

Magnolia Plantation and Gardens *(en poursuivant la route sur env. 2 km ; ouv. t.l.j. de 8 h au coucher du soleil, possibilité de promenades nocturnes quand le temps le permet.).* — C'était également la propriété de la famille Drayton. Vous y admirerez, en toute saison, l'explosion de plus de 250 variétés d'azalées et de 900 variétés de camélias. Dans leur partie sauvage, les jardins s'explorent à pied, à bicyclette et même en canoë.

Middleton Place* *(14mi/ 22km au N. par la S 61),* est réputée pour ses jardins paysagés du XVIIIe s. : il ne fallut pas moins du travail de 100 esclaves pendant dix ans, pour réaliser les merveilleuses pelouses descendant doucement en terrasses vers le lac. Les arbres gigantesques font la richesse de l'endroit. En septembre 1989, le cyclone Hugo abattit sur son passage près de 500 d'entre eux, mais beaucoup d'autres ont résisté, et l'on peut toujours admirer le **chêne Middleton** dont la hauteur atteint 27 m et le tronc 9,25 m de diamètre. L'important travail de remise en état effectué aussitôt après la catastrophe a permis d'en effacer les traces. Le domaine fut la propriété d'une grande famille aristocratique du S. : Henry Middleton présida le premier congrès des colonies révoltées, tandis que son fils Arthur signa la déclaration d'Indépendance.

● **Summerville** *(22 mi/35 km au N.-O. par l'Interstate 26).* — Cette pittoresque petite ville fut construite par de riches planteurs qui venaient y chercher en saison chaude un refuge contre la malaria. Les maisons victoriennes possèdent de jolis jardins emplis de glycine, azalées et camélias. Il n'est pas rare d'y voir les rues contourner de hauts pins, une ordonnance locale interdisant en effet de les couper.

● **Cypress Garden** *(24 mi/38 km au N. par l'US 52).* — Le mariage de la forêt et de l'eau sur ce qui fut à l'origine une plantation de riz. Très endommagé par le cyclone Hugo en 1989, Cypress Garden est aujourd'hui entièrement replanté. On le visite en barque.

● **Boone Hall Plantation*** *(10 mi/16 km au N.-E. par l'US 17)* était à l'origine une plantation de coton. Son allée de vieux chênes (les premiers furent plantés en 1743 par Thomas Boone), couverts de mousse espagnole, est l'une des plus majestueuse du S. On peut également y découvrir neuf authentiques cases d'esclaves datant du XVIIIᵉ s. La maison de maître, quant à elle, a été reconstruite dans un style georgien juste avant la Première Guerre mondiale.

● **La côte nord en direction de Myrtle Beach**

Une côte plate et bétonnée, bordée par un ruban de plages.

Sullivans Island *(9 mi/14 km)* **et Isle of Palms** *(12 mi/19 km à l'E. par l'US 17 et la S 703).* — Proches de la ville, les plages de ces deux îles sont un but de week-end apprécié des habitants de Charleston. Il est nécessaire de s'éloigner le plus possible de la ville pour trouver une étendue tranquille. Sur Sullivans Island, on peut visiter **Fort Moultrie** *(ouv. t.l.j. avr.-oct. 9 h-18 h, nov.-mars 9 h-17 h)* ; c'est ici que le colonel Moultrie repoussa la marine de guerre anglaise en 1776, marquant ainsi une victoire décisive de la guerre d'Indépendance ; exposition d'armes, canons et mousquets.

Francis Marion National Forest *(en remontant vers Georgetown par l'US 17)* a été malheureusement très endommagée par le cyclone Hugo en 1989. Au cœur de celle-ci se trouve **Hampton Plantation State Park** *(ouv. lun.-ven. 13 h-16 h, sam. 10 h-15 h, dim. 12 h-15 h),* qui possède un assez beau domaine et une maison néo-classique du XVIIIᵉ s.

Georgetown *(à 59 mi/94 km au N.-E. par l'US 17)* est une vieille ville portuaire près de laquelle débarqua La Fayette, venu soutenir l'indépendance américaine en 1777. Elle compte plusieurs beaux édifices des XVIIIᵉ et XIXᵉ s. et possède un intéressant **musée du riz** *(Front St., lun.-ven. 9 h 30-16 h 30, sam. 10 h-16 h 30, dim. 14 h-16 h 30).*

Myrtle Beach *(93mi/150 km au N.-E. par l'US 17)* est une station balnéaire bruyante et largement bétonnée au centre du gigantesque complexe touristique de **Grand Stand**. Avec ses sept parcs d'attractions, c'est également la « reine du manège ». Des milliers de familles convergent de tout l'E. des États-Unis pour passer ici leurs vacances… Autant vous conseiller de ne pas y aller si vous voulez fuir la foule.

● **Les îles de la côte sud**

Au S. de Charleston, en direction de Savannah, la côte se morcelle en de multiples petites îles marécageuses.

Edisto Island *(à 35 mi/56 km au S.-E. par l'US 17 et la State 174).* — Des marais peuplés d'oiseaux, des chênes moussus et ses plages bordées de palmiers font d'Edisto Island un lieu très prisé pour la baignade. La meilleure plage est celle d'**Edisto Beach State Park** à proximité de laquelle on peut camper.

Beaufort *(à 68 mi/109 km au S. par l'US 17)*, grande ville, très ancrée dans les traditions sudistes, possédant quelques belles vieilles demeures.

St Helena Island* *(à 17 mi/27 km à l'E. de Beaufort par l'US 21).* — Probablement la plus authentique des îles du S., pour avoir conservé un magnifique paysage. La plage principale, **Hunting Island State Park**, est superbe : mer chaude, sable blanc, palmiers et chênes maritimes.. un lieu idyllique, même s'il est parfois un peu surpeuplé.

Chattanooga*

152 470 hab. ; fuseau horaire : Eastern time.
Situation : au S.-E.du Tennessee, à l'entrée des gorges de la rivière Tennessee ; à 117 mi/190 km au N.-E. d'Atlanta.
À voir aussi dans la région : Atlanta*, Great Smoky Mountains National Park*, Huntsville, Knoxville, Memphis*, Nashville.

Chattanooga, étalée au creux du coude aigu du Tennessee, est dominée par des montagnes abruptes : Missionary Ridge à l'E., Signal Mountain au N.-O. et Lookout Mountain au S.-O… Autant de noms familiers pour qui a étudié les batailles de la guerre de Sécession. Ce site exceptionnel, autrefois occupé par les Cherokees, fut le point de départ de la « Piste des larmes », cette route de la déportation des Indiens vers l'O., au siècle dernier. Participante active du développement de la Tennessee Valley Authority, elle se trouve aujourd'hui entourée de lacs artificiels.

● **Ross's Landing Park** *(non loin de la rivière, à l'extrémité de Broad St.).* — Un parcours d'expositions permet de suivre chronologiquement l'histoire de Chattanooga : les premiers arrivants installés à Moccasin Bend, l'exode des Indiens, la guerre civile, l'héritage ferroviaire, la première opération de mise en bouteille de Coca-Cola, Bessie Smith la chanteuse de blues, etc.

● **Chattanooga Regional History Museum** *(400 Chestnut St. ; ouv. mar.-ven. 10 h-16 h 30, sam.-dim. 12 h-16 h 30)* présente la vie quotidienne des habitants de la région,

l'industrie des boissons et l'histoire des Cherokees.

● Sur **Market et Broad Streets**, dans le quartier des affaires, se trouvent les buildings construits au début du siècle, en particulier le **Tivoli Theatre** *(709 Broad St.)*, élevé en 1920.

● **Chattanooga Choo-Choo and Terminal Station** *(1400 Market St.)*. Le **Southern Railroad Terminal** est une vaste gare de style beaux-arts datant de 1909, aujourd'hui transformée en hôtel. On peut admirer le dôme de 27 m, qui surmonte l'ancienne salle d'attente. Les quais et les wagons font office de suites ; dans le hall des boutiques et des restaurants côtoient l'authentique locomotive à vapeur qui tira le premier convoi de voyageurs entre le N. et le S. en 1880.

● **Tennessee Valley Railroad Museum** *(4119 Cromwell Rd., au N.-E. de la ville ; ouv. t.l.j. en été, sam.-dim. de sep. à nov.)* est un bon musée du chemin de fer. On y trouve de vieilles locomotives à vapeur en état de marche, qui permettent au visiteur de faire une excursion d'une dizaine de kilomètres.

● **Lookout Mountain.** — Au S. de la ville, Broad St. aboutit au pied de Lookout Mountain (678 m d'alt. ; point de vue) accessible par un funiculaire, l'**Incline Railway** *(827 East Brow Rd.)* à forte déclivité. **Confede-rama** *(3742 Tennessee Ave. ; ouv. 8 h 30-20 h 30 de juin à sep. ; 9 h-17 h le reste de l'année)*, à proximité de la station inférieure, retrace l'histoire de la bataille de Chattanooga.
Ochs Hwy gravit la Lookout Mountain et permet d'atteindre, à 2,5 mi/4 km S., en Géorgie, les **Rock City Gardens** *(1400 Patten Road ouv. t.l.j.)*, parc d'attractions et curiosités naturelles.

● **Les Ruby Falls** *(par la Lookout Mountain Scenic Hwy ; ouv. t.l.j. dès 8 h)* offrent le spectacle impressionnant d'une cascade de plus de 48 m de haut. Du sommet, sur la **Ruby Fall's Lookout Mountain Tower**, belle vue sur Chattanooga, la Tennessee Valley et les montagnes environnantes.

■ Environs de Chattanooga

● **Chickamauga and Chattanooga National Military Park** *(à 9 mi/14 km au S.-O. par l'US 27 ; ouv. d'avr. à oct.)* commémore les batailles décisives de la guerre de Sécession qui eurent lieu sur ces hauteurs. Le belvédère de **Point Park** offre une vue magnifique. Dans le parc se trouve aussi le **Cra-ven's House Museum**, reconstruit en

La Piste des larmes

Au début du XIXe s., les Cherokees forment une tribu puissante dont les terres s'étendent de la Caroline du Sud au Tennessee. Leurs techniques agricoles sont celles des pionniers et certains possèdent des plantations prospères. Un Indien de sang mêlé, Sequoya, introduit même un alphabet et en quelques années se développe une littérature cherokee et un journal : *The Cherokee Phoenix.*
Espérant ainsi acquérir une certaine influence au gouvernement fédéral, ils combattent en 1814 au côté du général Andrew Jackson contre les Indiens creeks et les Anglais. Dès 1820, ils établissent une république constitutionnelle sur le modèle américain pour bien marquer leur volonté de rester une nation indépendante malgré la pression des colons. En 1828, John Ross, fondateur du comptoir Ross's Landing (l'actuelle Chattanooga), d'origine indienne, est élu comme « Principal Chief » pour tenter de négocier avec l'État fédéral au sujet des terres cherokees.
Mais la découverte d'or en 1828 sur les terres indiennes attise la convoitise du gouvernement de Géorgie qui tente d'expulser les Cherokees. Ils sont alors abandonnés par leur allié Andrew Jackson, devenu président du pays, et en 1835 le Congrès ratifie le « Treaty of New Echota ». Dépossédés de leurs terres, les Indiens sont sommés de rejoindre sous deux ans les terrains qui leur ont été alloués dans l'Oklahoma. C'est la célèbre « Trail of Tears » (Piste des larmes) qui verra l'exil de 14 000 Indiens dont 4 000 succomberont au froid et aux fatigues du voyage.

700 milliards de cigarettes

*O*n prétend que le tabac a été introduit en Virginie par un colon anglais, John Rolfe: celui-ci aurait planté en 1612 des graines provenant d'Amérique du Sud et lancé la première exploitation. En fait, le tabac était déjà cultivé par les Indiens qui le fumaient dans des pipes. Les premiers navigateurs l'ont d'ailleurs importé en Europe dès la seconde moitié du XVIe s.

■ Une plante qui «use» les terres

Dès le XVIIe s., la culture du tabac se répand rapidement dans tout le sud, notamment dans le Kentucky et le Maryland. La raison de cette extension est simple: après quatre récoltes, le sol est presque épuisé; on ne peut plus y faire pousser que des céréales. Conquérir de nouvelles terres devient impératif. Chaque exploitant devait donc se doubler d'un spéculateur foncier avisé.

■ Une aristocratie aux idées progressistes

Les grands planteurs (les Lee, les Carter, les Byrd) forment au XVIIIe s. une véritable aristocratie digne du Siècle des Lumières européen: il faut imaginer chaque plantation de Virginie comme un petit village où travaillent des esclaves noirs mais aussi toutes sortes d'artisans blancs capables de pourvoir aux besoins de la communauté en matière de vivres, d'outils, d'instruments agricoles, de vêtements. Jusqu'en 1775 environ, les colons anglais destinent la quasi-totalité de leur production à l'Angleterre. Ils expédient leur tabac vers Londres qui, par retour des bateaux, envoie meubles et tissus.

■ L'essor du XXe siècle

L'usage du tabac s'est développé avec l'invention de la machine à rouler les cigarettes, au début des années 1880. Pourtant, dès 1966, apparaissent les premiers avertissements mettant en garde les fumeurs contre les dangers de la nicotine; en 1971, la publicité est proscrite à la radio comme à la télévision. Aujourd'hui, bien que les Américains consomment de moins en moins de tabac, la demande à l'exportation (vers la Belgique et le Luxembourg, le Japon et Hongkong) ne cesse d'augmenter: les États-Unis restent le plus gros exportateur et le deuxième producteur mondial (loin derrière la

pour le Nouveau Monde

Chine). Plus de 700 milliards de cigarettes sont roulées chaque année par les machines américaines. La Virginie n'occupe que la cinquième place des États producteurs, derrière la Caroline du Nord, le Kentucky, le Tennessee et la Caroline du Sud.

Séchage des feuilles de tabac

Les champs de tabac se reconnaissent aisément par la hauteur des plants (de 1 à 3 m), dont les feuilles sont cueillies vers la fin septembre. Le tabac blond, production majeure des États-Unis, est généralement séché dans de grands caissons, alors que le tabac brun reste à l'air libre.

1866 après la guerre civile. **Chattanooga Nature Center et Reflection Riding** *(ouv. lun.-sam. 9 h-17 h, dim. 13 h-17 h)*, plus loin sur le versant O. de la montagne, comprend un musée de l'environnement et un parc planté d'espèces rares.

● **Signal Mountain Point Park** *(à env. 6 mi/10 km au N.-O. par la TN 127)*, est un ancien poste de surveillance et de transmission de messages des Indiens cherokees ; les gorges du Tennessee, souvent appelées « le Grand Canyon of Tennessee » peuvent être admirées d'un belvédère.

● **Red Clay State Historic Area** *(à 17 mi/27 km à l'E. par l'Interstate 317)*, évoque le mode de vie traditionnel des Indiens cherokees à travers une fidèle reconstitution de leur habitat. Le **Sacred Council Spring** en basalte était le lieu de réunion des Anciens avant leur expulsion vers l'Oklahoma en 1838.

● **Cherokee National Forest** *(à 35 mi/56 km au N.E. par l'US 64, au-delà de Cleveland)*. — Cette forêt de 249 670 ha, adossée aux Appalachian Mountains, est traversée par la vallée de l'Ocoee River, dont les rapides sont une aubaine pour les amateurs de canoë ; mais attention seuls les sportifs chevronnés pourront en profiter ; circuits organisés pour les débutants.

Columbia

98 050 hab. ; fuseau horaire : Eastern time.
Situation : au cœur de la Caroline du Sud ; à 114 mi/180 km au N.-O. de Charleston.
À voir aussi dans la région : Atlanta*, Charleston**.

Columbia, capitale de la Caroline du Sud, vit au rythme de l'impétueuse rivière qui la traverse. Outre une université et de nombreuses écoles supérieures, elle possède quelques maisons anciennes. Si la ville n'offre guère d'intérêt, elle pourra être une étape sur la route de Charleston et de Savannah.

● **State Capitol** *(ouv. lun.-ven.)*. — Construit dans le style de la Renaissance italienne en 1855, il montre parmi ses riches décorations une copie de la statue de George Washington de Houdon.

● **Le Columbia Museum** *(Senate & Bull Sts ; f. lun.)* possède des œuvres de la Renaissance de la collection Kress, des peintures et des dessins (*Vue de Venise* par Guardi), des œuvres modernes, une section d'arts décoratifs, des collections de sciences naturelles et physiques, ainsi qu'un planétarium.

● **Riverbanks** *(5 mi/8 km à l'E. par Interstate 126)*, parc zoologique de la ville qui montre quelque 800 espèces d'animaux et d'oiseaux dans leur cadre naturel et autres vivarium et aquarium.

● Il faut aussi voir quelques maisons anciennes, comme le **Mann-Simmons Cottage** *(1403 Richland St. ; f. lun.)* qui date de 1850, ou **Governor's Mansion** *(800 Richland St. ; f. le weekend)*. La **State House** *(à l'intersection de Main et Gervais Sts)* a été édifiée en 1855 par l'architecte Niernsee. Au **1705 Hampton Street** se situe la maison (1872) où le président Woodrow Wilson passa son enfance *(f. lun.)* et au 1100 Sumter St., **Trinity Cathedral** (1846) imite la cathédrale d'York en Angleterre.

● **Environs de Columbia**

Camden *(20 mi/32 km au N.-E. par l'Interstate 20)*, créé en 1732, abrite des bâtiments historiques des XVIIIe et XIXe s. et un important complexe hippique. Sur l'US 521 un parc historique *(f. lun.)* présente des maisons restaurées.

Great Smoky Mountains National Park*

Superficie : 2 091 km². — Fondation : 1934.
Situation : entre le Tennessee et la Caroline du Nord ; à 50 mi/80 km à l'O. d'Asheville.
À voir aussi dans la région : Asheville, Chattanooga*, Knoxville.*

Le Great Smoky Mountains National Park, au cœur des Appalaches, compte parmi les plus belles régions forestières des États-Unis. Ici, la nature a repris ses droits et la magie des Great Smoky Mountains tient autant à la brume qui enveloppe ses sommets et aux orages qui les secouent pendant l'été qu'au déploiement de couleurs offert par la floraison des rhododendrons de début juin à mi-juillet. Neuf millions de visiteurs par an viennent admirer les 1 200 espèces de fleurs dont le magnolia et le laurier de montagne, l'azalée sauvage et toutes sortes d'orchidées, les 120 espèces d'arbres qui composent une forêt luxuriante d'arbres séculaires et de conifères ainsi qu'une faune très diverse dont 350 ours bruns.

■ Visiter le parc

Accès : *par Gatlinburg (Tennessee) et Cherokee (Caroline du Nord).*

Durée : *comptez au minimun deux jours.*

Hébergement : → *carnet d'adresses.*

Saison : *ce parc est accessible toute l'année mais il est conseillé de s'y rendre entre mai et octobre pour bénéficier des différentes floraisons, la fin de l'automne étant particulièrement agréable en raison des coloris. Pendant les mois d'été, la fréquence des pluies rend l'imperméable nécessaire et efficace contre les insectes.*

Activités : *randonnée, cyclisme, ornithologie, pêche. Vous trouverez toutes informations dans l'un des Visitors Centers.* **The Smokies Guide,** *le journal du parc, contient toute une foule d'informations pratiques.*

● **Sugarlands Visitors Center,** ouvert toute l'année, est situé à 2mi/ 3km de Gatlinburg sur Newfound Gap Road *(US 441 et 19).*

● **Oconaluftee Visitors Center** *(à 2,5 mi/4 km au N. de Cherokee par l'US 19, ouv. toute l'année)* accueille les visiteurs venant de Caroline du Nord. L'**Oconaluftee Pioneer Museum,** une ancienne ferme, avec son mobilier d'époque et des démonstrations d'artisanat, donne une idée de la vie des colons au siècle dernier. **Oconaluftee,** reconstitution d'un village indien du XVIIIe s., se trouve à la lisière de la **Cherokee Indian Reservation.** Un musée présente l'histoire et les traditions artisanales des Indiens cherokees. En été, un spectacle en extérieur a lieu tous les soirs : « Unto These Hills ».

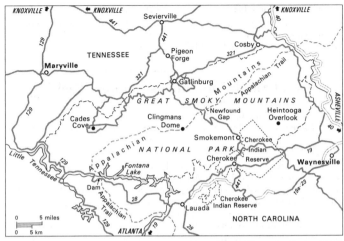

Great Smoky Mountains National Park

• **Cades Cove** *(sur la Little River Rd., accessible que par une route à l'O. de Sugarlands Visitor Center)* est l'un des sites les plus pittoresques du parc : des champs défrichés, des maisons, des églises en bois et des moulins témoignent encore de l'installation au XIXᵉ s. de colons européens dont quelques descendants se sont maintenus là de nos jours. Cette vallée, restée inchangée depuis le temps des pionniers, offre un paysage enchanteur : le matin et en fin de journée on peut y apercevoir des daims.

• **L'US 441.** — Cette route de montagne panoramique en lacet de 29 mi/47 km traverse la partie centrale du parc du N.-O. au S.-E. Elle monte de Sugarlands, dans la vallée de la Little Pigeon River jusqu'au **Newfound Gap** (1539 m ; à la lisière des deux États, c'est sur cette route le panorama le plus intéressant).
De Newfound Gap, une une petite route mène au belvédère du **Cling-**

mans Dome, le plus haut sommet du Tennessee (2 025 m), où une tour d'observation vous fera découvrir, par temps clair, le S. des Appalaches. L'US 441 redescend ensuite dans la vallée de l'Oconaluftee River par **Smokemont** (terrains de camping, sentier d'observation) jusqu'à Oconaluftee.

• **L'Appalachian Trail,** d'une longueur totale de 3 200 km, suit la ligne de crête des Appalaches, du Maine à la Géorgie, traverse les Great Smokies sur une longueur de 114 km, depuis **Mount Sterling** au N.-E. (sur la frontière entre le Tennessee et la Caroline du Nord), jusqu'au **Fontana Dam** au S.-O. Sur ce parcours, le chemin de randonnée gravit les sommets du **Mount Guyot** (2 013 m) et du **Clingmans Dome** (2 025 m), les plus élevés du parc.

• **La Blue Ridge Parkway**** *(469 mi/755 km)* relie le parc de Great Smoky Mountains à celui de Shenandoah traversant la Caroline du Nord et la Virginie. Cette route spectaculaire, gérée par l'administration des parcs, suit la crête de la Blue Ridge, offrant de superbes points de vue et de nombreuses excursions. Elle est surtout fréquentée en octobre pour les superbes couleurs de la forêt ; en hiver, elle peut être bloquée par la neige *(guide gratuit disponible à la Blue Ridge Parkway Association, P.O. Box 453, Asheville, NC 28802).*

Huntsville

160 000 hab. ; fuseau horaire : Central time.

Situation : à l'extrême N. de l'Alabama. À 177 mi/285 km au N.-E. d'Atlanta.

À voir aussi dans la région : Chattanooga*, Memphis*, Montgomery, Nashville.

Ancienne capitale de l'Alabama, Huntsville n'a pas tout à fait oublié qu'elle fut longtemps dominée par le commerce du coton et l'activité ferroviaire. De cette époque elle a su conserver le charme suranné des accents du vieux Sud grâce à une vieille ville très bien conservée. Huntsville est aujourd'hui une cité industrielle à la pointe de la modernité avec un important centre de recherche spatiale de la NASA : le George C. Marshall Space Flight Center, où eurent lieu les premiers lancements de satellites et les essais de *Skylab*.

● **Courthouse Square** est au cœur de la vieille ville. Ainsi, on verra de belles maisons d'avant la guerre de Sécession dans l'Old Town Historic District et dans le Twickenham Historic District *(au S. et à l'E. de Courthouse Square).*

● **Le Burrit Museum** *(Monte Sano Park ; ouv. mer.-dim. 12 h-17 h ; f. déc.-jan.)* relate l'histoire de Huntsville.

● **Huntsville Museum of Art** *(700 Monroe St. ; f. lun.)* présente des œuvres d'artistes américains du XIXe et du XXe s. comme A. Warhol et R. Lichtenstein.

● **Le Space and Rocket Center***(Tranquillity Base ; à 5mi/8 km à l'O. par l'US 431 ; ouv. t.l.j. 9 h-16 h).* — Ce très grand musée de l'espace abrite des fusées (la fusée lunaire Saturn V), des modules lunaires, la capsule d'*Apollo 16* et offre des reconstitutions technologiques étonnantes : un cratère lunaire grandeur nature, une véritable mise en apesanteur, un vol simulé vers la Lune entre autres choses plus spectaculaires les unes que les autres.

Knoxville

165 120 hab. ; fuseau horaire : Eastern time.

Situation : sur les rives de la Tennessee River. À 219 mi/350 km au N. d'Atlanta.

À voir aussi dans la région : Asheville*, Chattanooga*, Great Smoky Mountains National Park*.

Entourée par les immensités sauvages des Great Smoky et des Blue Ridge mountains, Knoxville fut un important centre de commerce de bétail et de tabac et un poste d'approvisionnement au départ des pistes vers l'O. En devenant le siège de la Tennessee Valley Authority qui gère la production électrique régionale, Knoxville s'est modernisée et, aujourd'hui, les vieux immeubles en briques du centre-ville côtoient les tours de verre, symboles de la croissance économique de la ville.

● **Old City,** au N. du centre-ville, autour de Jackson et de Central Sts, est un quartier animé, avec d'étroites rues pavées bordées de maisons victoriennes.

● **World's Fair Park** est dominé par la **Sunsphere**, une construction futuriste en forme de tour surmontée d'une sphère. Dans le parc toujours, le **Knoxville Museum of Art** *(410 Tenth St. ; mar. 10 h-19 h, mer.-sam. 10 h-17 h ; dim. 12 h-17 h.)* possède une petite collection d'art contemporain et de photographies qui accueille des expositions temporaires.

Les chevaliers de la haine

Une plaisanterie qui tourne mal. — Le Ku Klux Klan est né le soir de Noël 1865, à Pulaski dans le Tennessee, d'une mascarade d'étudiants qui, à cheval et revêtus de draps de lit, parcoururent la ville au grand galop. Dans le climat d'insécurité qui régnait aux lendemains de la guerre de Sécession, des Noirs prirent ces cavaliers pour les fantômes de soldats confédérés. Leur réaction donna l'idée à ces étudiants hellénistes (d'où le nom du mouvement : Kuklos signifiant cercle, en grec) d'utiliser ces méthodes « d'intimidation » pour restaurer la suprématie blanche qu'ils sentaient menacée par la récente abolition de l'esclavage.

Le temps des terreurs. — Mais bientôt le cercle devient une véritable société secrète destinée à empêcher les Noirs d'exercer leurs droits et également dirigée contre les républicains blancs. Prenant une ampleur considérable, l'intimidation se transforma en véritable terrorisme (pendaisons, incendies), provoquant, en 1868, une enquête du Congrès. Certains des membres fondateurs du mouvement démissionnèrent mais les délits se poursuivirent, conduisant à son interdiction en 1877.

L'essor des années 20. — En 1915, un nouveau KKK est fondé, à Atlanta, par un ancien pasteur méthodiste. Le mouvement prend alors une ampleur nationale et un caractère réactionnaire, xénophobe et ultranationaliste, qui oppose désormais ses membres non seulement aux Noirs mais aux catholiques, aux juifs et aux communistes. En dix ans, le nouveau Ku Klux Klan recrute 1,5 million d'adhérents. Dans les années 20, il constitue, dans les coulisses de la politique, une force non négligeable, notamment dans l'Indiana, l'Oregon, l'Oklahoma et dans tout le vieux Sud. Ses violences redoublent alors en toute impunité. En 1928, des querelles intestines éclatent. L'organisation, condamnée pour meurtre et rapt, se trouve à nouveau discréditée auprès du public.

Timides résurgences. — Après la Seconde Guerre mondiale, le Klan renaît, mais avec infiniment moins d'ampleur (en 1960, ses membres sont estimés à 17 000). Il se fait encore remarquer par quelques manifestations violentes, surtout dans le Sud (Alabama, Arkansas), mais le mouvement s'essouffle.

• **Blount Mansion** *(200 W. Hill Ave. ; de mars à oct mar.-sam. 9 h 30-16 h 30, dim. 14 h-16 h 30 ; f. sam.-dim. de nov. à fév.)*. — Construite en 1792, c'est l'ancienne résidence en bois, de style colonial, du gouverneur William Blount. Elle fut le siège du gouvernement régional et c'est là que fut préparée l'acceptation du Tennessee comme seizième État de l'Union. Dans la même rue on peut voir le **James White Fort** *(1er mars-15 déc. lun.-sam. 9 h 30-16 h 30, f. dim. et vacances)* et la première maison *(n° 205)* construite par le général James White en 1786.

• **Frank H. Mc Clung Museum** *(Circle Park ; lun.-ven. 9 h-17 h ; dim. 14 h-17 h)*, situé sur le campus est un musée d'anthropologie et d'archéologie avec quelques salles consacrées à l'Art déco, à la médecine ou encore à l'histoire régionale.

• **Confederate Memorial Hall** *(3148 Kingston Pike S.-O. ; avr.-sep. 14 h-17 h, oct.-mars 13 h-16 h ; f. lun.)* est un musée commémoratif des troupes confédérées dans une demeure d'avant-guerre où résida, durant la guerre de Sécession, le général James Longstreet.

• **Armstrong-Lockett House** *(2728 Kingston Pike ; mar.-sam. 10 h-16 h, dim. 13 h-16 h ; f. jan.-fév.)* est une demeure de 1834 où l'on peut admirer du mobilier anglais et américain du XVIIIe s. et une collection d'argenterie anglaise. Se promener dans les jardins à l'italienne agrémentés de terrasses et de fontaines.

■ Environs de Knoxville

• **Pigeon Forge** *(à 33 mi/ 53 km au S. par l'US 441)* est une ville très touristique, envahie par les boutiques de souvenirs, les *fast-foods* et les motels. Elle abrite le **Dollywood** *(700 Dolly-wood Lane, ouv. fin avr.-oct.)*, un parc à la gloire de Dolly Parton, l'enfant du pays, qui fait aussi revivre le folklore et les coutumes des Great Smoky Mountains : dans le décor d'un village de montagne de la fin du XIXe s., des artisans travaillent à l'ancienne ; un musée est consacré à la carrière de Dolly Parton et sept scènes accueillent régulièrement des concerts. Le plus pittoresque à voir est l'**Old Mill** *(Middle Creek Rd. ; f. dim. ; vis. guidées possibles de mai à oct.)*, construit en 1830 et toujours en activité. Les enfants sont particulièrement gâtés avec deux parcs d'attractions : le **Magic World Kid's Park** *(607 N. Pkwy, ouv. t.l.j. en été)* et l'**Ogle's Water Park** *(1115 N. Pkwy, ouv. t.l.j. de juin à août)*.

Les caprices de la Tennessee River

Le Tennessee a fait, à sa manière, en 1933, sa grande révolution. Sa partie orientale était traversée par une rivière fantasque et dangereuse, véritable fléau régional, que des entreprises privées décidèrent d'aménager. Le New Deal de Roosevelt éleva l'entreprise à la hauteur d'une opération nationale avec la création de la Tennessee Valley Authority (TVA) : un gigantesque ensemble de 36 barrages, étagés sur quelque 1 000 km, entre Norris Dam et Kentucky Dam, pour domestiquer le redoutable cours d'eau. C'était enfin le moyen de mettre fin aux inondations, de distribuer une électricité bon marché à sept États et de fournir au tourisme d'innombrables lacs, bassins et plans d'eau. Cette formidable source d'énergie hydroélectrique suscita également l'installation du complexe atomique d'Oak Ridge dans le Tennessee.

Aujourd'hui, l'énergie électrique reste le principal produit du Tennessee

• **Gatlinburg** *(3à 9 mi/ 63 km au S. par l'US 441)*, aux contreforts des Appalachian Mountains, est une ville de montagne sise dans l'étroite vallée de la turbulente Little Pigeon River. Sa rue principale est bordée de boutiques de souvenirs. **Crockett Mountain** avec le **Gatlinburg Sky Lift** *(535 Pkwy ; ouv. t.l.j. d'avr. à oct.)* offre une vue panoramique des Great Smoky Mountains, un des plus beaux parcs naturels américains.

• **Oak Ridge** *(à 30 mi/48 km au S.-O. par l'Interstate 40 et la TN 162)* est connue pour son centre de recherche atomique secrètement établi pendant la Seconde Guerre mondiale. C'est là qu'a été construite la bombe larguée sur Hiroshima le 6 août 1945. L'**American Museum of Science and Energy** *(300 S. Tulane Ave. ; ouv. t.l.j.)* présente l'histoire de l'énergie et son utilisation pour l'homme. L'**Oak Ridge Energy Tour** permet de faire en voiture le tour des installations atomiques de la ville. Il débute au Visitors Center *(300 S. Tulane Ave.)* et l'on peut voir ainsi l'**Oak Ridge National Laboratory**, le **Graphite Reactor** (1943), maintenant classé site historique et l'**Oak Ridge Gaseous Diffusion Plant** où l'uranium est enrichi pour être utilisé dans les réacteurs nucléaires.

• **Norris** *(à 27 mi/43 km au N.-O. par l'US 441 ou l'Interstate 75)* fut établie en 1933 pour les ouvriers employés à la construction du premier barrage de la TVA., le **Norris Dam**, qui enjambe la Clinch River et retient un lac de 116 km de long. Deux points de vue sont aménagés sur le barrage. La perspective est très belle aussi depuis le **Norris Dam State Park** où se trouve le **Lenoir Museum** *(US 441 ; ouv. t.l.j. avr.-nov.)* qui expose des objets issus de la culture indienne et des pionniers. Le **Museum of Appalachia** *(TN 61, à 3 km à l'E. de l'Intestate 75 ; ouv. t.l.j.)* présente la vie traditionnelle d'un village des Appalaches avec ses habitations en rondins ; artisanat local et vie rurale.

Lexington

225 000 hab. ; Fuseau horaire : Eastern time.
Situation : *centre du Kentucky, à 82 mi/130 km au S. de Cincinnati.*
À voir aussi dans la région : *Knoxville, Louisville*, Mammoth Cave National Park** ; **dans les Grands Lacs** : Cincinnati*, Evansville.*

Au pays de l'herbe bleue prospère un important centre économique et culturel qui domine le premier marché de tabac du monde et de chevaux de race. Lexington, siège de la Transylvania University, peut être le point de départ d'excursions vers les Alleghenies, à l'E., ou vers la Daniel Boone National Forest, immense étendue boisée qui couvre toute la partie orientale du Kentucky.

• Lexington compte plusieurs maisons anciennes : **Hopemon** *(201 N. Mill St. ; ouv. mar.-sam. 10 h-16 h, dim. 14 h-17 h)*, construite en 1814, maison natale de John Hunt Morgan (1866-1945), le généticien prix Nobel de médecine. **Ashland** *(East Main St. & Sycamore Rd. ; ouv. t.l.j. 9 h 30-* 16 h 30)*, demeure de l'homme politique Henry Clay de 1811 à 1852.

• **Kentucky Horse Park*** *(Ironworks Pike ; ouv. t.l.j. 9 h-19 h en été ; horaires variables le reste de l'année)*. — Fière de sa réputation de « capitale mondiale du cheval de race », Lexington s'enorgueillit de posséder un musée entièrement consacré à cet animal (haras, spectacles divers, projection de films, etc.).

● Pour ceux qui préfèrent le tabac au cheval, il faut voir **les ventes aux enchères des feuilles de tabac** *(de nov. à fév.)*.

● **Keenaland Race Course** *(à 6 mi/10 km à l'O. par l'US 60)*, champ de courses très fréquenté, installé en 1936 sur une propriété datant de 1783. Nombreuses manifestations hippiques et vente de chevaux toute l'année.
Dans toute la région du Bluegrassland sont concentrés les haras (Calumet, Dixiana) dont certains sont ouverts aux visiteurs.

■ Environs de Lexington

● **Daniel Boone National Forest** *(entrée N. à Morehead, à 61 mi/98 km à l'E. par l'Interstate 64)*. — Cette immense surface boisée (elle couvre tout l'E. du Kentucky et déborde sur le Tennessee) offre de belles occasions de promenades autour de sites aménagés : Natural Bridge, gorges de la Red River, lacs de Buckhorn, chutes d'eau de Cumberland.

● **Danville** *(à 47mi/75 km au S. par l'US 68 et l'Interstate 33)*. — Ancienne capitale du Kentucky (1792), c'est aujourd'hui un grand centre commercial du tabac.

● **Frankfort** *(à 23 mi/37 km à l'O. par l'US 60)*. — Capitale de l'État, Frankfort est au centre d'une riche région de céréales et de culture du tabac. Il existe de nombreuses distilleries de whisky : on peut visiter **Old Grand-Dad** *(à la sortie E. de la ville par l'US 460)* où est fabriqué le bourbon. Le State Capitol date de 1910 ; à côté, la résidence du gouverneur est inspirée du Petit Trianon (1914) ; **Kentucky Historical Society** and Museum dans l'ancien Capitole (1829) ; nombreux bâtiments du XVIIIe s., dont le **Liberty Hall** *(218 Wilkinson St.)* de 1796 (musée).

La Case de l'oncle Tom

Premier roman américain à dépasser le million d'exemplaires, ce livre, paru en 1852, eut un retentissement considérable qui ne s'est jamais démenti. Harriet Beecher-Stowe, fille et femme de pasteur, originaire de Litchfield (Connecticut), l'écrivit au retour d'un voyage dans le Kentucky où elle découvrit la réalité de l'esclavage.
« La case de l'oncle Tom était une petite construction faite de troncs d'arbres, attenante à la *maison*, comme le nègre appelle par excellence l'habitation de son maître. »
Le sujet du roman est, bien sûr, la condition de ces esclaves achetés puis revendus par leurs maîtres, comme n'importe quelle marchandise, et qui tentent par tous les moyens d'échapper à leur condition. L'oncle Tom est décrit comme un « vaillant travailleur [..], homme puissant et bien bâti : large poitrine, membres vigoureux, teint d'ébène luisant ; un visage dont les traits, purement africains, étaient caractérisés par une expression de bon sens grave et recueilli, uni à la tendresse et à la bonté. Il y avait dans tout son air de la dignité et du respect de soi-même, mêlé à je ne sais quelle simplicité humble et confiante ». Portrait quelque peu idéalisé d'un esclave ayant tous les traits de l'humanité la plus accomplie. Mais la démonstration était aussi sincère que nécessaire et les tribulations de l'oncle Tom servirent puissamment la cause des abolitionnistes.
En 1856, Harriet Beecher-Stowe publia une suite, Dred, *histoire du grand marais maudit*, qui ne connut pas le même succès. Elle mourut à Hartford en 1896, à l'âge de 85 ans.

● **Harrodsburg** *(à 30 mi/48 km au S.-O. par l'US 68)*. — Petite localité d'agriculture et d'élevage, la plus ancienne du Kentucky. Dans le musée de plein air d'**Old Fort State Park** *(ouv. t.l.j. 9 h-17 h mars-nov.)*, maisons reconstituées de l'époque des pionniers ; en été, spectacles relatant la légende de Daniel Boone. À 7 mi/11 km au N.-E., **Pleasant Hill** est un village *shaker (vis. t.l.j. 9 h-17 h)* comptant 27 maisons anciennes.

● **Paris** (à 17 mi/27 km au N.-E. par l'US 68). — Chef-lieu du Bourbon County, dont le nom rappelle celui de la famille royale française, et qui fut ainsi baptisée en 1789. C'est à partir de 1790 qu'y fut produit le célèbre whisky américain dès lors connu sous le nom de bourbon. Au 323 High St., auberge historique Duncan (1788).

Louisville*

269 000 hab. ; Fuseau horaire : Eastern time.
Situation : Kentucky, à la frontière S. de l'Indiana.
À 103 mi/165 km à l'E. de St Louis.
*À voir aussi dans la région : Lexington, Mammoth Cave National Park** ;*
dans les Grands Lacs : Cincinnati, Evansville, Indianapolis.*

Ce n'est pas de son nom, hommage au roi Louis XVI, que la capitale du Kentucky tire ses lettres de noblesse. Établie en 1778, sur l'Ohio, par des colons français venus de la Nouvelle-Orléans, la cité fonda sa prospérité sur la culture intensive du tabac et du grain. Siège de nombreuses distilleries de whisky, le fameux bourbon, et de manufactures de cigarettes, elle reste avant tout la capitale du fameux Kentucky Derby, imité de celui d'Epsom, qui s'y tient chaque année au mois de mai.

● La ville compte de nombreuses maisons de la fin du XVIIIᵉ s. et du début du XIXᵉ s. **Farmington Historic Home** *(3033 Bardstown Rd. ; ouv. mar.-ven. 10 h-16 h 30 ; dim. 13 h 30-16 h 30)* fut construite en 1810 sur les plans de Thomas Jefferson. **Locust Grove** *(au 561 Blankenbaker Lane ; ouv. mar.-ven. 10 h-16 h 30 ; dim. 13 h 30-16 h 30)* est une grande demeure de 1790, de style georgien, aujourd'hui restaurée.

● **Kentucky Derby Museum** *(ouv. toute l'année 9 h-16 h 30 ; 9 h-11 h les jours de courses)* se situe à l'entrée de Churchill Downs, le grand champ de courses de Louisville, et fait partie des musées les plus intéressants de la ville. Sur le lieu même des courses, le musée retrace l'histoire du derby qui s'y tint pour la première fois en 1875, et qui a lieu tous les ans le premier samedi du mois de mai. À Churchill Downs sont organisées toute l'année de très nombreuses autres courses.

● **J. B. Speed Art Museum*** *(2035 S. 3rd St. ; ouv. mar.-sam. 10 h-16 h, dim 14 h-18 h)* est le plus ancien musée de l'État. Outre des œuvres de Rembrandt, Rubens ou Tiepolo, il abrite aussi la collection Satterwhite (art médiéval et Renaissance) et un département de sculptures contemporaines (Brancusi, H. Moore).

● Enfin, il faut se rendre au **Riverfront Plaza**, sur les quais de l'Ohio : beau panorama depuis le belvédère.

Non loin est amarrée la *Belle of Louisville*, bateau à aubes restauré (course de bateaux une fois par an, excursions sur le fleuve en été).

■ Environs de Louisville

La terre d'Abraham Lincoln et... le pays du bourbon !

● **Bardstown*** *(à 44 mi/70 km au S.-E. par l'US 31 E)*. — Cette petite ville fondée en 1778 fut marquée par l'exil de Louis Philippe d'Orléans qui y trouva refuge. Il remercia sa ville d'adoption en lui offrant des peintures signées Van Dyck, Rubens ou Murillo qui ornent aujourd'hui les murs de la **cathédrale St Joseph** *(au croisement de l'US 31 et de l'US 62 ; ouv. lun.-sam. 8 h-17 h ; dim. 13 h-17 h)*. Bardstown est surtout vouée à la fabrication du bourbon (le célèbre whisky) dont elle tire une réputation mondiale. Il faut voir le **Barton Museum of Whiskey History** *(Barton Rd. ; ouv. t.l.j. 8 h-12 h et 13 h-16 h 30)* : la visite du musée se prolonge par celle de la distillerie voisine. Une quinzaine d'autres distilleries sont installées à Bardstown.

À 1 mi/1,5 km au S. de la ville se trouve **Federal Hill** *(ouv. t.l.j. 9 h-17 h, 9 h-19 h en été)*, la maison de campagne dans laquelle Stephen Foster composa sa célèbre chanson *My Old Kentucky Home*.

● **Abraham Lincoln Birthplace National Historic Site**, *(à 71 mi/113 km au S.-E. par l'US 31 E. ; près de Hodgenville)*. — C'est l'un des lieux les plus fréquentés des États-Unis. Le **Memorial Building** *(ouv. t.l.j. 8 h-16 h 45 ; 8 h-18 h 45 en été)*, construit en 1911, est un monument de marbre et de granit ; les 57 marches symbolisent les 57 années de la vie du célèbre

homme politique. On peut voir aussi la cabane en rondins où il serait né en 1809 *(pour en savoir plus sur Abraham Lincoln → Springfield, dans la région des Grands Lacs)*.

● **Fort Knox Military Reservation** *(à 30 mi/48 km au S.-O. ; on ne visite pas)*. — C'est là qu'est conservée la plus grande partie des réserves d'or américaines.

Fort Knox

Le bourg de Fort Knox doit son nom au Major General Henry Knox, secrétaire à la Guerre, qui y installa son camp en 1917. Mais si Fort Knox est connu dans le monde entier, ce n'est pas à cause de ce général, mais plutôt en raison de l'*U.S. Gold Depository* (réserves fédérales d'or) et du film *Goldfinger*, dont l'action se déroule en grande partie sur ces lieux. En effet, plus de six milliards de dollars en lingots, propriété du gouvernement, sont entreposés ici, depuis 1937, dans des chambres fortes sous haute surveillance. Les murs et le toit de cette installation, recouverts d'énormes blocs de granit, ont été conçus pour résister aux bombes. Pendant la Seconde Guerre mondiale, on y a ainsi déposé, pour les préserver, l'acte de la Constitution, la déclaration d'Indépendance, la bible de Gutenberg et autres documents de première importance. En 1940, la première force blindée s'est établie à Fort Knox, qui devint ainsi le siège des unités blindées. Aujourd'hui, une école des forces blindées perpétue cette vocation.

Mammoth Cave National Park**

Superficie : 208 km². — Fondation : 1926 en tant que National Monument ;
Parc national depuis 1941.
Situation : dans le S.-O.du Kentucky.
À voir aussi dans la région : *Lexington, Louisville*, Nashville ;* **dans les**
Grands Lacs : *Evansville.*

La Mammoth Cave (grotte du Mammouth) constitue le plus grand système de grottes connu au monde ; la découverte en 1980 d'une jonction avec la grotte voisine de Proctor Cave porte sa longueur totale jusque-là explorée à 345,25 km, dont 160 km sont accessibles. À l'intérieur, la beauté irréelle des grottes, façonnées pendant des millions d'années par l'érosion et les phénomènes chimiques, n'a d'égale que la profondeur du silence qui happe le visiteur et le transporte hors du temps. Chaque caverne est une nouvelle surprise qui nous fait découvrir des stalactites, baptisées « carillons » en raison des sons qu'elles émettent lorsqu'on les heurte du doigt, des rivières et des cascades souterraines peuplées de poissons aveugles et sourds à la beauté du site.

Un labyrinthe à cinq niveaux. — Au cours de quelque 50 millions d'années, les eaux d'infiltration imprégnées du gaz carbonique de l'air, et formant ainsi un acide carbonique doux, ont dissous le calcaire et creusé peu à peu des cavités. Puis les rivières souterraines se tarirent avec le soulèvement du terrain, laissant derrière elles un labyrinthe à cinq niveaux. Le niveau inférieur est parcouru par les cours d'eau souterrains d'Echo River et de River Styx (le même fleuve en fait), affluents de la Green River.

Il y a probablement plus de 2 500 ans que les Indiens connaissent la partie antérieure des grottes (à l'O.) ; des colons blancs la découvrirent en 1798. Pendant la guerre de 1812, on a utilisé ses riches gisements de salpêtre pour fabriquer de la poudre à canon ; on peut voir encore aujourd'hui les installations à l'aide desquelles on a extrait un total de 150 t de salpêtre. Plus tard, certaines parties de la grotte ont servi de salles de concerts et même de sanatorium.

■ Visiter le parc

Accès : à 10 mi/16 km à l'O. de Cave City ou à 8 mi/13 km N.-O. de Park City. Lisez bien les panneaux, plusieurs petites grottes privées étant installées à proximité.

Hébergement : → *Carnet d'adresses.*

Visite : vous devrez rejoindre l'une des vis. guidées chaque jour. Renseignements au Visitor Center.

■ Les grottes

● **Historic Tour** *(à 2 mi/3 km ; en 2 h ; ouv. toute l'année),* circuit partant de l'Historic Cave Entrance, le seul accès naturel connu. Il traverse des salles immenses comme « Booth's Amphitheatre » *(représentations le soir)* et des passages étroits tels que « Fat Man's Misery » et permet de visiter les installations d'extraction du salpêtre recueilli au cours de la guerre de 1812.

● **Frozen Niagara Tour** (chutes du Niagara gelées, *0,7 mi/1,2 km ; en 2 h ; ouv. toute l'année)* commence à

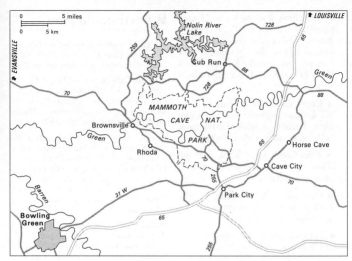

0 5 miles
0 5 km

EVANSVILLE

↑ LOUISVILLE

Nolin River Lake

259

728

Cub Run

88

Green

728

MAMMOTH

CAVE NAT.

PARK

Brownsville

Green

Rhoda

70

65

Horse Cave

Cave City

255

70

31 W

Park City

Barren

Bowling Green

65

255

Mammoth Cave National Park

Frozen Niagara Entrance *(navette depuis le Visitor Center)*. Il passe par de splendides formations de concrétions qui évoquent des chutes pétrifiées et par le Crystal Lake d'une extraordinaire limpidité.

● **Half Day Tour** *(à 4 mi/6 km ; en 4 h et demie ; ouv. toute l'année)*, au départ de Carmichael Entrance *(autocar-navette)*, passe par Cleaveland Ave., le Snowball Dining Room, à 81 m sous la surface avec des « boules de neige » au plafond, la Boone Ave., le Frozen Niagara et le Crystal Lake, en direction de Frozen Niagara Entrance.

● **Lantern Tour** *(à 3 mi/5 km ; en 3 h ; ouv. en été)* part de Historic Cave Entrance et s'effectue à la lumière de lanternes, avec lancer de torches ; il comporte la visite des installations d'extraction de salpêtre, de la momie indienne et des anciennes stations de thérapie pulmonaire.

● **Wild Cave Tour** *(à 5 mi/8 km ; en 6 h ; réservez à l'avance)* passe par des parties de la grotte dépourvues de sentier. Prévoyez des vêtements solides, des bottes antidérapantes. Il est nécessaire d'être en bonne condition physique.

■ Randonnées et excursions

À l'extérieur, le parc de 21 000 ha, légèrement vallonné, permet de faire de magnifiques promenades. Attention, serpents venimeux. Prévoyez de solides chaussures ; il existe aussi des excursions avec guide.

● **Good Spring Loop** *(à 4,5 mi/7 km)*, promenade le long de la rive N. de la Green River.

● **Cedar Sink Walk** *(à 1,5 mi/2,5 km)*, parcours au fond d'une grande doline, rivière absorbée par le sol comme dans les crevasses des Causses, promenade à l'endroit où River Styx et Echo River débouchent en surface.

● **Green River Bluffs Walk** *(à 1 mi/ 1,5 km)*, promenade à travers une forêt d'arbres à feuilles caduques, belles vues sur la Green River.

● **First Creek Lake Walk** *(à 2 mi/ 3 km)*, chemin vers un joli étang au N. de la Green River.

● **Cave Island Nature Trail** *(à 1 mi/ 1,5 km)*, sentier d'observation à l'O. de Historic Cave Entrance.

● **Turnhole Bend Trail**, chemin forestier le long de la Green River.

● **Joppa Ridge Motor Nature Trail** *(à 2 mi/3 km)*, sentier d'observation de la nature.

● **Promenade en bateau** : 1 h à bord du **Miss Green River** sur la Green River.

■ Environs du parc

La région environnante, en particulier autour de Cave City et de Park City, recèle des grottes en très grand nombre.

● **Horse Cave** *(à 14 mi/22 km à l'E. du parc sur la KY 218)*, est située à proximité du Kentucky Caverns Park, où se trouve la grotte naturelle de **Mammoth Onyx Cave** *(circuit facile d'1 h)*.

● **Cave City** *(à l'E. du parc, à 10 mi/16 km au N. de Glasgow par l'US 31 E.)*, près de Prewitt's Knob, Crystal Onyx Cave est une belle grotte à concrétions, découverte en 1960 (« Alligator Falls », « Honeycomb Rooms », « Hanging Gardens » ; « Cascade Falls » et « Angel Wings »).

● **Park City, Diamond Caverns*** *(au S.-E. du parc, à 5 mi/ 8 km par la KY 70)* étonne avec des formations particulièrement curieuses (« Victoria Falls », « Hanging Paradise », « Rotunda »). À 1mi/1,5km au S.-O., **Jesse James Cave** a été récemment explorée *(télésiège)*. Non loin de là, **Slave Cave** est un ancien refuge des esclaves qui fuyaient vers le N. des États-Unis.

Memphis*

610 340 hab. ; fuseau horaire : Central time.

Situation : à l'extrême S.-O. du Tennessee sur les bords du Mississippi. À 395 mi/630 km au N. de New Orleans ; à 382 mi/614 km à l'O. d'Atlanta. À voir aussi dans la région : Chattanooga*, Huntsville, Nashville.

Si le blues a une capitale, c'est Memphis, la patrie du « King » (Elvis Presley), qui vit encore au rythme de la musique. Pourtant la ville elle-même est plutôt grise et terne, sans réelle animation sinon le soir à Beale St. et dans Overton Square, où résonnent des accords de blues et de rock'n roll.

Sur les bords du Mississippi, on a peine à retrouver Mark Twain et les bateaux à roue d'autrefois : Memphis est un port fluvial de première importance qui fonde sa richesse depuis un siècle sur le commerce du coton et des bois durs. C'est d'ailleurs la ville américaine la plus boisée. Mais la ville possède d'autres charmes, discrets, cachés sous les frondaisons du Victorian Village ou dans les jardins de la

Dixon Gallery, lieux paisibles qui contrastent avec la froideur du centre et la folie de Graceland.

Son histoire est profondément liée à celle du Sud et au combat incessant pour l'émancipation de la communauté noire. C'est d'ailleurs à Memphis que fut assassiné Martin Luther King.

■ Memphis dans l'histoire

La nouvelle Égypte. — En 1818, les Indiens chickasaws vendirent aux États-Unis le Tennessee occidental avec ce qui devait devenir l'agglomération de Memphis, située près des forts américains d'Adams (1797) et de Pickerwick (1801). Le général Andrew Jackson fonda la ville à laquelle il donna le nom de l'ancienne cité égyptienne sur le Nil, en raison de l'analogie de leurs situations géographiques, sur la rive surélevée d'un large fleuve.

Une ville du Sud gagnée par la culture du Nord. - Au début de la guerre de Sécession, Memphis fut la capitale des confédérés et le centre de ravitaillement de leur armée, mais elle tomba en 1862 aux mains des troupes de l'Union après l'intervention d'une flotte de 30 navires. Une épidémie de fièvre jaune, qui la décima en 1878, marqua un grave recul pour la ville alors en plein essor. Le pasteur Martin Luther King, le champion de la cause des Noirs, y fut assassiné le 4 avril 1968 alors qu'il prononçait un discours au balcon du Lorraine Motel.

■ Visiter Memphis

Ses habitants disent d'elle que c'est un « grand petit village », ce qui explique une ambiance assez chaleureuse. Un jour suffit à voir Graceland (la demeure d'Elvis), les vieilles maisons du Victorian Village et les collections de peintures de la Dixon Gallery. Il faut surtout prendre le temps d'écouter du blues à Beale St. ou dans l'un des concerts d'été à Handy Park et à Overton Square, et aller dans les cafés et les magasins d'antiquités du Cooper Young District.

Memphis in May International Festival : *ce festival est dédié chaque année à la culture d'un pays étranger. Mais c'est surtout l'occasion de célébrer, dans une ambiance euphorique, quatre institutions qui sont l'orgueil de Memphis : le blues et le jazz sont fêtés la première semaine. Le second week-end est celui du World Championship Barbecue Cooking Contest : pour conquérir le titre de champion mondial du barbecue, les compétiteurs arrivent, souvent déguisés en porcs, des quatre coins des États-Unis... Le sport est le thème du troisième week-end et le dernier est celui de l'orchestre symphonique de Memphis qui joue au bord du Mississippi.*

■ 1. — Beale Street : le berceau du blues

● **Beale Street Historic District*** *(Beale St. ; entre 2nd et 4th Sts)* — Beale St. abritait à l'origine des habitations assez cossues, mais l'épidémie de fièvre jaune qui ravagea la ville entraîna les riches négociants hors du centre. À la fin du XIXe s., Beale St. était devenue un quartier noir, vivant et industrieux. Il attirait de nombreux travailleurs ruraux espérant trouver là des conditions de vie moins pénibles. Ils chantaient des *spirituals* et des *gospels* qui exprimaient leur détresse et leurs espoirs. De ce mélange naquit le blues, qui connut ses plus beaux jours avant la Seconde Guerre mondiale.

Dans les années 60, le quartier, devenu insalubre, fut rasé. Dix ans plus tard, avec l'apport de fonds privés, Beale St. fut restaurée dans le style des années 20. Aujourd'hui, l'ensemble fait un peu songer à un décor de théâtre inachevé. Mais le soir, à l'heure où tous les clubs s'emplissent d'amateurs de musique, Beale St. retrouve son animation…

● **Handy House** *(352 Beale St. ; ouv. lun.-sam. 10 h-17 h, dim. 13 h-17 h)* est un musée dédié à W. C. Handy, le père du blues, avec des photographies, des partitions et divers souvenirs. Une évocation pittoresque de l'époque où cette musique faisait partie intégrante de la vie des Noirs. La maison est aussi le siège de la Fondation pour le blues, l'organisatrice du National Blues Music Award qui couronne chaque année un interprète. Ce grand rendez-vous clôt en octobre la semaine du blues, ponctuée de concerts et de spectacles.

Dans **Handy Park**, tous les soirs d'été, des groupes de blues se réunissent près de la statue de W. C. Handy.

● **Schwab's*** *(163 Beale St.).* — Des nombreuses boutiques de Beale St., la plus pittoresque est sans conteste la maison Schwab, qui se transmet de père en fils depuis 1876. On y trouve de tout, depuis la potion vaudou jusqu'aux objets les plus hétéroclites. Sa devise est d'ailleurs très significative : « Si vous ne le trouvez pas chez Schwab, vous ne le trouverez nulle part ailleurs. » Elvis Presley aimait venir y choisir ses costumes, pour leur originalité.

● **La statue d'Elvis Presley** est située à l'intérieur du 140 Welcome Center, au carrefour de Jefferson et Riverside Drive. Il est d'usage que ses fans glissent leur carte dans sa guitare.

● **Orpheum Theater*** *(203 South Main St.)* est l'un des seuls à n'avoir pas été rasé à la fin des années 60. Bâti en 1928, c'était un palace destiné à accueillir des comédies de boulevard, d'où sa décoration baroque, ses lustres en cristal rutilants et ses tapisseries chargées de motifs. Un petit bijou où l'on retrouve toute un époque. C'est désormais un centre d'art dramatique.

● **Mid-America Mall.** — C'est le nom de la section piétonne de Main St. *(entre Beale St. et Poplar Ave.),* qui fut entièrement reconstruite pour tenter d'insuffler de la vie à ce quartier peu animé. Durant l'été, des concerts gratuits sont organisés les lundi, mercredi et vendredi au Court Square Gazebo.

● **Peabody Hotel** *(149 Union Ave.),* construit au début du siècle, fut à ses origines le rendez-vous de l'aristocratie du S. La grande attraction du lieu est la famille de canards qui y loge : à 11 h, ils descendent sur un tapis rouge et, à 17 h, ils remontent par l'ascenseur. Depuis la terrasse, la vue est superbe.

● **Sun Studio** *(706 Union Ave. ; ouv. t.l.j. 9 h 30-18 h 30 ; vis. guidées de 30 min ; galerie et café ouv. de 9 h à 19 h),* créé en 1950 par Sam Phillips, est un haut lieu du rock'n roll. Son directeur, à qui il faut reconnaître un certain génie, a découvert et lancé les plus grands noms du rock et du blues. Elvis Presley bien sûr, mais aussi Jerry Lee Lewis, B. B. King, Rufus Thomas, Howlin' Wolf, Muddy Waters, Carl Perkins et Roy Orbison. Après avoir failli disparaître, le studio vient de rouvrir.

● **Memphis Music Hall of Fame** *(97 S. 2nd St. ; ouv. lun.-sam. 10 h-18 h, dim. 12 h-18 h)* fait revivre l'histoire musicale de Memphis à l'aide de disques introuvables, de vieilles

ST. LOUIS BLUES

*A*u début du siècle, on
accoure de tout le pays
pour s'engouffrer dans les
salles de jeux, les maisons
closes et les cabarets de Mem-
phis. Le Pee-Wee's Bar, le plus célèbre d'entre eux pour
sa musique et ses bagarres, affiche même: «Nous ne fer-
mons pas avant le premier meurtre».
C'est dans cette atmosphère truculente que des
orchestres noirs parcourent les rues, jouant des airs inspirés par les spirituals et les gospels, se servant d'instruments à cordes et de ce qu'on appelle le jug, une sorte de
bouteille vide dont ils tirent des sons plaintifs.

■ Un nouveau style musical

En 1912, William Christopher Handy, trompettiste dans l'une de ces
formations, compose un petit air pour une campagne électorale. Ce
rythme nouveau étonne et séduit: *Memphis Blues* est un succès, suivi
deux ans après par *Saint Louis Blues*. Le blues, complainte lancinan-
te du peuple noir, devient un style musical proprement américain. Il
aura une influence déterminante sur toutes les autres innovations
musicales des États-Unis comme le jazz, la musique soul, le
rock'n'roll....

■ Beale Street, tête d'affiche

Les plus grands font leurs armes à Beale Street, tels
Furry Lewis, Jim Jackson, guitariste et auteur du
fameux *Kansas City Blues*, Albert King, Alberta Hunter, le
Bobby Blue Band ou encore Memphis Minnie Mc Coy,
auteur du classique *Bumble Bee* et grande vedette féminine
de Beale Street. Sans oublier B.B. King l'un des plus
célèbres interprètes du blues électrifié.
Après la guerre, Beale Street perd de son éclat au profit de
Chicago. Il faut attendre le succès du rock'n'roll (directement
issu du rythm and blues) et le mouvement d'émancipation
noir, dans les années 60, pour que le blues gagne les faveurs
du grand public.

affiches, de guitares, de photos et de films légués par les maisons de disques Sun et Stax. On peut y voir aussi une reconstitution du fameux Pee Wee's Saloon, le rendez-vous de Beale St. dans les années 20.

● **Lorraine Motel** (*450 Mulberry St. ; ouv. lun.-sam ; 10 h-17 h, dim. 13 h-17 h ; f. mar.*) où, le 4 avril 1968, Martin Luther King fut assassiné, a été transformé en **National Civil Rights Museum**. Une effigie placée sur le balcon du premier étage marque l'emplacement où se tenait Martin Luther King lorsqu'il fut abattu par James Earl Ray, à la veille d'une marche organisée pour soutenir une grève du personnel hospitalier noir. Le musée retrace l'histoire de la lutte des Noirs pour le respect de leurs droits (*pour en savoir plus sur Martin Luther King→ Atlanta*).

■ 2. — Victorian Village

Les dix-huit vieilles maisons du Victorian Village évoquent la fin du siècle dernier, à l'époque où les grands capitaines des industries cotonnières et fluviales dirigeaient la ville. Niché dans la verdure, c'est un quartier tranquille où il fait bon se promener au sortir de l'effervescence du centre. Trois maisons sont ouvertes au public.

● **Magevney House** (*198 Adams Ave. ; ouv. de mars à mai et de sept. à déc. : mar.-ven. 10 h-14 h et sam. 10 h-16 h ; de juin à août : mar.-sam. 10 h-16 h ; f. en jan.*). — Construite vers 1830, cette charmante maison en lattes de bois blanches est l'une des plus anciennes de Memphis. Elle servit de lieu de culte avant la construction de l'église qui la jouxte.

● **Mallory-Neely House** (*652 Adams Ave. ; ouv. mar.-sam. 10 h-16 h, dim. 13 h-16 h ; f. en jan. et fév. ; vis. gui-* dée toutes les demi-heures*). — Cette vaste demeure de style victorien a conservé beaucoup de meubles d'origine. Les plafonds sont ornés de fresques et les corniches sont remarquables.

● **Woodruff-Fontaine House** (*680 Adams Ave. ; ouv. lun.-sam. 10 h-15 h 30, dim. 13 h-15 h 30*) est un imposant manoir : tapisseries d'Aubusson, cheminées de marbre et chandeliers vénitiens en cristal. Du sommet de la tour, belle vue sur Memphis. On peut aussi se promener dans le jardin à la française.

■ 3. — Sur les bords du Mississippi

Memphis Queen Line (*Riverside Drive & Monroe St. ; départs t.l.j. pendant l'été ; de mai à sep. mer.-dim. dîner sur l'eau*) propose, pour les nostalgiques des bateaux à roues, des promenades en bateau d'une (ou deux) heure(s) dans le port.

● **La Pyramide** (*One Auction Ave.*). — Dessinée pour rappeler le lien de la ville de Memphis avec le delta du Nil, cette rutilante construction de 32 étages en verre et en acier a ouvert ses portes en 1991. L'entrée est gardée par une immense statue de Ramsès II, réplique du modèle égyptien. La pyramide abrite une vaste salle de spectacle, des attractions, des magasins et des restaurants.

● **Mud Island** (*passerelle et monorail au niveau du 125 N. Front St.*). — Cette grande île du Mississippi (8 km), que la municipalité voulait raser au début du siècle tant elle la trouvait mal placée, est aménagée en port de plaisance et base de loisirs. Des concerts très divers sont régulièrement organisés en différents points de l'île, mais l'un des principaux

Le romancier du fleuve

« Mark Twain ! » C'est le cri que lançaient, au milieu du XIXe s., les bateliers sur le Mississippi pour annoncer que les fonds étaient suffisants pour le passage des *steamers*. Et c'est le nom de plume que choisit Samuel Langhorne Clemens, né en 1838, dans une petite bourgade du Missouri.

Après des débuts comme typographe, il apprend le métier de pilote et navigue sur le Mississippi jusqu'à la guerre de Sécession. Il devient ensuite mineur, chercheur d'or, homme politique puis journaliste. C'est en 1865 qu'il publie dans la presse *la Célèbre Grenouille sauteuse de Calaveras*, vieille histoire pleine d'humour qu'il rajeunit mais qui lui fera une réputation d'amuseur et d'anticonformiste dont il ne parviendra pas à se défaire.

Écrivain prolixe, Mark Twain a laissé de nombreux récits de voyages, des essais et bien sûr plusieurs grands romans dont les célèbres *Aventures de Tom Sawyer* (1876) puis *les Aventures de Huckleberry Finn* (1884). Le premier s'inspire de son enfance missourienne, peu studieuse mais riche d'expériences. Dans le second roman, il jette un regard à la fois naïf et amer sur la société de son temps : remontant le Mississippi en compagnie d'un esclave noir fugitif, le jeune Huck fait tomber les masques de tous ceux qu'il croise.

attraits de Mud Island réside dans la profusion de boutiques et surtout de restaurants donnant sur le fleuve.

On y verra le **Musée du Mississippi**, qui retrace l'histoire naturelle et culturelle des rives du fleuve, depuis les premiers arrivants jusqu'à nos jours ; à l'extérieur, on peut suivre sur un kilomètre environ une reproduction

fidèle du Mississippi, depuis Cairo dans l'Illinois jusqu'à La Nouvelle-Orléans, avec les villes qui le bordent, les ponts et tous les accidents dans le cours du fleuve. Une immense piscine tient lieu de golfe du Mexique et le tout est entouré d'une plage de sable blanc. ***Memphis Belle***, bombardier B-17 célèbre pour avoir accompli sans dommage 25 missions contre des cibles nazies pendant la Seconde Guerre mondiale, est exposé dans un pavillon blanc.

● **Cotton Row.** — On peut encore admirer sur Front St. les imposants buildings de la bourse du coton qui était sans doute plus animée autrefois mais qui reste un gros marché cotonnier. Le **Cotton Exchange Building** *(84 S. Front St.)* propose une petite rétrospective sur le commerce du coton *(l'accès à la salle des marchés est interdit)*.

■ 4. — Graceland : sur les pas d'Elvis Presley*

Situation : 3765 Elvis Presley Blvd.

Visite : t.l.j. avr.-août 8 h-18 h ; sept.-mars 9 h-17 h ; f. mar. entre nov. et fév. Il est recommandé de réserver, surtout au mois d'août. **Mansion tour :** *vis. de la maison, du Trophy Room et du jardin ; avec le billet est inclus un film de vingt minutes retraçant les grandes étapes de la vie d'Elvis.* **Combination tour :** *visite de tout l'ensemble.*

Il serait dommage d'aller à Memphis sans jeter un coup d'œil à **Graceland**. Non pas pour connaître Elvis Presley car le portrait qui ressort de cette visite guidée est celle d'un patriote, d'un bon père de famille qui allait à l'église et d'un expert en karaté, une image spécialement concoctée pour ses fans américains, mais pour découvrir une certaine Amérique. On vient en effet de tous les États-Unis se recueillir sur la tombe du King, et chaque année, une semaine avant l'anniversaire de sa mort, le 16 août 1977, a lieu l'**Elvis International Tribute Week**, une folle semaine pendant laquelle tous les fans d'Elvis accourent des quatre coins du monde pour rendre un vibrant hommage à leur idole.

• On longe d'abord le **Wall of Love**, couvert des graffitis des fans d'Elvis, témoignage du véritable culte qui lui est rendu aujourd'hui encore. Si la maison n'est pas entièrement ouverte au public, les six pièces que vous pourrez visiter vous seront expliquées en détail par le guide affecté à chacune d'elle, avec l'histoire de tous les objets qui la meublent. Tout y est démesuré, depuis le portail décoré de guitares jusqu'à la **Jungle room**, qui n'a de la jungle que le nom, avec sa moquette épaisse, son trône de bois et les fourrures qui le recouvrent. Une autre pièce remarquable est la salle de télévision, au décor bleu royal et jaune canari, où trois écrans orientés différemment permettaient au chanteur de regarder trois matchs de football en même temps.

• **Trophy Building** contient la plus grande collection de disques d'or au monde, et pour cause... À côté se trouve la **Trophy Room** où l'on peut voir les costumes de scène psychédéliques d'Elvis, des affiches de ses différents films, des photographies et sa collection de pistolets.

• **Meditation Garden**, derrière la maison, renferme la tombe d'Elvis et de sa famille. C'est encore souvent le théâtre de scènes d'hystérie collective. **Automobile Museum** renferme vingt engins motorisés ayant appartenu à Elvis, depuis sa légendaire Cadillac rose jusqu'à ses véhicules de jardin.

Le King

L'histoire d'**Elvis Presley** commence le 5 juillet 1954 au Sun Studio où il est venu enregistrer un disque pour sa mère, un simple air de blues qu'il interprète avec autant de chaleur et de sensibilité que les chanteurs noirs. Le directeur Sam Phillips l'entend et comprend qu'il a rencontré celui qui va populariser cette musique auprès du public américain.

En mêlant la musique populaire noire (blues et rhythm and blues) avec le folklore américain blanc (hillbilly, country et western) Elvis Presley obtient un succès foudroyant et devient l'un des premiers chanteurs de rock'n roll.

La jeunesse américaine venait de perdre son idole, James Dean, elle retrouve en Elvis Presley un modèle. Il exprime tous les désirs des adolescents : l'appétit de vivre, la soif d'amour, de liberté, d'argent et de vitesse. En fait tous les fantasmes d'une Amérique en pleine croissance, mais prise dans un sentiment de révolte. Avec ses vêtements clinquants, ses cheveux trop longs (pour l'époque), ses déhanchements considérés comme trop suggestifs dans une Amérique puritaine (il était interdit de le filmer au-dessous de la ceinture), Elvis incarne la révolte de la jeunesse américaine contre l'ordre familial. Il est aussi le symbole du self-made man sorti de sa condition précaire pour s'élever jusqu'à la gloire.

On y passe en permanence des clips extraits des différents films tournés par le King. Moins intéressantes sont les visites des deux avions d'Elvis : le *Lisa Maria* et le *Hound Dog II,* de son Tour Bus, l'authentique, et du **Elvis Up Close**, petit musée qui renferme quelques affaires personnelles du King, de son tee-shirt à sa carte de sécurité sociale.

■ 5. — À voir encore

● **Overton Square** *(Madison & Cooper Aves.).* — C'est, avec Beale St., le quartier le plus animé de Memphis. Il offre un large choix de restaurants de tous pays, des magasins en tous genres, des théâtres et de nombreux clubs où l'on boit, danse et chante aussi bien sur du blues que du rock ou du jazz (concerts en été).

● **Memphis Brooks Museum of Art** *(Overton Park, à 2 mi/3km à l'E. du Victorian Village ; ouv. mar., mer., ven. 9 h-16 h, jeu. 11 h-20 h, sam. 9 h-17 h, dim. 11 h 30-17 h).* — Ce musée, qui a grande allure sous les frondaisons du parc, possède une collection de tableaux de la Renaissance italienne, des portraits de l'école anglaise, des toiles impressionnistes et des œuvres américaines contemporaines. Il présente aussi des photographies, des affiches et des objets d'Art déco.

● **Dixon Gallery and Gardens*** *(4339 Park Ave. ; ouv. mar.-sam. 10 h-17 h, dim. 13 h-17 h ; f. lun. et pendant les vacances).* — Entouré de jardins remplis de fleurs et de statues, c'est un havre de paix au cœur de la ville et sans nul doute le musée le plus intéressant de Memphis. Il possède un bel ensemble d'impressionnistes français et américains, légué par Margaret et Hugo Dixon, philanthropes et amateurs éclairés. On y trouve aussi des portraits et des paysages de l'école anglaise, ainsi qu'une intéressante collection de porcelaine allemande du XVIIIe s. Le musée présente régulièrement des expositions temporaires.

● **Memphis Pink Palace Museum and Planetarium IMAX Theater** *(3050 Central Ave. ; ouv. en été : lun.-mer. 9 h-17 h, jeu.-sam. 9 h-21 h, dim. 12 h-17 h ; en hiver : lun.-mer. 9 h-16 h, jeu. 9 h-20 h, ven. 9 h-21 h, sam.*
10 h-21 h, dim. 12 h-17 h). — Ce musée très éclectique se trouve à côté du manoir de marbre construit par le magnat des supermarchés Clarence Saunders. Il présente l'histoire culturelle et naturelle du S., avec les métiers et les costumes du début du siècle, et des reconstitutions d'intérieurs. Le musée accueille aussi de très belles expositions temporaires. *L'IMAX Theater* présente un nouveau film tous les 4 mois (écran géant).

● **Piggly-Wiggly** *(79 Jefferson St.),* le premier magasin self-service ouvert par Clarence Saunders en 1916, est à l'origine des supermarchés modernes. Clarence Saunders fit breveter son nouveau modèle de boutique et bientôt affluèrent de tout le pays des demandes pour installer et équiper de même d'autres échoppes. En 1917, Saunders possédait 25 magasins, en 1919 il en avait 162, en 1923, 1 267. Il fut ruiné aussi vite qu'il avait fait fortune, à la suite d'une bataille à la bourse pour le contrôle de la société Piggly-Wiggly. Saunders monta et perdit ainsi trois fortunes. Il mourut ruiné en 1937.

● **Children's Museum of Memphis** *(2525 Central Ave. ; ouv. mar.-sam. 9 h-17 h, dim. 12 h-17 h ; f. lun.)* met le monde des adultes à la portée des enfants. Ils s'amuseront beaucoup avec la vraie voiture, la fausse banque où ils peuvent retirer de l'argent, le supermarché ou encore le camion de pompier.

● **Memphis Zoo and Aquarium** *(2000 Galloway Ave. ; ouv. de mars à oct. t.l.j. 9 h-17 h ; de nov. à fév., ouv. t.l.j. 9 h-16 h 30).* — À l'intérieur d'Overton Park, il accueille plus de 400 espèces d'animaux. On raconte que le musée fut créé en 1905, quand l'ours noir Natch, la mascotte du club de base-ball de Memphis, fut enchaîné à un arbre d'Overton Park.

• **Chucalissa Archaeological Museum**
*(1987 Indian Village Drive ; ouv.
mar.-sam. 9 h-17 h, dim. 13 h-17 h ; f.
lun. et certaines vacances).* — Le
terme *chucalissa* signifie « maison
abandonnée » : en effet ce village
indien, fondé vers 900 apr. J.-C., fut
abandonné au XVIe ou XVIIe s. Il a
été dégagé et restauré par la Memphis
State University : on y voit dix maisons, un temple circulaire, et le site
d'une nécropole de 40 tombes. Au
musée, présentation de diapositives.
Des Indiens choctaws y travaillent
comme guides et artisans d'art. En
août a lieu le **Choctaw Indian Cultural Festival**, avec, pendant deux jours,
des danses et des cérémonies traditionnelles.

■ Environs de Memphis

• **Holly Springs** *(dans le Mississippi,
à 35 mi/56 km au S.-E. par l'US 78)*
est une petite ville commerçante
typique du N. du Mississippi, avec ses
rues bordées de hêtres qui rayonnent
depuis la place carrée du palais de
justice. Elle était autrefois réputée
chez les Indiens pour ses eaux miné-
rales aux vertus médicinales. Pendant
la guerre de Sécession, les deux camps
se disputèrent âprement la ville. Holly
Springs conserve quelques belles maisons, qui pour la plupart ne se visitent
que pendant le pèlerinage (le dernier
week-end d'avr.). **Montrose** *(307 E.
Salem St. ; vis. sur rendez-vous)*, de
style Greek Revival, fut construite en
1858 par Albert Brooks pour sa fille,
en cadeau de mariage. **The Yellow
Fever House** *(104 E. Gholson Ave.)*,
construite en 1836, fut utilisée comme
hôpital en 1878, pendant la grande
épidémie de fièvre jaune. D'autres,
rarement ouvertes au public, méritent
un coup d'œil extérieur : **Oakleigh**
(Salem Ave.) de style Greek Revival.
Cedarhurst et **Airliewood** *(Salem*

Ave.), toutes deux de style gothique.
Hamilton Place, dont on raconte que
la propriétaire, Maria Mason, sauva
Holly Springs de la destruction en
invitant le général B.H. Grierson à ses
soirées autour du piano.

• **Oxford** *(dans le Mississippi, à 76
mi/ 121 km au S.-E. par l'I-55 et la
MS 6)* : Avec ses 23 000 habitants
dont la moitié d'étudiants, elle est la
principale ville universitaire du Mississippi, d'où l'animation qui y règne
le soir. C'est aussi, avec le Lafayette
County, la ville qui inspira Faulkner
pour *Jefferson et Yoknapatawpha
County.*

University of Mississippi, plus communément appelée *Ole Miss*, débuta
en 1848 avec 80 étudiants. Elle fut en
1962 le théâtre de la manifestation
contre les Noirs la plus violente qu'ait
connue le Mississippi, parce que pour
la première fois, un Noir, James
Meredith, était autorisé à s'y inscrire.
L'émeute fit trois morts et 160 blessés,
mais malgré une violente opposition
et des brimades incessantes, James
Meredith obtint son diplôme à la fin
de l'année scolaire. Sur le campus, les
Blues Archive *(ouv. lun.-ven. 8 h 30-
17 h)* renferment une très importante
collection d'enregistrements de blues
introuvables, et des souvenirs personnels de B. B.King. Quant au **Center for the Study of Southern Culture**
(ouv. lun.-ven 8 h 15-16 h 45), il traite
de la musique, du folklore et de la littérature du S.

Rowan Oak *(ouv. mar.-sam. 10 h-12 h,
14 h-16 h ; dim. 14 h-16 h ; f. lun.)*, la
propriété de William Faulkner, laissée
telle quelle à sa mort en juillet 1962, se
trouve à environ dix minutes de
marche de l'université, à travers la
forêt luxuriante de Bailey Woods.

• **Tupelo** *(dans le Mississippi, à 96
mi/154 km au S.-E. par l'US 78)* est
célèbre pour être le lieu de naissance

d'Elvis Presley (8 jan. 1935). C'est maintenant la plus grande ville du N. du Mississippi. La maison *(306 Elvis Presley Drive, ouv. mai-sep., lun.-sam. 9 h-17 h 30, dim. 13 h-17 h ; oct.-avr., lun.-sam. 9 h-17 h, dim. 13 h-17 h)* construite par Vernon Presley, le père d'Elvis, ne présente pas d'intérêt particulier sinon sentimental pour les admirateurs d'Elvis. Elle a été restaurée et meublée comme au temps où y vivait la famille Presley, c'est-à-dire très sobrement. Elle est maintenant entourée de l'**Elvis Presley Park**, qui abrite aussi l'**Elvis Presley Memorial Chapel**, que le King lui-même avait indiquée à ses fans comme lieu de méditation et qui lui fut dédiée deux ans après sa mort en 1979.

Tupelo est aussi le lieu d'un combat célèbre de la guerre de Sécession en 1864. Sur West Main St., le **National Battlefield**, avec des monuments et des expositions, commémore cet affrontement sanglant qui fut la dernière bataille importante dans le Mississippi.

● **Tunica** *(dans le Mississippi, à 1 h de route au S.).* — On vient ici pour jouer et se divertir dans les nombreux casinos qui proposent des spectacles typiquement américains.

Mobile*

196 278 hab. ; fuseau horaire : Central time.
Situation : à l'extrême S.-E. de l'Alabama, sur le golfe du Mexique.
À 148 mi/238 km au N.-E. de New Orleans.
À voir aussi dans la région : Montgomery ; *en Louisiane et dans le Mississippi :* Baton Rouge*, New Orleans*** ; *en Floride :* Pensacola*.

La cité que les Français fondèrent en 1711 et nommèrent Fort Condé est nichée au creux d'une profonde baie. Elle constitue l'unique percée de l'Alabama sur le golfe du Mexique, ce qui lui a permis de devenir une importante ville portuaire. Elle allie aujourd'hui, avec élégance, la douceur de vivre, les charmes du passé et les avantages de la modernité : son avenue principale est bordée de vieux chênes, des tapis d'azalées jonchent et embaument chaque été les jardins de ses nombreuses demeures *ante bellum* (d'avant la guerre de Sécession).

● **Cathédrale de l'Immaculée-Conception** *(angle de Dauphin et de Clairborne Sts).*— C'est le seul édifice religieux du S. à porter le titre de basilique. Tout autour, plusieurs maisons ante bellum méritent une visite.

● **Carlen House Museum*** *(54 Carlen St. ; ouv. mar.-sam. 10 h-17 h ; dim. 13 h-17 h),* achevé en 1842, est un exemple réussi d'architecture créole, dans un style inspiré du début du XVIIIe s. français.

● **Condé-Charlotte Museum House** *(104 Theater St. ; ouv. mar.-sam. 10 h-16 h),* bâtie vers 1845, fut autrefois une prison.

● **Richard DAR House** *(256 Joachim St. ; f. lun.)* est une grande bâtisse d'avant-guerre de style italianisant.

● **Fort-Condé** *(150 S. Royal St. ; ouv. t.l.j. 9 h-17 h),* en partie reconstruit, abrite un musée consacré à l'occupation française (1717-1763) dans cette région.

• **L'Oakleigh Historic Complex** *(350 Oakleigh Pl. ; ouv. lun.-sam. 10 h-15 h 30 ; dim. 14 h-15 h 30)* est un musée historique installé dans une demeure construite entre 1833 et 1838.

• **Fine Arts Museum of the South** *(Museum Drive ; ouv. mer.-dim. 10 h-17 h)* expose des collections de peinture du XVIIe s. à nos jours (voir en particulier les Renoir).

• **Museum of History of Mobile** *(355 Government St. ; ouv. mar.-sam. 10 h-17 h ; dim. 13 h-17 h)* est consacré aux différentes périodes coloniales (espagnole, française, anglaise) de la ville.

■ Environs de Mobile

• **Bellingrath Home & Gardens** *(à 20 mi/32 km au S. par la AL 163 ; ouv. 8 h-1 h avant le coucher du soleil)* abrite près de 250 000 azalées qui fleurissent au tout début du printemps. La maison possède un beau mobilier.

• **Dauphin Island*** *(à 30 mi/48 km au S. par la AL 163)*, île du golfe du Mexique reliée au continent par la route 193. C'est un lieu de vacances agréable et très fréquenté par les citadins de Mobile. L'ancien **Fort Gaines**, utilisé entre 1821 et 1850, abrite un musée de la Confédération.

Montgomery

187 106 hab. ; fuseau horaire : Central time.
Situation : au S.-E. de l'État d'Alabama et sur les rives de l'Alabama.
À 170 m/274 km au N.-E. de Mobile.
À voir aussi dans la région : Atlanta*, Huntsville, Mobile* ; *en Floride :* Pensacola*.

Malgré son statut de capitale d'État et sa population en augmentation constante, Montgomery ressemble à une petite ville de province figée dans le passé. Éphémère capitale des États du Sud en 1846, épargnée par la guerre de Sécession, elle a conservé un très beau patrimoine architectural d'avant-guerre et se place comme un important centre administratif et culturel.

• **Alabama Archives and History Museum** *(624 Washington Ave. ; ouv. lun.-ven. 8 h-17 h, week-end. 9 h-17 h).* — Un petit musée d'histoire régionale qui possède quelques objets remontant à la préhistoire indienne.

• **State Capitol** *(ouv. lun.-ven. 8 h-17 h ; week-end. 9 h-17 h)*, qui a l'immense privilège d'être le premier capitole de la confédération des États-Unis.

• **First White House of The Confederacy** *(644 Washington Ave.)*, dans laquelle résida pendant trois mois, en 1846, l'unique président du Sud, Jefferson Davis.

• **Dexter Avenue King Memorial Baptist Church** *(454 Dexter Ave.)* où sont présentés les événements liés au mouvement de Martin Luther King.

• **Civil Rights Memorial** *(400 Washington Ave.)*, sur le mur de ce mémorial de granit noir sont inscrits les premiers mots du célèbre discours de Martin Luther King ainsi que la liste des noms de ceux qui se sont battus pour la liberté des Noirs.

• Plusieurs édifices méritent d'être vus : **Murphy House**, construite en 1851 *(angle de Bibb et de Coosa Sts)*,

Pour l'égalité civique

Le XXe s. fut marqué par le combat pour les *civil rights*, les droits civiques des Noirs. Trois amendements constitutionnels avaient été votés au lendemain de la guerre de Sécession ; leur but était d'interdire l'esclavage, de condamner toute pratique discriminatoire en matière de vote et de garantir l'égalité des droits. Mais très vite ces amendements furent détournés et les attitudes ségrégationnistes ne cessèrent de se multiplier dans tous les États. La situation des Noirs ne cessa de se dégrader pour devenir explosive après la Seconde Guerre mondiale.

Le feu aux poudres. — Les passions commencent à se déchaîner à Montgomery, en décembre 1955, lors d'un simple incident : Rosa Parks, vendeuse noire, est assise dans l'autobus dans la partie réservée aux gens de couleur ; alors que le bus se remplit elle refuse de céder sa place à un Blanc, comme c'est l'usage à Montgomery, et est arrêtée. Quelques jours plus tard, des leaders noirs —dont Martin Luther King— prennent sa défense : ils organisent le boycott des autobus de la ville qui sont, à 70%, utilisés par la population noire. Ce mouvement, très suivi, durera plus d'un an et amènera la Cour suprême a déclarer illégale la ségrégation dans les transports à Montgomery, décision qui s'étendra rapidement à d'autres villes.

La révolution non violente. — Pourtant rien n'est gagné et, en 1960, une autre forme de lutte non violente se propage à travers les États-Unis : les *sit-in* ou l'occupation par les Noirs des lieux, notamment les restaurants, qui pratiquent la ségrégation. Devant la masse des plaintes qui déferlent, la Cour suprême invalide la ségrégation dans les restaurants (1961).

Les « Civils Rights Acts ». — Suite à ces différentes manifestations, la loi sur les droits civiques ou *civil rights acts* sera signée le 2 juillet 1964 et tentera de mettre fin aux pratiques segrégationnistes. Les établissements publics, hôtels, restaurants, salles de spectacle et tous les lieux publics seront désormais accessibles à tout citoyen des États-Unis sans discrimination de race ou de religion. Cette loi est complétée en 1965 par le *voting rights act*. Mais il faudra encore beaucoup de temps avant de changer les anciennes habitudes et de permettre aux Noirs de se sentir des citoyens à part entière.

St John's Episcopal Church, de 1855 *(113 Madison Ave. ; ouv. lun.-ven. 8 h-16 h ; week-end 8 h-12 h),* **Teague House** *(468 S. Perry St. ; f. week-end)* qui abrite aujourd'hui la chambre de commerce de l'Alabama, le **Milner Exchange Hotel,** de 1846, et **Lomax House** de 1848.

■ Environs de Montgomery

● **Birmingham** *(à 93 mi/150 km au N. par l'Interstate 65),* ville industrielle, a gardé quelques vestiges du XIXe s. On y verra plusieurs belles demeures *ante bellum.* Le **Birmingham Museum of Art** *(2000 8th Ave. ; ouv. mar.-sam. 10 h-17 h, dim. 13 h-17 h),* offrira aux amateurs une collection de peintures chinoises contemporaines, quelques beaux exemples d'art américain, des peintures de la Renaissance italienne et des objets d'art précolombiens.

● **Selma** *(à 49 mi/78 km à l'O. par l'US 80).* — Fondée en 1815 sur l'Alabama River, Selma a su conserver (comme sa voisine abandonnée de

Cahaba, à 9 mi/14 km à l'O.) son caractère aristocratique d'avant la guerre de Sécession. Maisons anciennes sur le Waterfront. **Sturdivant Hall*** *(713 Mabry St. ; ouv. mar.-sam. 9 h-16 h ; dim. 14 h-16 h ; f. lun.)* est une très belle maison achevée en 1853 (mobilier d'époque, jardins).

● **Tuskegee** *(à 38 mi/61 km à l'E. par l'US 80)* est le siège du Tuskegee Institute fondé en 1881 par l'ancien esclave noir Booker T. Washington (3 500 étudiants). Le **Carver Museum** *(ouv. t.l.j. 9 h-17 h)*, créé en 1938, est dédié au botaniste George Washington Carver (laboratoire, collection d'histoire naturelle et art africain).

Nashville

488 374 hab. fuseau horaire : Central time.

Situation : sur les rives de la Cumberland River, au cœur du Tennessee. À 210 mi/330 km au N.-O. de Memphis.
À voir aussi dans la région : Chattanooga*, Knoxville, Mammoth Cave National Park**, Memphis*.

« Music City » : Nashville, la capitale du Tennessee, est aussi celle de la *country music.* Depuis sa création en 1925, le show hebdomadaire du Grand Ole Opry attire chaque année des millions de visiteurs. Mondialement connue dans le domaine de la production de variété, Nashville a cultivé cette réputation : elle concentre aujourd'hui studios d'enregistrement, musées de stars et quantité de boutiques destinées aux fans toujours généreux pour leurs idoles. En visitant Nashville, vous découvrirez l'un des visages de l'Amérique profonde, très ancrée dans ses traditions, mais hormis un pèlerinage musical la ville n'offre guère d'intérêt.

■ 1. — Downtown

Nashville est née en 1779, au bord de la Cumberland River par où arrivèrent ses fondateurs, comme en témoigne le Fort Nashborough. Son centre-ville est un quartier d'affaires, sans charme particulier, avec des buildings modernes sans grande originalité.

● **Riverfront Park** *(1st Ave. & Broadway)*, en bordure d'un quartier assez mal fréquenté, est une bande de gazon en terrasse qui permet de flâner au bord de la Cumberland River ; c'est surtout un lieu populaire pour ses concerts en plein air. Tout près se

trouve l'embarcadère des bateaux à aubes : *Belle Carol (106 1st Ave. S.).*

● **Fort Nashborough** *(1st Ave. N., sur la Cumberland River ; ouv. mar.-sam. 9 h-17 h)* est une réplique du fort bâti en 1779 par les pionniers qui arrivèrent en bateaux.

● **L'Historic District** *(sur Church St., autour de 2nd St.)* regroupe 19 maisons de style victorien aux façades en fer forgé, restaurées et transformées en restaurants ou en boutiques.

● **Downtown Presbyterian Church** *(Church St. & 5th Ave.)* est une église de style égyptien construite en 1851 sur les plans de l'architecte le plus réputé de Philadelphie, William Strickland.

• **Tennessee State Museum** (*505 Deaderick St. ; lun.-sam. 10 h-17 h, dim. 13h-17h*), à l'intérieur du James K. Polk Bldg., retrace la vie dans le Tennessee depuis les origines indiennes jusqu'à nos jours. Expositions temporaires sur l'histoire et sur l'art. Dans le même building se trouve le **Tennessee Performing Arts Center.**

• **State Capitol** (*Charlotte Ave., entre 6th et 7th Aves.*). — De style ionien il fut construit en 1855 d'après les dessins de William Strickland sur une colline qui se trouvait être autrefois un lieu de débauche. Derrière le capitole se situe la tombe du onzième président des États-Unis, James K. Polk.

• **Le Museum of Tobacco Art and History** (*800 Harrison St.*) présente tout ce qui a trait à l'usage du tabac, aussi bien les publicités que les pipes les plus hétéroclites.

• **Ryman Auditorium and Museum** (*116 5th Ave. N. ; ouv. t.l.j. ; vis. guidée de 20 min*), construit grâce aux dons du capitaine Ryman. Ce fut une église avant de devenir, de 1943 à 1974, le siège du Grand Ole Opry ; belle salle aux bancs de bois.

■ 2. — Le quartier musical

Au S.-O. du centre-ville, autour de Demonbreum St., se trouve concentré tout ce qui concerne la musique à Nashville, qu'il s'agisse des studios d'enregistrement ou des musées consacrés à la country.

• **Le Country Music Hall of Fame*** (*4 Music Square E. ; ouv. t.l.j. 9 h-17 h, 20 h en été*) est consacré à toutes les grandes stars de la country. Il présente des photos, affiches, costumes, instruments et affaires personnelles et même une Cadillac avec intérieur en or ayant appartenu à Elvis. Des films permettent de faire la distinction entre les différentes tendances de la musique américaine : le hillbilly, le rockabilly, le *honky-tonk*, le *western swing*, etc. Le ticket comprend la visite du **studio B** où Elvis, Dolly Parton, les Monkeys et bien d'autres enregistrèrent nombre de leurs succès. On peut désormais y suivre en démonstration toutes les étapes de la création d'un disque et s'essayer à divers instruments.

Le berceau de la « *country* »

La *country music* trouve son origine dans le folklore des colons gallois, irlandais et écossais installés dans les régions rurales du Kentucky, des deux Carolines, du Tennessee et de la Virginie occidentale. Leurs ballades, danses campagnardes, airs de violon et gigues ont façonné un style de musique, qui a subi également l'influence du blues chanté par les Noirs. Mais durant tout le XIXe s., et même le début du XXe s., la *country* restera cantonnée dans le S. du pays. C'est le développement de la radio et la diffusion des disques qui vont lui donner son véritable essor.

Nashville, capitale historique de la *country music*, va être le théâtre de cette révolution. C'est en effet, de cette ville que le plus important et le plus célèbre des programmes de radio country, le Grand Ole Opry, est diffusé pour la première fois en 1925. Dès lors, la *country* sort de son anonymat pour acquérir une notoriété nationale, avant de franchir les frontières avec la Seconde Guerre mondiale. Parmi ses vedettes, on peut citer Ernest Tubb, Roy Acuff, Hank Williams, et, plus récemment, Loretta Lynn et Willie Nelson.

Dans les années 60, un nouveau style de musique, mélangeant la *country* et la *pop music*, a même pris le nom de « Nashville Sound ». Ses interprètes les plus connus : Eddy Arnold et Jim Reeves.

● **Le Music Row** (*sur Demonbreun St., de 16th à 14th Ave.*), concentre tout ce qui concerne l'industrie du disque à Nashville. Y sont regroupés divers musées consacrés aux stars de la country mais n'offrant pas toujours un réel intérêt. **Barbara Mandrell Country** (*1510 Division St. ; ouv. t.l.j.*) présente les objets personnels de la chanteuse. Dans le même building, il est possible à tout un chacun d'enregistrer son propre disque aux **Recording Studios of America** (*1510 Division St. ; ouv. t.l.j.*).

Le **Country Music Wax Museum and Mall** (*16th Ave. & Demonbreun St. ; ouv. t.l.j.*) rassemble 60 personnages de cire représentant toutes les stars de la *country music* revêtues de leurs plus célèbres costumes de scène.

La **Car Collectors Hall of Fame** (*1534 Demonbreun St. ; ouv. t.l.j.*) expose une collection d'une cinquantaine de voitures plus luxueuses les unes que les autres, reflets de la mégalomanie de certains artistes. Enfin, le **Hank Williams Junior Museum** (*1524 Demonbreun St. ; ouv. t.l.j.*) offrira aux inconditionnels de ce chanteur des souvenirs et des objets personnels.

■ **3. — Opryland**

Accès : *à l'E. de Downtown ; prenez la 40th E. puis la Briley Pkwy N. sortie n° 11.*

Opryland est un vaste complexe construit à la fin des années 60, à la grande époque de la Country. C'est là que fut installée la nouvelle salle du **Grand Ole Opry**, autour de laquelle vinrent se greffer un parc d'attractions (sans lien avec la country) et une Music Valley qui regroupe autour de Mc Gavok Pike quelques musées sans grand intérêt.

● **Le Grand Ole Opry*** (*2804 Opryland Drive ; spectacles les ven. et sam. soir, pendant l'été des matinées et des shows le dim. ; réservations à l'avance ☎ 889-3060 ou 889-6611*) est une salle de 4 424 places où se produisent tous les grands de la country.

● **The Nashville Network** (*2806 Opryland Drive*), chaîne câblée internationale, met l'accent sur la *country music*. Il est possible d'assister à l'enregistrement de certaines émissions comme Nashville Now, un direct de 90 mn tous les soirs en semaine ou On Stage, retransmission de concerts.

● **Le Roy Accuff's Museum** et le **Minnie Pearl's Museum** (*2802 Opryland Drive ; ouv. t.l.j.*) présentent des affaires personnelles et des instruments ayant appartenu à ces deux grands de la country.

● **Le Boxcar Willie's Railroad Museum** (*2611 Mc Gavock Pike ; ouv. t.l.j. de 8 h à 22 h de mai à sep. ; de 9 h à 17 h le reste de l'année*) est un musée en l'honneur du célèbre chanteur chemineau Willie et renferme aussi une collection de voitures de stars.

● **Le Music Valley Wax Museum of the Stars** (*2515 Mc Gavock Pike ; ouv. t.l.j. 27 mai-2 sep. 8 h-22 h ; le reste de l'année suivant les saisons*) est un autre musée de cire consacré aux chanteurs de country. À l'extérieur, le **Sidewalk of the Star** avec des empreintes et de nombreuses signatures des participants au Grand Ole Opry.

● **Le Jim Reeves Museum** (*1023 Joyce Lane ; ouv. t.l.j. 9 h-17 h*), dans une maison construite en 1794, est un musée consacré à la vie professionnelle et personnelle de Jim Reeves.

■ À voir encore

● **Parthenon** *(West End and 25th Aves. ; ouv. mar.-sam. 9 h-16 h 30).* — Dans le **Centennial Park** a été élevée en 1897, pour le centenaire du Tennessee, une reconstitution complète du Parthénon tel qu'il se présentait au temps de Périclès, accentuant par là le surnom d'Athènes du S. dont s'est doté la ville ; cette construction abrite un musée d'art des XIXe et XXe s. Début septembre, on joue du théâtre grec sur les marches.

● **Belmont Mansion** *(1900 Belmont Blvd. ; ouv. de sep.à mai, mar.-sam. 10 h-16 h ; de juin à août, lun.-sam. 10 h-16 h et dim. 14 h-17 h ; f. pendant les vacances),* sur le campus de Belmont College, est une villa de style victorien construite en 1850 par Adelicia Acklen. À voir pour ses ferronneries d'art, ses jardins, ses tableaux et son mobilier d'époque.

● **Belle Meade Plantation*** *(5025 Harding Rd. ; ouv. lun.-sam. 9 h-17 h, dim. 13 h-17 h.),* maison de style néoclassique, abrite l'un des tout premiers haras des États-Unis ; musée de calèches victoriennes.

● **Cheekwood et les Tennessee Botanical Gardens*** *(1200 Forest Park Drive ; ouv. lun.-sam. 9 h-17 h, dim 13 h-17 h).* — La propriété, de style georgien est désormais un centre d'art (collections Art déco).

● **L'Historic Travellers' Rest** *(636 Farrell Pkwy ; ouv. juin-août lun.-sam. 10 h-17 h, dim. 13 h-17 h ; sep.-mai lun.-sam. 9 h-16 h, dim.13 h-16 h),* petit musée historique, est installé dans un petit cottage (1799), agrandi en 1808 puis transformé en 1828 en une vaste demeure à colonnades.

● **L'Hermitage** *(4580 Rachel's Lane ; ouv. t.l.j. 9 h-17 h)* fut la résidence de campagne (1819 ; reconstruite en 1834) du président Andrew Jackson ; sa tombe se trouve dans le jardin.

● **Van Vechten Gallery-Fisk University** *(18th Ave. N. ; ouv. mar.-ven. 10 h-17 h, sam.-dim. 13 h-17 h)* présente une partie de la collection Alfred Stieglitz comprenant des tableaux de Picasso, de Cézanne, de Renoir ou de Lautrec, des œuvres contemporaines ainsi que des photographies et des sculptures africaines.

Raleigh

207 950 hab. ; fuseau horaire : Eastern time.

Situation : *Caroline du Nord, 253 mi/400 km au S. de Washington DC. À 3 h de route à l'O. de la baie de Raleigh.*

A voir aussi dans la région : *Caroline du Nord : la côte et les Outer Banks*, Winston - Salem ; **dans le Mid Atlantic :** Charlottesville*, Norfolk, Roanoke*.*

Pierre angulaire du fameux Research Triangle, Raleigh entretient des liens étroits avec les petites villes de Durham et Chapel Hill, ce qui les situe ainsi à la pointe de la recherche aérospatiale internationale. Les transformations, constructions et rénovations de son centre en font une ville en mouvement, tournée vers l'avenir. Malgré tout, la capitale de l'État offre un intérêt touristique assez mince.

● On verra le quartier administratif avec principalement le **State Capitol** de style néo-classique (1833), le **North Carolina Museum of History** *(109 E. Jones St. ; ouv. mar.-sam. 9 h-17 h, dim 13 h-18 h)* et le **North Carolina Museum of Natural Sciences.**

● Le quartier historique d'**Oakwood** abrite de nombreux exemples d'architecture d'époque victorienne et surtout le **North Carolina Museum of Art** *(2110 Blue Ridge Blvd. ; ouv. mar.-sam. 9 h-17 h, ven. 9 h-21 h, dim. 12 h-17 h)* : collection de peintures *(Le Christ et la Samaritaine* de P. Mignard)*, une collection ethnographique et des œuvres modernes.

● Enfin, on verra la maison natale du président Andrew Johnson (1808-1875) et, sur le State Fairgrounds, la J. S. Dorton Arena (1953).

« The Tar Heel State »

Le surnom de la Caroline du Nord, « The Tar Heel » remonte, assure-t-on, à la guerre de Sécession.
Un régiment de Caroline du Nord recevait un renfort longtemps attendu d'un autre État du Sud. Les nouveaux venus brocardèrent quelque peu les Caroliniens à propos de la poix qui, avec la résine, constituait une des principales productions de l'État. Mais les Caroliniens n'avaient pas leur langue dans leur poche : « La poix, dirent-ils, nous nous en servirons pour vous la coller aux talons afin que vous teniez devant l'ennemi ! » D'où le nom de « Tar Heel Boys » pour ces combattants à la repartie prompte *(tar = goudron, poix).*

■ Environ de Raleigh

Durham *(à 25 mi/40 km à l'O. par l'US 70).* — Ville spécialisée dans la manufacture du tabac (American Tobacco Co, fondée par James B. Duke) et l'industrie textile, elle compte un intéressant **Museum of Life and Science** (de la préhistoire à l'aérospatial). Elle est aussi le siège de la Duke University et du Research Triangle Park.

Savannah**

---

137 560 hab. ; fuseau horaire : Eastern time.

Situation : *à l'E. de la Géorgie ; sur l'océan Atlantique, à 140 mi/ 225 km au N. de Jacksonville et à 105 mi/169 km S.-O. de Charleston.*

À voir aussi dans la région : *Atlanta*, Charleston**, Columbia ;* ***en Floride :*** *Saint Augustine**.*

Savannah est une délicieuse cité balnéaire empreinte de l'atmosphère, pieusement conservée, du vieux Sud. Construite en 1733 à l'embouchure de la Savannah River, la ville fut d'abord la capitale de la Géorgie, treizième colonie d'Amérique. Son fondateur, James Edward Oglethorpe, la découpa en pâtés de maisons réguliers et symétriquement répartis entre de vastes places plantées d'arbres et de statues.

Le vrai miracle pour le visiteur en quête d'authenticité, c'est que son quartier du XVIIIe et du XIXe s. soit resté en l'état. En effet, à la fin de la guerre de Sécession, ses habitants préférèrent se rendre au général Sherman pour éviter sa destruction totale. Et, plus récemment, sensibles à la beauté de leur ville, ils entreprirent la restauration de la zone historique (4 km²). Depuis 1955, plus de 1 700 demeures, sur les 2 538 présentant un intérêt architectural, ont été rénovées.

On se promène donc entre des demeures ravissantes, le long de larges allées bordées d'arbres moussus, avant d'aller déguster des fruits de mer à River St. tandis qu'un bateau à aubes remonte la rivière. Anecdotiquement, notons que la cité a pour seul inconvénient d'être envahie, deux fois par an, de *love-bugs*, insectes qui volètent et copulent sous vos yeux... mais ne piquent pas.

Avec plus de 250 000 habitants dans son aire métropolitaine, Savannah n'est pas seulement un musée pour touristes, mais une petite ville animée et riante. Lieu de naissance de l'écrivain Flannery O'Connor, la ville est aussi un bon point de départ pour visiter la côte de Géorgie. À une demi-heure de bateau, la petite île de Tybee offre aux baigneurs de longues plages blanches, un phare, un petit musée. Savannah accueillera en 1996 les compétitions nautiques des jeux Olympiques.

■ Savannah dans l'histoire

La capitale du coton. — Savannah a été fondée le 12 février 1733 par le général James Edward Oglethorpe accompagné de 120 colons. Ils venaient de Gravesend en Angleterre, dans le dessein d'accroître le commerce le long de la côte et d'établir une « zone-tampon » entre la Floride espagnole et les colonies anglaises pendant la guerre d'Espagne. Elle connut sa plus grande prospérité au XIXᵉ s. avec le commerce du coton. Longtemps, le Cotton Exchange, qui se dresse encore sur le front de mer, établit le cours mondial du coton. Pendant la guerre de Sécession, Savannah se rendit au général Sherman le 22 décembre 1864 ; ce dernier envoya alors le message suivant au président Lincoln : « Je vous envoie en cadeau de Noël la ville de Savannah avec ses 140 canons, ses munitions et 25 000 balles de coton. »

La reconversion économique. — Après guerre, la reprise écono-

mique fut difficile. Il fallut attendre une vingtaine d'années avant que le commerce du coton ne retrouve son activité et que la production de bois et de résines, fournie par les forêts de pins environnantes, ne reprenne. Celle-ci fait vivre aujourd'hui *Union Camp*, le plus grand producteur de papier kraft du monde. Le XXᵉ s. favorisa le développement industriel de la ville et de son activité portuaire.

Le sauvetage d'une ville historique. — La restauration du fort Pulaski fut le point de départ d'un effort constant en faveur de la sauvegarde de la ville. En 1955, sept habitantes montèrent la garde devant la Davenport House, qui devait être démolie, et fondèrent la Historic Savannah Foundation. En 1966, tout le centre fut déclaré « National Historic Landmark ». Depuis, l'amour des habitants pour leur ville et leurs efforts de préservation se sont fait remarquer dans tous les Etats-Unis. Près de 500 000 visiteurs chaque année viennent à Savannah.

■ Visiter Savannah

Grâce à son plan régulier, la ville se visite facilement. Il serait dommage d'y passez seulement une journée : vous manqueriez cette ambiance calme, élégante, désuète, mais vivante, qui lui donne son charme.

*Restez-y **au moins deux jours** et consacrez un après-midi —ou une **troisième journée**— à la visite des forts proches, à une baignade à Tybee Island et à une escapade le long de la côte de Géorgie.*

■ 1. — Le vieux quartier***

Le plan de Savannah étant rigoureusement quadrillé, il suffit d'emprunter une rue après l'autre pour visiter la ville. Nous vous présentons ici chacune des rues perpendiculaires au front de mer *(Bay St.)*, avec leurs habitations, les places et les monuments les plus intéressants ; Bay St. et River St. sont traitées dans une seconde promenade. Le mieux est de partir de l'office de tourisme, car il jouxte un musée intéressant consacré à l'histoire de la ville.

● **Visitors Center** *(301 Martin Luther King Bvld. ; ouv. t.l.j. 9 h-17 h).* — Il est établi à l'O. de la ville, dans l'ancien **Central of Georgia Railroad** station ; vous y trouverez un bon plan et des vis. guidées enregistrées sur des cassettes. Tout à côté, le **Savannah History Museum** *(ouv. 8 h 30-17 h en semaine, 9 h-17 h le week-end)* dont la pièce maîtresse est une locomotive à vapeur de 1890. On y découvrira aussi la vie de quelques-uns des illustres habitants de Savannah comme le comédien Charles Douville Coburn, créateur des Coburn Players qui fit les délices de Hollywood avec ses excentricités raffinées, son monocle et son visage roublard,ou l'écrivain Flannery O'Connor.

Peanuts et beurre de cacahuètes

Que seraient les Américains sans leur télévision, et leur télévision sans les fameuses *peanuts* grignotées en famille ?

Nul ne sait si les cacahuètes étaient cultivées en Amérique du N. avant l'arrivée des premiers colons. En revanche, en Amérique du S., les Indiens les récoltaient depuis plusieurs millénaires. On pense que les Portugais en exportèrent des graines du Brésil vers l'Afrique au XVIe s. et que c'est d'Afrique que les cacahuètes sont entrées aux Etats-Unis un siècle plus tard. Leur culture s'y est développée après la guerre de Sécession et devint importante après 1917. Aujourd'hui, de nombreux États du S. produisent des cacahuètes, mais c'est la Géorgie qui arrive en tête, avec 800 000 tonnes par an. 20% seulement des cacahuètes sont consommées sous forme de graines salées. La majorité est transformée en une spécialité bien américaine : le beurre de cacahuète.

● **Montgomery Street.** — Encadré par Montgomery, Barnard, West Bryan et West Congress Streets, le **City Market,** restauré depuis 1950, héberge des magasins d'artisanat sympathiques, des galeries d'artistes en plein travail et des restaurants pourvus de terrasses.

● **Barnard Street**

Telfair Mansion and Art Museum *(Barnard & W State Sts ; ouv. mar. - sam. 10 h-17 h, dim. 14 h-17 h).* — La maison se divise en deux parties : les pièces d'habitation et le musée proprement dit. La Telfair Mansion comporte une belle *dining-room* datant de 1819 (« la *dining-room* est presque toujours la plus belle pièce des mai-

sons de Savannah », remarquait Fenimore Cooper) et une immense
drawing-room. L'ambiance raffinée
instaurée par le piano, la table à thé et
la harpe, était censée mettre un peu
de fantaisie dans une vie très organisée et hiérarchisée. La collection permanente exposée dans la Rotunda
Gallery du musée ne comprend rien
de remarquable mais il y a d'intéressantes expositions temporaires sur
l'art contemporain.

● **Bull Street***

Cette très jolie rue vous emmène dans
une agréable promenade, ponctuée
par cinq squares ombragés de chênes
verts, jusqu'au parc Forsyth.

Johnson Square. — Il est bordé par
la **Christ Episcopal Church** (1838),
qui se dresse là où fut fondée en 1733
la première église de la ville. L'obélisque de marbre a été dessiné par
William Strickland mais ne figure pas
parmi ses œuvres immortelles.

Wright Square doit son nom à James
Wright, gouverneur de la province de
Géorgie de 1760 à 1782. Tomo-Chi-
Chi, chef des Yamacraws, une tribu
Creek y est enterré. On a dit de lui
qu'il était le co-fondateur, avec Ogle-
thorpe, de la Géorgie, car il permit
aux Anglais d'établir leur colonie.
D'ailleurs, en 1734, Tomo-Chi-Chi
âgé de 84 ans visita l'Angleterre et fut
reçu par le roi et l'archevêque de
Canterbury.

Au **n° 142** de Bull St., la maison de
pierres blanches vit naître Juliette
Gordon Low, amie de Baden-Powell,
qui fonda le mouvement scout féminin en 1912 à Savannah. On y présente des souvenirs qui laissent un
goût de nostalgie.

L'**Independant Presbyterian Church**
(Bull & Oglethorpe Sts) est considérée comme le plus intéressant monument de la ville (1755). Son architec-

ture élégante s'encastre curieusement
dans une façade de style temple grec.
Pour les nostalgiques, notons que le
compositeur Lowell Manson, qui mit
en musique l'hymne *Nearer, my God,
to thee*, y fut organiste.

Chippewa Square. — En son centre
s'élève la statue du général Oglethorpe, œuvre de Daniel Chester
French.

Madison Square est entouré par de
beaux édifices : la Saint John's Episcopal Church, la résidence de Francis
Sorrell, la Jewett House, et la **Green
Meldrim Mansion** qui servit de quartier général à Sherman lorsqu'il
occupa Savannah en 1864-1865. Le
mobilier a été parfaitement conservé,
et l'on admirera la bibliothèque, surtout quand on saura que Charles
Green, l'un de ses propriétaires, était
le grand-père de l'écrivain Julien
Green.

Monterey Square. — La Congregation Mickve Israel, synagogue de style
néo-gothique (1878), remplace celle
qu'édifièrent en 1733 des juifs d'origine portugaise ; petit musée.

Forsyth Park est célèbre pour ses
azalées : il ne faut pas le manquer au
printemps. Il est orné d'une grande
fontaine, datant de 1858, qui a été
reproduite de par le monde, et
jusqu'à Cuzco.

Gingerbread House *(assez loin, à
l'angle de la 36th St.)*, ornée d'une
magnifique véranda en fer forgé, est
une des plus belles maisons de Savannah. Mais le quartier tout autour se
dégrade.

● **Abercorn Street**

Au **n° 23** *(au coin de Reynolds
Square)*, l'**Olde Pink House** (1771) est
facilement repérable grâce à ses
façades en stuc rose. Ancienne
banque des planteurs, elle est
aujourd'hui transformée en restau-

Les flocons blancs

*D**epuis plus de deux siècles, chaque automne, les champs du Sud (Mississippi, Louisiane, Alabama, Tennessee, Géorgie) se couvrent de gros flocons blancs.*

■ Un monopole anglais

Le règne du *King Cotton* ne commence qu'à la fin du XVIIIe s. quand sa culture prend une ampleur industrielle. À cette époque, les Anglais souhaitaient conserver le monopole de la fabrication du tissu, mais l'un des leurs, Samuel Slater, les trahit: ouvrier dans une filature anglaise, il émigre aux États-Unis en 1789 et fait construire en Nouvelle-Angleterre la première fabrique. En 1793, Eli Whitney invente la célèbre *Cotton Gin*, une machine qui sépare mécaniquement les fibres des graines de coton. La demande de coton ne cessant d'augmenter, la production va doubler tous les dix ans à partir de 1820. En 1860, le coton représente, en valeur, les deux tiers des exportations du pays. La traite des Noirs s'intensifie proportionnellement fournissant une main-d'œuvre bon marché.

■ Le coton et la guerre de Sécession

Si certains propriétaires possèdent des domaines de plus de 1 000 ha et emploient des centaines d'esclaves, beaucoup de petites exploitations n'ont que quelques ouvriers, voire aucun. Pourtant, dès qu'il sera question d'abolir l'esclavage, les petits planteurs feront cause commune avec les plus gros qui, eux, ont compris qu'ils ne pourraient plus gagner autant d'argent avec une main-d'œuvre normalement payée. Ce sera l'une des causes principales de la guerre de Sécession.

◄ *Old Slater Mill (Rhode Island)*

La première filature américaine, construite en 1790.

de la Cotton Belt

▲ *La récolte du coton*

Il n'y aura bientôt presque plus d'hommes dans les plantations:
depuis le milieu des années 60, ce sont des machines qui font la
récolte, ainsi que beaucoup d'autres tâches. En 1923, un cultivateur
devait travailler environ 270 heures pour produire une balle
de coton. Aujourd'hui, il ne lui faut plus que 23 heures...

■ Une industrie en perte de vitesse

Aujourd'hui, le coton reste la source de revenus la plus importante
des fermiers du Sud. Si la demande demeure forte (notamment pour
la fabrication des blue-jeans en denim et des T-shirts), la part du
coton a tendance à diminuer dans l'économie nationale: en 1965, il
représentait encore la moitié des fibres textiles produites aux États-
Unis; en 1980, un quart seulement. Les États-Unis ne sont plus que le
3e pays producteur; en 1920, ils fournissaient la moitié du coton mondial, contre seulement 1/6e actuellement.

Une mode venue d'Angleterre

S'il faut chercher un point commun aux demeures de Savannah, on retiendra la richesse de la décoration en fer forgé des balcons et des rambardes, voire des encadrements de portes, qui donne une note de fantaisie aux maisons les plus austères. Le fer forgé apparut lors de la reconstruction de la ville après l'incendie de 1796, introduit par les bateaux qui commerçaient avec l'Angleterre. L'architecte William Jay, qui avait appris à le façonner à Londres et à Liverpool, convainquit les habitants de reconstruire leurs demeures avec ce matériau ininflammable : les poutrelles des sols, les toits, les volets et les encadrements de fenêtre en fer fourniraient une protection parfaite contre le feu et les cambrioleurs. Tout ce fer fit la fortune d'Henry McAlpin, un Écossais qui avait ouvert une fonderie près de la ville, et dont la publicité vantait d'élégantes grilles pour habiller l'extérieur et l'intérieur des escaliers, les balcons, les vérandas, également les tombes. Mais après la guerre de Sécession, les Savanniens prirent goût aux espaces ouverts et allèrent même jusqu'à retirer l'élégante grille qui fermait Forsyth Park.

---

rant chic. La place est consacrée à John Wesley (1703-1791), l'un des fondateurs du méthodisme. Chef religieux de la communauté de Savannah en 1736, il donnait ses offices en anglais, en allemand, en français, en espagnol et en italien.

Oglethorpe Square est ainsi baptisé en hommage au fondateur de la ville : James Oglethorpe qui voyait dans la nouvelle colonie un havre pour les pauvres et désirait créer une société solidaire et égalitaire. Au coin de Pre-

sident St., on verra deux édifices dont la proximité accentue les différences : la blanche église luthérienne, fondée en 1741, qui fait face à la Chatham County Court House en briques jaunes (Savannah fait partie du comté de Chatham).

En face, l'élégante **Owens-Thomas House*** *(124 Abercorn St. ; ouv. mar.-sam. 10 h-16 h, dim.-lun. 14 h-16 h 30)* fut construite par l'architecte William Jay dans le style néoclassique. De son balcon, en 1825, le général La Fayette s'adressa au peuple. À l'extérieur, la maison est construite en *tabby*, mélange de chaux, de coquilles d'huîtres et de sable, et couverte d'un stuc couleur miel imitant la pierre de taille. L'intérieur est intéressant pour le petit pont courbé au-dessus de l'escalier qui dessert le premier étage, les trompe-l'œil donnant l'illusion de coupole et l'agréable jardinet au goût de l'époque. Jay introduisit deux innovations dans la maison : un savant système de plomberie comprenant eau courante, cabinet de toilette, citerne et salle de bains, et la véranda en fer forgé.

Le **cimetière colonial**** *(au-delà, Abercorn St. & Oglethorpe Ave.)* offre un havre de paix et de souvenirs. Ouvert en 1750, il fut fermé un siècle plus tard. De célèbres Géorgiens y sont enterrés, mais les Français pourront s'arrêter devant la tombe de Denis Nicolas Cottineau de Kerloguen. Ce compatriote participa à la Révolution américaine, puis s'établit à Saint-Domingue d'où il fut chassé par une révolte d'esclaves. Il mourut en 1808 à Savannah dans la maison de l'abbé Carles. En 1928, l'ambassadeur Paul Claudel demanda à la ville de poser une plaque en son honneur.

Au passage, jetez un coup d'œil dans la très élégante **Oglethorpe**

Avenue, bordée d'arbres couverts de mousse espagnole.

● On se promènera avec plaisir dans les squares **Whitefield, Troup** et **Lafayette**, bordés de maisons de styles différents, parmi lesquelles la **Andrew Low House**, où vécut Juliette Gordon Low (voir Bull St.). On peut visiter le **Hamilton-Turner Museum**, sur Lafayette Square, et monter sur le toit pour une jolie vue sur la ville.

● **Davenport House Museum** *(324 E. State St.)* se loge dans une maison représentative du style fédéral. Lorsqu'on envisagea sa démolition, un groupe de *ladies* outragées réunirent 22 500 $ et l'achetèrent. La **Historic Savannah Foundation's Museum** shop propose des souvenirs de bon goût.

■ 2. — Factor's Walk et River Street**

Le quai de la rivière a été converti en zone piétonnière, bordée de restaurants de fruits de mer et de boutiques de souvenirs. Le soir, des orchestres y entretiennent une ambiance animée. On y parvient par des escaliers partant de Factor's Walk, la promenade longeant Bay St. De très jolis monuments s'y élèvent.

On partira du dôme doré du City Hall et l'on ira jusqu'à l'auberge des Pirates, citée par Stevenson, avant de revenir le long des flots de la Savannah River.

● **Le City Hall** *(en face de Bull St.).* — L'hôtel de ville (1905), surmonté d'une coupole de cuivre doré, remplace un édifice datant de 1799. On y verra la maquette du premier bateau à vapeur qui traversa l'océan, le *Savannah* : il quitta son port le 22 mai 1819 et arriva le 20 juin 1819 à Liverpool ; il fit escale à Saint-Petersbourg,

à Crondstadt et à Stockholm avant de revenir. En commémoration, des fêtes maritimes sont célébrées le 22 mai. Le *John Randolph*, premier bateau à vapeur en fer, fut aussi lancé de ce port le 9 juillet 1934.

● **US Custom House** *(Bull & Bay Sts)* s'élève à l'emplacement de la maison d'Oglethorpe ; elle fut construite en 1852 et coûta la somme énorme de 150 000 $. Notez ses piliers, qui soutiennent des feuilles de tabac.

● **La promenade du coton**** ou **« Factor's Walk »** *(entre Bull & Broad Sts).* — Son nom remonte au XIXe s., à cause des courtiers en coton qui s'affairaient dans les immeubles commerciaux en bordure du fleuve. Les rez-de-chaussée des bâtiments abritent des magasins d'antiquités où l'on peut faire de jolies trouvailles.

La Factor's Walk est en elle-même un musée vivant. On y verra les canons offerts par George Washington après la bataille de Yorktown : l'un d'eux est de fabrication française. Il est gravé d'un soleil, emblème de Louis XIV, et porte une inscription en latin signifiant « le dernier argument des rois ».

● **Cotton Exchange Building** est un bâtiment de briques rouges, décoré de motifs floraux. Il fut construit en 1887 par l'architecte bostonien William Gibbons-Preston, à l'époque où Savannah était le premier port de coton de l'Atlantique : deux millions de balles de coton en partaient chaque année. Le Cotton Exchange abrite aussi la loge maçonnique Solomon, créée le 2 février 1734, dont le premier grand-maître fut le général Oglethorpe. C'est la plus ancienne loge anglaise en activité dans l'hémisphère N. La Géorgie compte aujourd'hui 100 000 francs-maçons.

● **Emmet Park.** — La promenade sous les arbres est ainsi nommée en l'honneur du patriote irlandais Robert Emmet.

• **Fort Wayne** se dresse au bout d'Emmet Park, là où Oglethorpe créa le premier jardin expérimental d'Amérique, le Trustees Garden.

• **Pirate's House** *(à la fin de Bay St., en tournant sur E. Broad St.)* citée par Stevenson dans *l'Ile au trésor* reste une maison en bois d'austère apparence, auujourd'hui transformée en restaurant. À l'intérieur, les chopes en forme de crâne, les mannequins pendus dans l'escalier qui vous heurtent de la botte, et les serveurs costumés en capitaine Crochet instaurent une ambiance de joyeuse épouvante. La note du restaurant vous demandera de puiser dans votre coffre aux trésors, mais le bar du premier étage n'en exige pas tant.

• **Musée des bateaux** *(503 East River St.).* — Dans un ancien entrepôt de coton (1853), le Ships of the Sea Museum se consacre à la construction des voiliers et aux métiers s'y rapportant. Belle collection de maquettes.

• **La Waterfront Area*** *(non loin du City Hall).* — Sur le bord de la rivière, ce quartier récemment restauré constitue, autour de la John P. Rousakis Riverfront Plaza, l'une des principales attractions touristiques. Boutiques, cafés, restaurants ; on peut aussi s'y embarquer pour de courtes croisières sur trois bateaux à aubes.

• **Fort Jackson** *(à 5 km du centre)* est la plus ancienne structure de briques de Savannah. Il fut construit entre 1809 et 1842 pour protéger Five Fathom Hole, le port en eaux profondes du XVIIIe s. Expositions sur l'histoire de Savannah et la côte de Géorgie.

■ Environs de Savannah

• 1.— Vers l'est par l'US 80

• **Fort Pulaski National Monument** *(15 mi/24 km à l'E. par l'US 80 dite* aussi *Tybee Drive)* fut édifié à l'origine sous le nom de Fort George (1761) sur Cockspur Island, à l'embouchure de la Savannah River. Reconstruit entre 1829 et 1847 par un ingénieur militaire français, il fut occupé en janvier 1861 par les confédérés qui en furent délogés un an plus tard.

• **Tybee Island** *(18 mi/29 km à l'E. par l'US 80 dite aussi Tybee Drive).* — La belle plage de **Savannah Beach** épouse sur une dizaine de kilomètres, entre l'Atlantique et l'estuaire de la Savannah, les contours de l'île. Dans les années 20, Tybee Island était une station balnéaire très cotée : tous les grands orchestres de jazz venaient jouer au pavillon Tybrisa, hélas disparu. Aujourd'hui on peut s'y promener au bord de la mer, s'y régaler de fruits de mer, grimper en haut du phare et visiter le **Tybee Museum** *(ouv. en été t.l.j. 10 h-18 h, en hiver lun. et mer.-ven. 12 h-16 h. sam.-dim. 10 h-16 h).* Ce petit et pittoresque musée se loge dans une des fortifications de l'ancien fort Screven. En 1779 une importante flotte française sous le commandement du comte d'Estaing y jeta l'ancre pour assiéger Savannah. Les batteries datent de la guerre civile, elles étaient tournées vers le fort Pulaski. Pendant la Seconde Guerre mondiale, des troupes furent entraînées à Tybee Island. Outre les souvenirs des Indiens qui donnèrent à l'île son nom, le musée possède une intéressante, quoique réduite, collection de poupées.

• **Hilton Head Island** *(en Caroline du S., à env. 38 mi/61 km au N. : suivez la route de Charleston puis bifurquez vers l'E.).* — Cette île ouverte au tourisme balnéaire depuis 1953 offre de belles plages (équipements sportifs, promenades, hôtels) et un climat agréable toute l'année.

• 2.— La côte sud : vers la Floride

Suivez l'US 17 ou l'Interstate 95.

• **Fort McAllister** *(17 mi/27 km par l'US 17 et la GA 144)* : construit par les confédérés pour défendre Savannah, il tomba devant le général Sherman le 13 décembre 1864, ce qui conclut la marche à la mer des nordistes et entraîna la chute de la ville. Petit musée.

● **Midway** *(20 mi/32 km)*, fondée en 1752 par des puritains originaires du Massachusetts ; église de 1792. Musée historique dans un édifice reproduisant une maison disparue du XVIIIe s.

● **Brunswick** *(75 mi/120 km par l'US 17 ou 95)* est un port de pêche (crevettes) et une petite ville industrielle en bordure des marais de Glynn qui la séparent des îles d'Or de Géorgie : végétation subtropicale exubérante et tortues géantes.

● **Les îles d'Or**** (Golden Isles) : ce cordon d'îlots à la végétation subtropicale est l'un des principaux sites touristiques de la côte de Géorgie et

Le marais d'Okefenokee, au S.-E. de la Géorgie.

l'endroit rêvé pour un (ou deux) jour(s) de *farniente* (dans la foule et les grands hôtels…). Elles sont reliées à la côte par des ponts depuis Brunswick.

St Simons Island*, la plus vaste des Golden Isles, possédait de riches plantations jusqu'à la guerre de Sécession. Elle abrite le **Fort Frederica National Monument** *(à l'extrémité N. de l'île)* construit par Oglethorpe en 1734 ; c'est de là qu'il dirigea la conquête de la Floride. Incendié en 1758, le fort fut abandonné ainsi que la petite cité qu'il protégeait, Christ Church, reconstruite en 1884.

Sea Island, reliée à St Simons Island par un pont, est la propriété du Cloister Hotel depuis 1928, mais tout un chacun peut venir admirer les magnifiques parterres de fleurs de cet hôtel luxueux.

Little St Simons Island pourrait être la petite sœur de l'île de Robinson Crusoé. Ses forêts et ses marais sont peuplés de cerfs, de tatous, de ratons laveurs, de chevaux et de plus de 200 espèces d'oiseaux.

Jekyll Island *(au S.-E. de Brunswick)*, la plus petite des Golden Isles, nommée île de la Somme par les huguenots français (1562) où débarqua en 1858 la dernière « cargaison » d'esclaves africains ; elle fut entre 1886 et 1946 le lieu de villégiature hivernale exclusif de millionnaires (Gould, Morgan, Rockefeller, Vanderbilt, etc.) dont les cottages et villas sont aujourd'hui ouverts au public ; ruines de l'ancienne plantation Horton House (1738) ; centre de congrès Aquarama.

● **Okefenokee Swamp National Wildlife Refuge*** *(gagnez Waycross à 103 mi/169 km de Savannah ; le marais est à 8 mi/13 km au S. de Waycross par l'US 1 ; ouv. t.l.j. mais horaires variables suivant la saison).* — Ce marais de 1 800 km² est le plus grand marécage du continent. Ses lacs mystérieux sont un paradis pour toute une flore et une faune tropicale. Si vous faites une promenade en bateau parmi les champs de nénuphars, vous aurez toutes les chances d'apercevoir des loutres, des aigrettes, des grives ou des alligators.

● **Cumberland Island National Seashore**, la plus grande et la plus sauvage des Golden Isles depuis St Mary's *(à 107 mi/172 km de Savannah ; accès en ferry deux fois par jour de mai à début septembre, moins souvent le reste de l'année).* — C'est un vrai sanctuaire naturel, où l'on ne circule qu'à pied et où le meilleur logement reste le camping (rares hôtels) ; le nombre de visiteurs est d'ailleurs limité pour préserver l'équilibre écologique de l'île : oiseaux, tortues géantes *(caretta caretta)* ; au S. de l'île, ruines de **Dungeness**, plantation du général Oglethorpe (XVIIIᵉ s.) qui appartenait aux Carnegie au XIXᵉ s.

Winston-Salem

143 485 hab. ; fuseau horaire : Eastern time.
Situation : Caroline du Nord, à 104 mi/170 km à l'O. de Raleigh.
À voir aussi dans la région : Asheville*, Raleigh ; dans le Mid Atlantic :
Roanoke*.

Les nombreuses fabriques de tabac et de textile font de Winston-Salem une ville industrielle de première importance dans l'État. Tout comme son goût pour l'art contemporain avec deux musées intéressants et les tournois de golf qui attirent la *jet-society* américaine.

● **South Eastern Center of Contemporary Art** *(750 Marguerite Drive).* — Musée unique qui rassemble les peintures, sculptures et gravures des artistes contemporains.

● **Museum of Early Southern Decorative Arts** *(924 S. Main St.).* — L'intérieur de demeures du S. construites entre 1660 et 1820 sont reconstitués dans le cadre d'expositions et de recherches sur les arts décoratifs du vieux Sud.

● **Old Salem** *(au S. du centre),* quartier de la ville où l'on trouve une reconstitution exacte et vivante de la colonie des Frères moraves, disciples de Jan Huss, installés depuis 1766.

Louisiane et Mississippi : dans les tourbillons du Grand Fleuve

① Louisiane
② Mississippi

Lorsqu'on évoque la Louisiane, on imagine instantanément un pays voluptueux, où l'on danse et chante sans arrêt, tout en suçant des pattes d'écrevisses et en laissant « le bon temps rouler ». Il est vrai que la Louisiane et le Mississippi font bande à part au sein de l'Union (ne serait-ce que sur le plan religieux, la Louisiane étant en majorité catholique romaine, le Mississippi baptiste). Il est vrai aussi que New Orleans, alanguie et fêtarde infatigable, distille une sensualité et une joie de vivre peu communes. Ne croyez pas pour autant que ces deux États sont hors du monde : en remontant le Mississippi, vous n'apercevrez guère de crinolines, mais plutôt les silhouettes monotones des derricks. Il faudrait donc, en premier lieu, mettre en garde le visiteur : qu'il n'apporte pas avec lui trop de rêves, la confrontation avec la réalité risquerait de le décevoir. Mais s'il n'attend pas de la Louisiane qu'elle soit un mythe —l'idéalisation d'une France aristocratique ou le décor magnifié de certains best-sellers—, elle le ravira au-delà du réel.

● **Derniers bastions de l'ancienne France**

La France a laissé, ici, son empreinte. L'histoire de la région nous le rappelle : l'impétueux Mississippi découvert par Hernando de Soto en 1541 ne fut-il pas, plus tard, exploré par Louis Jolliet et le père Jacques Marquette ? René-Robert Cavelier, sieur de La Salle, fut d'ailleurs le premier à descendre le Mississippi jusqu'au golfe du Mexique en 1682 ; il réclama les terres irriguées par le fleuve et ses affluents au nom du Roi de France et leur donna le nom de *Louisiana*. Et le premier emplacement permanent des blancs sur le Mississippi fut fondé par les Français en 1716 : il s'agissait de Natchez, appelée alors Fort Rosalie. Quant à Jean Baptiste Le Moyne, sieur de Bienville, il fonda deux ans plus tard New Orleans, la capitale française des territoires du Mississippi.

Mais qui pourrait affirmer que la cosmopolite **New Orleans** est avant tout marquée par l'influence française ? Malgré son nom de *French Quarter*, le Vieux Carré évoque plutôt l'architecture espagnole, et la population de la ville témoigne, par son brassage ethnique, de l'importance passée de l'esclavage. Sachez toutefois qu'un quart des habitants de la Louisiane revendiquent une ascendance française. Ces derniers ne vivent pas à New Orleans, mais dans l'étendue poignante des *bayous*, dans ces forêts de cyprès aux troncs baignant dans l'eau saumâtre, ces horizons stagnants de chênes auxquels s'accroche la dentelle grisâtre de la mousse espagnole :

l'estuaire du Mississippi, un tiers de la superficie totale de la Louisiane, ultime refuge des Cajuns. Chassés du Canada par les Anglais lors du « Grand Dérangement » (doux euphémisme), ils colonisèrent cette terre amphibie, apprirent à se nourrir d'alligators, de poissons-chats et de patates douces. Ces Broussard, ces Gauthier, ces Laffont, ces Dupré parlent français, un français archaïque et inventif, poétique et drôle ; ils adorent manger, boire, danser, ils reçoivent l'étranger avec bonheur et générosité. Et leur univers rustique et pauvre est certainement plus proche de ceux, désespérés, d'un Tennessee Williams ou d'un John Kennedy O'Toole, que du monde féerique des grandes plantations ou des fastes d'*Autant en emporte le vent*.

● **La gloire défunte du vieux Sud**

Au nord du delta, le « père des fleuves », le Mississippi, roule son eau boueuse « pas assez solide pour qu'on

---

Louisiane : carte d'identité

en l'honneur de Louis XIV ; abréviation LA ; surnom Pelican State. **Surface** : 123 670 km² ; 31e État par sa superficie.
Population : 4 219 970 hab.
Capitale : Baton Rouge (220 500 hab.).
Villes principales : New Orleans (496 900 hab.) ; Shreveport (198 525 hab.) ; Metairie (149 430 hab.).
Entrée dans l'Union : 1812 (18e État).

y marche mais pas assez liquide pour qu'on la boive » dans des paysages plats, agréablement boisés, quelquefois monotones. On l'aperçoit de loin en loin, corseté de levées de terre, formidable masse d'eau quasi immobile que sillonnent des péniches chargées. Et là, entre des villages terriblement américains, rassemblement saugrenu de quelques *mobile-homes*, d'une église blanche et d'une poignée de maisons de bois accolées à une pompe à essence, se succèdent les **plantations** du roi Coton : Rosedown, Nottoway, Greenwood où fut tourné le film *Bagatelle*, Oak Alley et sa célèbre allée de chênes centenaires... Toutes —ou presque— ont gardé leur blancheur primitive, leurs colonnades à la grecque, leurs galeries de bois, leurs objets d'art achetés en Europe il y a un siècle et demi. Mais leurs domaines de canne à sucre et de coton ont aujourd'hui disparu. Converties en *Bed & Breakfast* ou en hôtels, elles ont souvent échu à des hommes d'affaires, attachés à la gloire défunte du vieux Sud, qui revêtent à l'occasion des visites guidées la redingote de Rhett Butler.

Natchez est par excellence la ville-musée des années *ante bellum*. Ses 500 demeures blanches, datant d'avant la guerre de Sécession, rappellent qu'on y comptait autrefois plus de millionnaires que partout ailleurs aux États-Unis. Les magnolias de **Vicksburg** ombragent les tombes des 17 000 soldats de l'Union tombés pendant la guerre : la petite ville végète depuis le siège de juillet 1863, où le Mississippi devint rouge du sang des Yankees et des Confédérés, chacun voulant s'assurer le contrôle du fleuve.

● **Les accents violents du Delta Blues**

Les bateaux à aubes —il en reste cinq— n'assurent plus, comme dans les années 30, la richesse du grand

---

Mississippi : carte d'identité

de l'indien « maesi » (large) et « sipu » (fleuve) ; abréviation MS ; surnom Magnolia State.
Surface : 123 580 km^2 ; 32e État par sa superficie.
Population : 2 573 200 hab.
Capitale : Jackson (196 640 hab.).
Villes principales : Biloxi (46 319 hab.) ; Greenville (45 226 hab.) ; Hattiesburg (41 882 hab.) ; Meridian (41 040 hab.).
Entrée dans l'Union : 1817 (20e État).

---

fleuve. L'industrie, spécialement le pétrole et le gaz naturel (la Louisiane produit autant de gaz naturel que le Texas et quatre fois moins de pétrole), mais aussi les produits chimiques et la fabrication de papier fournissent la principale source de revenus de la **Louisiane,** précédant le tourisme et l'agriculture. En revanche les 2,5 millions d'habitants du **Mississippi** vivent en majorité de l'agriculture, favorisée par le sol fertile et le climat semi-tropical. Près de 38 000 fermes y produisent du coton, de la canne à sucre, du riz, du soja, du maïs, du sorgho, des patates douces ; toutefois, le revenu par tête d'habitant y reste le plus bas du pays.

Cette donnée économique ne peut être passée sous silence lorsqu'on visite le grand frère de la Louisiane, nid de pauvreté, mais aussi vivier d'artistes comme William Faulkner, qui passa nombre d'années de sa vie à Oxford, habitant Rowan Oak. Quant au blues, il naquit le long de la fameuse Highway 61, surnommée *blues alley* au Nord-Ouest de l'État. Chaque année, ses fans se réunissent à Greenville, à l'occasion du Delta Blues Festival. Si New Orleans a consacré son principal musée à l'art occidental, Jackson a préféré dédier le sien à la culture des Noirs, rappelant ainsi que l'histoire de ces deux États est aussi celle de déchirures et de longues luttes bien absentes de l'univers doré des plantations.

Découvrir la Louisiane et le Mississippi

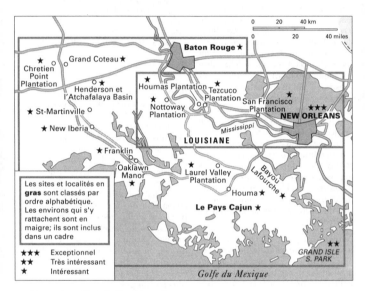

Que voir au S. de la Louisiane ?

■ Que voir ?

● Les vieilles cités

En Louisiane : **New Orleans*****, la patrie du jazz, avec son Vieux Carré***, ses jolies maisons agrémentées de fer forgé et surtout son perpétuel air de fête (→ p. 714) ; **Saint-Martinville***, la cité la plus francophone de l'État, et **New Iberia***, toutes deux en pays cajun

(→ p. 705) ; **Franklin*** et son beau quartier historique (→ p. 706) ; **Natchitoches***, comme endormie au bord du Cane River Lake (→ p. 713).

Dans le Mississippi : **Natchez****, l'ancienne capitale des riches planteurs, remarquablement conservée (→ p. 708) ; **Vicksburg***, très attachée au souvenir de la guerre de Sécession (→ p. 734) ; **Port Gibson****, sur le Grand Fleuve, miraculeusement épargnée par la guerre de Sécession (→ p. 712).

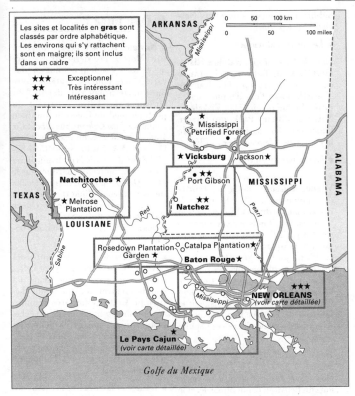

Les sites et localités en **gras** sont classés par ordre alphabétique.
Les environs qui s'y rattachent sont en maigre ; ils sont inclus dans un cadre

★★★ Exceptionnel
★★   Très intéressant
★   Intéressant

Que voir en Louisiane et Mississippi ?

● Les plus belles plantations

En Louisiane : le long de la célèbre Old River Road (→ p. 731), qui longe le Mississippi entre New Orleans et Baton Rouge : **San Francisco*** qui a la forme d'un ancien *steamer*, **Tezcuco*** toujours bien meublée, Houmas* où de nombreux films furent tournés, **Nottoway*** célèbre pour sa salle de bal, **Oak Alley** et ses chênes tricentenaires.

Bien d'autres plantations sont dispersées autour de Baton Rouge

(→ p. 700) : **Rosedown***, **Catalpa*** et **Greenwood**, immortalisée dans le film *Bagatelle* ; **Chretien Point Plantation***, l'une des plus belles demeures néo-classiques de l'État (près de Lafayette → p. 704) ; **Melrose Plantation***, où s'arrêtèrent Steinbeck, Faulkner et quantité d'écrivains (près de Natchitoches → p. 714).

Dans le Mississippi : les ruines romantiques de **Windsor**, dont il ne reste qu'une poignée de colonnes (près de Natchez → p. 712), sans oublier les demeures du vieux **Natchez**** (→ p. 708).

● **Les lieux historiques**

Dans le Mississippi : **Natchez Historical Park,** qui fait revivre la grande époque du coton (→ p. 711) ; **Natchez Trace Parkway,** l'une des plus vieilles pistes du Sud (→ p. 711) ; **Vicksburg National Military Park,** qui retrace l'un des combats les plus sanglants de la guerre de Sécession (→ p. 736).

● **Les musées insolites**

En Louisiane : À New Orleans : **le Voodoo Museum***, dédié aux esprits du vaudou (→ p. 722), le très intéressant **musée du jazz*** (→ p. 722) et le curieux petit musée de la pharmacie (→ p. 722) ; sans oublier le très moderne **Aquarium of the Americas****, toujours à New Orleans, qui fascinera les plus jeunes (→ p. 728). À Lafayette, les reconstitutions de l'**Acadian Village*** (→ p. 703) évoquent l'histoire des Cajuns. Et la visite de la fabrique de **Tabasco Pepper Sauce** à Avery Island émoustillera vos papilles (→ p. 705).

Dans le Mississippi : on verra deux musées à Jackson : le **Jimmy Buck Ross Museum,** consacré à la vie le long du fleuve au début du siècle, et le **Smith Robertson Museum,** voué à la culture des Noirs (→ p. 737).

● **Les sites naturels**

En Louisiane : les bayous du **pays cajun**, notamment l'**Atchafalaya Basin***, d'où vous pourrez découvrir en barque ces paysages gorgés d'eau, et le **bayou Lafourche***, l'un des plus spectaculaires, refuges de quantité d'oiseaux (→ p. 707).

Dans le Mississippi : les lourdes silhouettes de la **Mississippi Petrified Forest***, formée à l'époque préhistorique (près de Vicksburg → p. 737).

■ Que faire ?

● **Naviguer...** sur le Mississippi bien sûr ! Mais les croisières sur le « père des fleuves » se font de plus en plus rares. Vous pourrez toutefois faire une courte promenade depuis New Orleans : des bateaux partent du port, au pied de Canal St. (ou bien contactez *New Orleans Steamboat Co*, 1300 World Trade Center, New Orleans, LA 70130 ☎ 504/586-87-77). Pour des croisières de plusieurs jours, vous pouvez embarquer sur le *Delta Queen* ou le *Mississippi Queen* (nous vous conseillons de réserver à l'avance auprès de *Delta Queen Steamboat Co*, Robin St. Wharf, New Orleans, LA 70130 ☎ 504/586-06-31).

● **Glisser** sur les eaux dormantes des bayous : c'est l'une des plus belles balades en **pays cajun**, dans les marais qui forment l'estuaire du Mississippi. Cette petite virée réjouira aussi les inconditionnels de la pêche. Beaucoup de compagnies ou loueurs locaux proposent leur services pour un tour de 2 ou 3 h en barque ; renseignez-vous sur place (à Thibodaux ou Henderson).

● **Danser** et **faire la fête** : ce pourrait être la devise de la Louisiane et plus particulièrement celle du **pays cajun**, où partout on vous proposera de participer à ces *fais-dodo* qui appartiennent aujourd'hui au folklore. Vous pourrez y danser au son des guitares, des violons et des accordéons et y déguster des plats aux saveurs quelque peu étonnantes... Vous trouverez de nombreux bistrots à Lafayette, Saint-Martinville, New Iberia, sans oublier New Orleans ; beaucoup de festivals aussi en été.

L'autre grande occasion de danser est le **carnaval**, somptueusement célébré à New Orleans (attention à la foule).

D'autres carnavals, moins connus, mais tout aussi fous, se déroulent un peu partout dans l'État.

■ Propositions d'itinéraires

● 1. — Plantations et pays cajun

Circuit au départ de New Orleans

Baton Rouge*, Lafayette, New Iberia*, Saint-Martinville* portent encore les marques de l'ambiance du Sud traditionnel. Mais la Louisiane a d'autres attraits que d'anciennes plantations cotonnières : le delta du Mississippi, aujourd'hui enfermé dans des milliers de digues, est le **pays des Cajuns*** installés depuis deux siècles dans ces bayous aux ramifications multiples et à la végétation exubérante. Enfin, un coup d'œil vers Morgan City vous montrera que cette terre n'est pas seulement gorgée d'eau, mais aussi de pétrole.

Les étapes *(300 mi/480 km)*

— 1er jour : allez de New Orleans à Baton Rouge par l'Old River Road (nombreuses plantations) ;
— 2e jour : flânez autour de Baton Rouge ;
— 3e jour : prenez la route de Lafayette, New Iberia et Franklin ;
— 4e jour : revenez à New Orleans via Thibodaux et le bayou Lafourche.

● 2. — En remontant le long du Mississippi

Itinéraire de New Orleans à Vicksburg

Pourquoi résister à l'appel du fleuve ? La route du Nord, qui suit de temps à autres les méandres du Mississippi, vous fera remonter dans le temps. New Orleans***, Baton Rouge*, Natchez**, Port Gibson**, Vicksburg**, voilà autant de noms qui font resurgir l'époque des crinolines et du vieux Sud. En période de pèlerinage (mars- avr. et tout le mois d'oct.), les plus belles demeures ouvrent leurs portes. Et si vous voulez poursuivre votre chemin, la **Natchez Trace Parkway** vous mènera directement vers Nashville et le Tennessee.

Les étapes *(275 mi/445 km pour Vicksburg)*

— 1er jour : New Orleans-Baton Rouge par l'Old River Road ;
— 2e jour : Baton Rouge-Natchez ;
— 3e jour : visite de Natchez ;
— 4e jour : Natchez-Vicksburg.

Maison à New Orleans.

Baton Rouge*

220 500 hab. ; fuseau horaire : Central time.
Situation : *au S.-E. de la Louisiane, sur les rives du Mississippi ; à 80*
mi/130 km au N.-O. de New Orleans.
À voir aussi dans la région : *le pays cajun*, Natchez**, New Orleans***.*

Baton Rouge, capitale de la Louisiane, est au cœur de ce qu'on appelle
la région des plantations qui, de New Orleans à l'État du Mississippi,
regroupait avant la guerre de Sécession les familles les plus riches des
États-Unis. Les vastes demeures à découvrir aux alentours de la ville
sont les vestiges de cette splendeur passée, issue de la culture du coton
et de la canne à sucre. Elles sont le principal attrait de Baton Rouge,
qui a aujourd'hui le visage d'une grande ville industrielle.

Le site fut découvert en 1699 par Le Moyne d'Iberville qui repéra un
cyprès rouge délimitant alors le territoire des deux tribus indiennes
Houmas et Bayougoulas. D'où le nom de Baton Rouge. C'était un
modeste village quand, au début du XIXe s., des hommes politiques
puritains, incommodés qu'une ville dissipée comme New Orleans soit
le siège du gouvernement fédéral, firent de Baton Rouge la nouvelle
capitale de Louisiane.

Visiter Baton Rouge : *Une demi-jour-*
née suffit à voir l'essentiel de la ville.
En revanche, plusieurs plantations
dans les environs méritent une visite.

Le bateau à vapeur **Samuel Clemens**
fait le tour du port en une heure
(départs du Florida Blvd. ; mars-sep.
t.l.j. 10 h, 12 h, 14 h ; oct.-mars : mer.-
dim. 10 h ; 12 h ; 14 h).

● **Louisiana State Capitol** *(State Capi-*
tol Drive ; ouv. lun.-dim. : 8 h-16 h 30 ;
la tour ferme à 16 h). — De style Art
déco, c'est le plus élevé des États-Unis
(135 m), à la hauteur des ambitions
du gouverneur Huey P. Long qui le fit
bâtir en 1931. Élu après une virulente
campagne anti-trust, Huey P. Long
fut assassiné en 1935, à l'intérieur
même du capitole, pour des motifs
restés obscurs. Sa personnalité poli-

tique était, il est vrai, des plus controversées : il fut tour à tour accusé de
démagogie, de communisme ou encore
de fascisme. Il n'en demeure pas
moins considéré comme l'une des plus
grandes personnalités politiques de
Louisiane, ainsi qu'en témoignent à
côté du capitole sa tombe et sa statue.
À l'intérieur du capitole on peut visiter le **Memorial Hall** dont le dallage
est en lave polie du Vésuve. Vue panoramique depuis le 27e étage.

● **Capitol Complex Visitors Center**
(Bat. C, Pentagon Barracks sur
Riverside Drive N. ; ouv. mar.-sam.
10 h-16 h ; dim. 13 h-16 h) : exposition sur l'histoire militaire et politique
de Baton Rouge. Les Pentagon Barracks servirent de casernes (1823-
1824) et de relais postal. Y furent

reçues plusieurs personnalités telles que La Fayette, les généraux Taylor, Lee, Grant ou les présidents Jefferson Davis et Lincoln.

● **Louisiana Arts and Science Center Old Governor's Mansion** *(502 North Blvd. ; ouv. sam. 10 h-16 h ; dim. 13 h-16 h)* est l'ancienne résidence de fonction du gouverneur, construite en 1930 sous le mandat de Huey P. Long ; musée.

● **USS Kidd Historic Warship and Museum** *(305 River Rd. ; ouv. t.l.j. 9 h-17 h)* est un *destroyer* de la Seconde Guerre mondiale ouvert au public. Il est complété par un musée naval.

● **Old State Capitol** *(River Rd., North Blvd. ; ouv. lun.-sam. 9 h-16 h 30 ; dim. 13 h-16 h 30 ; actuellement f. au public)*, qui fut le siège du gouvernement de Louisiane de 1850 à 1932, est un étrange édifice bâti sur une hauteur dominant le Mississippi. Il tient du château crénelé et de la cathédrale. À l'intérieur, la large coupole de verres colorés (1881) repose sur une colonne en fer forgé ; dans les jardins s'étalent des wagons de chemin de fer offerts par la France en remerciement de l'aide apportée par les États-Unis au cours des deux guerres mondiales.

● **Magnolia Mound Plantation** *(2161 Nicholson Drive ; à env. 3 km du centre-ville ; ouv. mar.-sam. 10 h-16 h, dim. 13 h-16 h)* est un petit cottage sur pilotis d'inspiration créole construit en 1791. Le mobilier fut fabriqué en Louisiane, ce qui est assez rare à une époque où les meubles étaient souvent importés d'Europe. Visite des plantations, du pigeonnier et de la maison.

● **Anglo-American Art Museum** *(LSU Campus, en poursuivant sur Nicholson Drive ; ouv. lun.-ven. 9 h-16 h ; sam. 10 h-12 h et 13 h-16 h ; dim. 13 h-16 h).* — Sur le campus de la **Louisiana State University,** fondée en 1860, ce musée expose des œuvres anglaises et américaines des XVIIᵉ, XVIIIᵉ et XIXᵉ s. ainsi que des collections Art déco.

● **Rural Life Museum** *(LSU's Burden Research Plantation, Essen et Interstate 10 ; ouv. lun.-ven. 8 h 30-16 h)* fait revivre une plantation de la fin du XIXᵉ s. avec des cases, des magasins, des granges. L'architecture typique de la Louisiane au siècle dernier est évoquée à travers sept constructions représentatives de cette période.

■ Environs de Baton Rouge

● **St Francisville** *(à 26 mi/41,5 km au N. par l'US 61)* est une petite ville nichée dans la verdure sur une crête étroite et fondée à l'origine autour d'un couvent de capucins ; aux environs se trouvent plusieurs belles plantations (souvent difficiles à trouver : demander un plan au Visitor Center).

● **Les plantations autour de St Francisville**

Audubon State Commemorative Area *(à env. 5 mi/8 km au S. de St Francisville ; ouv. t.l.j. 9 h-17 h).* — Sur cent acres de terrains boisés se trouve **Oakley Plantation** (1795-1799) où le naturaliste John James Audubon peignit une trentaine de planches de ses célèbres *Oiseaux d'Amérique*. La visite comprend, outre la maison construite en cyprès, les cases à esclaves, les écuries, la grange et la salle où l'on tissait le coton.

Rosedown Plantation House and Gardens* *(près de St Francisville, sur la LA 10, juste à la sortie de l'US 61 ; ouv. t.l.j. mars-oct. 9 h-17 h, nov.-fév. 10 h-16 h)* est l'une des plus belles plantations de Louisiane. Le mobilier de cette demeure de 1835 est d'origine et les jardins à la française sont remarquables, avec des camélias et des azalées centenaires.

Catalpa Plantation.

Catalpa Plantation* *(3,5 mi/5,5 km au N. de St Francisville par l'US 61 ; ouv. t.l.j. 9 h 30-17 h ; f. en déc.-jan.)* se découvre au sortir d'une allée de chênes en forme d'ellipse. C'est un cottage victorien de 1880 orné de meubles hérités de la famille qui fit construire Rosedown Plantation.

Myrtles Plantation *(à env. 5 mi/8 km au N. de St Francisville par l'US 61 N. ; ouv. t.l.j. 9 h-17 h)*. — Construite en 1796, est considérée comme la « maison la plus hantée des Etats-Unis » ! Le balcon en fer forgé de la véranda est remarquable.

Greenwood Plantation *(à env. 10 mi/16 km au N. par l'US 61 puis la LA 66 et Highland Rd. au bout de* laquelle se trouve la plantation ; ouv. t.l.j. mars-oct : 9 h-17 h ; nov.-fév. 10 h-16 h). — Édifiée en 1830, cette plantation traversa la guerre de Sécession sans dommage pour brûler en 1960. Sa reconstruction achevée en 1984 permet de découvrir une demeure de style néo-classique entourée de 28 colonnes. C'est là que fut tourné le film *Bagatelle*.

Cottage Plantation *(à env. 6 mi/9 km au N. par l'US 61 ; ouv. t.l.j. 9 h-17 h)*, commencée en 1795 lors de l'occupation espagnole de la Louisiane et achevée vers 1850, a conservé intactes la plupart de ses dépendances dont l'ancien quartier des esclaves.

Le pays cajun*

Situation : Au S. de la Louisiane ; depuis Houma à l'E., jusqu'à la frontière du Texas à l'O., et Ville Platte au N.
À voir aussi dans la région : Baton Rouge*, Natchitoches*, New Orleans***.

Le pays cajun est l'une des régions les plus secrètes de Louisiane. Dans un quadrilatère compris entre Baton Rouge, Lafayette, le golfe du Mexique et New Orleans s'étendent des hectares de forêts inondées et des paysages de marais enfouis sous une végétation luxuriante. Le climat subtropical incite à la nonchalance et les barques glissent lentement sur l'Atchafalaya Basin, entre les saules et les palétuviers, dans un silence rompu seulement par le cri du héron ou des oies sauvages.

Au retour d'une longue promenade on dégustera, au son du zydeco, la musique traditionnelle du pays, des fruits de mer préparés selon les ancestrales recettes cajuns. De Lafayette à Thibodaux, on retrouvera la légendaire convivialité des Cajuns, toujours prêts à faire la fête, à vous entraîner dans une folle danse et vous convier aux *fais-dodos,* ces soirées où tout le monde se retrouve pour manger, chanter et danser sans répit.

■ L'histoire des Cajuns

L'exil. — Les Cajuns sont les descendants des Français du Canada, installés en Acadie, l'actuelle Nova Scotia, à la fin du XVIIe s. Le terme cajun est en effet une déformation du mot « acadien » devenu cadien puis cajun. En 1713, quand le Canada passe sous domination anglaise, les Acadiens, fermiers paisibles et fervents catholiques très attachés à leur culture, refusent de se soumettre au roi d'Angleterre et de renier leur religion. En 1755, ils sont déportés et leurs villages sont brûlés : c'est « le Grand Dérangement ». Environ 2 500 d'entre eux se réfugient alors dans le S. de la Louisiane, catholique et française, où ils tentent de reconstruire leur communauté et leur mode de vie.

Une installation marginale. — Assez isolés dans la région marécageuse des *bayous* (du choctaw « bàjuck » (petite rivière), les *bayous* sont des étendues d'eau variées, bras secondaires d'un fleuve ou lacs formés par un méandre abandonné), ils habitent de petites maisons en bois, sur pilotis ou flottantes, pêchent la crevette et cultivent le riz et la canne à sucre. Souvent pauvres, ils sont méprisés à l'égal des Noirs et la langue des Cajuns, un français mêlé d'archaïsmes et de tournures créoles, est tout autant dévalorisée. Aussi la langue française, maintenue vivante un moment grâce au folklore, est peu à peu abandonnée ;

un décret de l'administration Roosevelt, interdisant sa pratique à l'école, achève son anéantissement.

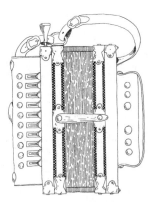

L'accordéon fait partie du folklore cajun.

L'ouverture. — Ce n'est qu'aux environs de 1940 que la culture cajun commence à être reconnue, avec la construction d'un réseau routier qui désenclave la région et l'arrivée d'immigrants attirés par la récente exploitation du pétrole. Mais cette ouverture accélère le déclin de la langue française, que M. Demongeaux, Cajun ancien membre du Congrès, tente d'enrayer en 1968 avec la création du CODOFIL, organisme chargé de la promotion du français de Louisiane. Cependant il est de plus en plus difficile de rencontrer de jeunes Américains d'origine cajun parlant encore le français.

Quelques expressions et proverbes cajuns

— lâche pas la patate : tiens bon !
— laissez les bons temps rouler : la philosophie des Cajuns ;
— bourré : jeu de carte, sorte de bridge cajun ;
—Il n'y a pas de sauce qui égale l'appétit ;
— La vie est à moitié finie avant que l'on sache en quoi elle consiste ;
— Mieux vaut un bon dîner qu'un beau manteau ;
— Mots doux n'égratignent pas la langue ;
— Une bonne conscience fait un bon oreiller.

■ 1. — De Baton Rouge à Lafayette

● **Henderson et l'Atchafalaya Basin*** *(à 40 mi/64 km à l'O. de Baton Rouge par l'Interstate 10).* — L'Atchafalaya Basin est une vaste zone de *bayous* à l'O. du Mississippi. Il couvre des centaines d'hectares restés en grande partie à l'état sauvage, malgré la coupe des cyprès au siècle dernier pour la construction des maisons (il n'en subsiste que des souches aux formes étranges) et la traversée d'une autoroute sur le second plus grand pont au monde (un exploit technique au regard du sol meuble).

Dans une chaleur moite qui porte à la nonchalance, le temps semble s'étirer lentement sous les saules et les chênes couverts de mousse espagnole d'où parfois les serpents dérangés dans leur sommeil se laissent brusquement tomber. La meilleure façon de découvrir ce paysage paisible d'une forêt dans l'eau, où glissent des hérons bleus, des oies et des alligators, est de prendre les navettes pilotées par des Cajuns qui commentent la visite dans une langue savoureuse.

Découverte du bayou en bateau. *Deux services partent de Henderson (traversez la ville par Hwy 352 vers le barrage puis tournez à droite sur la Levee Road) :* **Angelle's Atchafalaya Basin Swamp Tours** *(☎ 318/228-8567), la promenade dure 1 h 45 ;* **Mc Gee's Landing** *(☎ 318/228-2384) promenade de 2 h (en été).*

● **Breaux-Bridge** *(à 45 mi/72 km à l'O ; par l'Interstate 10)* s'enorgueillit du titre de « capitale mondiale de l'écrevisse », célébrée officiellement par un festival annuel en mai. Le **Mulates** *(325 Mills Ave.),* restaurant cajun, fait la réputation de la ville.

■ 2. — Lafayette

À 52 mi/83 km à l'O. de Baton Rouge par l'Interstate 10 ; à 131mi/210 km à l'O. de New Orleans.

Si la ville n'est pas très belle et offre peu à voir, en revanche elle permet de goûter pleinement la cuisine cajun. Fondée en 1823, Lafayette est une agglomération de tradition francophone qui produit toujours du riz, du sucre et du soja parallèlement à l'exploitation récente de nombreux puits de pétrole. Malgré une croissance rapide, elle a gardé une atmosphère de petite ville de province. C'est un très bon point de départ pour explorer le pays cajun.

● **Acadian Village** *(200 Green Leaf Drive, ouv. lun.-dim. 10 h-17 h, f. durant les vacances)* est la reconstitution très pittoresque, sur les rives d'un *bayou*, d'un village cajun du début du siècle. Les constructions sont en cyprès assemblés selon la méthode du *bousillage* qui comble les espaces entre les planches à l'aide d'un mélange de boue et de mousse espagnole.

● **Vermilionville** *(1600 Surrey St., ouv. t.l.j. 9 h-17 h)* est construite sur le modèle de l'Acadian Village, à la différence qu'on n'y parle pas français.

● **St John's Cathedral** *(914 St John St.)*, construite en 1916 sur une terre cédée par Jean Mouton, le fondateur de la ville, est au cœur du centre historique de Lafayette. Derrière l'église s'élève le vénérable **St John Oak**, magnifique chêne vieux de 400 ans.

● **Lafayette Museum** *(1122 Lafayette St. ; ouv. mar.-sam. 9 h-17 h, dim. 13 h-17 h)* était la maison où Alexandre Mouton, fils de Jean et premier gouverneur démocrate de Louisiane, venait passer le week-end. Il contient des souvenirs de la famille Mouton et des costumes du mardi gras cajun de Lafayette, le plus beau après celui de New Orleans.

● Le **CODOFIL**, organisme de développement du français et bon informateur sur les manifestations culturelles de la région, est installé dans le **Old City Hall** *(217 Main St.)*.

● **Au nord de Lafayette**

Grand Coteau* *(à 10 mi/16 km au N. par l'Interstate 49)* est une charmante petite ville aux maisons blanchies à la chaux. **L'Academy of the Sacred Heart** *(Church St. ; ouv. lun.-ven. 10 h-15 h ; sam.-dim. 13 h-16 h)*, le premier collège de la Louisiane acadienne, fut ouvert par les jésuites en 1835. Les jardins ombragés de vieux chênes sont aussi accessibles au public.

Chretien Point Plantation* *(à env. 10 mi/16 km au N. par l'Interstate 49 puis la LA 93, non loin de Grand Coteau, aux environs de Sunset ; ouv. t.l.j. 10 h-17 h)*. — Construite en 1831, c'est la plus vieille demeure de

Les extravagances du *fais-dodo*

Les festivals cajuns sont aujourd'hui nombreux, toute occasion étant bonne pour faire la fête sur une musique très rythmée au son du violon, de l'accordéon et de la guitare (une variante est la musique zydeco, influencée par le blues et les chants créoles).

Ainsi le *fais-dodo* est la grande fête hebdomadaire du samedi soir : hommes et femmes de tous âges se retrouvent pour danser et chanter dans une ambiance chaleureuse et fraternelle. Autrefois, les parents établissaient un tour de garde des enfants, à qui ils recommandaient en partant, de « faire dodo » : d'où le nom donné à cette soirée. Une autre pratique courante était *la grande boucherie*, au cours de laquelle on se réunissait à plusieurs famille pour tuer le cochon, occasion de festoyer et de danser.

Car manger aussi est une fête pour les Cajuns, qui possèdent une longue tradition culinaire d'influence française, créole et espagnole. Les ingrédients de base sont le riz, les poissons (l'incontournable *catfish*) et les crustacés (crabes, écrevisses et surtout crevettes). Les deux grandes spécialités cajuns sont le *gumbo*, sorte de soupe épicée et le *jambalaya*, à partir de riz auquel on adjoint crevettes, crabe, poulet, jambon et porc.

style néo-classique en Louisiane. Son escalier principal servit de modèle à celui de Tara, dans *Autant en emporte le vent*.

■ 3. — De Lafayette à Houma

● **Saint-Martinville*** *(à 16 mi/26 km au S. par l'US 90 puis la LA 96)*. — La vraie capitale du pays cajun a été fondée en 1760 sur l'emplacement d'un ancien poste des Indiens attakapas, principal port de débarquement des Français chassés du Canada. St Martinville est toujours officiellement la ville la plus francophone de Louisiane même si de moins en moins d'habitants parlent couramment français. Le dimanche précédant le mardi gras, la ville s'anime pour la traditionnelle « Grande Boucherie » des Cajuns.

St Martinville est célèbre pour l'histoire romantique d'Emmeline, immortalisée par « Evangeline », le poème de Longfellow. Quand la jeune fille, séparée de son amant par le Grand Dérangement, le retrouve après plusieurs années de séparation, c'est pour apprendre de la bouche même de ce dernier, désespéré, qu'il a épousé une autre femme. Le lieu de leurs retrouvailles est l'**Evangeline Oak**, très vieux chêne sur Evangeline Bvld. En 1929 fut tournée à St Martinville la *Romance d'Evangeline*, avec Dolores Del Rio qui posa pour la statue offerte à la ville (dans le cimetière de l'église St Martin de Tours). **L'église St Martin de Tours** *(123 Main St.)* est l'une des plus anciennes de la région. À l'intérieur se trouvent une reproduction de la grotte de Lourdes ainsi que des fonts baptismaux qui furent, dit-on, offerts par Louis XVI. En effet, à la fin du XVIIIe s., de nombreux royalistes fuyant la révolution française vinrent se réfugier à St Martinville où ils tentèrent de recréer une atmosphère parisienne en organisant des bals, des réceptions et des opéras. Cette époque valut à la ville le surnom de *Petit Paris*. St Martinville fut ensuite ravagée par la fièvre jaune, le feu et les ouragans, mais conserve quelques très belles maisons.

Longfellow-Evangeline State Park *(au N., sur la Hwy 31 ; mer.-dim. 9 h-17 h)*, le long du *bayou* Teche, abrite l'**Acadian House Museum** *(mer.-dim. 10 h-16 h)*, une demeure acadienne typique, construite en 1790.

● **New Iberia*** *(à 20 mi/32 km au S. par l'US 90 puis LA 31)*. — Surnommée *the Queen City of the Teche*, la capitale de la canne à sucre reste une ville plaisante agrémentée de très belles demeures. Fondée vers 1779 alors que la Louisiane était sous domination espagnole, elle fut peuplée par la suite par des émigrants acadiens. Ces multiples influences se retrouvent dans l'architecture de la ville. Sur **Bouligny Plaza**, monument en l'honneur du fondateur de la ville, un pavage de mosaïques retrace l'histoire de la cité. **Shadows on the Teche*** *(317 E. Main St. ; ouv. t.l.j. 9 h-16 h 30)* est une belle plantation néoclassique de 1834 construite pour le riche planteur David Weeks le long du *bayou* Teche (teche en indien signifie serpent). Des célébrités y ont séjourné, comme Cecil B. De Mille, Griffith ou Henry Miller.

● **Avery Island** *(à 30 mi/48 km au S. par l'US 90 puis la LA 329, au S.-O. de New Iberia)*, est un vaste îlot salin, où se trouvent notamment les **Jungle Gardens**** *(ouv. t.l.j. 9 h-17 h)* riches d'azalées, de camélias, d'iris, et de plantes tropicales. À voir également : le jardin chinois et une importante réserve naturelle d'oiseaux migrateurs (hérons bleus, ibis noirs et aigrettes).

● **Jefferson Island** *(à 34 mi/54 km au S. par l'US 90 puis la LA 14 à l'O. de New Iberia)* abrite les **Live Oak Gardens*** *(ouv. t.l.j. 9 h-17 h ; 16 h en hiver)*, propriété construite en 1865 pour l'acteur de théâtre Joseph Jefferson et entourée de jardins aux fleurs rares et aux oiseaux exotiques. La propriété dut être restaurée à la suite d'un forage pétrolier qui fit s'effondrer une partie de l'île.

Tabasco Pepper Sauce

L'histoire de la célèbre petite bouteille de Tabasco remonte au début du XIXᵉ s., lorsque McIlhenny introduisit la culture du piment mexicain dans l'île d'Avery dont la seule richesse était un immense gisement de sel. Il séduit alors ses amis avec une recette originale qui consiste à faire macérer durant trente jours des piments et du sel, auxquels on ajoute du vinaigre de vin français. Commercialisée peu de temps après sous la marque déposée « Tabasco », la préparation, pur produit de Louisiane, remporte un immense succès. Aujourd'hui McIlhenny Company perpétue la tradition. La célèbre sauce est toujours fabriquée à Avery Island selon la recette originale et avec les produits de l'île.
Visite gratuite et guidée t.l.j. sf le dim. : 9 h-12 h et 13 h-15 h 30, sam. 9 h-12 h.

● **Franklin*** *(à 55 mi/88 km au S.-E. par l'US 90)* est une petite ville établie sur un coude formé par le *bayou*. Le quartier historique est très bien conservé, plus particulièrement **Main Street***, bordée de chênes et de belles demeures antérieures à la guerre de Sécession. Très belle vue sur le *bayou* depuis le *parc sur le Teche*.

De belles plantations dans les environs de Franklin : **Grevemberg House Museum** *(City Park ; ouv. jeu.-dim. 10 h-16 h)* de style néo-classique, construite en 1850. **Arlington Plantation** *(LA 182, à env. 1 mi/1,5 km de Franklin ; vis. sur rendez-vous)*, de style néo-classique datant de 1830, domine le *bayou*. **Oaklawn Manor*** *(Irish Bend Rd., à 1 mi/1,5 km à l'O. de Franklin)* est un luxueux manoir construit en 1837 pour un planteur de canne à sucre.

● **Morgan City** *(à 71 mi/113,5 km au S.-E. par l'US 90)*. — Riche en pétrole, la ville est célèbre pour avoir accueilli en 1917 le tournage du premier film de Tarzan. La **Turn-of-the-Century House** *(715 2nd St. ; ouv. lun.-ven. 9 h-17 h ; sam.-dim. 13 h-17 h)* projette ce *Tarzan of the Apes*. Mais ce sont surtout les **Swamp Gardens***, les *bayous* et forêts environnants qui méritent le

Oaklawn Manor.

détour et font de la ville un important centre de pêche. Tous les jours, une visite guidée d'**Hermitage Park**, zone protégée de marais, retrace la formation de l'Atchafalaya Basin.

● **Thibodaux** *(à 99 mi/159 km au S.-E. par US 90 et LA 20)*. — Établie sur le *bayou* Lafourche, cette ville paisible a conservé quelques belles demeures et de nombreuses constructions du XIXe s.
Mais le plus intéressant se trouve dans les environs de Thibodaux : **Laurel Valley Plantation*** *(à 6 mi/10 km au S. par la LA 308)*, le plus grand domaine de canne à sucre épargné par la guerre de Sécession. Encore très prospère à la fin du XIXe s., au point d'avoir sa propre ligne de chemin de fer, la plantation a peu à peu décliné au rythme de l'industrialisation. La restauration du site est à peine commencée mais on peut voir une raffinerie en brique, une école, des échoppes et diverses constructions en cyprès, dont des cabanes d'esclaves toutes bâties sur le même modèle.
Thibodaux est le point de départ idéal des excursions le long du **bayou Lafourche***, qui forme un delta avec le Mississippi. Il est curieusement bordé sur presque toute sa longueur (100 mi/160 km) par deux routes, la LA 308 et la LA 1. Cette dernière permet d'atteindre **Grand Isle*** , parc naturel et réserve ornithologique à la végétation luxuriante et aux plages de sable fin.

● **Houma*** *(à 108 mi/173 km au S.-E. par l'US 90)*. — Fondée en 1795 dans le vrai delta du Mississippi, Houma est le royaume des *bayous*. Ici l'on pêche les huîtres et les crevettes. La terre et l'eau se mêlent, se confondent pour ne plus former qu'une vaste étendue de marais disparaissant sous les fleurs « à l'année longue », les palétuviers, les jacinthes et les nénuphars. **Southdown Plantation** *(LA 311 à St Charles St. ; ouv. t.l.j. 10 h-16 h)*, construite en 1859, puis agrandie en 1893, est un mélange de styles néo-classique et espagnol.

Le gumbo

Le *gumbo* est l'une des spécialités cajuns les plus répandues et les plus célèbres. C'est une soupe à base de crabe et d'okra (plante tropicale), que l'on consomme telle quelle ou accompagnée de riz.
Ingrédients : 1 tasse d'huile, 1 tasse de farine, 6 tasses d'oignons hachés, 2 tasses de céleri, 2 cuillères de poivre gris, 1 cuillère à soupe d'ail haché, 8 tasses de bouillon de fruits de mer, 6 petits crabes, 1 feuille de laurier, 1/2 cuillère à café de thym en poudre, sel, 3 livres de crevettes cuites, 4 tasses d'okra (plante tropicale) sauté, 5 à 7 tasses de riz cuit (option), sherry (option).
À feu moyen, faire revenir l'huile et la farine pour former un roux. Puis remuer constamment à feu moyen jusqu'à obtention d'une couleur brun-noir. Ajouter alors 4 tasses d'oignons, le céleri, le poivre gris, bien mélanger et faire cuire rapidement. Mettre l'ail et remuer constamment jusqu'à ce que les légumes commencent à s'attendrir. Mettre alors les crabes et le bouillon de fruit de mer. Laisser cuire une heure à feu moyen-doux. Ajouter ensuite 1/2 feuille de laurier, le thym et le sel. Baisser le feu et faire mijoter au moins une heure.
Dix minutes avant de servir ajouter les 2 autres tasses d'oignons hachés, les crevettes, l'okra et la 1/2 feuille de laurier restante. Puis servir au choix avec ou sans riz, sherry et épices selon vos goûts.

Natchez**

19 000 hab. ; fuseau horaire : Central time.
*Situation : au S.-O.du Mississippi, à la frontière de la Louisiane ; sur les
rives du fleuve Mississippi. À 114 mi/183 km au S.-O. de Jackson.
À voir aussi dans la région : Baton Rouge*, Vicksburg*.*

Dominant fièrement le fleuve, Natchez n'oublie pas qu'elle fut la première capitale des riches planteurs du S. D'imposantes demeures classiques à colonnades, nichées au cœur de jardins fleuris d'azalées et de
camélias et ombragés de vieux chênes et d'oliviers, rappellent au visiteur l'âge romantique des bateaux à vapeur. C'est sans doute l'une des
plus belles villes du Sud et ce fut longtemps la plus prospère, d'où les
quelque 500 demeures antérieures à la guerre de Sécession, dont certaines font aujourd'hui office de *bed & breakfast.*

■ Natchez dans l'histoire

Les fondements. — Natchez est la
plus ancienne colonie sur les rives du
Mississippi et l'une des premières en
Amérique du N. Le 26 juillet 1716, le
sieur de Bienville, un Français, fit
construire le fort Rosalie sur les hauteurs dominant le Mississippi, et la
ville se développa sur le site d'un
ancien village des Indiens natchez,
adorateurs du Soleil et culturellement
supérieurs aux tribus du voisinage.

La disparition des Natchez. — En
novembre 1729, les Indiens se rebel-
lèrent contre une tentative d'appro-
priation de leurs terres par les Français et attaquèrent le fort en
massacrant la population. En représailles, les Français écrasèrent les
Natchez dont il ne reste nulle trace
aujourd'hui. La ville passa ensuite
aux mains des Anglais, des Espagnols
puis des Américains le 30 mars 1798.

Prospérité et déclin. — De 1817 –début
de la navigation à vapeur sur le fleuve–
jusqu'à la guerre de Sécession, Natchez
prospéra grâce au commerce du coton
sur le Mississippi, au point de devenir
la ville la plus riche des États-Unis
après New York ; ses fastueuses demeures bâties par les riches négociants de
l'époque en témoignent encore. Épargnée par la guerre de Sécession, la ville
en subit cependant le contrecoup financier en perdant le monopole du transport de coton. Depuis 1932, les descendants des grands propriétaires de
l'industrie cotonnière ont ouvert leurs
demeures au public.

■ Visiter Natchez

*Deux jours permettent de voir quelques-
unes des maisons d'époque de Natchez.
Pendant l'année, une vingtaine sont
ouvertes tous les jours, mais le moment
le plus agréable pour cette visite se situe
au printemps, lors du **Spring Pilgrimage** (mars), ou à l'automne, pour le
Fall Pilgrimage (oct.), lorsque beaucoup ouvrent leurs portes.*

*Les visites sont obligatoirement gui-
dées et suivent un programme précis
qui diffère selon les jours. Billets et
renseignements sont à prendre au **Natchez Pilgrimage Tours** (ouv. t.l.j. : 8 h -
17 h 30 ; Canal at State St., P.O Box
347, Natchez MS 39121, ☎ 601-446-
6631 ou 800-647-6472).*

■ Le vieux Natchez

Un grand nombre de maisons
anciennes sont rassemblées dans le

Au temps des bateaux à aubes

En 1811, pour la première fois, un bateau à aubes fend les eaux brunes du Mississippi. L'année suivante, Robert Fulton remonte le fleuve avec un vapeur, sur 503 km, en une semaine. Le succès est immédiat. Dix ans plus tard, 35 vapeurs circulent sur le Mississippi et quelques-uns de ses 100 affluents; en 1840, ils sont plus d'un millier. Négociants en bois, spéculateurs fonciers, missionnaires, officiers et commerçants les empruntent régulièrement. Le pont inférieur est encombré par les chariots, les chevaux, les cochons, la volaille ou les cargaisons de coton. On peut même y voyager à très bon compte, si l'on accepte d'aider l'équipage à la corvée de bois.

■ À toute vapeur!

La concurrence entre les diverses compagnies pousse les capitaines à rivaliser de vitesse: on force la pression, on écourte les escales d'approvisionnement en bois, brûlant au besoin le mobilier! Il arrive, bien sûr, que les chaudières explosent; l'accident du *Sultana* fera ainsi un millier de victimes. Mais les vainqueurs de ces courses sont récompensés par un trophée: des bois de cerf; «détenir les cornes», c'est la garantie d'avoir de nombreux clients. La plus grande course du siècle, en 1870, opposa le *Natchez* au *Lee* entre la Nouvelle-Orléans et Saint-Louis (à 1 800 kilomètres de là). Dans toutes les villes riveraines, on misa des sommes considérables… et le Captain Cannon, qui arriva avec six heures d'avance à bord du *Lee*, devint un véritable héros. Mais après 1870, la généralisation du chemin de fer amorça le déclin de ces somptueux navires.

centre-ville, proche de la rive escarpée du Mississippi, où les rues se rencontrent à angle droit dans un quadrilatère régulier formé par Madison St. au N., Broadway à l'O., Orleans St. au S., et Pine St. à l'E.

● **Dunleith**** *(84 Homochitto St. ; ouv. t.l.j. 9 h-17 h)*, bâtie en 1856 et totalement entourée de colonnes abritant des galeries sur deux étages, reste l'une des plus somptueuses demeures de style néo-classique de la région (à l'intérieur se trouve un beau mobilier anglais et français des XVIIIe et XIXe s.).

● **Stanton Hall**** *(401 High St. ; ouv. t.l.j. 9 h-17 h)*, construite en 1857, est l'une des plus imposantes demeures de Natchez, de style néo-classique avec colonnes, balcon et fronton. Transformée en collège de jeunes filles à la fin du XIXe s., elle conserve un intéressant mobilier d'époque et des objets d'art.

● **Banker's House*** *(107 S. Canal St. ; ouv. seulement pendant les deux pèlerinages)* construite en 1837 tient son nom de son premier propriétaire, un banquier de la ville ; on y remarquera surtout le beau travail de bois sculpté.

● **The Elms*** *(215 S. Pine St. ; ouv. seulement pendant les deux pèlerinages)*, construite en 1804, est l'une des plus anciennes maisons de Natchez. Nichée dans un beau cadre de verdure, elle est remarquable par le très bel escalier en fer forgé qui occupe le hall d'entrée.

● **Longwood House*** *(Lower Woodville Rd. ; ouv. t.l.j. : 9 h-17 h)* a la particularité d'être une maison octogonale de style néo-oriental dont la construction débuta en 1860 et ne fut jamais achevée à cause de la guerre de Séces-

Longwood House.

sion. Seul le rez-de-chaussée, orné de meubles de famille, est habitable.

● **Auburn** *(400 Duncan Ave. ; ouv. t.l.j. : 9 h 30-17 h, sam. : 13 h 30-17 h)* est une vaste demeure en briques rouges de 1812 au porche de style néo-classique, avec des colonne corinthiennes surmontées d'un fronton triangulaire. Ornée de mobilier français, elle est célèbre pour son escalier à spirale.

● **Connelly's Tavern** (1798), au croisement de Jefferson et de Canal Sts., appelée aussi **The House on Ellicott's Hill** *(200 N. Canal St. ; ouv. t.l.j. : 9 h-17 h)*, reçut dès la fin du XVIIIe s. les voyageurs —le duc d'Orléans entre autres— qui remontaient le fleuve ou parvenaient à Natchez par la piste. Sur cette colline en 1797, Andrew Ellicott, ouvertement opposé aux Espagnols, dressa le drapeau américain.

● **Linden** *(1 Linden Place ; ouv. saisonnière : 10 h-15 h)*, construite en 1800, fut la maison de Thomas B. Reed, le premier sénateur du Mississippi, qui la fit agrandir. Elle est ceinte d'un vaste balcon qui surmonte une galerie où fut tournée une scène d'*Autant en emporte le vent*.

● **Rosalie** *(au croisement de Broadway et de S. Canal St. ; ouv. t.l.j. : 9 h-16 h 30)* fut construite en 1820 à l'emplacement de Fort Rosalie où les troupes fédérales établirent leur quartier général lors de l'occupation de Natchez durant la guerre de Sécession. Bel intérieur meublé.

■ À voir encore

● **Natchez Under The Hill** est le site de la première implantation de la ville. Construite au bord du Mississippi, la majeure partie en fut détruite par le déplacement du lit du fleuve. Il ne reste plus rien des petites rues étroites et sinueuses, des maisons sur pilotis, des tripots et des maisons closes où les trappes servaient à évacuer de bien étranges ordures à forme humaine. Natchez était en effet peuplée d'aventuriers prêts à tout pour faire rapidement fortune et les meurtres étaient quotidiens. Seule rescapée des eaux, **Silver Street** offre un aperçu de ce que pouvait être l'ancienne Natchez.

● **Natchez National Historical Park** fut créé en 1988 pour mieux rendre compte de la place de Natchez dans l'histoire du S. Il comprend la demeure de **Melrose*** *(Melrose-Montebello Pkwy ; ouv. t.l.j. : 9 h-16 h)*, construite en 1845 dans le style néo-classique, un parfait exemple du genre de vie que l'on menait à Natchez à la grande époque du monopole du coton. Elle a conservé son mobilier d'origine. La **William Johnson House**, 1841, qui fut la maison d'un des rares Noirs à avoir vécu libre et influent à Natchez avant la guerre de Sécession.

● **Grand Village of the Natchez Indians** *(400 Jefferson Davis Blvd. ; lun.-sam. : 9 h-17 h ; dim. : 13 h 30-17 h)*. — Il ne reste pas grand chose de la florissante cité Natchez qui connut son apogée au XVIe s. ; un site de fouilles archéologiques et un petit musée témoignent de cette splendeur passée.

● **Historic Jefferson College** *(à 6 mi/9,5 km du centre-ville sur College et North Sts. ; ouv. 9 h-17 h ; dim. : 13 h-17 h)*. — Fondé le 13 mai 1802 par un décret de la première assemblée générale du Mississippi, il accueillit parmi ses élèves Jefferson Davis. Il est aujourd'hui transformé en musée historique.

■ Environs de Natchez

● La Natchez Trace Parkway

À 10 mi/16 km au N.-E. de Natchez commence la route touristique qui traverse tout l'État du Mississippi, un coin de l'Alabama et le Tennessee pour aboutir à Nashville. Elle suit le tracé de l'une des plus anciennes pistes du S.-E. du continent américain, d'abord empruntée par les Indiens puis par les marchands, trappeurs et missionnaires. En effet au début du XVIIIe s., les marchands descendus du N. par bateaux sur le Mississippi repartaient par là.

La route était difficile, très accidentée, exposée aux attaques d'Indiens, de bandits et de bêtes sauvages, d'où son surnom de *Devil's Backbone*. Elle joua cependant un grand rôle dans la colonisation de cette partie des États-Unis en ouvrant aux pionniers le passage vers le vieux S.-O. La poste commença à fonctionner le long de la Natchez Trace Parkway au début du XIXe et ce fut longtemps la route la plus empruntée au S.-O. Ensuite avec l'apparition des bateaux à vapeur, la piste fut complètement abandonnée, avant qu'on ne songeât à remettre en état ce témoignage des premiers fondements des États-Unis.

● **Emerald Mound** *(à 12 mi/19 km au N. par l'US 61 ; borne 10.3 sur la Natchez Trace Pkwy)*, établi au début du XIVe s. par les ancêtres des tribus choctaws, creeks et natchez, est le troisième tertre cultuel en importance existant aux États-Unis.

● **Mount Locust Inn** *(à 15 mi/24 km au N. par l'US 61 ; borne 15.5 sur la Natchez Trace Pkwy)*, construite autour de l'année 1780, est la seule auberge restante sur la cinquantaine environ qui, tous les 10 ou 20 miles, ponctuaient la Natchez Trace Pkwy. Les voyageurs pouvaient s'y restaurer d'une bouillie de farine de maïs et de lait, et dormir à même le sol dans une salle commune encombrée de selles et de bagages. Mais c'était là un havre de paix au sortir d'une piste où l'on courait tous les dangers. Les emplace-

ments des autres auberges sont indiqués sur la piste.

● **Port Gibson**** *(à 52 mi/83 km au N. de Natchez en suivant l'US 61)*. — Port Gibson fut exceptionnellement épargnée par le général Grant en 1863, qui déclara que la ville était « trop belle pour brûler ». On peut ainsi admirer à loisir les nombreuses églises et les imposantes maisons qui font son charme. La **Samuel Gibson House** *(Church St. S)* fut bâtie en 1805 par le fondateur de la ville et abrite désormais la chambre de commerce. **Oak Square** *(1207 Church St.)* construite en 1850, est maintenant transformée, avec ses nombreuses dépendances, en *bed and breakfast*. La **St Joseph's Catholic Church** *(909 Church St.)*, datant de 1849, de style gothique, **The First Presbyterian Church**, construite en 1859, dont la flèche est surmontée d'une main pointée vers le ciel, et le **Temple Gemiluth Chessed** *(706 Church St.)*, synagogue érigée en 1891 en style mauresque byzantin, sont les trois plus belles églises de Port Gibson.

À 10 mi/16 km à l'O. de la ville, sur la MS 552, se dressent les ruines saisissantes de **Windsor**, autrefois la plus grande des maisons de planteurs du Mississippi. Bâtie en 1860, elle survécut à la guerre de Sécession mais brûla accidentellement en 1890. Seuls témoins de cette grandeur passée, 23 colonnes de style corinthien, envahies par la mousse et le lierre, se découpent tristement sur le ciel.

Grand Gulf Military Monument Park *(ouv. lun.-sam. : 8 h-12 h, 13 h-17 h ; dim. : 9 h-12 h, 13 h-16 h ; à 8 mi/13 km au N.-O. de Port Gibson, par l'US 61 et la MS 2)* commémore ce qui fut l'ancienne ville de Grand Gulf, d'abord à moitié engloutie par les flots du Mississippi, puis totalement rasée pendant la guerre de Sécession.

Natchitoches*

16 609 hab. ; fuseau horaire : Central time

Situation : À l'O. de la Louisiane, en bordure de la forêt du même nom ; à mi-chemin entre Alexandria et Shreveport.
À voir aussi dans la région : le pays cajun, Natchez**, Vicksburg*.*

Première implantation européenne en Louisiane (1714), enserrée par la rivière Rouge où pullulent les oiseaux-mouches, surnommés oiseaux de paradis, Natchitoches séduit par son atmosphère de petite ville paisible du Sud et ses vieilles demeures de style créole. Il n'existe que deux Historic Landmark District en Louisiane : le Vieux Carré, à New Orleans, et les bords de Cane River Lake au centre de Natchitoches. C'est dire l'intérêt de ce quartier qui a conservé de nombreuses demeures au charme suranné. Il faut prendre le temps de descendre la rue pavée de Front St., bordée de maisons aux balcons de fer forgé ouvragés. Poursuivre sur Jefferson St. jusqu'au fort St Jean Baptiste et ne pas manquer d'explorer les rues adjacentes, telles Church St., 2nd St. ou encore Pine St.

● **Roque House** *(Front St. River Bank)*, construite en 1797 selon la méthode du *bousillage* (avec de la boue et de la mousse espagnole), est un bon exemple de l'influence de l'architecture française créole en Louisiane.

● **Cloutier Townhouse** *(744-748 front St.)*, aussi appelée Ducournau Square, construite en 1837, fut totalement restaurée après un incendie en 1973, et ornée d'un mobilier de style Empire.

● **Prudhomme Building** *(720 Front St.)*, avec ses décorations de fer forgé et son escalier à spirale, est la plus vieille construction de Front St., et l'une des plus caractéristiques de la vie commerçante de Natchitoches.

● **Prudhomme-Rouquier House** *(436 Jefferson St.)*, était la plus riche demeure de Natchitoches. Construite en style créole tout au début du XIXe s., elle fut remodelée entre 1834 et 1845 dans un style néo-classique.

● **Metoyer Town House** *(132 Jefferson St.)*, est une imposante demeure de style néo-classique (1850).

● **Rusca House** *(332 Jefferson St.)*, datant de 1899, est l'un des exemples les plus représentatifs à Natchitoches du style Queen Ann, en vogue aux États-Unis entre 1875 et 1890.

● **Fort St Jean Baptiste** *(Mill St. ; ouv. mer.-dim.)* est une reconstruction du premier fort établi en 1716 à Natchitoches par Juchereau de Saint-Denis sur ordre du gouvernement français, afin de barrer la route à une progression espagnole vers l'E.

● **Chaplin House** *(434 2nd St.)* : demeure de style victorien construite en 1892 et ornée de meubles d'époque.

● **Wells Home** *(607 Williams Ave.)* : la plus ancienne maison de Natchitoches date de 1776.

● **Roselawn House** *(905 Williams Ave.)* est très caractéristique du style Queen Anne aussi bien dans son architecture que dans sa décoration. La maison a conservé ses dépendances qui rappellent que jusqu'en 1940 l'E. de Natchitoches était couvert de champs de coton.

● Environ de Natchitoches

Les plantations sont nombreuses le long de Cane River Lake, certaines pauvres et délabrées, d'autres bien restaurées. Mais la plus intéressante est Melrose.

Melrose Plantation* *(à 14 mi/22,5 km au S.-E. de Natchitoches sur la LA 119 ; ouv. t.l.j. 12 h-16 h)* a une histoire originale. Elle fut offerte en 1794 à l'esclave Marie Coincoin par Claude Metoyer, son propriétaire et le père de dix de ses quatorze enfants. Vers 1830, grâce aux revenus de la plantation,

Marie Coincoin put racheter deux de ses enfants et une de ses petite-filles : Miss Cammie Henry. Cette dernière à la fin du XIXᵉ s. fit de Melrose, qui menaçait ruine, un foyer artistique où passèrent de nombreux écrivains et historiens tels que John Steinbeck, William Faulkner, Erskine Caldwell et Alexander Woolcott. Vers 1840, Clementine Hunter, la cuisinière noire de Melrose, se mit à la peinture naïve de la vie aux champs. On peut voir ses œuvres dans l'**African House**, semblable à une hutte congolaise, autrefois utilisée comme prison pour les esclaves jugés indisciplinés.

Melrose Plantation.

New Orleans***

La Nouvelle-Orléans ; 496 900 hab. ; fuseau horaire : Central time.

Situation : *Louisiane. Sur le golfe du Mexique, à 148 mi/ 238 km au S.-O. de Mobile.*

A voir aussi dans la région : *Baton Rouge*, le pays cajun* ;* ***dans le Sud :*** *Mobile*.*

Carpe diem pourrait bien être la devise des habitants de New Orleans. Peu de villes savent en effet être aussi épicuriennes que cette belle valsant au bras du Mississippi. Partout l'on perçoit cette sensualité si particulière au S. : dans les froufrous des boutiques comme dans les saveurs piquantes de la cuisine créole. Sans oublier la musique : le jazz y est né et y conserve une place privilégiée, de jour comme de nuit, depuis le saxophoniste mendiant quelques pièces à l'angle d'une rue du French Quarter, jusqu'aux *big bands* des terrasses des cafés.

« La plus provinciale des villes cosmopolites, ou la plus cosmopolite des villes provinciales », écrivait en 1889 le *Harper's Magazine*. Et c'est toujours vrai. Les Noirs représentent quelque 50% d'une population de plus d'un million d'habitants ; aux Français des origines se sont ajoutés des Espagnols, des Italiens, des Irlandais et des Allemands. Cajuns et créoles, agriculteurs et citadins ont chacun développé un mode de vie accordant à la convivialité et à la fête une place primordiale. Un observateur superficiel croirait sans peine qu'ici, le melting-pot n'a jamais commis de fausses notes.

Pourtant, l'avenir du village fondé en 1721 par le sieur de Bienville n'avait rien d'assuré. Sise entre le Mississippi et l'immense lac Pontchartrain, la métropole de Louisiane est la seule cité américaine bâtie en dessous du niveau de la mer. Son système de pompage et d'écoulement des eaux est donc unique : 4 000 km d'égouts et de canaux la drainent. Quoique vulnérable aux raz de marée qui l'inonderaient sans peine, la ville a cependant su tirer parti de son environnement fluvial et maritime. Ses 20 km de quai charrient l'énorme trafic du centre des États-Unis et accueillent des navires de haute mer. New Orleans est ainsi devenu le deuxième port des États-Unis après New York.

À l'origine, la navigation et la construction navale constituaient l'essentiel de son activité, mais rapidement l'exportation des produits d'un arrière-pays opulent (coton, riz, sucre, bois) et la pêche en firent une place commerciale de premier plan. Plus récemment encore, l'extraction du gaz naturel, ainsi que celle du pétrole, pratiquée sur 3 700 plates-formes off-shore, a mis La Nouvelle-Orléans au premier rang des producteurs américains : 110 000 personnes travaillent dans ce secteur. Outre la construction navale, l'activité économique se centre sur l'industrie alimentaire, textile, chimique et électrique. La technologie spatiale et celle de l'aluminium, soutenues par six universités et plusieurs instituts de recherche, font de La Nouvelle-Orléans l'un des centres scientifiques et culturels majeurs du S. des États-Unis.

■ New Orleans dans l'histoire

Des débuts difficiles. — L'exploitation de la Louisiane fut à l'origine confiée au riche commerçant Antoine Crozat qui, en 1712, signa une charte lui octroyant pour quinze ans l'exclusivité du commerce. Mais après cinq ans d'une exploitation difficile, Crozat demanda à la Couronne de le relever de sa mission. Philippe d'Orléans, alors Régent, n'eut pas à chercher pour trouver un successeur. Son ami, le brillant financier écossais John Law, lui proposa de fonder une compagnie qui exploiterait la Louisiane. Ainsi, en 1717, la Compagnie de l'Ouest de Law se vit confier pour vingt-cinq ans l'avenir de la colonie. Une de ses premières décisions fut de fonder une ville qui serait nommée La Nouvelle-Orléans en l'honneur du Régent, et que l'on pourrait atteindre à la fois par le fleuve et par le lac Pontchartrain. Jean-Baptiste Le Moyne de Bienville commença à l'édifier le 16 avril 1718. L'emplacement qu'il avait trouvé, assez loin du delta pour être à l'abri des cyclones et proche, grâce au *bayou* Saint-Jean, du lac Pontchartrain, lui paraissait idéal. Law avait autre chose en tête : il rêvait d'une capitale magnifique, le « Paris du Nouveau Monde » et qui, à son avis, aurait dû se dresser sur des terrains plus élevés.

Le « Paris du Nouveau Monde ». — Bienville et son ingénieur, Le Blond de La Tour, dessinèrent une ville de 1 200 m de long, dont les rues à angle droit se croisaient autour de 66 places. Une palissade la protégeait des alligators et des Indiens. En 1721, après quatre ans d'un travail acharné, le « Paris du Nouveau Monde » n'était qu'un village de huttes, comptant 470 âmes, dont 172 esclaves noirs et 21 esclaves indiens. En 1732, le nombre d'habitants s'élevait à peu près à 5 000. Le traité de Paris, signé le 10 février 1763 donnait à l'Angleterre le Canada et toute la Louisiane à l'E. du Mississippi —sauf La Nouvelle-Orléans. Mais trois mois plus tôt, dans le secret « traité de Fontainebleau » avec l'Espagne, Louis XV avait donné à son cousin Charles III toute la Louisiane à l'O. du Mississippi, et La Nouvelle-Orléans. Les habitants se soulevèrent contre cette décision, proclamèrent leur indépendance et ne se soumirent qu'en 1769. En 1803, l'Espagne rendit la ville à la France, mais elle fut cédée par Napoléon, vingt jours plus tard, avec le reste de la Louisiane aux États-Unis. Elle comptait alors 10 000 habitants. L'histoire commune de La Nouvelle-Orléans et de la France est donc courte ; cependant les liens culturels et affectifs sont restés forts, si l'on considère que l'on continue à appeler « French Quarter » l'ancienne ville de Bienville même si la plupart des maisons sont plus de style espagnol que français.

L'âge d'or. — En 1815, le général Andrew Jackson vainquit les Anglais près de Chalmette, à proximité de la ville, lors d'un dernier sursaut de la guerre de 1812 —qui était pourtant officiellement terminée. En 1830, la ville connut un accroissement significatif de sa population, dû à la bonne santé des plantations et au développement du commerce fluvial —en 1812, le premier navire à vapeur fluvial, le *New Orleans*, était arrivé de Pittsburgh. Les trente années suivantes représentent l'âge d'or de New Orleans, l'époque des bals élégants, des décors somptueux, des maisons de jeux, de l'opéra et du théâtre, et aussi l'époque des danses d'esclaves sur Congo square, du vaudou et du mardi gras. Les enfants des riches marchands allaient parfaire leur éducation en France et les familles des planteurs se rendaient visite en bateau à aubes. En 1860, la ville était la plus riche des États-Unis et le plus grand centre d'exportation du monde.

■ Découvrir New Orleans

• Les promenades

1. — Le Vieux Carré***. Les maisons aux balcons ouvragés, les rues pavées, les places animées qui hébergent tavernes et jazzmen et les musées de vaudou sont le symbole et l'âme de New Orleans.

2. — Autour de City Park. L'allée de chênes centenaires de City Park, le musée d'art aux courbes harmonieuses, le charme d'Esplanade Ave. et la maison du planteur James Pitot évoquent une nonchalance ancestrale.

3. — Les quartiers modernes. Les bords du Mississippi et leurs multiples animations, le quartier des artistes et le Superdome des Saints.

4. — Garden District. Un charme élitiste, le zoo préféré des jeunes Américains et une colline artificielle.

5. — A voir encore. Le lac Ponchartrain, le grand rendez-vous de New Orleans à l'heure du jazz, et l'atmosphère étrange des Longue Vue Gardens et l'Old St Louis Cemetery.

6. — Old River ou la route des Plantations**. Un véritable pèlerinage au cœur de la Louisiane aristocratique qui évoquera infailliblement des images de bals, de valses lentes et de nounous noires.

● **New Orleans à la carte**

Musique : elle est partout, mais spécialement dans le Vieux Carré (prom. 1). À consommer sans modération.

Cuisine : des saucisses d'alligator et toutes sortes d'épices et de piments créoles à acheter au French Market (prom. 1). Des *jambalayas*, sorte de paella louisianaise, des écrevisses, des soupes de *gumbos* bien relevées dans tous les restaurants.

Casinos : après plusieurs années de controverses, le jeu est de nouveau autorisé à New Orleans. Les casinos sont installés sur des bateaux à aubes en croisière sur le Mississippi ou sur le lac Ponchartrain 24 h sur 24. Les deux plus grands bateaux/casinos sont le *Flamingo* et le *Treasure Chest*.

● **New Orleans mode d'emploi**

Vivre à l'heure de New Orleans. — Les grands clubs de jazz se remplissent à partir de 22 h, mais c'est vers 1 h du matin que l'ambiance devient chaude. New Orleans est la seule ville américaine (avec Las Vegas) à ne pas avoir de Closing Law.

Quatre jours à New Orléans. — La durée minimale du séjour pour ne pas se restreindre au French Quarter et voir l'aquarium des Amériques (prom. 3), le zoo (prom. 4), le City Park avec son musée d'art (prom. 2) et les rives du lac Pontchartrain où se produisaient les plus grands jazzmen des États-Unis et où règne encore une atmosphère un peu mystérieuse (prom. 5).

Températures. — Le climat est spécialement humide et chaud en été. La température moyenne de juillet est de 28 °C, mais le thermomètre peut monter jusqu'à 39 °C. Les hivers sont d'une douceur printanière, la moyenne de janvier étant de 13 °C. Il pleut abondamment entre mars et septembre. La moyenne annuelle des précipitations (1 522 mm) est une des plus élevées des États-Unis.

Attention : la Nouvelle-Orléans, comme toutes les grandes villes, souffre de problèmes de criminalité. Renseignez-vous dès votre arrivée, sur les quartiers à éviter.

■ 1.— Le Vieux Carré***

Bordé par le Mississippi, les rues Iberville et Rampart et l'avenue Esplanade, il abrite le New Orleans des origines. Son âme se situe à Jackson Square, l'ancienne place d'armes proche du Mississippi dont vous pourrez d'abord explorer les environs, avant de vous promener dans Chartres, Bourbon, Royal et Dauphine Sts.

Jackson Square**

Cette agréable promenade vous permettra de prendre contact avec l'animation du Vieux Carré, l'histoire de New Orleans et du jazz, et enfin de flâner sur les bords du Mississippi.

● **Jackson Square**** *(Plan C2).* — Le cœur du Vieux Carré est la place d'Armes, dont le nom fut américanisé en Public Square lorsque les Américains prirent possession de la ville. Le marquis de Lafayette y fut fêté en 1825, et le président Charles de Gaulle en 1960. C'est aussi un centre

New Orleans
French Quarter/Vieux Carré
Business District

0   0,3mi
0   500m

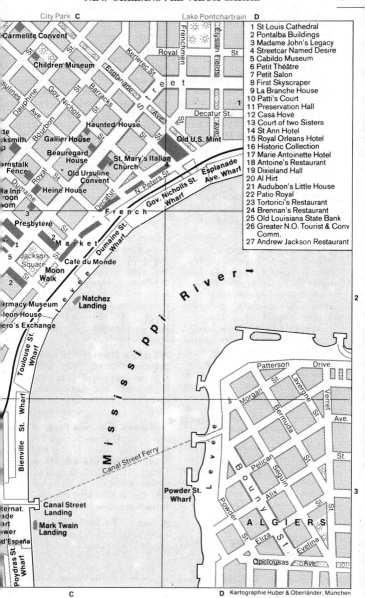

City Park **C**

Lake Pontchartrain **D**

Carmelite Convent

Children Museum

Kerlerec St.

Royal

Esplanade

Frenchmen

Elysian Fields

St

Gov. Nichols

Barracks

Decatur St.

Dauphine Ave.

Ursulines

Haunted House

Bourbon

Gallier House

Old U.S. Mint

Beauregard House

St. Mary's Italian Church

ksmith

Old Ursuline Convent

Royal

rnstalk Fence

Heine House

Dumaine

N. Peters St.

Gov. Nicholls St. Esplanade Ave. Wharf

la Inn roon oom

Decatur

F r e n c h

Dumaine St. Wharf

Presbytère

M a r k e t

Jackson Square

Café du Monde

Moon Walk

Natchez Landing

armacy Museum
leon House
ero's Exchange

Toulouse St. Wharf

M i s s i s s i p p i   R i v e r →

L e v e e

Patterson Drive

Morgan St.

Lavergne

Verret

Bienville St. Wharf

Bermuda St.

Ave.

L
e
v
e
e

Pelican

Seguin

St.

Canal Street Ferry

B
o
u
n
y

Alix

St.

ternat.
ade
art
wer
d'España

Canal Street Landing

Mark Twain Landing

Powder St. Wharf

Powder

A L G I E R S

Eliza St.

Evelina St.

Poydras St. Wharf

Opelousas Ave.

C

D Kartographie Huber & Oberländer, München

1 St Louis Cathedral
2 Pontalba Buildings
3 Madame John's Legacy
4 Streetcar Named Desire
5 Cabildo Museum
6 Petit Théâtre
7 Petit Salon
8 First Skyscraper
9 La Branche House
10 Patti's Court
11 Preservation Hall
12 Casa Hové
13 Court of two Sisters
14 St Ann Hotel
15 Royal Orleans Hotel
16 Historic Collection
17 Marie Antoinette Hotel
18 Antoine's Restaurant
19 Dixieland Hall
20 Al Hirt
21 Audubon's Little House
22 Patio Royal
23 Tortorici's Restaurant
24 Brennan's Restaurant
25 Old Louisiana State Bank
26 Greater N.O. Tourist & Conv Comm.
27 Andrew Jackson Restaurant

touristique où les calèches attendent, devant Decatur St., les visiteurs de passage. Les toiles d'artistes suspendues aux grilles, les joueurs de saxophone donnent un petit côté montmartrois aux abords de « l'Old Man River », comme est affectueusement surnommé le Mississippi. Au milieu de la place se dresse la statue équestre du général Andrew Jackson, due à Clark Mills et érigée en 1856.

● **Cathédrale St Louis** *(Plan C2, n°1)*, première cathédrale catholique d'Amérique du Nord (1727) qui fut rebâtie après l'incendie de 1788, puis en 1849 « afin d'être plus grande et plus française ». L'intérieur contient des fresques et des sculptures intéressantes.

● **Louisiana State Museum** *(Jackson Square ; plan C2 ; ouv. mer. à dim.)*. — Le presbytère (à dr. de la cathédrale) n'a en fait jamais rempli de fonction cléricale, mais fut utilisé à partir de 1813 comme Cour suprême et cour d'appel de la Louisiane. Depuis 1911, il renferme avec le Cabildo, monument à g. de la cathédrale, le Louisiana State Museum. On y verra, entre autres, le masque mortuaire de Napoléon, donné à la ville en 1834 par son médecin Antonmarchi, le premier sous-marin de fer, construit par les confédérés en 1861 et les gravures du livre *Oiseaux d'Amérique* de J. J. Audubon.

● **L'allée de Faulkner** *(Plan C2)*. — Entre le Cabildo et la cathédrale, l'étroite **Pirate's Alley** (officiellement « Orleans Alley ») est envahie par les peintres au printemps. William Faulkner vivait au n° 724 où il écrivit en 1925 son premier roman, *Soldier's pay*.

● **Pontalba Buildings** *(Jackson Square ; plan C2 ; n° 2)*. — Des deux côtés de Jackson Square, les élégants bâtiments de briques rouges,

construits de 1846 à 1849, furent les premiers immeubles de rapport en Amérique. Le bâtiment sur la dr. abrite l'**office de tourisme** et le **Pontalba Historical Puppetorium** où les faits d'armes du pirate Jean Lafitte sont contés à l'aide de marionnettes et d'automates. Dans le bâtiment opposé *(525 St Ann St.)*, **1850 House** est restaurée et aménagée selon le goût de l'époque.

● **Café du Monde** *(800 Decatur St., au coin de Jackson Square ; plan C2)*. — Il faut y déguster le traditionnel café-chicorée au lait accompagné de délicieux beignets dont, autrefois, raffolaient les créoles.

● **Moon Walk** *(A l'E. de Jackson Square, plan C2)* enjambe la digue protectrice, érigée contre les crues du Mississippi, et permet d'accéder aux embarcadères du *Natchez* et du *Cotton Blossom*. Aussi agréable soit-elle, la promenade n'a rien de lunaire et doit son nom à Moon Landrieu qui fut maire de La Nouvelle-Orléans. On peut aussi prendre le tramway qui longe les bords du fleuve.

● **Jackson Brewery** *(Au coin g. de Jackson Square, plan C2)*. — L'ancienne brasserie de la bière Jax abrite un centre commercial qui vaut surtout pour sa librairie du rez-de-chaussée.

● **National Historical Park**. — En remontant Decatur St. vers French Market, vous trouverez sur la dr. le **Jean Lafitte National Historical Park** ; les *rangers* proposent des expositions et des promenades guidées dans le French Quarter ou dans le Garden District.

● **French Market*** *(1100 North Peter's St. ; plan C2)*, immense marché, mi-couvert, mi en plein air. On y fait provision de saucisses d'alligators, d'épices pour le *jambalaya* (poêlée de riz, de jambons, de légumes et parfois

De la musique avant toute chose!

« *Q* u'est-ce que le jazz ?» demandait une vieille dame distinguée, dans les années 20, à Fats Waller. «Madame, si vous ne le savez pas encore, laissez tomber !» repartit le pianiste. La réponse la plus convaincante est sans doute la définition proposée par le musicologue américain Marshall Stearns: «Le jazz est la résultante du mélange, pendant trois cents ans, aux États-Unis, de deux grandes traditions musicales, celle de l'Europe et celle de l'Afrique de l'Ouest». Ce mélange a pris corps à New Orleans.

■ À la croisée des musiques noires

Creuset d'un cocktail culturel exceptionnel, avec ses descendants d'esclaves noirs, d'immigrants français, espagnols, italiens, grecs, irlandais, New Orleans ne pouvait communiquer qu'au travers de la musique. Elle était présente partout: dans les familles comme dans les lupanars, dans les bars comme dans les bals, chez les commerçants… Tous ces rythmes auraient pu s'ignorer, vivre côte à côte sans jamais se rencontrer, mais la communauté noire a su intégrer ces diverses influences à ses propres courants. Et en faire ce que nous connaissons aujourd'hui sous le nom de «jazz».

■ Gospel, blues et ragtime…

Le jazz résulte donc d'une longue évolution: on peut dire qu'il est le fils du *gospel* et du *blues*, c'est-à-dire des cantiques religieux des Noirs, très rythmés, et de leurs vieilles ballades traditionnelles. Avec une troisième composante: le *ragtime*, style musical essentiellement pianistique, syncopé (*rag* veut dire déchiré), qui mêle à la musique noire des airs de danse (menuet, polka). Il est pourtant bien difficile de dire précisément dans quel quartier de New Orleans le jazz est né, même si bien des personnalités se flattent d'avoir contribué à sa création comme Fate Marable, Johnny Dodds, Joe Howard ou Buddy Bolden, qui fut le premier blanc à former un orchestre noir de jazz. Beaucoup de grands —Sydney Bechet, King Oliver, Louis Satchmo Armstrong— apprirent leur art à New Orleans, mais ils ne devinrent généralement célèbres qu'après l'avoir quittée…

de fruits de mer, très pimentée), de sauces piquantes, de légumes frais, de poupées cajuns en mousse espagnole, et d'un tas de colifichets pour touristes.

● **Old US Mint** (*400 Esplanade Ave., plan D1*) possède sur son esplanade une des voitures du célèbre *Un tramway nommé désir*. Les pièces où l'on frappait la monnaie hébergent désormais, au premier étage, le très instructif **musée du jazz*** ainsi que des salles consacrées au carnaval.

Chartres Street

Plan C2-1

● **La maison de Napoléon** (*500 Chartres St., plan C2*). Quand la population de créoles français apprit, en 1815, que Napoléon avait quitté l'île d'Elbe, ils furent fous d'enthousiasme. Peut-être allait-il chercher refuge dans leur ville ? Le maire, Girod, lui promit assistance et offrit de l'héberger dans la maison du 500 Chartres St. qu'il avait acquise. Quand la nouvelle de l'exil de l'ex-empereur sur Sainte-Hélène fut rendue publique, Girod monta un plan pour délivrer Napoléon et l'emmener à New Orleans. Mais à peine le schooner chargé de l'enlèvement, le *Séraphine*, fut-il prêt, que parvint la nouvelle de la mort de l'empereur. La maison est aujourd'hui un bar décoré d'effigies de l'empereur ; très sympathique et reposant.

● **Musée de la pharmacie** (*514 Chartres St. ; plan C2*). — Amusant et petit.

● **Voodoo Museum*** (*726 Dumaine St. ; plan C1 ; ouv. t.l.j.*). — Non loin de Chartres St. se tient un des plus étranges et intéressants petits musées du monde. Au comptoir d'accueil, couverte de bijoux et de tissus chatoyants, se tient souvent la grande prêtresse Muslima Moonpaki. Elle vend les tickets d'entrée, se lève pour brûler de l'encens et allumer des bougies devant le bric-à-brac de crânes humains, d'alligators empaillés et de peaux de serpents du musée. Elle empoche aussi l'argent des gris-gris, des huiles magiques et des potions censées procurer travail et amour. On aurait tort cependant de n'y voir qu'un folklore : c'est ici que la reine du vaudou, Marie Laveau, habitait.

● **Beauregard-Keyes House,** (*1113 Chartres St. ; plan C1 ; ouv. du lun. au sam.*). — Une maison de style néoclassique abrita l'auteur de best-sellers Frances Parkinson-Keyes. En l'achetant en 1944, elle la sauva de la

Le vaudou

L'interdiction de pratiquer leur propre culte conduisit les esclaves à amalgamer leurs propres croyances à la foi catholique et à assimiler les esprits aux saints. Le vaudou se répandit alors très largement. Les pratiquants, qui reconnaissent un Dieu suprême, admettent néanmoins une multitude de divinités et d'esprits qui interviennent dans les affaires terrestres : la famille, l'amour, la santé, etc. Chaque esprit possède ses nombre, fruit, couleur ou jour de l'année favoris et se manifeste dans les forces naturelles comme le vent, l'éclair, l'eau et certains animaux. Les ancêtres sont révérés et consultés.

La grande prêtresse du vaudou, Marie Laveau, née à New Orleans en 1783, créole libre catholique et dévote, pratiquait les rites sacrés devant la cathédrale Saint-Louis avec l'autorisation de l'Église. Les sacrifices humains ou d'animaux, les vampires, la mythologie du sang et du diable, qui font le folklore du vaudou, ne sont que des épiphénomènes, sur-médiatisés par les amateurs de spectaculaire.

démolition. Des jeunes femmes vêtues de robes longues font visiter la maison, les grandes pièces de parquet blond et les jolies collections de théières et de poupées. Une boutique propose tous les livres de Frances Parkinson-Keyes, dont *Dinner at Antoine's* et *Madame Castel's Lodger*. Le joli jardin attenant est ouvert au public.

● **Le couvent des Ursulines** *(1114 Chartres St. ; plan C2 ; f. Noël, Thanksgiving et mardi gras).* — Face à la maison de Frances Parkinson-Keyes se tient le plus ancien bâtiment de la vallée du Mississippi, construit sur l'ordre de Louis XV en 1745. Les ursulines arrivèrent dès 1727 dans la petite colonie et créèrent les premières écoles et orphelinats. Elles accueillaient des jeunes filles, munies d'une « cassette » contenant leurs vêtements, envoyées de métropole en réponse à la supplication de Bienville : « Envoyez-moi des épouses pour mes Canadiens. » Alors que les premières pionnières étaient souvent des femmes de mauvaise vie, ces jeunes filles étaient choisies parmi les familles de bonne réputation, et confiées aux ursulines jusqu'à ce que leurs mariages fussent arrangés.

Royal Street**

Plan B2-C1

C'est la rue la plus célèbre du Vieux Carré qu'il sera judicieux d'emprunter depuis le vieil et célèbre hôtel Monteleone, proche de Canal St.

● **Monteleone Hôtel** *(214 Royal St. ; plan B2).* — Tennessee Williams descendait souvent dans ce grand bâtiment début de siècle, délicieusement désuet.

● **Le père Rouquette** *(411 Royal St., plan B2).* — C'est la maison où vivait Dominique Rouquette, créole for-

tuné. Son fils, Adrien, s'éprit d'une Indienne choctaw qui mourut. Il se détourna alors du chemin paternel et décida de devenir prêtre. Il ouvrit

Un creuset littéraire

Crescent, le journal de New Orleans, ouvrait déjà en 1848 ses colonnes à Walt Whitman qui célébrait la ville dans son poème : « J'ai vu en Louisiane un chêne grandir. » C'est dans ce même journal que Samuel Clemens utilisa pour la première fois le pseudonyme de Mark Twain ; alors pilote de bateau sur le Mississippi, celui-ci fit de fréquentes escales à New Orleans entre 1857 et 1861.

Dans les années 20, le Vieux Carré devint à La Nouvelle-Orléans ce que la rive gauche était à Paris. On y trouvait tous les artistes et écrivains du temps : John Dos Passos, Gertrude Stein, Erskine Caldwell, Hemingway, Faulkner.

En 1939, le talentueux Tennessee Williams s'établit dans la ville où il écrivit *A Streetcar Named Desire* qui obtint le prix Pulitzer en 1949 et *The Rose Tattoo*. Truman Capote, l'auteur de *Breakfast at Tiffany's* en 1958 et *In Cold Blood* en 1966, est né à New Orleans. Lillian Hellman, dont l'autobiographie *Pentimento* (1973) devint le film *Julia*, y vécut ainsi qu'Anne Rice, auteur de romans à grand succès sur les vampires. Sans oublier le lauréat du prix Pulitzer à titre posthume John Kennedy Toole, l'auteur de *A Confederacy of Dunces*, publié en 1980, qui se suicida en 1969, à 22 ans.

En 1989 fut créée la New Orleans Writer's Conference qui donne aux jeunes écrivains l'opportunité de rencontrer des auteurs célèbres, des éditeurs et des agents littéraires, et permet ainsi à New Orleans de rester un centre important de littérature contemporaine.

une mission près de la tribu indienne, adopta ses traditions, et se fit appeler « Chata-Ima ». Les poésies du **père Rouquette** sont encore célèbres aujourd'hui.

● **Hurricane** *(437 Royal St., plan B2).* — Ces bâtiments abritaient la pharmacie d'Antoine Peychaud qui entraînait, après la fermeture, ses amis francs-maçons dans son arrière-boutique où il leur servait un mélange de brandy et de soda dans un « coquetier », qui devint, avec la prononciation anglaise, « cocktail ». Une invention très prisée des citoyens de New Orleans qui marquent une très nette préférence pour le cocktail Hurricane.

● **Merieult House Historic New Orleans Collection** *(533 Royal St. ; plan B2 ; ouv. du mar. au sam.).* — Derrière cette façade qui ressemble à celle d'un magasin d'antiquités se dissimule un musée. Cette demeure, la plus ancienne de Royal St., fut restaurée par le général et Mme Kemper Williams qui léguèrent à la ville leur collection de documents historiques, de peintures, de livres et de photographies. Dix salles qui méritent une visite.

● **Tennessee Williams House** *(720 Toulouse St. ; plan B2-C2).* — La maison où vécut le célèbre écrivain en 1938-1939. Il utilisa sa connaissance du quartier dans sa pièce *Vieux Carré.*

● **Patti's Court** *(627 Royal St. ; plan B2, n° 10).* — Dans cette maison simple et blanche vécut, en 1860, Adelina Patti « le rossignol à la voix d'or », qui rendait les hommes fous et fit la belle saison du tout jeune French Opera House. Elle avait tout juste 17 ans.

● **Labranche House** *(700 Royal St. ; plan B2, n° 9)* est célèbre pour les magnifiques fers forgés entrelaçant des feuilles de chêne le long de ses deux étages.

● **Mystic Curio** *(833 et 829 Royal St. ; plan B2-C1).* — Le mélange de mysticisme et de sensualité est bien le grand charme de New Orleans, comme vous vous en rendrez compte en poussant la porte de ces magasins. Personne ne vous oblige à acheter la *Potion d'Amour n° 9,* et le bric-à-brac de la boutique ainsi que l'allure de pirate du patron barbu sur l'épaule duquel est juché un perroquet, valent un coup d'œil curieux.

● **Heine House** *(à l'angle de Dumaine et Royal Sts. ; plan C1).* — Demeure construite en 1838 pour les trois fils d'une certaine dame Miltenberger. Son arrière-petite-fille, Alice Heine, née ici, devint duchesse de Richelieu, puis princesse de Monaco.

● **Cornstalk Fence** *(915 Royal St. ; plan C1)* possède une grille ouvragée ornée d'épis de maïs. Le Dr Joseph Biamenti la fit venir en 1850 de Philadelphie pour sa femme qui se languissait de la campagne du Middle West. L'immeuble abrite aujourd'hui un hôtel de charme.

● **Gallier House**** *(1132 Royal St. ; plan C1).* — La maison la plus intéressante du Vieux Carré. L'architecte James Gallier Jr., qui dessina le French Opera House (démoli), la fit construire en 1857. Les beaux meubles, les chambres d'enfants, la passementerie fine, la cuisine en l'état et la baignoire témoignent d'un mode de vie raffiné. Dans le patio se trouvent l'ancienne cuisine (on avait peur des incendies) et la citerne d'eau potable.

● **La maison hantée** *(1140 Royal St. ; plan C1).* — Bien moins intéressante que sa voisine et fermée aux visites, elle fut cependant le théâtre d'une terrible histoire. Delphine LaLaurie, d'excellente famille créole, vint y vivre en 1832 après avoir épousé son troisième mari. Les fêtes qu'elle donnait et son train de maison étaient réputés. Cependant, après la mort d'une jeune esclave, des rumeurs inquiétantes circulèrent. Lorsque, en 1834, à l'occasion d'un incendie, les voisins accoururent afin de sauver ce qui pouvait l'être, ils découvrirent une pièce secrète où agonisaient sept esclaves enchaînés et torturés. La foule envahit la maison, mais Mme LaLaurie et son mari avaient pris la fuite probablement pour la France. Depuis, on dit la maison hantée par les esprits des malheureux.

● **Antoine's** (713 Saint Louis St. ; plan B2, n°18), haut lieu de la gastronomie. Des souvenirs du mardi gras et d'hôtes illustres trônent sur les murs du restaurant fondé par Antoine Alciatore, inventeur des huîtres Rockefeller, servies chaudes, gratinées avec des épinards. Le restaurant est dirigé par la cinquième génération d'Alciatore.

● **Preservation Hall** (726 Saint Peter St. ; plan B2 ; n°11). — Construit en 1817, ce pittoresque bâtiment à la façade de bois brinquebalante est un véritable conservatoire du jazz : des files d'amateurs se pressent chaque soir à sa porte en espérant dénicher un nouveau Louis « Satchmo » Armstrong.

● **Chez Pat O'Brien** (718 Saint Peter St ; plan C2). — La maison du riche planteur Étienne de Flechier et surtout son patio luxuriant de plantes, accueillent les noctambules. Ils sont fidèles à Pat O'Brien, qui fonda en 1933 cette boîte de nuit, et à ses cocktails Hurricanes qui bravent fièrement tous les anticyclones.

Bourbon et Dauphine Streets

Plan B1-2, C1

Bourbon St. est la rue la plus animée du Vieux Carré quand, après 20 h, elle est envahie par la foule et noyée dans le flot de musique qui s'échappe du moindre bar. Elle compose avec Dauphine St. une courte et intéressante promenade.

● **French Opera House** (541 Bourbon St. ; plan B2). — À l'endroit où se trouve l'actuel hôtel se dressait en 1859 l'opéra où se donnaient la plupart des bals du mardi gras. Lorsque le French Opera House brûla en 1919, Lyle Saxon écrivit : « Le cœur du vieux French Quarter a cessé de battre cette nuit. »

Mardi gras

Le mardi gras est un jour férié à New Orleans. Un jour férié exceptionnel, l'apogée de douze jours de préparation pendant lesquels plus de soixante parades et des centaines de fêtes privées et de bals masqués sont organisés dans la ville. Depuis 1857, plus de 1 800 mardis gras ont été célébrés, et pourtant, chacun semble unique. La coutume spécifique de New Orleans, celle des lanciers, entraîne les observateurs à devenir aussi acteurs de la fête. Chaque spectateur, et ils sont plus d'un million, crie au passage du cortège : « Jetez-moi quelque chose monsieur. » Et l'on jette des pièces, des verres en plastique, des médaillons.

Bien que le mardi gras rapporte un demi-milliard de dollars à la ville, ses organisateurs sont des clubs de bénévoles, appelés *krewes*. Chaque *krewe*, souvent baptisé d'un nom mythologique comme Aphrodite, Éros ou Hermès, est complètement autonome et prépare son cortège dans le plus grand secret. Un *krewe* de 200 membres peut facilement défiler avec 3 000 participants, clowns, orchestre, danseurs, etc. C'est un événement à vivre absolument même si pendant le week-end du mardi gras, les 25 000 chambres d'hôtel de la ville affichent complet.

- **941 Bourbon Street** *(plan B2)*. — Ce petit cottage de briques, construit en 1772, abritait un atelier de forgeron qui servit à Jean Lafitte et à ses frères de couverture à leur activité de marchands d'esclaves. L'importation d'esclaves aux États-Unis fut en effet interdite à partir de 1807 mais l'emploi d'esclaves étant resté légal, la contrebande se développa.

- **Hermann-Grima House** *(820 Saint Louis St. ; plan B2)* a été construite en 1831 par un riche marchand, Samuel Hermann, et vendue en 1844 au juge Felix Grima, dont la famille vécut ici pendant cinq générations. Ouverte aux visites, elle permet de comprendre et d'apprécier la vie des riches créoles du XIXe s.

- **Le cottage d'Audubon** *(505 Dauphine St. ; plan B2)* où vécut John James Audubon, peintre naturaliste, en 1821-1822, alors qu'il travaillait sur sa monumentale série des *Oiseaux d'Amérique*. 167 des 435 oiseaux représentés furent peints en Louisiane entre 1821 et 1830. Il gagnait sa vie en portraiturant des membres de la haute société créole et se rendait souvent au French Market pour y étudier les volatiles en cage qu'on y vendait.

- **Pretre House** *(716 Dauphine St. ; plan B2)*. — Construite en 1836 pour un riche planteur, Jean-Baptiste Le Pretre, elle fut, d'après la légende, habitée par le frère d'un sultan qui s'était enfui avec plusieurs femmes du harem, les joyaux ainsi que le bateau et l'équipage qui les avait amenés à La Nouvelle-Orléans. Quand on découvrit les corps de Jean-Baptiste Le Pretre et des femmes qui l'accompagnaient, le bateau et l'équipage avaient quitté le port. Furent-ils les victimes des spadassins du sultan ? On dit plutôt que l'équipage se serait emparé des bijoux et aurait fait carrière dans la piraterie.

■ 2. — Autour de City Park

Admirez les demeures coloniales qui bordent Esplanade Ave. jusqu'à Pitot House. Remontez City Park planté d'arbres séculaires et admirez les collections du New Orleans Museum of Art, niché dans un véritable écrin végétal. Le S. des plantations se trouve aussi à New Orleans.

- **Esplanade Avenue*** *(plan C1-D1)*. — La haute société créole vint s'établir à la fin du siècle dernier sur cette avenue longée de charmantes maisons de bois qui arborent tous les styles. La mère et la grand-mère d'Edgar Degas sont nées au n° 2036 où le peintre vint quelques fois leur rendre visite.

- **Pitot House** *(1440, Moss St. ; ouv. du mer. au sam. 10 h-15 h)*. — Construite dans le dernier quart du XVIIIe s., la maison de James Pitot est typique des demeures coloniales des planteurs et jouit d'un beau panorama sur le *bayou* Saint-John.

- **City Park**** est un magnifique parc de 4 km de long et de près de 1,5 km de large, limité à l'E. par le *bayou* St John. Ombragé par de majestueux chênes couverts de mousse espagnole, il possède des parcours de golf, des sentiers pédestres, des pistes cyclables et des aires de pique-nique. Dans sa partie S. se trouvent la statue équestre du général Beauregard, le parc de contes de fées **Children's Storyland** —avec un carrousel début de siècle—, le **City Park Stadium** en forme de fer à cheval, une roseraie riche également en azalées et camélias, ainsi que le **New Orleans Museum of Art**.

- **New Orleans Museum of Art**** *(Lelong Ave., City Park ; ouv. mar.-dim. :10 h-17 h)*. — Rénové en 1992, il abrite d'importantes collections italiennes et françaises.

Peintures italiennes .— De la Renaissance, deux œuvres importantes sont à voir : le *Portrait d'un homme barbu** de **Lorenzo Lotto**, dans lequel on pourrait retrouver l'influence de Dürer qui séjournait à Venise à cette époque (contours nets, couleurs dures, composition recherchée), et la *Sainte Conversation*** de **Véronèse**, qui est un tableau parfaitement équilibré s'ordonnant autour de deux parallèles et d'une diagonale. Citons enfin le *Baptême du Christ* de **Luca Giordano** ; de **Tiepolo** : *Garçon tenant un livre* ; *Saint Joseph avec l'Enfant Jésus*. De **Guardi**, on verra une toile inhabituelle dans la production de cet artiste : *Ester devant le trône d'Assuérus*.

Peinture française. — **Claude Lorrain** : *Port de mer*, de 1635 env. Œuvres de Natoire et de Greuze. Du XIXᵉ s., le musée possède un ensemble d'œuvres de petits maîtres et de peintres de l'école de Barbizon : scènes de genre par Gaston Latouche et G.-L. Gérôme ; des paysages par N. Diaz de la Peña, Jules Dupré, Harpignies, Félix Ziem, Bouguereau, Rosa Bonheur et Jehan-Georges Vibert. Paysages par Corot et Courbet montrant la différence entre la légèreté du premier et le réalisme du second.

A. Renoir : *Gabrielle**, 1900. **Sisley** : *Printemps à Veneux-Nadon**, 1882. **E. Boudin** : *le Port de Saint-Valéry-sur-Somme*, 1891. **C. Pissarro** : *le Jardin des Tuileries en hiver**, 1900 ; *Lavandières à Éragny*, 1899 ; *Coucher de soleil à Éragny*, 1894. **Cl. Monet** : *Maison de campagne**, *Chute de neige à Giverny**, 1893 ; *Vue de Giverny et des collines environnantes**, 1888. **Degas**, qui appartient à l'impressionnisme par son sens du mouvement, de l'instant et de la lumière, mais qui en reste éloigné par la densité qu'il donne aux formes : *Danseuse en vert*, 1878 env. ; *Portrait d'Estelle Musson**, exécuté à La Nouvelle-Orléans en 1872, lors d'un voyage qu'il fit dans cette ville et qui était pour lui un retour aux origines maternelles. **Odilon Redon** (qui est surtout un symboliste) : *Profil de femme avec oiseaux de paradis et papillons*, vers 1912 et le

Rêve. **Paul Gauguin** : *les Portes de Gauguin* (huile sur panneaux de verre, 1893). **Pierre Bonnard** : *la Revue blanche*, gouache de 1894.

Rouault : *le Grand Roi* (1937-1938 env.) ; *Soldat avec une épée* ; *Crucifixion*, 1938. **Utrillo** : *Église Notre-Dame de Royan*.

R. Dufy : *la Fenêtre à Nice*, 1923. **A. Derain** : *Paysage au lac*, de 1909-1910 et **M. de Vlaminck** : *la Seine* ; ces deux artistes constituaient, au sein du fauvisme, le groupe de Chatou. **K. Van Dongen** : *Femme au chapeau vert*, 1905.

Braque : *l'Estaque**, 1906. **Juan Gris** : plusieurs natures mortes. **J. Miró** : *Personne en présence d'une métamorphose*, 1936 ; *Portrait d'une jeune fille*, 1935 ; *Femme déambulant sur les Ramblas, à Barcelone*, 1925 ; *le Disque rouge*, 1960. **Magritte** : *l'Art de la conversation*, 1950. **Max Ernst** : *Everyone here speaks latin* (« tout le monde ici parle latin »), réalisé en 1943 pendant le séjour du peintre en Amérique.

On citera encore **Chagall** : *Violon, Pierrot et coq. La Ligne blanche*, 1924, de **W. Kandinsky**, illustre le langage abstrait de ce peintre.

Œuvres également de Dubuffet, Picasso, Giacometti (*le Studio*, peinture 1953), Modigliani, Vasarely, Andy Warhol et Georgia O'Keeffe ; ces deux derniers artistes américains représentent le premier le pop art et la seconde, le courant de l'art pour l'art.

Section de sculptures. — Il s'agit essentiellement d'œuvres du XXᵉ s. pour la sculpture occidentale. **Rodin** : *Buste de Clemenceau*. **E. Degas** : *Danseuse enfilant ses bas* (bronze de 1896 env.). **Giacometti** : *Femme debout*. Magritte : *les Travaux d'Alexandre*. **Max Ernst** : *la Tortue*, de 1944. **J. Dubuffet** : *le Sourcilleux*, de 1959. **Picasso** : *Masque de faune*, de 1949-1950. **Jean Arp** : *Dernière Construction* (bronze et acier d'après les dessins de Sophie Taeuber-Arp, de 1942). Plusieurs sculptures de Jacques Lipchitz.

Le musée possède également un ensemble de sculptures précolombiennes d'Amérique centrale et de sculptures africaines.

Arts décoratifs de l'Orient. — Les objets proviennent surtout de Chine, de l'Inde et du Japon. Le musée possède des collections de verres anciens (romains, du XVIe s. européen et du XIXe s. américain).

La collection Fabergé*. — Cette collection appartenant à la fondation Matilda Geddings Gray possède trois œufs impériaux —1893 *Caucasus Egg*, 1895 *Danish Palace Egg* et 1912 *Napoleonic Egg*— ainsi que des fleurs en pierres précieuses, des porte-cigarettes et briquets ravissants. Il faut noter que New Orleans a toujours témoigné une affection particulière aux Romanov, le grand-duc Alexis l'ayant honorée d'une visite en 1872, à l'occasion d'un carnaval.

■ 3. — Les quartiers modernes

De l'autre côté de Canal St., le Central Business District —appelé CBD— et le Warehouse District ont remplacé l'ancien faubourg Sainte-Marie. Gratte-ciel, banques et compagnies d'assurances entourent audacieusement le vieil hôtel Pavillon. Ce quartier est surtout intéressant pour son front de mer —Riverfront— qui possède depuis 1990 le superbe Aquarium of the Americas. Les sportifs ne manqueront pas la visite du Superdome, sur Poydras St.

● **Canal Street** *(plan A2-B2-C3).* — Cette artère commerçante s'étire sur 6 km du Mississippi au lac Pontchartrain et sépare le Vieux Carré d'**Uptown** qui fut occupée par les Anglo-Américains, indésirables dans le quartier français après le « Louisiana Purchase ». « The American Side », le territoire étranger, était consacré aux activités économiques,

tandis que le French Quarter restait l'antre de la culture, des traditions et des bonnes manières. À l'angle de Decatur et de Canal Sts. se dresse l'US Customs House, imposant bâtiment des douanes construit en 1848.

● **Canal Place** *(plan C3, ouv. t.l.j. 9 h-17 h).* — Canal St. s'achève sur les rives du Mississippi au pied de l'International Trade Mart Tower, gratte-ciel de 33 étages et 124 m de haut. Au 2 Canal Place, on peut monter en haut du World Trade Center et s'offrir une vue panoramique sur le fleuve et la ville.

● **Aquarium of the Americas**** *(Foot of Canal St. ; plan C3).* — Ne ratez pas ce magnifique aquarium. Vous verrez tous les poissons du golfe du Mexique, parmi lesquels de superbes requins ; vous vous promènerez dans une jungle de lianes où volettent perroquets et toucans, et l'on s'approchera en frémissant du bassin des piranhas. Vous rendrez visite aux pingouins échoués sur un lopin de banquise. Les habitats sont parfaitement reconstitués et la pédagogie est bien faite. Plus de 4 000 espèces frétillent dans ce musée dédié à la préservation des ressources naturelles.

● **Riverwalk** *(plan C3).* — À l'E. de l'ITM Tower, la Plaza de España est ornée d'une fontaine offerte par l'Espagne pour le bicentenaire des États-Unis (1976). À côté se trouve le **Canal Street Landing** d'où partent les bacs pour le faubourg d'Algiers et les bateaux d'excursion *Creole Queen* et *Cajun Queen*. Longeant le Mississippi, le Riverwalk, centre commercial et parc d'expositions, s'est installé sur le terrain de l'Exposition internationale de 1985. Le téléphérique (« Gondola »), construit par une société française, assurait le transport des visiteurs d'une rive à l'autre du Mississippi.

Cajuns et créoles

À strictement parler, un créole de La Nouvelle-Orléans est le descendant d'un colon français ou d'un Espagnol, né dans la colonie. Au XVIIIᵉ s. les Français dominèrent la vie culturelle et sociale de la ville, jusqu'à l'arrivée massive des Américains. Les créoles se disaient français, parlaient français, se considéraient comme les seuls vrais natifs de la ville .

Aujourd'hui le terme définit plutôt un certain mode de vie qui évoque la joie de vivre, le nonchalance et un solide appétit. Les Cajuns n'ont rien à voir avec les créoles qui sont exclusivement citadins, bien que les deux communautés soient d'origine française. Chassés de la nouvelle Acadie par les Britanniques en 1755, ils se sont réfugiés en Louisiane lors du Grand Dérangement.Les Acadiens sont devenus alors des Cajuns mais ils ont gardé leur mode de vie traditionnel. Agriculteurs, pêcheurs, chasseurs ou éleveurs de chevaux, ils sont aujourd'hui près d'un million à vivre le long des *bayous* et dans les marais de Louisiane.

● **Place de France** *(plan B3)*. — L'ITM Tower est séparée du Rivergate Exhibition Center, grand hall accueillant des expositions internationales, par la place de France où se dresse une copie de la statue de Jeanne d'Arc par Frémiet. L'original de cette *Jeanne of New Orleans* orne la place des Pyramides à Paris.

● **Fountain Club** *(plan C3)*. — Après la Spanish Plaza se trouve l'English Plaza, et la statue de Churchill. Elle est bordée par la tour de l'hôtel Hilton qui abrite le club du clarinettiste Pete Fountain. Elle marque le départ de Poydras St.

● **Warehouse District** *(plan B3)*. — Ce quartier d'anciens entrepôts, lové entre le fleuve et Magazine St., a été redécouvert par les artistes dans les années 80. Il est alors devenu de bon ton pour les artistes de s'y établir. Aujourd'hui, ce **Southern Soho** possède de nombreux ateliers d'artistes et galeries. Les premiers samedis de chaque mois, des expositions collectives s'y tiennent entre 18 h et 21 h.

● **Lafayette Square** *(plan B3)*. — En remontant Poydras St., puis en tournant à g. à hauteur de Camp St., on trouve le Lafayette Square, où se dressent les statues de Benjamin Franklin, par Hiram Powers, de John McDonough, fondateur d'une trentaine d'écoles, et de l'homme d'État Henry Clay (1777-1852) par Joel T. Hart. Sur le côté ouest s'élève le Gallier Hall, l'ancien hôtel de ville édifié vers 1840.

● **Camp Street** *(plan B3)*. — En continuant sur Camp St., à g., on trouve une des plus vieilles églises de la ville, **St Patrick's Church** *(724 Camp St.)*, le **Contemporary Arts Center** *(900 Camp St.)* présentant des expositions et des représentations théâtrales et le **Confederate Memorial Museum.***(929 Camp St. ; ouv. du lun. au sam.10 h-16 h ; bibliothèque et boutique)* Ce n'est pas un hasard s'il a été construit —en 1890— au cœur du quartier américain, comme symbole —respectueux— de la défaite des confédérés. Les uniformes et les armes du président Jefferson Davis et du général Robert E. Lee y sont réunis. Plus loin, **Lee Circle** arbore une statue du général sudiste, qui regarde exclusivement vers le N.

● **Pavillon Hotel** *(au coin de Baronne et Poydras Sts. ; plan A3)*. — Ce palace datant de 1907 est remarquable pour ses plafonds moulurés et peints, ses stucs dorés et son élégance européenne du début de siècle.

● **Civic Center** *(à l'angle de Poydras St. et de Loyola Ave. ; plan A3)*. — Au croisement des deux artères s'étendent les bâtiments du **Civic Center** avec les services administratifs de la ville et de l'État de la Louisiane, dont le nouveau City Hall.

● **Louisiana Superdome** *(Sugar Bowl Drive ; plan A3 ; vis. guidées chaque jour à 10 h, 12 h, 14 h et 16 h.).* — Cette visite intéressera uniquement les sportifs et les amateurs de prouesses techniques. Le Superdome, berceau des Saints, peut accueillir jusqu'à 100 000 personnes : les Rolling Stones y ont attiré 87 500 spectateurs. Achevé en 1975, il couvre plus de 5 ha : son immense coupole, haute de 80 m, a un diamètre de 207 m. Le système de télévision et de son et lumière pèse 75 t.

■ 4. — Garden District

Garden District était autrefois la ville de Lafayette. Pendant l'âge d'or où les hommes faisaient fortune dans le commerce du coton, du sucre et du café, d'élégantes demeures, de style néo-classique ou victorien, y poussèrent comme des azalées. Les villas s'habillèrent de colonnes doriques ou ioniennes et se drapèrent de grilles de fer forgé. Elles sont restées telles qu'à l'origine, d'un charme un peu hautain. Le quartier est petit, circonscrit entre Saint Charles Ave. et Magazine St., Jackson Ave. et Louisiana Ave. Aucune maison n'est ouverte à la visite.

● **Bradish Johnson House** *(2343 Prytania St.)* est une maison de style Renaissance flanquée de magnifiques colonnes corinthiennes.

● **Toby-Westfeldt House** *(2340 Prytania St.)* s'élève sur des pilotis de briques. Elle a été construite en 1838.

● **Carroll-Crawford House** *(1315 1st St.)* possède de belles galeries de fer forgé. Edgar Degas et Mark Twain y vinrent à l'occasion de réceptions.

● **Brevard-Wisdom House** *(1239 1st St.)* a des grilles dessinant des roses et se dresse dans un joli jardin.

● **Payne-Strachan House** *(1134 1st St.)* est considérée comme un chef d'œuvre de l'architecture néo-classique des plantations du S. Le président Jefferson Davis y mourut le 6 décembre 1889.

● **Montgomery-Hero House** *(1213 3rd St.)* fut construite juste après la guerre civile. Notez les toits en surplomb et les grandes galeries.

● **Robinson-Jordan House** *(1415 3rd St.)* est un genre de villa à l'italienne, qui posséda le premier système de plomberie intérieur de la ville.

● **Short-Moran House** *(1448 4th St.)* fut construite en 1859 pour un colonel du Kentucky. Elle lui coûta moins de 25 000 $.

● **Uptown.** Plus loin sur St Charles Ave. se trouve le quartier Uptown, commençant à Napoléon Ave. Belles maisons là aussi, parmi lesquelles Orleans Club *(5005 St Charles Ave.)* et une villa italienne *(5824 St Charles Ave.)*. Encore plus loin se trouvent les beaux bâtiments de style Tudor de la Loyola University *(6363 St Charles Ave.)* fondée en 1911, (catholique ; 5 000 étudiants). A côté, le vaste terrain de la Tulane University (8 500 étudiants) fondée en 1834.

● **Audubon Park,** parsemé de lacs, s'étend jusqu'au Mississippi. Dessiné en 1815, ce parc comporte une belle allée de chênes verts, un terrain de golf, un zoo, un aquarium et des serres. Monkey Hill, d'une dizaine de mètres de haut, fut créée dans les années 30 pour montrer aux enfants du plat pays louisianais à quoi pouvait ressembler une colline. De l'autre côté d'Audubon Park se trouve un des zoos préférés des jeunes Américains : tigre blanc, alligators blancs et singes y vivent dans leur habitat, joliment reproduit.

■ 5. — A voir encore

● **Les rives du lac Pontchartrain.** — Comme le font tous les New-Orléanais, il est conseillé de passer une journée sur les rives de cette vraie mer intérieure qu'est le lac Pontchartrain. Vous pique-niquerez sur le **Lakeshore Drive**, à moins que vous n'alliez dans un des superbes restaurants de fruits de mer de **West End Park**. C'est aussi à Lakeshore Drive que se dresse pendant le carnaval la fontaine du mardi gras.

● **Les cimetières** *(plan B1).* — Le sol marécageux ne permettant pas de creuser des tombes, les corps sont conservés au-dessus du sol —comme à l'**Old St Louis Cemetery**— dans des niches où ils sont soumis à un processus de dessication très rapide à cause de l'action du soleil. Les familles les plus riches font ériger pour leurs morts des mausolées parfois somptueux. La végétation est splendide (magnolias, chênes rouvres, etc.). On arrive aux deux cimetières célèbres que sont le **Greenwood Cemetery**, avec un monument aux morts confédérés, et le **Metairie Cemetery** attenant, par Pontchartrain Blvd., prolongé par le Pontchartrain Expressway *(autoroute I 10)* que l'on suivra jusqu'à la sortie de City Park Ave. *(18 mi/29 km).*

● **Longue Vue Gardens*** *(7 Bamboo Rd.)* sont des magnifiques jardins en partie inspirés par le Generalife de Grenade ; l'élégante demeure qu'ils entourent, élevée en 1942, rappelle l'architecture des plantations de Louisiane ; à l'intérieur, intéressant mobilier ancien et moderne ;

l'ensemble dépend aujourd'hui du New Orleans Museum of Art.

● **Chalmette National Historical Park.** *(à 6 mi/10 km env. de La Nouvelle-Orléans, sortie par Rampart St. et St Claude Ave.)* s'étend, au-delà d'Arabi, sur la rive N. du Mississippi, avec un obélisque commémoratif de la bataille de New Orleans et un cimetière national où reposent 12 000 soldats de l'Union tombés pendant la guerre de Sécession. Près du Visitor Center, dans une vieille maison restaurée, un musée raconte le déroulement de la bataille (présentations audiovisuelles).

■ 6. — L'Old River Road ou la route des plantations**

Vieille de plus de deux cents ans, l'Old River Road permet aux visiteurs d'aujourd'hui de découvrir avec nonchalance le charme et la vie des plantations sucrières d'antan. Tracée pour se substituer à la voie fluviale lorsque les eaux du Mississippi empêchaient le transport des marchandises, cette route, d'une rive à l'autre, offre un des plus beaux panoramas des demeures *ante bellum* (avant la guerre de Sécession) de Louisiane.

● **De New Orleans à Baton Rouge**

Destrehan Plantation *(à 8 mi/13 km de l'aéroport international de New Orleans sur la LA 48, ouv. t.l.j. 9 h 30-16 h, festival d'automne 2e week-end de nov.),* construite en 1787 sur les terres de Jean-Baptiste d'Estrehan des Tours, trésorier royal de la colonie française de Louisiane, est la plus vieille plantation de la basse vallée du Mississippi. Située dans une petite localité du même nom, cette longue bâtisse se distingue par son imposante façade ornée de huit colonnes doriques et son toit d'inspiration indienne peu commune. Originairement conçue dans le style colonial français et selon la technique du « bousillage entre poteaux » (remplissage de mousse espagnole et de boue entre piliers), la demeure fut rénovée vers 1830-1840 dans un style néo-classique. L'intérieur a été superbement restauré.

San Francisco Plantation* (entre Garyville et Reserve sur la LA 44 ouv. t.l.j. 10 h-16 h, sf jours fériés), construite en 1856, est l'une des plus élaborées et des plus originales des maisons de l'époque. Son propriétaire, E. B. Narmillion, fasciné par les bateaux à aubes, s'inspira de leur architecture pour la construction et la décoration de cette demeure dans laquelle il engloutit sa fortune. Les intérieurs contiennent un mobilier d'origine et un très bel escalier au milieu d'une décoration riche et chargée, typique des créoles espagnols.

Tezcuco Plantation* (à 7 mi/12km au N. de Sunshine Bridge sur la LA 44, ouv. t.l.j. 10 h-17 h, bed and breakfast, restaurant) a été construite en 1855 à la veille du déclenchement de la guerre civile dans un style Greek Revival. Bel édifice, plus modeste que ses voisins, mais cependant plein de charme ; jolies galeries couvertes de frises et de médaillons et intérieurs reconstitués avec authenticité.

Houmas Plantation* (quittez la LA 44 à Burnside et prenez la LA 942, ouv. t.l.j. fév.-oct 10 h-17 h, nov.-jan. 10 h-16 h) est l'une des plus célèbres —de nombreux films y furent tournés dont *Chut, chut, chère Charlotte* joué par Bette Davis— et des mieux conservées de Louisiane. La maison originale fut construite au XVIIᵉ s. par le planteur Alexandre Latil, dans un style à la fois français et espagnol dont il reste encore quelques éléments. En 1840, le colonel John Smith Preston édifie le magnifique bâtiment que l'on peut admirer aujourd'hui. Son architecture, de pur style Greek Revival, s'impose par la série de quatorze colonnes qui soutiennent la galerie du

San Francisco Plantation.

Tezcuco Plantation.

premier étage. Dans le parc, qui abrite de magnifiques chênes centenaires, deux très beaux exemples des fameuses garçonnières, de forme hexagonale, sagement préservées. En 1857, le riche planteur irlandais John Burnside achète la propriété ; ce qui vaut à la plantation d'être épargnée par les troupes de l'Union du fait de la nationalité étrangère de son nouvel acquéreur. Elle fut entièrement rénovée en 1940.

● De Baton Rouge à New Orleans

Nottoway Plantation* *(au S. de Baton Rouge, sur la LA 1, ouv. t.l.j. 9 h-17 h, chambres, restaurant),* construite en 1849 par John Hampden Randolph, un planteur de canne à sucre riche et prospère, est la plus grande plantation de Louisiane. De style architectural d'inspiration à la fois grecque et italienne, cette imposante demeure blanche, surnommée « the White

Houmas Plantation.

Castle », ne comprend pas moins de 64 pièces, 165 portes et 200 fenêtres. Si l'édifice fut sauvé pendant la guerre de Sécession, les intérieurs furent endommagés. En 1980, d'importants travaux de rénovation ont été entrepris dont la reproduction exacte des meubles d'origine de style Queen Ann. Somptueuse salle de bal.

Oak Alley Plantation (*sur la LA 18 S.-E., avant Vacherie, ouv. t.l.j. 9 h-17, restaurant, bed and breakfast*). — « La reine des plantations de Louisiane » est célèbre pour sa majestueuse allée de chênes tricentenaires dont les branches s'entrelacent pour former une voûte ombragée. La demeure, entourée de 28 colonnes doriques, a été construite en 1839 dans un style néo-classique. Sa façade rose, sa décoration intérieure et le parc qui l'entoure lui donnent beaucoup de charme.

Nottoway Plantation : intérieur.

Vicksburg*

20 000 hab. ; fuseau horaire : Central time.
Situation : *à l'O. de l'État du Mississippi, à la frontière de la Louisiane, sur les rives du Mississippi ; à 44 mi/70 km à l'O. de Jackson.*
À voir aussi dans la région : *Baton Rouge*, Natchez**.*

Bien située sur une hauteur abrupte au-dessus du confluent du Yazoo et du Mississippi, Vicksburg arbore fièrement ses blessures de guerre : elle conserve religieusement la trace des combats qu'elle livra pendant la guerre de Sécession. Son héroïque résistance est commémorée par le Vicksburg National Military Park ; les boulets de canons encastrés dans les murs des maisons qui bordent ses rues en pente ajoutent une note pittoresque au charme indéniable de cette petite ville. Car Vicksburg est une très jolie cité, avec ses terrasses fleuries et ses imposantes demeures au-dessus du fleuve.

■ Vicksburg dans l'histoire

Près du site de l'actuelle Vicksburg, les Espagnols établirent en 1790 le fort Nogales. Mais Vicksburg même fut au départ une mission créée par le révérend Newitt Vick en 1814. Par sa situation stratégique sur les falaises dominant un coude du Mississippi, Vicksburg devint l'un des principaux objectifs des nordistes. Le président Abraham Lincoln avait ainsi déclaré en 1862 que la ville était « la clé » ouvrant toute la région, clé sans laquelle la guerre n'en finirait pas.

Elle fut appelée le « Gibraltar des Confédérés » à cause de ses défenses imprenables, mais le général Grant la fit céder le 4 juillet 1863 à la suite d'un siège de 47 jours. Les confédérés perdaient ainsi le contrôle du Mississippi.

■ Visiter Vicksburg

*Une agréable façon de voir Vicksburg est de faire une croisière de 90 mn sur le **Spirit of Vicksburg** (Foot of Clay St. ; croisière t.l.j. sep.-avr.14 h ; mai-août 10 h et 14 h) qui permet de découvrir le port ainsi que les sites historiques du siège naval de la ville.*

● **Cedar Grove**** *(2300 Washington St. ; ouv. t.l.j. 9 h-17 h)* est une imposante demeure de style néo-classique construite en 1840 et entourée de jardins à la française : c'est l'une des plus belles maisons de Vicksburg. On

peut encore voir un boulet de canon logé dans le mur du hall.

● **Balfour House*** *(1002 Crawford St. ; ouv. t.l.j. 9 h-17 h)* date de 1836. De style néo-classique, elle possède surtout un bel escalier à spirale s'élevant sur trois étages. Il s'y déroulait le traditionnel bal de Noël quand on annonça l'arrivée des troupes de l'Union. Après la défaite, elle servit de quartier général aux nordistes.

● **Mc Raven Tour Home*** *(1445 Harrison St. ; ouv. t.l.j. automne-printemps : lun.-sam. 9 h-17 h, dim. 10 h-17 h ; juin-août 9 h-16 h)* représente trois périodes différentes puisqu'elle fut construite en trois fois : 1797, style pionnier, 1836, style Empire, 1849, style néo-classique. Dans les pièces ornées de mobilier ancien, on peut voir encore les dommages causés par la guerre civile.

● **Old Courthouse Museum*** *(1008 Cherry St. ; ouv. t.l.j. 8 h 30-16 h 30 ; dim. 13 h 30-16 h 30)*, bâti par des esclaves en 1858, a accueilli d'illustres personnages comme Jefferson Davis, Theodore Roosevelt ou U. S. Grant. Transformé en musée, il retrace l'histoire de Vicksburg.

● **Grey Oaks** *(4142 Rifle Range Rd. ; ouv. t.l.j. lun.-sam. 9 h 30-17 h ; f. dim.)* était à l'origine une plantation construite à Port Gibson en 1834. En 1940, elle fut vendue, démantelée et reconstruite à Vicksburg avec une nouvelle façade : la réplique de celle de Tara dans *Autant en emporte le vent* !

● **Martha Vick House** *(1300 Grove St. ; ouv. t.l.j. 9 h-17 h ; dim. 13 h-16 h 30)* fut construite vers 1830 pour la fille du fondateur de la ville, le révérend Newitt Vick. Mobilier du XVIIIᵉ et du XIXᵉ s., et importante collection de portraits français.

● **Vicksburg National Military Park** *(ouv. t.l.j.8 h-17 h ; été 8 h-16 h ; voiture indispensable)* forme un demi-cercle autour de la ville, à l'emplacement du camp des assiégeants nordistes, avec des fortifications et des monuments qui ponctuent les 16 mi/26 km de route à travers le parc. La visite commence au Visitor Center, où sont exposés des souvenirs du siège. On peut y voir, toutes les demi-heures, un film de 18 mn sur la célèbre bataille. À l'intérieur du parc se trouve aussi le **National Cemetery** où reposent les 18 000 morts des deux camps, et l'*USS Cairo*, le premier navire blindé coulé par une mine à détonateur électrique. Adjacent à l'*USS Cairo*, un petit musée *(9 h-17 h)* présente des objets récupérés sur le bateau.

● **US Army Engineer Waterways Experiment Station** *(à 3 mi/5 km au S. 3909 Halls Ferry Rd. ; vis. guidées lun.-ven. 10 h et 14 h)* : importante station de recherche hydrographique (environ 60 maquettes de voies d'eau, ports et digues, entre autres le Niagara et le port de New York).

■ Environs de Vicksburg

● **Jackson*** *(à 44 mi/70 km à l'E. par l'Interstate 20)*, située sur la rive escarpée de la Pearl River, doit son nom au septième président des États-Unis, le général Andrew Jackson. Fondée en 1821, incendiée en 1863 par les troupes de l'Union, la capitale du Mississippi est aujourd'hui la plus grande ville de l'État ; elle en est aussi le centre industriel et commercial le plus important,

Le Delta du Mississippi

Le Delta, appelé ainsi par comparaison avec le fertile delta du Nil, selon la même logique qui présida au choix du nom de Memphis, est une plaine alluvionnaire qui s'étend sur environ 200 miles le long du Mississippi, depuis Memphis jusqu'à Vicksburg.

La richesse de son sol le prédisposait à la culture du coton, mais nul ne voulait venir s'installer sur ces terres marécageuses, brûlées par le soleil et exposées aux crues fréquentes du fleuve et de ses nombreux affluents. Seuls des métayers noirs, payés au rendement, acceptèrent de venir travailler sur le Delta, et leurs conditions de vie un peu moins précaires qu'ailleurs attirèrent des postulants de tout l'État. Ainsi naquit, dans les paysages brumeux du Mississippi, le Delta Blues, complainte des Noirs exprimant, pour mieux la supporter, leur réalité quotidienne, leur détresse et leur misère. Les chanteurs utilisaient une guitare qui, plus qu'un simple accompagnement musical, faisait écho à la voix, avec des inflexions (cordes tordues) et des glissendos (à l'aide d'un *bottleneck*, goulot de bouteille passé au doigt que l'on faisait glisser sur les cordes) d'une superbe expressivité mélancolique.

Deux hommes incarnent le Delta Blues : Charley Patton *(High Water Everywhere*, sur la crue de 1927*)* et Robert Johnson *(Love in Vain, Stop Breakin' Down, Crossroads Blues, Me and the Devil Blues)*, tous deux disparus dans les années 30.

au cœur des champs de pétrole et de gaz naturel.

State Capitol *(400 High St. ; ouv. t.l.j.).* — Ce bâtiment construit en 1903, sur le modèle de celui de Washington DC, a été entièrement rénové en 1979. Dans un esprit de rébellion très caractéristique du Mississippi, le capitole est surmonté d'un aigle doré tournant le dos à Washington, c'est le seul dans tous les États-Unis !

Mississippi Governor's Mansion (*300 East Capitol St.* ; *vis. toutes les demiheures mar.-ven. 9 h 30-11 h*) fut construite en 1842 dans un style néoclassique qui rappelle la Maison Blanche. Collection d'Art déco du XIXe s. Elle fit office d'hôpital pendant la guerre civile.

Old Capitol (*100 S State St.* ; *ouv. t.l.j.*), de style néo-classique, utilisé de 1839 à 1903, est aujourd'hui un musée historique : le Mississippi State Historical Museum.

Smith Robertson Museum and Cultural Center (*528 Bloom St.* ; *ouv. lun.-ven. 9 h-17 h* ; *sam. 9 h-12 h* ; *dim. 14 h-17 h*) retrace l'histoire des Noirs du Mississippi. Il est installé dans ce qui fut la première école pour les Noirs à Jackson.

The Oaks (*823 North Jefferson St.* ; *ouv. mar.-sam. 10 h-16 h* ; *dim. 13 h 30-16 h*) est une résidence construite en 1846, qui fut le quartier général de Sherman lors du siège de la ville en 1863.

Jim Buck Ross Mississippi Agriculture and Forestry Museum (*1150 Lakeland Drive* ; *ouv. t.l.j. lun.-sam. 9 h-17 h* ; *dim. 13 h-17 h*) recrée l'atmosphère de la vie rurale du Mississippi dans les années 20 avec la reconstitution d'une ferme et d'une petite ville animées par des acteurs en costumes d'époque. Un musée présente l'histoire de l'agriculture, de la forêt et de l'aviation dans l'État.

Mynelle Gardens* (*4736 Clinton Blvd.* ; *ouv. mars-oct. lun.-dim. 9 h-16 h* ; *nov.-fév. lun.-dim. 8 h-17 h*) sont de superbes jardins botaniques renfermant plus de 800 espèces de fleurs et de plantes du S.

● **Mississippi Petrified Forest*** (*à 64 mi/102 km à l'E. par l'Interstate 20 puis l'US 49* ; *ouv. t.l.j. 9h-18h*) est constituée de troncs d'arbres charriés par un fleuve à l'époque préhistorique (36 millions d'années) et plus tard pétrifiés. Visitor Center, musée géographique, sentiers de visite.

● **Greenville** (*à 92 mi/148 km au N. par l'US 61*). « Queen City of the Delta » est le premier port fluvial de l'État du Mississippi et possède d'importants chantiers navals. D'ailleurs son histoire est étroitement liée aux caprices du Mississippi. Grâce au limon déposé par le fleuve, le sol très fertile fut exploité pour la culture du coton et Greenville devint un port très actif. Mais sa position même sur le fleuve en amont de Vicksburg causa sa perte pendant la guerre de Sécession où elle fut totalement brûlée. À peine reconstruite, elle fut ravagée par l'épidémie de fièvre jaune de 1877. Puis en 1890 et en 1927, la ville fut ravagée par des inondations, fléau définitivement écarté ensuite par la construction de digues qui permirent à la ville d'affermir sa place portuaire. **First National Bank Building** (*Municipal Court Bldg.* ; *302 Main St.*), construit en 1903, est un bon exemple du style académique influencé par l'architecture grecque. Il abrite la **Greenville Historic Exhibit** qui retrace l'histoire de la ville. **Greenville Writers Exhibit** (*341 Main St.*), installée dans la William Alexander Percy Memorial Library, est consacrée aux poètes, romanciers, historiens et journalistes célèbres de ce port du Mississippi. Car la particularité de Greenville est d'être, parmi toutes les villes de cette taille, celle qui a produit le plus grand nombre d'écrivains. Qu'il s'agisse de William Alexander Percy (*Lanterns on the Levee*), de son neveu Walker Percy (*The Last Southern Gentleman, The Moviegoer, Lancelot*), d'Ellen Douglas (*A Family's Affair, The Magic Carpet*), de Hodding Carter récompensé par le prix Pulitzer ou encore de l'historien Shelby Foote (*The Civil War, Love in a Dry Season*), tous et bien d'autres moins connus (la liste est longue) sont évoqués dans cette exposition étonnante.

● **Mount Holly** (*à 109 mi/175 km au N.-O. par l'US 61* ; *à env. 17 mi/27 km au S. de Greenville par la MS 1* ; *vis. guidées mar.-dim. 13 h-17 h* ; *f. lun.*), construite en 1831, est un très bel exemple de villa de style italien.

● **Washington County Visitor Center** (*à l'intersection de l'US 82 et de Reed Rd.*

à l'E. de Greenville ; ouv. lun.-sam. 8 h-17 h ; dim. 13 h-17 h) vaut le détour. Construit pour l'Exposition universelle de New Orleans en 1984 puis déplacé à Greenville, il reproduit fidèlement un bateau à roue du XIXᵉ s..

● **Winterville Mounds State Park** *(à 3 mi/5 km au N. de Greenville par la MS 1 et MS 3)* regroupe l'un des plus importants ensembles de tertres indiens le long du Mississippi. Ils furent construits par les Temple Mound Builders (ancêtres des Choctaw, Chickasaw et Tunica Indians) entre 1200 et 1400 apr. J.-C., puis abandonnés un peu plus tard pour une raison obscure.

La Floride : lever de rideau sur Ocean Drive

Si la vie était un film, ressemblerait-elle à la Floride ? Avec ses parcs naturels beaux comme des dessins d'enfants, son chapelet de petites îles en forme de bec de perroquet la prolongeant au sud et la présence presque obsédante de Mickey, le *sunshine state* pourrait être une superproduction des studios Disney. Pour la Floride, les Américains ont inventé une statistique spéciale : le « pourcentage moyen de soleil possible ». Il est de 73% à Miami ! Chaud toute l'année, pluvieux seulement l'été, l'État voit sa population s'accroître régulièrement : avec près de 13 millions d'habitants, c'est le 4e État le plus peuplé du pays. Plus de 40 millions de touristes le découvrent chaque année.

● **Un gigantesque parc d'attraction**

La souris peut triompher, ici plus qu'ailleurs : depuis 1971, Mickey a transformé le centre de la Floride en terrain de jeux. Il y a 30 ans, l'ancienne *mosquito country* consistait en champs d'agrumes, en ranches et en forêts irrigués à coups de dollars. Aujourd'hui, son principal attrait s'appelle… « attractions ». Universal Studios, Sea World, Church Street Station, Cypress Gardens, Magic Kingdom, EPCOT et bien d'autres, rivalisent de fantaisie le long des routes bordées de motels. Chacun incite à pénétrer dans son monde à part : Walt Disney World est régi par des règles de construction et même une imposition propres.

14 millions de visiteurs viennent chaque année à Orlando : seuls la Mecque, le Vatican et Kyoto font mieux. Ce formidable appel a incité de grandes compagnies parmi lesquelles AT&T, Westinghouse, Tupperware, à y installer leur siège social. **Orlando** comptait 99 000 habitants en 1970, 165 000 en 1990. À 65 kilomètres seulement de Mickey, la NASA essaie depuis **Cape Canaveral** de conquérir le cosmos et ses tentatives, plus ou moins réussies, sont présentées au public comme des séquences de la guerre des étoiles. Il est vrai que la Floride incite à tout confondre. N'inspire-t-elle pas les projets les plus fous, comme un Vedaland avec Yogis (lieu sacré avec saints hindous) ou un paquebot de croisière prévu pour 5 000 passagers ?

● **« La terre est bleue comme une orange »**

La citation du poète s'applique parfaitement à la Floride. L'État du jus d'orange, le *sunshine state*, pourrait être rebaptisé *water state*. Non que la péninsule soit irriguée en son centre, au contraire : de Gainesville aux prairies du lac Okeechobee, la *scrub country* (littéralement, « campagne passée à la pierre ponce ») doit son développement à des milliers de kilomètres de canaux d'irrigation qui ont permis de remplacer pins, sable et palmiers par des vergers d'orangers et de citrons. 30 000 km², soit un petit cinquième de l'État, sont dévolus aux lacs, aux rivières et surtout aux lacis des Everglades. Aucun lieu n'est à plus de 100 kilomètres de la côte, un littoral qui compte 2 160 kilomètres de rivage. Le long de l'Atlantique, de Fernandina Beach à Key West, les forts courants empêchent le sable de former de larges grèves sablonneuses. Les rouleaux inspirent les sportifs, amateurs de tonifiantes distractions nautiques.

● **De l'or espagnol aux néons de Palm Beach**

Dans le **Nord-Est**, la végétation luxuriante cède la place aux verts pâturages qui annoncent la Géorgie. Les villages sont empreints de l'ambiance

---

Floride : carte d'identité

de l'espagnol « Pascua Florida » (dimanche des Rameaux, jour de sa découverte le 27 mars 1513) ; abréviation FL ; surnom Sunshine State. **Surface** : 152 000 km², 22ᵉ État par sa superficie. Key West est le point le plus méridional des États-Unis. **Population** : 12 937 900 hab. **Capitale** : Tallahassee (124 770 hab.). **Villes principales** : Miami (358 548 hab.) ; Jacksonville (672 970 hab.) ; Saint Petersburg (238 630 hab.) ; Hialeah (188 000 hab.) ; Tampa (168 150 hab.) ; Orlando (164 700 hab.) ; Fort Lauderdale (149 380 hab.). **Entrée dans l'Union** : 1845 (27ᵉ État)

du vieux Sud, les maisons à un ou deux étages s'ouvrent à l'extérieur par des galeries et des arcades. Jacksonville est moderne et vibrante. En revanche, **Saint Augustine**, plus ancienne implantation européenne sur le Nouveau Continent, construite par les Espagnols en 1565, a préservé son quartier espagnol, aux blanches façades, aux patios semés de palmiers et de bougainvilliers. Scène idyllique sur laquelle veille la forteresse de San Marcos.

Autour de **Daytona**, les longues grèves mouillées sont partiellement accessibles aux voitures, et l'on peut voir des motos garées entre les serviettes des baigneurs. Le Daytona International Speedway offre un circuit de 4 km, avec vue sur l'Océan, aux voitures de course et aux *stock-cars*. La Space Coast qui abrite Cape Canaveral possède cent kilomètres de plage, dont les plus paisibles se situent entre Jupiter et Vero Beach. Ensuite on descend, comme en toboggan, de **Palm Beach**, refuge des célébrités et du *showbiz*, vers les quais animés de **Fort Lauderdale**, dite Venise des Amériques, vers les trépidations du **Grand Miami** et la poésie intimiste des **Keys**. Au fil des kilomètres, on verra des paysages très colorés et vibrants, artificiels comme des peintures à l'acrylique, à conclure traditionnellement par un coucher du soleil depuis Mallory Square à Key West.

● **Une capitale latino-américaine**

Miami est une ville jeune puisque Julia Tuttle, sa fondatrice, y arriva en 1875 pour développer le bord de la rivière. En 1910, Miami Beach avait échoué, d'abord comme plantation de noix de coco, puis comme pépinière d'avocatiers. Mais lorsque le Sud sortit de la dépression, la cité érigea ses immeubles Art déco. Dans les années 1960, les Cubains immigrés en firent

une ville véritablement internationale, une capitale latino-américaine, où font escale chaque jour 1 500 avions. 43% de la population du Grand Miami est aujourd'hui hispanique, mais y vivent aussi 150 000 Haïtiens, des Brésiliens, Allemands, Malais, Grecs, Russes…

La rage de survivre des plus récents immigrants s'est mêlée au goût du divertissement des retraités traditionnels : Miami semble menée par un sentiment d'urgence, le « tout, tout de suite », les effets de mode agitant tour à tour les nuits de SoBe (South Beach) ou de la Petite Havane (Little Havana). Les styles coexistent (l'élégance espagnole de Coral Gables, les notes créoles du Caribbean Market, le baroque à la Villa Vizcaya). Les formes de divertissement aussi (fréquenter les musées, conduire un *off-shore* ou boire du café de Cuba) et toute la ville semble s'être fardée à l'outrance pour le bonheur du touriste.

Malgré ses apparences de porte ouverte sur les Caraïbes, l'Amérique Centrale et du Sud, Miami concentre les problèmes d'une métropole qui a poussé trop vite, où les contrastes sont plus flagrants qu'ailleurs. Le taux de délits de droit commun, voire de meurtres, la consommation et le trafic de drogue y sont élevés. Le visiteur se doit donc de rester vigilant, de circuler dans une voiture aux portes fermées, de s'habiller de façon simple et d'éviter d'apparaître comme un touriste. Difficile challenge dans un État où quatre personnes sur cinq sont, justement, des touristes !

● **Un « paradis » balnéaire**

Aux **Everglades**, les bateaux se frayent leur chemin dans le parc, parmi les îles frangées de mangroves. C'est aussi dans cette étrange étendue partagée entre terre spongieuse et eau vaseuse que l'on rencontrera

Quelques conseils de sécurité

D'après les statistiques, la criminalité serait en baisse en Floride. L'année 1993 a pourtant été marquée par une nette recrudescence des agressions et des crimes contre les touristes étrangers. La région de Miami n'est pas la seule touchée : toute la péninsule est concernée par ce problème. Nous vous recommandons donc la prudence, surtout en voiture, les autoroutes étant devenues la proie des gangs et des « pirates ».

Les compagnies de location d'automobiles ont même édité une brochure destinée aux touristes, répertoriant quelques règles de sécurité élémentaires. Ainsi, il est conseillé de ne jamais consulter de cartes ou de plans dans votre voiture, mais de repérer votre chemin à l'avance, de ne pas vous arrêter si l'on vous fait des appels de phares, si l'on vous dit que votre pneu est crevé, que votre moteur fume, ou même si un autre véhicule vient vous provoquer en heurtant votre pare-chocs…

les derniers Indiens séminoles. Sur la côte Ouest, après les Everglades, s'offrent les plages protégées du golfe du Mexique… chacune possédant ses propres qualités, prétendant être plus cotée que sa voisine : Siesta Beach, à **Sarasota**, revendique le sable le plus doux de l'État et l'étonnant palais vénitien construit par John Ringling, tandis que la très chic péninsule de **Saint Petersburg** offre, en plus des plaisirs balnéaires, un musée entièrement dédié à Salvador Dali. Une côte qui pourrait être baptisée Riviera, car plages, hôtels, golfs et immeubles se succèdent en chapelet.

Si la Floride est si prodigue, pourquoi tant de gens songent à la quitter ? Trois millions de personnes s'embarquent chaque année du port de Miami, sans oublier ceux qui passent par Tampa, Palm Beach, Saint-Petersburg, etc. Mais cette question est, évidemment, truquée. Tout ce petit monde se rassemble pour des croisières quelques jours, et ne songe aucunement à quitter la Floride mais seulement à s'amuser un peu plus…

Découvrir la Floride

■ Que voir ?

● Les métropoles

Miami**, extravagante et capricieuse, avec ses larges avenues bordées de cocotiers, ses plages qui viennent « lécher » les quartiers d'affaires et ses enclaves sud-américaines. Sans oublier ses fantaisies Art déco, aux tons pastel, aujourd'hui unanimement célébrées. La ville de tous les excès mais aussi le rendez-vous de tous les déracinés des Caraïbes (→ p. 751).

● Les vieilles cités

Key West**, le refuge doré d'Hemingway, avec ses maisons coloniales enfouies sous les bougainvilliers, ses bars et surtout sa douceur de vivre (→ p. 747). **Saint Augustine****, la plus ancienne fondation de Floride (et du Nouveau Monde), qui a conservé un cachet très européen (→ p. 767). **Pensacola***, restée très espagnole avec ses belles demeures victoriennes et créoles (→ p. 766).

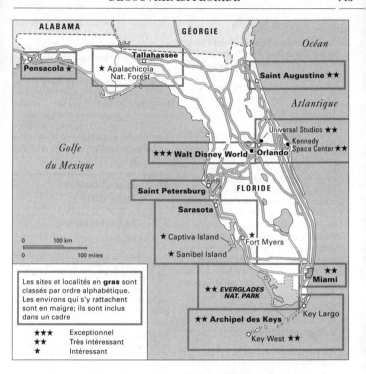

Que voir en Floride ?

• Les parcs d'attractions

Walt Disney World***, bien sûr, le plus grand des parcs construits par la compagnie (→ p. 775) : **Magic Kingdom**, le grand classique de Disney ; **EPCOT Center**, axé sur la technologie et l'espace ; **Disney MGM Studios**, sur le thème du cinéma ; **Discovery Island**, petit parc zoologique ; **Pleasure Island**, l'Ile des Plaisirs, qui porte bien son nom puisqu'elle est dédiée aux loisirs des noctambules ; **Typhoon Lagoon**, formidable complexe aquatique.

Mais aussi, les parcs dispersés autour d'Orlando (→ p. 764) : **Universal Studios****, qui vous fera pénétrer dans le monde du cinéma hollywoodien (encore plus convaincant que Disney MGM Studios) ; **Sea World of Florida***, réputé pour ses spectacles nautiques indémodables ; le **Kennedy Space Center****, qui vous révélera tout sur la conquête de l'espace.

• Les sites naturels

L'**Everglades National Park****, dans les marais du S. de la Floride, que vous visiterez en *Air Boat* (→ p. 749). L'**Apalachicola National Forest***, qui associe pins et marécages (près de Tallahassee → p. 774).

• Les plages et les récifs

Les récifs coralliens du **John Penne-kamp Coral Reef Park*** (archipel des Keys → p. 746) et du **Biscayne National Park** (près de Miami → p. 764) ; l'**Islamorada Theater of the Sea**, sur la route de Key West, où vous pourrez nager au milieu des dauphins (→ p. 747).

Sur l'Atlantique : les plages de **South Miami Beach*** (→ p. 761), de **Fort Lauderdale** et de **Palm Beach**, la station des milliardaires (près de Miami → p. 764) ; **Daytona Beach**, dont la plage n'accueille pas que les touristes mais aussi les engins motorisés les plus farfelus (près d'Orlando → p. 766).

Sur le golfe du Mexique : les plages de **Saint Petersburg** (→ p. 770) et **Sarasota** (→ p. 771), à l'infrastructure très développée ; celles **de Pensacola** (→ p. 766), moins touristiques et les plages de la côte E. **Sanibel et Captiva Islands***, réputées pour leurs coquillages (près de Sarasota → p. 772).

• Les jardins tropicaux

Parrot Jungle à Miami (→ p. 761), paradis des perroquets et des pélicans, et **Fairchild Tropical Garden** (→ p. 761), pour ses palmiers et ses orchidées ; **Cypress Gardens** et ses jardins tropicaux (près d'Orlando → p. 765) ; les **Sarasota Jungle Gardens**, avec leurs bananiers et leurs hibiscus (→ p. 772).

• Les musées

La **Villa Vizcaya**** (→ p. 758), folie Renaissance et baroque perdue dans une jungle épaisse (au beau milieu de Miami…) et les **Cloisters of the Monastery of St Bernard** (→ p. 762), du XIIᵉ s., directement transportés d'Espagne.

À Key West (→ p. 747) : les **maisons d'Audubon** et **d'Hemingway**, pleines de charme ; le **Mel Fisher Museum**, qui conserve les trésors récupérés sur des épaves espagnoles.

Le **Salvador Dali Museum***, qui présente une centaine de toiles du grand artiste surréaliste (à Saint Petersburg → p. 770) ; le **Ringling Museum of Art****, palais du plus pur style vénitien qui renferme quelques chefs-d'œuvre de la peinture européenne (à Sarasota → p. 771) ; la **maison d'Edison**, le plus grand inventeur de tous les temps (à Fort Myers, près de Sarasota → p. 772).

■ Propositions d'itinéraires

• 1. — La Floride du Sud

Circuit au départ de Miami

Après l'agitation et les extravagances de Miami, rien de tel que la visite de l'**Everglades National Park**** : il faut abandonner sa voiture pour embarquer sur un bateau (le plus souvent un *Air Boat*) et consacrer au parc au moins deux jours. Vous poursuivrez votre chemin par la fameuse **South US 1**, une route faite de digues et de ponts (plus de 40) qui relie les Keys entre elles et permet d'atteindre, tout au bout de la route, la plus célèbre : **Key West****, petit paradis tropical pour artistes et milliardaires.

Les étapes *(400 mi/645 km)*

— 1ᵉʳ jour : quittez Miami pour Homestead (à l'entrée du parc) ; découvrez la Flamingo Road ;
— 2ᵉ jour : excursion en bateau dans les Everglades ;
— 3ᵉ jour : prenez le chemin de Key West ;
— 4ᵉ et 5ᵉ jours : Key West ;
— 6ᵉ jour : retour à Miami.

• 2. — Parcs et conquistadors

Itinéraire d'Orlando à Savannah (en Géorgie, dans le Sud)

Un itinéraire de détente, pour les amateurs de nature et de parcs d'attractions : on s'amuse beaucoup à **Orlando**, que ce soit dans l'enceinte du **Walt Disney World*****, d'**Universal Studios**** ou du **Sea World of Florida***. Mais il y a aussi les fusées du **Kennedy Space Center**** et les curieux engins motorisés de **Daytona Beach** (en mars principalement). Plus au N., à **Saint Augustine****, c'est la Floride de Ponce de León et des premiers conquistadors que vous découvrirez, avec ses vieux forts et ses maisons en « coquina ». **Jacksonville** vous révèlera au contraire le visage de la Floride contemporaine, tandis que **Savannah**** reste l'une des plus belles cités du vieux Sud.

Les étapes *(345 mi/553 km)*

— 1er-3e jours : restez autour d'Orlando pour profiter des parcs ;
— 4e jour : allez à Saint Augustine, via Daytona Beach ;
— 5e jour : Saint Augustine ;
— 6e et 7e jours : Savannah.

● **3. — La Floride balnéaire**

Itinéraire d'Orlando à Miami par la côte O.

Après les divertissements d'**Orlando**, vous aurez peut-être envie de sable fin et de douceur tropicale : prenez alors la route de la côte O., vers **Saint Petersburg** et **Sarasota**, les deux grandes stations du golfe du Mexique. Et pour retrouver un peu de solitude après la fièvre des grands hôtels, partez à la découverte de l'**Everglades National Park**** par le Tiamini Trail (US 41), puis filez sur **Miami****.

Les étapes *(400 mi/645 km)*

— 1er-3e jours : Orlando ;
— 4e-5e jours : Saint Petersburg et Sarasota ;
— 6e jour : Fort Myers ;
— 7e jour : l'Everglades National Park ;
— 8e-10e jours : Miami.

L'archipel des Keys**

Fuseau horaire : Eastern time.
Situation : *à l'extrémité S. de la Floride ; Key West est à 164 mi/263 km de Miami.*
À voir aussi dans la région : *Everglades National Park**, Miami**.*

De Key Largo, la première, à Key West, la dernière, plus de mille îles prolongent la Floride en un arc de cercle jusqu'à 145 km de Cuba. Tous ces îlots sont reliés entre eux par une quarantaine de ponts gigantesques, qui enjambent l'eau turquoise sous l'œil paisible des pélicans perchés sur leurs rambardes. Il faut compter 4 à 5 h de voiture pour aller de Miami à Key West par la fameuse South US 1, véritable prouesse technique entre ciel et mer. Cela peut sembler long mais la route est étonnante et la destination prestigieuse : Key West, l'île du bout du monde, la retraite d'Hemingway, de Tennessee Williams et de quantité de peintres, artistes et écrivains plus ou moins talentueux, continue d'exercer son charme. Et pas seulement sur les homosexuels qui en ont fait l'un de leurs endroits favoris… Ses maisons coloniales en bois fraîchement repeintes, à moitié cachées par les bougainvilliers, ses rues étroites et sinueuses, sa douceur de vivre enfin, en font un lieu magique.

Avant de vous lancer vers le point le plus méridional des États-Unis, sachez que les Keys ne possèdent que des plages artificielles, mais que vous pourrez y pratiquer la pêche et la plongée à loisir. Leur climat est aussi plus doux que celui de Miami : plus chaud en hiver et moins moite l'été.

■ De Key Largo à Key West

Accès : la route est souvent assez encombrée, surtout les week-ends. La plupart des adresses sont indiquées par des bornes (Mile Marker, MM), panneaux verts le long de l'US 1. Comptez 4 à 5h (263 km S. de Miami)

● **Key Largo** ne doit sa célébrité qu'au film de John Huston avec Humphrey Bogart et Lauren Bacall, tourné à Hollywood, Californie. Très proche du continent, l'île a un peu perdu de son charme en devenant un satellite de Homestead et des banlieues sud de Miami. **Le John Pennekamp Coral Reef Park*** *(MM 102.5)* permet de découvrir d'impressionnants récifs coralliens : excursions en bateau à fond de verre et possibilité de plongée sous-marine.

● Les amateurs de pêche au gros séjourneront plutôt sur les petites îles situées entre Islamorada et Marathon. Seule **Islamorada** mérite vraiment

Écrivain et homme d'action

La vie d'**Ernest Hemingway** (1899-1961) ressemble à celle de ses héros. Fort, courageux, engagé, c'est son caractère d'homme d'action et de passion qui le décide, à 18 ans, à abandonner ses études pour se lancer dans le journalisme. Quand éclate la Première Guerre mondiale, c'est ce même tempérament qui le pousse à partir avec la Croix Rouge, comme ambulancier sur le front italien, où il sera blessé. Cette expérience de la guerre le marquera au point de devenir un élément fondamental de sa personnalité, indissociable de cet univers masculin fait de bagarres, d'exploits sportifs, de voyages, et dont les idoles sont l'alcool, l'amour et la mort.

Après sa convalescence, Hemingway s'installe à Paris comme correspondant du *Star* de Toronto. C'est à ce moment-là, en 1926, que commence sa carrière d'écrivain avec la publication d'un premier roman, *Le soleil se lève aussi*. Ezra Pound et Gertrude Stein, deux écrivains américains de la « génération perdue », eux aussi expatriés en France, le guideront dans ses débuts littéraires.

Une écriture dépouillée, des sujets violents, une apologie du courage, de l'honneur et de la dignité, marquent ses œuvres : *L'Adieu aux armes* (1929), *Pour qui sonne le glas* (1940), *Le Vieil Homme et la mer* (1952), une cinquantaine de nouvelles et de nombreux poèmes. Ce grand séducteur —il se mariera quatre fois—, passionné de corrida, chasseur et amateur de plongée sous-marine recevra le Prix Nobel de littérature en 1954.

une petite halte pour assouvir un rêve d'enfant : nager avec les dauphins à l'**Islamorada Theater of the Sea** *(MM 84.5 ; pour participer au show, réservation ☎ 305/664-2431).*

■ Key West**

Accès : garez votre voiture et n'y touchez plus. Il est facile de ciculer à pied, la ville étant assez peu étendue. Et n'hésitez pas à faire comme tout le monde : louez un vélo.

● **Truman Avenue.** — C'est la grande avenue de Key West, sur laquelle débouche l'US 1. Prenez le temps d'admirer les maisons, petits hôtels et pensions de famille qui la bordent, à l'ombre des flamboyants. Depuis 1960, une fondation aide les propriétaires à entretenir leurs maisons et a permis de restaurer et d'ouvrir au public les plus vieilles demeures.

● **Le Mel Fisher Maritime Heritage Society Museum** *(200 Greene St. ; ouv. 10 h-17 h).* — En hommage aux pirates, les premiers habitants de l'île, commencez par visiter ce musée, avec ses trésors récupérés sur des épaves espagnoles.

● **Audubon House and Gardens** *(205 Whitehead St. ; ouv. 9 h 30-17 h).* — La maison-musée du célèbre peintre animalier spécialisé dans les oiseaux abrite des meubles magnifiques.

● **Mallory Square.** — Tous les touristes s'y précipitent rituellement dès 18 h pour assister au coucher de soleil à l'endroit où l'Atlantique rejoint le golfe du Mexique.

● **La maison d'Hemingway** *(907 Whitehead St. ; ouv. de 9 h à 17 h, entrée payante).* — Cette grande bâtisse ocre, plus cubaine qu'américaine, dotée de la première piscine de l'île (!), est très émouvante. Dans le jardin suffisamment peu entretenu pour qu'il garde son charme désuet, on croise une foule de chats, descendant de ceux qu'Hemingway recueillait et qui avaient, paraît-il, six griffes à chaque patte. Derrière la maison, dans un petit studio,

Le port de Key West.

Hemingway avait installé son bureau (il y a toujours sa machine à écrire). C'est ici qu'il écrivit *L'Adieu aux armes.*

● **Sloopy Joe's** *(201 Duval St. ; ouv. 9 h-4 h du matin)*, l'un des bars mythiques de Key West, le préféré d'Hemingway où il buvait d'entrée

Pêche aux trésors

Le 4 septembre 1622 fut un jour maudit pour les Espagnols. La mer était si déchaînée que deux de leurs navires, l'*Atocha* et le *Santa Margarita*, se fracassèrent sur les récifs de Key West, privant Philippe IV d'une partie des richesses du Nouveau Monde : 180 000 pièces d'or et d'argent, des lingots, des émeraudes de Muzo, des chaînes en or de plus d'un mètre de long, de l'argenterie et des bijoux de toutes tailles !

Il faudra 27 ans de recherches pour retrouver ce trésor. Une histoire qui commence en 1963, lorsque Mel Fisher abandonne son élevage de poulet dans l'Indiana pour prendre, avec sa famille, le chemin de la Flo-

ride dans l'idée de retrouver ces galions naufragés. Fisher sut s'entourer de spécialistes comme Eugène Lyon, qui trouva aux archives de Séville un document daté de 1626 révélant l'emplacement exact du naufrage : *las Cayos del Marques*. Mais qui aurait pu deviner, sans l'érudition de l'historien, que *las Cayos del Marques* désignaient alors l'ensemble des Keys et non pas, comme aujourd'hui, un endroit situé à plus de 25 miles à l'O. de Key West ?

« Une chaîne ici, un lingot là, c'était une sorte de jeu de piste », se souvient Deco, la femme de Fisher. Le *Santa Margarita* fut découvert en 1980 et l'*Atocha* cinq ans plus tard.

deux daiquiris. Allez y prendre un verre pour profiter de l'ambiance et des groupes de country avant que la foule ne débarque. Juste à côté, une boutique vend des T-shirts, des casquettes, des tasses, des tabliers... à l'effigie d'Hemingway.

● **Captain Tony's Saloon** (*428 Greene St.*) est l'autre grand bar de Key West ; il y règne autant d'ambiance mais l'air est un peu étouffant.

Everglades National Park**

Fuseau horaire : Eastern time.
Situation : *S. de la Floride ; à 36mi/56 km S. de Miami.*
*À **voir aussi dans la région** : l'archipel des Keys**, Miami**.*

Les Everglades, le « Pa-hay-okee » (l'eau herbeuse) des Indiens, sont ce qui reste des marais et des prés salés qui recouvraient à l'origine un tiers de la presqu'île de la Floride et qui, au N., ont été asséchés et transformés en une région fertile de maraîchage. La faune et la flore y sont subtropicales, parfois même déjà tropicales. Le territoire des Everglades est difficilement accessible : c'est ce qui a permis de le préserver et ce qui lui confère un charme particulier. Mais, le développement de Miami, très proche, a entraîné un regain de pollution mettant en danger l'écologie du parc.

Les marais portent, dans la zone côtière, une végétation de palétuviers, de steppes d'herbes et de plantes résistant au sel. À l'intérieur, ils sont parsemés d'îles nommées *Hammocks* ou de légères élévations comme les *Mounds* (tumulus indiens) ; on y rencontre des arbres à bois dur comme l'acajou. À l'O. du parc, la végétation est plus pauvre (pins et cyprès). Cette terre appartenait aux Indiens séminoles, transférés en grande partie dans le territoire indien de l'Oklahoma au XIXᵉ s.

La faune. — Mammifères : couguar (cougouar ou puma), gris clair avec des oreilles noires ; lynx, raton laveur, sarigue (le seul marsupial vivant aux États-Unis) ; manatee, lamantin sauvage atteignant jusqu'à 3,70 m de long, dans les baies du golfe. Oiseaux : flamant, ibis, pélican (blanc et brun), spatule rose, aigle pêcheur, frégate. Reptiles : crocodile, alligator, crotale, serpent indigo, le plus grand de la région (jusqu'à 2,40 m de long), serpent-mocassin, quelques espèces de tortues d'eau et de terre. Batraciens : crapauds-buffles, salamandres. Poissons : la faune aquatique comporte 1 000 espèces de poissons ainsi que d'innombrables crustacés et cœlentérés.

■ Visiter le parc

Saison : *l'hiver est la meilleure époque (mais attention à la foule : réserver à l'avance). L'été est en général chaud et humide : protégez-vous contre les moustiques et les insectes.*

Accès. — *En voiture : depuis Miami, suivre l'US 1 vers le S. jusqu'à **Homestead/Florida City** (à 36 mi/56 km), puis rejoindre l'entrée du parc ; toujours depuis Miami, on peut accéder à l'entrée N. par l'US 41, dite aussi **Tia-***

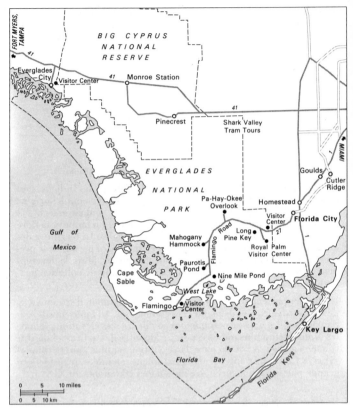

Everglades National Park

mini Trail (Shark Valley Entrance à 40 mi/64 km de Miami). Les deux autres entrées (Flamingo au S. et Everglades City à l'O.) ne permettent de faire que des excursion en bateau (pas de routes).

Renseignements : Superintendent, Everglades National Park, Box 279, Homestead FL 33030 (☎ 305/242-7700).

• La **Flamingo Road**** *(accessible depuis Homestead/Florida City ; route de 38 mi/61 km) traverse la par-* tie S. des Everglades. Si vous n'avez que peu de temps à consacrer au parc, elle vous donnera un bon aperçu de sa faune et de sa flore.

La route se dirige d'abord vers le N.-O. à travers la **Royal Palm Area***, laisse *(à 2 mi/3 km, à g.)* le chemin de jungle du **Gumbo Limbo Trail** et l'**Ahinga Trail*** (alligators, oiseaux), et continue vers **Long Pine Key Area** *(à 4 mi/6,5 km, à g. ; piste carrossable)* avec terrains de camping et aires de repos.

Elle croise à 6,5 mi/10,5 km à dr. le **Pineland Trail**, une piste à travers des pinèdes, et se dirige vers **Pa-Hay-Okee Overlook**, à 12,5 mi/20 km. Sur la dr., à l'écart, a été bâti un passage surélevé, en planches, avec une plate-forme panoramique (vue sur Shark River Basin ; oiseaux).

Puis la route atteint la voie d'accès *(à 19,5 mi/31,5 km, à dr.)* à **Mahogany Hammock**, passage en planches, surélevé, sous de hauts acajous, au milieu des orchidées.

Plus loin, près de **Paurotis Pond** *(à 24,5 mi/39,5 km, sur la dr.)*, existe une aire de repos plantée de palétuviers et de curieux palmiers, à la limite de l'eau douce et de l'eau de mer.

Le **Nine Mile Pond** *(à 26,5 mi/43 km, à g.)* est au printemps un excellent poste d'observation des animaux sauvages. On continue ensuite au S.-O., vers **West Lake Area** *(à 30,5 mi/49 km, à g.)*, où un passage de planches surélevé conduit à travers un bois marécageux de palétuviers ravagé par les ouragans.

Après 38 mi/62 km, la route du parc s'arrête dans la **Flamingo Are**a *(Visitor Center, motel, restaurant)* à Cape Sable sur la Florida Bay, port de plaisance où l'on peut louer des canots à rames ou à moteur et des *houseboats*.

● Le **Shark Valley Tram Tour*** *(depuis Shark Valley Entrance)* : ce circuit commenté vous mènera le long d'une route panoramique à travers un marais particulièrement typique.

● La **Gulf Cost Ranger Station**, près d'**Everglades City** *(à l'angle N.-O. du parc)*, est le point de départ des promenades en bateau (**Western Water Gateway***) jusqu'à Flamingo, dans la zone des Ten Thousand Islands au large de la côte du golfe.

Miami**

Floride 358 548 hab. ; fuseau horaire : Eastern time.
Situation : S. de la Floride ; à 229 mi/368 km S. d'Orlando.
À voir aussi dans la région : *l'archipel des Keys**, Everglages National Park**.*

Avant de partir pour Miami, révisez bien votre anglais, mais aussi vos rudiments d'espagnol, car la première personne à qui vous demanderez un renseignement ne parlera peut-être que cette langue-là : Miami est la ville la plus hispanique des États-Unis. 43% des habitants parlent espagnol, soit 700 000 personnes sur les deux millions que comprend le Grand Miami. Et si Miami reste célèbre pour ses longues plages de sable bordées de cocotiers, son soleil permanent, ses starlettes et ses milliardaires (avec quelques retraités tout de même), ce décor de carte postale masque de graves problèmes socio-économiques.

Miami est excessive en tout : la douceur de son hiver (21 °C en janvier), grâce à la proximité du tropique du Cancer et du Gulf Stream, peut céder la place à des ouragans terriblement violents pendant les mois d'été. Derrière les façades somptueuses des villas de milliardaires, derrière les buildings futuristes de ses multinationales, la misère et la pauvreté engendrent chaque année une hausse des problèmes liés à la drogue et à la criminalité. Si tous les bateaux de croisière pour les Bahamas et les Antilles partent de Miami, c'est par ce même port qu'entrent les 3/4 de la cocaïne introduite aux États-Unis.

Des lézards peu sympathiques

Comment distinguer un alligator d'un crocodile ? En regardant (de loin !) sa mâchoire: celle du premier est large, celle du second un peu plus longue et étroite. Et le meilleur endroit pour s'exercer à ce petit jeu reste la Floride, le seul État où les deux espèces cohabitent. Sachez toutefois que les alligators y sont plus nombreux, les crocodiles étant plutôt concentrés à l'extrémité sud de la presqu'île.

■ La chasse est ouverte

Les Floridiens en avaient assez de trouver des alligators vautrés dans leur jardin et de les croiser sur les parkings des supermarchés. Ils les tuaient donc, dès leur sortie d'hibernation, au printemps. Tant et si bien qu'au début des années 60, l'espèce fut déclarée en danger de disparition et la chasse rigoureusement interdite. Espèce protégée, le saurien se révéla plus prolifique que prévu: dès 1977, l'État de Floride dut de nouveau déclarer l'animal nuisible et rouvrir la chasse, la réservant à des professionnels munis d'un permis spécial. L'alligator est harponné, sorti de l'eau puis, seulement alors, tué (sinon, il coule irrémédiablement).

■ Des fermes pour les alligators

La mode des articles «en croco» aidant, le commerce des peaux d'alligator s'est développé en Floride depuis la fin du XIXᵉ s. L'espèce se raréfiant, les Floridiens se mirent à élever les *gators* comme n'importe quel bétail. On en compte actuellement plus de 100 000 répartis dans une trentaine de fermes constituées de vastes bassins cimentés où les animaux barbotent. Ils sont nourris, pendant deux à trois ans, de déchets d'abattoirs, de conserveries de poisson, etc. Leur viande (surgelée) est vendue aux restaurateurs de la péninsule. Mais ce sont les peaux, bien sûr qui rapportent le plus: en 1991, on en a ainsi vendu 19 900, pour un total de 3,6 millions de dollars.

Pourtant, Miami reste l'une des cités les plus fascinantes de l'Amérique du Nord. Parce qu'elle est jeune —moins de 100 ans—, sans véritables racines, créée de toutes pièces par les promoteurs immobiliers, elle est à la fois une explosion de couleurs, un délire architectural et le troisième centre culturel des États-Unis, après New York et Los Angeles. Appelée autrefois « le Cimetière des Éléphants » à cause des nombreux retraités qui venaient s'y installer, elle est une ville de réfugiés en pleine expansion. Des mesures fiscales particulièrement intéressantes ont attiré de nombreuses multinationales, venues établir leur siège social à Miami Downtown. Sa situation géographique en fait également une ville charnière entre l'Amérique du Nord et l'Amérique du Sud, et le centre des échanges commerciaux avec toutes les Caraïbes.

■ Miami dans l'histoire

Une ville champignon. — Miami vient du mot indien « mayami », grande eau ou lac intérieur. En 1567, les Espagnols fondèrent ici une mission et une base pour leurs flottes de chercheurs de trésors. En 1835, Fort Dallas fut érigé pour résister aux Séminoles. Mais en 1890, le village ne comptait que 1 500 hab. L'essor ne commença réellement que six ans plus tard, lorsque H. Flagler prolongea le chemin de fer jusqu'à Miami et ouvrit le Royal Palm Hotel. Pour relier Miami à Miami Beach, on construisit en 1912 ce qui était alors le plus grand pont de bois du monde. En 1920, le nombre d'habitants atteignit 30 000 ; en 1925, 85 000. L'année suivante, un ouragan d'une rare violence fit un grand nombre de victimes et compromit gravement la croissance de la cité.

Immigration. — Durant la Seconde Guerre mondiale, Miami devint l'un des principaux centres d'hospitalisation et de convalescence des forces armées : une excellente publicité pour la ville, qui connut dans les années 50 un formidable développement. Les années 60 furent marquées par l'arrivée massive de réfugiés cubains (installés principalement à Miami et à Hialeah). Plus récemment s'y sont

Quatre drapeaux pour la Floride

Les Espagnols accostèrent en Floride dès le début du XVIe s., mais ce sont les huguenots français qui, les premiers, cherchèrent à s'y installer, sous la direction du capitaine Jean Ribault (1562). Séduits par la douceur du climat, ils oublièrent que le premier souci des colons doit être la mise en valeur de la terre. Ils oublièrent aussi que les Espagnols veillaient au grain. Don Menéndez de Avilés était déjà en route pour exterminer les intrus.

Les Espagnols demeurèrent en Floride jusqu'en 1763, la cédèrent alors aux Anglais qui avaient pris La Havane, la reprirent 20 ans plus tard pour la vendre finalement aux États-Unis en 1821. Il ne restait plus à ces derniers, pour s'y installer, qu'à régler la question des Indiens séminoles : ce fut la plus cruelle, la plus meurtrière des guerres indiennes. À l'exception de 150 Séminoles, les survivants furent déportés en Oklahoma.

fixés des « pieds-noirs » qui ont réinvesti des capitaux dans l'hôtellerie ou l'import-export. L'intégration de ces immigrés de cultures différentes représente l'un des défis que doit aujourd'hui affronter la ville.

Officiellement, les statistiques révèlent que le nombre de délits est en diminution dans l'État, mais les agressions deviennent de plus en plus violentes, surtout à l'encontre des étrangers. Plaque tournante du trafic de drogue aux États-Unis et refuge de la plupart des déracinés venus des Caraïbes, Miami vit une nouvelle crise de croissance. Un vrai problème pour la Floride, dont l'une des premières activités reste le tourisme.

■ Découvrir Miami

● Les promenades

1. — Downtown. La ville moderne et clinquante, où vous pourrez faire les meilleures affaires de Miami. Beaucoup de monde la journée, mais à éviter le soir.

2. — Little Havana*. L'un des quartiers les plus attachants et les plus populaires de Miami. Il faut y flâner à pied pour se croire à Cuba, s'arrêter à la terrasse d'un café pour y boire un mojito ou un daiquiri.

3. — Coconut Grove**. Une ambiance digne du quartier latin, où il faut se « montrer » le soir. Avec, en prime, la Villa Vizcaya, la plus incroyable folie architecturale de Floride : palais italien dans une végétation foisonnante et un luxe inouï.

4. — Coral Gables*. Une ville au milieu d'un jardin, ou des jardins au milieu d'une ville ? Le chef-d'œuvre d'un visionnaire et le quartier le plus résidentiel de Miami.

5. — Miami Beach**. Le quartier Art déco : 800 maisons et hôtels aux lignes géométriques et aux couleurs pastel ; un bouillonnement perpétuel et des nuits agitées.

6. — Les îles de Biscayne Bay. Les îles (certaines privées) des milliardaires.

Vue exceptionnelle sur Miami Downtown.

● Miami à la carte

Exotique : les cafés et les boutiques de Little Havana (prom. 2). Le marché le plus haut en couleurs et le plus animé est certainement le Caribbean Market Place, dans Little Haïti *(5925 NE 2nd Ave. ; ouv. t.l.j. 10 h-20 h)* : caramboles, papayes, produits exotiques en tous genres (et même herbes magiques pour cérémonies vaudoues).

Vue panoramique : tout en haut de l'Omni *(1601 Biscayne Blvd.)*, un bar qui offre une vue splendide sur Downtown et Biscayne Bay (prom. 1) ; depuis le Mac Arthur Causeway (prom. 1) et Key Biscayne (prom. 6).

Art déco : dans le petit —mais combien célèbre— périmètre de South Miami Beach (prom. 5) ; quelques spécimens également à Coral Gables (prom. 4).

Plages : les plus belles sont celles de South Miami Beach (prom. 5).

Enfants : inutile de « faire » tous les parcs et aquariums de Miami. Ils présentent à peu près tous les mêmes spectacles ; Parrot Jungle reste le plus original (prom. 4).

Musées : Miami n'est pas une ville d'art. Néanmoins, vous pourrez découvrir l'art baroque à la splendide Villa Vizcaya, entourée d'un beau jardin (prom. 3), et l'histoire de la Floride au Metro Dade Cultural Center (prom. 1).

Insolite : le cloître St Bernard, transporté depuis l'Espagne par un milliardaire en mal d'art roman authentique (à North Miami Beach, prom. 5)

● Vivre Miami

Boire un verre : à Miami Beach (prom. 5) et, par exemple, au News Café, à la fois drugstore et bar-tabac : on vient s'y imprégner de l'atmosphère de Miami Beach ; beaucoup d'intellectuels, artistes et mannequins ; ambiance très bon enfant. Autrement, les bars ne manquent pas à Coconut Grove (prom. 3).

Dîner entre amis : la grande spécialité de Miami est naturellement la cuisine sud-américaine et plus particulièrement cubaine et haïtienne. Tous les quartiers dont nous parlons possèdent de bons petits restaurants ; pour l'atmosphère, allez plutôt à Miami Beach (prom. 5), Coconut Grove (prom. 3) ou Little Havana (prom. 2).

Shopping : vous trouverez toute l'électronique et la vidéo dans les magasins de Flagler St., dans Downtown (prom. 1). Pour la mode, allez faire un tour sur le Miracle Mile, à Coral Gables (prom. 4), ou dans les boutiques de Coco Walk à Coconut Grove (prom.3). Pour faire tous vos achats d'un coup, allez à l'Inter American Cultural and Trade Center (INTERAMA) W. Dixie Hwy, à la hauteur de 163rd St., à North Miami Beach.

Puces : le plus grand marché se trouve à Hialeah, dans le quartier d'Opa-Locka, près du parc d'Amelia Eathat *(ouv. 6 h-21 h, 18 h le weekend)* : objets américains, sud-américains, cubains…

● **Miami mode d'emploi**

S'orienter. — C'est très simple… quand on le sait. Les *Streets* vont d'E. en O., les *Roads* du N. à l'O. et du S. à l'E. Le **Grand Miami**, l'aire métropolitaine, comprend 27 communes dont Coral Gables, Coconut Groves, Hialeah, etc. Il convient donc de les visiter séparément.

Sécurité. — Miami est loin d'être une ville sûre, comme l'ont révélé les agressions (parfois mortelles) perpétuées sur des touristes ces derniers temps. Dans la mesure du possible

évitez d'y circuler en voiture et suivez quelques règles élémentaires de prudence (→ p. 742).

Se déplacer. — Le **Metrorail** ressemble à notre RER : tous les quarts d'heure, il dessert les communes de Miami. Le **Metromover** est beaucoup plus pratique pour avoir une vision globale de Miami Downtown puiqu'il est aérien. Même si les distances sont assez longues ou si vous avez loué une voiture (vite repérable par les gangs ou « pirates »), il est fortement conseillé de prendre le taxi le soir et la nuit.

Si vous êtes en **voiture**, attention à l'endroit où vous vous garez : la fourrière coûte bien plus cher qu'en France.

● **Programme**

Trois jours à Miami, c'est le temps conseillé si vous avez prévu de visiter toute la Floride. Choisissez un hôtel à Miami Beach ; dans le quartier, il y en a d'assez petits, très mignons, en bord de plage et abordables. Méfiez-vous des horaires de fermeture des musées et des monuments publics (17 h au plus tard). Le 1er jour, découvrez Coconut Grove (prom. 3) et allez dîner à Little Havana (prom. 2) ; le 2e jour : passez la journée à South Miami Beach (prom. 5) ; le 3e jour : visitez Coral Gables (prom. 4) et Miami Downtown (prom. 1).

■ 1. — Miami Downtown

À Downtown, seuls les buildings futuristes rappellent que l'on est aux États-Unis. Car la foule dense de la rue est complètement latine. Le cœur de la ville est une explosion de néons, de magasins et d'immeubles en verre, en acier et en marbre qui se reflètent dans la lagune séparant Miami Downtown de Miami Beach. Flagler St. est perpétuellement bondée alors que sur

Biscayne Boulevard, bordé de palmiers, on croisera quelques retraités en short venus faire leurs derniers achats avant d'embarquer sur les plus gros paquebots du monde amarrés à Dodge Island.

Immédiatement au N. de Downtown, s'étendent des quartiers très délabrés (à éviter) alors que ceux situés au S. abritent de luxueux immeubles récents.

Situation : Downtown est délimité par Flagler St. au S., Biscayne Blvd. à l'O. et 15th St. au N.

Sécurité : évitez d'y rester le soir et encore moins la nuit, même en voiture. L'endroit est malheureusement réputé pour ses agressions.

● **Flagler St.**, très tape-à-l'œil avec ses enseignes et ses vitrines criardes, est entièrement vouée au commerce et plus particulièrement à l'import-export (attention à l'arnaque). Son animation est incessante, comme si Miami Downtown ne dormait jamais.

● **Le Metro Dade Culturel Center** *(101 W Flagler St.)* a été construit récemment dans le style méditerranéen des années 20, par Philip Johnson, le grand architecte postmoderne. Il comprend le **Center of Fine Arts** *(ouv. mar.-sam. 10 h-17 h, 21h le jeu., dim. 12 h-17 h)*, réservé aux expositions temporaires, l'**Historical Museum of Southern Florida** *(ouv. lun.-sam. 10 h-17 h, 21h le jeu., dim. 12 h-17 h)*, retraçant l'art de vivre des Indiens séminoles et téquestas, et la **Main Public Library** *(ouv. lun.-ven. 9h-18h, 19h le jeu., dim. 13h-17h)*, grande bibliothèque.

● **Le Metro Dade Center** *(en face du Cultural Center)* abrite les services du comté dans un bel immeuble de bureau dessiné par Hugh Stubbins en 1985.

● **Le Gusman Center for the Performing Arts** *(174 E. Flagler St.)* occupe un ancien théâtre de vaudeville des années 20. Il a été entièrement rénové, mais a conservé son décor pseudo-mauresque très chargé.

● **Bayfront Park** *(au bord de Biscayne Bay)* a été redessiné par le sculpteur Isamu Noguchi en 1989.

● **Le Bayside Marketplace** *(401 Biscayne Blvd., au N. de Bayfront Park)*. La foule vous guidera vers cet énorme centre commercial construit pour le

---

340 000 hectares pour le jus d'orange

Le 22 novembre 1493, Christophe Colomb plante lui-même à Hispaniola (Haïti) un petit oranger. C'est le premier du Nouveau Monde. Des Antilles, la culture sera introduite en Floride : dès la fin du XVIe s., l'orange y prospère mais reste un fruit très coûteux ; son jus est encore considéré comme un élixir réservé aux gens riches ou aux malades. Ainsi les mineurs de la ruée vers l'or, manquant de fruits et de légumes frais et souffrant du scorbut, seront soignés avec du jus d'orange vendu... à la petite cuiller !

Aujourd'hui, avec 11 millions de tonnes annuelles, les États-Unis sont devenus le plus gros producteur du monde (devant le Brésil et l'Italie). 80% de la production vient de Floride où l'on cultive essentiellement des oranges à jus. Les grandes plantations se concentrent au centre et au sud de l'État, sur quelque 340 000 ha. Le marché des agrumes de Floride représente environ un milliard de dollars par an. Quant aux pamplemousses, ils n'arrivèrent en Amérique qu'au début du XIXe s., importés des îles Fidji. On dut les hybrider avec du pollen d'orange pour les rendre plus sucrés ; ils prirent alors le nom de *pomelos* ou de *grape-fruit*.

million de passagers qui transitent par Miami avant de partir en croisière. Des vendeurs de tout et de rien arpentent la place, et l'après-midi des orchestres et des artistes s'y produisent. Un lieu très touristique et un peu surfait.

● **La Freedom Tower** (*600 Biscayne Blvd.*), réplique parfaite de la Giralda de Séville, accueillit en 1925 le *Miami Daily News* puis, après la révolution cubaine, les bureaux de l'immigration réservés aux réfugiés.

● **Le Mac Arthur Causeway** conduit à Watson Island ; on peut le prendre pour avoir la plus belle vue d'ensemble sur Miami Downtown.

Au S. de Downtown, au-delà de la **Miami River** *et dans le prolongement de 2nd Ave., s'étend* **Brickell Ave.**

● **Brickell Ave.**, qui file de Downtown à Coconut Grove, fut l'une des artères les plus prisées au début du siècle, alors bordée de luxueuses demeures. Celles-ci ont disparu, remplacées par de grandes banques dans les années 70. Vous y verrez quelques-uns des plus beaux gratte-ciel de Miami : entre autres l'**Atlantis** (*2025 Brickell Ave.*), superbe exemple de cette architecture pleine de fantaisie que l'on ne rencontre qu'à Miami.

■ 2. — Little Havana*

Si vous ne parlez pas un mot d'espagnol, vous serez sans doute dérouté dans ce quartier et chercherez à repérer les affichettes sur les portes des épiceries précisant « ici, on parle anglais ». Mais surtout imprégnez-vous de l'ambiance : même si l'architecture n'a rien d'extraordinaire, vous êtes ici dans le quartier cubain où, comme autrefois à La Havane, chaque commerçant affiche les numéros gagnants de la Bolita (loterie). S'y déroule, en mars, le carnaval hispanique le plus important des États-Unis.

Situation : *au S.-O. de Miami Downtown, derrière Brickell Ave. et jusqu'à Le Jeune Rd.*

● **La célèbre Calle Ocho** (*en anglais : SW 8th St.*) est la rue la plus animée, bordée d'étals de fruits et légumes, de petits cafés où des barbus jouent aux

Une ville patchwork

Sur les quelque 700 000 personnes parlant espagnol à Miami, 400 000 sont des réfugiés cubains. Rien de bien nouveau pour Miami puisque José Marti s'y réfugia dès 1890 et Fidel Castro au début des années 50. La première vague d'immigration (1959) concerna avant tout des Cubains aisés, qui avaient tout à perdre sous un régime communiste. Montant des commerces et des restaurants, ils créèrent Little Havana. Certains ont très bien réussi, comme Alfredo Suarez, premier maire cubain de la ville (élu en 1985). Mais en 1980, Miami connut un nouveau flot d'immigrés : 125 000 personnes (prisonniers politiques ou de droit commun) encouragées à partir par Castro. Beaucoup de ces « marielitos » se sont reconvertis dans le commerce de la drogue et le racket, terrorisant les Cubains déjà installés.

Une autre minorité importante s'est installée en Floride : les Haïtiens, qui ont eux aussi créé leur enclave, Little Haïti, à l'O. de Biscayne Blvd. Un ghetto noir où règne la pauvreté et qui vit surtout la nuit. Son artère principale, NE 2nd Ave., est bordée de petites maisons peintes en bleu, jaune et rouge comme aux Caraïbes. À ces populations il faut ajouter les Bahaméens, les Colombiens, les Mexicains, les réfugiés du Nicaragua et du San Salvador, tous venus chercher du travail et qui amplifient les affrontements interraciaux, le plus grand problème de Miami aujourd'hui.

dominos, de boutiques d'artisans où l'on roule encore les cigares comme dans la grande île.

● **La plaza de la Cubanidad** : vous pourrez y flâner et admirer le monument de José Marti, l'un des chefs de la révolte cubaine contre l'autorité espagnole.

● **Le Cubean Museum of Art and Culture** *(1300 SW 12th Ave. ; ouv. mer.-ven. 10h-17h, sam.-dim. 13h-17h)*, très émouvant, à ne pas manquer, organise des expositions temporaires d'art cubain et hispanique.

■ 3. — Coconut Grove**

Un quartier à la mode, où se mêlent artistes et cadres fortunés, qui doit son nom à sa végétation et à ses cocotiers. Ce village, annexé à Miami en 1925, est l'un des plus anciens du S. de la Floride (1873). Très prisé par la *jet society* et les intellectuels au début du siècle, par les hippies dans les années 60, c'est aujourd'hui l'une des sections les plus prospères de Miami. On y verra à la fois de luxueuses résidences modernes, des galeries et des restaurants de la dernière mode et de modestes villas qui rappellent le temps où la gauche libérale s'y retrouvait.

Situation : au S. de Miami Downtown, au bord de la mer.

● **La Villa Vizcaya**** *(3251 S Miami Ave., avant d'entrer dans Coconut Grove ; ouv. t.l.j. 9 h 30-16 h 30)*, cachée dans une épaisse jungle, est l'une des demeures les plus époustouflantes des États-Unis, à voir absolument. Construite en 1912 par John Deering, fabricant de machines agricoles, elle évoque par son architecture et sa luxueuse décoration un palais de la Renaissance italienne. Plus de

1 000 ouvriers y travaillèrent. Toutes ses tuiles, faites à la main, viennent de Cuba et le mobilier de ses 70 pièces est originaire essentiellement d'Europe. Rococo, baroque, Renaissance, etc., tous les styles sont représentés. La chambre du maître de maison est Empire avec un tapis d'Aubusson et dans sa salle de bains, les robinets en or distribuent eau douce et eau de mer... Le palais est entouré de jardins magnifiques dans un parc de 4 ha, où se côtoient des bosquets, des statues, des fontaines et, en guise de ponton, un bateau de pierre en train de couler.

● **Le Museum of Science and Space Transit Planetarium** *(3280 S Miami Ave., un peu au N. de Coconut Grove ; ouv. 9 h-17 h, dim. 12 h-17 h)* est consacré à la faune et à la flore de Floride ainsi qu'à ses populations indigènes : art indien ; trésors et pièces trouvés lors de plongées dans la mer des Caraïbes.

● **Dinner Key Marina** *(3400 Pan American Drive)*, le plus grand port de plaisance de Miami, regorge de superbes yachts. À proximité, le **Coconut Grove Exhibition Center** *(2700 S Bayshore Drive)* propose souvent des expositions d'objets d'art. Voir également le **City Hall** *(3500 Pan American Drive)*, exemple du syle Art déco de Miami.

● **Main Highway** marque le centre du **Village of Coconut Grove**, l'endroit où sont concentrés la plupart des restaurants, des bars et des galeries. De jolies maisons valent un coup d'œil et il faut impérativement s'y promener à pied, autour de **Coconut Playhouse** *(3500 Main Hwy)*, théâtre de variété construit en 1926, et de **Grand Avenue**.

Coco Walk* *(3015 Grand Ave.)*, immense centre commercial inauguré fin 1990, a revitalisé la vie nocturne du quartier : commerces, restaurants, salles de spectacles, le tout dans un style qui rappelle l'architecture des pays méditerranéens.

On verra aussi **The Barnacle** *(3485 Main Hwy ; vis. guidée jeu.-lun. 9h-16h),* maison de pionniers et résidence balnéaire en bois élevée par Munroe, constructeur de bateaux (à l'intérieur, objets et mobilier d'époque).

● **Plymouth Congregationnal Church** *(3400 Devon Rd.)* est la copie d'une mission mexicaine, entourée de jardins (1917). La porte en fer forgé (XVIIᵉ s.) provient d'un monastère des Pyrénées.

● « **Black Coconut Grove** », quartier noir, s'étend à l'O., à la lisière de Coral Gables. Ses maisons sont en mauvais état et l'endroit, dangereux, est à éviter la nuit. La présence de ce ghetto à deux pas des avenues cossues de Coconut Grove est révélateur de l'étonnant mélange de populations de Miami.

■ 4. — Coral Gables*

Cette ville-jardin, résidentielle, érigée dans les années 20, abrite quelques-unes des folies architecturales les plus célèbres de Miami. Coral Gables a été construite dans le plus pur style méditerranéen très en vogue dans les années 20. Elle a été imaginée et « pensée » par George Merrick, qui en a tracé les plans sur la plantation de sa famille : 18 km² où se mélangent villages chinois, marocain, français, vénitien et espagnol, séparés par de vastes parcs et des installations sportives.

Situation : à l'O. de Coconut Grove et au S. de Little Havana.

● **Miracle Mile** *(nom donné à Coral Way entre Douglas Road et Le Jeune Road)* est le cœur de Coral Gables :

Jeux d'architecture

Miami est une ville jeune (pas encore centenaire), qui a toujours inspiré les architectes les plus fous, les plus doués et les plus avant-gardistes : Merrick et sa cité-jardin de Coral Gables, le quartier Art déco ou le Miami d'aujourd'hui, déjà dans le IIIᵉ millénaire au regard des autres villes. Ainsi, Miami Downtown s'admire d'en dessous et d'au-dessus, offre ses immeubles de verre, d'acier ou de marbre, entrelacés d'autoroutes aériennes, d'îles et d'eau. Christo, en 1983, avait cédé au charme de la ville en empaquetant de toile rose 11 îlots inhabités, les transformant en gigantesques nénuphars.

Plus récemment, un groupe de quatre jeunes créateurs, « Arquitectonica », a littéralement investi Miami. Touchant à la fois à la peinture, à la sculpture et à l'architecture, Laurinda Speer, Bernardo Fort-Brescia, Andres Duany et Elisabeth Plater-Zyberk usent et abusent de l'illusion graphique, utilisant toutes les couleurs de l'arc-en-ciel (voir l'Atlantis, sur Brickell Ave. → prom 1).

Et, dernièrement, un professeur d'architecture proposait de construire un monument à la gloire de Miami : une île en forme d'étoile dont on ne pourrait apprécier la forme que vue d'avion...

une artère commerçante, qui mêle des boutiques très simples à d'autres, beaucoup plus chics. Son aspect rappelle encore le temps où elle fut dessinée par George Merrick, malgré de nombreux ajouts postérieurs.

Parmi les édifices les plus étonnants : le **Colonnade Building** (133-169 Miracle Mile), qui abrita les bureaux de Merrick et aujourd'hui transformé en hôtel ; le **Coral Gables City Hall** *(405 Biltmore Way),* dans le style Renais-

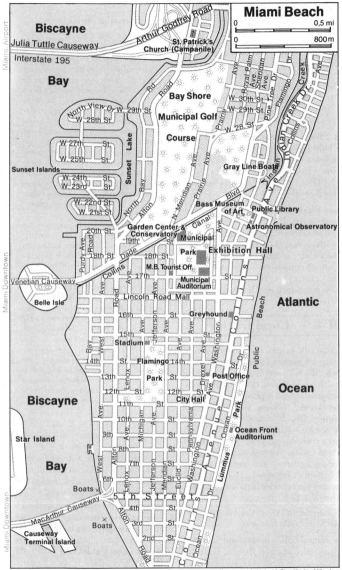

Kartographie Huber & Oberländer, München

sance espagnole ; **Coral Gables House** (*907 Coral Way ; ouv. mer.-dim. 13h-16h*), où Merrick passa son enfance.

● **La Venitian Pool** (*2701 De Soto Blvd. ; ouv. lun.-ven. 11 h-19 h 30 sam.- dim. 10h-16h30*) : une longue allée bordée de banians (ou arbres parasols) conduit à cette piscine municipale où s'entremêlent un délire de cascades, de ponts, de grottes et d'îlots ; elle a été construite en 1924 dans une ancienne carrière de pierre, à la manière vénitienne. On peut évidemment s'y baigner.

● **Biltmore Hotel** (*1200 Anastasia Ave.*) : encore une réplique de la Giralda de Séville (comme la Freedom Tower de Downtown). Ce fut en son temps (1926) un hôtel terriblement luxueux ; il devrait bientôt rouvrir, après une récente rénovation.

● **Le Lowe Art Museum** (*1301 Stanford Drive, dans le campus de l'université de Miami ; ouv. mar.-sam. 10 h-17 h, dim. 12 h-17 h*) propose des œuvres américaines, indiennes, précolombiennes et européennes.

● **Parrot Jungle** (*11000 SW 57th Ave. ; ouv. t.l.j. 9h30-18h*) accueille tous les pélicans, perroquets, marabouts et flamants roses dont on puisse rêver ; spectacles de perroquets dressés.

● **Le Fairchild Tropical Garden** (*10901 Old Cutler Rd. ; ouv. t.l.j. 10 h-16 h*), jardin botanique, comprend de nombreuses espèces de palmiers et d'orchidées : 5 000 espèces végétales en tout.

■ 5. — Miami Beach**

Cette longue presqu'île est le centre de villégiature le plus étendu et le plus fréquenté de Floride. C'est ici, à son extrémité S., que se situe l'Art Deco District et les hôtels investis par les agences de mannequins. Quant au N., il offre une succession de grands hôtels très touristiques. Couverte de palétuviers, très marécageuse et infestée de moustiques jusqu'au début du siècle, Miami Beach connut un développement fulgurant dans les années 20 et après la Seconde Guerre mondiale.

Situation : presqu'île sur la Biscayne Bay, à l'E. de Miami proprement dit.

Accès par 5 digues (du N. au S.) : Broad Causeway, North Bay Causeway, Julia Tuttle Causeway, Venitian Causeway et Mac Arthur Causeway. **Collins Avenue,** *du côté océan, est la colonne vertébrale de Miami Beach.*

● **South Miami Beach*** est en fait le quartier le plus branché et le plus « vivant » de la presqu'île. C'est le coin des bars, des restaurants, des boîtes de nuit : un quartier qui ne dort jamais !

● **L'Art Deco District**** (*de 5th à 23rd Sts*), redécouvert depuis quelques années a été remarquablement restauré : de longues avenues aux palmiers frissonnants, des enseignes années 30, des hôtels délicieusement ringards, aux façades géométriques et aux couleurs pastel... un décor de théâtre où l'on s'attend à croiser les héros de *Cotton Club* ou de *Gatsby le Magnifique*. Il est difficile de détailler un édifice plus qu'un autre : c'est l'effet d'ensemble qui est réussi (→ *l'encadré : Luxe et fantaisies Art déco*). Il faut flâner sur Ocean Drive et Collins Avenue, d'un hôtel à l'autre, comme : le **Park Central** (*640 Ocean Drive*), à l'allure très géométrique ; le **Waldorf Towers** (*860 Ocean Drive*), couronnées d'une étonnante tourelle ; le **Carlyle** (*1250 Ocean Drive*) ou le **Cardozo** (*1300 Ocean Drive*).

Pour en savoir plus, on pourra s'adresser à l'**Art Deco District Welcome Center** (*1001 Ocean Drive ☎ 305/672-2014*), qui organise régulièrement des visites guidées du quartier.

Le plus grand studio du monde

Fini le cimetière des Éléphants ! Depuis la restauration du quartier Art déco, la population, comme les immeubles, a subi un sérieux lifting. Des agences de mannequins basées à New York ont investi ces petits hôtels et proposent aux magazines européens des « forfaits » comprenant les mannequins, la plage, le décor et l'hébergement pour leurs séquences de mode à réaliser, évidemment, en plein hiver. Dès 7 h du matin, des équipes venues du monde entier s'activent, les appareils photos cliquettent de toutes parts et l'on croise les plus belles filles (et hommes !) du monde. Rien d'étonnant donc à ce que les *yuppies* de New York descendent tous les week-ends. Le soir, les terrasses et les cafés accueillent toutes les nationalités et les apprentis mannequins déambulent de table en table.

Ajoutons à cela les jeunes surfeurs aux cheveux décolorés et South Miami Beach ressemble, pour l'ambiance, à la Croisette à l'époque du festival de Cannes.

● **Le Bass Museum of Art** *(2121 Park Ave. ; ouv. mar.-sam. 10h-17h, dim. 13h-17h.).* Cet immeuble Art déco de 1930 rassemble des peintures des maîtres anciens (dont la *Sainte Famille* de Rubens) et modernes.

● **Les Cloisters of the Monastery of St Bernard** *(16711 W. Dixie Hwy, à North Miami Beach ; ouv. lun.-sam. 10h-17h, dim. 12h-17h)* : ce monastère n'a rien à faire ici puisqu'il a été construit en 1141 à Ségovie en Espagne. William Randoph Hearst, célèbre magnat de la presse (1863-1951), en est tombé amoureux et lui a fait traverser l'Atlantique pierre par pierre pour le transplanter ici. C'est aujourd'hui la propriété de l'Église épiscopalienne qui en permet la visite ; jardins exceptionnels.

■ Les îles de Biscayne Bay

Biscayne Bay, ou la lagune, s'étend de North Miami Beach à Key Largo. Elle est semée d'îles et d'îlots, certains artificiels et privés. Beaucoup de milliardaires y ont leur résidence secondaire. On verra notamment :

● **Watson Island** *(accès par le Mac Arthur Causeway)* : au N. de l'île se trouve un étonnant **jardin japonais** avec une pagode, une cascade et une maison de thé.

● **Virginia Key** *(accès par le Rickenbacker Causeway)* : il faut absolument voir le **Marine Stadium** *(3601 Rickenbacker Causeway)*, construit dans la mer pour les spectacles et sports nautiques. Au S.-O. de l'île, au milieu des jardins tropicaux, le **Seaquarium** *(ouv. t.l.j. 9 h-17 h)* est un complexe dédié aux poissons et aux animaux marins : des dauphins, des otaries, des épaulards dressés. On peut également observer les plongeurs sous l'eau en train de nourrir les animaux.

● **Key Biscayne** *(accès par le Rickenbacker Causeway, prolongé par le Bear Cut Bridge)* pourrait être surnommée « l'île des milliardaires », tant ses avenues sont larges et cossues et ses bateaux imposants. C'est l'un des quartiers les plus résidentiels de Miami, réputé aussi pour ses plages. Au S. de l'île, le **Cape Florida State Park**, assez sauvage, est dominé par un petit phare. À côté, la maison du gardien a été transformée en petit musée qui retrace la guerre contre les Indiens séminoles. De Key Biscayne, on jouira d'une très belle **vue**** sur Miami Downtown ;

Luxe et fantaisies Art déco

A l'ombre des palmiers de Miami, le rêve américain des années 30 est désormais classé: 800 immeubles, aux façades fraîchement repeintes, se partagent jalousement une bande de terre d'un kilomètre carré, l'Art Deco District. Edifié entre les deux cyclones meurtriers de 1926 et 1949, ce quartier accueillit au lendemain du krach de Wall Street les riches New-Yorkais désireux de s'offrir quelques jours d'insouciance sous la chaleur tropicale.

■ «Tropical Déco»

Célébré à Paris lors de l'Exposition universelle de 1925, le style Art déco fut ici revu et corrigé, version farniente. Chaque immeuble ne dépasse pas 12 à 13 étages. Les lignes architecturales, jeu d'horizontales coupées par quelques fortes verticales, se «tropicalisent» et prennent des formes aérodynamiques. Les angles s'arrondissent, comme dans le design des carrosseries de voitures des années 30. La palette cède aux pastels subtropicaux: façades rose bonbon, vert amande, bleu layette, le tout relevé ici et là de frises et de bas-reliefs aux motifs marins.

Quelques drapeaux, quelques néons, et les hôtels prennent l'allure de grands transatlantiques restés à quai. Ainsi, le Park Central Hotel, immense paquebot à hublots et aux proportions parfaites, est l'un des fleurons du quartier. Dessiné en 1937, par un inconditionnel du Chrysler Building de New York et des stations services, le talentueux architecte Henry Hohauser, il hébergea son lot de célébrités parmi lesquelles l'acteur Clark Gable. Depuis, l'élégance noir et blanche des silhouettes hollywoodiennes a déserté ces rues pour laisser place aux clinquantes couleurs des top-models de magazines…

Villa Art déco à Miami Beach

Miami Beach concentre le plus bel ensemble Art déco des États-Unis, que vous pourrez découvrir en flânant autour d'Ocean Drive et Collins Ave.

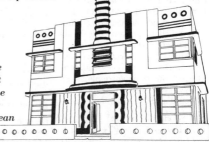

■ Environs de Miami

● **Fort Lauderdale** *(à 27 mi/43 km N. de Miami)* est une station balnéaire très fréquentée (9 km de plage). Ses nombreux canaux, envahis par les bateaux de plaisance, lui ont valu le surnom de Venise américaine. Ses hôtels et ses plages proposent quantité d'activités de loisirs.

● **Palm Beach** *(à 62 mi/100 km N. de Miami)*, également créée à la fin du siècle dernier par Henry Flagler, reste la station la plus chic et la plus chère de Floride, où vous apercevrez villas et yachts de milliardaires.

● **Biscayne National Park** *(au S. de Miami)* est un parc en quasi-totalité immergé, destiné à protéger la flore et la faune sous-marine de Floride. C'est donc en bateau, muni d'un masque et d'un tuba qu'il faut l'explorer. **Convoy Point Information Station** *(à l'E. de Homestead, sur Biscayne Bay)* vous fournira toutes les informations sur les possibilités de promenades en mer et les locations de bateaux.

Orlando

164 700 hab. ; fuseau horaire : Eastern time.
Situation : au centre de la Floride, à 229 mi/ 368 km au N. de Miami.
À voir aussi dans la région : Saint Augustine**, Walt Disney World***.

Les multiples lacs et jardins qui entourent les quartiers résidentiels d'Orlando en font une immense cité-jardin, et cela malgré l'invasion des touristes qui affluent depuis les années 70. Mais Orlando doit son succès touristique à autre chose : c'est en effet l'une des plus grandes « aires de jeux » des États-Unis, regroupant dans sa périphérie des parcs aussi prestigieux que Walt Disney World (avec notamment EPCOT Center et MGM Studios), Universal Studios, Sea World of Florida…

● **Walt Disney World*****(→)

● **Universal Studios**** *(Interstate 4, sortie 29 ou 30B ; ouv. t.l.j.).* — Ce parc, qui a ouvert ses portes en 1990, est un peu à l'image du grand parc d'Universal à Hollywood, mais il est encore plus réussi. Les attractions font revivre les grands moments du cinéma, à renfort d'effets spéciaux et de décors de films célèbres *(Les Dents de la mer, King Kong, E.T., Psychose, Retour vers le futur, etc.)*. Mais ces studios ne sont pas là que pour votre plaisir : il est assez fréquent d'y voir des tournages ou d'assister à des *shows.*

● **Sea World of Florida*** *(7007 Sea World Drive, à 15 mi/24 km au S. par l'Interstate 4 ; ouv. 9 h-18 h).* L'un des premiers parcs d'attractions marines de Floride. On peut y voir dans d'immenses aquariums des requins, des barracudas, des anguilles et assister à des dressages de dauphins, d'otaries et de pingouins. Les spectacles sont variés et bien menés.

● **À voir encore**

Wet'n Wild *(6200 International Drive ; ouv. 10 h-18 h).* Une piscine à vagues, des toboggans géants qui tombent à pic, d'autres aux multiples virages, des cascades : voilà ce qui vous attend dans ce parc aquatique.

Gatorland Zoo *(14501 S. Orange Blossom Trail, entre Orlando et Kissimmee par l'US 441 ; ouv. 8 h-18 h) :* un

La grande aventure de l'espace

S'il y a un lieu symbolique de la conquête de l'espace, c'est bien Cape Canaveral (qui d'ailleurs s'est appelé Cape Kennedy entre 1963 et 1973). Une grande aventure que le monde découvre le 16 juillet 1969, lorsque le vaisseau *Apollo 11* décolle de cette pointe, sur la côte E. de la Floride, devant 2 millions de personnes, emportant sur la lune Neil Armstrong, Edwin Aldrin et Michael Collins ; 4 jours plus tard, ils seront les premiers à marcher sur la lune. Couronnement d'un gigantesque effort technologique, cette mission prouve au monde que les Soviétiques n'ont pas le monopole de la conquête spatiale. Et son succès, très médiatique, vient effacer le souvenir du terrible drame du premier vol habité en 1967, où trois astronautes avaient péri dans un incendie au sol.

Dès 1948, Cape Canaveral a servi de site expérimental pour le lancement de missiles. Un choix motivé par deux critères : son climat tempéré, qui autorise des opérations toute l'année, et sa proximité de l'équateur, qui permet de bénéficier de la vitesse maximale de la rotation terrestre pour atteindre l'orbite. *Explorer 1*, le premier satellite américain lancé avec succès, a ainsi été envoyé en orbite en février 1958. Depuis le début des années 80, le centre de tir de Cape Canaveral est réservé aux opérations militaires et c'est du Kennedy Space Center, situé à quelques kilomètres, que la NASA lance désormais ses navettes spatiales.

nombre impressionnant d'alligators et de crocodiles.

Cypress Gardens *(à 30 mi/48km au S.-O. de Walt Disney World par l'US 27 ; ouv. t.l.j. 9 h-18 h)* : des jardins tropicaux où poussent plus de 8 000 variétés de plantes et de fleurs ; spectacles sous l'eau.

Le quartier de **Church Street Station** *(129 W. Church St., entre South et Garland Sts ; ouv. 11 h-2 h du matin)* regroupe restaurants, bars et boutiques

Les folles machines de Daytona Beach

Daytona Beach s'offre, chaque année au mois de mars, une semaine de folie, de démesure (et aussi d'érotisme) à l'occasion de la gigantesque course organisée sur ses 37 km de sable dur. Mais ici, pas question de violence, de débauche et de soûlerie. Malgré les apparences —cuir, chaînes, santiags et tatouages—, les motards *(bikers)* qui s'y trouvent n'ont rien à voir avec les *Angels* qui terrorisent l'Amérique. Bien sûr, ils boivent de la bière mais interdiction absolue de quitter le *Boot Hill Saloon* une canette à la main. Et si des pancartes demandent aux femmes d'enlever leurs soutiens-gorge, les policiers sont là pour faire respecter les bonnes mœurs !

Ils sont ainsi 70 000 chaque année à se retrouver sur Main Street. Ils arrivent des quatre coins des États-Unis sur une Harley-Davidson, qui a englouti bien souvent toutes leurs économies. Ils viennent pour se défouler en bouclant le plus de tours possible sur la plage, pour partager leur passion et participer dans la fureur des décibels à une gigantesque parade de machines magnifiques. Mais le véritable « clou » de cette manifestation reste la foire aux *choppers*. Ces engins délirants, créations uniques qui rivalisent d'excentricité, sont convoités par tous les collectionneurs qui ne manqueraient pour rien au monde le rendez-vous de Daytona Beach et s'arrachent à prix d'or ces œuvres de l'art mécanique.

dans un complexe de bâtiments victoriens reconstitués.

Charles Hosmer Morse Museum of American Art *(133 E. Welbourne Ave., Winter Park ; ouv. jan.-déc. 9 h 30-16 h, dim. 13 h-16 h ; f. lun.)* : collections d'objets de style Tiffany et Art nouveau.

■ Environs d'Orlando

• **Le Kennedy Space Center**** *(à 40 mi/64 km E. d'Orlando par les FL 50 et 405 ; vis. en bus t.l.j. 9h-17h)* est l'un des grands centres de la NASA depuis 1958.
Vous y verrez des films retraçant la conquête de l'espace ou simulant la vie sur d'autres planètes, des expositions concernant les programmes Apollo, Gemini, Mercury, des fusées et quantité d'expériences. En outre, vous pourrez visiter en autocar le Kennedy Space Center *(Red Tour)* et la base aérienne du Cape Canaveral *(Blue Tour ; nous vous conseillons d'acheter vos billets dès votre arrivée).*

• **Daytona Beach** *(à 61 mi/98 km N.-E. d'Orlando)* est réputée pour ses longues plages de sable blanc qui s'étendent sur près de 40 km, où l'on peut rouler jusqu'au soir (vitesse limitée à 16 km/h). C'est aussi la ville où furent établis, au début du siècle, des records de vitesse automobile. Aujourd'hui les courses se tiennent au **Daytona International Speedway** *(US 92, 125 000 spectateurs)* en février et à Pâques.

Pensacola*

58 165 hab. ; fuseau horaire : Central time.
Situation : N.-O. de la Floride , à la frontière de l'Alabama.
À voir aussi dans la région : Tallahassee ; dans le Sud : Mobile*,
Montgomery.

« The City of Five Flags » (la ville aux cinq drapeaux). Le surnom de Pensacola vient de son passé tumultueux : en 1559, les Espagnols débarquèrent pour la première fois dans ce port naturel ; après avoir été convoitée et conquise successivement par la France, l'Espagne — à plusieurs reprises— et le Royaume-Uni, Pensacola fut définitivement rattachée aux États-Unis en 1821. Malgré les nombreux ouragans, les incendies et la guerre civile, de jolies maisons victoriennes et créoles bordent encore les grandes artères de Pensacola qui a conservé un certain caractère hispanique. C'est aujourd'hui l'un des grands centres d'entraînement de l'aéronavale.

Arrêtez-vous d'abord au **Convention & Visitors Center**, *1401 E. Gregory St., au pied du pont qui franchit la baie de Pensacola ; vous y trouverez le plan détaillé des quartiers historiques.*

• **Seville Square Historic District*** *(Alcaniz & Government Sts)* est établi à l'emplacement de la première colonie espagnole. Il faut visiter ce petit périmètre, bien restauré, à pied depuis Seville Square. L'**Historic Pensacola Village** *(entre Adams et Tarragona Sts)* regroupe plusieurs musées et maisons du XIXe s. : musées de l'Industrie, du commerce et historique, Lavalle, Walton et Dorr Houses.

• **T.T. Wentworth Jr. Florida State Museum*** *(333 S. Jefferson St. ; lun.-*

sam. 10 h-16 h 30). Cet ancien hôtel de ville de style néo-classique a été transformé en musée historique.

• Le **Pensacola Museum of Art** (407 S. Jefferson St. ; ouv. mar.-ven. 10 h-17 h, sam. 10 h-16 h) présente des expositions temporaires dans l'ancienne prison de Pensacola.

• **Palafox Historical District** (au S. de la Palafox St.) était autrefois le quartier commerçant de Pensacola, où étaient débarquées les marchandises. On peut y voir le **Saenger Theater** (Palafox Place) de style Renaissance espagnole ainsi qu'une statue d'Andrew Jackson qui commémore le transfert de la Floride de l'Espagne aux États-Unis en 1821.

• **North Hill District** (après Wright St.) s'est développé au début du siècle et reste aujourd'hui un quartier résidentiel. On y verra d'imposantes demeures néo-classiques, néo-gothiques, etc.

• La **Pensacola Naval Air Station** (accès par l'US 98) est la principale base d'entraînement des pilotes de l'US Navy ; elle occupe cet emplacement depuis 1914. On y verra l'**USS Lexington**, navire-école datant de la Seconde Guerre mondiale et le **National Museum of Naval Aviation** (nombreux avions et histoire des forces aréonavales).

• **Environs**

Les plages sont nombreuses le long du golfe du Mexique : des kilomètres de sable blanc et un assez bon équipement sportif, notamment à **Pensacola Beach** et **Santa Rosa Island** (accès par la FL 399, au S. de Pensacola). **Fort Walton Beach** (à 40 mi/64 km à l'E. de Pensacola par l'US 98) en est la principale station ; l'**Indian Temple Mound Museum*** (139 Miracle Strip Pkwy, US 98 ; ouv. 9 h-16 h) y retrace l'histoire et les coutumes des tribus précolombiennes de la région.

Saint Augustine**

11 692 hab. ; fuseau horaire : Eastern time.
Situation : sur la côte N.-E. de la Floride ; à 310 mi/499 km N. de Miami, 103 mi/166 km N. d'Orlando.
À voir aussi dans la région : Orlando ; Tallahasse ; dans le Sud : Savannah**.

Avec ses ruelles pittoresques, ses jardins d'hibiscus, de bougainvilliers et ses maisons espagnoles en « coquina » (une vieille roche faite de coquillages et de coraux) aux balcons en surplomb, Saint Augustine est fière d'être « The Nation's Oldest City », traduisez la plus ancienne ville des États-Unis. On circule essentiellement à pied dans cette charmante ville au cachet très européen ; c'est d'ailleurs une des seules villes américaines à être restée si longtemps sous domination européenne.

Des débuts difficiles. — C'est probablement dans la région de Saint Augustine qu'accosta Ponce de León, en 1513, et qu'il donna son nom à la Floride. Les Espagnols apparaissent de nouveau en 1565 avec Don Pedro Menéndez de Avilés à la tête de 700 colons. Après avoir anéanti la flotte française dans la baie voisine de Matanzas et la petite colonie de huguenots de Fort Caroline (à proximité de l'actuelle Jacksonville), Menéndez fait de Saint

Augustine la base de la colonisation espagnole aux États-Unis. Mais l'expansion se heurte à la menace britannique : le pillage de Francis Drake, en 1586, est suivi de celui de John Davis en 1668, puis de la destruction de la ville au début du XVIIIe s., alors que vient tout juste d'être construit pour la défendre le fort San Marcos.

L'essor d'une « jolie cité ». — Le traité de Paris en 1763 cède Saint Augustine aux Anglais. Redevenue espagnole, la ville entre dans le giron des États-Unis en 1821 et acquiert aussitôt une réputation de jolie cité historique qui attire les premiers « touristes » de l'époque. Les guerres contre les Séminoles vont freiner cet engouement et la guerre de Sécession le stoppera. Il ne repartira qu'à la fin du siècle avec l'arrivée du chemin de fer et les réalisations hôtelières d'Henry Flagler. De nos jours, la ville continue à soigner, à entretenir et à restaurer son quartier ancien, le « San Augustin Antiguo ».

● Le **Castillo de San Marcos National Museum*** (*1 Castillo Drive ; ouv. t.l.j. 9 h-17 h 15*) fut construit en coquina entre 1672 et 1695 sur le schéma en étoile des forteresses espagnoles avec l'aide de la main-d'œuvre indienne. Entouré de douves qui communiquent avec la Matanzas Bay, il fut, grâce à ses bastions épais de 9 m, le seul à résister aux différents assauts que subit la ville. Aujourd'hui des hommes portant l'uniforme des soldats espagnols du XVIIIe s. procèdent à des tirs de canons tous les jours en souvenir de cette époque mouvementée.

● **San Augustin Antiguo**** est un musée vivant qui reconstitue le vieux Saint Augustine (*entrée 29 St George St. ; ouv. t.l.j. 9h-17h*).
St George Street, bordée de maisons aux patios fleuris et de boutiques artisanales en grande partie restaurées (ou même reconstituées), a retrouvé avec plus ou moins d'authenticité son cachet espagnol. On y verra des femmes habillées en costumes d'époque enfourner du pain ou installées à leur métier à tisser, des hommes travailler le bois ou le fer dans les ateliers d'origine.
L'Oldest Wooden Schoolhouse (*14 St George St. ; ouv. t.l.j. de 9 h au coucher du soleil*) : cette petite école, en bois de cèdre et de cyprès, serait la plus ancienne construction en bois de Saint Augustine. On peut y voir des copies des livres d'école du XVIIIe s.

● **Plaza de la Constitution** (*St George St. & Cathedral Place*) se situe au cœur de la vieille ville. Élevé au début du XVIe s., elle a peu changé depuis cette époque ; en son centre, monument dédié à la Constitution espagnole de 1812.

● L'**Oldest Store Museum*** (*4 Artillerie Lane ; ouv. lun.-sam. 9 h-17 h, dim. 12 h-17 h*). — C'est le XIXe s. qui revit dans ce magasin où se mêlent les odeurs de café, d'épices et de savon et où sont exposés les caleçons longs de nos grands-pères, les corsets à lacets de nos grand-mères, de vieilles affiches et des vélocipèdes.

● L'**Oldest House** (*14 St Francis St. ; ouv. t.l.j. 9 h-17 h*) fut construite au début du XVIIIe s. en bois, en feuilles de palmiers et en coquina (roche corallienne) sur un site qui aurait été occupé dès 1600 d'après des archéologues. Elle fut habitée par deux familles espagnoles : les Gonzalez et les Alvarez. Aujourd'hui elle appartient à la société d'Histoire de Saint Augustine qui la préserve précieusement.

● Le **Lightner Museum** (*75 King St ; ouv. t.l.j. 9 h-17 h*) situé dans l'ancien Hotel Alcazar, conforme à celui de Tolède, fut construit en 1888 par le célèbre magnat des chemins de fer, Henry Flagler. Dans ce musée on peut aussi bien voir une horloge, des boîtes à musique, une collection d'objets en cristal, des antiquités d'origine américaine, européenne et orientale que

La plus vieille école de Floride à Saint Augustine.

la momie d'un enfant égyptien ; l'ensemble a été regroupé par Otto Lightner, riche éditeur de Chicago.

● La **Fountain of Youth** *(155 Magnolia Ave., au N. du quartier espagnol ; ouv. t.l.j. 9 h-17 h)* se trouve dans un parc ombragé, mais son eau translucide n'est malheureusement pas « l'élixir de jouvence » que souhaitait Ponce de León qui découvrit cette source en 1513. Dans ce parc se trouve aussi un planetarium, un cimetière indien et le Discovery Globe, globe de deux étages sur lequel sont indiquées les routes qu'empruntèrent les explorateurs du Nouveau Monde.

● La **Saint Augustine Alligator Farm*** *(sur Anastasia Island, à 2 mi/3 km au S. du Bridge of Lions par Hwy A1A South ; ouv. t.l.j. 9 h-18 h).* — Dans cette très vieille ferme (datant de 1893), vous assisterez à un spectacle impressionnant dont les vedettes sont des alligators, des crocodiles et des serpents.

■ Environs de Saint Augustine

● **Jacksonville** *(à 38 mi/61 km au N. de Saint Augustine)* est la commune la plus étendue des États-Unis (2 176 km²). Cette ville portuaire active avec ses gratte-ciel, ses innombrables parcs de stationnement et son atmosphère assez polluée attire assez peu de touristes. On peut cependant y visiter le **Jacksonville Art Museum** *(4160 Blvd. Center Drive ; ouv. mar.-ven. 10 h-16 h, jeu. 10 h-22 h, week-end 13 h-17 h,)* où sont exposées des collections d'art classique et contemporain et qui possède des pièces de céramique orientale ainsi que des sculptures précolombiennes et africaines. La **Cummer Gallery of Art** *(829 Riverside Ave. ; ouv. mar.-ven. 10 h-16 h, sam. 12 h-17 h, dim. 14 h-17 h)* abrite des collections allant de l'art grec antique au XXe s.

Fort Caroline National Memorial *(au S. de Jacksonville, 12713 Fort Caroline Rd. ; ouv. t.l.j. 9 h-17 h)* fut occupé dès 1564 par des huguenots français. Il fut détruit quelques années plus tard par les Espagnols ; on peut aujourd'hui le visiter car il a été partiellement reconstitué.

Kingsley Plantation State Historic Site *(au N. du Mayport Ferry sur l'A1A ; ouv. jeu.-lun., vis. guidées à 9 h 30, 11 h, 13 h 30, 15 h).* — Datant de 1792, ce site a vu passer plusieurs générations d'esclaves. On peut y voir les restes de leurs cabanes et de la maison du planteur Zephaniah Kingsley.

Fort Clinch State Park *(Fernandina Beach, à 30mi/ 48 km N ; de Jaksonville, 2601 Atlantic Ave. ; ouv. t.l.j. 9 h-17 h)* comprend un grand fort de briques qui fut construit en 1847 et qui a servi durant la guerre civile ainsi qu'un terrain de camping et une jetée pour la pêche. On peut y explorer d'innombrables tunnels et des cachots ou admirer la vue du haut des remparts. Tous les premiers week-ends de chaque mois, des gardes habillés en soldats mettent en scène la vie au fort en 1864.

Saint Petersburg

238 630 hab. ; fuseau horaire : Eastern time.
Situation : *côte O. de la Floride ; à 253 mi / 407 km N.-O. de Miami.*
À voir aussi dans la région : *Sarasota, Walt Disney World***.*

Saint Petersburg ressemble à ces stations balnéaires pour retraités que l'on rencontre si souvent en Floride, avec toutefois une nuance : la ville est citée par le *Guiness Book* pour son record d'ensoleillement... On y viendra donc pour profiter de ses plages, mais aussi pour visiter le musée consacré à Salvador Dali.

● **Salvador Dali Museum*** *(1000 3rd St. South ; ouv. mar.-sam. 9 h 30-17 h 30, dim.-lun. 12 h-17 h 30).* — Ce musée, ouvert depuis 1982, abrite la plus grande collection d'œuvres de Dali : 94 huiles originales, plus de 100 aquarelles et dessins, des lithographies, sculptures et objets d'art ainsi qu'une vaste bibliothèque. Les œuvres de Dali sont exposées chronologiquement. Cette collection a été en partie réunie par A. Reynolds Morse, riche industriel de Cleveland et ami de longue date du peintre.

● Le **Museum of Fine Arts** *(255 Beach Drive N.-E ; ouv. t.l.j. sf le lun.),* aménagé dans une grande maison de style méditerranéen abrite des collections de peintures et de sculptures d'impressionnistes français ainsi que des collections d'artistes européens, américains —d'époque précolombienne— et d'Extrême-Orient.

● **Sunken Gardens** *(1825 4th St. N.)* : plus de 50 000 plantes et fleurs tropicales.

● **Fort DeSoto Park** *(Pinellas Bayway, Mullet Key, 34th St. South)* : ce parc s'étend sur cinq îles au S. de Saint Petersburg et comprend d'immenses plages. Le fort historique DeSoto, situé sur la plus grande des îles (Mullet Key), est une installation militaire qui protégeait la baie de Tampa durant la guerre Espagne/États-Unis.

● **The Suncoast Seabird Sanctuary** *(18328 Gulf Blvd. ; ouv. t.l.j. 9 h-17 h 30)* est un centre d'accueil et de traitement —de renommée mondiale— pour les oiseaux blessés. Des visites guidées sont organisées et vous feront découvrir des pélicans bruns, des cormorans et des aigrettes blanches.

● **Environ de Saint Petersburg**

Tampa *(à 22 mi/ 35 km au N.)* est une ville industrielle avec un centre très moderne, connue dès le XIXᵉ s. pour ses manufactures de tabac. Beaucoup d'immigrés d'origine latine (Italiens, Cubains), grecque ou irlandaise y vivent. Peu de choses sont à voir en dehors du **Ybor City** *(délimité par les 13th et 22nd Sts et les 6th et la 10th Ave.)*, où s'alignent des maisons de style colonial antillais. On peut toujours acheter par ici des cigares roulés à la main en souvenir des manufactures de tabac (du XIXᵉ s.) de Martinez Ybor qui ont été transformées en complexe touristique très moderne.

Sarasota

50 961 habitants ; fuseau horaire : Eastern time.
Situation : côte O. de la Floride ; à 216 mi/ 347 km N.-O. de Miami.
À voir aussi dans la région : Saint Petersburg, Walt Disney World***.

Une myriade de plages, toutes mieux équipées les unes que les autres, des boutiques et des restaurants en bord de mer… Sarasota est l'archétype même de la station balnéaire de Floride. Mais c'est aussi la ville d'adoption de John Ringling, le célèbre magnat du cirque qui venait y passer l'hiver avec sa troupe. Il s'y fit construire un fantastique palais vénitien, transformé aujourd'hui en un superbe musée d'art.

● **Le Ringling Museum of Art**** *(sur l'US 41, à 3 mi /5 km au N. de Downtown Sarasota ; ouv. t.l.j. 10h-17h30)* occupe la propriété de John Ringling qui avait fondé le Ringling Brothers Barnum & Bailey Circus. Sa maison proprement dite fut construite en 1927, sur la copie du palais des doges de Venise, dans un style remarquablement homogène. Autour, s'étend un beau parc. On y visitera quatre musées : la Ca'd'zan, résidence du milliardaire et aujourd'hui musée d'art baroque, la galerie d'art, le musée du cirque et l'Asolo Theater.

Le Ca'd'Zan** (en vénitien « la Maison de Jean »), palais aux murs de stuc rose, se compose d'une trentaine de pièces meublées de sculptures, objets d'art et mobilier baroques.

L'Art Gallery Building** est de pur style vénitien, comme le Ca'd'Zan. Ses salles retracent l'histoire de la peinture de la Renaissance allemande à la peinture flamande du XVIIᵉ s., en passant par le siècle d'or espagnol, l'école vénitienne et la peinture française : bel ensemble de Rubens ; œuvres de Cranach l'Ancien, Véronèse, Rembrandt, Greco, Poussin, Vélasquez, etc.

L'Asolo Theater, du XVIIIᵉ s., provient du village d'Asolo, près de Venise. En 1949, il a été reconstruit sur le domaine des Ringling. Aujourd'hui des pièces, opéras, conférences et films y sont programmés.

Les Circus Galleries* présentent l'histoire du cirque depuis l'époque romaine : décors, accessoires (dont le carrosse doré aux « Cinq Grâces », construit en 1878, qui servait à parader dans les rues), affiches publicitaires et costumes…

● **Bellm's Cars & Music of Yesterday*** *(5500 North Tamiami Trail, face au musée Ringling sur l'US 41 ; ouv. t.l.j.) :* ce musée présente plus de

La cour du Ringling Museum.

130 vieilles voitures, des bicyclettes anciennes, de vieux instruments de musique mécanique et divers jeux du XVIIIᵉ s.

● **Sarasota Jungle Gardens** *(3701 Bayshore Rd., sur l'US 41, au S. de l'aéroport de Sarasota ; ouv. t.l.j. 9 h-17 h)* : palmiers, bananiers, hibiscus et plantes tropicales.

■ Environs de Sarasota

● **Fort Myers*** *(à 85 mi/132 km au S.)* est surnommée « The City of Palms » (la cité des palmiers) car Edison, le célèbre inventeur, planta des centaines de palmiers royaux le long du Mc Gregor Blvd. Ainsi, on peut visiter l'**Edison's Winter Home & Botannical Gardens**** *(2350 Mc Gregor Blvd. ; ouv. lun.-sam. 9 h-16 h, dim. 12 h 30-16 h)*

qui comprend près de 200 phonographes et le laboratoire où Edison fit ses recherches sur le caoutchouc. Les jardins tropicaux ne sont pas moins impressionnants avec, par exemple, un banian de plus de 9 m de diamètre. Également à voir : le **Fort Myers Historical Museum** *(2300 Peck St.)* qui retrace l'histoire de la région.

● **Sanibel et Captiva Islands*** *(à 87 mi/140 km au S. de Sarasota)*, très réputées pour leurs plages de coquillages, attirent les collectionneurs du monde entier. Mais elles ont peu à peu perdu de leur charme car de nombreux hôtels de luxe les ont envahies prenant le pas sur la nature tropicale, autrefois luxuriante. Pour apprécier l'aspect sauvage de ces îles, on peut visiter le **J. N Ding Darling National Wildlife Refuge** sur l'île Sanibel : on y verra des caïmans, des lamantins, des perroquets, des spatules roses et d'autres espèces d'oiseaux.

Edison, ou le génie de l'invention

Résumer la vie de Thomas Alva Edison (1847-1931) reviendrait à dresser une interminable liste de brevets, tant l'existence de cet homme se confond avec sa passion : inventer. Au cours de sa longue carrière, il fit enregistrer, en moyenne, deux brevets par mois ! Inutile de préciser que toute son énergie y était consacrée : fort peu de distractions, des nuits passées à bricoler… Mais le génie d'Edison fut très tôt reconnu. L'Amérique vit en lui « le plus grand inventeur de tous les temps ». Celui qui fit triompher les atouts du Nouveau Monde (pragmatisme, audace, ingéniosité) sur ceux de l'Ancien (primauté de la théorie sur la pratique, de l'académisme sur l'expérience).

Elève « brouillon » le jeune Thomas fait preuve dès l'adolescence d'un sens inné du commerce. À 14 ans, il vend des journaux sur une ligne de chemin de fer, puis crée son propre journal qu'il imprime… à bord du train ! Puis il s'engage comme télégraphiste de l'armée et invente le télégraphe électrique. Suivront des dizaines d'inventions qui changeront la vie de l'humanité (ne citons que la lampe à incandescence et le téléscripteur de Bourse), mais aussi quantité d'innovations utiles ou tout à fait saugrenues. On lui reprochera d'avoir pillé d'autres inventeurs. Mais son génie ne consistait-il pas à associer plusieurs découvertes d'intérêt limité pour en faire une invention révolutionnaire ?

La jetée de Naples, au S. de Fort Myers.

Tallahassee

116 239 hab. ; fuseau horaire : Eastern time.
Situation : N.-E.de la Floride, à 251 mi/404 km N.-O. d'Orlando.
À voir aussi dans la région : Pensacola* ; Saint Augustine**.

Dès 1528, la zone où se trouve Tallahassee fut mentionnée par Panfilio de Narvaez mais la ville ne fut fondée qu'en 1824. Entourée de lacs et de collines ondoyantes —où poussent les pieds de vigne que planta le marquis de La Fayette au XVIIIᵉ s.— Tallahassee est la capitale et le centre administratif de la Floride. L'ambiance est assez calme dans cette ville qui compte de nombreux jardins et de vieilles demeures *ante bellum* et où vivent beaucoup de fonctionnaires.

● **Le State Capitol** *(Monroe St. & Apalachee Pkwy ; ouv. lun.-ven. 9 h 30-16 h 30)* domine la ville de ses 22 étages de haut et offre un beau panorama. Sa construction dura plusieurs années à cause d'un manque de financement ; commencée en 1827, elle ne fut achevée qu'en 1845.

● **The Columns** *(200 W College Ave. ; ouv. lun.-ven. 8 h 30-17 h).* — Ce bâtiment de briques rouges à colonnes blanches a une légende : une pièce de 5 cents se trouverait dans chacune des briques. Après avoir servi de banque, d'auberge et de cabinet médical, il abrite aujourd'hui le Tallahassee Area Convention and Visitors Bureau.

● **Lake Jackson Mounds Archeological Site** *(à 5 mi/8 km au N.-O. près du lac Jackson).* — On y a relevé des traces d'implantation humaine vieilles de plus de trois mille ans et on peut y voir des tumulus indiens et les ruines d'une plantation datant du début du XIXᵉ s. qui fut construite par le colonel R. Butler, adjudant du général Andrew Jackson.

● Les **Alfred B. Maclay State Gardens** *(3540 Thomasville Rd., à 5,5 mi/9 km au N. ; ouv. t.l.j. 8 h-17 h)* sont des jardins qui s'étendent sur 125 ha et entourent des bassins et un lac naturel où l'on peut se baigner, pêcher ou faire du bateau. Des orchidées, des azalées et des camélias y poussent.

● Les **Wakulla Springs*** *(à 15 mi/24 km au S. sur 8 ha)* sont des sources dont on peut extraire 2,27 millions de litres d'eau/mn ; elles se trouvent à 56 m de profondeur. Elles sont surtout célèbres pour avoir servi de cadre au tournage de certaines scènes du film *Tarzan* avec Johnny Weissmuller. Une promenade en bateau à fond de verre permet de voir différentes espèces de poissons, des fossiles.

● Le **Natural Bridge State Historic Site** *(à 11 mi/17,6.km au S.-E., sur la St Marks River ; ouv. t.l.j. 8 h-17 h)* s'étend à l'emplacement d'une des batailles de la guerre de Sécession ; notez que Tallahassee est la seule ville confédérée qui ne soit jamais tombée aux mains des nordistes.

● **Environ de Tallahassee**

L'**Apalachicola National Forest*** *(au S.-O. de Tallahassee, entrées principales sur la FL 20 et l'US 319)* est une belle forêt de pins et de cèdres avec des marécages. Mais évitez le Tate's Hell Swamp, où vivent des serpents d'eau très dangereux.

Walt Disney World***

Fuseau horaire : Eastern time.
Situation : *au centre de la Floride ; à 22 mi/35 km S.-O. d'Orlando.*
À voir aussi dans la région : *Orlando, Saint Petersburg.*

Ce qui étonne d'emblée lorsqu'on arrive à Walt Disney World, c'est l'immensité de ce royaume imaginaire édifié sur 11 200 ha d'anciens marécages, en plein cœur de la Floride. Depuis l'inauguration du premier parc (Magic Kingdom), en 1971, deux autres ont été construits : EPCOT Center, en 1982, puis Disney MGM Studios, en 1989. Les hôtels ont poussé comme des champignons magiques. Des autoroutes, dont les panneaux portent les oreilles de Mickey, s'étirent, larges comme des pistes d'aéroport, d'un parc à l'autre. Un monorail silencieux glisse entre ciel et terre, enjambant pelouses et lacs artificiels. Dans ce pays dont le prince est une souris malicieuse et immortelle nommée Mickey, rien n'est tout à fait comme ailleurs : le personnel des hôtels et des restaurants est déguisé ; des nounours géants posent pour la photo, les cow-boys ont tous le sourire de la victoire, Blanche-Neige, très en beauté, croise Mary Poppins, tandis qu'un petit train de mine déboule comme un fou pour effrayer les enfants qui rient aux éclats. Ici tout n'est qu'illusion, jeu et fantaisie.

Un créateur à l'imagination débordante. — C'est à la fin des années 30 que Walt Disney commence à imaginer un parc d'attractions d'un genre nouveau, « un lieu où les parents et les enfants pourraient s'amuser ensemble ». À l'époque, les parcs forains américains sont souvent sales, assez mal fréquentés, pas très bien organisés et leurs attractions ne présentent guère d'intérêt. Aussi le projet fait-il son chemin dans l'imagination du créateur de dessins animés. L'idée est aussi simple que géniale : il faut créer un parc familial, sûr et de bonne moralité, dans lequel les attractions seront regroupées autour de thèmes comme la conquête de l'Ouest ou la science-fiction. Walt Disney mettra quelque temps à convaincre les banquiers et les autorités, mais en 1955, un premier parc est ouvert, à Anaheim, en Californie (Disneyland).

Après divers déboires (aussi bien techniques que financiers), c'est le succès : les Américains viennent en foule. Tout le monde s'amuse et M. Disney fait fortune. La Compagnie songe bientôt à ouvrir un deuxième parc, en Floride. Ce sera Walt Disney World. Il ouvrira ses portes au premier visiteur en 1971, mais Walt Disney ne verra pas ce succès. D'autres parcs suivront : près de Tokyo (en 1983) puis près de Paris (en 1992). Au total, les parcs Disney ont reçu, depuis 1955, plus de 700 millions de visiteurs. En Floride, Walt Disney World emploie 33 000 personnes.

■ Petit guide pratique

● **Accès.** — Walt Disney World est situé à 35 km au S.-O. d'Orlando.

En voiture depuis l'aéroport international d'Orlando, prenez la Bee Line Expressway (route 528) vers l'O., jusqu'à l'Interstate 4. Puis suivre les panneaux jusqu'aux sorties 26B (pour EPCOT Center et Disney Village) ou 2 B (pour Magic Kingdom, par la Hwy 192). Tout est très bien indiqué.

Walt, le père de Mickey, Donald et Zorro

Enfant précoce, Walter Elias Disney (1901-1966) pratique le dessin dès l'âge de 6 ans et commence une carrière de dessinateur publicitaire (à Kansas City), en même temps qu'il crée ses premiers dessins animés. À 22 ans, il décide de s'installer à Hollywood. Son frère Roy le suit et soutient ses premiers investissements. L'entreprise Disney est modeste ; elle ne se consacre encore qu'au film d'animation. En 1925, Walter épouse l'une de ses employées, Lillian Bounds dont il aura deux filles (Diane et Sharon). Après plusieurs courts-métrages, Disney réalise, en 1937, son premier long-métrage : *Blanche-Neige et les sept nains*. L'entreprise prend de l'ampleur. En 1940, les studios Disney de Burbank sont construits ; la société emploie déjà plus de 1 000 personnes (5 000 à la mort de Walt Disney, plus de 50 000 aujourd'hui). Pendant la Seconde Guerre mondiale, les studios Disney servent presque exclusivement à la production de films de formation et de propagande destinés à l'armée américaine. La paix revenue, l'entreprise reprend ses activités habituelles mais réalise également des films sur la nature et des programmes de télévision. Au total : Walt Disney produira 81 films de son vivant.

Juste après avoir fêté ses 65 ans, le 15 décembre 1966, le père de Mickey succombe à un cancer.

Il existe des **navettes** *(shuttles)* qui relient l'aéroport à Walt Disney World.

● **Heures d'ouvertures.** — Les horaires varient en fonction de la saison. En général, les parcs ouvrent à 9h et ferment entre 21h et 24h (18h à 20h l'hiver).

● **Se déplacer dans le parc.** — Il n'est pas indispensable de disposer d'une voiture pour circuler entre les parcs et les hôtels, du moins pendant la journée. Des navettes assurent toutes les liaisons possibles (se renseigner à la réception des hôtels et camping). Un monorail relie certains hôtels (*Grand Floridian Beach Resort, Contemporary Resort* et *Polynesian Resort*) à EPCOT Center. Des bateaux font la navette entre les ports de Bay Lake, ainsi qu'entre le Yatch and Beach Club Resort et Disney MGM Studios. Toutes ces navettes (cars, bateaux, monorail) sont gratuites pour les résidents.

Chaque hôtel et chaque parc d'attractions dispose d'un parking, gigantesque et gratuit. **N'oubliez jamais** de noter le **numéro de votre allée** et de votre emplacement : on peut errer pendant deux heures !

● **Tarifs.** — Vous pouvez acheter : un ticket pour un seul parc (Magic Kingdom, EPCOT Center ou MGM Studios), valable un jour ; des « passeports » de 4 jours donnant accès à volonté aux trois parcs principaux ; des « passeports » de 5 jours pour les trois parcs principaux ainsi que River Country, Typhoon Lagoon, Discovery Island et Pleasure Island.

Enfants : l'entrée est gratuite pour les enfants de moins de 3 ans, réduite entre 3 et 9 ans.

● **Programme.** — Si vous n'avez qu'une seule journée, n'espérez pas visiter qu'un parc. Si vous êtes acompagné de jeunes enfants, préférez **Magic Kingdom.** En revanche, **EPCOT Center** et **Disney MGM Studios** auront les suffrages des adolescents.

Si vous disposez de plusieurs jours à Walt Disney World, l'idéal est de prendre un « passeport » qui vous permettra de tout voir à votre gré.

■ Hébergement

Toutes les adresses ont été placées en fin de volume, dans le **carnet d'adresses.**

Le complexe hôtelier de Walt Disney World propose plus de 17 000 chambres (dont plus de 10 000 possédées et exploitées directement par la compagnie Disney) et près de 800 emplacements de camping-caravaning. Il y a des possibilités de logement pour toutes les bourses : « du sac de couchage à la suite présidentielle », ainsi que l'avait souhaité Walt Disney.

● **Des hôtels pour tous les goûts.** — Les styles des hôtels sont très variés. La plupart ont un thème qui prolonge l'impression de fête et de dépaysement : architecture et décor polynésiens pour le *Disney Polynesian Resort*, caraïbes pour le *Caribbean Beach Resort*, charme et raffinement luxueux des palaces floridiens du début du siècle pour le *Grand Floridian Beach Resort*, style colonial du vieux Sud pour le tout nouveau complexe du *Port Orleans* et du *Dixie Landings* ou encore *stick style* en vogue dans les stations balnéaires américaines au milieu du XIXᵉ s. pour le *Disney Beach Club Resort*.

● **Bien choisir son hôtel.** — Bien que tous les hôtels soient reliés aux divers parcs d'attractions par des navettes (bus, bateaux) ou par le monorail, certains sont particulièrement bien situés par rapport à tel ou tel centre d'intérêt. Voici les lieux de résidence les plus pratiques :
— pour visiter le **Magic Kingdom** : *Grand Floridian Beach Resort, Disney Polynesian Resort, Disney Inn* ;
— pour visiter **EPCOT Center** et **MGM Studios** : *Yatch & Beach Club Resorts* (on accède à pied depuis ces deux hôtels à EPCOT Center, et par bateau à MGM Studios), *Caribbean Beach Resort* ;
— pour les amateurs de **sports nautiques** : *Caribbean Beach Resort* dispose d'un beau lac où l'on peut pratiquer diverses activités nautiques et se trouve situé à proximité de Typhoon Lagoon.

Enfin, citons, pour ceux qui souhaitent résider **en pleine nature**, *Fort Wilderness Resort & Campground* : un immense terrain boisé où sont dispersés des bungalows confortables, vaguement « années 60 », et des emplacements de camping ; l'infrastructure (buanderie, douches très propres, restaurant, épicerie, piscine, etc.) est parfaite et l'animation (location de bicyclettes, soirées *country* autour d'un feu de camp, etc.) très bien rôdée.
Disney Inn est un hôtel de petite taille également situé à l'écart du bruit et de l'agitation (on croise même des biches dans son parc). L'atmosphère y est très familiale.

● **Nos coups de cœur :** *Yatch & Beach Club Resorts* (pour leur charme et leur confort raffiné) ; *Caribbean Beach Resort* (pour son exotisme tropical et ses possibilités nautiques) ; *Grand Floridian Beach Resort* (parce qu'il n'y a pas plus luxueusement américain !).

■ Magic Kingdom

Après avoir passé les guichets, le visiteur a le choix entre sept pays *(lands)* : Main Street USA, Adventureland, Frontierland, Liberty Square, Fantasyland, Tomorrowland et Mickey's Starland. Chacun de ces pays est organisé autour d'un thème : conquête de l'O. pour Frontierland, contes de fées pour Fantasyland, etc. Attractions, restaurants et boutiques illustrent, chacun à sa manière, le thème choisi. Le billet ou le passeport donne droit à une entrée « gratuite » pour toutes les attractions. Mais comme il y a presque toujours beaucoup d'attente, il est quasiment impossible de les faire toutes en une seule journée. Quant aux 30 snacks et restaurants, ils s'adressent à toutes les bourses. L'idéal est de déjeuner avant midi ou après 14 h 30 afin de pouvoir profiter de ces heures plus « creuses » pour visiter les attractions les plus courues.

● **Main Street, USA.** — Cette rue, construite sur le modèle des petites villes du Middle West à la fin du siècle dernier conduit tout droit au château de Cendrillon, point central du parc. On peut emprunter l'omnibus ou une voiture à cheval pour remonter Main St. De la gare, part un petit train à vapeur qui fait le tour du parc, ce qui permet de commencer la visite par tel ou tel pays, selon ses préférences.

Les **parades** (dont les horaires varient suivant les saisons) partent de Frontierland et descendent toutes Main St. On peut se dispenser du défilé de chars qui a lieu l'après-midi ; en revanche, il ne faut en aucun cas manquer la parade nocturne : c'est une inoubliable féerie de lumière, de musique et de danse.

● **Adventureland**. — Aventuriers et explorateurs en mal de jungles et d'émotions fortes, voici Adventureland. Les enfants apprécieront l'arbre où la famille naufragée des Robinson suisses installa ses appartements (**Swiss Family Treehouse**). Mais la pièce maîtresse de ce pays, c'est **Pirates of the Caribbean**, une hallucinante promenade sur une barque d'où l'on assiste à l'attaque d'un fort espagnol des Caraïbes par une bande de pirates plus ivres les uns que les autres. Quant à **Tiki Birds** et **Jungle Cruise**, copies des premières attractions imaginées par Walt Disney pour le parc californien, elles présentent nettement moins d'intérêt.

● **Frontierland**. — Nous voici ici au temps des pionniers partis à la conquête de l'O. Les plus jeunes exploreront une mine désaffectée pleine de mystères (**Magnetic Mystery Mine**) ou le vieux fort (**Fort Sam Clemens**), qui sont tous les deux sur l'île de Tom Sawyer. Ils assisteront ensuite à un spectacle musical très entraînant donné par... des ours robotisés (**Country Bear Vacation Hoe-Down**). Leurs parents préféreront sans doute le spectacle de music-hall version Far-West (**Diamond Horseshoe Jambo-**

ree ; attention : réservations obligatoires, à prendre au début de Main St., à la Disney Hospitality House). Mais le « clou » de Frontierland reste le petit train de mine qui emmène ses passagers hurlant de peur et de plaisir à travers des montagnes « russes » vertigineuses (**Big Thunder Mountain Railroad**). Une nouvelle attraction, **Splash Mountain**, propose un *rafting* délirant sur des toboggans aquatiques inclinés à 45° !

● **Liberty Square**. — Dans le **Hall of Presidents,** des robots (les *Audio-Animatronics*, une spécialité brevetée Disney), qui ont pris l'apparence de tous les présidents successifs des États-Unis, racontent l'histoire de ce pays. C'est à Liberty Square que se trouve également la célèbre maison hantée (**Haunted Mansion**). Ce serait une erreur (peut-être fatale...) de ne pas aller saluer ses innombrables fantômes ! D'autant qu'on peut ensuite se détendre en faisant une petite balade en bateau sur la rivière.

● **Fantasyland**. — Consacré aux contes de fées, Fantasyland est certainement le pays préféré des plus jeunes. Dans la cour du château de Cendrillon (**Cinderella Castle**) se trouvent un grand carrousel et le célèbre manège **Dumbo the Flying Elephant**. L'attraction majeure reste la poétique promenade dans un univers de poupées costumées aux couleurs de tous les pays du monde, **It's a Small World**. Les enfants apprécieront également **Snow White's Adventures** (les aventures de Blanche-Neige, avec une sorcière en trois dimensions qui peut effrayer les plus jeunes), **Peter Pan's Flight** (balade dans un vaisseau fantastique) ou **Mr. Toad's Wild Ride**. En revanche, la petite virée dans un sous-marin digne de Jules Verne, **20 000 Leagues Under the Sea**, paraît aujourd'hui quelque peu vieillotte.

● **Tomorrowland**. — S'il fallait ne choisir qu'une seule attraction dans ce pays du futur, ce serait sans hésitation **Space Mountain,** une très « décoiffante » randonnée à travers l'espace, à bord d'un *scenic-railway* qui fonce dans la nuit interstellaire. Pour le reste, **Dreamflight** raconte l'histoire de l'aviation, tandis que la **Carousel of Progress** retrace la vie d'une famille américaine depuis la découverte de l'électricité. Si on n'a jamais assisté à la projection d'un film sur écran de 365°, **Circle Vision 360** vaut le détour. En revanche **Grand Prix Raceway** (une course de petites voitures électriques individuelles) n'impressionnera guère que les pilotes en culottes courtes.

● **Mickey's Starland**. — C'est ici que se trouve la maison… de Mickey, qu'a lieu le *show*… de Mickey (**Mickey's Starland Show**) avec musique et effets spéciaux, et qu'on peut rencontrer… Mickey en chair et en os. Bref, une visite dans ce pays sera particulièrement appréciée par les plus jeunes. On peut aussi y voir une petite ferme (**Grandma Duck's Farm**).

■ EPCOT Center

Ce très grand parc, situé entre Magic Kingdom et Disney MGM Studios, est tout entier voué à la découverte des richesses naturelles de la planète, des hommes et des pays du monde. EPCOT signifie d'ailleurs : Experimental Prototype Community Of Tomorrow. Il comprend deux parties distinctes : Future World et World Showcase.

● **1. — Future World**

Cet espace consacré à la recherche et à l'exploration scientifiques du monde pourrait être qualifié de « parc de La Villette version Disney », autrement dit de gigantesque musée des sciences

présenté sous forme d'attractions qui marient découverte et amusement. Bref, on ne s'y ennuie pas. Huit thèmes principaux ont été choisis, répartis en autant de bâtiments : **Spaceship Earth**. — Installé dans une « géosphère », cette attraction fait voyager le visiteur à travers l'histoire de la communication, depuis les fresques des cavernes préhistoriques jusqu'aux tout derniers satellites. **Universe of Energy** : une exploration de toutes les sources d'énergie qu'on trouve sur la Terre *(durée : 45 mn)*. **Wonders of Life**. — Cinq attractions sont regroupées ici, chacune développant un aspect des merveilles du corps humain (comme le fonctionnement du cerveau ou les mystères de la conception). **Body Wars**, qui simule une exploration de l'intérieur du corps, est assez récréatif *(déconseillé aux personnes souffrant de problèmes de dos, aux très jeunes enfants ou aux femmes enceintes)*. **Horizons** vous révèlera diverses scènes de la vie quotidienne au… XXIe s. **World of Motion** retrace l'histoire des moyens de transport animée par de nombreux automates, si réalistes qu'on les jurerait parfois vivants. **Journey into Imagination**. — C'est ici le royaume de l'imagination, de la créativité et de l'invention ; le **Magic Eye Theater** projette le film en 3D de George Lucas et Francis Coppola, avec Michael Jackson : *Captain EO (déconseillé aux tympans fragiles)*. **The Land**. — Trois attractions permettent de découvrir les rapports de l'homme avec la terre, à travers l'agriculture, les aliments (naturels ou cultivés) et l'art de les accomoder. **Harvest Tour** est une visite guidée et commentée *(durée 45 min, inscription obligatoire)* à travers des serres. **The Living Seas**. — C'est un gigantesque aquarium d'eau de mer où vivent près de 80 espèces, parmi lesquelles, requins, dauphins et poissons tropicaux. Un peu décevant. Une mention spéciale toutefois pour le magnifique « fontaine » extérieure qui recrée une grosse vague se fracassant sur des rochers.

● **2. — World Showcase**

Installé autour du lagon des Sept Mers (**Seven Seas Lagoon**), le World Showcase d'EPCOT fait songer à une exposition universelle permanente. Les pavillons du Canada, du Royaume-Uni, de la France, du Japon, de l'Italie, de l'Allemagne, de la Chine, du Mexique, du Maroc, de la Norvège et… des États-Unis font la ronde autour du lac. Chaque nation propose spectacle ou film, restaurant et bazar « typique ». Les pavillons sont bien sûr construits dans le style présumé du pays et aucun détail ne manque à la caricature. Ainsi, on sert dans le restaurant principal du quartier français les incontournables escargots de Bourgogne ! Avec sa place de marché et ses mariachis, le restaurant du pavillon mexicain, le *San Angel Inn,* est assez étonnant pour qu'on vienne y dîner un soir.

L'attraction proposée par la Norvège (**Maelström**) vaut d'être faite : c'est une balade mouvementée à bord d'un bateau viking qui traverse des contrées aussi nordiques que fantasmatiques (il n'y a presque plus d'attente à l'heure du dîner). Dans le pavillon américain des automates racontent l'aventure des pionniers entre 1700 et 1830. Pour le reste… mieux vaut ne pas avoir trop voyagé !

À signaler : l'original et assez exceptionnel feu d'artifice tiré en plein jour (**Surprise in the Skies**), ainsi qu'un impressionnant spectacle son et lumières (**Illuminations**) avec feux d'artifice, laser, musique et jeux d'eau. Les meilleurs points de vue se situent, au bord du lac, devant les pavillons mexicain, anglais, italien et allemand.

■ Disney MGM Studios Theme Park

Disney MGM Studios a ouvert ses portes en 1989. Imaginé sur le thème du cinéma, ce parc rassemble à la fois des attractions et de vrais studios de production ainsi que des décors qui servent réellement pour le tournage de films ou de feuilletons télévisés. Comme tous les autres parcs, il comprend plusieurs snacks, restaurants et boutiques, qui, tous, s'inspirent du 7e art et de la mythologie hollywoodienne. Chaque jour une « star » est invitée *(pour savoir qui est là aujourd'hui, renseignez-vous au* **Guest Services Building,** *à g. de l'entrée).*

Disney MGM Studios n'est pas le seul parc de ce genre. Installés plus près d'Orlando, on peut aussi visiter les **Universal Studios.***(→ Orlando).*

● **Hollywood Boulevard.** — Sur ce boulevard, qui prolonge l'entrée et qui ressemble à un décor de cinéma, déambulent des acteurs déguisés comme aux temps héroïques d'Hollywood (autrement dit : les années 40) et qui jouent leur rôle d'impresario, de starlette ou de vieux beau sur le retour. Ici et là, des musiciens interprètent des airs qui ont fait la célébrité d'Hollywood. Deux attractions : **Theater of the Stars** (un spectacle sur le thème du cinéma joué par Mickey, Pluto et autres personnages Disney) ainsi que **Chinese Theater** (un voyage-souvenir à travers divers films plus célèbres les uns que les autres).

● **Lakeside Circle.** — À g. de l'entrée du Théâtre chinois, **Super Star Television** fait découvrir au visiteur (qui est parfois enrôlé !) un plateau de télévision. Quant à **Monster Sound**

Show, il dévoile tout des effets sonores (des volontaires « aideront » les techniciens ; après le *show,* chacun peut s'amuser à modifier sa voix).

● **Backlot Annex.** — Installées derrière **Lakeside Circle** se trouvent deux attractions à ne pas manquer. La première, **Indiana Jones Epic Stunt Spectacular,** est une spectaculaire mise en scène de divers effets spéciaux. Certains spectateurs sont choisis pour servir d'« extras » ! *(Se renseigner sur les horaires au Guest Services).* La seconde : **Star Tours,** adaptée du film de George Lucas, *Star Wars,* propose une petite virée intergalactique à bord d'une navette spatiale commandée par un robot facétieux ! *(Cette attraction est déconseillée aux personnes souffrant du dos ou d'un problème cardiaque, aux très jeunes enfants et aux femmes enceintes.)*

● **Backstage Studio Tour.** — C'est le centre réel de production des Studios Disney que l'on peut visiter à bord d'un bus *(durée 30 mn)* et à pied (durée 60 mn). On ne voit pas les mêmes choses lors de ces deux visites. **Shuttle Tour,** la balade en bus, commence à Backstage Shuttle Station, sur la dr. du Théâtre chinois. Après une visite des ateliers de costumes et des décors de certaines séries télévisées bien connues des Américains, on a droit à une démonstration (très) impressionnante d'effets spéciaux simulant diverses catastrophes (Catastrophe Canyon). Inoubliable ! (On est parfois légèrement éclaboussé).
Walking Tour, la visite à pied, vous initie aux mystérieuses lois de la mécanique et de l'optique et vous permet de voir en avant-première certains extraits des prochains films Disney, etc.
À noter : près de la station de départ des bus, les **Muppets** donnent un mini-show qui plaît beaucoup aux enfants.

● **Studio Courtyard.** — Ceux qui s'intéressent aux films d'animation s'initieront ici aux arcanes du dessin animé depuis la conception du scénario jusqu'à l'élaboration des décors en passant par tous les autres processus de la création.

■ Les parcs secondaires

● **Discovery Island.** —Petite île située tout à côté du Magic Kingdom *(on y accède par bateau depuis tous les embarcadères de Bay Lake),* Discovery Island est un joli parc zoologique. On y voit beaucoup d'oiseaux (aigrettes, hérons, grues, toucans, etc.), quelques reptiles (dont les fameux alligators floridiens) ainsi que quelques mammifères, dans un décor de végétation tropicale. Une promenade agréable mais qui n'a rien d'exceptionnel.

● **Pleasure Island.** — Ouverte en 1989, cette île est un paradis réservé aux plaisirs nocturnes, version Disney, autrement dit : de bon aloi. Elle est ouverte 24 h/24 ; Mais si, avant 19 h, l'entrée est libre, cette « île des plaisirs » ne présente alors qu'un intérêt limité puisque seuls quelques restaurants sont ouverts. On peut toutefois déjeuner agréablement au *Portobello* qui sert des plats italiens, ou à la *Fireworks Factory* qui propose des spécialités au barbecue.

*Le **parking** (gratuit) est immense (et sombre, la nuit) : n'oubliez pas de noter le numéro de votre emplacement ! Pour tous renseignements ☎ 934 7781.*

Après 19 h, l'accès devient payant et interdit aux moins de 18 ans non accompagnés. Le prix d'entrée reste modeste si l'on sait qu'il donne accès (gratuitement) à six *night-clubs* :

— **Mannequins Dance Palace :** piste de danse tournante, effets spéciaux ; entrée réservée aux plus de 21 ans (pièce d'identité avec photo exigée) ;
— **XZFR** (prononcer « zephyr »), *Rock & Roll Beach Club* : rock classique des trente dernières années ;
— **Neon Armadillo Music Saloon :** de la bonne *country* et *blue grass music* dans une ambiance western ;
— **CAGE :** derniers tubes, climat « *destroy*, tendance métallisée » ; réservé aux plus de 21 ans (pièce d'identité avec photo exigée) ;
— **Adventurers Club :** ce club ressemble à un pub des années 20 ; toutes les 30 ou 40 mn a lieu un sketch de style comique troupier qui laissera de marbre ceux qui ne possèdent pas bien la langue américaine ;
— **Comedy Warehouse :** des *shows* pour rire, ou seulement sourire si on n'a pas tout compris...

Citons également la **Baton Rouge Lounge** installée sur le pont principal de l'*Empress Lily*, copie d'un bateau à aubes du Mississippi où l'on vient prendre un verre en écoutant de sirupeuses comédies musicales.

● **Typhoon Lagoon.** — Également ouvert en 1989, Typhoon Lagoon est un formidable complexe aquatique où tout est, bien sûr, rigoureusement artificiel : lagons, plages de sable blanc, vagues (de 2 m de haut), récifs de corail aux jolis poissons multicolores, forêt tropicale, geysers et autres bateaux échoués !

Les amateurs d'émotions nautiques glisseront sans hésiter sur les toboggans géants, s'adonneront *(en toute sécurité)* au *rafting* ou surferont sur les vagues turquoises avant de découvrir les fonds marins de **Shark Reef**, un vaste bassin d'eau de mer reconstituée, avec faune tropicale *(palmes et masque disponibles gratuitement ; matériel personnel de plongée interdit)*.

Mais on peut aussi tout simplement se relaxer au soleil ou faire une balade à bord d'un boudin pneumatique *(tube)* qu'on loue sur place. Les jeunes nageurs (de 2 à 5 ans) s'ébattent, en compagnie de leurs parents, dans une aire (à g. du grand bassin central) où tout est à leur mesure.

EN SAVOIR PLUS

Bibliographie

■ La découverte du continent

Dyson, John (Texte), **Christopher, Peter** (Photos): *Le Vrai Voyage de Christophe Colomb* (Lattès, 1991). Luxueusement illustré, ce livre tente de découvrir, par-delà les mythes et la légende, les véritables raisons qui ont poussé Christophe Colomb à se lancer sur la route du Nouveau Monde.

Houben, Heinrich H. : *Christophe Colomb, 1447-1506* (1935 ; Payot/Documents, 1992). L'homme qui découvrit l'Amérique, raconté sous toutes ses facettes : aventurier, grand navigateur génois mais aussi grand talent littéraire.

■ Le vieux Sud

Denuzière, Maurice : *Louisiane* (Lattès, 1984). Dans ce premier volume d'une trilogie, M. Denuzière retrace la vie d'une famille française et des créoles du Sud profond.
Bagatelle (Lattès, 1985) et *L'Adieu au Sud* (Denoël, 1987) constituent la suite de cette trilogie.

Faulkner, William : *Le Bruit et la fureur* (1929 ; Gallimard, 1972 ; Folio n° 162). Dans tous ses livres, Faulkner se plait à décrire un Sud maudit, comme entâché d'une faute originelle dont les personnages —du comté imaginaire de Yoknapatawpha— se savent inéluctablement condamnés à subir le châtiment. *Le Bruit et la fureur* n'échappe pas à cette atmosphère pesante de culpabilité et de folie, à cette sensation d'étouffement et de claustration accentuée par la construction très particulière du roman autour de quatre monologues. Une œuvre qui révolutionna l'écriture littéraire.

Mitchell, Margaret : *Autant en emporte le vent* (Gallimard, 1976 ; Folio n° 740, 741, 742). Le récit d'une passion flamboyante et une fresque de la ruine des riches plantations du Sud pendant la guerre de Sécession. Un best-seller mondial.
Faisant suite à ce récit : *Scarlett* (Belfond, 1991) d'**Alexandra Ripley**.

Stowe, Harriet B. : *La Case de l'oncle Tom* (1851 ; LGF, 1986 ; Le Livre de poche n° 6136). Un classique de la littérature enfantine dans lequel H.B. Stowe dénonce l'esclavage à travers les malheurs du « bon et brave » oncle Tom à la conquête de sa liberté.

Twain, Mark : *Huckleberry Finn* (1884 ; Stock, 1980). Un bonheur pour les enfants mais aussi pour les adultes. Ce chef-d'œuvre de M. Twain retrace les pérégrinations du jeune Huck à travers le Missouri, l'Illinois et l'Ohio, le long du fleuve Mississippi. Tout l'humour et la verve de ce très grand conteur qui, usant d'une langue savoureuse, met en scène des enfants pour mieux faire apparaître l'hypocrisie d'une certaine société américaine du XIXe s.

Du même auteur : *Les Aventures de Tom Sawyer* (J'ai lu, 1991).

Williams, Tennessee : *Un Tramway nommé désir*, 1944 ; *La Chatte sur un toit brûlant*, 1955 (LGF, 1982 ; Le Livre de poche n° 1051). Vilipendé par les puritains, T. Williams a produit une œuvre dont la densité et l'intensité le placent parmi les plus grands dramaturges américains. Ses personnages sont des êtres meurtris, désaxés, condamnés à se briser sur l'arête du réel et de la normalité sociale. C'est l'âme conflictuelle du Sud, sa nostalgie honteuse du faste perdu que T. Williams traduit dans la psychologie de Blanche, l'héroïne d'*Un Tramway nommé désir*.

Yourcenar, Marguerite : *Blues et Gospel* (Gallimard, 1984). Des extraits de gospels, spirituals et blues illustrés par de très belles photographies choisies par l'auteur pour évoquer tant la douleur et la révolte des Noirs du vieux Sud que leur joie.

■ Les Noirs américains

Baldwin, James : *Un Autre Pays* (Gallimard, 1989 ; Folio n°2082). Un roman très émouvant, construit autour du suicide de Rufus, jeune musicien de Harlem trop las de devoir affronter tous les jours la difficulté d'être noir à New York. Par l'auteur d'un essai qui fit grand bruit dans les années 60 : *La Prochaine fois, le feu*, virulente condamnation de l'attitude de la société américaine envers les Noirs.

Caldwell, Erskine P. : *À la recherche de Bisco* (Belfond, 1990). E.P. Caldwell fait le récit de son périple à travers le Sud-Ouest des USA à la recherche d'un ami d'enfance noir, et évoque le problème du racisme.

Du même auteur : *Le Petit Arpent du Bon Dieu* (Gallimard, 1983 ; Folio n°419).

Haley, Alex : *Racines* (J'ai Lu, 1979). L'histoire bouleversante d'une famille noire américaine, de l'esclave à l'homme libre.

Morrison, Tony : *Jazz* ; *Playing in the Dark* (Bourgois, 1993).

Oates, Stephen B. : *Martin Luther King* (Le Centurion, 1985). L'auteur dévoile la personnalité exceptionnelle du pasteur d'Atlanta et retrace les grandes étapes de sa lutte pour la dignité de l'homme noir : « I have a dream... »

■ La société américaine

● **Jusqu'au krach de 29**

Collier, Peter ; Horowitz, David : *Une Dynastie américaine : les Rockefeller* (Seuil, 1976). Une passionnante chronique de la dynastie des Rockefeller, à jamais symbole du rêve américain.

Dos Passos, John : *Manhattan Transfer* (1925 ; Gallimard, 1976 ; Folio n°825). Un tableau peu optimiste de la société américaine entre 1900 et 1925 : l'époque du boom économique et de la prohibition.

USA : trilogie comprenant *42ᵉ Parallèle* (Gallimard, 1986),*1919* (épuisé) et *La Grosse Galette* (Gallimard, 1986). Dos Passos y critique violemment le capitalisme américain par la mise en scène de personnages caractéristiques de « l'American way of life ». Un travail original mêlant au récit publicités, chansons...

Fitzgerald, Francis S. : *Gatsby le Magnifique* (1925 ; L'Âge d'Homme, 1991). C'est dans l'atmosphère artificielle de la haute société de la côte Est à l'époque des années folles que se joue le drame de Gatsby, petit gangster devenu riche.

James, Henry : *Les Bostoniennes* (1885 ; Denoël, 1955). Henry James attaque avec férocité et ironie le féminisme dont il moque l'effervescence qu'il estime dangereuse pour l'Amérique. Un thème d'une extrême actualité.

Kaspi, André : *La Vie quotidienne aux États-Unis au temps de la prospérité : 1919-1929* (Hachette, 1980). Un ouvrage facile à consulter sur les USA des années 20, où sont traités des thèmes classiques et d'autres qui le sont moins : prohibition, essor d'Hollywood, immigration...

Lewis, Sinclair : *Babbitt* (1922 ; LGF, 1984 ; Le Livre de poche n° 3038). À travers le portrait d'un petit homme d'affaire dans une ville du Middle West, la dénonciation satirique du conformisme de « l'American way of life ». Par l'humoriste le plus caustique des années 20.

Tocqueville, Alexis de : *De la démocratie en Amérique* (1835 ; Bordas, 1973). Une réflexion classique sur le lien entre démocratie et révolution.

● **De 1929 aux années 60**

Don De Lillo : *Libra* (Stock, 1988). Comment faire de l'assassinat de John Kennedy un roman policier à suspense ? C'est le tour de force auquel parvient ce jeune auteur talentueux, avec un art consommé du portrait pittoresque : strip-teaseuses, mafiosi, agents secrets... tous sont là, admirablement vivants dans des dialogues taillés sur mesure. Sans oublier la CIA, le KGB, le FBI...
Du même auteur : *Americana* (Actes Sud, 1992)

Farrel, James T. : *La Jeunesse de Studs Lonigan* (Gallimard, 1950). Pendant la période troublée des années 30, le portrait de toute une génération à travers l'histoire d'un jeune garçon des bas-quartiers de Chicago, désœuvré, instable et plein d'admiration pour la vie dangereuse et brutale des gangsters. Par l'un des plus grands auteurs juifs américains.

Kerouac, Jack : *Sur la route* (Gallimard, 1976 ; Folio n° 766). Sur fond de jazz, un livre-phare de la « Beat Generation » qui traite des déçus du rêve américain en quête de nouveaux espaces et des valeurs d'antan ; drogue et alcool feront partie du voyage.

Labro, Philippe : *L'Étudiant étranger* (Gallimard, 1986). La rencontre d'un jeune Français avec des College Boys : une vision très réaliste des différents conflits qui agitent l'Amérique des années 50 et de la vie sur les campus américains. Un best-seller.

Lurie, Alison : *La Ville de nulle part* (Rivages, 1990). À travers la déchirure d'un couple, A. Lurie dépeint avec ironie deux mentalités qui s'affrontent aux USA dans les années 60 : l'une traditionnelle, l'autre libérale.
Conflits de famille (Rivages, 1991). Les querelles sanglantes et comiques de la famille Tate sont le prétexte d'une satire des années 60/70.
La Vérité sur Lorine Jones (Rivages, 1990). Un jeune écrivain retrace la vie d'une femme peintre de l'après-guerre : un voyage dans les milieux artistiques de la côte Est.

Miller, Henry : *Aller-retour New York* (Buchet-Chastel, 1972). Miller procède, sous forme de lettre, à un réquisitoire féroce contre New York et les USA. Tout y passe : la prohibition, les gangsters, les artistes...

Salinger, Jerome D. : *L'Attrape-cœurs* (Le Livre de poche, 1967). « C'est l'histoire du p'tit Holden Caufield qui galère à New York », voilà pour le ton du roman de Salinger qui décrit le mal de vivre des jeunes dans la « Big Apple ».

Selby, Hubert Jr : *Last Exit to Brooklyn* (Albin Michel, 1989). Un tableau pessimiste et émouvant du New York des années 50, où se débattent les laissés-pour-compte d'une société sans pitié.

Steinbeck, John : *Les Raisins de la colère* (1939 ; Gallimard, 1982 ; Folio n° 83). Durant la grande crise des années 30, l'épopée d'une famille de Okies dépossédée de ses terres, en route vers la Californie, oasis de prospérité et rêve de bonheur... et la désillusion, l'exploitation de cette main-d'œuvre par les grands propriétaires. Une superbe fresque.

● **Aujourd'hui**

Fohlen, Claude : *Les États-Unis au XXᵉ s.* (Aubier, 1988). Peut-on parler d'hégémonie américaine ? L'auteur répond en partie à cette question en retraçant l'histoire et l'économie d'un pays aux influences multiples. Il s'attache essentiellement aux événements marquants : le krach de Wall Street, l'affaire du Watergate, la guerre du Viêt-nam.

Kaspi, André : *Les Grandes Dates des États-Unis.* (Larousse, 1989). De la découverte du continent nord-américain à l'expédition de la navette Discovery : une chronologie efficace complétée de biographies et de données chiffrées.

Pierre, Henri : *La Vie quotidienne à la Maison Blanche* (Hachette, 1990). Voici décrite dans cet ouvrage la Maison Blanche où se livre une impitoyable course au pouvoir, orchestrée par des médias dont le rôle justifie pleinement le titre de « quatrième pouvoir ».

Royot, Daniel ; Béranger, Jean ; Carlet, Yves ; Vanderbilt, Kermit : *Anthologie de la littérature américaine* (PUF, 1991). Par des universitaires français et américains qui proposent un panorama de la littérature américaine depuis l'époque des pionniers jusqu'à nos jours. Avec de larges extraits.

■ New York

Auster, Paul : *Trilogie new-yorkaise* (Actes Sud, 1991).

Charyn, Jerome : *Metropolis* (Presses de la Renaissance, 1990). Une extraordinaire promenade dans New York, mêlant passé et présent, qui décrit une mosaïque urbaine foisonnante et contrastée.
Du même auteur : *Frog* (Stock, 1987) ; *Kermesse à Manhattan* (Gallimard, 1977) ; *New York avec Jerome Charyn* (Autrement, 1988).

Goldberger, Paul : *The City Observed : New York* (Vintage Books, 1979). Une promenade architecturale à travers la ville, merveilleusement bien commentée et expliquée.

Henry, O. : *New York tic tac* (Stock, 1987). Une succession de nouvelles qui mettent en scène New York et ses habitant à la fin du siècle dernier.

Muhlstein, Anka : *Manhattan* (Grasset, 1986). L'histoire de la ville, contée avec brio ; un livre qui permet de comprendre la croissance et le développement de la métropole.

Willensky E. ; White N. : *AIA Guide to New York City* (HBJ Book, 1988). Le guide d'architecture le plus complet et le plus riche sur la ville.

Wolfe, Tom : *Le Bûcher des Vanités* (LGF, 1990 ; Le Livre de poche n° 6788). La vie d'un riche *golden boy* est bouleversée le soir où il renverse un jeune Noir dans le Bronx. Dans ce tableau réaliste et incisif de la société new-yorkaise, Tom Wolfe décrit les dessous de la finance et de la presse.

■ Hollywood et le Jazz : deux symboles des USA

Hecht, Ben : *Je hais les acteurs* (10/18, 1983, n° 1530). Après *Scarface, les Enchaînés...*, Ben Hecht dresse le portrait satirique du monde hollywoodien à travers une intrigue policière admirablement menée.

Bosséno, Christian-M. ; Gerstenkorn, Jacques : *Hollywood, l'usine à rêves* (Découvertes Gallimard, 1992). Un livre sur l'épopée du cinéma américain et les stars de Hollywood, agrémenté de très belles photos, de témoignages et de documents.

Billard, François : *La Vie quotidienne des jazzmen américains jusqu'aux années 50* (Hachette, 1989). Avec humour et précision ce livre retrace les grands moments de l'histoire du jazz. On y rencontre des noms célèbres tels que : Louis Armstrong, Billie Holiday ou encore Charlie Parker. Une époque et un milieu revivent ici : les fêtes torrides, l'alcool, l'arrivée du microsillon...

À la suite de chaque nom de localité, on trouvera, entre parenthèses, l'indication abrégée de l'État où elle se trouve.

Alabama : AL
Alaska : AK
Arizona : AZ
Arkansas : AR
California (Californie) : CA
Colorado : CO
Connecticut : CT
Delaware : DE
Florida (Floride) : FL
Georgia (Géorgie) : GA
Hawaii : HI
Idaho : ID
Illinois : IL
Indiana : IN
Iowa : IA
Kansas : KS
Kentucky : KY
Louisiana (Louisiane) : LA
Maine : ME
Maryland : MD
Massachusetts : MA
Michigan : MI
Minnesota : MN
Mississippi : MS
Missouri : MO
Montana : MT

Nebraska : NE
Nevada : NV
New Hampshire : NH
New Jersey : NJ
New Mexico (Nouveau Mexique) : NM
New York : NY
North Carolina (Caroline du Nord) : NC
North Dakota (Dakota du Nord) : ND
Ohio : OH
Oklahoma : OK
Oregon : OR
Pennsylvania (Pennsylvanie) : PA
Rhode Island : RI
South Carolina (Caroline du Sud) : SC
South Dakota (Dakota du Sud) : SD
Tennessee : TN
Texas : TX
Utah : UT
Vermont : VT
Virginia (Virginie) : VA
Washington : WA
West Virginia (Virginie occidentale) : WV
Wisconsin : WI
Wyoming : WY
District of Columbia : DC

Carnet d'adresses

ACADIA NATIONAL PARK (ME)

ℹ️ **Acadia National Park,** Box 177, Bar Harbor (☎ 288 3338).

✉️ 207

Hôtels

Bar Harbor

★★Holiday Inn-Bar Harbor Regency, 123, Eden St. (☎ 288 9723 fax 288 9723, ext 527), 217 ch. et des suites 🏊 🖂 ✓ Quelques ch. avec balcons. Face à l'océan.

Northeast Harbor

★★Asticou Inn, sur la ME-3, env. 2 km au N.-O. (☎ 276 3344), 51 ch. et 23 suites 🏊 🖂 ✓ Petit déjeuner et dîner inclus dans le prix. Luxueux.

Southwest Harbor

★★Moorings, Box 744, Shore Rd (☎ 244 5523), 10 ch. et des suites 🏊 🖂 Au bord de l'océan. Plage privée. Ch. confortables.

Restaurants

Bar Harbor

★★Duffy's Quarterdeck, 1, Main St. (☎ 288 5292), ouv. 7 h-22 h, f. nov.-avr. Spéc. : homard, crêpe à la Reine, sole Marguery hollandaise au suprême.

Northeast Harbor

★Docksider, Box 1010, Sea St. (☎ 276 3965), ouv. 11 h-21 h, f. 1er lun. de sept. et mi-oct.-mi-mai. Décor rustique. Spéc. : fruits de mer.

Southwest Harbor

★Seawall Dining Room, Seawall Rd (☎ 244 3020), ouv. 11 h 30-21 h, f. dernier week-end de déc. Spéc. : fruits de mer et excellents desserts.

Campings : *Blackwoods,* à 4 mi/6,5 km au S., ouv. t.a. (☎ 288 3274) ● ***Seawall,*** près du phare de Bar Harbor (☎ 244 3600).

Excursions et visites guidées : *Bar Harbor Trolley,* tours en trolley de Bar Harbor et du parc national (rens. ☎ 288 5741) ● ***Acadia Boat Tours & Charters,*** West St., Bar Harbor. Tours en bateau. Pêche au homard en été (rens. ☎ 288 9505) ● ***Blackjack,*** Town Dock, N.-E. Harbor. Tours en bateau (rens. ☎ 276 5043).

ALBANY (NY)

ℹ️ **The Albany County Convention & Visitors Bureau,** 52, S. Pearl St. (☎ 434 1217).

☎ 518

Hôtels

★★★Desmond Americana, 660, Albany Shaker Rd (☎ 869 8100 fax 869 7659), 318 ch. et des suites ✗ ♿ 🏊 🖂 Quelques ch. avec patios. Confortable.
★★Hilton, Ten Eyck Plaza (☎ 462 6611 fax 462 2901), 387 ch. et des suites 🎛️ ✗ ♿ 🏊 🖂 Service de qualité. Galerie marchande dans l'hôtel.

Restaurants

★★★Nicole's Bistrot at l'Auberge, 351, Broadway (☎ 465 1111), ouv. 11 h 30-14 h 30 et 17 h 30-23 h, sam. à partir de 17 h 30, f. dim. et 25 déc. Spéc. : gigot d'agneau, poisson grillé.
★★Jack's Oyster House, 42, State St. (☎ 465 8854), ouv. 11 h 30-22 h. Institution

familiale depuis 1913. Le décor retrace l'histoire d'Albany. Spéc. aux fruits de mer.

Chemin de fer : *Amtrak,* East St., Rensselaer (rens. ☎ 800/872 7245).

Autocar : *Greyhound,* 34, Hamilton St. (rens. ☎ 434 0121) ; pour New York, Montréal, Boston, Syracuse ● *Trailways,* 360, Broadway St. (rens. ☎436 9651) ; pour Lake George, Lake Placid et Tupper Lake.

Transports en commun : *Capitol District Transit Authority (CDTA),* service de bus qui dessert Albany, Troy et Schenectady (rens. ☎ 482 8822).

Excursions et visites guidées : *Dutch Apple Cruises,* Broadway at Quay. Tours en bateau sur Hudson River. Rens. au 1666, Julianne Dr, Castleton (☎ 463 0220).

ALLENTOWN (PA)

ⓘ **The Lehigh Valley Convention & Visitors Bureau,** P.O. Box 20785, Lehigh Valley (☎ 266 0560 ou 882 9200).

☎ 215

Hôtels

**Comfort Suites, 3712, Hamilton Blvd. (☎ 437 9100 fax 437 0221), 122 suites ✘ ⅙ ⊗ Luxueux. Suites spacieuses, chacune équipée d'un four à micro-ondes, d'un réfrigérateur et de la TV câblée.
**Hamilton Plaza, 4th & Hamilton Sts (☎ 437 9876 fax 437 9853), 100 ch. ✘ Situé dans le centre ville.

Restaurants

● ******Ballietsville Inn,** 60, Main St., Ballietsville (☎ 799 2435), ouv. 17 h 30-22 h, f. dim. et jours fériés. Cuisine française dans une auberge de campagne. Spéc. : sole, agneau, gibier.
***Appennino, 3074, Willow St. (☎ 799 2727), ouv. 11 h 30-14 h 30 et 17 h 30-22 h, sam. à partir de 17 h 30, dim. 17 h-21 h, f. jours fériés. Cuisine italienne. Spéc. : veau *vadolstana,* filets de soles au poivre vert et aux crevettes.

Aéroport : *A-B-E International Airport,* Lehigh Valley, PA 18103 (rens. ☎ 266 6000).

Compagnies aériennes : *American Airlines* (☎ 521 8900) ● *USAir* (☎ 395 6501).

Taxis : *Quick Service Taxi* (☎ 434 8132).

Locations de voitures : *Budget* (☎ 433 0155) ● *Thrifty Car Rental* (☎ 264 4588).

Excursions et visites guidées : *Personal Tours,* 2303, Herman LA. (rens. ☎ 395 5451). Tours en bus de Lehigh Valley.

Manifestations : Août-sept. *Great Allentown Fair* (rens. ☎ 435-SHOW). Sorte de foire avec des expositions sur l'agriculture et l'industrie de la région.

ANNAPOLIS (MD)

ⓘ **The Annapolis & Anne Arundel County Conference & Visitors Bureau,** 1, Annapolis St. (☎ 280 0445).

☎ 301

Hôtels

***Governor Calvert House, 58, State Circle (☎ 263 2641 fax 268 3813), 51 ch. et des suites ⅙ ⊗ ⊡ ⌁ ⌁ Ch. avec patios ou balcons dans une demeure du XVIIIe s.
***Ramada Inn, 173, Jennifer Rd (☎ 266 3131 fax 266 6247), 197 ch. et des suites ✘ ⅙ ⊗ ⊡ Toutes les facilités sur place. Pratique.
**Maryland Inn, 16, Church Circle & Main St. (☎ 263 2641 fax 268 3813), 44 ch. ⊗ ⊡ ⌁ Charmante auberge des années 1700.
*Thr-Rift Inn, 2542, Riva Rd (☎ 224 2800), 150 ch. A 3 mi/5 km de la ville. Rest. à proximité. Confortable.

Restaurants

***Rustic Inn, 1803, West St. (☎ 263 2626), ouv. 17 h-22 h, f. jours fériés ⅙ Spéc. : fruits de mer, veau, bœuf.

★★Middleton Tavern Oyster Bar & Restaurant, 2, Market Place (☎ 263 3323), ouv. 11 h30-14 h, sam. à partir de 11 h, dim. à partir de 10 h. Cuisine traditionnelle du Maryland. Spéc. : huîtres, crabes.

★★O'Leary's, 310, 3rd St. (☎ 263 0884), ouv. 17 h 30-22 h, f. Thanksgiving (4e jeu. de nov.), 24 et 25 déc. ⅋ Le meilleur restaurant de fruits de mer d'Annapolis. De très bons desserts aussi.

★★Harbour House, 87, Prince George St. (☎ 268 0771), ouv. 11 h 30-22 h, f. Thanksgiving, 1er jan. et 25 déc. ⅋ Cuisine italienne pour cette institution familiale.

Campings : *Capitol KOA Campground,* 768, Cecil Ave., Millersville. A 11 mi/17 km d'Annapolis.

Téléphones utiles : urgences (☎ 911) ● police (☎ 268 9000) ● hôpital : *Anne Arundel General Hospital* (☎ 267 1000).

Taxis : *City Taxi* (☎ 266 3575).

Locations de voitures : *Budget Rent a Car,* 2002, West St. (☎ 266 5030) ou 7145, Ritchie Hwy. (☎ 766 9371).

Autocar : *Greyhound/Trailways* (rens. ☎ 565 2662).

Transports en commun : *The Annapolis Department of Public Transportation,* 160, Duke of Gloucester St., service de bus (rens. ☎ 263 7964) ● *Mass Transit Transportation,* liaison en bus entre Annapolis et Baltimore.

Excursions et visites guidées : *Historic Annapolis Tours Inc.* (rens. ☎ 267 3149) ● *Three Centuries Tours* (rens. ☎ 263 5401).

Manifestations : Fin août-début oct. *Maryland Renaissance Festival,* reconstruction d'un village anglais du XVIe s. avec la participation de quelque 200 personnes pour l'occasion (rens. ☎ 266 7304) ● **1er lun. de sept.** *Maryland Seafood Festival,* 1, Annapolis St., nombreux divertissements, artisanat, manifestations théâtrales (rens. ☎ 268 7682) ● **Début oct.** *US Sailboat Show,* la plus importante exposition de voiliers au monde (rens. ☎ 268 8828) ● **Dernier week-end d'oct.** *Chesapeake Appreciation Days,* célébration honorant les marins de la Chesapeake Bay (rens. ☎ 269 5570).

ASHEVILLE (NC)

ℹ️ **The Visitor Information Center,** 151, Haywood St. (☎ 258 6111) ● **The Asheville Convention & Visitors Bureau,** Box 1010, Asheville 28802 (☎ 800/257 1300).

☎ 704

Hôtels

★★★★Grove Park Inn & Country Club, 290, Macon Ave. (☎ 252 2711 fax 253 7053), 510 ch. et des suites 🖩 ✖ ⅋ ⅋ 🖃 ⅋ ⅃ Hôtel de grand luxe. De nombreuses personnalités y ont séjourné ; parmi elles, le célèbre romancier F. Scott Fitzgerald.

★★★Great Smokies Hilton, 1, Hilton Dr (☎ 254 3211 fax 254 1603), 156 ch. ✖ ⅋ ⅋ 🖃 ⅋ ⅃ Superbe hôtel. Très bien équipé.

★★Cedar Crest, 674, Biltmore Ave. (☎ 252 1389), 10 ch. et des suites ⅋ Résidence privée au siècle dernier, ce magnifique cottage est aujourd'hui un Bed & Breakfast.

★Best Western, 501, Tunnel Rd (☎ 298 5562 fax 298 5002), 90 ch. 🖃 Ch. confortables.

Restaurants

★★Mc Guffey's, 13, Kenilworth Knoll (☎ 252 0956), ouv. 11 h-14 h, dim. jusqu'à 16 h, f. Thanksgiving (4e jeu. de nov.) et 25 déc. ⅋ Spéc. : fruits de mer, bœuf, poulet, pâtes fraîches.

★★Greenery, 148, Tunnel Rd (☎ 253 2809), ouv. 11 h 30-14 h, sam.-lun. à partir de 17 h 30, f. 1er jan. et 25 déc. Spéc. : *Maryland crabcakes* (sorte de feuilleté au crabe).

★Fine Friends, 946, Merrimon Ave. (☎ 253 6649), ouv. 11 h 30-22 h, f. Thanksgiving (4e jeu. de nov.) et 25 déc. Spéc. : fruits de mer, bœuf.

Campings : *Bear Creek RV Park & Campground,* 81, S Bear Creek Rd (☎ 253 0798), ouv. t.a. Le plus proche de la ville. Piscine, douches, électricité. 35 sites.

Téléphones utiles : urgences (☎ 911) ● hôpital : *Memorial Mission Hospital,* 509, Biltmore Ave. (☎ 255 4000).

Aéroport : *The Asheville Regional Airport* est desservi par les compagnies aériennes suivantes : *American, Atlantic Southeast, Com Air, Delta, United* et *USAir.*

Autocar : *Greyhound/Trailways* (rens. ☎ 253 5353). Le terminal se trouve à env. 2 mi/4 km du centre ville.

Transports en commun : *Asheville Transit,* 360, W. Haywood St. Service de bus pour la ville lun.-sam. 5 h 30-19 h 30 (un bus toutes les 1/2 h).

Excursions et visites guidées : Des tours sont organisés par les agences locales suivantes : *Travel Professionals Inc.* (rens. ☎ 298 3438) ● *Western Carolina Tours* (rens. ☎ 254 4603) ● *Young Transportation Tours* (rens. ☎ 800/622 5444).

Manifestations : 3e week-end de juil. et d'oct. *Southern Highland Handicraft Guild Fair,* Civic Center. Plus de 175 artisans venus des 9 Etats du Sud exposent leurs travaux ● **Début août.** *World Gee Haw Whimmy Diddle Competition,* Folk Art Center, compétitions, musique, danse.

ATLANTA (GA)

ⓘ Atlanta Visitors & Conventions Bureau Information Center, 231, Peachtree Center Mall et deux autres bureaux (☎ 222 6688).

☎ 404

Hôtels

Buckhead/Lenox Square

★★★★*J.W. Marriott at Lenox,* 3300, Lenox Rd (☎ 262-3344 fax 262-8603), 371 ch. Si vous avez à faire dans cette partie de la ville, cet hôtel de luxe propose des ch. et un service de qualité, dans l'atmosphère des palaces américains modernes. Tarif week-end attrayant, lorsque les hommes d'affaires ont quitté l'hôtel.

Centre-ville

★★★★*Ritz Carlton Downtown,* 181, Peachtree St. (☎ 659-0400 fax 688-0400), 447 ch. ▦ ✗ ᕝ ⊘ ▱ Hôtel cossu, bien situé au centre de la ville, qui possède une atmosphère "vieille Europe" que l'on apprécie volontiers si l'on est las des grands hôtels modernes. Service attentif et confort de grande classe. Tarif week-end particulièrement intéressant, qui met ce palace à la portée de bourses (presque) étudiantes.

★★*Days Inn*, 300, Spring St. (☎ 523-1144 fax 577-8495), 262 ch. ▦ ✗ ᕝ ▱ Hôtel sans histoire, mais qui par sa situation centrale et ses prix très modérés constitue une bonne étape pour visiter commodément la ville. D'autres hôtels de la même chaîne, offrant les mêmes performances qualité/prix, existent près de l'aéroport (Days Inn Atlanta Airport) et dans le quartier de Lenox Buckhead (Days Inn Lenox Buckhead). Réductions de prix possibles pour groupes, week-end, en dehors des périodes de convention et expositions.

Downtown

★★★★*Marriott Marquis,* 265, Peachtree Center Ave. (général ☎ 521-0000 réserv. 586-6121, fax 586-6029), 1674 ch. ▦ ✗ ᕝ ⊘ ▱ Cet hôtel récent (1988) jouit d'une architecture remarquable, qui en fait un monument fréquemment visité. Confort de classe, en harmonie avec le cadre. Situation centrale et commode.

★★*Comfort Inn,* 101, International Blvd (☎ 524-5555 fax 221-0702), 260 ch. ▦ ✗ ᕝ ▱ Cet hôtel très moderne vaut surtout par ses prix raisonnables, sa situation en centre ville et son parking gardé. Cadre plaisant mais banal, c'est un bon point de chute pour visiter la ville. Bar avec écran géant pour les jours de championnats de base-ball.

Midtown

****Sheraton Colony Square Hotel, Peachtree at 14th St., près du musée (☎ 892-6000 fax 872-9122), 462 ch. ▦ ✘ ⟡ ✿ ▭ Très bien situé, au cœur de la ville active et de la ville culturelle, cet hôtel offre d'excellentes prestations dans un cadre distingué et de bon aloi. Piscine extérieure.

***Wyndham Hotel-Midtown Atlanta, 125, 10th St., (☎ 873-4800 fax 872-7377), 191 ch. ▦ ✘ ⟡ ✿ ▭ Cet hôtel aux prestations tout à fait correctes vaut surtout par sa situation et par un très bon rapport qualité/prix.

Bed & Breakfast Atlanta, 1801, Piedmont Ave., suite 208 Atlanta, GA 30324 (☎ 875-0525). Organisation qui centralise des offres de Bed & Breakfast dans Atlanta et sa région : plus de 100 adresses disponibles. Réserv. aussi pour de petits hôtels.

Restaurants

***Riviera, 519 E. Paces Ferry Rd (☎ 262-7112). Le chef français Jean Banchet propose une cuisine méditerranéenne inventive : couscous au pigeon, terrine de légumes grillés, thon au cinq poivres. Réserv. conseillée.

***Canoe, 4199 Paces Ferry Rd (☎ 770-432 2663). En dehors de la ville, sur le fleuve Cha Hahoochee. Rôti de porc avec polenta et gorgonzola, ravioli au fromage de chèvre. Réserv. conseillée.

***The Imperial Fez Moroccan Restaurant, 2285, N.-E. Peachtree St., suite 102 (☎ 351-0850). Cuisine marocaine authentique et savoureuse, servie dans un grand décor hollywoodien, avec grands efforts de musique, danses du ventre, etc. Amusant, si vous êtes d'humeur kitsch !

**Copenhill Cafe, 1, Copenhill Ave. (☎ 420-5136). Situé dans le Jimmy Carter Presidential Center, self-service sans façons, mais qui permet de déjeuner sur une terrasse-patio dominant tout le centre d'Atlanta. f. le soir.

**Mary Mac's Tea Room, 224, Ponce de Leon St. (☎ 876-6604). Depuis longtemps, ce rest. propose une cuisine du Sud respectueuse des traditions de la Géorgie (son poulet frit est renommé), ce qui explique son succès auprès des autochtones et des étudiants de la proche et célèbre *Georgia Tech*. Plats épicés traditionnels, réserv. souhaitable, prix très modérés.

**Nava, 3060 Peachtree Rd (☎ 240-1984). Décor et cuisine Southwestern : agneau aux poivrons rouges, cailles au miel et au citron. Réserv. conseillée.

*Dante's Down the Hatch, 3380 Peachtree Rd (☎ 577-1800). Fondue au son d'un bon jazz.

Bars : *Dirty Al's Saloon,* 1402, N. side Dr (☎ 351-9504). Spécial pour les amateurs de sports, qui peuvent supporter leurs équipes favorites grâce à des téléviseurs reliés par satellites aux chaînes sportives de tout le pays. Ambiance garantie les soirs de grands championnats. Non sportifs s'abstenir !

Téléphones utiles : pompiers, ambulances, police (☎ 911) ● police (☎ 658-6600) ● incendie (☎ 659-2121) ● médecin (☎ 778-7744) ● dentiste (☎ 636-7553).

Aéroport : *Atlanta Hartsfield International Airport,* à 18 km de la ville (rens. internationaux ☎ 530-2081, inf. générales ☎ 530-2100). Nombreux services de bus à partir de l'aéroport v. la ville et les environs. Prix moyen du taxi v. le centre-ville : $ 20 à $ 25.

Compagnies aériennes : *Air France,* pas d'escale à Atlanta (N° vert ☎ 800/247-9056) ● *American Airlines,* 3393, Peachtree Rd (☎ 800/433-7300) ● *Continental Airlines,* bureau à l'aéroport (☎ 800/231-0856), pour les États-Unis et le Mexique (☎ 436-3300) ● *Delta Airlines,* nombreux bureaux dans Atlanta, et notamment : 3393, Peachtree Rd, Lenox Center (☎ 765-5000).

Locations de voitures : *Avis,* 143, N.-E. Courtland St. (☎ 659-4814) ● *Hertz,* 202, N.-E. Courtland St. (☎ N° vert 800/654-3131) et à l'aéroport (☎ 530-2925) ● *Budget,* 140, N.-E. Courtland St. (☎ 530-3000 ou N° vert 800/527-0700) ● *National Car Rental,* à l'aéroport (☎ 530-2800 et N° vert 800/227-7368).

Transports en commun : Dans une ville aussi tentaculaire qu'Atlanta, dont le développement a été extrêmement rapide, le réseau de transports en commun (MARTA) ne peut être aussi dense que dans une métropole européenne ; aussi est-il préférable d'utiliser une voiture ou le taxi. Toutefois les principaux centres (affaires, commerces, culture) sont bien desservis par le MARTA, qui groupe le métro et le réseau d'autobus. La principale ligne de métro, N.-S., mène de l'aéroport au centre ville, Midton et Lenox Sq. *Marta,* 2424, N.-E. Piedmont Rd, (☎ 848-4711 ou 848-5000). Il existe une carte hebdomadaire, qui permet d'utiliser le réseau pendant 1 sem.

Taxis : *Cheker* (☎ 351-1111).

Bus : *Greyhound,* 81, International Blvd. (☎ 584-1749).

Chemins de fer : *Amtrak,* 1688, N.-E. Peachtree Rd (☎ 872-9815).

Shopping : Trois grands shopping centers, qui groupent de nombreux commerces de détails (en particulier pour les vêtements et l'habillement dont Atlanta est un centre très important) et tous les principaux grands magasins (Saks 5th Ave., Macy's', etc.) ● *Phipps Plaza,* 3500 Peachtree Rd (☎ 362-0992). Saks Fifth Avenue, Parisian, Lord § Taylor, Tiffany et des salles de cinéma ● *Lenox Sq.,* 3393, N.-E. Peachtree Rd, Buckhead (☎ 233-6767). Plus de 200 magasins, dont Macy's, Neiman Marcus, Rich's et de nombreux rest., bars ● *Perimeter Mall,* 4400, N.-E. Asford-Dunwoody Rd at I-285 (☎ 394-4270). Au N. de la ville, à env. 15 km. 189 boutiques et commerces, ouv. t.l.j. avec les grands noms de la distribution de luxe américaine.

ATLANTIC CITY (NJ)

ⓘ **Public Relations Visitors Bureau,** 2308, Pacific Ave. (☎ 348 7044), ouv. lun-ven. 9 h-16 h 30.

☎ 609

Hôtels

★★★★★*Trump Taj Mahal Casino Resort,* Atlantic Ocean & Boardwalk (☎ 449 1000 fax 449 6386), 1 250 ch. ▦ ✕ ⌷ ⌷ ⤳ ♥ *Pharaonique Complexe Casino,* le plus grand jamais construit au monde, logé dans un gratte-ciel de 42 étages. Il comprend salles de jeux, rest., dancing, un club de remise en forme, bien nécessaire lorsqu'on y a passé la nuit. Le tout est l'œuvre du fameux homme d'affaires Donald Trump... dont il a été le chant du cygne, car il est aujourd'hui (relativement) ruiné.

★★★★★*Resorts International Casino Hotel,* Boardwalk & N. Carolina Ave. (☎ 340 6030), 686 ch ▦ ✕ ♿ ⌷ ⤳ Salle de jeux, et toutes sortes de distractions dans cet hôtel casino aux ch. particulièrement bien étudiées. Salles de spectacles où se donnent des revues à paillettes dans le plus pur style de Las Vegas.

★★★★★*Trump Castle Hotel and Casino,* Huron Ave. & Brigantine Blvd on the Marina (☎ 441 2000), 605 ch. et 99 suites de grand luxe ▦ ✕ ⊛ ⌷ ⤳ Donald Trump a encore frappé ! Le complexe est lui aussi étonnant, avec une vue splendide sur la Brigantine Bay (une marina ultra-moderne). Salles de spectacles, salles de gym. suréquipées et bien entendu salles de jeux immenses.

★★★*Barbizon Catalina Hotel,* 140-154, S. N. Carolina Ave. (☎ 348 3137), 192 ch. ▦ ⌷ Motel raisonnable et bien situé en face du *Resorts International Casino Hotel* et près de la plage.

★★*Casino Beach,* 154, S. Kentucky Ave. (☎ 348 4000), 67 ch. ⌷ Petit hôtel, bien situé dans la zone des casinos et qui se recommande pour ses prix modestes.

★*Dunes Motel,* 2819, Pacific Ave. (☎ 344 5271), 35 ch. ⌷ Agréable petit motel, qui n'est pas loin du centre des salles de jeux.

Restaurants

Chacun des grands complexes casinos-hôtels possède plusieurs rest., souvent plus extravagants les uns que les autres, en termes de décoration et d'ambiance (sinon de cuisine).

Dock's Oyster House, 2405, Atlantic Ave. (☎ 345 0092). Spéc. de la mer dans ce rest. qui est l'une des traditions d'Atlantic City. Les Dougherty, propriétaires des lieux depuis 1897, offrent une cuisine honnête dans une atmosphère plutôt sympathique. Il vaut mieux réserver.

Little Rock Café, 5214, Atlantic Ave., Ventnor (☎ 823 4411). Un peu à l'écart, ce représentant de la célèbre chaîne propose une cuisine américaine et italienne. Atmosphère légèrement intellectuelle qui tranche avec la passion du jeu l'on trouve ailleurs dans la ville. Réserv. préférable.

Caesars Atlantic City Hotel Casino, Arkansas & Pacific Ave. (☎ 348 4411). 10 rest. dans ce complexe qui est à la gastronomie ce que le cinéma peplum est au septième art ! A voir et finalement à essayer, depuis l'*Imperial Steak House* (viandes) jusqu'au *Pompei* qui offre son menu spécial dans un décor antique d'une rafraîchissante jeunesse.

Campings : *Casino RV Park and Resorts,* Rte 561, P.O. Box 197, Pomona NJ 08240, 225 places ⌧ Camping agréable et très bien équipé au bord du Moss Mill Lake. Location de bateaux, de cannes à pêche. Liaison directe avec le centre d'Atlantic City.

Téléphones utiles : Croix-Rouge (☎ 803/744 8021) ● urgences (☎ 911) ● hôpitaux : *Charleston Memorial Hospital,* 326, Calhoun St. (☎ 803/724 2000) ; *Roper Hospital,* 316, Calhoun St. (☎ 803/724 2000).

Locations de voitures : *Avis,* 114, S. New York Ave. (☎ 345 3246) ● *Hertz,* 1400, Albany Ave. (☎ 646 1212) ● *Budget Rent a Car,* Sears, Hamilton Mall (☎ 345 0600).

BALTIMORE (MD)

☎ 410

Hôtels

****Stouffer Harborplace Hotel,* 202, E. Pratt St. (☎ 547 1200 fax 539 5780), 622 ch. et suites ▦ ✕ ⌖ ⌧ Un des grands hôtels de la ville, admirablement

situé sur le port réaménagé, qui offre un confort de palace.

****Peabody Court,* 612, Cathedral St. at Mt Vernon Sq. (☎ 727 7101 fax 789 3312), 104 ch. ▦ ✕ ⌖ Dans le centre historique et commercial de la ville, l'un des hôtels favoris des hommes d'affaires, mais aussi de ceux qui savent bien vivre. Une des traditions de la ville.

****Shirley Madison Inn,* 205, W. Madison St. (☎ 728 6550 fax 728 5829) ▦ ✕ ⌖

****The Inn at Henderson Wharf,* 1000, Fell St. (☎ 522 7777), 38 ch. ▦ ✕ ⌖ Près du port, petit hôtel installé dans un ancien palace des années 1880. Vue agréable et atmosphère plutôt familiale.

***The Admiral Fell Inn,* 888, S. Broadway (☎ 522 7377 fax 522 0707), 37 ch. ▦ ✕ ⌖ ♥ Cet ancien repaire de marins, tout près du port, a été habilement rénové il y a quelques années et transformé en hôtel de charme, confortable, sans ostentation. Un peu à l'écart du centre, il donne l'occasion d'utiliser les fréquentes navettes par bateaux pour s'y rendre. Rest. sympathique.

**Ann St. Bed and Breakfast,* Fells point (☎ 342 5883), petit Bed & Breakfast particulièrement bien situé, mais qui n'offre que 3 ch. Réserv. obligatoire.

**Baltimore International Hotel,* 17, W. Mulberry St. (☎ 576 8880), Auberge de jeunesse.

Restaurants

**Attman's Delicatessen,* 1019, E. Lombard St. (☎ 563 2666), ouv. t.l.j. de 8 h à 19 h. Un *Delicatessen* authentique, avec sandwichs au *corned beef, pastrami,* boulettes casher etc. Repas à emporter et livraison possible (n'accepte pas les cartes de crédit).

***Da Mimmo,* 217, S. High St. (☎ 727 676). Dans la "petite Italie", un italien-américain comme on les voit au cinéma : un vrai cinéma. Cuisine agréable et majestueuse.

***Ruth's Chris Steak House,* 600, Water St. (☎ 783 0033). Spéc. de (très) gros steaks, cette maison, près du port, sérieuse comme l'indique sa publicité, se consacre essentiellement au bœuf. Service empressé, réserv. souhaitable.

★★★Phillips Harborplace, Pavillion 301, Light St. (☎ 685 6600). Un des rest. les plus agréables de la ville : poissons et crustacés de la baie et notamment le *crabe cake*. Service attentif et une vue sur le port, qui donnent de l'atmosphère à cet endroit traditionnel de la ville. Réserv. recommandée.

★★★The Fishery, 1717, Easthern Ave. (☎ 327 9340) .Environnement méditerranéen pour ce rest. qui s'enorgueillit des 20 espèces de poissons servies : homards du Maine, langoustes ; mais aussi viandes et hamburgers. Brunchs abondants.

Spirit of Baltimore, Harborview (☎ 752 7447). Rest.-bateau. Une occasion de naviguer tout en dînant. Ce bateau-mouche très moderne propose des déjeuners, des dîners sur l'eau ainsi que des revues style Broadway.

Téléphones utiles : police, pompiers, aide médicale (☎ 911).

Taxis : *Yellow Cab* (☎ 685 1212) ● *Sun Cab* (☎ 235 0300) ● Bateaux-taxis (Water taxis) sur le port (☎ 547 0090) ; carte à la journée.

Locations de voitures : *Avis* (☎ (800) 331 1212) ● *National* (☎ 859 8860) ● *Budget* (☎ 859 0850).

Transports : métro et bus : *MTA,* inf. (☎ 539 5000) ● *Greyhound/ Trailways* (☎ 744 9311) ● train : *Amtrak* (☎ 800/872 7245).

BANGOR (ME)

ⓘ The Greater Bangor Chamber of Commerce, 519, Main St. (☎ 947 0307).

☎ 207

Hôtels

★★★Holiday Inn, 500, Main St. (☎ 947 8651 fax 942 2848), 124 ch. et des suites ☐ La qualité avant tout.

★Budget Traveler Motor Lodge, 327, Odlin Rd (☎ 945 0111), 131 ch. ♿ ⚅ Ch. propres et confortables. Service soigné.

Restaurants

★★Pilots Grill, 1528, Hammond St. (☎ 942 6325), ouv. 11 h 30-22 h, f. dim. et 25 déc. Spéc. : homard, flétans accompagnés d'une sauce aux crabes.

★Captain's Nick Seafood House, 1165, Union St. (☎ 942 6444), ouv. 11 h-22 h, f. 25 déc. Original : installé dans un wagon entièrement restauré. Spéc. : homard et autres fruits de mer.

Campings : *Pleasant Hill Campground* (rens. ☎ 848 5127). Près du centre ville. Eau, électricité. Réserv. préférables.

Téléphones utiles : urgences (☎ 911).

Autocar : *Greyhound/Trailways,* 158, Main St. (rens. ☎ 945 3000).

Transports en commun : *The Bus* (rens. ☎ 947 0536). Service de bus pour Bangor, Brewer, Orono, Old Town.

Manifestations : Juil-août. *Bangor State Fair,* Bass Park (rens. ☎ 942 9000). Immense foire agricole.

BATON ROUGE (LA)

ⓘ The Baton Rouge Area Convention & Visitors Bureau, 838, North Blvd. (☎ 383 1825).

☎ 504

Hôtels

★★★Crown Sterling Suites Hotel, 4914, Constitution Ave. (☎ 800/366 7571 fax 923 3712), 224 suites ✗ ⚅ ☐ Luxueux. Belles suites dans les tons pastels.

★★★Baton Rouge Hilton, 5500, Hilton Ave. (☎ 924 5000 fax 925 1330), 298 ch. ✗ ♿ ⚅ ☐ ✓ Service de qualité.

★★Marriott's Residence Inn, 5522, Corporate Blvd. (☎ 927 5630 fax 926 2317), 80 suites ♿ ⚅ ☐ Situé dans le centre. Style traditionnel. Coquet.

Restaurants

★★★Chalet Brandt, 7655, Old Hammond Hwy. (☎ 927 6040), ouv. 11 h 30-14 h et 17 h 30-22 h, f. Pâques et Noël. Réserv. préférables. Elégant restaurant

Type chalet suisse. Spéc. : saumon norvégien fumé, tournedos surmontés de foie gras et d'une sauce madère, truite aux écrevisses.

★*Mike Anderson's Seafood, 1031, W. Lee Dr (☎ 766 7823), ouv. 11 h 30-14 h et 17 h-22 h, ven. et sam. 11 h 30-23 h, dim. 11 h 30-21 h, f. 1er jan., Pâques, 24 et 25 déc. Copieux. Spéc. : truite normande, fruits de mer.

★*Mulate's, 8322, Bluebonnet Rd (☎ 767 4794), ouv. t.l.j. 11 h 30-22 h 30, f. Noël. Cuisine traditionnelle du pays cajun.

Bars : Zee Zee Gardens, 2904, Perkins Rd (☎ 346 1291). Bar et rest. à la fois. Très animé.

Campings : KOA Campground, 7628, Vincent Rd (☎ 664 7281). A 12 mi/ 20 km de Baton Rouge. Sites bien entretenus. Eau, électricité et une piscine.

Téléphones utiles : urgences (☎ 911) ● centres médicaux : **Baton Rouge General Medical Center,** 3600, Florida Blvd. (☎ 387 7000) et **Our Lady of the Lake Medical Center,** 5000, Hennessy Blvd. (☎ 765 6565) ● pharmacie : **Eckerd's,** 3651, Perkins Rd (☎ 261 6541).

Aéroport : Baton Rouge Metropolitan Airport, Terminal Bldg., suite 212 (rens. ☎ 355 0333). A 12 mi/20 km du centre ville. Desservi par **American Airlines, Continental Airlines, Delta Airlines, L'Express, Northwest Airlines.**

Locations de voitures : toutes les agences suivantes se trouvent à l'aéroport. **Avis** (☎ 800/331 1212) ● **Budget** (☎ 800/527 0700) ● **Hertz** (☎ 800/654 3131) ● **National** (☎ 800/227 7368) ● **Thrifty** (☎ 800/367 2277).

Autocar : Greyhound/Trailways, 1253, Florida Blvd. (rens. ☎ 343 4891).

Transports en commun : Capital City Transportation, service de bus local (rens. ☎ 336 0821). Service très irrégulier !

Excursions et visites guidées : Lagniappe Tours, tours en mini bus de Baton Rouge, du pays Cajun et des plantations (rens. ☎ 387 2464) ● **Louisiana Backroads Unlimited,** pour découvrir les hab. de Louisiane : culture, vie quotidienne, cuisine... (rens. ☎ 338 0212).

Manifestations : Début sept. River City Blues & Bayou Festival (rens. ☎ 344 3328).

BOSTON (MA)

☎617

ℹ️ **The Massachusetts Office of Travel and Tourism,** 100, Cambridge St., Boston, MA 02202 (☎ 727-32-01).

☎617

Hôtels

★★★★★Boston Harbour Hotel, 70 Rowes Wharf (☎439-70-00 n° vert : 800/ 752-70-77 fax 330-94-50), 230 ch. 🏢 ✕ ♿ ✉ A deux pas du *Quincy Market* très animé, cet hôtel offre une atmosphère personnelle due, sans doute, à sa taille humaine. La moitié des ch. ont vue sur la mer, et l'autre sur les gratte-ciel du quartier financier. Terrasse avec vue sur la mer depuis le rest.

★★★★Four Seasons Hotel, 200 Boylston St. (☎ 338-4400). Hôtel de luxe, dans un bâtiment moderne qui donne sur le Public Garden. D'une élégance plus moderne que son concurrent, le *Ritz Carlton*.

★★★★Ritz Carlton Hotel, 15 Arlington St. (☎536-5-700 n° vert : 800/241-33-33 fax 536-13-35), 278 ch. 🏢 ✕ ♿ Tradition et service de qualité dans ce palace ancien, mais amoureusement et savamment entretenu : la distinction des vieux Bostoniens flotte encore dans l'air ! Bien situé en face d'un parc, c'est un hôtel de luxe, digne et élégant. A noter des ch. spéciales enfants (chères) mais super-équipées en jeux électroniques et vidéo de toutes sortes.

★★★★Meridien, 250 Franklin St. (☎ 451-19-00 fax 423-28-44) 326 ch. Dans Financial District. Dans un immeuble magnifique, une ancienne banque transformée en hôtel. Restaurant français réputé : **Julien.**

★★★★*Copley Westin Hotel,* 10 Huntington Ave. (☎ 262-96-00 fax 424-75-02), 800 ch. 🏨 ✗ ♿ 🚭 🔲 Grand Bldg. de 36 étages, très moderne et bien situé dans Downtown ; les prix ne sont pas excessifs. Les enfants ne paient pas dans la ch. de leurs parents.

★★★★*Copley Plaza Hotel,* 138 St James Ave. (☎ 267-5300). Un palace de 1912 dans un état splendide, qui donne sur Copley Square.

★★★★*Bostonian Hotel,* North St., en face du Quincy Market (☎ 523-3600) 152 ch. Petit hôtel raffiné et tranquille, au cœur du quartier touristique le plus animé.

★★★*Marriott Copley Place,* 110 Huntington Place (☎236-58-00 fax 236-58-85) 1147 ch. Salle de musculation et salle de jeux pour les enfants.

★★★*The Lenox,* 10 Boylston St. (☎ 536-53-00 n° vert : 225-76-76 fax 276-12-37), 222 ch. 🏨 ✗ ♿ 🔲 Style *Country Inn* en plein centre ville. Très bien situé sur Copley Sq., à deux pas de la célèbre rue marchande Newbury St. et à l'ombre de la John Hancock Tower (le plus haut gratte-ciel de la ville). Bâtiment des années 1900, convenablement aménagé. Bon rapport qualité/prix.

★★★*Westin Hotel-Copley Place,* 10 Huntington Ave. (dans le Back Bay, près de Copley Square). Concurrent du *Marriott,* dont il est voisin.

★★*Boston Park Plaza,* 64 Arlington St. (☎ 426-2000). Grand hôtel de 1927, situé au commencement du Back Bay.

★★*Eliot Hotel,* 370 Commonwealth Ave. (☎ 267-1607) 100 ch. dont 90 avec kitchenette. Petit hôtel très correct, dans le Back Bay, près de Newbury St. et des musées.

★★*Midtown Hotel,* 220 Huntington Ave. (☎ 262-1000 fax 262-8739), 159 ch. 🏨 ✗ ♿ 🚭 🔲 Les prix modérés et la situation en plein centre ville constituent, avec le parking gratuit, les principaux atouts de cet établissement.

★★*Howard Johnson/The 57 Park Plaza,* 200 Stuart St. (☎ 482-1800 fax 451-2750) 350 ch. Dans le quartier des théâtres. Chaîne des Howard Johnson, catégorie standard.

★*Copley Square Hotel,* 47 Huntington Ave. (au coin de Exeter St.) (☎ 536-9000). Petit hôtel correct et bon marché.

Bed & Breakfast Cambridge and Greater Boston, P.O. Box 665, Cambridge 02140 (☎ 576-1492 fax 617/576-1430).

Accomodations of Boston and Cambridge, 335 Pearl St., Cambridge, MA 02139 (☎ 491-0274). Cette agence propose des chambres à louer à des prix intéressants. Le propriétaire parle français.

Restaurants

★★★★*Aujourd'hui,* 200 Boylston St. (☎ 338-4400 ext. 2072 fax 423-0154) 🏨 ♿ 🔲 Rest. de l'hôtel *Four Seasons,* c'est un établissement chic et de bon aloi. Cuisine gastronomique allégée (homard, carré d'agneau). Grande salle, avec vue sur le parc. Menu spécial enfants.

★★★★*The Dining Room,* 15 Arlington St. (☎ 536-5700) Restaurant luxueux de l'hôtel *Ritz Carlton.* Décor provincial français. Nombreuses spécialités. Tenue de rigueur.

★★★★*Locke-Ober,* 3 Winter Place (☎ 542-1340). Un grill-room qui appartient à la tradition du vieux Boston. Réputé pour ses steacks, côtelettes d'agneau et rôti de bœuf. Tenue de rigueur.

★★★*Capital Grill,* 359 Newbury St. (☎262-8900). Une petite steak-house dans un joli décor en lambris.

★★★*Olives,* 10, City Sq. Charleston (☎242-1999 fax 242-9797), f. dim. et lun. 🏨 ♿ 🚭 Près du port, à 5 mn de Downtown, ce petit rest. sympathique offre un menu varié : rôtisserie, pâtes, ce qui lui vaut d'être élu régulièrement "meilleur restaurant de Boston". Très fréquenté (mais pas de réserv. si vous êtes moins de six personnes !).

★★★*Upstairs at the Pudding,* 10 Holyoke St., Cambridge (Harvard Square). Dans le bâtiment du " Hasty Pudding ", le plus vieux club estudiantin américain. Cuisine de grande qualité et cadre unique.

★★*Cornucopia on the Wharf,* 100 Atlantic Ave. (☎367-0300). Cuisine raffinée, vue sur le port. Une bonne adresse.

★★*Legal Sea Foods,* Copley Place, 100 Huntington Ave. (☎ 226-7775) ; 35 Columbus Ave ; Copley Place ; Prudential Center, 800 Boylston St. Pas de réservations, il y a toujours la queue.

Spécialité : le homard. Plusieurs succursales en ville.

★★Sonsic, 327 Newbury St. (☎ 351-2500). Prisé par les jeunes, un endroit " branché ", typique de Newbury St.

★★Union Oyster House, 141, Union St., in Faneuil Hall (☎ 227-2750 fax 227-2750), f. Noël et Thanksgiving 🈸 ♿ ♨ Dans un vieux bâtiment, véritable monument historique, qui date de 1715, aux escaliers biscornus, et que le futur Louis-Philippe habita lors de son exil, ce restaurant réputé propose des langoustes et des fruits de mer.

★Dolphin Seefood, 1105 Massachusett Ave. (☎ 661-2937), fréquenté par les étudiants et leurs professeurs. Spécialités de homard et de poissons.

★House of Blues, 96 Winthrop St., Cambridge (à côté de Harvard Square) (☎ 491-2583). Petit restaurant estudiantin. Excellents groupes de jazz après 21 h 30 (dans une autre pièce).

★Joe's American Bar and Grill, 279 Dartmouth St. (au coin de Newbury St.) (☎ 536-4200). Restaurant agréable, cadre animé et jeune. Bons steaks.

★No-Name Restaurant, 1512 Fish Pier (☎ 423-2705). Grand bistrot sur le quai où arrivent les chalutiers. Spécialités de poisson, homard. Prendre un taxi pour y accéder de Northern Ave.

Blue Wave, 142, Berkeley St. (☎ 424-6711 fax 424-6709) 🈸 ♿ ⊗ Nouveau, jeune et chic, en un mot "branché", ce rest. a une allure et une cuisine californiennes : poulet rôti, pâtes "spéciales", canard. Tables en verre, exposition de peintures et d'œuvres d'art, fluo. Informel et amusant.

Téléphones utiles : urgences (☎ 911) ● hôpital : *Massachusetts General Hospital* (☎726-2000).

Consulats : Consulat de France, 3 Commonwealth Ave. (☎ 266-1680 ou 1681).

Aéroport : *Logan Airport,* à env. 4 km du centre ville (inf. ☎ 973-5500). Navette depuis les terminaux jusqu'au métro "Airport Station".

Compagnies aériennes : *Air France,* 545 Boylston St., suite 306 (☎ 262-5740 fax 262-4212) ● *American Airlines,* 64 Service Rd, E. Boston (☎ 561-81-37 fax 561-8167) ● *Continental Airlines,* 15, Federal St., 2, Center Plaza (☎ n° vert : 800/231-0856), demandez le bureau français ● *Delta Airlines,* Hill Bldg., Airport Service Rd (☎ 567-4100) ● *Northwest Airlines,* 155 Federal St. (☎ n° vert : 800/225-2525).

Location de voitures : *Avis,* Boston Logan Airport (☎ 561-3500) ● *Budget,* 34 Park Plaza (☎ 561-2375 fax 561-2371) ● *Hertz,* 30 Park Plaza (☎ 338-1500 fax 482-36-32) ● *National Rent a Car,* Logan Airport (☎ 569-6700 fax 569-1255).

Transports en commun : La **MBTA** offre un système de transport parfaitement organisé : autobus, métro (trois lignes, orange, vert et rouge) et transports régionaux. Inf. au bureau MBTA de la station "Park St." (☎722-3200). Le jeton (*token*), à glisser dans le tourniquet d'entrée, permet de voyager dans le métro. Il existe des cartes magnétiques valables un mois : le *T-Pass*, sans limite de trajet. La ligne orange, qui dessert les quartiers "dangereux" de Roxbury ou de Chinatown est déconseillée la nuit : le dernier métro est à 0 h 30. Il existe un sympathique petit trolley touristique sous forme de minibus qui fait le tour de la ville en 90 mn (rens. ☎ 236-2148).

Festivals et manifestations : Jan. *1st Night Celebration,* nuit du Jour de l'An, grande fête dans les *Common* ● **Mars.** *Boston Globe Jazz Festival,* les plus grands noms du jazz s'y produisent (inf. ☎ 929-2000), *St Patrick* (**le 17**), gigantesque défilé dans le S. de Boston où domine une forte colonie irlandaise ● **Avr.** *Patriot Day,* quatre jours de fêtes en souvenir du combat des *Minute Men* contre les Anglais à Old N. Br. ; *Marathon de Boston,* 3ᵉ lun. : 42 km de course à travers la ville ● **Mai.** festival de Cerfs-Volants ● **Juin.** *Dairy Festival,* on trait des vaches dans le grand parc du Boston Common durant toute une sem. ; *Bunker Hill Day,* célébration de la bataille de ce nom (17 juin 1775) ● **Juil.** *Boston Pops,* série de concerts gratuits donnés dans le Hatch Shell sur l'espla-

nade. (rens. ☎266-1492 ou 426-1250) ●
Août. *Marathon de la natation,* sur le
Waterfront ● **Septembre.** *Festival international de films documentaires* ● **Oct.**
Foire du Livre dans les Hynes Auditorium, avec la participation de nombreux
auteurs. Régates le dernier dim. du mois
sur la Charles River.

Shopping : A l'O. de la ville : *Washington St.* (près du Government Center),
notamment Filene's et son sous-sol
célèbre ainsi que le Lafayette et Jordan
Marsh ● *Quincy Market,* avec de nombreuses boutiques de cadeaux, souvenirs,
antiquités ● *Downtown crossing,* centre
commercial du métro ● *Chinatown,* quartier oriental, avec toutes sortes de boutiques d'électronique et de chinoiseries ●
A l'E. de la ville : *Newsbury,* shopping
élégant par excellence, avec de nombreuses terrasses de cafés pour se reposer
● *Boylston St.,* élégant, comme *Copley
Sq.* et le *Prudential Center* ● **Harvard
Sq.** à Cambridge, vous y trouverez tout ce
qui est marqué du sceau de la célèbre université : cahiers, crayons, T-shirts, pulls,
etc et les meilleures librairies ● *Neyman/Marcus,* sur Copley Place ● *Centre
commercial de Copley Place,* 100 boutiques de tous styles. ● *Cambridgeside
Galeria,* à l'est de Cambridge (métro :
Lechmere ; ouv. lun.-sam. 9 h 30-21 h 30,
dim. 11 h-19 h). Grand centre commercial, prix intéressants et grands magasins.

BUFFALO (NY)

ℹ️ **The Greater Buffalo Convention
and Visitors Bureau,** 107, Delaware
Ave., Buffalo, NY 14202 (☎ 852 0511
fax 852 0131).

☎ 716

Hôtels

★★★*Hyatt Regency,* Two Fountain Plaza
(☎ 856 1234 fax 856 6157), 400 ch. et
des suites 🏨 ✕ ♿ ✂ ☐ Hôtel
luxueux installé dans un immeuble des
années 20.
★★★*Buffalo Hilton,* 120, Church St. (☎
845 5100 fax 845 5377), 475 ch. et des
suites 🏨 ✕ ♿ ✂ ☐ ✈ Raffiné. Les

plus belles ch. ont vue sur le lac Erié et la
Niagara River.
★★*Lenox,* 140, North St. (☎ 884 1700
fax 885 8636), 149 ch. et des suites 🏨
✕ ✂ Dans le quartier historique
d'Allentown District. Immeuble du début
du XIXᵉ s.
★★*Best Western Inn Downtown,* 510,
Delaware Ave. (☎ 886 8333), 61 ch. ✂
Hôtel agréable et économique.

Restaurants

★★★*Rue Franklin West,* 341, Franklin St.
(☎ 852 4416), ouv. 17 h 30-22 h, f. dim.,
lun. et 4 juil. Installé dans une demeure du
début du s. Cuisine française.
★★★*Salvatore's Italian Gardens,* 6461,
Transit Rd (☎ 683 7990), ouv. 17 h-
23 h, dim. à partir de 15 h, f. Noël. Spéc.:
menu italien et homard.
★★*Beau Fleuve,* 150, Theater Place (☎
855 3029), ouv. 11 h 30-22 h, sam. jusqu'à 1 h du mat., f. Thanksgiving (4ᵉ jeu.
de nov.) et Noël. Spéc. : saumon, *voodoo
pasta.*

Campings : *Darien Lake Theme Park,*
Rte 77, Darien Center, NY 14040 (☎
542 9995). 2 000 sites, eau, électricité.

Téléphones utiles : urgences (☎ 911)
● hôpital : *Buffalo General Hospital,*
100, High St. (☎ 845 5600).

Aéroport : *Greater Buffalo International
Airport,* Corner of Genesee St. & Cayugawa, Cheektowaga (rens. ☎ 632 3155).

Compagnies aériennes : *American*
(☎ 800/433 7300) ● *Continental*
(☎ 852 1233) ● *Delta* (☎ 221 1222) ●
Mohawk (☎ 852 3170) ● *Northwest*
(☎ 800/225 2525) ● *United* (☎ 800/
241 6522) ● *USAir* (☎ 800/468 7247).

Taxis : *City Service Taxi,* 980, Grant St.
(☎ 842 4000) ● *Cold Spring Taxi,* 371,
Northampton St. (☎ 886 4900) ● *Kenmore Cab Dispatch & Suburban Taxi,*
440, Ontario St. (☎ 876 3030) ● *Liberty Cab & Dispatch Service,* 1524, Kenmore Ave. (☎ 877 7111).

Locations de voitures : *Budget Rent a
Car,* 93, Pearl St. (☎ 842 0300) ●
Downtown Rent a Car, Six Fountain
Plaza (☎ 855 2666) ou 120, Church St.
(☎ 856 6330).

Chemin de fer : *Amtrack,* 75, Exchange St. (rens.☎ 856 2075) et 55, Dick Rd, Cheektowaga (rens. ☎ 683 8440).

Autocar : *Greyhound,* 181, Ellicott St. (rens. ☎ 485 7541).

Transports en commun : *Metro Bus/Metro Rail,* 181, Ellicott St. (rens. ☎ 855 7211) ● *Niagara Frontier Transportation Authority,* service de bus (rens. ☎ 855 7211).

Excursions et visites guidées : *Buffalo Guide Service,* 170, Franklin St., suite 704 (rens. ☎ 852 5201). Organise des tours en bus ; destinations : Niagara Falls, NY, Canada et Buffalo ● *Silent Partners,* 175, Cleveland Ave. (rens. ☎ 883 1787). Tours en bus ; destinations : Buffalo, Niagara Falls, Rochester, Chautauqua et Letchworth.

Manifestations : Mi-août. *Erié County Fair,* l'une des plus importantes et plus anciennes foires des États-Unis (rens. ☎ 649 3900).

CAJUN (LE PAYS , LA)

ⓘ **The Southwest Louisiana Convention & Visitors Bureau,** 1211, N. Lakeshore Dr, Lake Charles (☎ 436 9588).

☎ 318

Hôtels

Lafayette

★★★*Holiday Inn Central Holidome,* Box 91807, 70509 (☎ 233 6815), 250 ch. ✗ ✿ ▨ ✦ Le luxe. Tout à portée de main. Pratique.
★★★*Hotel Acadiana,* 1801, W. Pinhook Rd (☎ 233 8120), 304 ch. ✗ ⚿ ✿ ▨ Ch. confortables. Elégant.

New Iberia

★★*Best Western,* 2700, Center St. (☎ 364 3030 fax 367 5311), 105 ch. ▤ ✗ ⚿ ✿ ▨ Bien situé. De belles ch. à moindre coût.

Restaurants

Lafayette

★*Cafe Vermilionville,* 1304, W. Pinhook Rd (☎ 237 0100), f. Noël et 1ᵉʳ jan. Cadre élégant. Spéc. : cœur d'artichaut à la sauce béarnaise, plats aux crabes et aux écrevisses.
★*Prejean's,* 3480, US-167 N. (☎ 896 3247), f. Noël et Thanksgiving (4ᵉ jeu. de nov.). Réputé pour sa cuisine de qualité. Spéc. : *Prejean's Platter* (assiette de crevettes, huîtres et autres fruits de mer).

New Iberia

★*Monté's Seafood Restaurant,* 203, Daspit Rd (☎ 367 5602), f. Pâques, Thanksgiving (4ᵉ jeu. de nov.) et Noël. Spéc. du Pays cajun. Savoureux.

Téléphones utiles : urgences (☎ 911).

Chemin de fer : *Amtrak* (rens. ☎ 800/USA-RAIL). Dessert Franklin, Schriever, Lafayette, New Iberia et Thibodeaux.

Autocar : *Greyhound Southeast Lines,* dessert t.l.j. Franklin, Houma, Lafayette, Lake Charles, Morgan City, New Iberia, Opelousas et Thibodeaux.

Excursions et visites guidées : *Allons à Lafayette* (rens. ☎ 269 9607). Vis. guidées de Lafayette ou du Pays cajun ● *Cajun Fishing Tours,* 1925, E. Main St., New Iberia (☎ 364 7441). Tours en bateau du Pays cajun (et aussi pêche, observation des oiseaux...).

CAPE COD (MA)

ⓘ **The Cape Cod Chamber of Commerce,** US-6 & MA-132, Hyannis 02601 (☎ 362 3225).

☎ 508

Hôtels

Provincetown

★*Blue Sea,* Box 537, sur la MA-6A (☎ 487 1041), 40 ch. ✿ ▨ Au bord de l'océan. Quelques ch. avec balcons.

*Provincetown Inn, 1, Commercial St. (☎ 487 9500 fax 942 5388), 104 ch. ⊗ ☐ Vue sur l'océan. Confortable.

Chatham

*Chatham, 1487, Main St. (☎ 945 2630), 22 ch. ⊗ ☐ Agréable. Au milieu d'une forêt de pins.

Yarmouth

*Hunters Green, 553, Main St. (☎ 771 1169), 74 ch. ⊗ ☐ Sans prétentions. Bon accueil.

Hyannis

**Regency Inn, Box 2790, MA-132 (☎ 775 1153 fax 775 1169), 196 ch. et 20 suites ✗ ♿ ⊗ ☐ Quelques ch. avec balcons. Bon hôtel.
*Captain Gosnold House, 230, Gosnold St. (☎ 775 9111), des ch. et des cottages ⊗ ☐ Près des plages et de la ville. Simple et agréable.

Falmouth

**Falmouth Square Inn, 40, N. Main St. (☎ 457 0606 fax 457 9694), 72 ch. et des suites ✗ ♿ ⊗ ☐ Classique et bien aménagé.

Martha's Vineyard

***Thorncroft, Box 1022, 278, Main St., Vineyard Haven (☎ 693 3333 fax 693 5419), 17 ch. et 2 suites ⊗ Sympathique. Délicieux petit déjeuner.
**Daggett House, Box 1333, 59, N. Water St., Edgardtown (☎ 627 4600), 24 ch. ⊗ Quelques ch. avec balcons. Vue sur l'océan.

Nantucket

*Hawthorn House, 2, Chestnut St. (☎ 228 1468), 9 ch. et 1 cottage ⊗ En plein centre ville de Nantucket. Bon accueil et confort assurés.
*Summer House, Ocean Ave., Box 313, Siasconset 02564 (☎ 257 9976), 8 cottages ✗ ⊗ Cheminées ou cuisines pour certains cottages. Elégant.
Star of the Sea AYH Hostel, Surfside, Nantucket 02554 (☎ 228 0433), ouv.

mi-avr.-oct. 72 lits pour cette auberge de jeunesse.

Restaurants

Provincetown

**Sebastian's, 177, Commercial St. (☎ 487 3286), ouv. 11 h 30-22 h, f. mi-oct.-mars. Spéc. : fruits de mer.

Chatham

*Hightide, 1629, Main St. (☎ 945 2582), ouv. 16 h-22 h, f. 25 déc. Décor marin. Spéc. : fruits de mer.

Yarmouth

**Riverway Lobster House, sur la MA-28, près de Bass River Br. (☎ 398 2172), ouv. 11 h 30-22 h, f. 25 déc. Spéc. : homard.

Hyannis

***Paddock, W. Main St. à West End Rotary (☎ 775 7677), ouv. 12 h-14 h 30 et 17 h-22 h, f. mi-nov.-avr. Spéc. : homard, canard rôti.

Falmouth

*The Grasmere Pub, 327, Gifford St. (☎ 548 9861), ouv. 11 h 30-23 h 30, dim. à partir de 16 h, f. lun., 1er jan., Pâques, Thanksgiving (4e jeu. de nov.) et 25 déc. Spéc. : fruits de mer et toutes sortes de salades.

Martha's Vineyard

***L'Etoile, S. Summer St., Edgardtown (☎ 627 5187), ouv. 6 h 30-9 h 30, f. jan.-mi-fév. Cuisine française.
**Home Port, Basin Rd, Menemsha (☎ 645 2679), ouv. 17 h-22 h, f. mi-oct.-début mai. Situé dans le port. Spéc. : homard, plats de poisson.

Nantucket

***Chanticleer, 9, New St., Siasconset (☎ 257 6231), f. mer. Réserv. préférables. Considéré comme le meilleur rest. de l'île. Cuisine française.
*The Brotherhood of Thieves, 23, Broad St. Atmosphère conviviale. Style rus-

tique. Spéc. : poissons frits et fruits de mer.

Téléphones utiles : urgences pour l'ensemble de Cape Cod (☎ 911 ou 800/352 7141) ● *Cape Cod Hospital,* 27, Park St., Hyannis (☎ 771 1800) ● *Falmouth Hospital,* 100, Ter Heun Dr, Falmouth (☎ 548 5300).

Autocar : *Bonanza Buses* (rens. ☎ 564 8484) ; départs assez réguliers de New York pour Cape Cod ● *Plymouth & Brockton Bus* (rens. ☎ 1 800/328 9997) ; départs pour Hyannis et Provincetown à partir de Rhodes Island, Boston et New York.

Ferry : *Woods Hole, Martha's Vineyard et Nantucket Steamship Authority* (rens. ☎ 540 2022) ; départ de Woods Hole pour 45 mn de traversée en direction de Martha's Vineyard et départ de Hyannis pour Nantucket.

Excursions et visites guidées : Provincetown : *Cape Cod Cruises* (rens. ☎ 747 2200). Tours en bateau pour les baleines ● *Hyannis-Nantucket or Martha's Vineyard Day Round Trip,* Hy-Line, Ocean St. Dock. Tours en bateau des 2 îles à partir de Hyannis (réserv. ☎ 778 2600) ● *Island Tours,* Straight Wharf Boat Basin ; tours en bus de Nantucket (rens. ☎ 228 0334).

CEDAR RAPIDS (IO)

ℹ️ **The Cedar Rapids Convention & Visitors Bureau,** 119, 1st Ave. (☎ 398 5009).

☎ 319

Hôtels

*The Village Inn Motel, 100, 1st Ave. (☎ 366 5323). Ch. spacieuses et reposantes.

*Exel Inn, 616, S.-W. 33rd Ave. (☎ 366 2475). A 5 mi/8 km de la ville. Ch. propres et confortables.

Restaurants

*Gringo's Mexican Restaurant, 207, 1st Ave. (☎ 363 1000), ouv. 11 h-23 h, dim. 12 h-21 h. Cuisine mexicaine.

*Sykora's Bakery, 73, S.-W. 16th Ave. (☎ 364 5271), ouv. t.l.j. 6 h-17 h. Spéc. tchèques : *houskas* (sorte de pains aux raisins) ou *kolace* (petits pains aux fruits). Délicieux.

*Konecny's, 72, S.-W. 16th Ave. (☎ 364 9492). Le lieu préféré des autochtones. Sandwiches de toutes sortes, *goulash* et parfois de la choucroute.

Taxis : *Yellow Cab* (☎ 365 1444).

Autocar : *Greyhound/Trailways,* 145, S.-E. Transit Way (rens. ☎ 364 4167) ; pour Des Moines, Chicago et Kansas City.

Transports en commun : *Easyride Buses,* service de bus pour la ville 5 h 30-17 h 30.

Shopping : *Czech Village,* le quartier tchèque de la ville (S.-W. 16th Ave.) où vous trouverez de nombreux magasins de souvenirs.

CHARLESTON (SC)

ℹ️ **New Visitor Center,** 81, May St. (☎ 853 8000), ouv. lun.-ven. 8 h 30-17 h 30.

☎ 803

Hôtels

****Mills House Hotel, 115, Meeting St. (☎ 577 2400 et 800/874 9600,) 214 ch. 🏨 ✕ 🛏 Dans une demeure construite av. la guerre de Sécession, hôtel de grand luxe mais à dimension raisonnable. Très bien situé. Excellent confort et beau cadre.

King Charles Inn, 237, Meeting St. (☎ 723 7451 et 800/528 1234) 🏨 ✕ 🛇 🛏 Hôtel d'excellent confort, particulièrement bien situé au cœur de la ville et de son centre historique. Décoration honorable. Cet hôtel appartient à la chaîne *Best Western*.

Omni Hotel at Charleston Place, 130, Market St. (☎ 722 4900 fax 722 4900, ext 7170), 443 ch. 🏨 ✕ 🛇 🛏 Luxueux hôtel, assez chic, qui est à proximité immédiate du centre historique. Superbe piscine, salle de gym. et boutiques de grand luxe.

Comfort Inn at Riverview, 144, Bee St. (☎ 577 2224 et 800/228 5150), 123 ch. 🏨 ♿ 🏊 Plus modeste, mais aussi d'un prix plus accessible, cet hôtel offre des prestations satisfaisantes. Petit déjeuner inclus et parking gratuit. Pas de rest.

Quelques hôtels de charme qui proposent des ch. agréables, mais peu nombreuses : il vaut donc mieux réserver à l'avance.

***Indigo Inn,** 1, Maiden Lane, Meeting at Pinckney (☎ 577 5900 et 800/845 7639) 🏨 ♿ ♥ Hôtel plaisant, avec ses ch. disposées autour d'une cour élégante. Service attentionné, dans la tradition du Sud. Même direction pour la *Jasmine House,* petite demeure qui accueille des hôtes plus que des touristes.

The Anchorage Inn, 26, Vendue Range (☎ 723 8300 et 800/421 2952), 19 ch. 🏨 ♨ Petite auberge de grand luxe aux ch. très confortables, breakfast-buffet soigné et thé distingué tous les a.-m.

John Rutledge House Inn, 116, Broad St. (☎ 723 7999 et 800/476 9741) 🏨 ♿ Demeure élégante et historique qui fut construite en 1763 par John Rutledge, l'un des signataires de la Constitution américaine. Quelques ch. joliment meublées, service attentif.

Restaurants

****Million,** 2, Unity Alley (☎ 577 7472). Haut lieu gastronomique de Charleston, cette taverne qui date de 1788 possède beaucoup de caractère. Carte et menu, cave de prestige. Membre de la chaîne *Relais et Chateaux.* Réserv. indispensable.

Grandy's Family Rest., à l'angle de Market & East Bay (☎ 853 6800). Sympathique rest. à l'ambiance familiale qui propose une cuisine d'inspiration locale dans le centre historique de la ville. Patio, salle pour non-fumeurs et breakfast à partir de 6 h du mat.

Louis's Charleston Grill, 224, King St. à Charleston Place (☎ 577 4522). Cuisine régionale, avec en particulier le *Plantation Sunday Supper* tous les dim. soirs. Le chef, Louis Osteen, a été plusieurs fois couronné ! Jazz tous les soirs, au bar, cocktails à partir de 16 h et dîner 18 h-23 h (pas de déjeuner).

The Colony House, 35, Prioleau St. au Waterfront Park (☎ 723 3424). Rest. de poisson dans une maison qui date de 1814 (mais aussi cuisine régionale). Brunch le dim. Belle vue, depuis la terrasse du toit, sur le port et le parc.

Campings : *The Campground at St James Park, 871, Riverland Dr (☎ 795 9884), 125 emplacements. Bien situé dans un grand parc où l'on peut faire la bicyclette (location), pêcher, etc. A 10 mn de la ville et des plages ♿

Aéroport : *Charleston International Airport, au N. de la ville ainsi qu'un service de bus pour le centre ville (inf. : Airport Shuttle ☎ 767 7111).

Compagnies aériennes : *American Airlines (☎ 722 7108 et 800/433 7300) ● *Delta Airlines* (☎ 577 3230 et 800/221 1212) ● *USAIR* (☎ 577 0755 et 800/428 4322).

Locations de voitures : *Avis (☎ 767 7038) ● *Budget* (763 3300).

Transports en commun : *DASH (Downtown Area Shuttle), service de bus dans la ville ; le trajet coûte 25 cents (monnaie exigée). On peut se procurer des cartes journalières notamment au Visitors Bureau.

Excursions et visites guidées : Charleston est au cœur de la région des plantations et du Sud tel que les romans et les films l'ont popularisé. Il existe un grand nombre de tours organisés qui sont fort bien conçus. *Charleston Historical Tours,* P.O. Box 30201 (☎ 853-TOUR). Départ du Visitors Center ; durée : 1 à 2 h ● *Charleston Carriage Company,* 96, N. Market St. (☎ 577 0042). Tour de la ville en calèches à travers le centre historique ; équipement pour personnes âgées et pour handicapés ● *Architectural walking tour of Charleston* (☎ 722 2345). Marche à pied à travers Charleston (2 h, sf mar. et dim.) sous la houlette d'un historien spécialiste des questions d'architecture. Départs du *Hawtorne Suites Hotel* à 9 h 50 et 13 h 50. Réserv. recommandée ● *Charleston Tea Party Walking Tour* (☎ 577

5896). Laura Wichmann Hipp, Charlestonienne de toujours, vous invite à prendre le thé dans sa demeure apr. vous avoir montré maisons anciennes et jardins de la ville. Réserv. préalable. ● *Charles Towne Princess Gray Line Tours,* 17, Lockwood Blvd., City Marina (☎ 722 1112 et 800/344 4483). Excursion en bateau d'une durée de 2 h : le port, les forts Sumter et Moultrie, la base navale (une des plus importantes de la Marine américaine) et les demeures patriciennes qui bordent le front de mer.

Manifestations et fêtes : Avr. *Festival of Houses,* l'*Historic Charleston Foundation* organise des journées "portes ouvertes" de maisons privées anciennes, d'églises et de jardins qui ne sont accessibles qu'à cette époque. Rens. au 51, Meeting St., Charleston, SC 29401 (☎ 723 1623) ● **Mai/juin.** *Spoleto Festival,* célèbre festival de musique, théâtre, opéra et jazz, avec la participation d'artistes mondialement renommés. Rens. : Spoleto Festival USA, P.O. Box 157, Charleston, SC 29402 (☎ 722 2764) ● **Sept.** *A taste of Charleston,* festival gastronomique, avec course des garçons de café et élection de Miss Taste of Charleston !

CHARLOTTE (NC)

ℹ️ **The Charlotte Convention & Visitors Bureau,** 229, N. Church St. (☎ 371 8700 ou 800/231 4636).

☎ 704

Hôtels

★★★*Hilton at University Place,* 8629, J.M. Keynes Dr (☎ 547 7444 fax 549 9708), 243 ch. et des suites ⊞ ✕ ⚅ ⚇ 🖵 ♨ ⏣ Hôtel complet, très bon accueil.

★★★*Adam's Mark,* 555, S. McDowell St. (☎ 372 4100 fax 372 4100, ext 2022), 600 ch. et 37 suites ⊞ ✕ ⚅ ⚇ De grandes ch. bien aménagées. Ambiance sympathique.

★★*Fairfield Inn by Marriott,* 5415, N. I-85 Sevice Rd (☎ 596 2999 fax 596 2999, ext 709), 133 ch. ⚅ ⚇ En dehors de la ville. Confortable.

★*Quality Inn Airport,* 4040, I-85S, Little Rock Rd (☎ 394 4111 fax 398 2415), 118 ch. ⚅ ⚇ 🖵 Tout près de l'aéroport. Pratique.

Restaurants

★★★*Lamplighter,* 1065, E. Morehead St. (☎ 372 5343), ouv. 17 h 30-22 h, f. 1er jan., Thanksgiving (4e jeu. de nov.) et 25 déc. Réserv. conseillée. Spéc. : gibier, homard du Maine.
★★★*Epicurean,* 1324, East Blvd. (☎ 377 4529), ouv. 18 h-22 h, f. dim., jours fériés et 1re quinz. de juil. Spéc. : agneau, veau, mousse de chocolat blanc.
★★*Chateau,* 800, E. Morehead St. (☎ 372 7224), ouv. 11 h-14 h 30 et 18 h-22 h, dim. 17 h 30-21 h 30, f. jours fériés. Spéc. : carrelet farci, veau, fruits de mer.
★*Johnathon's Uptown,* 330, N. Tryon St. (☎ 332 3663), ouv. 18 h-22 h 30, f. dim. et jours fériés. Ambiance jazz ven. et sam. Spéc. : canard, fruits de mer, veau.

Téléphones utiles : urgences (☎ 911) ● pharmacie : *Eckerd Drugs,* Park Rd Shopping Center (☎ 523 3031) ou 3740, Independence Blvd. (☎ 536 1010).

Aéroport : *Charlotte/Douglas International Airport* (rens. ☎ 359 4000). A 5 mi/8 km de la ville. Le *Charlotte Transit* assure des liaisons en bus entre l'aéroport et le centre ville (rens. ☎ 336 3366).

Compagnies aériennes : *American Eagle* (☎ 800/433 7300) ● *Delta Connection* (☎ 800/221 1212) ● *Lufthansa German Airlines* (☎ 800/645 3880) ● *Trans World* (☎ 800/221 2000) ● *United* (☎ 800/241 6522) ● *USAir* (☎ 800/428 4322).

Taxis : *Crown Cab Company* (☎ 334 6666) ● *Yellow Cab Company* (☎ 332 6161).

Locations de voitures : *Avis,* 6509, Old Dowd Rd (☎ 359 5000) ● *Budget,* 6555 Old Dowd Rd (☎ 359 5000) ● *Dollar,* 6501, Old Dowd Rd (☎ 359 4700) ● *Hertz,* 6521, Old Dowd St. (☎ 359 0114).

Chemin de fer : *Amtrak,* 1914, N Tryon St. (rens. ☎ 376 4416).

Autocar : *Greyhound/Trailways,* 601, W. Trade St. (rens. ☎ 527 9393).

Transports en commun : *Charlotte Transit,* des bus pour la ville pour env. 70 cents (rens. ☎ 336 3366).

Excursions et visites guidées : *"Day Trippin' the Carolinas",* 7407, Newmans Lane. Organise des tours en bus dans la région (rens.☎ 362 2352) • *Royal Travel,* 5604, Runningwood Rd. Vis. des principales curiosités de Charlotte (rens. ☎ 536 3456) • *Balloons Over Charlotte,* tours en ballon dirigeable qui se terminent autour d'une coupe de champagne (rens. ☎ 541 7058).

Manifestations : Fin avr. *Springfest,* 3 jours de fête dans la ville • Mi-sept. *Auto racing,* course de voitures, (rens. ☎ 455 3220) • *Festival in the Park,* pendant 6 jours, exposition artisanale et de nombreux divertissements (☎ 532 1060).

Shopping : Plusieurs centres commerciaux, notamment *Eastland Mall,* 5471, Central Ave. Plus de 120 boutiques, une patinoire et un cinéma.

CHARLOTTESVILLE (VA)

ℹ️ The Charlottesville/Albemarle Convention & Visitors Bureau, P.O. Box 161, Rte 20 (☎ 977 1783).

☎ 804

Hôtels

★★★*Sheraton,* 2350, Seminole Trail (☎ 973 2121 fax 978 7735), 248 ch. et 4 suites 🔲 ✖ ♿ ⌘ 🖾 🏊 Luxueux. Tout près de l'aéroport.
★★*Omni Charlestville,* 235, W. Main St. (☎ 971 5500 fax 979 4456), 208 ch. et 7 suites 🔲 ✖ ♿ 🖾 2 piscines, quelques boutiques et des ch. spacieuses.
★★*Best Western Cavalier Inn,* 105, Emmet St. (☎ 296 8111 fax 296 3523), 118 ch. et 2 suites ✖ ♿ ♨ 🖾 Très bien aménagé.
★★*Days Hotel,* 1901, Emmet St. (☎ 977 7700 fax 296 2425), 174 ch. et 2 suites ✖ 🖾 Classique. Propre.

Restaurants

★★*Aberdeen Barn,* 2018, Holiday Dr (☎ 296 4630), ouv. 17 h-0 h, dim. jusqu'à 22 h, f. Thanksgiving (4e jeu. de nov.) et 25 déc. ♿ Réserv. préférable. Très animé. Spéc. : fruits de mer.
★★*Gaslight,* 625, W. Main St. (☎ 296 1249), ouv. 11 h 30-14 h et 17 h 30-21 h 30, dim. et lun. 17 h 30-22 h, f. 1er jan. et 25 déc. Spéc. : fruits de mer, canard, blanc de poulet au crabe et excellents desserts.
★★*Schnitzelhouse,* 2208, Fontaine Ave. (☎ 293 7185), ouv. 17 h-21 h 30, f. dim., jours fériés, 1re sem. de juil. et de jan. Décor bavarois. Cuisine suisse et allemande.
★*Blue Ridge Brewing Co.,* 709, W. Main St. (☎ 977 0017), ouv. 11 h 30-14 h et 17 h-22 h, f. 4 juil. et 25 déc. ♿ Cuisine américaine.

Campings : *Cambrie Launch Charlottesville KOA,* P.O. Box 144, C-Ville, VA 22901. Piscine, jeux vidéo, pêche. Site à partir de $ 20 avec électricité.

Téléphones utiles : urgences (☎ 911).

Aéroport : *Charlottesville/Albemarle Airport* (rens. ☎ 973 5321 et 973 8341).

Compagnies aériennes : *Allegheny* (☎ 800/428 4253) • *Air Virginia* (☎ 800/552 7802) • *Continental Express* (☎ 973 8321) • *Piedmont Airlines* (☎ 293 6111) • *United Express* (☎ 973 2086) • *USAir* (☎ 973 4379).

Taxis : *Yellow Cab* (☎ 295 4131).

Locations de voitures : *Avis* (☎ 973 6000) • *Autolease* (☎ 973 1144) • *Budget Rent a Car* (☎ 973 5751) • *Hertz* (☎ 973 8349).

Chemin de fer : *Amtrak,* 810, W. Main St. (rens. ☎ 800/872 7245).

Autocar : *Greyhound Trailways,* 310, W. Main St. (rens. ☎ 295 5131).

Transports en commun : *Charlottesville Transit Service* (rens. ☎ 296 7433). Service de bus lun.-sam. 6 h 20-19 h • *University Transit,* service de bus (rens. ☎ 924 7711).

Excursions et visites guidées : Le *Charlottesville/Albemarle Information Center*, situé via VA-20S dans le *Thomas Jefferson Visitors Center Bldg*, vous fournira les renseignements nécessaires pour les tours à pied dans la partie historique de Charlottesville.

Manifestations : Avr. *Founder's Day* (jour des pères fondateurs), dépôt de gerbes de fleurs sur la tombe de Thomas Jefferson (rens. ☎ 295 8181) ● **Mi-avr.** *Dogwood Festival,* pendant 9 jours, parades, tournois de golf et carnaval (rens. ☎ 295 3141) ; *Garden Week,* quelques-unes des plus belles demeures et leurs jardins deviennent accessibles au public (rens. ☎ 295 4384).

Shopping : Centres commerciaux de Charlottesville : *The Downtown Mall* comprenant boutiques, rest. et différents types de magasins ● *The Corner, University of Virginia.* Librairies, boutiques de cadeaux et rest. Clientèle d'universitaires ● *Charlottesville Fashion Square,* Rte 29N. et Rio Rd. Le plus récent des centres commerciaux. Schéma classique. ● *Les autres quartiers commerçants de la ville :* Emmet St. et Barracks Rd où l'on trouve divers magasins.

CHATTANOOGA (TN)

ℹ️ **The Chattanooga Area Convention & Visitors Bureau,** 1001, Market St. (☎ 523 7263).

☎ 615

Hôtels

★★★*Radisson Read House,* Box 11165, M.L. King Blvd. & Broad St. (☎ 266 4121 fax 267 6447), 243 ch et 139 suites ▦ ✗ ♿ ⊠ Hôtel de qualité. Galerie marchande. Pratique.
★★*Comfort Inn,* 7717, Lee Hwy. (☎ 894 5454 fax 894 5454, ext 152), 64 ch. ♿ ⊠ Confort et propreté.
★*Econo Lodge,* 1417, St Thomas (☎ 894 1417), 89 ch. ♿ ⊠ Ch. avec petit déjeuner compris. Economique.

Restaurants

★★★*Narrowbridge,* 1420, Jenkins (☎ 855 5000), ouv. 17 h 30-22 h, f. dim et jours

fériés ♿ Demeure coloniale. Spécialiste des fruits de mer.
★★★*Perry's,* 1206, Market St. (☎ 267 0007), ouv. 11 h 30-14 h 30 et 18 h-22 h., f. jours fériés ♿ Spéc. : fruits de mer.

Campings : *KOA Lookout Mountain* (☎ 404/657 6815) ● *Racoon Mountain Campground,* Rte 4, Cummings Hwy. (☎ 821 9403).

Téléphones utiles : urgences (☎ 911).

Autocar : *Greyhound* (rens. ☎ 267 6531). Liaisons jusqu'à Nashville, Knoxville et Atlanta.

Manifestations : Mi-oct. *Autumn Leaf Special,* un tour en train à vapeur de 130 mi/200 km à travers les montagnes. Rens. au *Tennessee Valley Railroad Museum,* 4119, Cromwell Rd (☎ 894 8028).

CHICAGO (IL)

ℹ️ **Tourist Information Center,** Chicago Cultural Center, 77 E. Randolf St. (☎ 744-2400) lun.-ven. de 10 h à 18 h, sam. de 10 h à 17 h, dim. de 12 h à 17 h.

☎ 312

Hôtels

★★★★★*The Drake Hotel,* 140, E. Walton Place (☎ 787-2200 fax 787-1431), 551 ch. ▦ ✗ ♿ ⊗ Le *Drake* est le palace de Chicago et il s'enorgueillit d'avoir accueilli tout ce qui compte en ce bas monde, de la reine Elisabeth à Michael Jackson. Le lobby mérite un coup d'œil, avec ses lustres et ses plafonds de haute volée.
★★★★★*Four Seasons Hotel,* 120, E. Delaware (☎ 280-8800 fax 280-1748), 343 ch. ▦ ✗ ♿ ⊗ ⊠ Hôtel ultra-moderne, récemment construit dans un complexe commercial de luxe situé en plein centre ville. Piscine, terrasse avec vue et même un circuit pour joggers.
★★★★*Swiss Grand Hotel,* 323, E. Wacker Dr (☎ 565-0565 fax 565-4382), 630 ch. ▦ ✗ ♿ ⊗ Le tout nouveau palace de Chicago, qui surplombe le lac. Ch. munies du confort dernier cri, salle de

gym., rest. et un excellent rapport qualité/prix.

***Allerton Hotel,** 701, N. Michigan Ave. (☎ 440-1500 fax 440 1819), 400 ch. Fier vaisseau de brique, cet hôtel a été rénové récemment et devrait retrouver bientôt sa gloire passée. Situé au cœur de la ville, sur le *Magnificent Mile,* c'est un bon ex. de l'hôtel traditionnel américain. Restaurant continental l'*Avenue Café.*

***The Homestead,** 1625, Hinman Ave., Evanston, Illinois 60201 (☎ 708/475-3300). A 30 mn du centre, dans la banlieue résidentielle d'Evanston (près de Northwestern University), cet ensemble groupe dans un environnement agréable des ch., des studios et même de petits appartements que l'on peut aussi louer au mois.

**Essex Inn, 800, S. Michigan Ave. (☎ 939-2800 fax 939-1605), 255 ch. 🏨 ✗ ♿ 🔲 Juste en face du Grant Park, pas très loin de la Sears Tower, cet hôtel propose un parking gratuit, et aussi un service de minibus pour Downtown.

**Hotel Lincoln, 1816, N. Clark (☎ 664-3040 fax 664-3040, ext. 7329), 90 ch. 🏨 ✗ ♿ ⚘ L'extérieur est assez quelconque (bâtiment en briques rouges des années 20) mais l'int. est habilement réaménagé. Tout près du parc, à 300 m de la plage, proche du centre ville. Accueil chaleureux et personnalisé. L'hôtel appartient à la chaîne *Days Inn.*

Abbott Hotel, 721, W. Belmont (☎ 248-2700), 87 ch. 🏨 ⚘ Petit hôtel sans prétention, situé dans Uppertown, à env. 15 mn du centre-ville ; prix modestes dans un quartier animé.

Hot Rooms (☎ 468-7666). Ce service, qui regroupe un certains nombre d'hôtels de la ville, propose des ch. à prix réduits.

Restaurants

***The 95th,** 875, N. Michigan Ave., Hancock Tower (☎ 787-9596 fax 280-9447), f. 1 sem. en jan. 🏨 ♿ ⚘ Rest. de classe, au cadre recherché, digne du panorama splendide sur tout Chicago et sur le lac Michigan. Le dim., brunch pantagruélique pour $ 25 (mais il faut impérativement réserver). Merveilleux à la tombée de la nuit. Vous pouvez aussi vous contenter du bar pour admirer la vue.

***The Pump Room,** Omni Ambassador East Hotel, 1301, N. State St. (☎ 266-0360). Cuisine américaine. On y croise des célébrités.

***Berghoff,** 17, W. Adams (☎ 427-3170), f. dim. et jours fériés. Très ancien rest. (ouvert en 1898) dont les boiseries foncées et massives furent longtemps réservées aux hommes ! Cuisine américaine et allemande tout à fait correcte, qui plaît aux hommes d'affaires du Loop.

**Michael Jordan's, 500, N. La Salle (☎ 644-3865). Le propriétaire est le célèbre joueur de l'équipe des Chicago Bulls.

Giordano's, 730, N. Rush St. (☎ 951-0747). On ne peut quitter Chicago sans avoir succombé aux *pan pizzas* (pizzas cuites dans une poêle). La *pan pizza* au fromage est la plus représentative. Giordano's livre aussi à domicile.

Saint Germain, 1210, N. State Pkwy (☎ 266-9900 fax 266-8985) 🏨 ♿ ⚘ C'est le rest. français de Chicago. Le mat. on vient y prendre son authentique baguette et ses croissants ; à midi on y déguste une (vraie) quiche lorraine ; le soir, dîner agréable, steak au poivre, crêpes et éclairs au chocolat. Seule la rue parisienne reconstituée est fausse.

Mac Donald's, 600, N. Clark St. (☎ 664-7940) 🏨 ♿ ⚘ Un Mac Donald's oui, mais pas n'importe lequel ! Sans doute le plus original de cette ville qui a vu naître la révolution du hamburger ! (Le quartier général de la célèbre firme se trouve dans la proche banlieue). Ambiance, décoration et musique des années 60. Bric-à-brac d'époque et en prime une superbe grosse voiture américaine toute rose.

Consulats : Consulat de France, 737, N. Michigan Ave., suite 2020 (☎ 787-5359) ● **Consulat du Canada,** 180 N. Stetson, suite 2400 (☎ 616-860) ● **Consulat de Suisse,** 737, N. Michigan Ave., suite 2301 (☎ 915-0061).

Urgences : 911 ● pompiers (☎ 347 1313) ● police (☎ 911) ● aide médicale (☎ 670-2550) ● aide dentiste (☎ 836-7300).

Aéroport : *O'HARE,* premier aéroport au monde pour l'ampleur du trafic (inf. ☎ 686-2200). Situé à 30 km de la ville. Accès par l'autoroute Kennedy. Prix moyen en taxi : $ 25. Compter 50 mn. En car : *Continental Air Transport* (☎ 454-7800) qui prend les voyageurs à leur hôtel. En métro : $ 1,50. Env. 40 mn.

Compagnies aériennes : *Air France,* 875, N. Michigan, Hancock Tower (☎ 440-7922 fax 440-7949) ● *American Airlines,* à l'aéroport et 8 bureaux en ville dont 41, S. La Salle (☎ 433-7300) ● *Continental Airlines,* Palmer House, 21, E. Monrœ (☎ 686-6500) ● *Delta Airlines,* 540, N. Michigan, Hôtel Marriott (☎ 221-1212) ● *Northwest Airlines,* 55, E. Monrœ (☎ 225-2525) ● *United Airlines,* 35, E. Monrœ et 10 autres bureaux en ville (☎ 241-6522).

Taxis : *Checker Taxi* (☎ 243-2537) ● *Checker/Yellow Cab* (☎ 829-4222) ● *Flash Cab* (☎ 561-1444).

Locations de voitures : *Avis,* 200, N. Clark et 3 autres bureaux en ville (☎ 694-5600 fax 694-5061) ● *Hertz,* 9, W. Kinzie St. et 3 autres bureaux en ville (☎ 372-7600 fax 694-0567) ● *Budget,* 65, E. Lake et 13 autres bureaux en ville (☎ 686-6800 fax 419-1914) ● *National Rent a Car,* 203, N. La Salle et 3 autres bureaux en ville (☎ 236-2581 fax 236-0308). Autres bureaux de ces compagnies à O'Hare.

Transports en commun : Le *CTA (Chicago Transport Authority)* gère l'ensemble des transports en commun de la ville (bus, métro souterrain ou aérien). Bureau central : 222, Merchandise Mart (rens. ☎ 836-7000). On peut se procurer les cartes du métro et du bus au Chicago Visitor Center, 163, E. Pearson St. ou dans les gares du centre ville. Tarif moyen : $ 1,50. Dans les bus, prévoir sa monnaie.

Excursions et visites guidées : Trois adresses préalables d'organisations qui vous donneront des inf. sur les nombreuses formules existantes : *Chicago Visitors Center,* 163, E. Pearson (☎ 467-7114), ouv. t.l.j. 9 h 30-17 h ● *Chicago Office of Tourism,* Historic Water Tower, 806, N. Michigan Ave. ● *Archicenter,* 224, S. Michigan Ave. Parrainée par la *Chicago Architecture Foundation,* cette organisation propose de nombreux tours centrés sur l'architecture à Chicago et sa banlieue. Tours en bateaux ou tours spécialisés, par ex. sur les bâtiments construits par Frank Lloyd Wright (☎ 922-8687) ● Et quelques adresses plus spécifiques pour mieux connaître Chicago : *Here's Chicago,* Water Tower, un show époustouflant avec projections d'images et de film sur Chicago, le tout sur ordinateurs (☎ 280-5740) ● *Shoreline Sightseeing,* tour en bateau, l'autre moyen d'aborder Chicago par le lac. Départ depuis le port face à Buckingham Fountain et on longe le front de lac (☎ 222-9328) ● *Chicago Historical Society,* 1629, N Clark à N Ave. Organise des tours en bus ou à pied (☎ 642-4600).

Festivals et manifestations : Mars. *Saint Patrick Day,* toute la ville se met en vert, même la Chicago River. Grande parade dans Dearborn St. ● **Juin.** *Chicago Blues Festival,* Grant Park (☎ 744-3315). Festival international de blues, avec les meilleures vedettes du pays et du monde entier ● **Juin/juil.** *Taste of Chicago,* Grant Park (☎ 744-3315). La grande bouffe ! Pendant 8 jours, des centaines de restaurateurs (hamburgers, saucisses, *tacos,* tout ce qu'on peut imaginer en matière de sandwiches...) plantent leurs tentes ou leurs stands dans le parc. Devise : "Le plus grand pique-nique d'Amérique" ! ● **Juin/sept.** *Ravinia Festival,* 1575, Oakwood Ave., Lake Cook & Green Bay Rd, Highland Park, grande banlieue N. de Chicago (☎ RAVINIA). 13 sem. de musique classique du *Chicago Philharmonic Orchestra,* avec des artistes de tout premier ordre. Egalement du jazz de très haut niveau. *Grant Park Music Festival, Petrillo Band Shell,* 235, S. Columbus Dr à Jackson Ave. (☎ 819-0614). Chaque soir un programme différent que l'on écoute sur la pelouse du parc, sous la lumière des gratte-ciel et les illuminations des yachts du port. Gratuit. ● **Sept.** Festival de jazz à Grant Park.

Shopping : Le *Magnificent Mile,* Michigan Ave., au pied des fameuses Hancock Tower (5ᵉ plus haut bldg. au monde) et Water Tower, regroupe une immense variété de magasins de luxe du monde entier : Benetton, Sonia Rykiel, Burberry's, Cartier, Hermès et tous les grands noms du commerce de luxe international ● *Crate & Barrel*, 101, N. Wabash Ave. (☎ 372-0100) et 646, N. Michigan Ave. (☎ 787-5900). Tout ce qu'on peut imaginer pour équiper sa maison et même un peu plus. Cadeaux, maroquinerie ● *Water Tower Place*, 835-845, N. Michigan Ave. (☎ 440-3165), 125 magasins, sur 7 étages autour d'un atrium ultramoderne, 2 grands magasins, 8 rest. et 7 cinémas ! ● *Bloomingdale's*, 900, N. Michigan Ave. (☎ 440-4460). Frère du célèbre magasin newyorkais : mode, parfums, meubles sur six étages ● *Neiman Marcus*, 737, N. Michigan Ave. (☎ 642-5900). Grand magasin de luxe et souvent de très grand luxe : mode, design, fourrures, bijoux et cadeaux ● **Le quartier indien**, v. 2600, Devon St. au N. de la ville. Offre une multitude de petits magasins de tissus et d'électronique de toutes sortes ● *Alcala*, 1733, W. Chicago Ave. A signaler pour les amateurs de Far West, l'extraordinaire Alcala, au cœur du quartier mexicain (dans la partie O. de Chicago) : chapeaux de cow-boy, jeans, bottes, tout l'équipement nécessaire pour se lancer à l'assaut de la Grande Prairie ● *Gurnee Mills*, 6170, W. Grand Ave., Gurnee ; à 1/2 h de Chicago, autoroute 94, sortie 132, ou en train à partir de la gare Northwestern, 500, W. Madison (☎ 800-YES SHOP), ouv. t.l.j. 10 h-21 h et dim. 11 h-18 h. L'un des plus grands magasins de soldes permanents des États-Unis ; prix entrepôts dans les 200 boutiques ou magasins de vente directe. On peut y faire de très bons achats dans un cadre agréable.

CINCINNATI (OH)

ℹ️ **The Greater Cincinnati Convention and Visitors Bureau**, 300, W. 6th St., Cincinnati, OH 45202 (☎ 621 2142).

☎ 513

Hôtels

★★★*Omni Netherland Plaza*, 35, W. 5th St. (☎ 421 9100 fax 421 4291), 621 ch.

et 12 suites 🖥️ ✖️ ♿ ⊘ 🖵 Hôtel luxueux, style Art déco des années 30, comprenant un bar et 2 rest.
★★★*Clarion Hotel*, 141, W. 6th St. (☎ 352 2100 fax 352 2148), 885 ch. et 32 suites 🖥️ ✖️ ♿ ⊘ 🖵 Dans le centre ville. Des bars ouv. 11 h-2 h 30, des boutiques et 2 rest. Hôtel commode.
★★★*Holiday Inn North*, 2235, Sharon Rd (☎ 771 0700 fax 772 0933), 409 ch. et 10 suites ✖️ ♿ 🖵 ⏚ Ch. confortables. 2 rest. Réserv. préférables.
★★*Best Western Mariemont Inn*, 6880, Wooster Pike (☎ 271 2100 fax 271 1057), 60 ch. Un peu à l'écart du centre ville. Classique.
★★*Rodeway Inn*, 400, Glensprings Dr (☎ 825 3129 fax 825 0467), 120 ch. ♿ 🖵 Cadre sympathique et ch. convenables.
★*Red Roof Inn*, 11345, Chester Rd (☎ 771 5141 fax 771 0812), 108 ch. Simple et agréable.

Restaurants

★★★★★*Maisonnette*, 114, E. 6th St., Downtown (☎ 721 2260), ouv. 11 h 30-14 h 30 et 18 h-22 h 30, sam. 17 h 15-23 h, f. dim., jours fériés et 1re sem. de juil. ♿ Grande classe pour cette institution familiale. Cuisine française. Spéc.: escalope de foie gras, poissons frais (importés de France !).
★★*La Normandie Grill*, 118, E. 6th St., Downtown (☎ 721 2761), ouv. 11 h-14 h 30 et 17 h-23 h, sam. à partir de 17 h, f. dim., jours fériés et 1re sem. de juil. ♿ Spéc. : poissons frais et bœuf.
★*Lenhardt's*, 151, W. McMillan (☎ 281 3600), ouv. 11 h-21 h 30, sam. et dim. 16 h-21 h 30, f. lun. et 4 juil. Cuisine allemande et hongroise. Spéc. : choucroute, *goulash*, poulet au paprika.
★★*Montgomery Inn Boathouse*, 9440, Montgomery Rd (☎ 791 3482), ouv. 11 h-23 h, ven. jusqu'à minuit, sam. 16 h-0 h (réserv. préférables), dim. 16 h à 22 h, f. jours fériés. ♿ Spéc. : barbecues, poulet.

Campings : *Florence Ovenite RV Park*, 10485, Dixie Hwy., Florence, Kentucky (☎ 371 8352). A 15 mi/25 km du centre de Cincinnati, ouv. t.a. Eau, électricité, téléphone.

Téléphones utiles : urgences (☎ 911)
● police (☎ 352 3536)

Aéroport : *Greater Cincinnati International Airport,* Covington, Kentucky (rens. ☎ 283 3151), à 20 km de la ville. En taxi : env. $ 20.

Compagnies aériennes : *American* (☎ 621 6200) ● *Comair* (☎ 800/354 9822) ● *Delta* (☎ 721 7000) ● *Japan* (☎ 241 2320) ● *TWA* (☎ 800/221 2000).

Taxis : *Yellow Cab* (☎ 241 2100). Env. $ 1,50/mi (1,609 km) ● *Airport Taxi Service* (☎ 283 3260).

Locations de voitures : *Hertz,* à l'aéroport (☎ 800/654 3131) ● *Budget Car &Truck Rental,* à l'aéroport (☎ 606/283 1166.)

Chemin de fer : *Amtrak,* 1901, River Rd (rens. ☎ 921 4172 ou 800/872 7245).

Autocar : *Greyhound,* 1005, Gilbert Ave. (rens. ☎ 352 6000).

Transports en commun : En bus, le *Queen City Metro* (rens. ☎ 621 4455).

Excursions et visites guidées : *BB Riverboats,* P.O. Box 1112, Covington, KY 41012. Tours en bateau sur l'Ohio River (rens. ☎ 606/261 8500) ● Pour visiter les curiosités de la région, s'adresser à l'Office de tourisme.

Manifestations : Pour être au courant des principaux événements de la journée (☎ 421 4636) ● **2 dernières sem. de mai.** *May Festival,* festival où se réunissent chanteurs de chorale, d'opéra (rens. ☎ 381 3300) ● **Fin juil.** *Riverfront Stadium Festival,* artistes spécialistes de la *Soul* et du *Blues* sont au RV ● **1er lun. de sept.** *Labor Day Riverfest* (fête du travail) : Cincinnati célèbre l'Ohio River. Ski nautique, feu d'artifice et tours en bateau. Rens. au *Greater Cincinnati Convention and Visitors Bureau* ● **Mi-nov.** *International Folk Festival,* plus de 30 groupes ethniques et leurs spécialités culinaires y sont représentés. Rens. au *Greater Cincinnati Convention and Visitors Bureau.*

Shopping : *Tower Place at the Carew Tower,* 4th & Race Sts (☎ 621 2142). Des magasins de mode, des rest. : du plus simple au plus raffiné ! ● *Forest Fair Mall,* Fairfield, OH (☎ 671 2929). Un vaste centre commercial avec plus de 100 boutiques et un cinéma (8 salles !) ● *Convention Place Mall,* 435, Elm St. (☎ 421 5736). Des rest., des boutiques… tout pour se divetir.

CLEVELAND (OH)

ℹ️ **The Convention and Visitors Bureau of Greater Cleveland,** 3100, Tower City Center, Cleveland, OH 44113 (☎ 621 4110 fax 621 5967).

☎ 216

Hôtels

★★★★*The Ritz-Carlton,* 1515, W. 3rd St. (☎ 623 1300 fax 623 0515), 208 ch. et 21 suites avec vue sur le lac Erié 🏨 ✗ ♿ ⌧ Au cœur de Cleveland, service de qualité pour cet hôtel de luxe aménagé dans le style des XVIIIᵉ et XIXᵉ s.

★★★*Stouffer Tower City Plaza,* 24, Public Sq. (☎ 696 5600 fax 696 3102), 491 ch. et 50 suites 🏨 ✗ ♿ ⌧ Hôtel de luxe. Boutiques et rest. En plein centre ville.

★★*Holiday Inn-Lakeside,* 1111, Lakeside Ave., E. 12th St. (☎ 241 5100 fax 241 7437), 377 ch. et 63 suites 🏨 ✗ ♿ ⌧ A proximité du stade de Cleveland et de *Burke Lakefront Airport.* Pratique et bien équipé.

★★*Glidden House,* 1901, Ford Dr, University Circle (☎ 231 8900 fax 231 2130), 60 ch. et 8 suites 🏨 ♿ Admirablement restaurée, cette demeure du début du s. offre tout d'un service personnalisé pour un Bed & Breakfast au charme d'antan.

★★*Residence Inn by Marriott,* 17525, Rosbough Dr, Middleburg Heights (☎ 234 6688 fax 234 3459), 104 suites 🏨 ♿ Près de l'aéroport, des suites spacieuses, chacune équipée d'une cuisine. *Lakewood Manor Hotel,* 12019, Lake Ave., Lakewood (☎ 226 4800). Situé à 3 mi/5 km de la ville et accessible en transports en commun, cet établissement propose des chambres convenables à moindre coût.

Restaurants

Downtown

★★★**Sammy's,** 1400, W. 10th St., (☎ 523 5560), ouv. 11 h 30-14 h 30 et 17 h 30-22 h, ven. et sam. jusqu'à minuit, f. dim. et jours fériés. L'un des rest. les plus raffinés de la ville. Surplombant la Cuyahoga River. Spéc.: plats de poissons. Réserv. conseillées.

★★**Burgess Grand Café,** 1406, W. 6th St., (☎ 574 2232), ouv. 7 h 30-22 h, sam. jusqu'à minuit, f. Thanksgiving (4ᵉ jeu. de nov.) et Noël ♿ Renommé. Spéc. : pâtes au blé complet accompagnées de calamars en sauce et ris de veau à la moutarde. Ambiance jazz mer., ven. et sam. soirs.

★**Sweetwater's Café Sausalito,** 1301, 9th St. dans la *Galleria at Erieview,* (☎ 696 2233), ouv. 11 h 30-15 h et 17 h-21 h, ven. et sam. jusqu'à minuit, dim. 12 h-18 h, f. Pâques, Thanksgiving (4ᵉ jeu. de nov.) ♿ Décor sophistiqué, ambiance piano-bar. Spéc. : paella, bouchées au crabe, fruits de mer et pâtes.

★**New York Spaghetti House,** 2173, E. 9th St., (☎ 696 6624), ouv. t.l.j. 11 h-22 h, f. dim. et jours fériés. Cuisine italienne pour cette institution familiale où l'on peut admirer des peintures murales sur l'Italie tout en savourant leurs spéc. de veau et de succulents desserts. Et pour les amateurs de vin, grande sélection de vins italiens (toujours !).

Lakewood

★★**Pier W.,** 12700, Lake Ave., (☎ 228 2250), ouv. 11 h 30-15 h et 17 h 30-22 h, ven. et sam. 17 h-0 h, dim. 9 h 30-14 h 30 et 16 h 30-22 h, f. Noël. Décor marin et vue imprenable sur le lac Erié. Grande sélection de fruits de mer et spéc. au bœuf.

University Circle

★★**That Place on Bellflower,** 11401, Bellflower Rd, (☎ 231 4469), ouv. 11 h 30-15 h et 17 h 30-22 h, dim. 17 h-20 h 30, f. jours fériés. Sympathique. Installé dans une ancienne remise pour voitures à chevaux. Spéc.: bœuf Wellington et saumon frais.

Campings : Les campings les plus proches se situent à l' E. du centre ville, à Streetsboro (env. 40 mn) : *Woodside Lake Park,* 2256, Frost Rd (☎ 626 4251). Electricité ● *Valley View Lake Resort,* 8326 Ferguson (☎ 626 2041). Eau, électricité.

Téléphones utiles : urgences (☎ 911 ou 623 4545) ● police (☎ 621 1234).

Aéroport : *Cleveland Hopkins International Airport,* 5300, Riverside Dr, Brookpark (rens. ☎ 265 6030). Situé à 12 mi/20 km du centre de Cleveland. Liaison avec le centre ville par le *Regional Transit Authority (RTA),* compter $ 1,25. (rens. ☎ 566 5074). Taxi : $ 16 (trajet d'env. 20 mn).

Compagnies aériennes : *American* (☎ 696-8500 et 800/433 7300) ● *Continental* (☎ 771 8419) ● *Delta Airlines* (☎ 781 8800) ● *Northwest* (☎ 800/225 2525) ● *US Air* (☎ 800/ 428 4322).

Taxis : *Yellow Cab Company of Cleveland,* 2069, W. 3rd St. (☎ 623 1550).

Locations de voitures : *Avis Rent a Car,* Cleveland Hopkins International Airport (☎ 265 3702) ● *Hertz Corporation,* 708, St Clair Ave., Cleveland (☎ 696 6066).

Chemin de fer : *Amtrak,* 200, Cleveland Memorial Shoreway (rens. ☎ 800/872 7245).

Autocars : *Greyhound-Trailways,* 1465, Chester Ave. (rens. ☎ 781 0520 et ☎ 781 1400 pour les horaires et les tickets).

Transports en commun : *Regional Transit Authority (RTA),* 2019, Ontario Ave. (rens. ☎ 621 9500).

Excursions et visites guidées : *Trolley Tours of Cleveland,* W. 9th St., St Clair Ave. Vis. des sites historiques de Cleveland au départ du *Burke Lakefront Airport* (réserv. ☎ 771 4484) ● *Cleveland Double Deckers,* tours de la ville dans un authentique autobus à impériale (rens. ☎ 574 2525) ● *Goodtime Cruise Line Inc.,* N. Coast Harbor, tours en bateau sur la Cuyahoga River, le lac Erié et ceci à bord du Goodtime III (rens. ☎ 861 5110).

Manifestations : Pour se tenir au courant des événements de la journée, un bureau d'informations au *Terminal Tower Bldg,* Public Sq. (☎ 621 8860, répondeur 24/24 h). A noter cependant : **début août**. *Cuyahoga County Fair,* l'une des plus importantes foire de commerce organisée dans l'Etat d'Ohio (rens. ☎ 243 0090). ● **Fin août-début sept.** *Cleveland National Air Show,* démonstrations aériennes au *Burke Lakefront Airport.*

Shopping : Deux centres commerciaux plutôt renommés : *The Galleria at Erieview,* 1301, E. 9th St. et St Clair Ave. (☎ 861 4343) lun.-sam. 10 h-20 h et dim. 11 h-16 h. Grande variété de rest. très chics et de magasins de luxe ● *Tower City Center,* 50, Public Sq. (☎ 771 6611) ouv. lun.-sam. 10 h-18 h et dim. 12 h-18 h. Env. 120 magasins, de nombreux rest. et aussi un cinéma.

COLUMBIA (SC)

ℹ️ **The Greater Columbia Convention & Visitors Bureau,** 301, Gervais St. (☎ 254 0479).

☎ 803

Hôtels

★★★*Courtyard by Marriott,* 347, Zimalcrest Dr (☎ 731 2300 fax 772 6965), 149 ch. et des suites ♿ ⊘ ▱ Pratique et confortable.
★★★*Claussen's,* 2003, Greene St. (☎ 765 0440 fax 799 7924), 29 ch. et des suites ♿ ⊘ Elégant Bed & Breakfast. Ch. avec patios.

Restaurants

★★*Al's Upstairs,* 304, Meeting St., W. Columbia (☎ 794 7404), ouv. 17 h-22 h, f. lun. et jours fériés. Cuisine italienne. Spéc. : *Italian cream cheesecake.*

★★*Hennessy's,* 1649, Main St. (☎ 799 8280), ouv. 11 h 30-15 h et 18 h-22 h, sam. 18 h-23 h, f. dim. et jours fériés ♿ Spéc. : cuisine du Pays cajun.

Camping : *The Sesquicentennial State Park* (☎ 788 2706). Sites avec eau et électricité.

Téléphones utiles : urgences (☎ 911) ● hôpital : *The Richland Memorial Hospital,* 5, Richland Medical Park (☎ 765 7511).

Aéroport : *Columbia Metropolitan Airport,* 300, Aviation Way (rens. ☎ 822 5000). Desservi par *Delta, American* et *USAir.*

Chemin de fer : *Amtrak,* 903, Gervais St. (rens. ☎ 252 8246 ou 800/872 7245). Destinations : Miami, Washington et Savannah.

Autocar : *Greyhound/Trailways,* 2015, Gervais St. (rens. ☎ 779 0650). Destinations : Charlotte, Charleston et Atlanta.

Transports en commun : *South Carolina Electric & Gas* (rens. ☎ 748 3019). Service de bus local.

Manifestations : Oct. *South Carolina State Fair,* Fairgrounds, 1200, Rosewood Dr. Expositions sur l'agriculture, les fleurs, l'artisanat et le bétail (rens. ☎ 799 3387).

COLUMBUS (OH)

ℹ️ **The Greater Columbus Convention and Visitors Bureau,** 1, Columbus Bldg., 10, W. Broad St., Suite 1300, Columbus 43215 (☎ 221 6623).

☎ 614

Hôtels

★★★*Holiday Inn Crowne Plaza,* 33, Nationwide Blvd. (☎ 461 4100 fax 461 5828), 286 ch. et des suites ▦ ✕ ♿ ⊘ ▱ Le plus récent du centre ville. Salon, bar, rest., boutiques.
★★★*Quality Hotel City Centre,* 175, E. Town St. (☎ 221 3281 fax 221 2667),

245 ch. ⊞ ✗ ♿ ⌦ ⌧ Rénové en 1991. Piscine découverte (la seule de la ville !). Schéma classique pour ce qui est du reste: bar, rest.

**Holiday Inn Airport, 750, Stelzer Rd (☎ 237 6360 fax 237 2978), 236 ch. ✗ ♿ ⌧ ./ Près de l'aéroport. Ambiance tropicale des Caraïbes.

**Cross Country Inn -North, 4875, Sinclair Rd (☎ 431 3670 fax 431 7261), 136 ch. ♿ ⌧ Un peu en dehors de la ville. Hôtel confortable.

**Ramada Inn -East, 2100, Brice Rd, Reynoldsburg 43068 (☎ 864 1280), 143 ch. ⌧ Salle à manger, salon, ch. rénovées. Tout proche des boutiques et autres lieux de distraction.

Restaurants

***Mario's Internationale, 20, S. 3rd St., The Galleria (☎ 221 3850), ouv. 11 h 30-14 h 30 et 17 h 30-22 h, jeu. et sam. jusqu'à minuit, dim. 17 h 30-22 h, f. jours fériés ♿ Style franco-américain. Spéc.: bœuf, veau, fruits de mer.

**The Clarmont, 684, S High St., German Village (☎ 443 1125), ouv. 7 h-14 h 30 et 17 h-22 h, ven. et sam. 7 h-22 h, dim. 16 h-21 h., f. jours fériés ♿ Spéc.: tourte au poulet, steaks, fruits de mer, gambas, tarte à la banane.

**Fifty-Five on the Boulevard, 55, Nationwide Blvd. (☎ 228 5555), ouv. 11 h-14 h 30 et 17 h-22 h, sam. 17 h-23 h, dim. 17 h-21 h, f. jours fériés ♿ La "cuisine nouvelle" américaine. Spéc.: saumon norvégien, plats de poissons, pâtes fraîches.

**Peasant on the Lane, 1693, W. Lane Ave. (☎ 481 8189), ouv. 11 h-21 h, f. dim. et jours fériés ♿ Ambiance intime pour vos repas à l'européenne. Spéc.: poulet grillé au citron vert, veau Florentine, côtes de bœuf.

*Schmidt's Sausage House, 240, E. Kossuth St., German Village (☎ 444 6808), ouv. 11 h-0 h, f. jours fériés ♿ Installé dans une écurie du XIXe s. Spéc.: saucisses faites maison et de très bons desserts.

Téléphones utiles : urgences (☎ 911 ou 431 3388) ● police (☎ 645 4545).

Aéroport : *Port Columbus International Airport* (☎ 239 4000). A env. 12 mi/20 km de Columbus.

Compagnies aériennes : *American,* Port Columbus International Airport, 4600, International Gateway (☎ 800/433 7300) ● *Delta,* 33, N. High St., Suite 555 (☎ 239 4463) ● *USAir,* 4393, International Gateway, suite 106 (☎ 237 5217).

Taxis : *Independent Taxicab Association of Columbus,* 33, S. James Rd, suite 101 (☎ 235 5551) ● *Yellow Cab Company,* 525, Kennedy Dr (☎ 221 2390).

Locations de voitures : *Avis Rent a Car Systems,* 3801, International Gateway (☎ 235 8691) ● *Budget Car Rental,* 1441, Stelzer Rd (☎ 471 9670) ● *Hertz Rent a Car,* 4200, International Gateway (☎ 237 1922).

Autocar : *Greyhound,* 111, E. Town St. (☎ 221 6623).

Transports en commun : Le système de transports en commun est dominé par le *Central Ohio Transit Authority (COTA),* 177, S. High St. (☎ 228 1776 pour les bus), ouv. lun.-ven. 8 h 30-17 h 30.

Excursions et visites guidées : *Discover Columbus,* 61, Medbrook Way, Columbus. Vis. de la ville (env. 3 h). Réserv. t.l.j. sf dim. (☎ 262 8531).

Manifestations : Se renseigner au *Greater Columbus Convention and Visitors Bureau.* A noter cependant : **début juin.** *Greater Columbus Art Festival,* expositions, musique et danse dans le centre ville ● **Août.** *Ohio State Fair,* Expositions Center, I-71 et E. 11th Ave. Expositions sur l'agriculture, l'industrie et des stands de jeux (rens. ☎ 644 3247) ● **Début oct.** *Columbus Day Celebration,* parades, feux d'artifice, marathon.

Shopping : *Columbus City Center,* 111, S. 3rd St. (☎ 221 4900). Plus de 145 boutiques, des restaurants et des grands magasins (Jacobson's, Lazarus and Marshall Field's), ouv. lun.-sam. 10 h-21 h, dim. 12 h-18 h ● *The Continent/ Home of the French Market,* 6076, Busch Blvd. (☎ 846 0418). Centre commercial dans le genre européen. Magasins, restaurants.

DES MOINES (IO)

ⓘ **The Convention & Visitors Bureau,** 309, Court Ave., Des Moines (☎ 286 4960 ou 800/451 2625).

☎ 515

Hôtels

★★★*Hotel Fort Des Moines,* 10th St. & Walnut Ave. (☎ 243 1161), 241 ch. ✗ ♿ ✇ ▭ En plein centre ville. Pratique.
★★*Best Western Starlite Village,* 923, 3rd St. (☎ 282 5251), 165 ch. ✗ ♿ ▭ Ch. confortables à un prix raisonnable.

Restaurants

★*Battani's,* 210, 4th St. (☎ 244 4473). Cuisine italienne. Les meilleures pizzas de la ville selon les autochtones.
★*Stella's Blue Sky Diner,* 400, Locust St. (☎ 246 1953). Style années 50. Burgers, frites et d'excellents desserts.

Bars : *French Quarter Bar & Restaurant,* 100, Court Ave. (☎ 246 9820). On peut y boire un verre ou manger des spéc. de la Nouvelle-Orléans. Ambiance jazz ven., sam. et dim.

Campings : *Iowa State Fairgrounds Campground,* E. 30th St., Grand Ave. (☎ 262 3111). 1 600 sites sur une colline boisée et verdoyante. Beaucoup de monde en août lors de l'*Iowa State Fair.*

Téléphones utiles : (urgences ☎ 911).

Taxis : *Capitol Cab* (☎ 282 8111) ● *Yellow Cab* (☎ 243 1111).

Locations de voitures : *Budget* (☎ 287 2612).

Autocar : *Greyhound,* 1107, Keosauqua Way (rens. ☎ 243 5211). Pour Kansas City, St Louis, Chicago.

Transports en commun : *Metropolitan Transit Authority (MTA),* 1100, MTA Lane (rens. ☎ 283 8100).

Manifestations : Mi-août. *Iowa State Fair,* l'une des plus grandes foires du pays.

DETROIT (OH)

ⓘ **The Metropolitan Detroit Convention and Visitors Bureau,** 100, Renaissance Center, suite 1950, Detroit, MI 48243 (☎ 259 4333), ouv. t.l.j. 9 h-17 h et week-end 10 h 30-16 h 30.

☎ 313

Hôtels

Downtown

★★★*Omni International,* 333, E. Jefferson Ave., Bricktown (☎ 222 7700 fax 222 6509), 255 ch. ▦ ✗ ♿ ✇ ⫿ Le plus récent de Détroit. De grandes ch. décorées dans les tons bleus. Mobilier luxueux.
★★★*Westin Hotel-Renaissance Center,* Renaissance Center, Jefferson Ave. (☎ 568 8000 fax 568 8146), 1 400 ch. ▦ ✗ ♿ ✇ ▭ ⫿ Superbe vue sur la Detroit River.
★★*Radisson Pontchartrain,* 2, Washington Blvd., Financial District (☎ 965 0200 fax 965 9464), 414 ch. et des suites ▦ ✗ ♿ ▭ Plus familièrement appelé le *Pontch* ; les ch. y sont spacieuses et la vue donne sur la Detroit River.
★*Shorecrest Motor Inn,* 1316, E. Jefferson Ave. (☎ 568 3000 fax 992 9616), 54 ch. ✗ A proximité de *Renaissance Center* et autres curiosités du centre ville.

Northwest

★★*St Regis,* 3071, W. Grand Blvd., New Center Area (☎ 873 3000 fax 873 3000, ext 7116), 225 ch. et 22 suites ▦ ✗ ♿ ⫿ Ch. agréables. Décoration moderne.

Dearborn

★★★★*Hyatt Regency Dearborn,* Fairlane Town Center (☎ 593 1234), 766 ch. ✗

⌧ A 5 mn du *Henry Ford Museum* et de *Greenfield Village*. Luxueux et très commode.

****Ritz-Carlton,** 300, Town Center Dr (☎ 441 2000), 308 ch. ✗ ⌧ Renommée mondiale pour un service de qualité. Pour ce qui est du décor : marbre et lustres (même dans les ascenseurs !).

**Mayflower Bed & Breakfast Hotel, 827, W. Ann Harbor Trail, Plymouth (☎ 453 1620), 100 ch. ✗ Ch. confortables. 16 d'entre elles ont une salle de bains équipée d'un bain bouillonnant. Bonne situation : shopping, golf à proximité.

A l'aéroport

***Courtyard by Marriott, 30653, Flynn Dr, Romulus (☎ 721 3200 fax 721 1304), 146 ch. et des suites ♿ ⊘ ⌧ Classique. Service dans les ch., TV câblée, piscine, salon.

**Comfort Inn Metro Airport, 9501, Middlebelt Rd, Romulus (☎ 946 4300 fax 946 7797), 127 ch. et des suites ♿ Tout près de l'aéroport. Pratique.

*Budgetel Inn, 9000, Wickam Rd (☎ 722 6000 fax 722 4737), 102 ch. ♿ Sans prétentions. Bon rapport qualité/prix.

Restaurants

***The Whitney, 4401, Woodward Ave., Financial District (☎ 832 5700), ouv. 11 h-14 h 30 et 18 h-21 h 30, ven. jusqu'à minuit, sam 17 h-0 h, dim. 17 h-20 h, f. jours fériés ♿ Réserv. recommandées dans ce palace de la gastronomie. Spéc.: veau, bœuf, agneau, saumon, homard.

***Caucus Club, 150, W. Congress St., Penobscot Bldg., Financial District (☎ 965 4970), ouv. 11 h-20 h, ven. jusqu'à 23 h, sam. 17 h-23 h, f. dim. et jours fériés. Réserv. conseillées. Boiseries et peintures à l'huile pour le décor. Spéc. : sole, steak tartare, *Caesar salad*.

**Rattlesnake Club, 300, Stroh River Place, Rivertown (☎ 567 4400), ouv. 11 h 30-22 h, sam. 17 h 30-23 h, f. dim. et jours fériés ♿ Réserv. préférable. Intérieur en marbre, du merisier pour les meubles. Spéc. : langoustes, saumon à la moutarde et aux câpres, poulet rôti avec des endives, sole à la ciboulette.

**Lelli's, 7618, Woodward Ave., New Center Area (☎ 871 1590), ouv. 11 h-22 h, lun. jusqu'à 14 h, f. dim. et jours fériés ♿ Cuisine italienne. Spéc. : veau, pâtes et d'excellents desserts.

**Pegasus Taverna, 558, Monroe St., Greektown (☎ 964 6800), ouv. 11 h-2 h du mat., dim. jusqu'à minuit. ♿ Rest. grec. Parmi les spéc. : *moussaka*, feuilleté au fromage et aux épinards, feuilles de vigne farcies, et pour le dessert les fameux *baklava*.

Campings : Les campings sont assez loin du centre ville. **The Detroit-Greenfield KOA,** 6680, Bunton Rd (☎ 487 7722) à env. 30 mi/49 km de la ville. 216 sites, eau, électricité, compter env. $ 20 pour 2 personnes. Ouv. avr.-mi-nov. ● **Sterling State Park** (☎ 289 2715) à 37 mi/60 km de la ville. Ouv. 24/24 h. Sites à partir d'env. $ 10 avec électricité.

Téléphones utiles : urgences (☎ 911) ou 800/525 5555).

Aéroport : *Detroit Metropolitan Airport,* I-94 Freeway & Merriman Rd, Romulus, (rens. ☎ 942 3550) à env. 26 mi/41 km du centre ville (pour toutes les compagnies aériennes) ● *Detroit City Airport,* 11499, Conner (rens. ☎ 267 6400) à env. 6 mi/10 km de la ville (pour *Southwest Airlines*). En taxi : env. $ 30 ● *Community Transportation Company,* service d'autobus reliant l'aéroport aux principaux hôtels de la ville, 6 h 45-0 h. Départs toutes les 1/2 h jusqu'à 19 h et toutes les h apr. 19 h (rens. ☎ 941 3252). De $ 15 à $ 25 env.

Compagnies aériennes : *American* (☎ 965 1000) ● *British Airways* (☎ 358 5074 et 800/247 9297) ● *Delta* (☎ 355 3200) ● *Northwest* (☎ 800/621 5700) ● *Southwest* (☎ 562 1221) ● *USAir* (☎ 963 8340).

Taxis : *Checker Cab Company* (☎ 963 7000) ● *City Cab* (☎ 833 7060) ● *Metropolitan* (☎ 869 6300) ● *Radio Cab* (☎ 342 4800) ● *Motor City* (☎ 342 8200).

Locations de voitures : *Budget* (☎ 258 0114) ● *Hertz,* Metropolitan Airport (☎

729 5200) ● *Thrifty Car Rental* (☎ 946 7830).

Chemin de fer : *Detroit Amtrack Station,* Vernor Hwy. & Michigan Ave. ● *Dearborn Amtrack Station,* 6121, Michigan Ave. (rens. ☎ 800/872 7245).

Autocars : *Greyhound Bus,* 130, E. Congress St. (rens. ☎ 963 9840 ou 800/528 0447) ● *Michigan Trailways,* 1833, E. Jefferson Ave. (rens. ☎ 259 6680 ou 800/242 2935).

Transports en commun : *The Department of Transportation (DOT),* service de bus pour le centre ville (rens. ☎ 933 1300) ● *The Southeastern Michigan Transportation Authority (SEMTA),* service de bus pour les environs de Détroit (☎ 962 5515).

Excursions et visites guidées : *Grayline Tours,* Department of Transportation, 1301, E. Warren Ave. (rens. au ☎ 833 7692). Vis. des principales attractions de la ville (*Henry Ford Estate, the Edsel & Eleanor Ford House,* le centre ville, le *Henry Ford Museum & Greenfield Village*) ● Des tours en bateau à bord du *Star of Detroit,* 20, E. Atwater St. (derrière Hart Plaza). Départ t.l.j. mi-avr.-mi-oct. (rens. ☎ 259 9161).

Manifestations : pour les principaux événements de la journée, un répondeur téléphonique (☎ 298 6262). **Jan.** *International Auto show,* Cobo Hall. Exposition d'automobiles ● **Juin.** *International Freedom Festival,* 100, Renaissance Center, suite 1760. La "Fête de la Liberté" célébrée en commun avec le Canada. Parades, musique, feux d'artifice... (rens. ☎ 259 5400) ● **Mi-juin.** *Grand Prix,* un grand rallye automobile (rens. ☎ 259 5400) ● **Juil.** *French Festival of Detroit,* Grosse Pointe, War Memorial. La communauté française de Grosse Pointe célèbre ses origines. Cuisine, musique, danses (rens. ☎ 881 7511) ● **Fin août.** *Montreux Detroit Jazz Festival,* Hart Plaza. Concerts de jazz gratuits pendant 5 jours (☎ 259 5400) ● **Fin août-début sept.** *Michigan State Fair,* Michigan Exposition and State Fairgrounds (rens. ☎ 368 1000), l'une des plus anciennes

fêtes de la nation (1849) avec des stands de jeux mais aussi exposition de chevaux et de bétail ● **Nov.** *Michigan Thanksgiving Day Parade,* célébrée le 4e jeu. de nov. Parades, ballons dirigeables, défilés costumés.

Shopping : La zone commerçante de Détroit se situe le long de Woodward Ave. (de Grand Circus Park à la Detroit River). Quelques adresses de centres commerciaux : *Millender Center,* 340, E. Congress St. (☎ 222 1300). Magasins d'alimentation, de mode, pharmacie, banque... Ouv. lun.-sam. 10 h-19 h ● *Trappers Alley Festival Marketplace,* 508, Monroe (☎ 963 5445). Au début du XIXᵉ s., on y traitait fourrures et laine. Quelques équipements d'époque sont encore exposés parmi les nombreuses boutiques et les rest. Ouv. lun.-jeu. 10 h-19 h, ven.-sam. 10 h-23 h, dim. 12 h-19 h ● *Sommerset Mall,* 2801, W. Big Beaver Rd (☎ 643 6360). Des magasins de grande renommée : Saks Fifth Ave., Gucci, Laura Ashley, Brooks Brothers, Ann Taylor. Ouv. lun., jeu., ven. 10 h-21 h, mar., mer., sam. 10 h-18 h, dim. 12 h-17 h ● *Detroit Artists Market,* 1452, Randolph St. (☎ 962 0337) où se vendent des pièces d'art contemporain signées par des artistes de l'Etat du Michigan.

DOVER (DE)

ℹ️ **The Central Delaware Chamber of Commerce,** Suite 2A, Treadway Towers, Box 576 (☎ 734 7513).

☎ 302

Hôtels

***Sheraton Inn,** 1570, N. du Pont Hwy. (☎ 678 8500), 145 ch. et des suites 🅿️ ✒️ Piscine, tennis, bar, nightclub.
Comfort Inn, 222, S. du Pont Hwy. (☎ 674 3300), 94 ch. ✆ 🅿️ Sans prétentions. Confortable.

Restaurants

***Blue Coat Inn,** 800, N. State St. (☎ 674 1776), ouv. 11 h 30-22 h, sam.

11 h 30-15 h et 16 h 30-22 h 30, dim.
12 h-21 h, f. lun. et 25 déc. Spéc. : fruits
de mer.
**Plaza Nine, 9, E. Loockerman St.
(☎736 9990), ouv. 11 h-14 h et 17 h-
22 h, sam. à partir de 17 h, dim. 14 h-
20 h, f. 1er jan. et 25 déc. Ambiance jazz
mer., ven. et sam. Vue sur le lac. Spéc. au
veau et des fruits de mer.

DULUTH (MN)

ℹ️ **The Duluth Convention & Visitors
Bureau,** Endion Station, 100, Lake Place Dr (☎ 722 4011).

☎ 218

Hôtels

***Fitger's Inn, 600, E. Superior St. (☎
722 8826), 48 ch. et des suites ✕ ✆
Mini-suites et de vastes ch. très élégantes.
***Radisson, 505, W. Superior St. (☎
727 8981), 268 ch. ✕ ✆ ⊡ Ch.
propres et meublées avec goût. Vue sur
le lac.
**Best Western Edgewater East, 2330,
London Rd (☎ 728 3601), 119 ch. ✕
✆ ⊡ Vue sur le lac Supérieur. Ch.
confortables.

Restaurants

**Pickwick Restaurant, 508, E. Superior St. (☎ 727 8901), f. dim. et jours
fériés. Institution familiale depuis 1914.
Superbe vue sur le lac Supérieur. Spéc. :
fruits de mer.
*Coney Island Deluxe, 112, W. 1st St.
(☎ 722 2772). Spéc. grecques. Très
apprécié des autochtones.

Bars : Sneakers Sports Bar & Grill,
Holiday Center, 2nd level, 200, W. 1st
St. (☎ 727 7494). Pour y boire un ver-
re ou manger de bons sandwiches.

Téléphones utiles : urgences (☎ 911)
● police (☎ 723 3434).

**Aéroport : Duluth International Air-
port** (rens. ☎ 727 2968).

Compagnies aériennes : Northwest (☎
800/225 2525).

Chemin de fer : Amtrak (rens. ☎
800/872 7245).

Autocar : Greyhound, 2212, W. Superior (rens. ☎ 722 5591).

**Transports en commun : Duluth Tran-
sit Authority (DTA),** service de bus pour
la ville (rens. ☎ 722 7283).

**Excursions et visites guidées : Duluth
Superior Excursions,** 5th Ave. W. at
Waterfront. Tours en bateau sur le lac
Supérieur (rens. ☎ 722 6218).

EVANSVILLE (IN)

ℹ️ **The Convention & Visitors Bureau,**
623, Walnut St. (☎ 425 5402).

☎ 812

Hôtel

**Executive Inn, 600, Walnut St. (☎
424 8000), 500 ch. ▦ ✕ ✆ ⊡ ⏌
Confortable. Bon accueil.

Restaurant

**F's Steakhouse, 125, S.-E. 4th St. (☎
422 4189), ouv. 11 h-22 h, sam. 16 h-
23 h, f. dim. et jours fériés. Très simple :
steaks et poulet.

**Transports en commun : Metropolitan
Evansville Transit System,** service de
bus local (rens. ☎ 423 4856).

EVERGLADES NATIONAL
PARK (FL)

☎ 305

Hôtel

****Flamingo Lodge Marina & Outpost
Resort,** Box 428, Flamingo 33030 (☎
695 3101) 125 ch. et des bungalows ✕
♿ ✆ ⊡ Le seul hôtel à l'intérieur
même du parc. Simple et confortable.
Personnel souriant.

Campings : Pas d'eau ni d'électricité.
Compter env. $ 7 par site en hiver et
gratuit en été. Séjour limité à
2 sem. : **Long Pine Key,** 108 sites. Eau

potable • *Flamingo,* eau potable et eau froide pour les douches.

Téléphones utiles : urgences (☎ 911).

Excursions et visites guidées : *Everglades National Park Boat Tours,* tours en bateau du côté O. du parc (rens. ☎ 800/445 7724).

FORT LAUDERDALE (FL)

ℹ️ **Office de tourisme** : *Greater Fort Lauderdale Conventions and Visitors Bureau,* 200, E. Las Olas Blvd., suite 1500 (☎ 765 4466).

☎ 305

La "Venise de la Floride" est un centre renommé de vacances, qui attire près de 5 millions de visiteurs par an, dans ses 534 hôtels. Gigantesque ! Il est possible de bénéficier de tarifs préférentiels : *senior citizens, weekend rates* hors saison, etc.

Hôtels

★★★★*Bonaventure Resort & Spa,* 250, Racquet Club Rd (☎ 389 3300 fax 384 0563), 500 ch. et suites 🏨 ✕ ♿ ⚲ 🛆 ♨ 〃 ♪ C'est plutôt un centre de vacances de (très) grand luxe ; tennis, golf, piscines et un très grand parc superbement aménagé.

★★★★*Lago Mar 1700,* S. Ocean Lane (☎ 523 6511 fax 523 6511), 180 ch. 🏨 ✕ ♿ ⚲ 🛆 ♨ 〃 ♪ Très bel hôtel de luxe qui dispose d'une vaste plage privée : 2 piscines, tennis, boutiques et parc attrayant.

★★★★*Westin Hotel Cypress Creek,* 400, Corporate Dr (☎ 772 1331 fax 491 9087), 293 ch. 🏨 ✕ ♿ ⚲ 🔄 Grand palace moderne, qui possède toutes les attractions des établissements de cette classe : ch. spacieuses, parc bien aménagé, piscine rocambolesque, jacuzzis, palmiers et salles de sport. Navette directe et gratuite pour la plage.

★★*Lauderdale Surf Hotel,* 440, Seabreeze Blvd. (☎ 462 5555 fax 761 3305), 234 ch. 🏨 ✕ 🔄 Dans le centre de la ville, sur le front de mer, avec une belle piscine donnant sur l'océan, cet hôtel offre un bon rapport confort/prix.

★★*Sand Piper Island Resort,* 91, Isle of Venice (☎ 527 0026 fax 527 1732), 20 ch. 🏨 🔄 Hôtel modeste, mais agréable et près des plages. On peut s'y installer pour des périodes assez longues (cuisines, machines à laver, etc.).

★★*The Seville,* 3020, Seville St. (☎ 463 7212 fax 463 7220), 35 ch. 🏨 ✕ Peu éloigné de la plage, cet ensemble propose des ch. équipées de réfrigérateurs et de petites cuisines d'appoint avec microondes. Tarifs modestes.

★*International Youth Hotel,* 905, N.-E. 17th Terrace (☎ 467 0452), 2 dortoirs, très bon marché, mais assez éloigné du centre ville et à 20 mn à pied de la plage : il faut prendre le bus ou les navettes.

★*International House,* 3811, N. Ocean Blvd. (☎ 568 1615). Petite auberge de jeunesse (20 ch.), mais bien située près de la plage.

Restaurants

★★★★*Burt and Jack's Berth,* 23, Port Everglades (☎ 522 5225). Cuisine américaine chic, dans ce rest. élégant bien situé au cœur de Port Everglades. L'addition est à la hauteur. Réserv. recommandée.

★★★*Cafe Max,* 2601, E. Atlantic Blvd., Pompano Beach (☎ 782 0606). L'esprit californien domine ici, dans un cadre Art déco raffiné. Une cuisine recherchée, présentée avec beaucoup d'efforts d'esthétique. Cher.

★★*House of India,* 3060, N. Andrews Ave. (☎ 566 5666). Rest. indien agréable avec menus abordables ; buffet pour le déjeuner et une grande variété de curries.

Pompano Beach

★★*Cafe du Marché,* 1135, S. Federal Hwy. (☎ 781 9934). Un chef français propose ici une cuisine classique et de très bons vins pour des prix raisonnables. Service attentionné, sans laisser-aller.

Téléphones utiles : urgences (☎ 911).

Locations de voitures : *Avis* (☎ 563 4365) • *Hertz* (☎ 359 5281) • *Budget*

(☎ 359 4747). ● *Alamo* (☎ 800/327 9633).

Bus et chemin de fer : *Amtrak* (☎ 463 8251) ● *Greyhound Bus* (☎ 764 6551).

FREDERICKSBURG (VA)

ⓘ **The Fredericksburg Visitor Center,** Box FB, 706, Caroline St. (☎ 373 1776 ou 800/678 4748).

☎ 703

Hôtels

★★★*Sheraton Resort & Conference Center,* 2801, Plank Rd (☎ 786 8321 fax 786 3957), 195 ch. et des suites ▦ ✕ ♿ ❀ ▭ ⤴ ⤶ Beaucoup d'activités. Ch. avec patios ou balcons. Luxueux.

★★*Fredericksburg Colonial,* 1707, Princess Anne St. (☎ 371 5666), 30 ch. et des suites. Construit en 1928. Agréable petit hôtel avec vue sur Rapphannock River.

★★*Kenmore,* 1200, Princess Anne St. (☎ 371 7622), 13 ch. dans cette accueillante demeure du XVIII⁰ s.

★★*Richard Johnson,* 711, Caroline St. (☎ 899 7606), 9 ch. et 2 suites. Ch. décorées à l'ancienne. Près du *Fredericksburg Visitor Center.*

Restaurants

★★★*Olde Mudd Tavern,* Rte 606 & US-1, Thornburg 22565 (☎ 582 5250), ouv. 16 h-21 h, dim. 12 h-20 h, f. lun., mar., 1ᵉʳ jan., 25 déc. et 1ᵉʳ sem. de juil. Plusieurs affiches sur la guerre de Sécession y sont exposées. Spéc. : salades copieuses, fruits de mer, steaks.

★★*La Petite Auberge,* 311, William St. (☎ 371 2727), ouv. 11 h 30-14 h 30 et 17 h 30-22 h, f. dim. et jours fériés. Décor français pour une cuisine française. Spéc. : gigot d'agneau, fruits de mer et *châteaubriand* !

★★*Ristorante Renato,* 422, William St. (☎ 371 8228), ouv. 11 h 30-14 h et 16 h 30-22 h, f. jours fériés. Admirer les lustres anciens et une superbe cheminée. Cuisine du N. de l'Italie. Spéc. : volailles, fruits de mer, pâtes fraîches.

Téléphones utiles : urgences (☎ 911).

Excursions et visites guidées : Contacter le *Tour Coordinator* au *Fredericksburg Department of Tourism* qui vous fournira tous les rens. nécessaires afin de visiter la région.

Manifestations : Dernier week-end d'avr. *Historic Garden Week,* les maisons particulières vous ouvrent leurs portes ● **Mi-mai.** *Market Square Fair,* diverses animations, démonstrations artisanales ● **1ᵉʳ dim. de déc.** *Christmas Candlelight Tour,* les demeures historiques sont ouvertes au public. Tours en carrioles. Décorations de Noël comme au temps des colonies.

GETTYSBURG (PA)

ⓘ **The Gettysburg Travel Council,** 35, Carlisle St. (☎ 334 6274).

☎ 717

Hôtels

★★★*Ramada Inn,* 2634, Emmitsburg Rd (☎ 334 8121), 203 ch. et des suites ✕ ♿ ❀ ▭ ⤴ Cadre superbe, verdoyant. Ch. avec patios.

★★*Quality Inn,* 380, Steinwehr Ave (☎ 334 1103 fax 334 1103, ext 325), 105 ch. et des suites ♿ ❀ ▭ Ch. bien aménagées. Non loin des rest. et des musées. Hôtel de qualité.

★★*The Brafferton Inn,* 44, York St (☎ 337 3423), 11 ch. Bed & Breakfast de charme dans l'une des premières demeures bâties dans la ville (1786). Chaleureux.

Restaurants

★★★*Dobbin House Tavern,* 89, Steinwehr Ave. (☎ 334 2100), ouv. 11 h 30-0 h, f. 1ᵉʳ jan., Thanksgiving (4ᵉ jeu. de nov.), 24 et 25 déc. Spécialiste des recettes des années 1700. Surtout fruits de mer et grand choix de viandes.

★★*Farnsworth House Inn,* 401, Baltimore St. (☎ 334 8838), ouv. 17 h-21 h 30, f. Thanksgiving (4ᵉ jeu. de nov.) et 25 déc. Utilisé comme quartier général de l'Union au début du XIXᵉ s. Spéc. : tourte au gibier.

Campings : *Artillery Ridge Campground & National Riding Stable Inc.,* 610, Taneytown Rd (☎ 334 1288). A env. 1 mi/2 km du centre ville. Piscine, pêche, location de vélos et de chevaux.

Téléphones utiles : urgences (☎ 911).

Autocar : *Greyhound* (rens. ☎ 334 7064).

Excursions et visites guidées : *Gettysburg Battlefield Bus Tours,* Gettysburg Tour Center (rens. ☎ 334 6296). Tours en bus à impériale ● *Gettysburg Railroad Steam Train,* 106, N. Washington St. (rens. ☎ 334 6232). Tours en train à vapeur.

Manifestations : Fin juin-début juil. *Civil War Heritage Days,* on vous fait revivre la guerre de Sécession : conférences, shows, etc.

GREAT SMOKY MOUNTAINS NATIONAL PARK (TN/NC)

ⓘ **Superintendent,** Great Smoky Mountains National Park, Gatlinburg 37738 (☎ 436 1200).

☎ 615

Hôtels

Caroline du N.

Thunderbird Motel (rens. ☎ 497 2212). Bon marché, confortable. Compter env. $ 40 en ch. double.

Tennessee

LeConte Lodge, Gatlinburg, TN 37738 (☎ 436 4473), ouv. mi-mars-mi-nov. Réserv. préférables. Situé sur le Mont LeConte. On peut y accéder à pied seul. *The Wonderland Hotel,* Rte 2, Gatlinburg, TN 37738 (☎ 436 5490), 27 ch. Style rustique. Service de restauration. Réserv. recommandée.

Campings : Il est préférable de réserver entre le 15 mai et le 15 oct. pour les campings suivants : *Elkmont, Smokemont* et *Cades Cove.* Pour cela s'adresser au *Tic-ketron Reservations,* P.O. Box 617516, Chicago, IL, ou (☎ 1-800/452 1111). Il existe d'autres campings mais on ne peut pas réserver à l'avance. Le premier arrivé, le premier servi !

GREEN BAY (WI)

ⓘ **The Green Bay Area Convention & Visitors Bureau,** P.O. Box 10596 (☎ 494 9507).

☎ 414

Hôtels

****Ramada Inn,* 2750, Ramada Way (☎ 499 5476 fax 499 5476), 155 ch. ✕ ﾖ ﾞ ⬜ De belles ch. Galerie marchande dans l'hôtel.

***Holiday Inn City Centre,* 200, Main St. (☎ 437 5900 fax 437 1199), 144 ch. ✕ ﾖ ⬜ Classique. Situé au cœur de la ville.

**Days Inn,* 406, N. Washington St. (☎ 435 4484 fax 435 3120), 98 ch. et des suites ✕ ﾖ ⬜ A proximité des attractions de la ville. Confortable.

**Budgetel Inn,* 2840, S. Onieda (☎ 494 7887 fax 494 3370), 80 ch. et des suites ✕ ﾖ Ch. spacieuses. Service de qualité.

Restaurants

***Eve's Supper Club,* 2020, Riverside Rd (☎ 435 1571), ouv. 11 h-14 h et 17 h-22 h, sam. à partir de 17 h, f. dim., Thanksgiving (4e jeu. de nov.), 24 et 25 déc. Vue sur la Fox River. Spéc. : cuisine traditionnelle américaine et fruits de mer.

**Michael Jae's,* 240, N. Broadway (☎ 433 9520), ouv. 8 h 30-22 h, f. jours fériés. Cuisine mexicaine.

Téléphones utiles : urgences (☎ 911).

Taxis : *Ace Cab Company* (☎ 468 1585) ● *Bay City Company* (☎ 432 3456) ● *Yellow Cab* (☎ 468 9670).

Locations de voitures : *Avis Rent a Car* (☎ 496 3840).

GREEN MOUNTAINS (VT)

i **Vermont Travel Division,** 134, State St., Montpelier 05602 (☎ 828 3326).

☎ 802

Hôtels

Bennington

★★South Shire Inn, 124, Elm St. (☎ 447 3839 fax 442 3547), 9 ch. ✿ Quartier résidentiel. Sympathique Bed & Breakfast.

Manchester

★★Aspen, Box 458, Manchester Center, 1 mi N. sur US-7A (☎ 362 2450), 24 ch. ⚒ ✿ 🖂 ✍ ⌥ Ch. propres et confortables.
★★Barnstead Innstead, Box 988, Rte 30, Manchester Center (☎ 362 1619), 12 ch. et des suites ✿ 🖂 ✍ ⌥ Rustique avec ses poutres apparentes.

Woodstock

★★★Kedron Valley Inn, Rte 106, S. Woodstock (☎ 457 1473), 27 ch. 🖂 Quelques ch. avec patios. Bon accueil.

Montpelier

★★The Inn at Montpelier, 147, Main St. (☎ 223 2727 fax 223 0722), 19 ch. ✿ Ch. élégantes. Téléphone, TV câblée dans les ch.

Burlington

★★★Radisson, 60, Battery St. (☎ 658 6500 fax 658 4659), 256 ch. ▦ ✕ ⚒ 🖂 Près des attractions du centre ville. Certaines ch. ont vue sur le lac Champlain.

Restaurants

Bennington

★★★Four Chimneys, 21, West Rd (☎ 447 3500), ouv. 11 h 30-14 h, parfois 17 h, f. lun., 2 sem. en avr., 2 sem. en nov. Cuisine française. Spéc. : saumon aux herbes, blanc de canard.

Manchester

★★★Chantecleer, Rte 7, E. Dorset (☎ 362 1616), ouv. 18 h-22 h, f. lun., mar., Thanksgiving (4ᵉ jeu. de nov.), et 25 déc. Spéc. : gigot d'agneau, fruits de mer.

Woodstock

★★★Kedron Valley, Rte 106, S. Woodstock (☎ 457 1473), ouv. 8 h-9 h 30 et 18 h-21 h, f. mer. et week-end du 25 déc. Cuisine française : confit de canard, saumon.

Montpelier

★Lobster Pot, 118, Main St. (☎ 223 3961), ouv. 11 h-21 h, f. dim. et jours fériés. Spéc. : fruits de mer, salades.

Burlington

★★★Ice House, 171, Battery St. (☎ 864 1800), ouv. 11 h 30-22 h. Terrasse avec vue sur le lac Champlain. Agréable en été. Spéc. : poissons, assiettes de fruits de mer.

Bars : Vermont Pub & Brewery, College & St Paul Sts, Burlington (☎ 865 6500). Le seul pub du Vermont qui fabrique ses propres bières.

Téléphones utiles : centre médical : **Medical Health Care Information Center** (☎ 864 0454, 24/24 h).

Aéroport : Burlington International Airport, (rens. 863 2874). Desservi par 6 compagnies américaines.

Chemin de fer : Amtrak, (rens. ☎ 800/872 7245). Le Montrealer, train de nuit entre New York et Montréal, s'arrête à Brattleboro, Bellow Falls, Claremont, White River Junction, Montpelier, Waterbury, Essex Junction et St Albans.

Autocar : Vermont Transit Lines, 135, St Paul St., Burlington 05401 (rens. ☎ 864 6811 ou 800/451 3292). Liaisons de Bennington, Brattleboro, Burlington, Rutland et d'autres villes avec Boston, Springfield, Albany, New York, Montréal.

Excursions et visites guidées : *The Spirit of Ethan Allen,* tours en bateau sur le lac Champlain. Rens. juin-mi-oct. : *Perkins Pier* (☎ 862 9685)

HARPERS FERRY (WV)

ⓘ **The Jefferson County Chamber of Commerce,** P.O. Box 426, Charles Town 25414 (☎ 725 2055).

☎ 304

Hôtels

**Cliffside Inn, Box 786, 2 mi/4 km au S.-O. sur US-340 (☎ 535 6302 fax 535 6313), 100 ch. ✕ & ❀ ▢ ❀ ⌁ Ch. avec patios ou balcons.
*Comfort Inn, P.O. Box 980, Union St. & WV-340 (☎ 535 6391 fax 535 6395), 50 ch. & A 10 mn de la ville. Confortable.

Restaurants

Garden of Food, High St., ouv. lun.-ven. 11 h-18 h. Toutes sortes de salades et de sandwiches.
Cindy Di Restaurant, 19112, Keep Tryst Rd (☎ 695 8181). Apprécié des autochtones et des touristes. Plats de poulet, burgers et sandwiches.

Campings : Camping le long de C & O Canal. A 30 mi/48 km de Harpers Ferry. Rens. au *Jefferson County Tourist Bureau* qui vous fournira la liste des principaux campings (☎ 535 2627 ou 800/848-TOUR).

HARRISBURG (PA)

ⓘ **The Capital Region Chamber of Commerce,** 114, Walnut St., P.O. Box 969 (☎ 232 4121).

☎ 717

Hôtels

***Holiday Inn East, 4751, Lyndle Rd (☎ 939 7841 fax 939 9317), 300 ch ✕ & ❀ ▢ ⌁ Ch. avec patios et balcons. Très bien équipé.
**Penn Harris Inn, Rtes 11 & 15, Erford Rd, Camp Hill (☎ 763 7117 fax

763 4518), 257 ch. et des suites ✕ ❀ ▢ Service de qualité.

*Days Inn, 3919, N. Front St. (☎ 233 3100), 116 ch & ❀ ▢ TV et téléphone dans les ch. Confortable et petits prix.

Restaurants

***Alfred's Victorian Restaurant, 38, N. Union St., Middletown (☎ 944 5373), ouv. 11 h 30-14 h et 17 h-22 h, sam. à partir de 17 h, dim. 15 h-21 h, f. jours fériés. Spéc. : menu italien et crêpes aux fruits de mer dans une demeure victorienne.

**Hope Station, 606, N. 2nd St. (☎ 257 4480), ouv. 11 h-22 h, sam. 17 h-23 h, f. dim. et jours fériés & Spécialiste des fruits de mer.

Téléphones utiles : urgences (☎ 911 ou ☎ 255 3103).

Aéroport : *Harrisburg International Airport,* Building 20, Airport Dr, Middletown, PA 17057 (rens. ☎ 948 3900). A 15 mn du centre ville.

Compagnies aériennes : *American* (☎ 800/433 7300) ● *Continental Express* (☎ 944 2323).

Taxis : *Yellow cab* (☎ 737 3699.)

Locations de voitures : *Avis Rent a Car* (☎ 236 8097) ● *Enterprise Rent a Car* (☎ 564 9444).

Chemin de fer : *Amtrak,* 4th & Chestnut Sts (rens. ☎ 232 3916).

Autocar : *Greyhound* (rens. ☎ 232 4251).

Transports en commun : *Capitol Area Transit Authority* (rens. ☎ 238 8304). Attention, service très limité.

Manifestations : Mi-jan. *Pennsylvania State Farm Show* (rens. ☎ 787 5373). Produits agricoles, bétail et artisanat y sont exposés.

HARTFORD (CT)

ⓘ The Greater Hartford Convention & Visitors Bureau, 1, Civic Center Plaza (☎ 728 6789).

☎ 203

Hôtels

★Ramada Inn-Capitol Hill, 440, Asylum St. (☎ 246 6591 fax 728 1382), 96 ch. ▦ ✖ ♿ ✸ Bon hôtel. Situé face au State Capitol Bldg.
★Susse Chalet, 185, Brainard Rd (☎ 525 9306 fax 525 2990), 130 ch. ✖ ✸ ▭ ✓ Piscine découverte, vidéo, de belles ch.

Restaurants

★★★Carbone's Ristorante, 588, Franklin Ave. (☎ 296 9646), ouv. 11 h 30-14 h 30 et 17 h-22 h, sam. à partir de 17 h, f. dim. et jours fériés ♿ Cuisine italienne. Spéc. : *fettucine carbonara, vitello cucuscinetto.*
★★L'Américain, 2, Hartford Sq. (☎ 522 6500), ouv. 11 h 30-14 h et 18 h-21 h, f. dim. et jours fériés ♿ Pour des dîners intimes. Spéc. : saumon, tournedos.

Téléphones utiles : urgences (☎ 911).

Aéroport : *Bradley International Airport* (rens. ☎ 627 3000). A 12 mi/20 km de la ville.

Compagnies aériennes : *American* (☎ 800/433 7300) ● *Delta* (☎ 800/221 1212) ● *TWA* (☎ 800/221 2000).

Taxis : *Airport Taxi* (réserv. ☎ 800/242-TAXI) ● *Yellow Cab* (☎ 666 6666).

Locations de voitures : *Avis,* à l'aéroport (☎ 627 3500) ● *Dollar,* à l'aéroport (☎ 627 9048) ● *Hertz,* à l'aéroport (☎ 627 3850).

Chemin de fer : *Amtrak,* rens. et réserv. (☎ 525 4580 ou 800/872 7245).

Autocar : Pour les rens. (☎ 547 1500). Plusieurs compagnies : *Greyhound ● Arrow Line ● Bonanza ● Peter Pan ● Trailways.*

Transports en commun : *CT Transit,* State House Sq. & Market St. (rens. ☎ 525 9191). Service de bus local.

Excursions et visites guidées : *Heritage Trails,* vis. guidée des demeures et autres lieux historiques du Connecticut (rens. ☎ 677 8867) ● *Connecticut River Cruise,* départs de Charter Oak Landing. Tours en bateau sur Connecticut River à bord de *Lady Fenwick* (rens. ☎ 526 4954).

HUNTSVILLE (AL)

ⓘ The Huntsville Convention & Visitors Bureau, 700, Monroe St. (☎ 533 5723).

☎ 205

Hôtels

★★★Hilton, 401, Williams Ave. (☎ 533 1400 fax 533 1400, ext 604), 281 ch. et des suites ▦ ✖ ♿ ✸ ▭ ✎ Luxueux. A 10 mn de *Space & Rocket Center.*
★★★Holiday Inn Research Park, 5903, University Dr (☎ 830 0600 fax 830 0600, ext 157), 200 ch. et des suites ▦ ✖ ♿ ✸ ▭ Confort et toujours la qualité pour cette célèbre chaîne.

Restaurants

★★Boot's, 1522, S. Memorial Pkwy (☎ 534 9369), ouv. 11 h-23 h, f. dim. et jours fériés ♿ Simple et appréciable. Fruits de mer, bœuf et salades de toutes sortes.
★★Ol' Heidelberg, 6125, University Dr (☎ 837 5556), ouv. 11 h-21 h, ven. et sam. jusqu'à 22 h, f. jours fériés ♿ Cuisine allemande. Spéc. : *Wienerschnitzel, Bratwurst.*

Téléphones utiles : police (☎ 532 7211 ou 911) ● hôpital : *Huntsville Hospital* (☎ 533 8133).

Excursions et visites guidées : *Nasa Bus Tours* (rens. ☎ 837 3400). Vis. guidée de l'*US Space & Rocket Center.*

INDIANAPOLIS (IN)

ⓘ **Indianapolis City Center,** 201, S. Capitol Ave. (☎ 237 5200).

☎ 317

Hôtels

★★★*Hyatt Regency,* 1, S. Capitol (☎ 632 1234 fax 231 7569), 496 ch. et des suites ▦ ✕ ♿ ♨ ⊡ Au cœur de la ville. Shopping dans la galerie marchande de l'hôtel.

★★★*Courtyard by Marriott,* 8670, Allisonville Rd (☎ 576 9559 fax 576 0695), 146 ch. et des suites ✕ ♿ ♨ ⊡ Un peu excentré mais à un prix modéré.

★★*Days Inn,* 5860, Fortune Circle (☎ 247 0621 fax 247 7637), 238 ch. et des suites ✕ ♿ ♨ ⊡ Près de l'aéroport. Pratique.

Restaurants

★★★*Benvenuti,* 36, S. Pennsylvania St. (☎ 633 4915), ouv. 11 h 30-13 h et 17 h 30-22 h, sam. à partir de 17 h 30, f. dim. et jours fériés. Cuisine italienne. Spéc. : raviolis au homard.

★★★*King Cole,* 7, N. Meridian St. (☎ 638 5588), ouv. 11 h-14 h 30 et 17 h-22 h, f. dim. et jours fériés. Cuisine française. Spéc. : canard rôti, gigot d'agneau et fruits de mer.

Campings : *Kamper Korner,* 1951, W. Edgewood Ave. (☎ 788 1488). A env. 2 km de la ville. Eau, électricité. 107 sites.

Téléphones utiles : urgences (☎ 911 ou 632 7575).

Aéroport : *Indianapolis International Airport,* à 7 mi/12 km de la ville (rens. ☎ 248 9594).

Compagnies aériennes : *American* (☎ 800/433 7300) ● *Continental* (☎ 635 0290) ● *Delta* (☎ 634 3200) ● *United* (☎ 800/241 6522).

Taxis : *Yellow Cab Company* (☎ 637 5421).

Locations de voitures : *Budget* (☎ 248 1100) ● *Hertz* (☎ 243 9321) ● *National Car Rental* (☎ 243 1177).

Chemin de fer : *Amtrak,* 350, S. Illinois St. (rens. ☎ 800/872 7245).

Autocar : *Greyhound,* 127, N. Capital Ave. (rens. ☎ 635 4501).

Transports en commun : *Indianapolis Metro Customer Service,* service de bus (rens. ☎ 632 1900 ou 635 3344).

Excursions et visites guidées : *Indianapolis Sight-Seeing Inc.,* 9075, N. Meridian (rens. ☎ 573 0699). Tours en bus.

ISLE ROYALE NATIONAL PARK (MI)

ⓘ **Superintendent,** Isle Royale National Park, 87, N. Ripley St., Houghton, MI 49931 (☎ 482 0984).

☎ 906

Hôtel

Rock Harbor Lodge, à 3 mi/5 km de Mott Island. Snack-bar sur place. Réserver au moins 3 sem. à l'avance au *National Park Concessions,* Isle Royale National Park, MI 49940 (si vous réservez av. le 1ᵉʳ juin : c/o Mammoth Cave, KY 42259).

Campings : Camping autorisé mi-juin-sept. 31 campings. Se procurer un permis (gratuit) auprès d'un garde forestier : à Windigo (à l'O. de l'île), Rock Harbor (E.) et Siskiwick Lake (S.). Il est préférable d'apporter son propre matériel.

Ferries : Départ de Houghton : 2 par sem. entre mi-juin et août (rens. ☎ 482 0984) ● Départ de Copper Harbor (rens. ☎ 289 4437).

JACKSONVILLE (FL)

ⓘ **The Jacksonville Convention & Visitors Bureau,** 6, E. Bay St., Suite 200 (☎ 798 9148).

☎ 904

Hôtels

***Omni Hotel,** 245, Water St. (☎ 355 6664 fax 354 2970), 354 ch. et des suites 🏢 ✕ ♿ ⊗ ⊡ L'un des plus récents hôtels du centre ville. Ch. spacieuses.

**Marina Hotel at St John's Place, 1515, Prudential Dr (☎ 396 5100 fax 396 7154), 256 ch. et 6 suites 🏢 ✕ ♿ ⊗ ⊡ ⚲ ✓ Luxueux. Service de qualité.

**Comfort Suites, 8333, Dix Ellis Trail (☎ 739 1155 fax 731 0752), 128 suites ♿ ⊗ ⊡ Situé près des lieux animés de Baymeadows. Suites équipées de réfrigérateurs, TV. Petit déjeuner compris.

Restaurants

**Crawdaddy's, 1643, Prudential Dr (☎ 396 3546), ouv. 11 h-22 h ♿ Spéc. : fruits de mer, *jambalaya.*

*Cafe on the Square, 1974, San Marco Blvd. (☎ 399 4422), ouv. 11 h-23 h, f. 1er jan. et 25 déc. ♿ Sans prétentions. Simple et savoureux : sandwiches, quiches, fruits de mer.

Bars : *Glory Days Sports Pub,* 8535, Baymeadows Rd (☎ 790 3297). Ambiance musicale mer., ven. et sam.

Campings : *Kathryn Abbey Hanna Park,* Wonderwood Rd, Mayport, accessible en bus (rens. ☎ 249 4700) ● *Fort Clynch,* Rte A1-A sur St John's River. Eau et électricité (☎ 261 4212).

Téléphones utiles : urgences (☎ 911).

Aéroport : *Jacksonville International Airport,* Airport Rd (rens. ☎ 741 4902).

Compagnies aériennes : *American* (☎ 800/433 7300) ● *Continental* (☎ 354 3452) ● *Delta* (☎ 398 3011) ● *United* (☎ 800/241 6522) ● *USAir* (☎ 800/428 4322).

Taxis : *Checker Cab* (☎ 765 9999) ● *Gator City Taxi* (☎ 353 8880).

Locations de voitures : *Avis* (☎ 1-800/331 1212) ● *Budget* (☎ 720 0246) ● *Dollar* (☎ 741 4614).

Chemin de fer : *Amtrak,* 3570, Clifford Lane (rens. ☎ 766 5110 ou 800/872 7245).

Autocar : *Greyhound/Trailways,* 10, Pearl St. (rens. ☎ 356 5521). Destinations : Miami, St Augustine, New Orleans, Washington.

Transports en commun : *Jacksonville Transportation Authority,* 100, N. Myrtle St. (rens. ☎ 630 3100). Service de bus local.

Excursions et visites guidées : Quelques adresses pour visiter la ville : *Gray Line Tours* (rens. ☎ 730 2232) ● *Jacksonville Historical Society Tours* (rens. ☎ 384 0849).

KEY WEST (FL)

☎ 305

Hôtels

****Hyatt, 601, Front St. at corner of Front & Simonton Sts (☎ 296 9900 fax 292 1038), 120 ch. 🏢 ✕ ♿ ⊗ ⊛ ⊡ Au bord de la mer, une architecture qui laisse une grande place aux balcons et vérandas. Piscine, sports nautiques dans un confort de grande qualité, sans frime excessive.

****The Banyan Resort, 323, Whitehead St. (☎ 296 7786 fax 294 1107) 🏢 ✕ ♿ ⊗ ⊡ Composé de 8 anciennes propriétés de maître au style victorien, cet ensemble offre une atmosphère étonnante, à l'ombre de deux énormes *banyans* (arbres tropicaux). Piscine, étang, jardins aux plantes rares, vérandas : le grand Sud. Peu de distractions pour les enfants.

**Comfort Inn, 3824, N.-O. Roosevelt Blvd. (☎ et fax 294 3773), 144 ch. 🏢 ✕ ⊡ Un peu à l'écart, cet hôtel raisonnable, à la piscine olympique, offre un bon rapport qualité/prix et convient aux familles nombreuses.

**Key West Bed & Breakfast, 415, Williams St. (☎ 296 7274), 8 ch. Maison de style imposant, qui propose quelques ch. confortables au centre de la ville.

**The Palms of Key West, 820, White St. (☎ 294 3146 fax 294 8463), 20 ch. 🏢 ✕ ♿ ⊗ Petit hôtel tranquille e■

familial dans une demeure typique du S. des États-Unis ; jardin tropical abondant et piscine particulière. Parking. Pas de rest., mais breakfast généreux.

Boyd's Key West Campground, 6401, Maloney Ave., Key West 33040 (☎ 294 1465). Facilement accessible, même par bus, scooter ou bicyclette (location) ; camping très bien équipé, non loin de la plage ; rest., épicerie, plage privée et piscine chauffée.

Key West Welcome Center, 3840, N. Roosevelt Blvd. (☎ 296 4444). Centre d'inf. touristiques et de réserv. pour les hôtels.

Little Palm Island

****Little Palm Island,** Rte 4, Box 1036, 33042, Little Torch (☎ 872 2524 fax 872 4843), 30 appartements 🎏 ✗ ⅙ ✍ ▱ Des paillotes tout confort, dans cette île tropicale privée, située à 45 km de Key West. Sports nautiques, jacuzzis et location de bateaux pour pratiquer la pêche sportive.

Restaurants

****Flagler's Reynolds,** St. (☎ 296 3535). Dans l'hôtel *Casa Marina Marriott Elégant.* Décor avec vue sur l'océan. Cuisine américaine classique, avec orientation v. les produits de la mer et les grillades. Réserv. conseillée.
***Lobster House,** 700, Front St. (☎ 294 2535). Sur les quais, dominant les marinas dans la partie ancienne de la ville, ce rest. propose des grillades et des poissons sur le gril. Sympathique et sans chichis.
Seafood and Raw Bar, 1405, Duval St. (☎ 294 2727). Sur la plage, spéc. de poissons et de fruits de mer (huîtres, clams...). Egalement des grillades.

Téléphones utiles : urgences (☎ 911).

Aéroport international : (☎ 296 5439).

Autocar : *Greyhound Bus terminal* 615, Duval St. (☎ 296 9072) ● inf. : *City Bus Information* (☎ 296 8165).

KNOXVILLE (TN)

ⓘ **The Knoxville Convention & Visitors Bureau,** 500, Henley St. (☎ 523 7263).

☎ 615

Hôtels

****Hyatt Regency,** 500, Hill Ave. (☎ 637 1234 fax 522 5911), 386 ch. et des suites ✗ ⅙ ✍ ▱ Hôtel de luxe. Style contemporain.
***La Quinta Motor Inn,** 258, Peters Rd (☎ 690 9777 fax 531 8304), 130 ch. ⅙ ✍ ▱ Ch. spacieuses.

Restaurants

****Copper Cellar,** 1807, Cumberland Ave. (☎ 522 4300), ouv. 11 h-22 h 30, f. Thanksgiving (4ᵉ jeu. de nov.) et 25 déc. Spéc. : huîtres et autres fruits de mer.
****Regas,** 318, N. Gay St. (☎ 637 9805), ouv. 11 h-14 h 30 et 17 h-22 h, dim. 11 h-14 h 30, f. jours fériés. Spéc. : fruits de mer et côtes d'agneau.

Téléphones utiles : urgences (☎ 911).

Autocar : *Southeastern Greyhound Lines* (rens. ☎ 522 5141).

Excursions et visites guidées : *Knoxville Tours* (rens. ☎ 688 6232). Tours de la ville et de ses environs.

LEXINGTON (KY)

ⓘ **The Greater Lexington Convention & Visitors Bureau,** suite 363, 430, W. Vine St. (☎ 233 1221).

☎ 606

Hôtels

****French Quarter Suites,** 2601, Richmond Rd (☎ 268 0060 fax 268 6209), 155 suites ✗ ⅙ ✍ ▱ Hôtel de luxe. Beaucoup de facilités sur place. Galerie marchande également.
****Courtyard by Marriott,** 775, Newton Court (☎ 253 4646 fax 253 9118), 146 ch. et des suites ⅙ ✍ ▱ Situé au N. de la ville. Hôtel plutôt confortable.

**Campbell House Inn, Suites & Golf Club, 1375, Harrodsburg Rd (☎ 255 4281 fax 254 4368), 370 ch. et des suites ♿ ⬛ ✍ ♪ De belles ch. Golf de 18 trous.

**Best Western Regency, 2241, Elkhorn Rd (☎ 293 2202 fax 293 2202, ext 300), 80 ch. et des suites ♿ ⊗ ⬛ Un peu en dehors de la ville. Agréable cependant.

Restaurants

***Coach House, 855, S. Broadway (☎ 252 7777), ouv. 11 h-14 h 30 et 17 h-22 h 30, sam. à partir de 17 h, f. dim. et jours fériés. Spéc.: sole *My Way.*

**A la Lucie, 159, N. Limestone St. (☎ 252 5277), f. dim., Thanksgiving (4ᵉ jeu. de nov.) et 25 déc. Spécialiste des fruits de mer.

**Dudley's, 380, S. Mill, Dudley Sq. (☎ 252 1010), ouv. 11 h 30-14 h et 17 h 30-22 h, f. jours fériés ♿ Spéc. : fruits de mer, bœuf.

**Le Français, 735, E. Main St. (☎ 266 6646), ouv. 11 h 30-14 h et 18 h-22 h, sam. 18 h-22 h 30, f. dim. Style campagnard. Ambiance jazz ven. et sam. soirs. Spéc. : canette aux abricots, salade *le Français,* agneau, fruits de mer.

Campings : *Campground,* à Horse Park (rens. ☎ 233 4303).

Téléphones utiles : urgences (☎ 911).

Aéroport : *Blue Grass Airport,* 4000, Versailles Rd (rens. ☎ 254 9336). Pour les vols régionaux seul. A 6 mi/10 km de la ville.

Compagnies aériennes : *Delta* (☎ 252 4411) ● *USAir* (☎ 255 8511) ● *Comair* (☎ 231 7571) ● *American Eagle* (☎ 273 6042) ● *Trans World Express* (☎ 231 0747) ● *Northwest* (☎ 277 0245).

Taxis : *Lexington Yellow Cab* (☎ 231 8294).

Locations de voitures : A l'aéroport : *Avis* (☎ 252 5581) ● *Hertz* (☎ 254 3496) ● *Budget* (☎ 254 5400) ● *National* (☎ 254 8806).

Autocar : *Greyhound,* 477, New Circle Rd (rens. ☎ 255 4261).

Transports en commun : *Lex-Tran and Trolley,* 109, W. London Ave. (rens. ☎ 252 4936). Service de bus.

Excursions et visites guidées : *Blue Grass Tours, Inc,* P.O. Box 1176 ; tours en bus des principaux points historiques de la région (rens. ☎ 252 5744).

Manifestations : Fin avr. *Rolex-Kentucky Event,* steeple-chase, dressage (rens. ☎ 233 2362) ● 2ᵉweek-end de juin. *Festival of the Bluegrass,* les amateurs de musique venus de partout se réunissent pour célébrer ensemble leur passion. Spectacles pour les enfants aussi (☎ 846 4995) ● *Junior League Horse Show,* **exhibition de chevaux (rens. ☎ 252 1893).**

Shopping : *Lexington Mall,* 2349, Richmond Rd, grand centre commercial ouv. lun.-ven. 10 h-21 h et sam. 13 h-17 h mais il existe aussi de nombreux autres complexes pour faire du shopping.

LONG ISLAND (NY)

🛈 **The Long Island Tourism & Convention Commission,** Nassau Coliseum, Uniondale, Long Island 11553 (☎ 794 4222).

☎ 516

Hôtels

East Hampton

*Maidstone Arms, 207, Main St. (☎ 324 5006), 16 ch. et 3 cottages ▦ ✖ ⊗ Grande renommée. Entouré de ruelles anciennes et des plus belles demeures de la ville.

**Huntting Inn, 94, Main St. (☎ 324 0410), 26 ch. ▦ ✖ ⊗ ♪ Décor différent pour chaque ch. Confortable.

Southampton

***Southampton Inn, Hill St. at 1s Neck Lane (☎ 283 6500), 90 ch. ✖ ♿ ⬛ ✍ ♪ Luxueux. Bar, night-club, pêche, activités sportives.

Huntington

★★Ramada Inn, 8030, Jericho Tpke, Woodbury 11797 (☎ 921 8500 fax 921 1057), 102 ch. et des suites ✗ ⚿ ⊘ ◻ Un peu en dehors de la ville. Confortable.

Restaurants

East Hampton

★The Laundry, 31, Race Lane (☎ 324 3199), f. midi et lun. Spéc. : poissons grillés, plats de fruits de mer et excellentes mousses au chocolat. Très animé le soir.
★ The Buttery, 66, Newton Lane (☎ 324 3725), ouv. t.l.j. Leurs petits déjeuners à l'anglaise sont très renommés.

Southampton

★★★Lobster Inn, 162, Inlet Rd (☎ 283 9828). Spéc. : homard et *Steamed Shellfish Platter for Two* (assiettes de fruits de mer pour 2).

Huntington

★Fabio's, 62, Stewart Ave. (☎ 549 7074), f. sam. et dim. midi. Piano-bar et samba le week-end. Cuisine brésilienne et du nord de l'Italie. Délicieux.

Téléphones utiles : urgences (☎ 911) ● **Huntington Hospital,** 270, Park Ave. (☎ 351 1200).

Excursions et visites guidées : *Hampton Express,* 242, W. Montauk Hwy., Hampton Bays (rens. ☎ 874 2400). Tours en bus de Long Island ● *Okenos Research Foundation,* Box 776, Hampton Bays (rens. ☎ 661 5061). Réserv. préférables. Tours en bateau pour voir les baleines, les dauphins et les oiseaux de mer.

LOUISVILLE (KY)

ℹ **The Convention and Visitors Bureau of Louisville,** 400, S. 1st St. (☎ 584 2121).

☎ 502

Hôtels

★★★★The Brown, A Camberley Hotel, 4th & Broadway, Downtown (☎ 583 1234 fax 587 7006), 296 ch. et des suites ▥ ✗ ⚿ ⊘ Elégant hôtel des années 20. Service de qualité.
★★★Galt House, 4th St. & River Rd (☎ 589 5200 fax 585 4266), 700 ch. et 600 suites ▥ ✗ ⚿ ⊘ ◻ Vue imprenable sur la Ohio River. Classique pour ce qui est du reste.
★★Days Hotel Downtown, 101, E. Jefferson St. (☎ 585 2200 fax 585 2200, ext 123), 177 ch. et des suites ✗ ⚿ ⊘ ◻ Au cœur de la ville. Très bien situé.
★★Breckinridge Inn, 2800, Breckinridge Lane (☎ 456-5050 fax 451 1577), 123 ch. et des suites ◻ ⟋ Prix raisonnables pour un bon hôtel.
★★Holiday Inn Airport East, 1465, Gardiner Lane (☎ 452 6361 fax 451 1541), 200 ch. et des suites ✗ ⚿ ◻ ⟋ Tout près de l'aéroport. Décor style plantations du Sud. Confortable.

Restaurants

★★★Casa Grisanti, 1000, E. Liberty St., Downtown (☎ 584 4377), ouv. 17 h-22 h, f. jours fériés. Spéc. de l'Italie du nord : *tortellini alla matriciana, vitello con porcini,* soufflés, *la gustazione del menue.*
★★★Hasenour, 1028, Barret Ave., Downtown (☎ 451 5210), ouv. 11 h-0 h, dim. 17 h-23 h, f. jours fériés. Institution familiale depuis 1934. Spéc. : *Sauerbraten,* fruits de mer.
★★New Orleans House East, 9424, Shelbyville (☎ 426 1577), ouv. 17 h 30-21 h, f. dim., Memorial Day (dernier lun. de mai), Thanksgiving (4ᵉ jeu. de nov.) et 25 déc. Réserv. préférable. Spéc. : cuisses de grenouille, huîtres Rockefeller.
★★Mastersons Food & Drink, 1830, S. 3rd St. (☎ 636 2511), ouv. 8 h-23 h, f. 4 juil., 25 déc. Au S. de Louisville. Cuisine grecque. Spéc. : *souvlakia* (brochettes).

Téléphones utiles : urgences (☎ 911).

Aéroport : *Standiford Field Airport* (☎ 368 6524). A 5 mi/8 km de la ville.

Compagnies aériennes : *American* (☎ 1-800/433 7300) ● *Comair* (☎ 1-800/354 9822) ● *Delta* (☎ 1-800/525 0280) ● *Northwest* (☎ 1-800/225 2525) ● *TWA* (☎ 584 8101) ● *United* (☎ 1-800/241 6522) ● *USAir* (☎ 584 0354) ● *Continental* (☎ 1-800/525 0280).

Taxis : *Yellow Cab* (☎ 636 5511).

Locations de voitures : *Dollar Rent a Car,* à l'aéroport (☎ 366 6944) ● *Budget Rent a Car,* 4330, Crittenden Dr. (☎ 363 4300).

Autocar : *Greyhound,* 720, W. Muhammad Ali Blvd. (rens. ☎ 585 3331).

Transports en commun : *Transit Authority River City (TARC)* (rens. ☎ 585 1234). Service de bus t.l.j. 6 h-0 h.

Excursions et visites guidées : Tours en bateau à bord d'un magnifique bateau à aubes, le *Belle of Louisville,* Riverfront Plaza, Wharf, 4th St. & River Rd (rens. ☎ 625 2355) ● *Gray Line Bus Tours,* tours en bus. Pour toutes inf. et réserv., contactez *Yes Tours Reservations Office,* 1601, S. Preston St. (☎ 636 5664 ou 637 6511).

Manifestations : 17 avr.-3 mai. *Kentucky Derby Festival,* régates, course entre ballons dirigeables, mini-marathon et aussi concerts. Rens. au 137, W. Muhammad Ali Blvd. (☎ 584 6383) ● **Mi-août.** *Kentucky State Fair,* exposition de bétail, chevaux, artisanat et de nombreux autres divertissements (rens. ☎ 366 9592) ● **Nov. : ven. suivant Thanksgiving.** *Dickens on Main Street,* on illumine les arbres, on chante, danse, mange. Possibilité de tours en calèche (rens. au *Convention & Visitors Bureau*).

Shopping : Plusieurs centres commerciaux, par ex. *Galleria,* Oxford Properties Inc., 420, Meidingen Tower, Louisville Galleria. Schéma classique avec de nombreux restaurants et boutiques.

MADISON (WI)

🅸 **The Greater Madison Convention & Visitors Bureau,** 615, E. Washington Ave.

☎ 608

Hôtels

★★★*Mansion Hill,* 424, N. Pinckney St (☎ 255 3999 fax 255 2217), 11 ch. ⚙ Elégant Bed & Breakfast. Décor différent pour chaque ch.

★★*Edgewater,* 666, Wisconsin Ave. (☎ 256 9071 fax 256 0910), 117 ch. et des suites ♿ 🔲 L'un des meilleurs motels de la ville. La plupart des ch. ont vue sur le lac Mendota.

★★*Best Western Inn on the Park,* 22, S Carroll (☎ 257 8811 fax 257 5995), 213 ch. et des suites ♿ ⚙ 🔲 Pratique et confortable.

Restaurants

★★★*Admiralty,* 666, Wisconsin Ave (☎ 256 9071), ouv. 7 h-23 h. Vue sur le lac Mendota. Cuisine française. Spéc. poissons.

★★*Casa de Lara,* 341, State St. (☎ 251 7200), ouv. 11 h-22 h, f. dim. et jours fériés. Cuisine mexicaine. Spéc. : *fajitas, nopalito con queso.*

Campings : *Madison KOA* (☎ 846 4528). Eau, électricité. Seul inconvénient : peu d'ombre et beaucoup de gravier.

Téléphones utiles : urgences et police (☎ 911 ou 266 7422).

Aéroport : *Dane County Regional Airport,* 4000, International Lane (rens. ☎ 246 3380).

Compagnies aériennes : *Midwest Express Airlines* (☎ 800/452 2022) ● *Northwest Airlines* (☎ 800/225 2525).

Taxis : *Madison Taxi* (☎ 258 7458) ● *Union Cab of Madison* (☎ 242 2000).

Locations de voitures : *Avis* (☎ 242 0600) ● *Budget* (☎ 833 6667) ● *Hertz* (☎ 654 3131).

Autocar : *Greyhound,* 931, E. Main St (rens. ☎ 257 9511).

Transports en commun : *Madison Metropolitan Bus Transit (MMBT),* 25 W. Main St. (rens. ☎ 266 4466). Service de bus pour la ville (6 h-23 h).

MAMMOTH CAVE NATIONAL PARK (KY)

ℹ **Visitor Centre** (rens. ☎ 758 2251).

☎ 502

Hôtels

***Mammoth Cave,** dans le parc (☎ 758 2225 fax 758 2301), 38 ch. ✗ ✿ ✓ Ch. avec patios.

Camping : gratuit dans le parc.

Excursions et visites guidées : *Gray Line,* tours du parc en bus (rens. ☎ 637 6511).

MEMPHIS (TN)

ℹ **Visitors Information Center :** 340, Beale St. (☎ 543 5333).

☎ 901

Hôtels

******The Peabody,** 149, Union Ave. (☎ 529 4000 fax 529 9600), 454 ch. ▦ ✗ ⅋ 🖫 Grand hôtel historique et chic de Memphis, à quelques pas du centre et du Mississippi. Confort sans défaut, luxe sans tapage : on fait ici dans la distinction (même les fameux canards qui défilent dans le hall de l'hôtel chaque mat. à 11 h). Quatre rest., dont *Chez Philippe,* qui passe pour l'une des meilleures tables de la ville.

*****Radisson Hotel,** 185, Union Ave. (☎ 528 1800 fax 526 3226), 283 ch. ▦ ✗ ⅋ 🖫 Intéressant par sa location, il s'agit d'un grand hôtel bien équipé situé au cœur de la ville. Architecture fonctionnelle triste, mais excellent rapport qualité/prix !

*****Adam's Mark Hotel,** 939, Ridge Lake Blvd. (☎ 684 6664 fax 762 7411), 380 ch. ▦ ✗ ⅋ 🖫 Près de Germantown, cette tour de miroir abrite un hôtel très moderne, avec tous les perfectionnements voulus. Parking pratique, aéroport à proximité. A quelque distance du centre.

****Days Inn Downtown,** 164, Union Ave. (☎ 527 4100 fax 527 6091), 106 ch. ▦ ✗ ⅋ Cet hôtel simple est bien placé au centre de la ville, confort raisonnable pour le prix.

Bed & Breakfast in Memphis, P.O. Box 41621, Memphis TN38104 (☎ 726 5920 fax 725 0194) Service qui dispose d'un grand nombre de ch. à louer et de Bed & Breakfast chez les particuliers.

Restaurants

*****Justine's,** 919, Cowars Place (☎ 527 3815), f. dim. et lun. Dans un cadre colonial de bon goût, le rest. chic (et cher) de Memphis : cuisine française raffinée. Veste et cravate de rigueur et réserv. recommandée.

****Butcher Shop,** 101, S. Front St. (☎ 521 0856). Rest. spécialisé dans la viande grillée : chacun choisit sa côte de bœuf et la fait griller. Elle est excellente et recommandée aux gros appétits carnivores.

***Cafe Roux,** 94, S. Front (☎ 525 7689), f. lun. Cuisine cajun, en particulier les poissons et crustacés préparés à la façon du Sud. Dans le club, musique et attractions.

***Rum Boogie Cafe,** 182, Beale St. (☎ 528 0150 et 274 5115), ouv. t.l.j. de 11 h 30 à 2 h du mat. Blues authentiques et cuisine cajun, dans cet endroit sympathique et sans prétentions.

Campings : *Best Holiday Trav-L Park,* Rte 2, Box 1, Holiday Lane Marion AR 72364 (☎ 501/739 4801 fax 501/739 4801). De l'autre côté de la rivière, en Arkansas, ce camp est remarquablement équipé pour les mobilhomes et les campeurs ● *Tom Sawyer's Mississippi River,* RV Park, 1286, S. 8th St. W. Memphis, AR 72301 (☎ 501/735 9770), ouv. avr.-sept. Sur les rives du Mississippi, site de camping offrant un excellent confort et un très beau point de vue sur le fleuve.

Téléphones utiles : police (☎ 528 2222) ● secours (☎ 911) ● pompiers (☎ 458 3311) ● ambulance (☎ 458 3311).

Locations de voitures : *Hertz,* 2560, Rental Rd (☎ 345 5680) ● *Budget,*

2650, Rental Rd (☎ 767 1000 fax 761 5242).

Compagnies aériennes : *American Airlines* (☎ 800/433 7300 fax 214/558 0480) ● ***Delta Airlines 1*** (☎ (800) 354 9822 fax 762 4150).

Transports en commun : *Memphis Area Transit Authority (MATA)*, 1370, Levee Rd (☎ 722 7100 fax 722 7123).

Taxis : *Yellow Cab* (☎ 526 2121) ● *Checker Cab* (☎ 577 7777).

MIAMI (FL)

☎ 305

Hôtels

Miami offre une énorme variété d'hôtels de toutes classes, et à tous les prix. Les tarifs peuvent varier considérablement en fonction de la saison (haute saison déc.-avr., basse saison avr.-déc.).

★★★★*Don Shula's Hotel & Golf Club*, Main St., Miami Lakes (☎ 821 1150 fax 821 1150), 300 ch. 🎱 ✕ ♿ ☻ ☐ 🏌 ✔ Don Shula est le célèbre entraîneur des Miami Dolphins : il a ouvert cet hôtel moderne dans un grand parc. Idéal pour les sportifs (tennis et golf).

★★★*Flamingo Lodge*, Marina & Outpost Resort Box, 428 Flamingo, FL33030 (☎ 305/253 2241), 102 ch. et 24 cottages. Dans le parc national des Everglades, cet hôtel fonctionne un peu comme un refuge. Le rest. n'est pas ouv. en été et la réserv. est fortement recommandée.

★*Miami Beach International Travelers Hostels*, 236, 9th St. (☎ 534 0268 fax 534 5862). Sorte d'auberge de jeunesse, bien située et bien équipée (cuisine, laverie...).

Art Deco District

★★★*The Ritz Plaza Hotel*, 1701, Collins Ave. (☎ 534 3500 fax 531 6928), 133 ch. 🎱 ✕ ☐ Sur le front de mer, cet hôtel à taille humaine (12 étages) a été récemment restauré et est bien situé dans le centre de Miami Beach. Agréable et

sans histoire, avec une superbe décoration Art déco des années 40/50. Piscine olympique, dominant l'océan.

★★*Sagamore Hotel*, 1671, Collins Ave. (☎ 538 7211 fax 674 0371), 130 ch. 🎱 ✕ ☐ Bien situé également sur la mer, cet hôtel a conservé un air familial. Piscine d'eau de mer. Certaines ch. disposent d'une petite cuisine.

★★*The Beacon Hotel*, 720, Ocean Dr, à l'angle de 7th St. (☎ 531 5891 fax 674 8976), 84 ch. 🎱 ✕ En plein quartier Art Deco, cet hôtel construit en 1936 a été récemment modernisé. Il est bien situé à quelques mn de la plage et offre un bon rapport qualité/prix.

★★*The Colony Hotel*, 736, Ocean Dr (☎ 673 0088 fax 532 0762), 36 ch. 🎱 ✕ Encore un exemple célèbre de construction Art déco, cet hôtel a été bâti en 1935 par Henry Hohauser, l'un des maîtres du style. Bien rénové, sur l'océan, prix presque modestes, cet établissement est plaisant surtout par sa situation sur la mer.

Miami Beach

★★★★*Fontainebleau Hilton Resort & Spa*, 4441, Collins Ave. (☎ 538 2000 fax 534 7821), 1 266 ch. 🎱 ✕ ♿ ☐ ☐ Gigantesque caravansérail au luxe débridé : 6 rest., 2 night-clubs, piscines, jardin tropical, cascades et palmiers, plage. Miami comme nous le présentent les feuilletons TV !

★★★★*The Alexander*, 5225, Collins Ave. (☎ 865 6500 fax 864 8525), 150 suites 🎱 ✕ ☻ ☐ Jardin tropical entourant 2 grandes piscines aux formes biscornues, parasols et jacuzzis et vues sur l'océan : Miami tel qu'on l'imagine et l'on n'est pas déçu. Sports nautiques : ski nautique, surf et hydrothérapie à la pointe du genre.

Little Palm Island

★★★★★*Little Palm Island*, Rte 4, Box 10306, 33042 Little Torch (☎ 872 2524 fax 872 4843), 30 suites 🎱 ✕ ♿ ☻ ☐ ☐ A 45 km de Key West et à 200 km de Miami, cette île tropicale abrite 30 suites, dont le toit de chaume voile un confort exceptionnel. Tout pour ouer les Robinsons Crusoé de (très) grand luxe. Membre de la chaîne Relais & Châteaux.

Restaurants

La très grande majorité des hôtels possèdent un, sinon plusieurs rest. ; on donne ici les rest. indépendants.

Art Deco District

Uncle Sam's Music Cafe, 1141, Washington Ave. (☎ 532 0973). A la fois magasin de disques et café-rest., cet endroit décontracté propose une cuisine simplette mais bon marché. Musique jusqu'à 2 h du mat. mer.-sam. Brunch dim. de 11 h 30 à 15 h.

Key East, 647, Lincoln Rd (☎ 672 8606). On dîne dehors dans une atmosphère décontractée et simple : poisson grillé, poulet rôti et steaks. Prix modérés.

Miami Beach

**The Forge,* 432, Arthur Godfrey Rd (☎ 538 8533). Rest. chic qui se distingue par son décor recherché (meubles anciens, objets d'art). Cuisine raffinée. Réserv. indispensable.

***Dominique's,* 5225, Collins Ave., dans l'hôtel *Alexander* (☎ 861 5252). Un des rest. les plus chics de la ville, à la hauteur de la réputation de son confrère le Washington. Terrasse ; brunch dim. Tenue correcte exigée et réserv. recommandée.

**Garden Restaurant,* 4343, Collins Ave. (☎ 532 3311). Dans l'hôtel *Quality Shawnee Beach Resort.* Grand cinéma pour ce rest. qui donne sur une piscine plus tropicale que nature. Grillades et poissons cuisinés avec invention.

Téléphones utiles : urgences (☎ 911) ● police (☎ 595 6263).

Consulats : *France* (☎ 372 9541).

Aéroport : *Miami International Airport,* à 10 km du centre ville (☎ 876 7000) ● Transport : *Supershuttle* (☎ 871 2000).

Compagnies aériennes : *Air France,* 1001, S. Bayshore Dr, suite 1706 (☎ 800/237 2747) ● *American Airlines,* 150, Alhambra Plaza, suite 100 Coral Gables, (☎ 358 6800) ● *Continental Airlines Miami International Airport,* Concourse C (☎ 871 1400) ● *Delta Airlines,* 201, Alhambra Circo, suite 516, Coral Gables (☎ 448 7000).

Locations de voitures : Dans beaucoup d'hôtels, on trouve des représentants des principales sociétés de locations de voitures ; nous donnons ici les bureaux à proximité de l'aéroport. ● *Avis,* quartier de l'aéroport, 2330, N.-W. 37th Ave. (☎ 637 4900) ● *Hertz,* 3795, N.-W. 21st St. (☎ 871 0300) ● *Budget,* 3901, N.-W. 28th St. (☎ 871 3053).

Taxis : *American Taxi* (☎ 947 3333) ● *Metro Taxi* (☎ 888 8888) ● *Yellow Cab* (☎ 444 4444).

Shopping : *Bal Harbour Shops,* 9700, Collins Ave., Bal Harbour (☎ 866 0311), ouv. lun., jeu. et ven. 10 h-21 h, mar., mer. et sam. 10 h-18 h et dim. 12 h-17 h. Ce shopping center offre ce qu'il y a de plus luxueux et de plus international, dans une ambiance de tropiques et de palmiers : Gucci, Cartier, Nina Ricci et bien sûr Neiman Marcus et Saks, qui sont les grands magasins les plus chics de la planète ● *Cauley Square,* 22400, Old Dixie Hwy., Goulds (☎ 258 0011), ouv. lun.-sam. 10 h-16 h 30. Spécialisé dans les antiquités, l'artisanat et les galeries d'art. En mars, juil. et nov. expositions ventes particulières ● *Sawgrass Mills,* 12801, Sunrise Blvd., Sunrise (☎ 846 2300), ouv. lun.-sam. 10 h-21 h 30 et dim. 11 h-18 h. L'un des plus grands shopping centers au monde, le Sawgrass Mills compte plus de 225 commerces, dont plusieurs grands magasins. Beaucoup de designers connus. Il est situé assez loin de Miami, mais il existe une navette ● *Spy Shops International,* 2900, Biscayne Blvd., au N. de Downtown (☎ 573 4779) et 350, Biscayne Blvd., Downtown (☎ 374 4779). Magasins spécialisés dans la sécurité : vous y trouverez l'équipement complet de James Bond : gilets pare-balles, torches à infrarouges pour voir la nuit et toute une électronique sophistiquée !

MILWAUKEE (WI)

ⓘ **The Greater Milwaukee Convention and Visitors Bureau,** 510, W. Kilbourn Ave., Milwaukee, WI 53203. (☎ 273 7222 et 800/231 0903).

☎ 414

Hôtels

Downtown

★★★*Pfister,* 424, E. Wisconsin Ave. (☎ 273 8222 fax 273 0747), 307 ch. et des suites ▦ ✕ ♿ ✻ ⬜ Hôtel de grande classe (depuis 1893). Architecture victorienne. On peut aussi y admirer des peintures du XIXᵉ s.

★★★*Hyatt Regency,* 333, W. Kilbourn Ave. (☎ 276 1234 fax 276 6338), 484 ch. et des suites ▦ ✕ ♿ ✻ Des ch. spacieuses.

★★*Marc Plaza,* 509 W. Wisconsin Ave. (☎ 271 4040 fax 271 1039), 500 ch. et 34 suites ▦ ⬜ Hôtel construit en 1929. Superbe avec ses lustres en cristal, le marbre des colonnes et les boiseries qui ornent les couloirs.

★★*Astor,* 924, E. Juneau Ave. (☎ 271 4220 fax 242 0355), 96 ch. et des suites ▦ ✕ ♿ Hôtel confortable non loin du lac Michigan. La plupart des ch. ont été rénovées sf. les salles de bains.

★★*Ramada Inn,* 633, W. Michigan Ave. (☎ 272 8410 fax 272 4651), 154 ch. et des suites ✕ ♿ ✻ ⬜ Des ch. propres. Un hôtel très classique.

A l'aéroport

★★★*The Grand Milwaukee Hotel,* 4747, S. Howell Ave. (☎ 481 8000 fax 481 8065), 510 ch. et des suites ▦ ✕ ♿ ✻ ⬜ ⚲ Hôtel élégant. Le plus grand de l'Etat du Michigan.

★★*Quality Inn Airport,* 5311, S. Howell Ave. (☎ 481 2400 fax 481 4471), 138 ch. ♿ ✻ ⬜ Très pratique. En face de l'aéroport.

★★*Hospitality Inn,* 4400, S. 27th St. (☎ 282 8800 fax 282 7713), 167 ch. dans 2 immeubles et 81 suites ♿ ✻ ⬜ Simple, agréable et bien équipé.

★*Exel Inn,* 1201, W. College Ave. (☎ et fax 764 1776, ext 179), 111 ch. ♿ De ch. propres et confortables tout près d l'aéroport.

Restaurants

A Milwaukee, on trouvera nombre d rest. étrangers vu la diversité ethnique de la ville (Allemands, Italiens, Polonais...)

★★★★*Grenardier's,* 747, N. Broadwa (☎ 276 0747), ouv. 11 h 30-14 h 30 e 17 h 30-22 h 30, sam. à partir de 17 h 30 f. dim. et jours fériés. Réserv. conseillé ♿ Spéc.: agneau au curry, ris de veau sole et autres poissons du jour. Pour de dîners élégants !

★★★*The English Room,* 424, E. Wis consin Ave. (☎ 273 8222), ouv. 11 h 30-14 h et 17 h 30-23 h, dim. 17 h-22 h f. jours fériés. Réserv. préférable ♿ Cui sine française. Spéc. : bouillabaisse, côte de veau aux champignons et une bonn carte des vins. Int. dans le style victorien

★★*Karl Ratzsch's,* 320, E. Mason St. (☎ 276 2720), ouv. 11 h 30-22 h 30, dim brunch 11 h-15 h, f. jours fériés. Cuisin allemande pour cette institution familiale

★★*Izumi's,* 2178, N. Prospect Ave. (☎ 271 5278), ouv. 11 h 30-14 h 30 et 17 h 22 h 30, dim. 16 h-21 h, f. lun. et jour fériés. Cuisine japonaise. Spéc. : sush sukiyaki.

★*Three Brothers Bar & Restauran 2424, St Clair (☎ 481 7530), ouv. 17 h 22 h, ven. et sam. 16 h-23 h, dim. 16 h 22 h, f. dim. et jours fériés. Cuisine ser be. Spéc. : poulet au paprika, agneau rôt beurek.

★*Dos Bandidos,* 5932, N. Green Ba Ave. (☎ 228 1911), ouv. 11 h 30-14 30 et 17 h-22 h 30, sam. 11 h-23 h 30 dim. 17 h-22 h, f. jours fériés. Men mexicain. Spéc. : steak et poulet *fajitas enchiladas* aux épinards. Décor mexi cain.

Bed & Breakfast : Une adresse vou fournira la liste des principaux Bed & Breakfast de la région : *Bed & Breakfas of Milwaukee Inc.,* 1916, W. Donge Bay Rd, Mequon, 53092 (☎ 242 9680 Indiquer aussi vos préférences : (non fumeurs, enfants etc. Réserv. conseillé

Bars : *Major Goolsby's,* 340, W. Kilbourn Ave. (☎ 271 3414), ouv. t.l.j. à partir de 11 h. Le journal *USA Today* l'a classé parmi les meilleurs bars du pays. Au programme : cocktails, jus de fruits...

Campings : *Country View Campground,* 23400, W. Craig Ave., Mukwonago 53149, à 4 mi/6 km de la ville (☎ 662 3654). Sites avec électricité, aires de jeux, piscine, épiceries, snacks (ouv. mi-avr.-mi-oct) ● *Lazy Days Campgrounds,* 1475, Lakeview Rd, West Bend 53095, à 40 mn du centre ville (☎ 675 6511), ouv. avr.-nov. ● *Wisconsin State Fair RV Park,* 84th St. 53214 (☎ 257 8844). 88 sites. Douches, électricité. Réserv. préférables. Ouv. avr.-oct.

Téléphones utiles : urgences (☎ 911) ● services médicaux : **Milwaukee Regional Medical Center,** 1000, N. 92nd St. (☎ 778 4570).

Aéroport : *General Mitchell International Airport,* 5300, S. Howell Ave. (rens. ☎ 747 5300). A 6 mi/3 km du centre ville. Le *Milwaukee County Transit System* assure la liaison entre l'aéroport et le centre ville en bus (env. $ 1), ouv. t.l.j. 5 h 30-23 h, sam 6 h 30-17 h 30, dim et pendant les vacances 11 h 15-17 h 45. Rens. 1942, N. 17th St. (☎ 344 6711). En taxi : $ 13 à $ 15 env.

Compagnies aériennes : *Delta,* 250 E. Wisconsin Ave. (☎ 223 4770) ● *Midwest Express* (réserv. ☎ 800/452 2022) ● *Northwest,* lignes intérieures (☎ 800/225 2525) et pour l'étranger (☎ 800/447 4747).

Taxis : *Taxi-Cab Association,* 5300, S. Howell Ave. (☎ 481 8044).

Location de voitures : *Budget Car and Truck Rental,* à l'aéroport (☎ 541 8750) ● *Dollar Rent a Car,* 5300, S. Howell Ave. (☎ 747 0066) ● *Thrifty Car Rental,* 600, E. Layton Ave. (☎ 483 5870) ● *National Car Rental,* à l'aéroport (☎ 483 9800).

Chemin de fer : *Amtrak,* 433, W. St Paul Ave. (rens. ☎ 800/872 7245).

Autocar : *Greyhound Bus Terminal,* 606, N. 7th St. (rens. ☎ 272 8900 et 800/528 0447).

Excursions et visites guidées : *Iroquois Boat Tour,* 3225, N. Shepard (rens. ☎ 332 4194). Tours en bateau d'1 h 30 sur la Milwaukee River et à bord de *L'Iroquois,* t.l.j. fin juin-début sept., départs à 13 h et 15 h ● *Historic Milwaukee, Inc.-ArchiTours,* box 2132 (rens. ☎ 277 7795). Des vis. guidées de la ville : Juneautown, Kilbourntown, Walker's Point, Yankee Hill et Water Tower (les premiers établissements) ● *Miller Brewing Company,* 4251, W. State St. (rens. ☎ 931-BEER). Vis. t.a. de la plus grande brasserie du Wisconsin, f. dim. et jours fériés.

Manifestations : Pour être informé des principaux événements de la journée (☎ 799 1177). ● **Fin juin-début juil.** *Summerfest,* festival de la musique (rens. ☎ 273 2680) ● **Juil.-août.** *Ethnic Festivals,* fêtes allemande, italienne, irlandaise, mexicaine et polonaise. Rens. au *Convention & Visitors Bureau* ● **Août.** *Wisconsin State Fair,* grande foire : feux d'artifice, etc. (Rens. ☎ 257 8800).

Shopping : Wisconsin Ave. est la principale rue commerçante du centre ville. Parmi les centres commerciaux, on trouvera : *The Grand Avenue Mall,* 275, W. Wisconsin Ave., ouv. 10 h-20 h, sam. 10 h-16 h, dim. 12 h-17 h. Env. 150 boutiques, des rest. ● Old World 3rd St. (au N. de Wisconsin Ave.). C'est le quartier allemand de Milwaukee. Des magasins typiques tels que : *Usinger's Famous Sausage,* 1030, N. Old World 3rd St., f. dim. Les meilleures saucisses d'Amérique (et plus de 75 sortes) ! ● *Wisconsin Cheese Mart Inc.,* 215, W. Highland, f. dim. De délicieux fromages, du miel, des *crackers*...

MINNEAPOLIS / ST PAUL (MN)

ⓘ **The Minneapolis Convention and Visitors Association,** 1219, S. Marquette Ave. (☎ 348 7000 ou 800/445

7412), ouv. lun.-ven. 8 h-17 h ● **St Paul Convention and Visitors Bureau,** 445, Minnesota St. (☎ 223 5409), ouv. t.l.j. 9 h 30-18 h, sam 11 h-18 h.

☎ 612

Hôtels

Minneapolis

★★★Hyatt Regency Minneapolis, 1300, Nicollet Mall (☎ 370 1234), 532 ch. et 23 suites ▦ ✕ ⁄ Près des centres d'intérêt de la ville. Couleurs contemporaines pour les ch. : jade, pêche et gris. Hôtel de luxe.

★★★The Marquette, 710, Marquette Ave. (☎ 332 2351), 259 ch. et 20 suites ✕ Au cœur de la ville. Hôtel moderne rénové en 1989 comprenant un bar très spacieux.

★★★The Whitney, 150, Portland Ave. (☎ 339 9300 ou 800/248 1879 fax 339 1333), 97 ch. et 43 suites ✕ ⁂ Ancien moulin des années 1880, c'est aujourd'hui un élégant hôtel. La moitié des ch. ont vue sur le Mississippi.

★★Radisson Plaza Hotel, 35, S. 7th St. (☎ 339 4900), 357 ch. et 34 suites ✕ Service de qualité. Ch. décorées dans 3 styles différents : oriental, contemporain et européen.

★★Radisson University Hotel, 615, S.-E. Washington Ave. (☎ 379 8888), 304 ch. et 12 suites ✕ ⁂ Au cœur du campus de l'Université du Minnesota. Les ch. côté O. et S. sont les plus agréables. Chaleureux.

★★Nicollet Island Inn, 95, Merriam St. (☎ 331 1800), 24 ch. ✕ Simple et sophistiqué à la fois. Style victorien pour le mobilier.

A l'aéroport

★★★Minneapolis/St Paul Airport Hilton, 3800, E. 80th St., Minneapolis (☎ 854 2100 ou 800/445 8667), 289 ch. et 11 suites ✕ ▤ Hôtel moderne. Très pratique. Cascade d'eau sur 2 étages dans le hall de l'hôtel.

★★★Sheraton Airport Hotel, 2525, E. 78th St., Bloomington, 55425 (☎ 854 1771 ou 800/325 3535), 227 ch. et 8

suites ✕ ▤ Hôtel contemporain de 4 étages. Rénové en 1988. Classique.

St Paul

★★★The St Paul Hotel, 350, Market St (☎ 292 9292 ou 800/457 9292), 254 ch et 30 suites ✕ Construit en 1910. Hôte luxueux au cœur du quartier historique de St Paul.

★★★Radisson Hotel, 11, E. Kellogg Blvd (☎ 292 1900 ou 800/333 3333), 475 ch et 36 suites ✕ ▤ Dans une tour de 2 étages. Ch. avec vue sur le Mississippi Style traditionnel américain. Quelques touches orientales pour les halls d'entrée.

★★Sheraton Midway, 400, Hamline Ave. (☎ 642 1234 ou 800/535 2339), 197 ch et 15 suites ✕ ⴟ ▤ Des ch. confortables avec des boiseries en chêne. Une petite salle de gym., mais le plus grand sauna de la ville !

★The Bandana Inn, 1010, Bandana Blvd. (☎ 647 1637), 103 ch. et 6 suites ⴟ ▤ Des ch. au confort appréciable.

Restaurants

Minneapolis

★★Goodfellows, 800, Nicollett Mall (☎ 332 4800), ouv. 11 h 30-14 h et 17 h 30 21 h, sam. 17 h 30-22 h, f. dim. Cadre élégant. Cuisine régionale américaine Spéc.: ragoût de homard, ris de veau à la sauce créole, palourdes aux fines herbes

★★Whitney Grille, The Whitney Hotel 150, Portland Ave. (☎ 339 9300), ouv t.l.j. 6 h 30-22 h 30. Très belle salle à manger. Spéc. : filet de saumon au citron avec des crevettes, veau et aussi de très bons desserts comme le *cheesecake* au raisin, au miel ou au chocolat selon l'humeur du chef. Réserv. préférable.

★★Lucia's Restaurant, 1432, W. 31st St (☎ 825 1572), f. lun. "Cuisine nouvelle" européenne et américaine. Spéc. flanchet de bœuf en vinaigrette, blanc de poulet au fromage de chèvre et des desserts (tarte au gingembre et aux noix baies au Grand Marnier, crème glacée à la praline accompagnée d'une sauce au chocolat et au rhum). Réserv. préférable.

★Sherman's Bakery & Cafe, 2914, Hennepin Ave. (☎ 823 7269), ouv. 7 h 22 h, sam. jusqu'à 23 h 30, dim. 8 h-22 h

Spéc. : salade de fruits, omelette, poisson
sauce tartare mais aussi cakes au citron,
génoise à la framboise et au chocolat,
Reine de Sabat.

Chez Paul Bistrot, Bakery & Restaurant, 1400, Nicollet Ave. (☎ 870 4212),
ouv. t.l.j. Spéc. : ris de veau sauté aux
câpres, blanc de poulet et homard avec
une sauce au cognac et aux champignons, canard au cidre et des desserts
appétissants.

It's Greek to Me, 626, W. Lake St. (☎
825 9922), ouv. t.l.j. 11 h-23 h. Institution familiale pour ce rest. grec. Accueil
chaleureux. Spéc. : *moussaka,* agneau et
dolmas.

St Paul

**Caffe Latte,* 850, Grand Ave. (☎ 224
5687). Petite cafétéria très élégante.
Spéc.: Soupe aux crevettes, salade japonaise au gingembre, *tortellini,* ragoût
d'agneau à la grecque.

**Tulips Restaurant,* 452, Selby Ave.
(☎ 221 1061). Dans le quartier historique de St Paul. Le menu change chaque
jour. Spéc. : *gaspacho* aux raisins, veau
à la ciboulette, entrecôte à la sauce béarnaise, escargots.

Campings : *Town and Country Campground,* 12630, Boone Ave. (☎ 445
1756). A 15 mi/24 km de Minneapolis.
Eau, électricité. Compter env. $ 20 pour
2 personnes.

Téléphones utiles : urgences (☎ 911).

Aéroport : *Minneapolis/ St Paul International Airport* (rens. ☎ 726 5555). A
8 mi/12 km de St Paul et à 9 mi/14 km de
Minneapolis.

Compagnies aériennes : *Air Canada*
(☎ 800/776 30 à 00) ● *America West*
(☎ 800/247 5692) ● *American* (☎
800/223 5436) ● *Canadian* (☎ 800/426
7000) ● *Continental* (☎ 800/525 0280)
● *Delta* (☎ 800/221 1212) ● *United* (☎
800/241 6522) ● *USAir* (800/428 4322).
Le *Metropolitan Transit Commission*
assure les liaisons avec le centre ville.
Env. $ 1 (rens. ☎ 827 7733). En taxi,
compter env. $ 10 jusqu'à St Paul et $ 16
jusqu'à Minneapolis.

Taxis : A Minneapolis : *Blue & White*
(☎ 333 3331) ● *Yellow* (☎ 824 4444)
●*Town Taxi* (☎ 331 8294). A St Paul :
Yellow (☎ 222 4433) ● *City Wide*
(☎ 292 1616).

Chemin de fer : *Amtrak,* 730, Transfer
Rd (rens. ☎ 800/872 7245).

Autocar : *Greyhound/Trailways,* 7th St.
à St Peter St., St Paul (rens. ☎ 222 0509
ou 800/528 0447) et 29, N. 9th St., Minneapolis (rens. ☎ 371 3320 ou 800/528
0447).

Transports en commun : *Metropolitan
Transit Commission* (rens. ☎ 827
7733). Prévoir de la monnaie ou des
tokens (jetons) que l'on achète à *IDS
Crystal Court,* 7th St. et Nicollet Mall ou
au *MTC Transit Store,* 719 Marquette
St.

Excursions et visitess guidées : *Padelford Packet Boat Company,* Harriet
Island, St Paul (rens. ☎ 227 1100). Des
tours en bateau sur le Mississippi ●
Queen of the Lake Boat Cruise, 310, S.
4th Ave., Minneapolis (rens. ☎ 348
4825). Tours en bateau à aube sur Lake
Harriet ● *Minnesota Zephyr,* 601, N.
Main St., Stillwater, MN 55082 (rens. ☎
430-30-00). Promenade de 4 h en train
dans la St Croix Valley. Style rétro avec
les wagons qui datent des années 40.

Manifestations : *Fin jan.-début fév. St
Paul Winter Carnival,* St Paul Winter
Carnival, 339, Bremer Bldg., St Paul
(rens. ☎ 222 4416). Courses de ballons
dirigeables, de voitures (sur la glace),
base-ball sur glace, des activités pour les
enfants aussi ● *1er week-end de mai.
Festival of Nations,* 1694, Como Ave.,
St Paul (rens. ☎ 647 0191). Célébrations des diversités ethniques de la région
● *4e week-end de juil. Taste of Minnesota,* State Capitol Grounds, St Paul
(rens. ☎ 297 6899). Festival de plein air
exposant spéc. culinaires et offrant des
concerts gratuits ● *3e ven. de juil. Minneapolis Aquatennial,* Minneapolis
Aquatennial Association, 702, Wayzata
Blvd., Minneapolis (rens. ☎ 377 4621).
Pendant 10 jours, des attractions pour
tous les âges et tous les goûts. Les lacs et

parcs de Minneapolis sont illuminés pour les événements sportifs. Egalement des courses en ballons dirigeables et des régates ● **Fin août-début sept.** *Minnesota State Fair,* State Fairgrounds, St Paul (rens. ☎ 642 2251). Le bétail, l'artisanat, les produits agricoles et horticoles y sont exposés.

MOBILE (AL)

ℹ️ **Mobile Convention & Visitors Bureau,** 1, St Louis Center, suite 2002 (☎ 433 5100).

☎ 205

Hôtels

★★★Stouffer's Riverview Plaza, 64, Water St. (☎ 438 4000 fax 438 3719), 375 ch. et des suites ▦ ✕ ♿ ⊗ ▭ Superbe vue sur Mobile River et le centre ville de Mobile. Style contemporain.
★The Malaga Inn, 359, Church St. (☎ 438 3719), 40 ch. et des suites ✕ ⊗ Ch. spacieuses avec patios ou balcons dans une demeure *ante bellum* (av. la guerre de Sécession).

Restaurants

★★★The Pillars, 1757, Government St. (☎ 478 6341), ouv. 17 h-22 h, f. dim. et jours fériés. Spéc. : fruits de mer.
★★Roussos, 166, S. Royal St. (☎ 433 3322), ouv. 11 h-22 h, dim. jusqu'à 21 h, f. 25 déc. Spéc. : également des fruits de mer.

Campings : *I-10 Kampground,* 400, Theodore Dawes Rd (☎ 653 9816). A 8 mi/12 km de la ville. Sites à partir de $ 15.

Téléphones utiles : urgences (☎ 911).

Taxi : *Yellow Cab* (☎ 476 7711).

Locations de voitures : *Avis* (☎ 633 4743) ● ***Budget*** (☎ 633 0660) ● ***Dollar*** (☎ 633 5691).

Chemin de fer : *The Gulf Breeze* (rens. ☎ 1-800/USA RAIL). Destinations : New York via Birmingham, Atlanta, Greenville et Washington DC.

Autocar : *Greyhound/Trailways Bus Lines* (rens. ☎ 432 9793).

Transports en commun : *Mobile Transit Authority* (rens. ☎ 344 5656). Service de bus local.

Excursions et visites guidées : *Gray Line of Mobile,* 607, Dauphin St. (rens. ☎ 432 2229). Vis. guidée t.l.j. de la partie historique de Mobile et des environs.

Manifestations : *Fin fév.-début mars. Mardi Gras,* pendant 10 jours ● ***Début mars. Historic Mobile Tours,*** demeures historiques ouvertes au public.

MONTGOMERY (AL)

ℹ️**Montgomery Chamber of Commerce,** 41, Commerce St. (☎ 834 5200).

☎ 205

Hôtels

★★★Madison, 120, Madison Ave. (☎ 264 2231 fax 263 3179), 190 ch. et des suites ▦ ✕ ♿ ⊗ ▭ Style oriental. Un bon hôtel.
★★★Courtyard by Marriott, 5555, Carmichael Rd (☎ 272 5533 fax 279 0853), 146 ch. et des suites ✕ ♿ ⊗ ▭ Grandes ch. Très agréable.
★★Statehouse Inn, 924, Madison Ave. (☎ 265 0741 fax 834 6126), 166 ch. et des suites ✕ ♿ ⊗ ▭ Très bien situé. Confortable.

Restaurants

★★★Vintage Year, 405, Cloverdale Rd (☎ 264 8463), ouv. 18 h-22 h, f. dim., lun. et jours fériés. Spéc. du pays cajun et quelques plats italiens.
★★Sahara, 511, Edgemont Ave. (☎ 262 1215), ouv. 11 h-22 h, f. dim. et jours fériés. Spéc. : fruits de mer.

Téléphones utiles : urgences (☎ 911).

Taxis : *Yellow Cab* (☎ 262 5225).

Chemin de fer : *The Gulf Breeze* (rens. ☎ 800/USA-RAIL). Jusqu'à Birmingham avec arrêts à Greenville, Evergreen, Atmore et Mobile.

Autocar : *Greyhound/Trailways,* 210, Court St. (☎ 264 4518).

Transports en commun : *Trolley* (rens. ☎ 262 7321). Service gratuit. C'est à Montgomery que le premier trolley fut mis en service.

NASHVILLE (TN)

ℹ️ **The Nashville Area Chamber of Commerce,** 161, N. 4th St. Ave. (☎ 259 3900), ouv. lun.-ven. 8 h-16 h 30.

☎ 615

Hôtels

★★★*Hyatt Regency,* 623, Union St. (☎ 259 1234 ou 800/233 1234), 476 ch. et 32 suites ✗ Hôtel luxueux. Des ch. spacieuses.

★★★*Opryland Hotel,* 2800, Opryland Dr (☎ 883 2211), 1891 ch. et des suites ✗ ⊡ 🏊 Même si vous n'y séjournez pas, le détour en vaut la peine pour admirer le décor (végétation tropicale, torrents, fontaines).

★★*Courtyard by Marriott Airport,* 2508, Elm Hill Pike (☎ 883 9500 ou 800/321 2211), 145 ch. et 12 suites ✗ ⊡ De grandes ch. confortables. Ce motel vous offre presque les mêmes prestations qu'un hôtel plus coûteux.

★★*Ramada Inn Across from Opryland,* 2401, Music Valley Dr (☎ 889 0800 ou 800/272 6232), 308 ch. et des suites ✗ ⊡ Bien situé. Style contemporain.

★*Hampton Inn Vanderbilt,* 1919, West End Ave. (☎ 329 1144 ou 800/426 7866), 163 ch. ⊡ Proche du campus de Vanderbilt University. Récent et propre.

★*La Quinta Motor Inn,* 2001, Metro Center Blvd. (☎ 259 2130 ou 800/531 5900), 121 ch. ✗ ⊡ A 2 km de la ville. Ch. particulièrement spacieuses.

★*Motel 6,* 311, W. Trinity Lane (☎ 227 9696). Propre, confortable et très pratique.

★*The Cumberland Inn,* Trinity Lane (☎ 226 1600) ⌘ Bon rapport qualité/prix.

Restaurants

★★*The Merchants,* 401, Broadway (☎ 254 1892). Réserv. préférable. Menu américain. Spéc. : steaks d'alligators, fruits de mer, viandes grillées au feu de bois.

★★*Julian's Restaurant Français,* 2412, West End Ave. (☎ 327 2412), f. dim. Réserv. conseillée. Cuisine française. Spéc. : ris de veau sauté avec une sauce aux champignons, canard rôti.

★★*F. Scott's,* 2220, Bandywood Dr (☎ 269 5861). Menu américain. Spéc. : pâtes au poulet et aux artichauts arrosées d'une sauce à la crème, agneau braisé accompagné d'une sauce à la menthe et une bonne carte des vins.

★★*Maude's Courtyard,* 1911, Broadway (☎ 320 0543). Spéc. : homard aux cœurs d'artichauts, brochettes de gambas et de coquilles St-Jacques.

★*Cakewalk Restaurant,* 3001, West End Ave. (☎ 320 7778). Petit bistrot à l'atmosphère intime. De très bons desserts, surtout le *Kahlua Cake,* un gâteau au chocolat et à la liqueur (sur 4 épaisseurs !).

Loveless Cafe, 8400, Hwy. 100 (☎ 646 9700), ouv. mar.-sam. 8 h-14 h et 17 h-21 h, en continu dim., f. lun. A 22 mi/35 km de la ville. Réserv. préférable le week-end. Spéc. : biscuits et confiture d'abricots faits maison, poulet frit et un délicieux jambon.

Campings : Près de Opryland USA se trouvent 3 campings. Pour s'y rendre : un bus au départ de 5th St. : *Fiddler's North Inn Campground* (☎ 885 1440) ● *Nashville Travel Park* (☎ 889 4225) ● *Two Rivers Campground* (☎ 883 8559). Moins cher (sites à partir de $ 15 pour 2 personnes) et moins bruyant que les deux précédents.

Téléphones utiles : urgences (☎ 911) ● hôpitaux : *Baptist Hospital,* 2000, Church St. (☎ 329 5555) et *Vanderbilt University Medical Center,* 1211, S. 22nd Ave. (☎ 322 7311) ● *Farmer's Market Pharmacy,* pharmacie ouv. 24 h/24 au 715, Jefferson St. (☎ 242 5501).

Aéroport : *Nashville Metropolitan Airport* (rens. ☎ 275 1675). A 8 mi/12 km du centre ville. L'aéroport est desservi par *American, Comair, Delta, Northwest, Southwest, USAir, TWA* et *United Airlines.*

Taxis : *Checker Cab* (☎ 254 5031) • *Nashville Cab* (☎ 242 7070) • *Yellow Cab* (☎ 256 0101).

Locations de voitures : *Alamo Rent a Car,* à l'aéroport (☎ 275 1050).

Autocars : *Greyhound,* 200, S. 8th Ave. (rens. ☎ 256 6141).

Transports en commun : *Metropolitan Transit Authority (MTA)* (rens. ☎ 242 4433). Service de bus pour tout le comté 5 h-23 h 15. Trafic réduit sam. et dim. • *Nashville Trolley Co* (rens. ☎ 242 44-33). Trolleybus qui dessert le centre ville. Toutes les 10 mn env.

Excursions et visites guidées : Plusieurs agences locales vous proposent des tours de la région en autocars : *American Sightseeing* (☎ 256 1200 ou 800/826 6456) • *Grayline* (☎ 883 5555 ou 800/251 1864) • *Grand Ole Opry Tour* (☎ 889 9490) • *Stardust Tours* (☎ 244 2335). Tours en bateau : *Belle Carol Riverboat Co,* des tours sur la Cumberland River (rens. ☎ 244 3430 ou 800/342 23 55).

Manifestations : Fin mai-début juin. *Summer Lights* (rens. ☎ 259 6374). La fête pendant 4 jours dans le centre ville pour y célébrer tous les arts (musique, théâtre, etc.) • **Juin.** *International Fan Fair* (rens. ☎ 889 7503). Toutes les stars de la *Country Music* sont au RV pendant 6 jours durant la 1re sem. du mois • **Fin sept.-début oct.** *National Quartet Convention* (rens. ☎ 320 7000). Festival de gospel réunissant les plus grandes chanteuses du pays • **Début nov.** *Longhorn Classic Rodeo* (rens. ☎ 876 1016). Sorte de championnat entre les meilleurs cow-boys et cow-girls.

Shopping : Church St. est la principale rue commerçante de la ville. La plupart des boutiques sont ouv. lun.-sam. 10 h-17 h ou 21 h. Quelques adresses : *Fountain Sq.,* 224, Metro Center Blvd., un centre commercial avec env. 35 boutiques, des rest. • *Twitty Bird Record Shop,* 1530, Demonbreun St. pour acheter des disques et des cassettes.

NEW BEDFORD (MA)

ⓘ **The New Bedford Office of Tourism,** 47, N. 2nd St. (☎ 991 6200).

☎ 508

Hôtels

***Durant Sail Loft Inn,* 1, Merrill's Wharf (☎ 999 2700), 16 ch. ✗ ✿ Son nom vient d'un fabricant de vêtements marins. Situé près du centre ville et au bord de l'océan. Service de qualité.

Restaurants

***Twin Piers,* 1776, Homer's Wharf (☎ 996 3901), ouv. 11 h 30-21 h, ven. et sam. jusqu'à 22 h, lun. 11 h 30-15 h, f. 25 déc. Situé en bord de mer. Spéc. : fruits de mer.

Autocar : *American Eagle* (rens. ☎ 993 5040). Liaisons jusqu'à Boston.

NEW HAVEN (CT)

ⓘ **The Convention & Visitors Bureau,** 900, Chapel St., Suite 344 (☎ 787 8822 ou 787 8367).

☎ 203

Hôtels

****Inn at Chapel West,* 1201, Chapel St. (☎ 777 1201), 10 ch. ♿ ✿ Elégant Bed & Breakfast. Confortable.

***Park Plaza & Conference Center,* 155, Temple St. (☎ 772 1701 fax 624 2683), 300 ch. ✿ ▱ Situé dans le centre ville. Ch. modernes.

Restaurants

***500 Blake St,* 500, Blake St., Westville (☎ 387 0500), ouv. 11 h 30-0 h, dim. jusqu'à 21 h, f. jours fériés. Cuisine italienne. Spéc. : poissons et plats italiens.

**Millpond Tavern,* Rte 17, Box 70, Northford (☎ 484 9316), ouv. 17 h-21 h, dim. 16 h-21 h, f. 24 et 25 déc. Ambiance jazz dim. Spéc. : canard, oie.

Téléphones utiles : urgences (☎ 911) • hôpital : *Yale-New Haven Hospital,* 20, York St. (☎ 785 2222).

axis : *Carolyn's Checker Cab* (☎ 468 ·78).

ocations de voitures : *Thrifty Rent a ·ar*, 37, Union St. (rens. ☎ 562 3191 ·· 800/367 2277).

·hemin de fer : *Amtrak,* Union Station, ·nion Ave. (rens. 800/872 7245).

·utocar : *Greyhound,* 45, George St. ·ns. ☎ 772 2470). Destinations : New ·ork, Boston, Providence, Cape ·od/Hyannis et New London.

·ransports en commun : *Metro-North ·ommuter Railroad* (rens. ☎ 497 2089 ·· 800/638 7646). Service ferroviaire ·ur New York (plus économique que ·ntrak) ● *Connecticut Transit,* 470, ·mes St. (rens. ☎ 624 0151). Service ·· bus.

·xcursions et visites guidées : *Historic ·ew Haven Long Island Sound ·ruises,* tours en bateau au départ de ·ng Wharf Pier (rens. ☎ 562 4163).

·EW ORLEANS

· New Orleans Louisiana Tourist ·enter, 529, St Ann, Jackson Sq. (☎ ·6 5031), ouv. 10 h-18 h.

·. 504

·ôtels

***Windsor Court Hotel, 300, Gra-·er St. (☎ 523 6000 fax 596 4513), 58 ·. et 266 suites 🎛 ✕ & ☎ 🖵 Hôtel · grand luxe, récent mais qui a su ·approprier quelque chose de l'atmo-·hère provinciale chic de la ville. ·onfort superbe, thé l'a.-m., et tous les ·ributs de la modernité hôtelière : jacuz-·s, club de gym., etc.

**Hotel Maison Dupuy, 1001 Rue ·ulouse (☎ 586 8000, fax 566 7450). ·8 ch. ✕ & ☎ 🖵. Hôtel de charme ·ec un très joli patio. Situé dans le vieux ·rré.

**Fairmont Hotel, 123, Baronne St., ·niversity Place (☎ 529 7111 fax 522 ·03), 754 ch. 🎛 ✕ & ☎ 🖵 ⚓ ·yle sudiste classique pour ce bâtiment

qui date de 1893 et qui servit de rési-dence au fameux gouverneur Huey Long. Tout près du quartier français, confort et facilité ; son rest., le *Sazerac,* est l'une des bonnes tables de la ville.

****Hotel Maison de Ville, 727, Tou-louse St. (☎ 561 5858 fax 561 5858, ext. 225), 16 ch. et 7 cottages. ✕ La meilleure *guest house* du quartier fran-çais. Ch. agréables au confort soigné meublées d'antiquités. Tennessee Williams y écrivit *Un tramway nommé Désir* !

****Le Meridien, 614, Canal St. (☎ 525 6500 fax 586 1543), 495 ch. 🎛 ✕ & ☎ 🖵 De nombreux services de grande qualité, à la hauteur de la réputa-tion de cette chaîne, c'est aussi le plus francophone des hôtels de la ville. Bon rest. *La Gauloise* avec buffet le midi. Jazz club de qualité tous les soirs à par-tir de 20 h.

***Columns Hotel, 3811, St Charles Ave. (☎ 899 9308), 19 ch. 🎛 ☎ ♥ Petit hôtel au luxe de bon ton, dont les 19 ch. sont logées dans une maison clas-sée qui date de 1883. Style dorique, à colonnes bien sûr. On peut écouter du jazz le mer. soir sur sa célèbre terrasse. Les admirateurs de Louis Malle recon-naîtront le cadre de son film *La Petite.* Bar charmant, avec *happy hour* (deux cocktails pour le prix d'un) lun.-ven. 17 h-19 h.

**Villa Convento, 616, Ursulines St. (☎ 522 1793 fax 524 1902), 25 ch. Tout petit hôtel, tout à fait recommandable pour sa situation dans le quartier français, son charme et sa petite cour. Toutes les ch. sont différentes. Pas de rest. Prix modestes.

**Olivier House Hotel, 828, Toulouse St. (☎ 525 8456 fax 529 2006), 28 ch. Petit hôtel qui occupe une ancienne mai-son datant de 1836. Chambres meublées à l'ancienne, confort soigné et accueil familial sans indiscrétion. Piscine et jar-din.

*International YMCA Hotel, 920, St Charles Ave. (☎ 568 9622 fax 568 9622, ext 298), 50 ch. ✕ & ☎ 🖵 Bonne affaire que ce YMCA bien situé. Ch. avec TV, piscine et même salle de gym. Très fréquenté, il est impératif de réserver, surtout en saison.

***Marquette House New Orleans International Hostel,** 2253, Carondelet St. (☎ 523 3014 fax 529 5933), 80 lits, 12 suites. Hébergement bon marché dans cette maison centenaire : dortoirs, quelques ch. et suites avec cuisine. Laverie, cuisine collective et un jardin-patio.

Bed & Breakfast Inc. Reservation service, 1021, Moss St. Box, 52257 New Orleans LA 70152-2257 (☎ 488 4640 fax 827 5391). Centre de réserv. pour de nombreux Bed & Breakfast dans la ville et la région, des plus luxueux aux plus simples.

Restaurants

****Antoine's,** 713, St Louis St. (☎ 581 4422 fax 581 3003), f. dim. 🎴 ♿ ⊘ Spéc. de fruits de mer et de poissons dans ce qui est le meilleur rest. créole de la ville. Une institution dirigée par la même famille depuis 5 générations. Petits salons privés, comme au s. dernier.

****Louis XVI,** 730, Bienville St. (☎ 581 7000 fax 524 8925) 🎴 ♿ ⊘ Spéc. : bœuf Wellington et carré d'agneau gourmet. Le rest. le plus romantique de La Nouvelle-Orléans et du quartier français. Grande classe et cuisine à la hauteur du cadre et de la cour-patio. Service tout en douceur. Breakfast et brunch également. Réserv. nécessaire et cravate obligatoire. Menu en braille pour les non-voyants.

****Commander's Palace,** 1403, Washington Ave. (☎ 899 8221 fax 891 3242), f. Noël et Mardi Gras 🎴 ♿ ⊘ Spéc. : cuisine créole ; *Commander's Bread Pudding,* soufflé (dessert au rhum). Aristocratique demeure victorienne à patio, qui abrite cet excellent rest. spécialisé dans la haute cuisine créole, très savoureuse. Ambiance particulièrement chaleureuse pour les brunchs du dim. mat. Réserv. conseillée.

***Napoleon House Bar & Cafe,** 500, Chartres St. (☎ 524 9752), f. dim. soir 🎴 ♿ ⊘ Bar célèbre pour son atmosphère conviviale ; toutes sortes de sandwiches variés à apprécier dans le patio de cette maison construite pour abriter l'exil de Napoléon Ier : il n'y vint jamais. Musique.

****Praline Connection,** 901 S. Peters St. (☎ 523 3973) 🎴 ♿ ⊘ Spéc. : *soul food* (cuisine des Noirs à l'époque de l'esclavage) et notamment les *rice and beans* (riz accompagné de haricots blancs à la sauce tomate) sous toutes les formes possibles. Authentique cuisine du Sud profond, souvent épicée. Musique du jeu. au lun. à partir de 20 h. Brunch avec chorale gospel t.l. dim. à 11 h et 14 h. Réserv. conseillée.

****Café du Monde,** 800, Decatur St. (☎ 581 2914). Depuis les années 1860, le Café du Monde propose café, café au lait et beignets avec tant de succès qu'il expédie ces derniers partout dans le monde.

La Crêpe Nanou, 1410 Robert St. (☎ 899 2670). ♥ Ouv. t.l.j. de 18 h à 22 h. Tramway : arrêt n° 27. Cuisine française avec touches locales : poissons grillés, moules marinières, grande sélection de vins. Cadre chaleureux : élu le restaurant français préféré de la ville.

Boîtes de jazz : *Preservation Hall, 726, St Peter St. Le conservatoire du jazz classique : chaque soir un orchestre différent joue dans ce temple ● *Palm Court Jazz Cafe,* 1204, Decatur St. (☎ 525 0200), mer.-dim. 19 h-23 h, sam. et dim. 12 h-15 h (pour le brunch). Jazz dans ce café bien connu des amateurs. On y sert aussi des plats typiques de la Nouvelle-Orléans. Vente de disques de jazz, et notamment d'enregistrements rares ● *Snug Harbor Restaurant,* 626, Frenchmen St. (☎ 949 0696), ouv. dim.-jeu 17 h-0 h, ven.-sam. 17 h-1 h du mat. C'est un rest. de bonne qualité (ouv. le soir seul.) mais surtout un endroit où se produisent les meilleurs orchestres de jazz de la ville. ● *House of Blues,* 225, Decatur St. (☎ 529 2583) t.l.j. : les meilleurs concerts de la ville. Appartient à l'acteur américain Dan Aknoyd.

Casinos : *Flamingo, 610 S. Peters St (☎ 587 7777). 24 h/24. Croisières sur le Mississippi t.l. 3 h pendant 90 mn à 8 h 45, 11 h 45, 14 h 45, etc. Droit d'entrée. ● *Treasure Chest Casino,* 5050 Williams Blud (☎ 443 8000) 24 h/24

Croisières sur le lac Ponchartrain. Départ t.l. 3 h, à 8 h, 11 h, 14 h, etc.

Campings : *Jude Travel Park of New Orleans,* 7400, Chef Menteur Hwy. (☎ 241 8540), 43 emplacements. Site bien équipé : douches, piscine et laverie ; bus pour le quartier français.

Aéroport : *New Orleans International Airport,* à 25 km de la ville (rens. ☎ 464 3536). Taxis et limousines : rens. : Airport Shuttle (☎ 522 3500).

Compagnies aériennes : *American Airlines,* à l'aéroport (☎ 1-800/433 7300 et 1-800/223 5436) ● *Continental Airlines,* 235, O'Keefe Ave. (☎ 581 2965 et 1-800/525 0280) ● *Delta Airlines,* 233, O'Keefe Ave. et de nombreux bureaux dans les principaux hôtels (☎ 529 2431 et 1-800/221 1212) ● *Northwest Airlines,* à l'aéroport (☎ 1-800/225 2525).

Locations de voitures : *Avis,* 2024, Canal St. (☎ 524 6278 fax 523 4317) ● *Hertz,* 901, Convention Center Blvd (☎ 568 1645 fax 465 1207) ● *Budget,* 1317, Canal St. (☎ 467 2277) ● *National Rent a Car,* 324, S. Rampart St. (☎ 1-800/227 7368 fax 612/830 2242).

Transports en commun : Le système de transport en commun est dominé par le fameux *tramway St.Car* mondialement célèbre. Il est extrêmement commode, avec de nombreux arrêts et une fréquence satisfaisante. Prévoir de la monnaie ; on peut se procurer partout, notamment dans les hôtels, des *VisiTour pass* valables pour 1 ou 3 jours ; ils sont particulièrement avantageux : $ 4 et $ 8 respectivement. Rens. au *Regional Transit Authority* (☎ 569 2700).

Taxis : *New Breed Cab Co* (☎ 822 4505) ● *United Cab Co* (☎ 522 9771).

Excursions et visites guidées : Une grande variété d'excursions centrées sur le pays cajun et sur les plantations sont organisées. On peut en trouver la liste et la description au : *Greater New Orleans Tourist & Convention Commission,* Welcome Center, 529, St Ann St. (☎ 566 5051 et 566 5031), il existe égale-

ment un Welcome Center à l'aéroport ● *Gray line,* Toulouse St. & the River (☎ 587 0861 et 1-800/535 7786). Cette société propose plusieurs types de tours en bus et en bateau : vis. de la ville, de plantations et du pays cajun ; croisière en bateau à aubes. Réserv. préférable ● *Tours by Isabelle,* P.O. Box 740972, New Orleans LA70174 (☎ 367 3963 fax 393 1840). Tours personnalisés en petits groupes de 5 à 13 personnes maximum : vis. de la ville, de plantations avec déjeuner compris et tour du pays cajun. Réserver à l'avance ● *France-Louisiana Tours, by Peter & Françoise,* (☎ 861 1941 fax 393 1840). Du sur mesure avec guides parlant français. Sur réserv.

Manifestations : Fév. *Carnaval,* bien sûr, le fameux Mardi Gras avec ses parades, cortèges, feux d'artifices et bals masqués. Toute la ville en folie. Attention : les hôtels et rest. sont souvent réservés des mois à l'avance pour cette occasion. Certains pratiquent des prix spéciaux, en hausse sur les tarifs habituels ● *Dernière sem. d'avr. et début mai.* *New Orleans Jazz & Heritage Festival,* P.O. Box 53407 New Orleans, LA 70153 (☎ 522 4786). Concerts dans toute la ville : plus de 4 000 musiciens du monde entier se rassemblent pour célébrer leur musique préférée ● *Mars.* *Tennessee Williams Literary Festival,* 1 sem. consacrée à l'auteur qui a tiré beaucoup de son inspiration de la ville. Représentations de ses pièces, conférences, expositions et ventes de livres ● *Avr.* *French Quarter Festival,* 1008, N. Peters St. (☎ 522 5730 fax 596 3419). Le quartier est en fête : visites de demeures privées, célébrations gastronomiques, jazz ; *Spring Fiesta,* 826, St Ann St. (☎ 581 1367). Couronnement de la Reine du Printemps, parades en carrioles et, surtout, visites de demeures privées, de maisons de planteurs qui ne sont pas toujours ouvertes au public le reste de l'année.

Shopping : *Riverwalk,* ce centre commercial, installé le long du Mississippi sur le site de la foire mondiale de 1984, groupe plus de 140 magasins et rest. ● *Canal Place,* sur Canal St., les magasins chics de la ville, avec les boutiques de mode internationales : Gucci, Laura Ashley, Guy Laroche etc. *Saks 5th Avenue* est installé là ● *French Market,* sur 5 "blocs", le célébrissime French Market offre des boutiques de toutes sortes, un marché aux puces et aussi un vrai marché de produits frais très pittoresque.

NEWPORT (RI)

[i] **The Newport County Convention & Visitors Bureau,** 23, America's Cup Ave. (☎ 849 8048 ou 800/326 6030).

☎ 401

Hôtels

***Marriott,** 25, America's Cup Ave. (☎ 849 1000 fax 849 3422), 317 ch. et des suites ▦ ✕ ⴹ ⊗ ◹ Luxueux. Situé près du port à Longwharf. Sols en marbre. De belles ch. avec vue sur l'océan pour certaines.
***Inn at Castle Inn,** Ocean Dr (☎ 849 3800), 10 ch. dont 7 avec salles de bains ⊗ Perchée sur une falaise, cette sympathique auberge servit d'abord de résidence d'été en 1874. Propre et confortable.
Howard Johnson Lodge, 351, W. Main Rd (☎ 849 2000 fax 849 6047), 155 ch. et des suites ✕ ⴹ ◹ Ch. avec patios, balcons. Agréable.
Victorian Ladies, 63, Memorial Blvd. (☎ 849 9960), 11 ch. ⊗ Tout près de l'océan. Charmant Bed & Breakfast, décoré avec goût. A proximité des boutiques.

Restaurants

***White Horse Tavern,** Marlborough St. & Farewell St. (☎ 849 3600), ouv. 12 h-13 h et 18 h-22 h, f. 1er jan., 24 et 25 déc. Style colonial. L'une des plus anciennes tavernes des États-Unis. Spéc. : bœuf Wellington, fruits de mer.
***La Petite Auberge,** 19, Charles St. (☎ 849 6669), ouv. 18 h-22 h, dim. 17 h-21 h, f. Thanksgiving (4e jeu. de nov.) et 25 déc. Décor colonial, chemi-

nées. Possibilité de dîner en plein air. Spéc. : fruits de mer, poulet.
***Le Bistro,** Bowen's Wharf, America's Cup Ave. (☎ 849 7778), ouv. 11 h 30-23 h. Rest. chic. Ambiance chaleureuse. Cuisine française. Spéc. : canard grillé aux figues, filet de soles meunière, gigot d'agneau.
Salas, 21, Thames St. (☎ 846 3781), ouv. 16 h-23 h, f. Thanksgiving (4e jeu de nov.), 25 déc. Spéc. : homard, palourdes.

Téléphones utiles : urgences (☎ 911) ● hôpital : *Newport Hospital,* Friendship St., Newport (☎ 846 6400) ● pharmacie : *Douglas Drug,* 7, E. Main Rd (☎ 849 4600).

Aéroport : *Newport State Airport,* à 3 mi/5 km de la ville (rens. ☎ 846 2200).

Taxis : *Cozy Cab,* 129, Connell Hwy. (☎ 846 2500).

Locations de voitures : *Avis Rent a Car,* 1, Marina Plaza, Goat Island (☎ 846 1843) ● *Thrifty Car Rental,* 763, W. Main Rd (☎ 846 4371).

Autocars : *Bonanza Bus Lines,* Gateway Visitors Center (rens. ☎ 846 1820). Départ t.l.j. pour les principales villes de Nouvelle-Angleterre.

Transports en commun : *Rhode Island Public Transit Authority,* 1547, W. Main Rd (rens. ☎ 847 0209). Service de bus au départ du *Newport Gateway Center.* Dessert également Providence et Kingston.

Excursions et visites guidées : *Viking Bus Tours,* Brick Marketplace (rens. ☎ 847 6921). Tours en bus de 3 à 4 h dans la région de Newport ● *Viking Boat Tour* (rens. ☎ 847 6921). Tours en bateau à bord du *Viking Queen* d'où l'on admire le côté historique de Newport et les demeures anciennes en bordure d'eau. Départ du *Goat Island Marina* à Washington St. ● *The Spirit of Newport* (☎ 849 3575). Mini-croisières d'1 h. dans le port de Newport et Narragansett Bay. Départ au *Treadway*

Inn (America's Cup Ave.) toutes les 90 mn.

Manifestations : Mars. *Newport Irish Heritage,* dans toute la ville, on célèbre ses origines irlandaises : concerts, parades, films... (rens.☎ 849 8048) ● **Mi-juil.** *Music Festival,* env. 3 concerts chaque jour dans les *mansions* : demeures des XVIII° et XIX° s. (rens.☎ 846 1133) ● **Mi-août.** *JVC Jazz Festival,* 2 jours de jazz à Fort Adams State Park (rens. ☎ 847 3700).

Shopping : Les lieux commerçants de Newport sont les suivants : Thames St., le bord de mer, Spring St., Franklin St., les quais Bowen et Bannister et enfin le quartier de Brick Market où se trouvent plus de 50 boutiques. Quelques adresses : *Leys,* Long Wharf Mall, face à Gateway Center. Le plus ancien centre commercial de Newport (1796) ● *The Narragansett,* 11, Memorial Blvd. Des magasins de vêtements : surtout cuir, cachemire et soie.

NEW YORK

ℹ️ **New York Convention and Visitors Bureau :** 2 Columbus Circle, 59th St. & Broadway, ☎ 397-8222 ou 484-1200.

☎ 212 (Manhattan, Bronx) ; 718 (Brooklyn, Queens, Staten Island).

✉ 10001

Hôtels

Downtown, pl. VI

*****Marriott at the World Trade Center,* 3 World Trade Center, ☎ 938-9100, n° vert 800/Hiltons, fax 444-3444. 820 ch. et suites ✖ 🍴 🖥 ✒ Gymnase, sauna, massage, racketball et piste de jogging. Entièrement rénové en 1994, cet hôtel est situé entre les deux tours du World Trade Center. Étage réservé aux hommes d'affaires avec salon privé où est servi un petit déjeuner à l'européenne. 3 restaurants dont l'excellent *Tall Ships Bar & Grill.*

*****New York Marriott Financial Center Hotel,* 85 W. St., ☎ 385-4900 n° vert 800/242-8685, fax 227-8136. 517 ch. et suites ✖ 🍴 🖥 Gymnase. À côté du World Financial Center. Convient aussi bien aux hommes d'affaires qu'aux amoureux des voyages. Fax privé dans les chambres.

*****The Millenium Hilton Hotel,* 55 Church St., ☎ 693-2001, n° vert 800/243-6969, fax 571-2316. 561 ch. et suites ✖ 🍴 🖥 Centre d'affaires et salle de conférences. Très masculin dans son design.

***Holiday Inn Dowtown-Manhattan,* 138 Lafayette St., ☎ 966-8898, n° vert 800/243-6969, fax 966-3933. 235 ch. ✖ En plein cœur de Chinatown et en bordure de SoHo. Parfait pour ceux qui recherchent l'atmosphère de Downtown sans vouloir payer la note d'un hôtel de luxe.

***Best Western Seaport Inn,* 33 Peck Slip, ☎ 766-6600, n° vert 800/Hotelny, fax 766-6 615. 65 ch. ♥ À quelques minutes à pied de South Street Seaport. Bel immeuble classé du XIX° s. Les ch. sont décorées dans le style « fédéral » de l'époque de la guerre de Sécession. Certaines possèdent terrasse, jacuzzi et bains de vapeur. Pas de restaurant mais petit déjeuner à l'européenne servi à la réception.

**Washington Square Hotel,* 103 Waverly Pl., ☎ 777-9515, n° vert 800/222-0418, fax 979-8373. 180 ch. ✖ Petit gymnase. Quelques ch. avec salle de bains à partager. Petit déjeuner à l'européenne gratuit. Au cœur de Greenwich Village, un hôtel au charme bohème.

Lower Midtown East & West, pl. VIII-IX

****Gramercy Park Hotel,* 2 Lexington Ave. & 21th St., ☎ 475-4320, n° vert 800/221-4083, fax 505-0535. 507 ch. et suites. Calme et confortable. Décor un peu suranné dans un quartier bien desservi.

***Carlton Hotel on Madison Avenue,* 22 E. 29th St., ☎ 532-4100, n° vert 800/542-1502, fax 889-8683. 400 ch. et suites ♥ ✖ Bon rapport qualité/prix. Situé à 4 *blocks* de l'Empire State Building.

**Best Western Pennsylvania Hotel, 401 7th Ave. & 33rd St., ☎ 736-5000, n° vert 800/223-8585, fax 502-8798. 1 705 ch. et suites. Face à Madison Square Garden et à quelques minutes à pied de Macy's. Prix raisonnables.

*The Chelsea Hotel, 222 W. 23rd St. & 8th Ave., ☎ et fax 243-3700. 200 ch. Le Chelsea fut jadis le fief du monde littéraire et artistique new-yorkais. Une réputation qui fascine encore, mais attention : le service laisse à désirer.

*The Gershwin Hotel, 7 E. 27th St., ☎ 545-8000, fax 684-5546. 141 ch. et suites. Tout en gardant le souvenir de l'époque jazz des années 20, il s'est adapté aux nécessités du confort moderne. Idéal pour petit budget.

Midtown East-34th/59th Sts., pl. IX-XI

*****Waldorf Astoria & Towers, 301 Park Ave. & 49th/50th Sts., ☎ 355-3000, n° vert 800/Hiltons, fax 872-7272. 1 601 ch. et suites ✗ Bars et boutiques. 191 suites dans la célèbre Tower, réputée pour accueillir présidents et hauts personnages. Luxueux, colossal. Construit en 1931 dans le style Art déco, orné de fresques de Sert. Plusieurs restaurants et bars dont le fameux *Peacock Alley.*

*****Four Seasons New York, 57 E. 57th St., entre Park & Madison Aves., ☎ 758-5700, n° vert 800/332-3442, fax 758-5711. 367 ch. et suites ✗ Centre d'affaires, gymnase, spa. Salles de bain en marbre avec télévision. C'est l'hôtel le plus haut de New York : 52 étages, et possédant les ch. les plus spacieuses : 55 m². Construit par I.M. Pei, l'architecte de la pyramide du Louvre.

*****The St Regis ITT-Sheraton, 2 E. 55th St. & 5th Ave., ☎ 753-4500, n° vert 800/759-7550, fax 787-3447. ✗ Gymnase. Édifié dans les années 90 par le financier John Jacob Astor, rénové depuis peu. Le plus beau palace new-yorkais. Le restaurant *Lespinasse* est l'une des meilleures tables de la ville. Un rendez-vous célèbre : le *King Cole Bar.*

****The New York Palace, 455 Madison Ave., entre 50th & 51th Sts., ☎ 888-7000, n° vert 800/Palacet, fax 303-6000. 963 ch. et suites. Derrière la cathédrale St Patrick, tout près des magasins et des musées de 5th Ave. Allie l'élégance de la vieille Europe, en incorporant les bâtiments subsistant de Villard Mansions, et le modernisme de sa tour élancée.

****Hotel Inter-continental New York, 111 E. 48th St. & Lexington Ave., ☎ 755-5900, n° vert 800/327-0200, fax 644-0079. 691 ch. et suites rénovées récemment ✗ ⊟ Bar, gymnase, sauna, bains de vapeur. Excellent service pour hommes d'affaires : secrétariat en plusieurs langues, équipements sophistiqués. Un classique d'élégance internationale.

****U.N. Plaza Park Hyatt, 1 United Nations Plaza (44th St. & 1st Ave.), ☎ 758-1234, n° vert 800/233-1234, fax 702-5051. 427 ch. ✗ ⊟ ▤ Gymnase, sauna. Ch. situées à partir du 28e étage. Une vue exceptionnelle sur New York, spectaculaire, loin des bruits de la ville. Service soigné des grands hôtels internationaux : une limousine le matin pour aller à Wall Street, au Financial District, dans le quartier de la confection, et, le soir, dans le quartier des théâtres. Très bon restaurant : *The Ambassador Grill.*

****Sheraton Park Avenue, 45 Park Ave. & 37th St., ☎ 685-7676, n° vert 800/372-5369, fax 889-3193. 151 ch. Ambiance feutrée dans un décor néoclassique. Bar abritant le seul club de jazz de ce côté de Park Ave.

****Drake Swissotel, 440, Park Ave. & 56th St., ☎ 421-0900, n° vert 800/372-5369, fax 371-4197. 552 ch. et suites ✗ Un classique de l'élégance européenne à quelques pas des magasins chics de 57th St. et de Bloomingdale's (59th St. & Lexington Ave.). Navette gratuite pour Wall Street. Une très bonne table au restaurant *Lafayette.*

***Morgans, 237 Madison Ave., entre 37th & 38th Sts., ☎ 686-0300, n° vert 800/334-3408, fax 779-352. 154 ch. ✗ Chaque chambre est équipée d'un magnétoscope ; plus de 500 cassettes vidéo sont à la disposition du client ! Personnel jeune et sympathique, *look* ultramoderne, décor de style design. L'un des

els new-yorkais les plus à la mode. Va
rénové.

Élysée Hotel, 60 E. 54th St., entre
k & Madison Aves., ☎ 753-1066,
980-9278. 97 ch. ♥ ✗ Hôtel plein de
rme dans un immeuble classé. Vient
tre rénové. Un rendez-vous « bran-
» de la ville. Le restaurant le ***Monkey***
vaut le détour pour sa cuisine et son
or.

Jolly Madison & Tower, Madison
e. & 38th St., ☎ 685-3700, fax 447-
7. 246 ch. ✗ Ch. remises à neuf
uis peu. À proximité de l'Empire Sta-
uilding et des magasins. Bon rapport
lité/prix.

Hotel Beverly, 125 E. 50th St. &
xington Ave., ☎ 753-2700, n° vert
/223-0945, fax 715-2452. 186 ch. et
es ✗ Suites agréables, petit déjeuner
européenne servi dans un salon privé.
taurant en cours de rénovation. D'un
désuet mais de prix raisonnables.
e bonne adresse.

ckwick Arms Hotel, 230 E. 51st St. &
xington Ave., ☎ 355-0300, n° vert
/Pickwick, fax 755-5029. 400 ch. ✗
taines ch. ont des salles de bain à par-
er. Café-jardin sur le toit. Pour petits
gets, dans un quartier agréable.

Midtown West-34th/59th Sts.,
pl. X-XI

The Plaza Hotel, 768 5th Ave. &
h St., ☎ 759-3000, n° vert 800/759-
0, fax 759-3167. 807 ch. et suites ✗
véritable institution parmi les
aces new-yorkais. Réserver une
mbre donnant sur Central Park. Plu-
urs restaurants et bars dont le fameux
& Bar. À ne pas manquer : le brunch
dimanche au ***Palm Court,*** au décor
-romantique de début de siècle.

Essex House Hotel (Nikko), 160
ntral Park W., entre 6th & 7th Aves.,
484-5100, n° vert 800/645-5687, fax
-1839. 517 ch. et suites ✗ Spa, res-
rants, bar. Façade et réception dans le
e Art déco. Vue magnifique sur Cen-
Park. Raffinement et attention portée
moindre détail. Repas inoubliables au
taurant ***Les Célébrités.***

The Box Tree, 250 E. 49th St., ☎
2) 758-8320, fax 308-3899. Peut-être

l'hôtel le plus romantique de Manhattan.
12 ch. avec cheminées et un restaurant
3*.

****Parker Méridien,*** 118 W. 57th St.,
entre 6th & 7th Aves., ☎ 245-5000,
n° vert 800/543-4300, fax 307-1776.
700 ch. ✗ ▱ À côté de Carnegie Hall.
Un accent français au cœur de Manhattan. Abrite le club ***La Raquette*** avec
squash, racketball. Excellents orchestres de
jazz au bar ***Montparnasse.***

****Ritz-Carlton,*** 112 Central Park
W. & 6th Ave., ☎ 757-1900, n° vert
800/241-3333, fax 757-9620. 214 ch. et
suites. Rénové récemment. Décoration
de style country anglais. Choisir une
chambre aux étages supérieurs pour la
vue panoramique sur Central Park.

****Peninsula Hotel,*** 700 5th Ave. &
55th St., ☎ 247-2200, n° vert 800/262-
9467, fax 903-3949. 242 ch. et suites ✗
▱ Spa. Élégance feutrée à 2 *blocks* du
Museum of Modern Art. Au 23e étage, à
travers la baie vitrée du ***Pen-Top Bar &
Terrace,*** vous surplomberez 5th Ave.
Grandiose.

****The Royalton,*** 44 W. 44th St., entre
5th & 6th Aves., ☎ 869-4400,
n° vert 800/635-9013, fax 869-8965.
170 ch. et suites ✗ Une réalisation architecturale de haut niveau. Réception,
salon, bar et restaurant sont des lieux de
rendez-vous très prisés. Ch. modernes et
chaleureuses, avec magnétoscope. À ne
manquer sous aucun prétexte : les toi-
lettes, les plus originales et les plus belles
de toute la ville !

****Marriot Marquis,*** 1535 Broadway,
entre 45th et 46th Sts., ☎ 398-1906,
n° vert 800/228-9290, fax 704-8930.
1 877 ch. et suites ✗ Dû à John Portman,
hôtel spectaculaire avec bars et restaurants tournants au 48e étage et ascenseur,
véritable vaisseau transparent. Le ***Lounge*** renouvelle tous les soirs son buffet et
son animation.

****Crowne Plaza Hotel,*** 1603 Broadway
& 49th St., ☎ 977-4000, n° vert 800/243-
6969, fax 333-7393. 860 ch. ✗ ▱ Boutiques, immense gymnase, sauna, bains de
vapeur. Ch. agréables. Au cœur du quartier
des théâtres. Haut de gamme de la chaîne
Holiday Inn. Sur plusieurs niveaux, le bar
Samplings réserve une vue panoramique

sur Broadway et Times Square. Éblouissant.

****Algonquin,** 59 W. 44th St., entre
5th et 6th Aves., ☎ 840-6800, fax 944-
1419. 165 ch. ✗ Mérite amplement 4
étoiles. Rénové depuis peu, l'Algonquin
a retrouvé toute sa splendeur d'antan. Bar
réputé, rendez-vous des intellectuels
new-yorkais. Restaurant ♦♦♦♦ en terrasse.

****Millenum Broadway,** 145 W. 44th
St., entre 5th & 6th Aves., ☎ 768-0847,
n° vert 800/Macklowe, fax 789-7688.
638 ch. Situé entre le quartier des
théâtres et celui des affaires. Ch. spacieuses. Bon accueil réservé aux sportifs : un entraîneur accompagne les
clients dans leur jogging. Seul hôtel à
posséder son propre théâtre pouvant
accueillir jusqu'à 700 personnes.

***St Moritz on the Park,** 50 Central
Park W., entre 5th & 6th Aves., ☎ 755-
5800, n° vert 800/221-4747, fax 751-
2952. 680 ch. et suites. Choisir les ch.
donnant sur Central Park, rénovées et très
spacieuses. En été, la terrasse du *Café de
la paix* est plus qu'agréable.

***Novotel,** 226 W. 52nd St. & Broad-
way, ☎ 315-0100, n° vert 800/ Novotel,
fax 765-5369. 474 ch. ✗ Une touche
française au centre de Broadway. Au restaurant *Café Nicole,* somptueux petit
déjeuner/buffet. Pour bien commencer la
journée.

***Paramount Hotel,** 235 W 46th St.,
entre   Broadway   &   8th   Ave.,
☎ 764-5500, n° vert 800/225-7474, fax
354-5237. 610 ch. ✗ Gymnase. Ch.
conçues par Philippe Starck, exiguës
mais d'une inventivité rare et d'un style
étonnant : leur espace est utilisé au
mieux, tout est pensé au cm^2 près. Le
Whiskey Bar est toujours à la mode.

***Hotel Dorset,** 30 W. 54th St. & 6th
Ave., ☎ 247-7300, n° vert 800/ 227-
2348, fax 581-0153. 330 ch. et suites. À
proximité du Museum of Modern Art.
Calme, accueillant, atmosphère familiale. Certaines ch. sont équipées de cuisine.

***Hotel Salisbury,** 123 W. 57th St.,
entre 6th & 7th Aves., ☎ 246-1300,
n° vert 800/223-0680, fax 977-7752. 320
ch. En face de Carnegie Hall. Prix modérés, pour une famille ou plusieurs personnes.

***Warwick Hotel,** 65 W. 54th St. & 6th
Ave., ☎ 247-2700, n° vert 800/223-
4099, fax 957-8915. 424 ch. et suites ✗
Gymnase. En 1927, William Randolph
Hearst, le magnat de la presse, construit
le Warwick comme une maison pour ses
amis. Son style classique, européen, son
service excellent attirent professionnels et
vedettes de la télévision.

***The Gorham Hotel,** 136 W. 55th St.,
☎ 245-1800, n° vert 800/735-0710, fax
582-8332. 120 ch. et suites. Excellent
hôtel dans sa catégorie.

On 57th Inn, 440 W. 57th St., entre
9th & 10th Aves., ☎ 581-8100, fax 581-
7739. 591 ch. ✗ ▦ Ⓖ Ch. répartie
dans deux tours de 10 et 18 étages. Gymnase. Garage bon marché. En été, piscine
découverte sur le toit.

Best Western Woodward, 210 W. 55th
St. & Broadway, ☎ 247-2000, n° vert
800/336-4110, fax 281-2248. À mi-chemin
entre le quartier des théâtres et Central
Park. Petit déjeuner à l'européenne gratuit.
Bon rapport qualité/prix.

Upper East Side-60th/96th Sts., pl. XI-XIII

*****Plaza Athénée,** 37 E. 64th
St., entre Park & Madison Aves.,
☎ 734-9100, n° vert 800/225-5843, fax
772-0958. 153 ch. et suites ✗ Tout
proche des galeries d'art et des magasins
d'antiquités. Gymnase. Élégance parisienne, luxe classique, raffinement extrême. Mobilier de style Directoire et
marbres d'Italie. Restaurant français *Le
Régence* exquis pour son décor et sa cuisine.

*****The Carlyle,** 35 E. 76th St. &
Madison Ave., ☎ 744-1600, n° vert
800/227-5737, fax 717-4682. 185 ch. et
suites. Propose aussi des appartements
privés loués à l'année. Gymnase. Ch.
vastes et confortables avec magnétoscope, stéréo et tous équipements. Le
charme discret de l'aristocratie. Atmosphère chic, luxueuse, sans être ostenta-
toire. Son calme l'a fait élire par les célébrités. Le pianiste de jazz Bobby Short se
produit tous les soirs au café *Carlyle.*

*****Mayfair Hotel Baglioni,* 610 Park Ave. & 65 th St., ☏ 288-0800, n° vert 800/223-0542, fax 737-0538. 201 ch. et suites ✗ Cheminées dans la plupart des suites. Atmosphère britannique, service impeccable. Bien que le chef Daniel Boulud ne soit plus aux fourneaux, le restaurant *Le Cirque* demeure l'une des meilleures tables de New York.

*****The Pierre Hotel,* 2 E. 61st St. & 5th Ave., ☏ 838-8000, n° vert 800/743-7734, fax 940-8109. 205 ch. et suites, 67 appartements loués à l'année ✗ Donne sur Central Park. Le rendez-vous favori des célébrités. Mobilier de style Chippendale, ch. très luxueuses avec baignoires en marbre, boutiques. Attention : réserver longtemps à l'avance.

****The Lowell,* 28 E. 63rd St., entre Madison & Park Aves., ☏ 838-1400, n° vert 800/221-4444, fax 319-4230. 65 ch. et suites ✗ Ce petit hôtel au centre des quartiers chics fut le refuge de Scott Fitzgerald, Jean Cocteau et Dustin Hoffman. Ch. avec cheminée, magnétoscope, cuisine et… couettes et oreillers en plume !

****The Stanhope,* 995 5th Ave. & 81st St., ☏ 288-5800, n° vert 800/828-1123, fax 517-0088. 140 ch. et suites ✗ Face au Metropolitan Museum, le plus cossu des « petits » grands hôtels de New York. Peintures et meubles américains. Ch. de grand standing avec stéréo avec CD. Service de limousine pour Midtown. Plusieurs restaurants et bars dont l'un en terrasse.

****The Mark,* 25 E. 77th St. & Madison Ave., ☏ 744-4300, n° vert 800/223-1588, fax 744-2749. 180 ch. et suites. À deux pas du Whitney Museum of American Art, au cœur du quartier des galeries d'art et des antiquaires. Ch. claires, très bien équipées.

***Hotel Wales,* 1295 Madison Ave. & 92nd St., ☏ 876-6000, n° vert 800/428-5252, fax 860-7000. 94 ch. et suites ♥ Tout le charme du début de siècle dans un quartier calme. Entièrement rénové. Ses salons accueillent périodiquement des concerts de musique classique donnés par les meilleurs étudiants de Juilliard.

Upper West Side-60th/96th Sts., pl. X-XII

***Radisson Empire Hotel New York,* 44 W. 63rd St. & Broadway, ☏ 265-7400, n° vert 800/777-7800, fax 315-0349. 375 ch. et suites ♥ Situé à côté du Lincoln Center. Un charme fou : réception baroque, ch. Laura Ashley avec stéréo et CD. Bar, accès à un gymnase voisin. Certaines ch. sont petites ; demander celles donnant sur la rue. Le bar-restaurant l'*Iridium* n'appartient pas à l'hôtel mais se trouve dans le même immeuble : à ne pas manquer pour son architecture, son atmosphère unique et son club de jazz au sous-sol.

***Mayflower Hotel on the Park,* 15 Central Park W. & 61st St., ☏ 265-0060, n° vert 800/223-4164, fax 265-5098. 577 ch. et suites ✗ Très simplement rénové. Réserver une chambre donnant sur Central Park. Gymnase. Navette gratuite pour le Javitz Center. Restaurant *The Conservatory* très apprécié pour ses brunchs.

***Hotel Beacon,* 2130 Broadway & 75th St., ☏ 787-1100, n° vert 800/572-4969, fax 724-0839. 150 ch. et suites avec cuisine Ⓟ En plein cœur du Upper West Side, à la mode, non loin du musée d'Histoire naturelle. Coffee-shop ouvert 24 h/24. Réduction pour le parking. Parfait pour famille ou plusieurs personnes.

**Excelsior,* 45 W. 81 St. & Central Park W., ☏ 362-9200, n° vert 800/368-4575, fax 362-9134. 150 ch. et suites. Situé près du musée d'Histoire naturelle. Bien desservi.

Autres solutions d'hébergement : la plupart des hôtels offrent des prix spéciaux « week-end ». Consulter le *New York Times* du dimanche, section voyages. Pour louer un appartement, lire ou passer une annonce dans le *Village Voice.*

Bed & Breakfast et hôtels « bon marché » : les prix vont de 35 à 75 dollars pour 1 personne et à partir de 100 dollars pour 4 personnes (taxes non comprises). *AAAH Bed & Breakfast,* 342 W. 46th St., ☏ 246-4000 ● *Bed & Breakfast Network of New York,* 130 Barrow St.,

☎ 645-8134 • ***Bed & Breakfast Bureau***, 355 8th Ave., ☎ 645-4555 • ***Bed of Roses Ltd***, 800 5th Ave., ☎ 421-7604 • ***City Lights Bed & Breakfast Ltd***, 308 E. 79th St., ☎ 737-7049 • ***Urban Ventures***, 306 W. 38th St., ☎ 594-5650 • ***YMCA McBurney***, 215 W. 23rd Rd., ☎ 741-9226, fax 741-0012. 200 ch. 🖭 Gymnase • ***YMCA Vanderbilt***, 224 E. 47th St., ☎ 755-2410, fax 752-0210. 400 ch. 2 🖭 Gymnase, cafétéria • ***YMCA West Side***, 5 W. 63rd St., ☎ 787-4400, fax 875-4260. 550 ch. 🖭 Gymnase, 2 🖭 • ***NY International AYH-Hotel***, 891 Amsterdam Ave. & W. 103rd St., ☎ 932-2300, fax 932-2574. 480 lits en dortoir de 4 à 12 lits. Dans bel immeuble. Jardin, cafétéria, cuisine et laverie • ***Bedford Hotel***, 118 E. 40th St. entre Park & Lexington Aves., ☎ 697-4800, n° vert 800/221-6881, fax 697-1093. 200 ch. avec cuisine ✖

Restaurants

Financial District, South Street Seaport, World Financial Center, pl. VI-VII

◆◆◆◆***Montrachet***, 239 W. Broadway, ☎ 219-2777. 🍴 Cuisine française. Décor de style Early American. Une des meilleures tables new-yorkaises. F. dim.

◆◆◆***Hudson River Club***, 250 Vesey St., ☎ 786-1500. Restaurant chic situé dans le World Financial Center. Vue magnifique sur le port et la statue de la Liberté.

◆◆***Bridge Café***, 279 Water & Dover Sts., ☎ 227-3344. Ancienne taverne de marins fréquentée par les personnalités politiques. Un menu différent chaque jour. Célèbre brunch le dim.

◆◆***Gianni's***, 15 Fulton St., ☎ 608-7300. Restaurant italien avec vue sur le Seaport ; un des préférés des *golden boys*.

TriBeCa, pl. VI

◆◆◆◆***American Renaissance***, 260 W. Broadway, ☎ 343-0049. Cuisine américaine haut de gamme. Atmosphère élégante.

◆◆◆◆***Chanterelle***, 2 Harrison St., ☎ 966-6960. Cuisine française. Parmi les meilleures tables de la ville. Prix raisonnables au déjeuner.

◆◆◆◆***Nobu***, 105 Hudson St., ☎ 219-0500. Nouveau restaurant ouvert par Robert De Niro. Spécialités de sushi. Décoré avec soin.

SoHo et Little Italy, pl. VI-VII

◆◆◆***Cascabel***, 218 Lafayette St., ☎ 431-7300. Cuisine américaine de qualité. Un endroit élégant à SoHo.

◆◆◆***Cub Room Café***, 131 Sullivan & Prince Sts., ☎ 777-0030. Une nouvelle table de SoHo. Bar très à la mode.

◆◆◆***Honmura An***, 170 Mercer St. entre Houston & Prince Sts., ☎ 334-5253. Restaurant japonais réputé pour ses nouilles. Toujours plein. Sublime.

◆◆◆***Zoe***, 90 Prince St. entre Broadway & Mercer St., ☎ 966-6722. Face au SoHo Guggenheim Museum. Excellent restaurant américain. Très beau décor.

◆◆***Kwanzaa***, 19 Cleveland Pl. entre Spring & Kenmare Sts., ☎ 941-6095. En plein cœur de SoHo, les cuisines noires des États-Unis, des Caraïbes, de l'Afrique. Ambiance chaleureuse.

◆◆***Lombardis***, 32 Spring St., ☎ 941-7994. Pizzas cuites dans des fours anciens. Grand raffinement.

◆◆***Penang***, 109 Spring St. entre Greene & Mercer Sts, ☎ 274-8883. Cuisine malaysienne authentique. Un endroit à la mode.

◆◆***"T"***, 142 Mercer St. Situé derrière le SoHo Guggenheim Museum. Salon de thé. Cadre agréable, élégant. Carte variée, proposant aussi des plats légers.

◆***Fanellis***, 94 Prince & Mercer Sts., ☎ 226-9412. Un des plus anciens bars new-yorkais. Décor du XIXᵉ s. Enfumé, petit et toujours plein. Hamburgers, bières et whisky.

Midtown West, pl. X

◆◆◆◆***Le Bernardin***, 155 W. 51st St., ☎ 489-1515. Cuisine française. L'homologue du restaurant parisien ouvert par G. et M. Le Coze (Gilbert Le Coze vient de décéder). Sert exclusivement des poissons et crustacés. Décor classique à la française. F. dim.

♦♦♦China Grill, 60 W. 53 rd St. (CBS Building) au niveau de la 6th Ave., ☎ 333-7788. Ambiance hollywoodienne, clientèle de cinéastes et comédiens. Excellente cuisine chinoise.

♦♦♦Five Spot, 4 W. 31st St., ☎ 631-0100. Cuisine américaine, jazz et élégance dans une ancienne salle de bal 1900.

♦♦♦44, 44th St. entre 5th & 6th Aves., ☎ 944-8844. Situé dans l'hôtel Royalton dont la nouvelle conception est due à Philippe Starck. Table américaine haut de gamme. Au déjeuner, fréquenté par l'élite des médias.

♦♦♦Jezebel, 630 9th Ave. (45th St.), ☎ 582-1045. Cuisine du S.-E. des États-Unis. Ouv. uniquement le soir. F. dim.

♦♦♦The Sea Grill, 19 W. 49th St., ☎ 246-9201. Spécialités de fruits de mer. Vue sur la patinoire et le café en plein air du Rockefeller Center.

♦♦Becco, 355 W. 46th St. entre 8th & 9th Aves., ☎ 397-7597. Dans le *Restaurant Row,* une rue de restaurants établis dans des maisons anciennes *(brownstones).* Spécialités italiennes. Pâtes à volonté. Cadre agréable.

♦♦Carmines, 200 W. 44th St., ☎ 221-3800, et 2450 Broadway (90th St.), ☎ 362-2200. Un grand classique de la cuisine italienne. Ambiance familiale et plats copieux. Pour dîner à plusieurs. S'y prendre à l'avance pour réserver.

♦♦Kang Suh, 1250 Broadway (32nd St.), ☎ 212/561-6845. Authentique restaurant coréen avec ses *korean barbecues.*

♦♦Mangia & Bevi, 800 9th Ave. (53rd St.), ☎ 212/956-3976. Trattoria. Bon rapport qualité/prix. Ambiance agréable.

♦♦Pomaire, 371 W. 46th St., ☎ 956-3055. Chilien.

♦♦Shaan, 57 W. 48th St., ☎ 977-8400. Restaurant indien. À ne pas manquer : le buffet au déjeuner.

♦♦Virgils BBQ, 152 W. 44th St., entre 6th & 7th Aves., ☎ 921-9494. Savant mélange de cuisines au barbecue du S.-E. des États-Unis : côtes de bœuf, porc, pains de maïs, poisson-chat.

♦Afghan Kebab House, 764 9th Ave. (51st St.), ☎ 307-1612. Spécialités afghanes. Peu coûteux.

♦Carnegie Deli, 854 7th Ave., ☎ 757-2245. Le plus ancien et le plus connu des « deli » de la ville. Woody Allen y a tourné *Broadway Danny Rose.* Spécialités juives, blintzes et cheese-cakes. Grandes tables conviviales dans la salle principale. Ambiance très new-yorkaise.

♦Jekyll & Hyde Club, 1409 6th Ave. (57th St.), ☎ 212/541-9505. À la fois « musée », parc d'attractions macabre et restaurant. Cuisine américaine. Pour le décor et le spectacle.

♦Manhattan Chili Company, 1500 Broadway (43rd St.), ☎ 730-8666. Très bon chili : viandes et plats végétariens.

♦Savory, 20 W. 50th St. (Rockefeller Center). Un lunch à moins de 6 $! Vue sur la patinoire en hiver.

Midtown East, pl. X-XI

♦♦♦♦The Four Seasons, 99 E. 52nd St., ☎ 754-9494. Cuisine franco-américaine. Très célèbre à New York. Décor en marbre, avec un rideau de scène peint par Picasso. Spécialités : coquillages, agneau, gibier. Menus diététiques.

♦♦♦♦Lespinasse, 2 E. 55th St., ☎ 339-6719. Établissement français installé dans l'hôtel le plus cher de la ville. Dali y a résidé durant 14 ans ! Décor sublime.

♦♦♦♦March, 405 E. 58th St., ☎ 838-9393. Cuisine américaine de grande classe. Atmosphère agréable.

♦♦♦♦Oceana, 55 E. 54th St., ☎ 759-5941. L'un des meilleurs restaurants de fruits de mer établi dans une élégante *townhouse.*

♦♦♦♦Sparks, 210 E. 46th St., ☎ 687-4855. Très célèbre *steakhouse.* Encore plus célèbre depuis qu'un membre de la mafia fut assassiné à l'entrée, voici dix ans…

♦♦♦♦Sushisay, 38 E. 51st St., entre Park et Madison Aves., ☎ 755-1780. Restaurant japonais. Sushi inoubliables.

♦♦♦Club 21, 21 W. 52nd St., ☎ 582-7200. Rendez-vous fameux dans les années 50 : Hemingway, Bogart et Dali y dînèrent. F. dim.

♦♦♦**Dawat,** 210 E. 58th St., entre 3rd et 2nd Aves., ☎ 355-7555. Le rendez-vous des gourmets new-yorkais : la meilleure table indienne.

♦♦♦**Monkey Bar,** 60 E. 54th St., ☎ 838-2600. Ava Gardner, Tenessee Williams et Talulah Bankhead firent les beaux jours du Monkey Bar. Aujourd'hui rénové, il ouvre ses portes à une clientèle à la mode. Excellente cuisine américaine. Le bar est bondé en début de soirée. À ne pas manquer.

♦♦♦**Tatou,** 151 E. 50th St., ☎ 753-1144. Ancienne salle d'opéra dans les années 20. Édith Piaf y fit ses débuts à New York. Réouvert depuis peu. Cuisine américaine. Jazz de 21 h à 23 h puis boîte de nuit jusqu'à l'aube.

♦♦♦**Vong,** 200 E. 54th St., ☎ 486-9592. Excellente cuisine française et thaïlandaise. Décor extraordinaire.

♦♦♦**Zarela,** 953 2nd Ave. (50th St.), ☎ 644-6 740. Restaurant mexicain. Raffiné.

♦**Denim & Diamonds,** 511 Lexington Ave. (47th St.), ☎ 371-1600. Boîte de nuit de style country et western ouverte tous les soirs. Cuisine rapide, plats simples. À fréquenter pour le *line* et le *square dancing.*

East Side, pl. XI

♦♦♦♦**Arcadia,** 21 E. 62nd St., entre 5th & Madison Aves., ☎ 223-2900. Restaurant américain dans une charmante *townhouse.*

♦♦♦♦**Aureole,** 34 E. 61th St., ☎ 319-1660. Incontournable pour sa cuisine américaine. Au déjeuner, bon rapport qualité/prix.

♦♦♦♦**Le Cirque,** 58 E. 65th St., ☎ 794-9292. Restaurant français classique de très haut niveau. Le « Bocuse » de New York. F. dim.

♦♦♦♦**Daniel,** 20 E. 76th St., entre 5th & Madison Aves., ☎ 288-0033. Créé par Daniel Boulu. Le meilleur établissement français de New York.

♦♦♦**Arizona 206,** 206 E. 60th St., ☎ 838-0440. Cuisine du S.-O. des États-Unis.

♦♦**Twins,** 1712 2nd Ave. (89th St.) ☎ (212) 987-1111. À n'en pas croire ses yeux : tous les garçons, barmen et hôtesses sont des jumeaux inséparables, qui serven ensemble ! Cuisine américaine standard

Upper West Side, pl. XII

♦♦♦**Gabriels,** 11 W. 60th St., ☎ 956 4600. Toutes les saveurs italiennes.

♦♦♦**Picholine,** 35 W. 64th St., entre Broadway & Central Park W., ☎ 724 8585. Spécialités méditerranéennes Peut-être la meilleure adresse près de Lincoln Center.

♦♦**Birdland,** Broadway & 105th St ☎ 749-2228. Boîte de jazz et cuisine de S.-E. des États-Unis. Ambiance agréable Clientèle mélangée, issue de diver mondes.

♦♦**Jerry's,** 302 Columbus Ave. (74th St.), ☎ 501-7500. Restaurant américain le jumeau de celui de SoHo.

♦♦**Josies,** 300 Amsterdam Ave. (73e St.), ☎ 769-1212. Cuisine américaine imaginative et très recherchée. Plat végétariens.

♦♦**Luzia,** 429 Amsterdam Ave. entre 80th & 81st Sts., ☎ 595-2000. Tout pet établissement portugais.

♦♦**Main Street,** 446 Colombus Ave. ☎ 873-5025. Spécialités américaines copieuses, familiales. Un plat est suffisant pour 2 ou 3 personnes ! Prix rai sonnables. Atmosphère sympathique.

♦♦**Royal Canadien Pancake House,** 18 3rd Ave. (17th St.), ☎ (212) 873-6052 1004 2nd Ave. (53rd St.), et 2286 Broad way & 83th St. Pas moins de 3 adresse pour cet établissement servant de assiettes gargantuesques de *pancakes* Préférer le matin en semaine. Bondés l week-end.

♦**La Caridad,** 2199 Broadway (78th St.) ☎ 874-2780. Cuisine cubaine et chi noise. Copieux et pas cher.

Chinatown, pl. VII

♦♦**New Hong Kong City,** 11 Division St., ☎ 431-1040. Excellentes spécialité cantonaises de fruits de mer, bœuf, por et nouilles.

♦♦**Great Shangaï,** 27 Division St. (prè de E. Broadway), ☎ 966-7663. Cuisin du S. (Soo-Hang), canard laqué. Authen tique. Sans réservation

♦♦**Silver Palace,** 52 Bowery St., ☎ 964 1204. Au déjeuner, très bon *dim sun* (chariots de petites portions de plusieurs plats).

♦♦*Triple Eight Palace,* 78 E. Broadway, ☎ 941-8886. Excellent *dim sum.*

♦*New York Noodletown,* 28.5 Bowery St., ☎ 349-0923. Cuisine de Hong Kong : soupes, nouilles, riz et viandes. Bon rapport qualité/prix. Cartes de crédit non acceptées.

East et West Villages, pl. VIII-IX

♦♦♦*Jane Street Seafood Café,* 31 8th Ave. (Jane St.), ☎ 242-0003. Au Village, remarquable restaurant de poissons. Plein de charme.

♦♦*Anglers & Writers,* 420 Hudson St., ☎ 675-0810. Dans le West Village. Cuisine simple et bonne, superbes desserts. Très mignon.

♦♦*The Angry Monk,* 96 2nd Ave., entre 5th & 6th Sts., ☎ 979-9202. Cuisine tibétaine.

♦♦*Home,* 20 Cornelia St., entre W. 4th & Bleecker Sts., ☎ 243-9579. Excellent.

♦♦*Louisiana Community Bar & Grill,* 622 Broadway (Houston St.), ☎ 460-9633. Restaurant cajun. Musique presque tous les soirs. Grand bar.

♦♦*Lucky Cheng,* 24 1st Ave. & 1st St., ☎ 473-0516. Restaurant installé dans un ancien établissement de bains. Les serveurs sont des travestis. Cuisine californienne et asiatique. Très recherché. Un endroit unique, qu'on ne peut trouver qu'à New York.

♦♦*Mitali East,* 334 E. 6th St., ☎ 935-6444. Excellente cuisine indienne, décors romantiques et prix très raisonnables.

♦♦*Toukies,* 220 W. Houston St., entre Varick St. & 6th Ave., ☎ 255-1411. Restaurant tenu par une ex-mannequin noire, sœur du célèbre designer Willie Smith. Spécialités du S.-E.des États-Unis. Prix raisonnables.

♦*Benny's Burritos,* 113 Greenwich Ave. (Jane St.) ☎ 254-2054, ou 93 Ave. A (East Village), ☎ 727-0584. Véritable cuisine californienne et mexicaine. Rapide et pas cher. Clientèle jeune.

♦*Ray's Pizza,* W. 11th St. & 6th Ave., ☎ 243-2553. Excellente pizzeria, rapide et bon marché. Ouv. toute la nuit.

♦*Taqueria De Mexico,* Greenwich Ave., entre Bank et 12th Sts., ☎ 255-5212. Authentique taqueria. Bon rapport qualité/prix.

Union Square, Chelsea, Flatirons, Gramercy Park et Madison Square, pl. VIII-IX ; les quartiers les plus dynamiques et les plus à la mode en fait de restaurants

♦♦♦♦*Gotham Bar & Grill,* 12 E. 12th St., ☎ 620-4020. Une des meilleures tables de la ville. Prix raisonnables au déjeuner. Typiquement new-yorkais.

♦♦♦♦*Gramercy Tavern,* 42 E. 20th St., ☎ 477-0777. Le restaurant dernier cri de New York. Cuisine américaine succulente. Réserver longtemps à l'avance.

♦♦♦♦*Union Square Café,* 21 E. 16th St., entre 5th Ave. & Union Square W., ☎ 243-4020. Excellent restaurant californien. L'un des préférés des New-Yorkais.

♦♦♦♦*Verbena,* 54th Irving Pl., entre 17th et 18th Sts. Cuisine « New American », de saison. Endroit sophistiqué avec un jardin magnifique. Réservation indispensable.

♦♦♦*Aja,* 937 Broadway (22th St.), ☎ 473-8388. Un lieu à la mode. La rencontre des cuisines américaine et asiatique.

♦♦♦*Alva,* 36 E. 22nd St., ☎ 228-4399. Un bistrot qui vient d'ouvrir. Fait parler de lui.

♦♦♦*City Crab,* 235 Park Ave. S. (19th St.), ☎ 529-3800. Une bonne adresse en ce moment : un grand restaurant de poissons et de fruits de mer. Beaucoup de monde.

♦♦♦*Mesa Grill,* 102 5th Ave. (15th St.), ☎ 807-7400. Spécialités texmex du S.-O. des États-Unis.

♦♦♦*Patria,* 250 Park Ave. S. (19th St.), ☎ 777-6211. Cuisines originales de plusieurs pays latins : Caraïbes, Amérique centrale et du Sud. Un dépaysement.

♦♦♦*Periyali,* 35 W. 20th St., ☎ 463-7890. Spécialités grecques. Très raffiné.

♦♦*Bachué,* 36 W. 21st St., ☎ 229-0870. Cuisine végétarienne latino-américaine. Original.

♦♦El Cid, 322 W. 15th St., ☎ 929-9332. Bon petit restaurant espagnol.

♦♦Negril Island Spice, 323 W. 23rd St., ☎ 807-6411. Les senteurs de la Jamaïque à New York.

♦♦One City Café, 240 W. 14th St., entre 7th & 8th Aves ☎ 807-1738. Un restaurant simple, correct, pour les gens du quartier et les sans domicile fixe, avec deux niveaux de prix. Une initiative à saluer. Cuisine américaine.

♦♦Osso Buco, 88 University Pl. (Village/Union Square). Une table italienne conviviale.

♦♦Republic, 37 W. Union Sq. (16th & 17th Sts), ☎ (212) 627-7172. Restaurant asiatique « nouvelle vague ». Nouilles excellentes. Service très rapide.

♦♦Royal Siam, 240 8th Ave., ☎ 741-1732. La Thaïlande à Chelsea.

♦♦Turkish Kitchen, 386 3rd Ave., ☎ 679-1810. Spécialités turques.

♦Zen Palate, 34 Union Square E. (16th St.), ☎ 614-9291. Face à l'Union Square Park, un restaurant asiatique végétarien. Déjeuner bon rapport qualité/prix. Le soir, à l'étage : carte plus coûteuse.

Harlem, pl. XIV-XV

♦♦♦Perks Fine Cuisine, 553 Manhattan Ave. & 123rd St., ☎ 666-8500. Cuisine noire du S.-E. américain. Un comble de raffinement. F. le midi et dim.

♦♦Copeland's Café, 547 W. 145th St., ☎ 234-2357. La cuisine de Harlem. Excellent brunch. *Live music.*

♦♦Jamaïcan Hot Pot, 2260 7th Ave. (133rd St.), ☎ 491-5270. Spécialités des Caraïbes.

♦♦Sylvia's, 328 Lenox Ave., ☎ 996-0660. Près du music-hall Apollo. *Soul food.* N'accepte que les cartes American Express.

Brooklyn, pl. VI-VII

♦♦♦♦River Café, 1 Water St., ☎ 718/522-5200. Très bonne cuisine américaine. Dans une ancienne péniche sous le pont de Brooklyn. Vient d'être agrandi. Vue inoubliable sur Manhattan et la statue de la Liberté. Dîner en terrasse l'été. Piano. Brunch sam. et dim. 12 h - 15 h. Tenue correcte conseillée.

1996 : nouveautés et tendances

Les restaurants qui ouvrent et ouvriront leurs portes :

Dukes, 99 E. 19th St. Le barbecue est à la mode en 1996.

The Hog Pit, W. 14th St. Situé dans le *Meat-Packing District*, près d'un grossiste de porc.

The Lemon, 230 Park Ave. Ouv. 24 h/24. A la fois restaurant, coffee-shop, salle de billard, kiosque et boîte de nuit.

Motown Café, avec la musique soul pour thème.

Official All Star Café, 45th & Broadway. ☎ 840-8326. Ouvert par André Agassi, Monica Sélès et Shaquille O'Neal.

Riodizio, 417 Lafayette St., ☎ 529-1313. BBQ international. Cuisine brésilienne, en plein SoHo.

The Screening Room, à TriBeCa. Avec écran cinéma pour films d'avant-garde.

Stick to your Ribs, Amsterdam Ave. & 81st St. Superbe barbecue.

Et d'autres à découvrir :

Television City, avec télévision pour thème.

Les restaurants de New York optent désormais pour la fusion des cuisines du monde entier, qu'elles viennent d'Asie, d'Europe ou des États-Unis. Improvisations, variations, mélanges et diversité sont aujourd'hui au goût du jour. N'oubliez pas d'essayer les nouveaux pubs newyorkais. Leurs bières maison sont très appréciées : *Harland, Zip City, Brewing Co, West side Brew.*

♦♦♦Peter Luger, 178 Broadway ☎ 718/387-7400. Caché dans un quartier tout près du pont Williamsburg, une excellente *steak house.* Atmosphère « vieux New York ».

♦♦♦Gage & Tollner, 372 Fukton St. ☎ 875-5181. Fondé en 1879, un établissement qui a gardé son charme d'antan. L'un des bons restaurants de poissons et crustacés de New York. Pianiste ven. et sam.

Boulangeries-restaurants : *Flatiron Diner and Baking Company,*

8 W. 18th St. • *Copeland's Country Kitchen,* 209 W. 125th St.

Les lieux de la nuit : bars et restaurants avec bar, bars topless, cabarets, boîtes de jazz et autres musiques, boîtes de nuit. Les bars sont généralement ouverts jusqu'à 2 h du mat. env. en sem., 4 h le w.-e. Les boîtes de nuit offrent un thème par nuit ; certaines ne sont ouvertes que quelques j. par sem. : se renseigner à l'avance. Les boîtes de jazz refleurissent. **Bars et restaurants avec bar :** *Eros,* 1076 1st Ave. • *Trattoria Del Arte,* 7th Ave. & 56th St. • *Lucky Cheng,* 1st Ave. & 1st St. • *Twins,* 1712 2nd Ave. & 89th St. • *Monkey Bar,* 60 E. 54th St. • *Beer Bar,* Vanderbilt Ave. & 45th St., dans le restaurant Café Centro • *Bowery Bar,* 358 Bowery & 4th St. (East Village) • *Knitting Factory,* 74 Leonard St. (TriBeCa). Bar et live music • *BabyLand,* Ave. A & 5th St. Sur le thème « infantile » • *Marc Bar,* Mercer St., près de Houston Sts. (SoHo) • *The Cub Room,* 131 Sullivan & Prince Sts. (SoHo) • *Le Colonial,* 149 E. 57th St. Bar vietnamien à la mode • *Buddha Bar,* Varick St. (SoHo) • *Fanellis,* 94 Prince & Mercer Sts. Le seul bar datant du XIXᵉ s. intact à SoHo. Bière et hamburgers • *Vazac's,* 7th St. & Ave. B. Très beau bar. Décor de plusieurs films, dont *Le Verdict* • *Hogs & Heifers,* 859 Washington St. Près de 14th St. et de Hudson, un bar assez rustre installé dans le *Meat-Packing District.* Le mauvais goût dans toute sa splendeur... **Bars topless :** *Scores,* 333 E. 60th St. • *Billy's,* 6th Ave. & 24th St. • *44 1/2,* Walker St. (TriBeCa). **Cabarets :** *The Ballroom,* 253 W. 28th St., ☎ 244-3005. F. dim. et lun. Spécialités de tapas. Piano-bar • **Boîtes de jazz :** *Birdland,* Broadway & 105th St. Juste avant Harlem, dans le quartier de la Columbia University. Peu de touristes • *The Five Spot,* 4 W. 31th St. Ancienne salle de bal • *Iridium,* 44 W. 63rd St. • *Minton's Playhouse,* St. Nicholas Ave. & 118th St. En 1995, Robert De Niro ouvre une boîte de jazz à Harlem • **Autres musiques :** *Tramps,* 51 W. 21st St. Chelsea blues, zydeco, cajun, funk, irlandais, soul, rythm'n blues • *Mercury Lounge,* 217 E. Houston St. (East Village). Rock'n roll • *Knitting Factory,* 74 Leonard St., entre Broadway & Church St. (TriBeCa). Jazz, world music, avant-garde, rock, alternatif • *Limelight,* 6th Ave. & 20th St. Église du XIXᵉ s. transformée en boîte de nuit. Ouv. depuis 10 ans. Très célèbre. Clientèle jeune. Heavy metal, techno, house, hip hop, industrial • *S.O.B.'s,* 204 Varick & Houston Sts. (SoHo). Latino-américain, reggae, africain, Caraïbes • *Fez at Time Café,* 380 Lafayette St. (East Village). Jazz, poésie, alternatif • *The Fort,* Ave. A & 6th St. (East Village). Rock'n roll, punk • *Rodeo Bar,* 375 3rd Ave. (27th St.). Blues, country music • **Boîtes de nuit :** *Rouge,* E. 54th St., entre Lexington & 3rd Aves. • *Club Velvet,* 11th Ave. & 26th St. • *The Cooler,* W. 14th St. Ancienne fabrique de réfrigération de viande • *The Vault,* 28 W. St. Tendance sado-masochiste • *Tatou,* 151 E. 50th St. Ce restaurant se transforme en boîte de nuit après 23 h 30. Ancienne salle d'opéra • *Bar Bat,* 307 W. 57th St. Restaurant et boîte de nuit sur 3 niveaux. Piste de danse avec DJ. Décor étrange. Nuit à thème « chauve-souris » dans une ancienne église.

Aéroports : *J.F. Kennedy International Airport* à Jamaïca, Queens, 17 mi/ 28 km S.-E., ☎ 718/656-4444. Trafic international et national • *La Guardia Field Airport,* à Flushing, Queens, 8 mi/14 km N.-E., ☎ 718/476-5000. Trafic national • *Newark Airport,* 12 mi/20 km S.-O. dans le New Jersey. Pas de nᵒ général.

Navette aéroport : *autocars Carey Line,* entre *J.F.K. International Airport* et *La Guardia,* ou depuis ces deux aéroports pour *East Side Airlines Terminal* (Park Ave. & 42nd St.) ; de *Newark* pour le *Port Authority Bus Terminal,* ☎ 718/632-0500 ou 718/ 632/0509.

Hélicoptère : il n'existe plus de service régulier entre Manhattan et les aéroports. Pour des groupes de 4 ou 5 personnes, on peut appeler *Liberty Helicopter,* héliport situé 12th Ave. & 30th St., ☎ 800/542-9933 ; la meilleure compagnie pour aller à l'aéroport ou pour une découverte aérienne de New York.

Compagnies aériennes : *Air Canada,* ☎ 800/776-3000 ● *Air France,* ☎ 800/321-4538 ● *American Airlines,* ☎ 800/33-7300 ● *Continental Airlines,* ☎ 800/ 525-0280 ● *Delta Airlines,* ☎ 800/221-1212 ● *Northwest Airlines* (Paris-Boston), ☎ 800/ 225-2525 ● *Sabena,* ☎ 800/955-2000 ● *Swissair,* ☎ 800/221-4750 ● *TWA,* ☎ 800/221-2000 ● *US Air* (Paris-Philadelphie), ☎ 800/428-322 ● *Tower Air,* ☎ 718/553-4300 ● *United Airlines,* ☎ 800/241-6522.

Chemin de fer : *AMTRAK,* service voyageurs, ☎ 800/872-7245. Les départs pour Boston, Washington, Philadelphie, Chicago, Miami, etc., se font de la *Pennsylvania Railroad Station,* 7th Ave. & 33rd St. ; pl. VIII-B1. Pour aller à Long Island, partir aussi de cette gare : renseignements sur Long Island Rail Road, ☎ 718/217-5477. Pour la banlieue N. et N.-E., *Grand Central Terminal,* Park Ave. & 42nd St., ☎ 532-4900 ; pl. XI-C3. Les lignes se nomment « MTA-Metro North », mais ce n'est pas le métro...

Autocars : *Porth Authority Bus Terminal,* 8th Ave. & 42nd St., ☎ 564-8484 ou 564-1114 ou 800/231-2222 ● *George Washington Bridge Bus Station,* Broadway & W. 78th St., mêmes n°s.

Métro et autobus : *MTA, New York City Transit Authority,* ☎ 718/330-1234.

Objets trouvés : *Lost Property Office* (objets perdus dans les métro et autobus), ☎ 718/625-6200 tous les mat., en sem. ● *Taxi & Limousine Commission* (objets perdus dans les taxis), ☎ 302-8294 de 9 h à 17 h en sem.

Location de voitures : *Budget,* ☎ 800/527-0700 ● *Dollar,* ☎ 800/800-4000 ● *Avis,* ☎ 800/831-2847 ● *Hertz,* 800/654-3131 ● **Avec chauffeur ou limousines :** *London Towncars,* ☎ 988-9700 ● *Sabra,* ☎ 777-7171.

Banques françaises : *BNP,* 499 Park Ave., ☎ 750-1400 ● *Crédit lyonnais,* 1301 6th Ave., ☎ 261-7000 ● *Société générale,* 50 Rockefeller Plaza, ☎ 830-6600.

Poste : *Main Post Office,* 8th Ave. & 33rd St., ☎ 967-8585. T.l.j. 24 h/24.

Pharmacie ouverte la nuit : *Kaufman* Lexington Ave. & 50th St.

Téléphones utiles : *Ambulance, police pompiers,* ☎ 911 ● *Médecin,* ☎ 385-1152 ● *Dentiste,* ☎ 679-3966 ● *AA (American Automobile Association)* état des routes, ☎ 757-2000 ● *Météo* 976-1212 ● *Horloge parlante,* ☎ 976-1616 ● *Horaires et trajets des bus et de métros,* ☎ 718/330-1234 ● *Navett* *pour les aéroports :* 800/247-743 ● *Perte ou vol de la carte Visa* ☎ 800/336-8472 ● *Perte ou vol de l carte American Express,* ☎ 800/528-4800 ● *Perte ou vol de traveller chèques Visa,* ☎ 800/227-6811 ● *Per te ou vol de travellers chèques Amer can Express,* ☎ 800/221-7282.

Consulats : *Belgique,* 50 Rockefeller Center, ☎ 586-5110 ; pl. XI-C ● *Canada,* 1251 6th Ave., ☎ 596-1700 pl. X-B3 ● *France,* 934 5th Ave., ☎ 606-3600 ; pl. XI-C1 ● *Luxembourg,* 1 Beekman Pl., ☎ 888-6664 ; pl. XI-C3 *Suisse,* 665 5th Ave., ☎ 758-2560 ; p XI-C3.

Excursions : en bus : les possibilité d'excursion sont de plus en plus grande pour Manhattan, Harlem, Brooklyn, l Bronx, etc. Les deux meilleures agence à proposer des visites guidées de Ne York en français, à départs réguliers, sor *New York Visions/Harlem Spirituals* 1697 Broadway, ☎ 757-0425, et *Bi Apple Tours,* ☎ 410-4190 ● **E bateau :** *Circle Line,* W. 42nd St., ☎ 563-3200 : autour de l'île de Manhatta (3 h, départ sur l'Hudson River), et croi sières au South St. Seaport (1 ou 2 h) *Seaport Liberty Line,* South St. Seapor ☎ 630-8888 : croisières au South S Seaport (1 ou 2 h), à l'île de la statue d la Liberté et à Ellis Island (départs tou les jours de Battery Park) ● *Staten Islan Ferry,* South Ferry Station, Battery, ☎ 806-6940 : une navette pour les habitan de Staten Island (départ de Battery Park 20 mn dans la baie de New York) ; faite l'a.-r., vous passerez assez près de la sta tue de la Liberté ; peu coûteux ● *TN Hydrolines,* ☎ 800/872-2628 : balad sur catamaran (départs en période esti vale, 1 h 30) ● Plusieurs navettes en fer ry sont utilisées par les banlieusards ; trajets rapides mais originaux : départ du World Financial Center pour la ville de Jersey, ou départ de W. 38th St. pour Weehawken, New Jersey. Des navettes commencent à relier Brooklyn à Manhattan, et Queens à Manhattan ● **En hélicoptère** : découvertes de New York spectaculaires mais onéreuses. *Liberty Helicopter,* W. 30th St. & 12th Ave. (au bord de l'Hudson), ☎ 800/542-9933 ; 9 h à 21 h l'été, 9 h à 17 h l'hiver ; 3 vols différents ; petits hélicoptères qui offrent une très bonne vue à tous les passagers ; *Island Helicopter,* E. 34th St. sur l'East River, ☎ 925-8807.

Excursions familiales : *promenades en calèche,* 5th Ave. & 59th St. ● *Young Visitors,* 175 W. 88th St., ☎ 595-8100.

Manifestations : rens. ☎ 684-5544 (lun.-ven.). **Janv. :** *Boat Show* (Javitz Center, 11th Ave. & 37th St.) ; à la fin du mois, *Foire d'hiver aux antiquaires* (7th Regiment Armory, Park Ave. E. 67th St.) ; janv. ou fév., selon le calendrier lunaire, *Chinese New Year's Festival,* fête du nouvel an chinois avec cavalcade et feu d'artifice à Chinatown ● **Février :** *Lincoln's Birthday* (le 12 fév. ou le lun. suivant, j. férié légal) ; *Washington's Birthday* (3ᵉ lun. de fév., j. férié légal) ; course à pied pour gravir les 1 575 marches de l'Empire State Building ● **Mars :** *St Patrick's Day* (17 mars), grande fête des Irlandais catholiques avec parade sur 5th Ave. ● **Avril :** ouverture de la saison de base-ball ; *New York International Automobile Show* (Javitz Center, 11st Ave. & 37th St.) ; début de la saison des *Street Fairs,* grands festivals le long des diverses avenues (chaque w.-e. d'avr. à oct.) ; Pâques, *Eastern Sunday Fashion Parade,* près de St Patrick ; concert de Pâques au musée des Cloisters ● **Mai :** *Martin Luther King Jr. Memorial Parade* (4ᵉ dim.) sur 5th Ave. (44th-86th Sts.) ; *Memorial Day* ou *Decoration Day* (derniers sam.-dim. de mai) ; *Washington Square Art Show* et *Greenwich Outdoor Art Exhibit,* exposition d'art en plein air (fin mai-déb. juin et fin août-déb. sept.) ● **Juin :** *Puertorican Day* (1ᵉʳ dim.), fête des Portoricains, parade sur 5th Ave. ; course à cheval *Belmont Stakes* à Belmont Park ; de juin à sept., *Summer Festival* (durant plusieurs

sem.), avec concerts, représentations théâtrales, expositions, feux d'artifice, manifestations sportives dans les parcs et sur les places ; *Jazz Festival* (fin juin-déb. juil.), avec concerts en salle ou en plein air à Manhattan ; *festivals de musique* gratuits aux World Trade Center, World Financial Center, Bryant Park, dans Central Park tous les w.-e., concerts du New York Philharmonic Orchestra dans les différents parcs ● **Juillet :** *Shakespeare Festival* au théâtre en plein air de Central Park, entrée la plus proche à Central Park W. 81st St. (juil.-août), presque tous les soirs à 20 h, deux pièces différentes chaque été, places gratuites mais difficiles à obtenir ; *concerts* gratuits au Seaport ; *Independence Day* (4 juil.) avec feu d'artifice sur l'Hudson (l'emplacement du spectacle varie souvent, se renseigner dans les journaux) et *Harbor Festival,* fête du port ; *Feast of Obon* (le sam. le plus proche de la pleine lune), fête bouddhique des Japonais dans Riverside Park (103rd St.) ; *Mozart Festival* au Lincoln Center (mi-juil. à fin août) ; *concerts* gratuits en plein air au Lincoln Center (juil.-août), près de la fontaine sur la plaza et dans Damrosch Park, à côté de l'Opéra ● **Août :** *St Stephen's Day* (dim. le plus proche du 28), fête des catholiques hongrois, cavalcade sur 5th Ave. ; *tournoi de tennis* « US Open » (fin août) à Flushing Meadow, dans le Queens, places pour les matchs en soirée de la première semaine faciles à obtenir et peu coûteuses, match « Arthur Ashe » organisé le dim. précédant l'ouverture au bénéfice de la lutte contre le SIDA ; ouverture de la *saison de football* (fin août) dans la banlieue de New York, à Meadowlands, dans le New Jersey, places difficiles à obtenir ; *Charlie Parker Festival* (fin août) à Tomkins Square Park (East Village), près de son appartement, concert gratuit dans le parc ● **Septembre :** *Labor Day Week-end* (déb. sept.), gigantesque festival et carnaval des Caraïbes dans les rues de Brooklyn à Crown Height, sur Eastern Parkway ; *Labor Day* (1ᵉʳ lun. de sept.), défilé de travestis dans East ou West Village, le lieu change chaque année ; *Feast of St Gennaro* (sem. autour du 19 sept.), fête des Italiens à Little Italy (Mulberry St.) avec procession ; *Steuban Parade* (dernier sam.), parade de la communauté allemande sur 5th Ave. ; ouverture de la *saison du Metropolitan Opera* ; *Festival du film* (fin sept.-mi-oct.) au Lincoln Center ● **Octobre :** ouverture de la *saison de hockey sur glace* à Madison Square Garden, places difficiles à obtenir ; *bénédiction des animaux* à la cathédrale St John's-the-Divine (Amsterdam Ave. & 112nd St.), à 13 h, tous les animaux sont les bienvenus ; *Foire nationale des arts et antiquités* (7th Regiment Armory), au déb. du mois ; *Pulasky Day* (5 oct. ou dim. suivant), fête de la communauté polonaise avec parade sur 5th Ave. ; *Colombus Day* (12 oct.) ; *Halloween Parade* (31 oct.), mascarade et défilé de 10 000 à 20 000 personnes, allant du West Village à Union Square (le parcours change légèrement chaque année), départ vers 19 h, arrivée vers 22 h ; ouverture de la *saison du Philharmonic Orchestra* ● **Novembre :** *marathon de New York* (un dim. de la mi-nov., le 12 nov. en 1995), de Staten Island à Central Park ; ouverture de la *saison de basket-ball* à Madison Square Garden ; *Veteran's Day* ou *Armistice Day* (11 nov.), parade des anciens combattants pour l'anniversaire de la fin de la Première Guerre mondiale ; *Thanksgiving Day* (4ᵉ jeu.), parade de Central Park vers le grand magasin Macy's (Herald Square) ● **Décembre :** *First Night Festival* (Saint-Sylvestre) à Times Square, course à pied dans Central Park, feux d'artifice à Central Park et au South St. Seaport ; *nuit de Chanukah* (semaine de Noël) à City Hall, avec illuminations aux flambeaux ; *illuminations de Noël*, surtout au Rockefeller Center et Park Ave.

Spectacles : concentrés sur Broadway, entre les 41st et 53rd Sts., et entre les 5th et 8th Aves. Petits théâtres « off Broadway » à Greenwich Village ; « off off-Broadway » dans d'autres quartiers (théâtre expérimental). Le *Convention & Visitors Bureau* publie tous les trimestres la liste des spectacles et manifestations, que l'on peut aussi trouver dans les compléments hebdomadaires du *New York Times,* dans *New York Magazine, Village Voice, Newsday.* **Réservations :** billets (pour les spectacles du j.) à prix réduits : *TKTS Bouth,* à Times Square sur Broadway & 47th St., ou 2 World Trade Center et *Bryant Park,* 6th Ave. & 42nd St.

Pour les enfants : *Babysitters Guild,* ☏ 682-0227 ; *Pinch Sitters,* ☏ 718/ 622 0305 ● **Théâtre et marionnettes** (réserv. néces.) : dans Central Park, *Swedish Cottage Marionete Theater,* 81st St. Central Park W., ☏ 988-9093 ; *Heckscher Puppet House,* 62nd St., ☏ 371-7775 *Courtyard Playhouse,* 426 W. 45th St. ☏ 765-9540, pièces de théâtre ● **Zoos, musées et aquariums :** *zoo de Central Park,* 64th St. & 5th Ave., 10 h-16 h 30 avec carrousel et promenades à poney *Bronx Zoo,* Fordham Rd. & River Pkwy, ☏ 220-5100, train suspendu, nombreuses activités de découvertes ; *American Museum of Natural History,* Manhattan Square (77th & 81st Sts.) ☏ 769-5000, exposition permanente sur les dinosaures ; *Children's Museum of Manhattan,* 212 W. 83rd St., l'a.-m. en sem. et toute la journée le w.-e. ; *New York Aquarium,* Surf Ave. & 8th St. Brooklyn, spectacles de dauphins ; parc d'attractions *Coney Island* sur la plage de Brooklyn, durant la période estivale.

Patinoires : *Wollman Memorial Rink,* Central Park, près de 5th Ave. & 64th St. en hiver slt ● *Rockefeller Center,* 1 Rockefeller Plaza, en hiver slt ● *Sky Rink,* 450 W. 33rd St., 16ᵉ étage, patinoire couverte (ouv. t.a.) ● *Lasker Rink,* à l'extrême N. de Central Park, près de Harlem ; moins de monde.

Épiceries fines : *Balducci's,* 442 6th Ave. ● *Dean & Deluca,* 560 Broadway à SoHo, le « Fauchon » de New York ● *Zabars,* Broadway & 81th St. ; très new-yorkais, sympathique, pas cher. À ne pas manquer pour qui aime la cuisine… et la foule ● *Citarela,* Broadway & 15th St.

Grands magasins : la plupart sont situés sur 5th Ave. ou à proximité. Du très grand et très chic au bon marché : *Macy's,* Broadway & 34th St., le plus grand magasin du monde ● *Saks,* 5th Ave. & 50th St. Bloomingdales, Lexington Ave. & 59th St. ● *Lord & Taylor,* 5th Ave. & 37th St. ● *Barneys,* 7th Ave. & 17th St., et Madison Ave. & 61st St. ● *Bergdorf Goodman,* 5th Ave. & 58th St. ● *Bradlees,* Broadway & 14th St., chaî ne de grands magasins bon marché ● **ABC Home Center,** Broadway & 18th St., tout pour la maison ● **Bed, Bath & Beyond,** 6th Ave. & 18th St., tout pour la maison ● **Filenes,** Broadway & 81st St. ● **Today's Man,** 6th Ave. & 20th St., vêtements pour hommes, et Broadway & 81th St. ● **Century 21,** Cortland St., près de Broadway, vêtements.

Centres commerciaux : Manhattan Center, Broadway & 32nd St., près de Macy's, 80 magasins sur 8 étages ● **Trump Tower,** 5th Ave. & 56th St., magasin Reebok installé en 1996 ● **Rockefeller Center,** nombreux magasins au sous-sol, pas de boutiques pour touristes ● **World Trade Center Shopping Mall,** W., Church, Vesey et Liberty Sts., nombreux magasins et restaurants ● **Nassau Street Pedestrian Mall,** Downtown dans le quartier de la finance, inconnu des touristes ● **World Financial Center,** à l'O. de West St., en face des tours jumelles.

Magasins de sport : Paragon, Broadway & 18th St., grand magasin pour tous les sports ● **Sports Authority,** 7th Ave. & 32nd St., en face de Madison Square Garden, nouvelle chaîne de magasins à New York ● **Hermans,** Union Square, 17th St. & Broadway, et 47th St. & 6th Ave., et 72th St. & Broadway, plusieurs magasins à Manhattan.

Golf : Nevada Bob's, 9889 6th Ave., ☎ 736-4653 et 143 E. 54th St., ☎ 888-3400.

Jeans, blousons, T-shirts : OMG, 555 Broadway à SoHo, 10 magasins de jeans dans ce quartier ● **Arizona,** 91 Spring St., à SoHo ● **The Original Leather Store,** 176 Spring St. ● **The Cockpit,** 595 Broadway, à SoHo, spécialiste d'Avirex ● **Harley Davidson,** Broom St. près de W. Broadway, à SoHo, vient d'ouvrir : cadeaux, T-shirts et… motos.

Chaussures : pas de quartier particulier. Pour les baskets, plusieurs magasins sur Broadway au niveau du East Village et SoHo.

Bijoux : The World's Largest Jewellery Exchange, 55 W. 47th St., pierres, montres, or et argent, réparations.

Jouets : FAO Schwarz, 5th Ave. & 58th St., le plus célèbre, le plus beau, le plus cher ● **Toys R Us,** Broadway & 34th St., en face de Macy's ● **Toys R Us,** Broadway & 16th St., à Union Square, magasin gigantesque.

Valises : Innovation Luggage, 7 magasins à Manhattan, parmi lesquels : 521 5th Ave., 1755 Broadway (56th St.), World Trade Center Concourse, 10 E. 34th St.

Photo : 47th St. Photo, 2 adresses, le plus commode est 45th St., entre 6th & 7th Aves., ferme tôt le ven., f. sam., ouv. dim. ● **Willoughby's,** 136 W. 32nd St., même type d'horaire, le plus coté.

Électronique et micro-ordinateurs : The Wiz, W. 45th St. entre 5th & 6th Aves., et 31st St. & 6th Ave., et Union Square W. & 15th St., 10 magasins à Manhattan ● **Comp USA,** 5th Ave. & 37th St., le plus grand choix à New York ● **J&R Computer,** 15 Park Row, grand magasin, grand choix.

Disques : les chaînes de magasins imposent les prix les plus bas : Tower, HMV, Sam Goody & Coconuts. Souvent ouv. jusqu'à minuit. **Tower,** 4 magasins : 692 Broadway & 4th St. (Village) dans la Trump Tower, 5th Ave. & 56th St., Broadway & 76th St. ● **HMV,** 2081 Broadway & 72nd St., 1280 Lexington Ave. & 87th St. ● **Sam Goody,** 12 magasins, 1211 6th Ave. (Rockefeller Center, 51st St.), 666 3rd Ave. & 43rd St. (East Side) ● **Jazz Record Center,** 236 W. 36th St., entre 7th & 8th Aves., ☎ 675-4480, 8e étage, ouv. de 10 h à 1 h du mar. au sam. ● **Midnight Records,** 263 W. 23rd St., entre 7th & 8th Aves., ☎ 675-2768.

Librairies : Barnes & Noble, chaîne de librairies avec cafés, beaucoup de choix, prix les plus bas, ouv. très tard, certains jusqu'à 23 h t.l.j. : 6th Ave. & 22nd St., 5th Ave. & 18th St., Astor Pl. (8th St. près de Broadway), Union Square, Broadway & 82nd et 66th Sts, 1280 Lexington Ave. & 86th St. ● **Rizzoli,** 31 W. 57th St., 200 Vesey St. (World Financial Center), et 454 W. Broadway, à SoHo, édition d'art et journaux ● **Bren-**

tanos, 597 5th Ave. ● *Gotham Book Mart,* 41 W. 47th St., la plus ancienne librairie de New York ● *Strand,* 828 Broadway (Village), grand choix de livres neufs et d'occasion, atmosphère sympathique ● *Herlin Jean-Noël,* 68 Thompson St., spécialisée dans l'art contemporain ● *Librairie de France,* Rockefeller Center, la grande librairie française.

Antiquaires : concentrés sur Madison Ave. (entre 47th et 57th Sts.) et Greenwich Village. Un nouveau centre s'est développé à Chelsea autour d'un grand *marché aux puces,* 6th Ave. & 25th St. Quelques adresses : *Chelsea Antiques Building,* 110 W. & 25th St. ● *The Garage,* 112 W. 25th St. ● *Lucilles,* 102 W. 26th St. ● *International* 30 W. 26th St. ● *Grand Bazaar* 25th-26th Sts. entre 6th Ave. & Broadway ● *Showplace,* 40 W. & 25th St. ● *Lost City Arts,* 275 Lafayette St., entre Houston & Prince Sts. à SoHo, ☎ 941-8025, grande boutique avec antiquités et objets kitsch américains des années 30 à 60 ● *Alphaville,* 226 W. Houston St., entre 6th Ave. & Varick St., entre le Village et SoHo, ☎ 675-6850, cadeaux, jouets anciens, affiches de films ● *Love Saves the Day,* 119 2nd Ave. (East Village), objets kitsch des années 70.

Marchés aux puces : Ave. C entre 7th & 10th Sts., dans « Alphabetown », le dim. : le plus curieux et le plus étonnant de tous ● *Roosevelt Park,* Chrystie & Grand Sts. ● Et un nouveau marché aux puces au bord de Chinatown.

Ventes aux enchères : *Christie's,* 502 Park Ave. & 59th St., ☎ 546-1000 ● *Christie's East,* 219 E. 67th St., ☎ 606-0400 ● *Sotheby's,* 1334 York Ave. & 72nd St., ☎ 606-7000.

Galeries : la plupart sont fermées dim. et lun. Il est conseillé de téléphoner avant de se rendre dans une galerie : leurs horaires et parfois leurs adresses changent. **Uptown :** *Gagosian Gallery,* 980 Madison Ave., ☎ 744-2313, une des galeries les plus importantes, artistes américains contemporains ● *Castelli Graphics,* 578 Broadway, ☎ 941-9855, gravures et lithographies en édition limitée de peintres contemporains ● *Claude Ber-*

nard, 900 Park Ave., ☎ 988-2050, artistes européens et américains du XXᵉs. ● *Carus Gallery,* 872 Madison Ave., ☎ 879-4660, futuristes, constructivistes, expressionnistes et artistes du Bauhaus ● *David Findlay,* 984 Madison Ave., ☎ 249-2909, artistes européens et américains des XIXᵉ et XXᵉ s. ● *M. Knoedler & Co,* 19 E. 70th St., ☎ 794-0550, peintres américains et anglais contemporains, expressionnistes, abstraits, maîtres allemands, flamands et italiens sur r.-v., et impressionnistes ● **57th St. :** *Blum Hellman Gallery,* 20 W. 57th St., ☎ 245-2888, peintres et sculpteurs américains contemporains ● *André Emmerich Gallery,* 41 E. 57th St., ☎ 752-0124, artistes américains contemporains, antiquités classiques ● *Galerie Lelong,* 20 W. 57th St., ☎ 315-0470, artistes européens et américains du XXᵉ s. ● *Malborough Gallery,* 40 W. 57th St., ☎ 541-4900 ● *Marian Goodman Gallery/Multiples Inc.,* 24 W. 57th St., ☎ 977-7160, artistes contemporains ● *Robert Miller Gallery,* 41 E. 57th St., ☎ 980-5454, peintres, sculpteurs, photographes américains et européens ● *Pace-Gallery,* 32 E. 57th St.,☎ 421-3292 ● *Lelong,* 20 W. 57th St., ☎ 315-0470, une des plus prestigieuses galeries, qui présente les œuvres d'artistes modernes et contemporains consacrés internationalement ● *Galerie St Étienne,* 24 W. 57th St., ☎ 245-6734 ● **SoHo :** *Tony Shafrazi,* 119 Wooster St., ☎ 274-9300 ● *James Danziger Gallery,* 130 Prince St., ☎ 226-0056. ● *P.P.O.W. Gallery,* 532 Broadway St., ☎ 941-8642 ● *Gagosian Gallery,* 136 Wooster St., ☎ 228-2828 ● *Mary Boone,* 5th Ave. & 58th St., ☎ 431-1818, f. en juil.-août, s'est fait connaître en exposant David Salle et Julian Schnabel ● *Leo Castelli Gallery,* 420 W. Broadway, ☎ 431-5160, et 578 Broadway, ☎ 431-6279, de l'expressionnisme abstrait à la nouvelle figuration, en passant par le pop art et le minimalisme ● *Paula Cooper Gallery,* 155 Wooster St., ☎ 674-0766, l'une des premières à s'installer à SoHo dans les années 60 ● *Ronald Feldman,* 31 Mercer St., ☎ 226-3232, art contemporain et avant-garde ● *Richard Green Gallery,* 152 Wooster St., ☎ 983-3993 ● *Sonnabend Gallery,* 420 W. Broadway, ☎ 966-6160.

NIAGARA FALLS (NY)

1 **The Niagara Falls Convention & Visitors Bureau,** suite 101, Carborundum Center, 345, 3rd St., Niagara Falls, NY 14303 (☎ 285 2400 fax 285 1809).

☎ 716

Hôtels

**Holiday Inn, 100, Whitehaven Dr, Grand Island 14072 (☎ 773 1111 fax 773 9386), 262 ch. ✗ ♿ ⌧ ✈ ⏱ À 5 mn des chutes. Un hôtel classique et bien équipé.

Days Inn Falls View, 201, Rainbow Blvd., Niagara 14301 (☎ 285 9321 fax 285 2539), 200 ch. ✗ ♿ Demander de préférence l'une des ch. rénovées. Vue sur les chutes.

Bit-O-Paris Motel, 9890, Niagara Falls Blvd. (☎ 297 1710), 27 ch. ♿ ⌧ Motel confortable et économique.

Coachman Motel, 523, 3rd St. (☎ 285 2295), 19 ch. Petit motel très pratique.

Restaurants

*John's Flaming Hearth, 1965, Military Rd (☎ 297 1414), ouv. 11 h 30-23 h, dim. à partir de 12 h. ♿ Réserv. conseillée. Spéc. : steaks grillés au feu de bois, fruits de mer, poulet, veau.

Alps Chalet, 1555, Military Rd (☎ 297 8990), ouv. 11 h-14 h, sam. 14 h-3 h, lun. ♿ Cuisine grecque. Institution familiale. Musée de chapeaux dans le salon. Spéc. : steaks, fruits de mer et de très bons baklava.

Fortuna's, 827, 19th St. (☎ 282 2252), lun. et mar. Cuisine italienne. Spéc. : lasagnes et raviolis.

Pete's Market House, 1701, Pine Ave. (☎ 282 7225). Ambiance chaleureuse, de grandes portions pour petits prix. Spéc. : homard, veau, steaks.

Camping : *Niagara Falls Campground & Lodging,* 2405, Niagara Falls Blvd., Niagara Falls, NY 14304 (☎ 731 3434), 50 sites, piscine.

Téléphones utiles : police et ambulance (☎ 911) ● hôpitaux : *Niagara Falls Memorial Medical Center,* 621, 10th St. & Pine Ave., Niagara Falls, NY 14301 (☎ 278 4484) et *Buffalo General Hospital,* 100, High St., Buffalo (☎ 845 5600).

Aéroport : *Greater Buffalo International Airport* (rens. ☎ 632 3155). Principales compagnies aériennes : *USAir, United, Northwest, Continental, Eastern, Delta.* Liaison avec le centre ville par le *Niagara Scenic Bus Lines Inc.* (env. $ 8) et en taxi compter entre $ 30 et $ 35.

Chemin de fer : *Amtrak,* 27th St. & Lockport, Niagara Falls (rens. ☎ 800/872 7245).

Autocars : *Greyhound/Trailways,* Niagara Falls Bus Terminal, 4th & Niagara Sts. (rens. ☎ 282 1331), ouv. lun.-ven. 8 h-16 h.

Taxis : *Rainbow Taxicab* (☎ 285 3221) ● *United Cab* (☎ 285 9331).

Transports en commun : *Niagara Frontier Metro Transit System,* service de bus local (rens. ☎ 800/794 3960) ● *Niagara Scenic Bus Lines,* service de bus entre Niagara Falls et Niagara au Canada ainsi que jusqu'à l'aéroport de Buffalo (rens. ☎ 648 1500 ou 282 7755, 7 h 30-17 h 30).

Excursions et vis. guidées : *Boat'n Bus Tours,* 343, 4th St., Transportation Center, Niagara Falls (☎ 285 2211). Tours en bus et en bateau d'env. 4 h (côtés américain et canadien) ● *Maid of the Mist,* Base of Observation Tower at Prospect Point, Niagara Falls (☎ 284 4233 et 284 8897). Tours dans ce petit bateau presque au pied des chutes (vêtements cirés fournis).

Manifestations : À votre disposition 24h/24 un répondeur pour vous informer des principaux événements de la journée (☎ 278 8112).

Shopping : Les magasins sont ouv. t.l.j. 9 h-17 h 30, certains jusqu'à 21 h sam. mais f. dim. Une adresse : *The Factory Outlet Mall,* 1900, Military Rd, Niagara Falls. Une centaine de fabricants vous proposent des réductions de 20 % à 70 %.

NORFOLK (VA)

ℹ️ **The Norfolk Convention & Visitors Bureau,** 236, E. Plume St. (☎ 441 5266 ou 800/368 30 à 97).

☎ 804

Hôtels

***Omni International Hotel,** 777, Waterside Dr, Downtown (☎ 622 6664 fax 625 8271), 443 ch. et des suites 🎬 ✗ ✵ 🔲 Face au port. Service de qualité.

Madisson, Granby & Freemason Sts, Downtown (☎ 622 6664 fax 625 8271), 124 ch. et des suites ♿ ✵ Un bon hôtel très bien situé. Tout près des quartiers commerçants.

Days Inn Marina, 1631, Bayville St. (☎ 583 4521), 119 ch. ✗ ✵ 🔲 Plage privée, pêche et nombreuses autres activités.

Ramada Inn Airport, 6360, Newton Rd (☎ et fax 461 1081, ext 181), 140 ch. et des suites ♿ ✵ 🔲 A 4 mi/7 km de l'aéroport et à 10 mn de l'océan.

*Super 8 Motel,** 7940, Shore Dr (☎ 588 7888 fax 588 7888, ext 400), 74 ch. et des suites ♿ ✵ Rest., centres commerciaux et plages à proximité. Confortable.

Restaurants

***Lockhart's Seafood Rest.,** 8440, Tidewater Dr (☎ 588 0405), ouv. 11 h-22 h, f. lun., Thanksgiving (4e jeu. de nov.), 24 et 25 déc. Décor marin. Spéc. : bouillabaisse.

***Ship's Cabin,** 4110, E. Ocean View (☎ 480 2526), ouv. 17 h 30-22 h. Spéc. : poissons, homard du Maine.

Simply Divine, 4019, Granby St. (☎ 625 0554), ouv. 18 h-22 h, f. lun. et jours fériés. Spéc. : bouchées au crabe.

*Monastery,** 443, Granby St. (☎ 62 8193), ouv. 11 h 30-14 h 30 et 17 h-22 h, f lun. Cuisine d'Europe de l'Est. Spéc. canard rôti, *goulash.*

Téléphones utiles : urgences (☎ 911 ● police (☎ 424 6800).

Aéroport : *Norfolk International Air port* (rens. ☎ 857 3351). A12 mi/20 km de la ville.

Compagnies aériennes : *American* (☎ 1-800/433 7300) ● *Continental* (☎ 1 800/522 0280) ● *Dawn Air* (☎ 1 800/927 3296) ● *Delta* (☎ 627 2145) ● *Northwest* (☎ 1-800/225 2525) ● *Pan Am Express* (☎ 1-800/221 1111) ● *TWA* (☎ 461 6116) ● *United* (☎ 1 800/241 6522) ● *USAir* (☎ 1-800/428 4322).

Taxis : *Norfolk Checker Taxi* (☎ 855 3333) ● *Yellow Cab* (☎ 622 3232).

Locations de voitures : *Action Auto Rental* (☎ 460 8890) ● *Dollar Rent a Car* (☎ 857 0500) ● *Hertz Rent a Car* (☎ 855 1961) ● *Thrifty Car Rental* (☎ 857 0111).

Chemin de fer : *Amtrak* (rens. ☎ 1 800/872 7245).

Autocar : *Greyhound/Trailways* (rens. ☎ 627 5641).

Transports en commun : *Tidewater Regional Transit* (rens. ☎ 623 3222).

Excursions et visites guidées : *Norfolk Portsmouth Harbour Tours,* tours en bateau au départ de Bay St. Comprend la vis. de la base navale (rens. ☎ 393 4735) ● *American Rover,* Waterside Marina. Vis. de forts historiques, de bateaux de la marine marchande et de la base militaire (rens. ☎ 627-SAIL) ● *Trolley Tour,* tour de la partie historique de Norfolk en trolley (rens. ☎ 627 9291).

Manifestations : Mi-avr. *International Azalea Festival,* chaque année, pendant 4 jours, un grand festival à Norfolk, là où sont installés les quartiers généraux de l'OTAN : parade dans le centre ville, 2 jours de démonstrations aériennes à la base navale de Norfolk et au jardin botanique, couronnement de la reine Azalée (jeune fille choisie parmi les pays membres de l'OTAN) • **1er week-end de juin.** *Harborfest,* plus d'un million de visiteurs assistent à cette gigantesque fête au bord de l'océan. Régates, ski nautique et aussi des activités pour les enfants. Beaucoup d'animation.

Shopping : De petites boutiques dans Waterside Festival Marketplace et le long de Colley Ave. à Ghent ; grands magasins dans le vaste complexe *Military Circle Mall.*

ORLANDO (FL)

☎ 407

Hôtels

Orlando offre plus de 76 000 ch. d'hôtels pour accueillir les 15 millions de visiteurs annuels ! Il y en a donc pour tous les goûts et toutes les extravagances. Attention aux nombreux congrès, meetings et réunions qui s'y tiennent et peuvent donc mobiliser les ressources de la région toute entière. Il existe plusieurs services de réserv. d'hôtels qui peuvent vous diriger v. des ch. libres : *Florida Central Réservation* (☎ 800/423 8604) • *Holiday Vacations of America* (☎ 800/447 4333) • *Accommodation and Air/Orlando* (☎ 800/526 3914).
★★★★Hyatt Regency Grand Cypress, 1, Grand Cypress Blvd. (☎ 239 1234 fax 239 3800), 750 ch. Parfaitement situé près des principaux parcs d'attractions, cet extravagant caravansérail des temps modernes vous met immédiatement dans l'ambiance Disneyworld ! Tout ce que l'on peut imaginer et même un peu plus.

★★★Howard Johnson Resort Hotel, 1805, Hôtel Plaza (☎ 828 8888 fax 827 4623), 323 ch. Au centre des attractions principales, cet hôtel de la chaîne offre de bonnes prestations : 2 piscines, jacuzzis et terrain de jeux pour les enfants qui ne voudraient pas accompagner leurs parents chez Disney. Bus pour Disneyworld toutes les 20 mn.

★★★Holiday Inn Lake Buena Vista, 13351, State Rd (☎ 239 4500 fax 239 8463), 507 ch. Là encore, un établissement spécialisé dans les vacances familiales pour les visiteurs de Disneyworld. Piscine, parc, le tout très proche des principaux parcs d'attractions.

★Orlando International Youth Hostel, 227, N. Eola Dr (☎ 843 8888 fax 841 8867), 180 places. A Plantation Manor, à env. 35 km de Disneyworld. Auberge de jeunesse bien équipée ; une navette permet de gagner les centres d'attractions ($ 10).

Restaurants

Tous les parcs d'attractions d'Orlando et des environs regorgent évidemment de rest. de toutes les catégories ; les chaînes de *fast-food* sont toutes également représentées : Burger King, Mac Donald's, Domino' Pizza et Arby's. A noter aussi la chaîne des Morrison's Cafeteria.

Bubble Room, 1351, S. Orlando Ave. (☎ 628 3331). Un grand rest. au cadre plutôt sympathique qui propose une cuisine américaine de bon aloi.

Lake Buena Vista

Pebbles Restaurant, 12551, State Rd (☎ 827 1111 fax 827 1113). Vaste rest. (250 couverts) qui se spécialise dans une cuisine de type "californien" : salades, steaks, pâtes et glaces mirobolantes. Un bon rest. américain.

Consulats : *France* à Miami (☎ 305/372 9798) • *Belgique* à Miami (☎ 305/573 0784) • *Suisse* à Atlanta (☎ 404/872 7874) • *Canada* à Atlanta (☎ 404/577 6810).

Compagnies aériennes : *American Airlines* (☎ 800/433 7300) ● *Continental Airlines* (☎ 800/825 0380).

Locations de voitures : *Avis* (☎ 800/331 1212) ● *Hertz* (☎ 800/654 3131) ● *Budget* (☎ 800/527 0700).

Aéroport International d'Orlando : Rens. 7 h-22 h (☎ 825 3252 ou 825 2118).

OUTER BANKS (NC)

ⓘ The Outer Banks Chamber of Commerce, Box 1757, Kill Devil Hills 27948 (☎ 441 8144).

☎ 919

Hôtels

Beaufort

**Cedars, 305, Front St. (☎ 728 7036), 11 suites ✿ Demeure historique (1768). Ch. avec patios.

Morehead City

**Best Western Buccaneer, 2806, Arendell St. (☎ 726 3115), 91 ch. ❹ ✿ ▭ Bon accueil. Ch. confortables.
**Econo Lodge Crystal Coast, P.O. Box 1229, 3410, Bridges St. (☎ 247 2940 fax 247 4411), 56 ch. ✕ ❹ ✿ ▭ Piscine, télévision dans les ch. Economique.

New Bern

***Sheraton Hotel & Marina, 1, Bicentennial Park (☎ 638 3585 fax 638 8112), 100 ch. et des suites ⊞ ✕ ❹ ✿ ▭ Ch. avec balcons. Bon hôtel.
**Ramada Inn, 101, Howell Rd (☎ 636 3637 fax 637 5028), 116 ch. ✕ ❹ ✿ ▭ Confort et propreté.

Restaurants

Beaufort

**Cedars, 305, Front St. (☎ 728 7036), ouv. 11 h-21 h. Vue sur l'océan. Spéc. : fruits de mer.

Morehead City

*Sanitary Fish Market & Rest., 501, Evans St. (☎ 247 3111), ouv. 11 h-21 h, f. déc. et jan. Vue sur le port. Spéc. : fruits de mer.

New Bern

**Harvey House, 221, Tryon Palace Dr (☎ 638 3205), ouv. 17 h 30-21 h, f. lun., 24 et 25 déc. Installé dans une demeure du XVIIIᵉ s. Vue sur Trent & Neuse Rivers. Spéc. : bœuf, veau.

Téléphones utiles : centre médical ouv. 24h/24 (☎ 441 7111) ● garde-côte (☎ 995 5881).

Taxis : *Cab Service* (☎ 473 2116) ● *Island Limousine* (☎ 441 8803).

Locations de voitures : *National,* à Kill Devil Hills (☎ 800/328 4567).

Chemin de fer : *Amtrak* (rens. ☎ 800/872 7245).

PENNSYLVANIA DUTCH COUNTRY (PA)

ⓘ The Pennsylvania Dutch Visitors Bureau, 501, Greenfield Rd (☎ 299 8901).

☎ 717 (Lancaster) ● ☎ 215 (Reading)

Hôtels

Lancaster

***King's Cottage, 1049, E. King St. (☎ 390 1017), 7 ch. ✿ Style rustique. Bon accueil.
**Holiday Inn East, 521, Greenfield Rd (☎ 299 2551), 189 ch. ✕ ❹ ✿ ▭ ✓ Service de qualité.
**Howard Johnson, 2100, Lincoln Hwy. (☎ 397 7781), 112 ch. ✿ ▭ Ch. avec patios ou balcons.

Reading

***Inn at Reading, 1040, Park Rd, Wyomissing 19610 (☎ 383 9713 fax 372 4545), 250 ch. ✕ ❹ ✿ ▭ ✗ ✓

De nombreuses activités sportives. Ch. confortables.

**Dutch Colony Motor Inn, 4635, Perkiomen Ave. (☎ 779 2345), 77 ch. 😵 ⊠ Simple et bien équipé.

Restaurants

Lancaster

***Log Cabin, 11, Lehoy Forest Dr, Leola (☎ 626 1181), ouv. 17 h-22 h. Spéc. : steaks au feu de bois et fruits de mer.

***Windows on Steiman Park, 16-18, W. King St. (☎ 295 1316), ouv. 11 h-14 h et 17 h-21 h, sam. 17 h-22 h, f. jours fériés. Spéc. : *Caesar salad,* sole, agneau.

Reading

**Moselem Springs Inn, RR 4033, Fleetwood 19522 (☎ 944 8213), ouv. 11 h 30-21 h, f. 24 et 25 déc. Spéc. du Pennsylvania Dutch Country : viandes fumées, plats de fruits de mer.

Bars : *Molly's Pub,* 53, E. Chestnut St., Lancaster City. Beaucoup d'animation.

Transports en commun : *Red Rose Transit* (rens. ☎ 397 4246). Service de bus et de trolley pour Lancaster.

Excursions et visites guidées : *Historic Lancaster Walking Tour,* 100, S. Queen St. (rens. ☎ 392 1776). Vis. des lieux historiques de Lancaster ● *Amish Country Tours* (rens. ☎ 392 8622). Tours de Pennsylvania Dutch Country.

PENSACOLA (FL)

ℹ️ **The Pensacola Convention & Visitor Inf. Center,** 1401, E. Gregory St. (☎ 434 1234).

☎ 904

Hôtels

***Hilton, 200, E. Gregory St. (☎ 433 3336 fax 432 7572), 212 ch. et des suites ▦ ✕ ♿ 😵 ⊠ Luxueux, galerie marchande dans l'hôtel. Ch. spacieuses.

***New World, 600, S. Palafox (☎ 432 4111 fax 435 8939), 16 ch. 😵 C'est le petit hôtel où des célébrités viennent se reposer. De belles ch.

**Holiday Inn-Pensacola Beach, 165, Ft Pickens Rd, Pensacola Beach (☎ 932 5361 fax 932 7121), 150 ch. et des suites ▦ ✕ ♿ 😵 ⊠ ⚓ Plage privée. Du 9e étage vous pourriez admirer de superbes couchers de soleil.

Restaurants

***Jamie's, 424, E. Zaragosa St. (☎ 434 2911), ouv. 11 h 30-14 h 30 et 18 h-22 h, lun. à partir de 18 h, f. dim. et jours fériés. Cuisine française. Une bonne carte de vins. Spéc. : escalopes de veau, steaks au poivre.

*McGuire Irish Pub & Brewery, 600, E. Gregory St. (☎ 433 6789), ouv. 11 h-14 h, f. 25 déc. Ambiance pub irlandais. Bières, steaks, burgers et même du *chili con carne* et du *Boston cream pie.*

Téléphones utiles : urgences (☎ 911) ● pharmacie : *North Hill Pharmacy,* 1015, W. Moreno St. (☎ 432 3479).

Autocar : *Greyhound/Trailways* (rens. ☎ 476 4800).

Excursions et visites guidées : *Right This Way, Pensacola,* 311, E. Intendencia St. (rens. ☎ 944 1700). Organise des tours de la ville selon les préférences de ses clients.

PHILADELPHIE (PA)

ℹ️ **Visitor Center,** 1525, John F. Kennedy Blvd., 16th St. (☎ 636 1666).

Independence National Historic Park Visitor Center 3 RD. Entre Walnut et Chestnut Sts (☎ 627 1776).

☎ 215

Hôtels

*****Omni Hotel at Independence Park, 4th & Chestnut Sts (☎ 925 0000) ▦ ✕ ⊠ Grand luxe dans cet hôtel bien situé, en face du parc principal, au cœur historique de la ville. Confort perfectionné, avec téléphones équipés pour micro-ordinateurs et fax ! Salles de bains géantes, jacuzzis et salle de sport munie d'un équipement dernier cri.

***The Rittenhouse,** 210, W. Rittenhouse Sq. (☏ 546 9000) 🏨 ✕ ♿ ♥ Hôtel de charme sur Rittenhouse Sq., dans le centre ville ; ch. agréables avec une vue sur la place ou sur les gratte-ciel du quartier des affaires.

***Penn's View Inn,** Front & Market Sts (☏ 922 7600), 28 ch. 🏨 ✕ ♿ Petit hôtel stylé, bien situé dans le centre historique de la ville, avec vue sur le front de mer. Quelques ch. disposent de jacuzzis. Rest. et bar à vins particulièrement fournis.

***Holiday City Center,** 1800, Market St. (☏ 561 7500 fax 561 4484), 445 ch. 🏨 ✕ ♿ 🔲 Cet hôtel de la célèbre chaîne est bien situé dans le centre ville et constitue une bonne base de départ pour visiter la ville ; les enfants de moins de 18 ans sont logés gratis dans la ch. des parents. Tarifs de faveur pour les week-ends.

Holiday Inn - Midtown 1305-1311, Walnut St. (☏ 735 9300 fax 732 262), 161 ch. Chambres spacieuses et bien équipées dans cet hôtel sans surprises, mais très bien situé dans le centre historique et des affaires.

Thomas Bond House, 129, S. 2nd St. (☏ 800/845-BOND), 12 ch. Petit hôtel de charme, installé dans une maison classée rénovée datant du XVIIIᵉ s. Du luxe de très bon ton, mais qu'il faut réserver longtemps à l'avance.

*International House,** 3701, Chestnut St. (☏ 387 5125 fax 895 6562) 🏨 ✕ Dans le quartier des universités, cet ensemble accueille les étudiants et les professeurs de passage (possibilité de séjours longs). Certaines ch. ont des cuisines. Tarifs très compétitifs. Réserv. préalable.

*Chamounix Mansion,** Chamounix Dr, Fairmount Park, 19231 (☏ 878 3676). Auberge de jeunesse bien organisée : cuisine commune, laverie et dortoirs (séparés). Ouv. 8 h-9 h 30 et le soir 4 h 30-23 h. Extrêmement bon marché ($ 12,50 la nuit). Il faut impérativement réserver.

*Bag & Bagage Bed and Breakfast,** 338, S. 19th St. (☏ 546 3807). Une agréable maison bourgeoise des années 1840, bien meublée, qui est plus une pension de luxe qu'un hôtel. Tarifs modérés et ambiance familiale. Réserv. recommandée.

Bed & Breakfast of Philadelphia, 1616, Walnut St., suite 1120, 19103 Philadelphia (☏ 735 1917 fax 735 1905). Service qui gère plus de 100 Bed & Breakfast dans Philadelphie et sa région, des plus luxueux aux plus modestes.

Restaurants

Centre-ville

****Le Bec Fin,** 1523, Walnut St. (☏ 567 1000). Orgueil des gastronomes de la ville, le *Bec Fin* est un excellent rest. français, dans un décor tout à fait classique. Menu et carte selon les arrivages et l'inspiration du patron.

***Trois Cheminées,** 1221 Locust St. (☏ 790 0200). Restaurant français de grande qualité (Prix Dirona). Bâtiment de l'architecte philadelphien Frank Furness. Cadre intime.

***The Fountain Restaurant,** The Four Seasons Hotel, 1 Logan Square. Cuisine internationale, cadre élégant. Belle vue sur Logan Circle et la Swan Fountain (sculptures de Alexander Calder).

***The Garden,** 1617 Spruce (☏ 546 4455). Une cuisine internationale dans deux élégantes maisons. Belle carte des vins.

Bookbinders Seafood House, 215, S. 15th St. (☏ 545 1137). Ce rest. célèbre au-delà même de Philadelphie tire sa réputation de ses plats de poissons, crabes et homards. On peut les faire précéder d'un Martini, servi selon la tradition. Il vaut mieux réserver.

Sansom Street Oyster House, 1516 Sansom St. (☏ 567 7683). Spécialités de poisson et fruits de mer. Animé, un peu bruyant.

*Dock Street Brewing Company,** 18th et Cherry Sts (☏ 496 0413). L'ambiance est jeune, animée, bruyante. On y mange des sandwiches, viandes grillées et fruits de mer ; on ne paie pas les hors-d'œuvre. Happy hour de 17 h à 19 h, jazz ven. et sam. de 21 h à 1 h.

Quartier historique

**Famous 4th St. Delicatessen, 700, S. 4th St. & Bainbridge St. (☎ 922 3274). Traditionnel *Delicatessen* dans le quartier historique de la ville : on y trouve le *corned beef* sous toutes ses formes, des sandwichs solides ; spéc. de *cookies* au chocolat.

**Philadelphia Fish and Company, 207 Chestnut St. (☎ 625 8605). Cuisine américaine, spécialités de poisson.

*The Bourse, 5th St. entre Chestnut & Market Sts (☎ 625 9393). En face de Liberty Bell, ce fast-food élaboré est installé dans un bâtiment solennel au style Victoria. Rapide et bon marché, mais qui tranche agréablement avec les fast-food classiques.

Nombreux bars et petits restaurants mexicains, libanais, italiens... entre Front et 3rd Sts, Market et Walnut Sts.

South Street

**Dickens Inn, Head House Sq., 2nd St. entre Pine & Lombard Sts (☎ 928 9307). Auberge placée, comme son nom l'indique, sous le patronage de Dickens ; la reconstitution est assez réussie. Le bâtiment date en partie de 1780. Rest. et bar, avec un grand nombre de bières de toutes origines.

**The Chart House, 555, S. Delaware Ave. (☎ 625 8383). Grand rest. qui domine spectaculairement la Delaware. On y sert des fruits de mer, de gigantesques steaks et des salades imaginatives. Atmosphère très holywoodienne.

**Downey's Restaurant, Front et South Sts (☎ 625 9500). Spécialités américaines avec une nette influence irlandaise : bar importé d'une banque de Dublin, bières, café, liqueurs et gâteaux au whisky, le tout irlandais. En été, il est conseillé de manger dehors, devant le fleuve Delaware. Le dim., Dixieland Band (de 19 h à 21 h).

**Café Nola, 328 South St. (☎ 627 2590). Repas cajun et créole de La Nouvelle-Orléans, qui change selon la saison. Spécialités (épicées) de fruits de mer.

Animé. Du mar. au sam. de 12 h à 14 h 45, du lun. au sam. de 17 h à 22 h 45, dim. brunch de 10 h 30 à 14 h 30.

Chinatown

Promenez-vous entre Vine et Arch Sts, et 9th et 12th Sts. Nombreux restaurants. L'atmosphère est typique d'un Chinatown américain. Entrez sous la grande arche, magnifique, fabriquée à Tian-Jin, ville jumelle.

University City

***White Dog Café, 3420 Sansom St. (☎ 386 9224). Clientèle d'étudiants et de célébrités. "Cuisine New american", menu différent chaque jour. Jazz les ven. et sam., musique classique les mer., jeu. et dim. Grande fête pour le 14 juillet :on dîne et on danse dehors.

South Philly

**Victor Café, 1303 Dickinson St. (☎ 468 3040). Pour les amateurs d'opéra. Petit restaurant italien, qui passe des disques (des opéras) sur demande tout au long du dîner. Les serveurs chantent également, ce sont en général des étudiants du Curtis Institute, le Conservatoire.

Campings : *Timberlane Campground,* 117, Timber Lane, Clarksboro NJ 08020 (609/423 6677). Camping le plus proche de Philadelphie (25 km par l'I-295, sortie 18A). Confort soigné : eau, douches, laveries, etc. Terrains de sport et piscine, ainsi qu'un étang réservé à la pêche. Ouv. t.a.

Téléphones utiles : médecin (☎ 563 5343) ● dentiste (☎ 925 6050) ● police, pompiers, accidents (☎ 911) ● aide aux voyageurs (☎ 546 0571) ● interprètes (☎ 735 7022).

Aéroport : *Philadelphia International Airport,* situé à 15 km de la ville (inf. ☎ 492 3181) Liaison avec le centre ville par le SEPTA Airport Rail Lines ainsi que par Airport Rail Line R1 (toutes les 1/2 h, de différents points de la ville).

Compagnies aériennes : *American Airlines* (☎ 800/433 7300) ● *Continental Airlines* : (☎ 800/525 0280) ● *Delta*

Airlines (☎ 215/667 7720 et 800/221 1212) ● *Northwest Airlines,* vols intérieurs (☎ 800/225 2525) et vols internationaux (☎ 800/447 4747) ● *USAIR* (☎ 800 428-4322)

Taxis : *United Cab Association* (☎ 238 9500) ● *Yellow Cab Co* (☎ 922 8400).

Locations de voitures : *Avis,* Philadelphia International Airport (☎ 365 3600) ● *Hertz,* Philadelphia International Airport (☎ 492 7200) ● *Budget,* Philadelphia International Airport (☎ 492 9442 et 561 7656) ou, gratuit depuis les États-Unis (☎ 800/527 0700).

Transports en commun : Philadelphie possède un système de transport particulièrement efficace : le *SEPTA (South-Eastern Pennsylvania Transportation Authority)*. Deux lignes de métro (E.-O. et N.-S.), que l'on paye selon sa destination, et de nombreuses lignes d'autobus quadrillant la ville. Coût d'un trajet de bus : $ 1,50 (prévoir la monnaie). Il existe des cartes pour les touristes permettant d'utiliser le système pendant toute une journée : *SEPTA'Day Pass,* en vente notamment au Visitor Center, 16th St. & JFK Blvd. Les "senior citizens" (3ᵉ âge) voyagent gratuitement en dehors des heures d'affluence (inf. ☎ 580 7800).

Excursions et visites guidées : *Lancaster County,* le pays des Amish. Réserv. au *Amish Country Tours,* P.O. Box 414, Bird in Hand (☎ 717/768 7063 fax 717/768 7565). Vis. guidée de 4 h en bus climatisé du pays des Amish ● *Spirit of Philadelphia,* The Piers at Penn's Landing (☎ 923 1419). À faire une fois pendant son séjour en Amérique : c'est une sorte de bateau-mouche où l'on dîne ou déjeune. Revue dans le style Broadway. Orchestre et dancing (réserv. obligatoire).● *Werner Tours,* même schéma que précédemment, mais cette vis. comprend également une dégustation de vin et des arrêts chez les artisans .● *Grayline Tours* propose des visites de la ville, de Valley Forge et de Pennsylvania Dutch Country (pays des Amish). Départ de la gare, 30th St., d'avril à nov. (☎ 569 3666) .● *Centipede Tours,* 1315 Walnut St. (☎ 735 3123). Des guides en costumes coloniaux vous font visiter Society Hill à la lueur de lanternes. Anecdotes de la vie au XVIIIᵉ. Les ven. et sam. de 18 h 30 à 20 h, de mai à oct. Réservations conseillées.● *Philadelphie Foundation for Architecture,* 1, Penn Center (☎ 569 3187 et 569-TOUR). Vis. organisées dans différents quartiers de la ville, à partir de thèmes architecturaux variés : le centre ville, les petites rues, l'Art déco à Philadelphie etc. (mi-avr.-oct.) ● *International Visitors Counsel of Philadelphia,* Civic Center Museum, 34th St. & Civic Center Blvd (☎ 823 7261). Cette organisation sans but lucratif met sur pied des tours culturels avec des interprètes professionnels, en particulier pour l'histoire de Philadelphie.

● **Shopping :** Essentiellement des grands magasins *: Hecht's,* 13th & Market Sts. Au cœur de la ville, célèbre grand magasin qui domine le paysage commercial de la ville (☎ 422 2000), ouv. lun.-sam. 10 h-19 h, et même dim. 12 h-19 h ● *Strawbridge & Clothier,* the Gallery at Market, E. 8th & Market Sts. Vieille institution philadelphienne, avec de bons rayons de mode et de meubles ainsi que des rest. (☎ 629 6000), ouv. t.l.j. 10 h-19 h, mer. jusqu'à 21 h et dim. 11 h-18 h. Boutiques exclusives aux *Shops at The Bellevue,* Broad et Walnut Sts, et au *Shops at Liberty Place,* 16th et Chestnut Sts.● *Franklin Mills Value Mall,* 1455, Franklin Mills Circle (☎ 632 1500 et 800/336-MALL). Le Franklin Mills Shopping Center, ouvert en 1989, est l'un des plus vastes, sinon le plus vaste shopping center au monde, avec plus de 250 magasins, des cinémas et des rest., sans oublier un *Carrefour !* ● *King of Prussia Shoppping Complex,* Rte 202 au croisement de Schuylkill Expressway et PA Tpke (☎ 265 3353). Gigantesque shopping center avec plus de 300 magasins et notamment des grands magasins : Sears, Macy's et Bloomingdale's.

PITTSBURGH (PA)

ⓘ **Greater Pittsburgh Convention and Visitors Bureau,** 4, Gateway Center, Liberty Ave. (☎ 281 7711 fax 644 5512).

☎ 412

Hôtels

Downtown

★★★**The Westin William Penn,** 530, W. Penn, Mellon Sq. (☎ 281 7100 fax 281 3498), 595 ch. et des suites ▦ ✗ ♿ ❀ Tout près de la station de métro. Hôtel conventionnel.

★★★**Sheraton,** 7, Station Sq. (☎ 261 2000 fax 261 2932), 293 ch. et des suites ▦ ✗ ♿ ❀ ⬧ Au bord de la Monongahela River. Très luxueux. Des boutiques aussi et de petits jardins.

★★★**Vista International,** 1000, Penn Ave. (☎ 281 3700 fax 281 2652), 614 ch. et des suites ▦ ✗ ♿ ❀ ⬧ Petits jardins privés. Possibilité de shopping dans l'hôtel. Un cadre agréable tout proche de l'Allegheny River.

Au sud

★★**Howard Johnson,** 5300, Clayton Blvd. (☎ 884 6000 fax 884 6009), 95 ch. sur 3 étages sans ascenseur ✗ ♿ ⬧ Un peu en dehors du centre ville. Hôtel sympathique.

★ **Red Roof Inn,** 6404, Steubenville Pike (☎ 787 78970 fax 787 8392), 122 ch. ✗ ❀ Simple mais confortable.

A l'aéroport

★★★**Holiday Inn Airport,** 1406, Beers School Rd, Coraopolis 15108 (☎ 262 3600 fax 262 3600, ext 1190), 257 ch. ✗ ♿ ❀ ⬧ ⚲ Distractions dans l'hôtel: night-club, bars, rest.

★★**La Quinta,** 1433, Beers School Rd, Coraopolis 15108 (☎ 269 0400 fax 269 9258), 129 ch. ✗ ♿ ⬧ Un bon hôtel tout près de l'aéroport.

★ **Red Roof Inn,** 1454, Beers School Rd, Coraopolis 15108 (☎ 264 5678 fax 264 8034), 119 ch. ✗ ♿ ❀ Confortable et propre.

Restaurants

★★★**Carlton,** 1, Melon Bank Center, Grant St. (☎ 391 4099), ouv. 11 h 30-14 h 30 et 17 h-22 h, ven. jusqu'à 23 h, sam. 17 h-23 h, f. dim. et jours fériés ♿ Spéc.: poissons grillés au feu de bois, veau.

★★★**Christopher's,** 1411, Grandview Ave., Mt Washington (☎ 381 4500), ouv. 17 h-23 h, sam. et dim. jusqu'à minuit, f. dim et jours fériés ♿ Pianiste et violoniste le soir. Menu en braille. Spéc. : poissons, agneau et d'excellents desserts.

★★★**Poli's,** 2607, Murray Ave. (☎ 521 6400), ouv. 11 h 30-23 h, dim. 13 h-21 h 30, f. dim., Thanksgiving et Noël. Rest. italien. ♿ Spéc. : fruits de mer, veau, pâtes.

★★**Samurai Japanese Steak House,** 2100, Greentree Rd. (☎ 276 2100), ouv. 11 h 30-14 h et 17 h 30-22 h, ven. jusqu'à 23 h, sam. 17 h-23 h 30, dim. 16 h 30-21 h, f. Thanksgiving et Noël. ♿ Menu japonais. Spéc. : poissons frais.

★★**Station Sq. Cheese Cellar,** 25, Freight House Shops, Smithfield & Carson Sts (☎ 471 3355), ouv. 11 h 30-11 h du mat., dim. 14 h 30-23 h, f. Noël. ♿ Ambiance très européenne. Spéc. : fondue, fromages importés !... et pâtes.

★**Simply French,** 346, Atwood St., Oakland (☎ 687 8424), ouv. 16 h 30-21 h 30, f. dim. et jours fériés. Cuisine française. Spéc. : bouillabaisse, canard rôti.

★**Max's Allegheny Tavern,** Middle & Suisman Sts (☎ 231 1899), ouv. 11 h-23 h, ven. et sam. jusqu'à minuit, dim. 14 h-21 h, f. jours fériés. Spéc. allemandes essentiellement *(Käse Spätzles, Sauerbraten).*

Campings : Pittsburgh North Campground, 6610, Mars Rd, Evans City 16033 (☎ 776 1150). A 20 mi/32 km du centre ville. Sites à partir de $ 15 env. pour 2 personnes.

Téléphones utiles : urgences (☎ 911 et 255 1155) ● Aide aux voyageurs : **Traveller's Aid** (☎ 281 5474).

Aéroport : *Greater Pittsburgh International Airport,* à 15 mi/24 km de la ville (☎ 778 2525). Taxi : $ 26 env. Liaison en bus avec le centre ville : *Airlines Transportation Company,* 1301, Beaver Ave. (☎ 665 8115).

Compagnies aériennes : *British Airways,* 1, Mellon Bank Center, 500, Grant St., suite 2145 (☎ 800/AIRWAYS fax 261 5968) • *USAir Inc,* 4, Gateway Center, suite 525 (☎ 281 4997).

Taxis : *Yellow Cab Company* (☎ 665 8100) • *People's Cab Company* (☎ 681 3131).

Locations de voitures : *Alamo Rent a Car,* 930, Broadhead Rd, Coraopolis 15108 (☎ 264 6204) • *Budget Rent a Car,* 700, 5th Ave., Pittsburgh (☎ 261 3321) • *Dollar Rent a Car,* 1464, Beers School Rd, Coraopolis (☎ 262 1300) • *Hertz Corp.,* Greater Pittsburgh International Airport, Pittsburgh (☎ 262 30 à 40).

Chemin de fer : *Amtrack,* Liberty & Grant Ave. (réserv. ☎ 800/872 7245 et rens. ☎ 471 6170).

Autocar : *Greyhound/Trailways,* 11th St. & Liberty Ave. (☎ 391 2300).

Transports en commun : Le système de transport en commun est régi par le *Port Authority County (POT).* Rens. bus (☎ 231-5707) et pour le métro : *"T" Light Rail Transit/Subway,* 2235, Beaver Ave., Pittsburgh, PA 15233 (☎ 231 5707). Gratuit entre les 4 stations suivantes : Gateway Center, Wood St., Steel Plaza et Penn Station.

Excursions et visites guidées : *Gray Line of Pittsburgh* organise des tours en bus dans la région (durée : de 2 h à 5 h) Rens. : Lenzer Coach Lines Inc. (☎ 761 7000). Sur réserv. seul.

Manifestations : Pour être au courant des événements de la journée, un répondeur (☎ 391 6840). **Dernier lun. de mai :** *Memorial Day* (Fête du Souvenir), spéc. culinaires de différents pays • **Juin :** *Three Rivers Art Festival,* peintures, photographies, sculpture, artisanat, films exposés par des artistes de la région. Et aussi musique et danse (rens. ☎ 481 7040).

PITTSFIELD ET LES BERKSHIRES (MA)

ℹ️ **The Berkshire Visitors Bureau,** Box SGB, Berkshire Common, Pittsfield 01201 (☎ 443 9186).

☎ 413

Hôtels

Pittsfield

★★*Berkshire Hilton Inn,* Berkshire Common, S. St. (☎ 499 2000 fax 442 0449), 175 ch. et des suites ✗ ☐ Sophistiqué. De belles ch.

★★*Best Western Springs Motor Inn,* US-7, New Ashford 01237 (☎ 458 5945), 40 ch. ⌘ ☐ ♪ Quelques ch. avec patios.

Stockbridge

★★★*The Red Lion Inn,* Main St. (☎ 298 5545), 108 ch. et 10 suites ✗ ♿ ⌘ ☐ ♪ ♪ Un peu ancien. Les ch. de l'annexe sont les plus belles.

Great Barrington

★★★*The Egremont Inn,* Old Sheffield Rd, S. Egremont (☎ 528 2111), 22 ch. ✗ ⌘ ☐ De petites ch. propres et confortables. Petit déjeuner compris.

★*Barrington Court,* 400, Stockbridge St. (☎ 528 2340), 23 ch. ⌘ ☐ Confort. Activités prévues.

Restaurants

Pittsfield

★*La Cocina,* 140, Wahconah St. (☎ 499 4027). Cuisine mexicaine dans une ambiance musicale. Spéc. : *burritos, flautas* et *fajitas.*

Stockbridge

**Shaker Mill Tavern, Albany Rd, W. Stockbridge (☎ 232 856), ouv. 11 h-0 h. Spéc. : fruits de mer.

Great Barrington

**The Egremont Inn, Old Sheffield Rd, S. Egremont (☎ 528 2111). Spéc. : plats de poisson et toutes sortes de viandes.

Téléphones utiles : urgences (☎ 911) ● *Hillcrest Hospital,* 165, Tor Court, Pittsfield (☎ 443 4761).

Autocar : *Peter Pan Bus Lines* (rens. ☎ 442 4451). Dessert Pittsfield à partir de Boston et Albany et certains points des Berkshires.

PORTLAND ET LA CÔTE (ME)

ⓘ **The Convention & Visitors Bureau of Greater Portland,** 142, Free St. (☎ 772 4994).

☎ 207

Hôtels

Castine

***The Castine Inn, Main St. (☎ 326 4365), 20 ch. et 2 suites ✕ ✖ Ch. décorées avec goût. Rest. ouv. pour le petit déjeuner et le dîner. Egalement un pub.

Camden

***Whitehall, 52, High St. (☎ 236 3391), 50 ch. ✕ ✖ ↗ L'auberge la plus connue de Camden. Petit déjeuners et dîners sur place. Dans le centre ville.

Boothbay

***Kenniston Hill Inn, Box 125 (☎ 633 2159), 10 ch. ✖ A 10 mn de Boothbay Harbor. Confortable.

Portland

***Portland Regency Inn, 20, Milk St. (☎ 774 4200 fax 775 2150), 95 ch. et 8 suites ✕ ✖ Luxueux. Activités sportives sur place.
***Sonesta Hotel, 157, High St. (☎ 775 5411), 184 ch. et 6 suites ✕ ⚹ ✖

Au cœur de la ville. 2 rest., 2 bars, salle de gym... Bon hôtel.

Kennebunk

***Breakwater Inn, Box 1160, Ocean Ave. (☎ 967 3118), 20 ch. et 2 suites ✕ ✖ Au bord de l'océan. Elégant. Ch. spacieuses.
**Captain Jefferds Inn, Box 691, Pearl St. (☎ 967 2311), 12 ch. et 3 suites. De belles ch. et un copieux petit déjeuner.

Ogunquit

**Seafair Inn, Box 1221 (☎ 646 2181), f. nov.-mars, 14 ch. et 4 suites ✖ Accueil chaleureux. A proximité de la plage.

Restaurants

Camden

*Waterfront, Bayview St. (☎ 236 3747), ouv. 11 h 30-21 h 30, f. Thanksgiving (4ᵉ jeu. de nov.) et 25 déc. Sur le port. Spéc. : huîtres et autres fruits de mer.

Boothbay

**Black Orchid, 5, By-Way (☎ 633 6659), f. nov.-avr. Cuisine et ambiance italiennes.

Portland

***Alberta's, 21, Pleasant St. (☎ 774 0016), f. Thanksgiving (4ᵉ jeu. de nov.) et 25 déc. Ambiance décontractée. Sympathique. Spéc. : saumon à l'orange et au gingembre, chou rouge grillé.
*J's Oyster Bar, 5, Portland Pier (☎ 772 4828). Tout simple. On y mange surtout des fruits de mer.

Kennebunk

**Mabel's Lobster Claw, 425, Ocean Ave. (☎ 967 2562), f. mi-oct.-mi-avr. George et Barbara Bush y viennent depuis des années pour y déguster de délicieux plats de poissons. Réserv. préférable en été.
*Breakwater Inn, Ocean Ave. (☎ 967 3118), f. mi-oct-mi-mai. Vue sur l'océan. Spéc. : homard, gibier.

Ogunquit

★★*Tavern at Clay Hill Farm*, Agamenticus Rd (☎ 646 2272). Réserv. conseillées. Spéc. : canard à l'orange, plats de poissons et de fruits de mer.

Bars : *Bennett's Wharf,* Sea St., Castine (☎ 3265 4861). Une bonne adresse pour boire un verre dans une ambiance sympathique ● *Thirsty Whale Tavern, Camden Harbour Inn,* 83, Bayview St., Camden (☎ 236 4200). Lieu apprécié des autochtones.

Téléphones utiles : urgences (☎ 911) ● Maine State Police (☎ 883 3473).

Autocar : Pour les principales villes de la région : *Greyhound Lines* (rens. ☎ 800/237 8211) ● *Vermont Transit* (rens. ☎ 772 6587).

Excursions et visites guidées : Boothbay Harbor : *Bay Lady* (rens. ☎ 633 3244). Tours en bateau ● *Greater Portland Landmarks,* 165, State St. (☎ 774 5561). Tours en bus et vis. guidée des lieux historiques de la ville ● *Sail Me,* Perkins Cove, Ogunquit (rens. ☎ 646 2457). Tours en bateau de la côte.

PORTSMOUTH (NH)

ℹ️ **The Greater Portsmouth Chamber of Commerce,** 500, Market St., P.O. Box 239 (☎ 436 1118).

☎ 603

Hôtels

★★★*Holiday Inn*, 300, Woodbury Ave. (☎ 431 8000 fax 427 0104), 130 ch. et des suites ✗ ♿ ⊘ ▣ Bien équipé. Confortable.
★★*Sise*, 40, Court St. (☎ 433 1200), 34 ch. et 9 suites ♿ Sympathique Bed & Breakfast installé dans une demeure datant de 1881.

Restaurant

★*Pier II*, 10, State St., Memorial Br. (☎ 436 0669), ouv. 11 h 30-23 h, f. Thanksgiving (4ᵉ jeu. de nov.) et 25 jan. ♿ Spéc. : homard et autres fruits de mer.

Téléphones utiles : urgences (☎ 911).

Excursions et visites guidées : *Portsmouth Harbor Cruises,* 64, Ceres St. Tours en bateau (rens. ☎ 436 8084) ● *InSight Tours,* tours à pied ou en voiture dans les lieux historiques de Portsmouth (rens. ☎ 436 4223).

PRINCETON (NJ)

ℹ️ **Chamber of Commerce,** 20, Nassau St., Box 431 (☎ 921 7676).

☎ 609

Hôtels

★★★*Nassau Inn*, 10, Palmer Sq. (☎ 921 7500 fax 921 9385), 217 ch. et des suites ▦ ✗ ♿ ⊘ ▣ Ambiance coloniale. Luxueux.
★★*Residence Inn by Marriott*, 4225, US-1, à 4 mi/7 km de la ville (☎ 329 9600 fax 329 8422), 208 suites ✗ ⊘ ▣ Quelques ch. avec balcons. Possibilité de pique-nique et barbecue.

Restaurants

★★★*Black Swan*, 100, E. College Rd, Princeton Forestal Center (☎ 452 7800), ouv. 11 h 30-14 h 30, et 17 h-22 h, f. 4 juil., Thanksgiving (4ᵉ jeu. de nov.) et 25 déc. ♿ Spéc. : fruits de mer et gibier.
★*Marita's Cantina*, 138, Nassau St. (☎ 924 7855), ouv. 11 h 30-13 h 30, dim. jusqu'à 22 h, f. Thanksgiving (4ᵉ jeu. de nov.) et 25 déc. ♿ Cuisine mexicaine.

Téléphones utiles : urgences (☎ 911).

Taxis : *Associated Taxi Stand* (rens. ☎ 924 1222).

Chemin de fer : *Amtrak* (rens. ☎ 800/872 7245). Destinations : New York, Philadelphie ● *New Jersey Transit* (rens. ☎ 201/460 8484) ou pour New York (☎ 800/772 2222).

Transports en commun : Services de bus : *New Jersey Transit,* de 6 h à minuit (rens. ☎ 800/772 2222) ● *Suburban Transit* (rens. ☎ 921 7400).

Excursions et visites guidées : *Princeton University,* vis. guidée du campus (rens. ☎ 258 3603 t.l.j. sf jours fériés).

PROVIDENCE (RI)

ⓘ **The Greater Providence Convention & Visitors Bureau,** 30, Exchange Terr., 02903 (☎ 274 1636).

☎ 401

Hôtels

Omni Biltmore, Kennedy Plaza (☎ 421 0700 fax 421 0210), 246 ch. et 18 suites ▦ ✕ ♿ Style Art déco. Confortable.

Marriott, Charles & Orms Sts (☎ 272 2400 fax 272 2400, ext 7835), 345 ch. et des suites ✕ ♿ ⌘ ▭ Moderne et pratique. De belles ch. Certaines ont été rénovées.

**Days Hotel on the Harbor, 220, India St. (☎ 272 5577 fax 272 5577, ext 199), 136 ch. ▦ ✕ ♿ Elégant petit hôtel. Très agréable. Vue sur le port. On peut aussi regarder le chef travailler dans sa cuisine.

Pour se loger à moindre coût s'adresser au *Bed & Breakfasts of Rhode Island* (rens. ☎ 941 0444), qui vous réservera une ch. chez l'hab. ou dans une auberge pour env. $ 80 en ch. double.

Restaurants

Al Forno, 557, S. Main St. (☎ 273 9760), ouv. 17 h 30-22 h, sam. à partir de 17 h, f. dim. et lun., 4 juil., 25 déc. et 1er jan. ♿ Atmosphère italienne. Spéc.: pizzas, pâtes, veau et d'excellents desserts.

**Hemenway's Seafood Grill, 1, Old Stone Sq. (☎ 351 8570), ouv. 11 h 30-15 h et 17 h-22 h, dim. 12 h-21 h, f. Thanksgiving (4e jeu. de nov.) et 25 déc. ♿ Spécialiste des fruits de mer : crabe, saumon norvégien.

**Old Gristmill Tavern, 390, Fall River Ave., Seekonk (☎ 508/336 8460), ouv. 11 h 30-14 h 30 et 17 h-22 h, dim. 12 h-21 h, f. Thanksgiving (4e jeu. de nov.) et 25 déc. Dans un ancien moulin du XVIIIe s. Spéc. : faux-filet, fruits de mer et des salades.

Bars : *Oliver's,* 83, Benevolent St. (☎ 272 8795). Surtout fréquenté par les gens de Brown University. Bar au rez-dechaussée, juke-box au 1er étage. Agréable.

Téléphones utiles : urgences (☎ 911 ou 272 1111).

Aéroport : *T F Green Airport,* Post Rd (rte 1) Warwick. A 9 mi/15 km de Providence (rens. ☎ 737 4000).

Compagnies aériennes : *American* (☎ 800/433 7300) ● *Business Express* (☎ 800/345 3400) ● *Continental* (☎ 800/525 0280) ● *Delta* (☎ 800/221 1212) ● *Express Air* (☎ 800/852 2332) ● *Mohawk* (☎ 800/252 2144) ● *USAir* (☎ 274 5600) ● *United* (☎ 800/241 6522).

Taxis : *Airport Taxi* (☎ 737 2868) ● *Checker Cab* (☎ 273 2222) ● *East Side Taxi Service* (☎ 521 4200) ● *Yellow Cab* (☎ 941 1122).

Chemin de fer : *Amtrak,* 100, Gaspee St. (rens. ☎ 800/872 7245).

Autocar : *Greyhound & Bonanza Bus Lines,* 37, Bonanza Way (rens. ☎ 751 8800). Assure des liaisons entre le centre ville et l'aéroport et le transport jusqu'à Boston et New York.

Transports en commun : *Rhode Island Public Transit Authority (RIPTA),* 776, Elmwood Ave. (rens. ☎ 781 9400 ou 800/662 5088). Service de bus pour les environs de Providence ● Noter aussi un trolley gratuit (peint en vert et orange) pour le centre ville. Départ toutes les 15 mn de Kennedy Plaza.

Excursions et visites guidées : *Providence Preservation Society,* 21, Meeting St. (☎ 831 7440). Vous fournit des inf. détaillées sur Providence (histoire, etc.) et organise des tours dans les lieux historiques de la ville.

Manifestations : Début juin. *Spring Festival of Historic Houses,* avec comme sponsor la *Providence Preservation Society.* Vis. des maisons et jardins privés (rens. ☎ 831 7440).

Shopping : Plusieurs centres commerciaux. Les 2 plus intéressants : *The Rhode Island Mall,* à l'intersection des rtes 2 et 113. Plus de 100 magasins de toutes sortes ● *Warwick Mall,* à l'intersection des rtes 2 et 5. Immense galerie marchande avec plus de 70 magasins.

RALEIGH (NC)

ℹ️ **The Raleigh Convention & Visitors Bureau,** 225, Hillsborough St., suite 400 (☎ 834 5900 ou 800/868 6666).

☎ 919

Hôtels

★★★North Raleigh Hilton & Convention Center, 3415, Wake Forest Rd (☎ 872 2323 fax 876 0890), 338 ch. et des suites 🎮 ✕ ♿ ⌘ ▭ ✍ ☑ Luxueux. De nombreux services. Un bon rest., le *Lofton,* où vous pourrez ensuite écouter de la musique au bar.

★★★Marriott Crabtree, 4500, Marriott Dr (☎ 781 7000 fax 781 30 à 59), 375 ch. 🎮 ✕ ♿ ⌘ ▭ ☑ L'un des meilleurs hôtels de la ville. Vous apprécierez l'atmosphère familiale du rest. *Scotch Bonnets* et l'intimité du bar *Allie's & Champion Sports Bar.*

★★★Velvet Cloak Inn, 1505, Hillsborough St. (☎ 828 0333 fax 828 2656), 172 ch. et des suites ✕ ⌘ ▭ Classique. Ch. agréables.

★★Radisson Plaza, 420, Fayetteville St. Mall (☎ 834 9900 fax 834 9900, ext 475), 362 ch. et des suites 🎮 ✕ ♿ ⌘ ▭ Au cœur de la ville. Murs de briques, arcades, fontaines dans l'hôtel. Sympathique.

★★Hampton Inn, 1001, W. Towne Dr (☎ 828 1813 fax 834 2672), 131 ch. ♿ ⌘ ▭ De petits prix sans pour autant sacrifier l'accueil.

Restaurants

★★★The Angus Barn, US-70 W. à Airport Rd (☎ 787 3505), ouv. 17 h-23 h, dim. jusqu'à 22 h, f. 1er jan., 4 juil., Thanksgiving (4e jeu. de nov.), 24 et 25 déc. ♿ Installé dans une ancienne grange. A vous couper le souffle : la liste des vins et bières occupe 35 pages du menu !

Spéc. : viandes grillées au feu de bois. Réserv. préférable.

★Bo's Cafe America, 329, S. Blount St. (☎ 821 2662), ouv. 11 h 30-23 h, ven. et sam. jusqu'à minuit, f. dim. et jours fériés. ♿ Situé dans City Market. Spéc. à base de fruits de mer seul.

★42nd Oyster Bar, 508, W. Jones St. (☎ 831 2811), ouv. 11 h 30-23 h, sam. et dim. à partir de 17 h, f. Thanksgiving (4e jeu de nov.), 24 et 25 déc. Spéc. : huîtres et autres fruits de mer. Jazz ven. et sam. soirs.

★Irregardless Cafe, 901, W. Morgan (☎ 833 8898), ouv. 11 h 30-14 h 15 et 17 h 30-21 h 30, sam. 17 h 30-22 h, dim. 10 h-14 h, f. jours fériés ♿ Le RV des végétariens et de ceux qui surveillent leur ligne.

Campings : *Umstead State Park,* US-70. A 5 mi/8 km de Raleigh. Sites à partir de $ 5.

Téléphones utiles : urgences (☎ 911) ● centre médical : *Wake County Medical Society* (☎ 821 2227).

Aéroport : *The Raleigh-Durham International Airport* (rens. ☎ 840 2123). A 15 mi/25 km du centre ville.

Compagnies aériennes : *American* (☎ 834 4704) ● *Delta* (☎ 832 9595) ● *USAir* (☎ 828 5721) ● *Pan American* (221 1111) ● *TWA* (☎ 221 2000) ● *United* (☎ 241 6522).

Taxis : *Safety Taxi* (☎ 832 8800) ● *Cardinal Cab* (☎ 828 3228).

Chemin de fer : *Amtrak,* 320, W. Cabarrus St. (rens. ☎ 833 7594). Destinations : Washington, DC, New York et la Floride.

Autocar : *Carolina Trailways/Greyhound Bus Lines,* 321, W. Jones St. (rens. ☎ 828 2567 ou 800/528 0447).

Transports en commun : *Capital Area Transit* (rens. ☎ 828 7228). Service de bus pour la ville ● *Raleigh Trolley* (rens. ☎ 828 7228).

Excursions et visites guidées : *Capital Area Visitors Center,* organise des tours dans les hauts lieux de la ville (rens.☎ 733 3456) ● **Coordonnées des agences locales** proposant des tours de Raleigh et de la région : *Executive Guest Tours & Services* (☎ 839 5805) ● *Tailored services* (☎ 787 5180) ● *Tours & Functions* (☎ 782 8145).

Manifestations : Oct. *State Fair,* State Fairgrounds. Foire-exposition de l'Etat de Caroline du N. Rens. 1025, Blue Ridge (☎ 733 2145).

Shopping : *Fayetteville St. Mall,* de Capitol Bldg. à Civic Center, 4 *blocks* pour ce vaste centre commercial. Boutiques, rest., etc. ● *City Market,* 311, Blake St. Immense galerie marchande ● *Farmers Market,* 1401, Hodges St. Ce marché vous propose tout ce qu'il y a de plus traditionnel : légumes, fruits, plantes, fleurs, paniers faits main ● *Raleigh Flea Market Mall,* 1924, Capital Blvd. Marché aux puces.

RICHMOND (VA)

ⓘ **The Metro Richmond Convention & Visitors Bureau,** 300, E. Main St. (☎ 358 5511).

☎ 804

Hôtels

★★★*The Jefferson Hotel,* Franklin & Adams Sts (☎ 788 8000 fax 344 5162), 274 ch. et 26 suites ▦ ✕ ⅏ ⅋ ▱ ⅏ ⮡ On peut y voir la statue de Thomas Jefferson. Classique et luxueux.
★★★*Hyatt,* 6624, W. Broad St. (☎ 285 1234 fax 288 3961), 372 ch. et 15 suites ✕ ⅏ ⅋ ⮡ Complexe très bien équipé. De belles ch.
★★*La Quinta Motor Inn,* 6910, Midlothian Tpke (☎ 745 7100 fax 276 6660), 130 ch. ✕ ⅏ ▱ Bon rapport qualité/prix.
★★*Holiday Inn Airport,* 5203, Williamsburg Rd, Sandston (☎ 222 6450 fax 226 4305), 230 ch. et 4 suites ✕ ⅏ ▱ Confort et propreté pour cet hôtel de la célèbre chaîne.
★*Best Western Airport Inn,* 5700, Williamsburg Rd, Sandston (☎ 222

2780 fax 226 4056), 122 ch. et 4 suites ✕ ⅏ ⅋ ▱ Tout près de l'aéroport. Commode et confortable.

Restaurants

★★★*Tobacco Company,* 1201, E. Cary St., quartier de Shockœ Slip, Downtown (☎ 782 9431), ouv. 11 h 30-14 h 30 et 17 h 30-22 h 30, sam. 17 h-0 h, f. 1ᵉʳ jan. et 25 déc. Sympathique rest. installé dans un ancien entrepôt de cigarettes. Spéc. de poissons surtout.
★★★*La Petite France,* 2108, Maywill St. (☎ 353 8729), ouv. 11 h 30-14 h et 17 h 30-23 h, sam. 17 h-23 h, f. dim., lun., jours fériés et dernière quinz. d'août. Cuisine française. Très bonne carte des vins.
★★*Nielsens 3N,* 4800, Thalbro St. (☎ 355 2266), ouv. 11 h 30-15 h et 17 h-21 h, sam. à partir de 17 h, f. dim. et jours fériés. Spéc.: fruits de mer, steaks, légumes verts.
★★*Sam Miller's Warehouse,* 1210, E. Cary St., quartier de Shocke, Downtown (☎ 3649 8888), ouv. 11 h-23 h. Spéc. : fruits de mer, homard du Maine.
★*Farouk's House of India,* 3033, W. Cary St ; (☎ 355 0378), ouv. 11 h 30-14 h 30 et 17 h 30-22 h 30, dim. à partir de 17 h 30, f. 25 déc. Cuisine indienne.

Campings : *Americamps, Richmond,* 396, Air Park Rd, Ashland, VA 23005 (☎ 798 5298). A 15 mi/25 km de Richmond. 150 sites, piscine, buanderie, boutiques.

Téléphones utiles : urgences (☎ 911).

Aéroport : *Richmond International Airport* (rens. ☎ 226 30 à 52). A 10 mi/16 km de Richmond.

Compagnies aériennes : *USAir* (☎ 644 5421) ● *American* (☎ 1-800/433 7300) ● *Delta* (☎ 643 0219) ● *United* (☎ 1-800/241 6522).

Locations de voitures : *Avis Rent a Car* (☎ 222 2562).

Chemin de fer : *Amtrak,* 7519, Staple Mill Rd (rens. ☎ 264 9194). A 5 mi/8 km de la ville.

Autocar : *Greyhound/Trailways,* 2910, N. Blvd. (rens. ☎ 353 8903).

Transports en commun : *The Downtown Trolley,* petit trolley gratuit pour la ville (rens. ☎ 643 2824) ● *Greater Richmond Transit Co.,* 101, S. Davis St. (rens. ☎ 358 4782).

Excursions et visites guidées : *Annabel Lee,* tours en bateau sur James River à bord d'un ancien bateau à aube de 3 étages. Env. 1 croisière/jour (rens. ☎ 222 5700) ● *Historic Richmond Tours,* tours en bus des lieux historiques de la ville, réserv. préférables (☎ 780 0107) ● *Plantation Tours.* La région de Richmond-Petersburg-Williamsburg possède de nombreuses demeures anciennes ainsi que des propriétés. Pour les visiter (☎ 358 5511).

Manifestations : Avr. *Historic Garden Week in Virginia,* de nombreuses maisons et jardins particuliers d'intérêt historique ou artistique ouvrent leurs portes au public. Rens. 12, E. Franklin St. (☎ 644 7776 ou 643 7141) ● **Sept.** *Virginia State Fair,* fête de l'Etat de Virginie, exhibition de chevaux, carnaval et musique.

Shopping : *Libbie & Grove " On the Avenues",* West End, Richmond. De nombreuses boutiques et des rest. pour ce complexe commercial ● *Regency Sq.,* Parham & Quiocassin Rds, West End. Le centre commercial de Richmond. Plus de 160 magasins et bien sûr des rest.

ROANOKE (VA)

ⓘ **Visitors Information Center,** 1, Market Sq. (☎ 345 8622).

☎ 703

Hôtels

★★★*Patrick Henry,* 617, S. Jefferson (☎ 345 8811 fax 342 9908), 110 ch. et des suites ✖ ♿ ⊘ A proximité des attractions de la ville. Ch. spacieuses.
★*Colony House,* 3560, Franklin Rd (☎ 345 0411), 67 ch. ♿ ⊘ ▭ TV

câblée dans les ch., piscine. Motel confortable.

Restaurants

★★★*La Maison,* 5732, Airport Rd (☎ 366 2444), ouv. 11 h-14 h, sam. 17 h-0 h, f. dim., 1er jan., 24, 25 déc et 4 juil. Spéc. : poissons grillés.

★*Sunnybrook Inn,* 7342, Plantation Rd (☎ 366 4555), ouv. 8 h-20 h, dim. à partir de 18 h 30, f. 25 déc. Spéc. : huîtres, jambon de pays, salades.

ROCHESTER (NY)

ⓘ **The Convention & Visitors Bureau,** 126, Andrews St. (☎ 546 30 70).

☎ 716

Hôtels

★★★*Genessee Country Inn,* 948, George St., Mumford 14511 (☎ 538 2500), 9 ch. A env. 20 mn en voiture du centre de Rochester. Autrefois un moulin (1830). Un Bed & Breakfast très confortable.
★★★*Stouffer Rochester Plaza,* 70, State St., Downtown (☎ 546 3450 fax 546 8712), 362 ch. ▦ ✖ ♿ ⊘ ▭ Situé dans le centre ville et au bord de Genessee River. Ch. spacieuses. Luxueux.
★★*Holiday Inn-Genessee Plaza,* 120, E. Main St., Downtown (☎ 546 6460 fax 546 3908), 466 ch. ▦ ✖ ♿ ▭ Pratique et superbe. Service de qualité.

Restaurants

★★★*Edwards,* 13, S. Fitzhugh, Downtown (☎ 423 0140), ouv. 11 h 30-0 h, f. dim. et jours fériés ♿ Spéc. : fruits de mer, bœuf Wellington.

★★★*Richardson's Canal House,* 1474, Marsh Rd, Pittsford 14534 (☎ 248 5000), ouv. 18 h-21 h, f. dim., 1er jan. et 25 déc. ♿ Spéc. : canette, fruits de mer.

★★★*Spring House,* 3001, Monroe Ave. (☎ 586 2300), ouv. 11 h 30-15 h et 17 h-21 h, dim. 12 h-21 h, f. lun. et 25 déc. ♿ Spéc. : veau à la moutarde, bavarois au chocolat.

ST AUGUSTINE (FL)

ⓘ **St Augustine & St Johns County Chamber of Commerce,** 1, Riberia St. (☎ 829 5681).

☎ 904

Hôtels

**★★★*Ponce de Leon Golf & Conference Center,* 4000, N. US-1, Box 98 (☎ 824 2821 fax 829 6108), 200 ch. et des suites ✗ ✵ ▣ ⸕ ⸰ ⸕ Ch. avec patios ou balcons. Service de qualité.
**★★*Kenwood,* 38, Marine St. (☎ 824 2116), 12 ch. ✵ ▣ Situé dans le quartier historique de la ville. Gâteaux faits maison pour le petit déjeuner.
**★★*St Francis,* 279, St George St. (☎ 824 6068), 12 ch. ✵ ▣ Petit déjeuner compris. Accueillant.

Restaurants

**★★★*Raintree,* 102, San Marco Ave. (☎ 824 7211), ouv. 17 h-21 h 30, f. 25 déc. Spéc. : steaks au poivre, poissons et des crêpes pour le dessert.
**★★*Columbia,* 98, St George St (☎ 824 3341), ouv. 11 h-21 h. ♿ Décor et cuisine espagnols. Spéc. : paella, *arroz con pollo* (poulet au riz).
**★★*Le Pavillon,* 45, San Marco Ave. (☎ 824 6202), ouv. 11 h 30-14 h 30 et 17 h-22 h. Cuisine française. Spéc. : bouillabaisse, soupes et d'excellents desserts.

Campings : *Anastasia State Recreation Area,* à 4 mi/7 km de la ville. Eau, électricité. Sites à partir de $ 20. Réserv. préférable en week-end.

Téléphones utiles : urgences (☎ 911).

Taxis : *Ancient City Taxi* (☎ 824 8161).

Autocar : *Greyhound/Trailways,* 100, Malaga St. (rens. ☎ 829 6401). Pour Jacksonville et Daytona Beach.

Excursions et visites guidées : *Historical Tours,* 167, San Marco Ave. (rens. ☎ 829-38-00). Tours en trolley ● *Scenic Cruise,* tours en bateau ; départ de Municipal Yacht Pier, Avenida Menendez (rens. ☎ 829 2818).

Manifestations : Mi-juin. *Spanish Night Watch,* St George St. Costumes espagnols et procession pour commémorer la présence des Espagnols à St Augustine.

ST PETERSBURG (FL)

ⓘ **The St Petersburg Area Chamber of Commerce,** 100, N. 2nd Ave., Box 1371 (☎ 821 4715).

☎ 813

Hôtels

**★★★*Trade Winds,* 5500, Gulf Blvd., St Petersburg Beach (☎ 367 6461 fax 367 7496), 253 ch. et des suites ✗ ♿ ✵ ▣ ⸕ Confort et détente assurés dans cet agréable hôtel en bord de mer.
**★★*Colonial Gateway Inn,* 6300, Gulf Blvd. (☎ 367 2711 fax 367 7068), 200 ch. ✗ ✵ ▣ Face à la mer. Décontracté.

Restaurants

**★★★*King Charles Room,* 3400, Gulf Blvd. (☎ 360 1881), ouv. 18 h-22 h ♿ Elégant, calme, service de qualité. Ambiance musicale. Spéc. : saumon fumé à la mousse de crabe.
**★★*Hurricane Restaurant,* 807, Gulf Way (☎ 360 9558), ouv. 8 h-2 h, f. Thanksgiving (4e jeu. de nov.) et 25 déc. ♿ Sympathique. Personnel souriant. Loin de la foule. Spéc. : *grouper* (assiette de poisson), pinces de crabe, langouste.

Campings : *Fort de Soto Park Camping,* à 10 mi/16 km de St Pete Beach. Calme, propreté, espace et plage à proximité (☎ 862 2662).

Téléphones utiles : urgences (☎ 911).

Locations de voitures : *Dollar* (☎ 800/421 6868).

Autocar : *Greyhound,* 180, E. 9th St. N. (rens. ☎ 898 1496).

Excursions et visites guidées : *Capt Anderson Boat Cruise,* tours en bateau au départ de St Petersburg Beach Causeway (rens. ☎ 367 7804).

ST PETERSBURGH/CLEARWATER (FL)

☎ 813

Hôtels

Clearwater

****The Don Cesar Beach Resort, 3400, Gulf Blvd. (☎ 360 1881 fax 367 6952), 277 ch. ▦ ✗ ♿ ⊛ ▭ ✍ ⌣ Palace des années 30 au style mauresque hollywoodien ; l'imagination au pouvoir en matière de luxe : jacuzzis, sports nautiques, etc. Prix possibles hors saison.
****Belleview Mido, 25, Belleview Blvd. (☎ 442 6171), 292 ch. et 40 suites ▦ ✗ ♿ ⊛ ▭ ✍ ⌣ On s'est donné ici pour tâche de reconstituer un hôtel victorien : c'est revu, bien sûr, dans une sorte de délire, qui surpasse de très loin les originaux. Ultra-confort et distractions nombreuses : 6 piscines, salles de gym perfectionnées, golf, tennis, bicyclettes.

St Petersburgh

**Days Inns of St. Petersburgh, 2595, N. 54th (☎ 522 3191), 160 ch. ▦ ✗ ♿ Hôtel simple aux prix modestes même en saison, situé près de la plage.
Econo Lodge & Tennis Resort, 3000, S. 34th St. (☎ 867 1111 fax 867 7068), 120 ch. ▦ ✗ ♿ ⊛ ▭ ✍ Hôtel fonctionnel, avec piscine tropicale, palmiers et des courts de tennis convenablement équipés. Près des plages.

Restaurants

Madeira Beach

Friendly Fisherman Seafood Restaurant, 150, John's Pass Board Walk (☎ 391 6025), ouv. t.l.j. Comme son nom l'indique, toutes les spéc. de poissons et de crabes sous toutes les formes possibles. Sandwiches, huîtres et attractions en fin de sem.
London Bus Co., 5667, Seminole Blvd. (☎ 399 1122), ouv. t.l.j., le rest. jusqu'à 21 h, sf ven., sam. jusqu'à 22 h 30 et dim. jusqu'à 22 h. Bus londonien échoué ici,

on ne sait pas très bien pourquoi. Pub "authentique" et rest. à la gastronomie toute britannique. Sandwiches, *pie, fish & chips* et bières anglaises.
**Caprice Beach Resort, 6950, Beach Plaza (☎ 360 6199). Au bord de la plage, il s'agit de ch. ou de petits appartements équipés (avec cuisine), qui se louent à la sem. Balcons-terrasses sur la mer. Confortable et moderne.

St Petersburgh

Saffron's, 2801, N. 38th Ave. (☎ 522 1234), f. lun. Cuisine des Caraïbes, mais aussi des plats végétariens et des sandwiches.
Marcello' Ristorante, 7141, Gulf Blvd. (☎ 367 9999), f. mar. Rest. italien familial qui propose des plats classiques et des pâtes bien préparées. Réserv. recommandée.
*KOA Kampground, 5400, N. 95th St. (☎ 392 2233 fax 398 6081). Camping et petites maisons de bois dans un site bien aménagé : piscine, emplacements pour la pêche, circuits de bicyclette, mini-golf et salle de jeux électroniques !

Téléphones utiles : urgences (☎ 911).

Compagnies aériennes : *American Airlines* (☎ 800/433 7300) ● *Delta Airlines* (☎ 894 1861) ● *United Airlines* (☎ 800/241 6522) ● *USAir* (☎ 823 0201).

SARASOTA (FL)

ⓘ **The Convention & Visitors Bureau,** 655, N. Tamiami Trail (☎ 957 1877 ou 800/522 9799).

☎ 813

Hôtels

***Hyatt, 1000, Blvd. of the Arts (☎ 366 9000 fax 952 1987), 297 ch. ▦ ✗ ♿ ⊛ ▭ ✍ En plein centre ville. Quelques ch. avec vue sur Sarasota Bay.
**Days Inn Sarasota-Siesta Key, 6600, Tamiami Trail (☎ 924 4900), 132 ch. ♿ ⊛ ▭ Moderne. Confortable. A env. 2 km des plages.

**Hampton Inn Sarasota Airport, 5000, N. Tamiami Trail (☎ 351 7734 fax 351 7734, ext 166), 97 ch. ♿ ⊘ ▢ Pratique. Entre l'aéroport et le centre ville.

Restaurants

***Coasters, 1500, Stickney Point Rd (☎ 923 4848), ouv. 11 h 30-0 h, f. Thanksgiving (4ᵉ jeu. de nov.) et 25 déc. ♿ Grande terrasse en bois sur la mer. Excellente cuisine : plats de poisson.
**Columbia, 411, St Armands Circle (☎ 388 3987), ouv. 11 h-23 h. ♿ Cuisine cubaine. Spéc. : *ceviche* (poisson mariné dans du citron), huîtres du golfe.

Campings : *Oscar Scherer State Recreation Area,* à env. 10 mi/15 km de Sarasota. Spacieux mais un peu loin de la plage.

Téléphones utiles : urgences (☎ 911) ● hôpital : *Sarasota Memorial Hospital,* 1700, S. Tamiami Trail, US-41.

Aéroport : *Sarasota-Bradenton Airport,* au N. de la ville (rens. ☎ 359 5200) ● Principales compagnies aériennes : *American, Continental, Delta, Midway, Northwest, United* et *USAir* ● Transport entre l'aéroport et l'hôtel : *Airport Limousine* (rens. ☎ 355 9645).

Taxis : *Diplomat Taxi* (☎ 366 9822).

Locations de voitures : *Alamo* (☎ 800/327 9633) ● *Avis* (☎ 800/331 1212) ● *Budget* (☎ 880/527 0000).

Autocar : *Greyhound/Trailways,* 575, N. Washington Blvd. (rens. ☎ 955 5735).

Transports en commun : *Sarasota County Area Transit* (rens. ☎ 951 5850).

Excursions et visites guidées : *Le Barge, Tropical Cruises,* tours en bateau d'env. 2 h. Départ de Marina Jack (rens. ☎ 366 6116).

Manifestations : Sept. *Sarasota Sailing Squadron Labor Day Regatta,* l'une des plus importantes régates organisée en Floride.

SAVANNAH (GA)

ℹ️ **Savannah Visitors Center,** 301, Martin Luther King Jr Blvd. (☎ 944 0456), ouv. lun.-ven. 8 h 30-17 h, week-end et jours fériés 9 h-17 h.

☎ 912

Hôtels

****Radisson Plaza, 100, General McIntosh Blvd (☎ 233 7722 fax 233 3765), 384 ch. et 46 suites ▦ ✗ ♿ Le plus récent des hôtels de Savannah s'est taillé une place enviable au bord de la Savannah River. Grand confort, piscines et jacuzzis dans une architecture modérément moderne.
****Magnolia Place, 503, Whitaker St., on Forsyth Park (☎ 236 7674), 13 ch. Somptueuse demeure qui fait revivre le Sud, quelque part entre Julien Green et Holywood. Grand confort, meubles anciens et un personnel attentionné.
***Planters Inn, 29, Abercomb St. (☎ 232 5678 fax 232 8893), 53 ch.
*Savannah International Youth Hostel, 304, E. Hall St. (☎ 236 7744). Très bon marché (dortoirs), mais bien situé dans le centre historique.
**Ramada Inn Downtown, 121 W. Boundary St. (☎ 236 1355). Un hôtel tout neuf, au cœur de la "vieille" ville, qui offre un bon rapport qualité/prix comme les hôtels de cette chaîne.
**Bed & Breakfast Inn, 117, W. Gorddon St. (☎ 238 0518 fax 233 2537). Sympathique Bed & Breakfast, dans une maison "typique" qui date de 1850 env. Accueil familial ; toutes les ch. ne possèdent pas de salles de bains. Tarif raisonnable.
RSVP, Service de réserv. pour Bed & Breakfast (☎ 232 777 fax 236 2880) 219, W. Bryan St. (☎ 201 Savannah, GA 31401). Un grand nombre de demeures datant de la reconstruction, apr. la guerre civile proposent des ch., quelquefois luxueuses. Ce service s'étend également à plus de 14 *Inns* (auberges) de 10 à 52 ch., toutes installées dans des bâtiments anciens, et toutes à distance raisonnable (15 mn à pied maximum) du centre historique. Cependant, toutes

n'acceptent pas les cartes de crédit et une réserv. 30 jours à l'avance est souhaitable.

Restaurants

★★45 South, 20, E. Broad St. (☎ 233 1881), f. dim. et jours fériés. Cuisine américaine, avec un penchant pour la cuisine locale : canard, saumon. Réserv. suggérée.

★★17 Hundred, 90 307, E. President St. (☎ 236 7122), ouv. t.l.j. pour le dîner, sf sam. et dim. pour le déjeuner. Atmosphère "Sud profond" dans cette auberge de style (il y a aussi quelques ch.). Spéc. de poisson frais grillé.

★Johana's Café, 321, Habersham St. (☎ 236 4546). Surtout connu pour ses breakfasts à la mode du Sud, avec des pâtisseries "maison". A midi, sandwiches savoureux et abondants qu'on peut aussi emporter chez soi.

★★Mrs Wilke's Boarding House, 107, W. Jones (☎ 232 5997), f. week-end. Authentique cuisine du grand Sud dans cette maison qui cultive la tradition : poulet frit, ambiance savamment familiale. Pas de carte de crédit.

Téléphones utiles : urgences (☎ 911).

Compagnies aériennes : *American Airlines* (☎ 800/433 7300) ● *Delta Airlines* (☎ 234 1221) ● *United Airlines* (☎ 800/241 6522).

Transports en commun : *Amtrak* (☎ 234 2611) ● *Greyhound Bus Terminal* (☎ 233 7723).

SHENANDOAH NATIONAL PARK (VA)

ⓘ **Park Information,** Superintendent, Shenandoah National Park, Rte 4, P.O. Box 348, Luray, VA 22835 (☎ 999 2227 ou 999 2229).

☎ 703

Hôtels

★★Big Meadows Lodge, Box 727, Luray 22835 (☎ 999 2221), 103 ch. ♿ f. déc.-mars. Vue panoramique sur la vallée de Shenandoah. Ch. avec patios.

★★Skyland Lodge, Box 727, Luray 22835 (☎ 999 2211), 186 ch. ♿ f. nov.-avr. Confortable.

Campings : 4 campings : *Mathews Arm, Big Meadows, Lewis Mountain et Loft Mountain.* Pour tous rens. s'adresser au garde forestier au *Park Information.*

Téléphones utiles : urgences (☎ 999 2226).

SPRINGFIELD (IL)

ⓘ **The Convention & Visitors Bureau,** 109, N. 7th St. (☎ 789 2360).

☎ 217

Hôtels

★★Best Inns of America, 500, N. 1st St. (☎ 522 1100 fax 753 8589), 91 ch. ♿ ⊘ ▭ Ch. spacieuses, confortables et propres.

★Capital Plaza, 418, E. Jefferson St. (☎ 525 1700), 89 ch. et des suites ✗ ♿ ⊘ ▭ Immeuble du XIXᵉ s. Bien situé.

Restaurants

★★Chesapeake Seafood House, 3045, Clear Lake Ave. (☎ 522 5220), ouv. 11 h-15 h et 16 h-22 h, sam. à partir de 16 h seul., f. dim. et 25 déc. Décor marin. Spéc. : fruits de mer.

★★Maldaner's Upstairs, 222, S. 6th St. (☎ 522 4313), ouv. 18 h-22 h, f. dim., lun., 1ᵉʳ jan. et 25 déc. Cuisine du Midwest.

Camping : *Mister Lincoln's Campground,* 3045, Stanton Ave. (☎ 529 8206). A 4 mi/7 km du centre ville. Eau, électricité.

Téléphones utiles : urgences (☎ 911).

Taxis : *Lincoln Yellow Cab* (☎ 523 4545 ou 522 7766).

Chemin de fer : *Amtrak,* 3rd & Washington Sts. (rens. ☎ 800/872 4545). Destinations : Chicago et St Louis.

Autocar : *Greyhound,* 2351, S. Dinck-ser (rens. ☏ 544 8466).

Transports en commun : *Springfield Mass Transit District,* 928, S. 9th St. (rens. ☏ 522 5531). Service de bus local lun.-sam. 6 h-18 h.

Manifestations : Fév.-début mars. *Maple Syrup Time,* Lincoln Memorial Garden et Nature Center où l'on vous montre comment faire du sirop d'érable.

SPRINGFIELD (MA)

ⓘ **The Greater Springfield Convention & Visitors Bureau,** 34, Boland Way (☏ 787 1548).

☏ 413

Hôtels

***Marriott Hotel,** Corner Boland & Columbus Sts (☏ 781 7111 fax 731 8932), 264 ch. et des suites ▦ ✕ ♿ ▱ Très bien situé. A deux pas des centres d'intérêt de la ville.
****Holiday Inn,** 711, Dwight St. (☏ 781 0900 fax 785 1410), 252 ch. et des suites ▦ ✕ ♿ ▱ A moins d'1 km de la ville. Ch. entièrement rénovées en 1987. Vue sur Pioneer Valley depuis le 12ᵉ étage.

Restaurants

****Johann's,** 73, Market Place (☏ 737 7978), ouv. 11 h-22 h, f. dim. et jours fériés ♿ Cuisine hollandaise et indoné-sienne. Spéc. : *Gouda cheese bread,* crevettes caramelisées.
****Student Prince & Fort,** 8, Fort St. (☏ 734 7475), ouv. 11 h-23 h, dim. 12 h-22 h. Cuisine allemande. Grand choix de bières. Spéc. : *Jägerschnitzel, Sauerbraten.*

Téléphones utiles : urgences (☏ 911).

Taxis : *Yellow Cab* (☏ 732 2151) ● *City Cab* (☏ 734 8294).

Locations de voitures : *Thrifty Car Rental* (☏ 783 9181).

Chemin de fer : *Amtrak* (rens. ☏ 800/872 7245).

Autocar : *Peter Pan Bus Lines* (rens. ☏ 781 2900). Liaisons entre Springfield, Holyoke, Northampton, Amherst, South Hadley et Deerfield.

Transports en commun : Service de bus local : *Pioneer Valley Transit Authority* (rens. ☏ 781 7882) ● *Greenfield Montague Transit Area* (rens. ☏ 773 9478).

TALLAHASSEE (FL)

ⓘ **The Convention & Visitors Bureau,** 200, W. College Ave., Box 1369 (☏ 681 9200).

☏ 904

Hôtels

*****Governor's Inn,** 209, S. Adams St. (☏ 681 6855 fax 222 3105), 40 ch. ⌽ Très bien situé pour les touristes. Beaucoup de monde le week-end.
****Wakulla Springs Lodge & Conference Center,** 1, Springs Dr, Wakulla Springs (☏ 224 5950), 27 ch. ⌽ ▱ Situé dans un immense parc. Possibilité de pique-nique et de tours en bateau.

Restaurants

****Andrews 2nd Act,** 228, S. Adams St. (☏ 222 2759), ouv. 11 h 30-13 h et 18 h-22 h, dim. jusqu'à 21 h 30, f. Thanksgiving (4ᵉ jeu. de nov.) et 25 déc. Elégant. Spéc. : tournedos St Laurent, veau Oscar.
Barnacle Bill's, 1830, N. Monroe Ave. (☏ 385 8734), ouv. 11 h-23 h, f. 25 déc. Des menus régime. Gratuit pour les enfants dim. Spéc. : fruits de mer, poissons grillés ou fumés.

Locations de voitures : *Alamo,* 1720, Capitol Circle (☏ 576 6009).

Autocar : *Greyhound,* 112, W. Tennessee St. (rens. ☏ 222 4240).

TOLEDO (OH)

ℹ️ **The Greater Toledo Office of Tourism and Conventions,** 401, Jefferson St. (☎ 321 6404).

☎ 419

Hôtels

***Holiday Inn-Southwest, 2429, S. Reynolds Rd (☎ 381 8765 fax 381 0129), 350 ch. 🔲 ✕ 🚻 ∅ ⌷ Piscine, salle de gym., bar... Service soigné.
**Radisson, 101, N. Summit St. (☎ 241 30 à 00 fax 321 2099), 417 ch. 🔲 ✕ 🚻 ∅ Un bon hôtel. Classique.

Restaurants

***Fifi's, 1423, Bernath Pkwy (☎ 866 6777), ouv. 11 h-23 h, sam. de 17 h-0 h, f. dim. et jours fériés. Cuisine française.
* Tony Packo's Cafe, 1902, Front St. (☎ 691 6054), ouv. 10 h 30-0 h, dim. 12 h-21 h, f. jours fériés. Cuisine hongroise. Spéc. : chou farci, *hot-dogs* hongrois. Ambiance jazz ven. et sam. soirs.

Campings : *Stony Ridge KOA,* 24787, Lucky Rd, Stony Ridge 43551 (☎ 837 6848).

VOYAGEURS NATIONAL PARK (MI)

ℹ️ **National Park Service,** Voyageurs National Park, P.O. Box 50, International Falls, MN 56649.

☎ 218

Hôtels

A l'int. du parc

Kettle Falls Hotel, Box 1272, International Falls, MN 56649 (☎ 374 3511 et en hiver 286 5685), ouv. mi-mai-sept. et accessible en bateau seul.
Whispering Pines Resort, Orr, MN 55771 (☎ 374 3321). De petits bungalows très bien équipés. Petite barque fournie pour chaque bungalow.

Hors du parc

Possibilité de baignades dans les lacs, ski nautique, promenades en canoës, pêche dans les hôtels suivants :
Island View Lodge, International Falls, MN 56649 (☎ 286 3511) ✕
Thunderbird Lodge, Rte 8, International Falls, MN 56649 (☎ 286 3151) ⌷ ∅ ∫ Près de Rainy Lake.
Nelson's, Crane Lake, MN 55725 (☎ 993 2295). Face au Crane Lake ✕

Téléphones utiles : urgences (☎ 911).

WALT DISNEY WORLD (FL)

Hôtels

ℹ️ Réservation centrale : ☎407/ 934-76-39 (ces chiffres correspondent aux lettres W. DISNEY, plus faciles à mémoriser). Pour des séjours comprenant les nuits d'hôtel et les passeports d'entrée aux parcs d'attractions, contacter *The Walt Disney Travel Co* (☎407/ 828-32-55). Presque toutes les agences de voyages françaises proposent également des forfaits incluant le transport aérien et les transferts. *Pour en savoir plus → la description de Walt Disney World.*

*** Grand Floridian Beach Resort, (☎407/ 824-30-00 fax 407/ 824-31-86) 900 ch., dont 81 suites ✕ 🔲 ⌷ ⌷ ∅ 🚻 bars et salons, club de gym, marina, aire de jeu pour les enfants, boutiques, 5 restaurants (du grill-hamburger au dîner aux chandelles dans un cadre luxueux). Très grand confort à l'américaine dans un décor qui rappelle les palaces balnéaires du début du siècle. Chaque chambre comprend deux très grands lits. Une attention spéciale pour les jeunes mariés : quelques chambres "lune de miel" avec jacuzzi, lit géant, champagne et fleurs !
*** Yacht Club Resort, (☎407/ 934-70-00 fax 407/ 934-34-50) 635 ch., dont 60 suites ✕ 🔲 ⌷ ⌷ ∅ ∫ 🚻 4 restaurants, 2 salons-bars, 1 glacier et 1 snack, club de gym, magnifique piscine paysagée, plage de sable blanc bordée de palmiers sur le lac, aire de jeu pour les enfants. Grand confort et décoration soi-

gnée. Style "club nautique chic" ; atmosphère masculine avec parquets en chêne verni, cuivre, tons foncés.

**★★★*Disney Inn Resort,* (☎407/ 824-22-00 fax 407/ 824-32-29) 288 ch. ✕ 🏨 🏌 🎾 📺 boutiques, location de bicyclettes, salle de jeux. Chambres confortables, réparties sur 3 étages. Balcons pour la plupart. Certaines donnent sur des petits patios privés.

**★★★*Disney Beach Club Resort,* (☎407/ 934-80-00 fax 407/ 934-38-50) 580 ch., dont 57 suites ✕ 🏨 📺 🎾 🏌 sauna, bar, boutiques, salon de coiffure, marina, location de bateaux. Touches délicatement féminines dans un décor qui marie teintes pastel et tissus fleuris avec des meubles en bois laqué blanc.

**★★★*Disney Polynesian Resort,* (☎407/ 824-20-00 fax 407/ 824-31-74) 853 ch. ✕ 🏨 📺 🎾 🏌 bar, boutiques, salon de coiffure, salle de jeux, location de bateaux, sports nautiques sur le lac, marina. Idéal pour profiter d'une ambiance exotique, en alliant des moments de détente au bord de l'eau. Pour les amateurs, possibilité de pratiquer la pêche avec un guide. Aires de loisirs aménagées tout spécialement pour les enfants.

**★★*Caribbean Beach Resort,* (☎407/ 934-34-00 fax 407/ 827-59-90) 2112 ch. ✕ 🏨 📺 🛶 🎾 ♿ nombreux restaurants (dont 6 avec service au comptoir), 1 salon-bar, location de petits bateaux pour promenades sur le lac, plusieurs piscines dans un jardin tropical, aire de jeu pour les enfants, location de bicyclettes. Plusieurs villages de style antillais, répartis dans un décor luxuriant ; atmosphère décontractée.

WASHINGTON (DC)

ℹ️ **Visitor Information Center,** 1212, New-York Ave., N.W. (☎ 789 7000 et 789 7038), ouv. lun.-sam. 9 h-17 h, f. dim. et jours fériés ● **Informations touristiques pour les visiteurs étrangers** (☎ 783 6540) ● **Travelers Aid Society** (☎ 546 3120) Comptoirs dans les aéroports et à Union Station.

☎ 202

Washington est le siège d'innombrables congrès, réunions et autres rassemblements : il est donc recommandé de réserver à l'avance. A noter que la plupart des hôtels proposent des *weekend rates* très favorables.

Hôtels

**★★★★*Hay Adams Hotel,* 1, Lafayette Sq. (☎ 638 6600 fax 638 2716), 143 ch., 18 suites 🏨 ✕ ♿ Très bien situé, tout près de la Maison Blanche, ce vieil hôtel chic est digne des hommes d'Etat distingués qui aiment à y descendre. Quelques ch. disposent d'une petite cuisine.

**★★★★*Mayflower Stouffer Hotel,* 1127 Connecticut Ave., N.W. (☎ 347 3000). Un vieil hôtel de grande classe, au confort moderne. À quelques pas de la Maison Blanche et au centre de l'élégant quartier commerçant.

**★★★★*Sheraton Carlton Hotel,* 923, 16th St. et K. Ave. (☎ 638 2626 fax 638 4231), 197 ch. et 13 suites 🏨 ✕ ♿ ⊘ Palais dans un grand style quelque part entre le Moyen Age et la Renaissance, mais qui a été rénové complètement. Un "must" si vous êtes ministre ou PDG. Ch. aux dimensions respectables, salles de bains imposantes... et coffre-fort personnel !

**★★★★*Willard Intercontinental Hotel,* 1401, Pennsylvania Ave. (☎ 628 9100 fax 637 7326), 365 ch., 35 suites 🏨 ✕ ♿ 📺 Bien placé près de la Maison Blanche et de Downtown, cet hôtel a retrouvé sa magnificence apr. injection sérieuse de dollars dans ses murs de style Belle Epoque. Grand luxe à l'américaine, mâtiné de bon goût vieille Europe. Très cher.

**★★★*Hotel Lombardy,* 2019, N.-W. I St. (☎ 828 2600 fax 872 0503), 85 ch., 41 suites 🏨 ✕ ⊘ Hôtel familial et convenable, dont la location est commode par rapport aux monuments et musées de la ville. Quelques ch. sont équipées de facilités pour la cuisine.

**★★★*Holiday Inn Capitol,* 550, S.-W. C St. (☎ 479 4000 fax 479 4353), 529 ch. et 19 suites 🏨 ✕ ♿ 📺 Confortable, sans chichis, et surtout bien situé pour visiter la ville. On apprécie aussi l'air climatisé réglable individuellement et la piscine. Les animaux sont acceptés, s'ils sont aussi raisonnables que leurs maîtres.

***Double Tree Park Terrace Hotel,** 1515, N.-W. Rhode Island Ave. (☎ 232 7000 fax 332 7152), 220 ch., 40 suites 🏢 ✕ ♿ ⌿ Agréable atmosphère dans cet hôtel de style européen classique ; il est commodément situé dans Downtown. Quelques ch. avec facilités pour la cuisine.

Howard Johnson Hotel & Suites, 1430, N.-W. Rhode Island Ave. (☎ 462 7777 fax 332 3519), 186 ch. 🏢 ✕ ⌿ ▭ Hôtel raisonnable par le confort, le prix et sa situation à proximité de la Maison Blanche (à 6 "blocs"). Quelques ch. avec cuisine, piscine et salle de gym. Télé par câble pour les amateurs.

*The Tabard Inn,** 1739, N.-W. N St. (☎ 785 1277 fax 785 6173), 40 ch. 🏢 ✕ ⌿ Voilà qui va vous enchanter si vous recherchez une atmosphère un peu sophistiquée : ce petit hôtel, formé de plusieurs bâtiments imbriqués avec couloirs et recoins, est calme et chaleureux ; cheminées, sofas et bar victorien. Prix raisonnables. Rest. sympathique.

*Kalorama Guest House,** 1854, Mintwood Place et 2700, Cathedral Ave. (☎ 667 6369 et 328 0860), 42 ch. Pension de famille plutôt qu'hôtel, ce qui confère du charme à cet endroit plaisant. Confort tout à fait satisfaisant si vous pouvez vous passer de l'inévitable poste de TV dans la ch. ! A 10 mn du centre par le métro, mais dans un quartier "sûr". Pas de rest., mais petits déjeuners.

*Washington International,** AYH Hostel 1009, N.-W. 11th St. (☎ 737 2333), 250 lits. Auberge de jeunesse située près du Convention Center ; bien tenue, cuisine commune, salles de réunions et organisation de vis. de la ville. Réserv. (par lettre, avec arrhes) recommandée pendant la saison touristique.

Bed 'N' Breakfast Ltd of Washington, P.O. Box 12011, Washington DC 20005 (☎ 328 3510 fax 332 3885). Service de réserv. pour loger chez l'habitant, depuis de luxueuses ch. jusqu'à des solutions plus économiques. Possibilité de locations d'appartements pour les familles. Env. 80 ch. sont gérées par cette organisation.

Cherry Hill Park Campground, 9800, Cherry Hill Rd College Park MD (☎ 301/937 7116), 400 places. Camping bien équipé avec facilités pour gagner le centre ville. Piscine.

Restaurants

Pratiquement tous les hôtels cités précédemment possèdent également un rest., sinon plusieurs, ainsi que des cafétérias.

***Le Rivage,** 1000, Water St., S.W. (☎ 400-8111). Au bord du Potomac, au 1er étage du Yatch Club d'où la vue sur le lac est magnifique. Cuisine classique, spécialités régionales et de poisson. Un endroit raffiné à des prix modérés.

***Maison Blanche,** 1725, N.-W. F St. (☎ 842 0070), f. dim. Tout à côté de la Maison Blanche, justement, ce rest. ultrasélect est renommé pour son chic plus peut-être que pour sa cuisine pourtant recherchée. Le voisinage et la qualité de la clientèle se paient cher. Réserv. quasi obligatoire.

Hard Rock Cafe, 999, N.-W. E St. (☎ 737 7625), ouv. t.l.j. 11 h-2 h du mat. Succursale de la célèbre chaîne, qui présente toutes les caractéristiques de ses congénères : du mouvement, du bruit, des hamburgers robustes, propres à satisfaire une clientèle jeune et affamée.

Old Ebbitt Grill Metropolitan Square, 675 N.-W. 15th St. (☎ 347 4801), ouv. jusque tard dans la nuit. Un vrai américain, avec des nourritures locales sans sophistication excessive : salades, grillades, sandwiches ventrus et souvent appétissants. Desserts colorés. Agréable local, avec un atrium. Réserv. recommandée.

*Petitto's,** 2653, N.-W. Connecticut Ave. (☎ 667 5350), ouv. t.l.j. jusque tard dans la nuit. Brave rest. italien, qui s'enorgueillit des 18 sauces différentes qui agrémentent ses pâtes (excellentes). Pizzas tout à fait honorables.

Téléphones utiles : urgences (☎ 911) ● médecin (☎ 331 3888) ● dentiste (☎ 547 7613).

Aéroport : *Washington Dulles International Airport* (rens. ☎ 703/471 7838) ● Bus : *Washington Flyer*

(☎ 703/685 1400) env. 45/50 mn au minimum pour le centre ville, avec arrêts dans les principaux hôtels.

Locations de voitures : Nombreux bureaux dans la ville, et notamment dans les principaux hôtels. On donne ici le numéro correspondant au stand à l'aéroport international ; code téléphonique 703/ *Avis* (☎ 661 8874) ● *Hertz* (☎ 471 6020) ● *Budget* (☎ 437 9373) ● *National* (☎ 471 5278).

Transports dans la ville : *Métro et bus :* Le système Métrobus et Métrorail est assez efficace, mais Washington est une ville qui a connu et qui connaît des problèmes de sécurité ● Le *Family/Tourist Pass* permet de voyager à 4 personnes pour toute la journée, sam., dim. et jours fériés (sf le 4 juil. !) à un tarif très modeste (inf ☎ 637 7000).

Taxis : Ils ne fonctionnent pas au compteur, mais avec un tarif par zone, qui est affiché dans la voiture. Suppléments pour chaque passager en plus du client et aussi aux heures de pointe. *Yellow Cab* (☎ 544 1212) ● *Capitol Cab* (☎ 546 2400).

Compagnies aériennes : *Air France* (☎ 331-8242) ● *American Airlines* (☎ 393 2345) ● *Delta Airlines* (☎ 301/468 2282).

Tours : *Gold Line Inc* (affilié à Gray Line Sightseeing) Gray Line Terminal, Union Station, 50, N.-E. Massachusetts Ave. (☎ 289 1995). Propose de nombreux itinéraires dans Washington et dans les environs. Luxueux autobus à air conditionné. Départ à partir des principaux hôtels de la ville ● *Old Town Trolley Tours*, 3150, N.-E. V St. (☎ 269 3020). Vieux-faux trolley confortable qui fait un circuit assez complet de la ville et qui permet de s'en faire une bonne idée. ● *Guild of Tour Guides* (☎ 202/298 1471). Deux cents guides licenciés, dont bon nombre parlent français.

Croisières sur le Potomac : *The Spirit of Washington/Spirit of Mount*, Vernon Pier 4, 6th & S.-W. Water Sts (☎ 554 8000). Des tours spécialisés sont organisés sur demande en fonction de thèmes

particuliers. Inf. : WCVA (☎ 789 7000).

Shopping : Georgetown groupe un bon nombre de magasins chics, de galeries d'art et de boutiques de mode agréables. Quelques centres commerciaux : *Union Station-LaSalle Partners,* 40, N.-E. Massachusetts Ave. (☎ 371 9441), ouv. lun.-sam. 10 h-22 h et dim. 12 h-21 h. La gare a été réhabilitée et plus de 120 magasins ont été ouverts ainsi qu'un complexe théâtre/cinémas ● *Mazza Gallerie,* 5300, N.-W. Wisconsin Ave. (☎ 966 6114), ouv. lun.-ven. 10 h-21 h, sam. 10 h-18 h et dim. 12 h-17 h. Complexe de boutiques de bon niveau. Neiman Marcus y a une succursale ● *Potomac Mills Mall,* 2700, Potomac Mills Circle Prince Williams, Virginia (☎ 703/643 1605), ouv. lun.-sam. 10 h-21 h 30 et dim. 11 h-18 h. Magasins de soldes ou de vente à bas prix dans presque toutes les spéc.

WHITE MOUNTAINS (NH)

🛈 **Mt Washington Valley Visitors Bureau,** Box 2300, N. Conway 03860 (☎ 603/356 3171).

☎ 603

Hôtels

North Conway

★★*Red Jacket Mountain View Inn,* Rte 16 (☎ 356 5411), 159 ch. ✘ ✖ ▱ ⚲ Ch. spacieuses. Accueil de qualité.
★★*Cranmore Inn,* Kearsage St. (☎ 356 5502), 19 ch. ✘ ✖ ▱ Au pied du Mont Cranmore. Décoration style fin XVIIIᵉ s.

Glen

★★*The Bernerhof,* Rte 302 (☎ 383 9131), 12 ch. ✘ ✖ Rénové en 1988. Commode. Equipé d'un sauna finlandais.

Mt Washington

★★★*Inn at Thornhill,* Thorn Hill Rd, Jackson (☎ 383 4242), 10 ch. ✘ ✖ ▱ Boiseries pour le décor. Confortable.

**Mount Madisson, 365, Upper Main St., Gorham (☎ 466 3622), 33 ch. ⛄ ⊗ ▣ Ch. avec balcons, piscine chauffée, aire de jeux.

Bretton Woods

**Mount Washington Hotel, Rte 302 (☎ 278 1000), 200 ch. et des suites ⊗ ▣ 🏃 ♪ Traditionnel et luxueux.

Bethlehem

**The Bells, Strawberry Hill St., (☎ 869 2647), 1 ch. et 3 suites ⊗ Un agréable Bed & Breakfast en forme de pagode.

Franconia

***Franconia Inn, Easton Rd (☎ 823 5542), 34 ch. et des suites ✗ ⊗ ▣ 🏃 ♪ Projection de films tous les soirs dans le salon de l'hôtel. Diverses activités prévues pour la journée.

Lincoln

**Drummer Boy, US-3, I-93 sortie 33 (☎ 745 3661 fax 745 9829), 53 ch. ⛄ ⊗ ▣ Ch. avec patios ou balcon.
*Indian Head, US-3, I-93 sortie 33 (☎ 745 8000), 98 ch. ⛄ ⊗ ▣ Vue sur les montagnes.

Kancamagus Hwy.

***Mountain Club on Loon (☎ 745 8111 fax 745 2317), 232 ch. et 170 suites ⊗ ▣ 🏃 Beaucoup d'activités : ski en saison, équitation, tennis, natation, salle de gymnastique. Le tout dans un cadre fort sympathique.

Restaurants

North Conway

**The Scottish Lion, Rte 16 (☎ 356 6381). Cuisine écossaise. Vue sur les montagnes depuis la salle à manger.

Glen

**Margaritaville, Rte 302 (☎ 383 6556). Institution familiale. Cuisine mexicaine. Possibilité de déjeuner dans le patio en été.

Mt Washington

***The Bernerhof, Rte 302, Glen (☎ 383 4414), ouv. 17 h 30-21 h 30. Spéc. : délice de gruyère, émincé de veau zurichoise, *Schnitzel* Cordon Bleu.

**Welsh's, 88, Main St., Gorham (☎ 466 2500), ouv. 5 h 30-21 h, lun. à partir de 14 h, dim.6 h 30-14 h, f. 1er jan. et 25 déc. Menu différent chaque sem. Très simple : sandwiches, salades, steaks.

Franconia

***Franconia Inn, Eastern Rd (☎ 823 5542), ouv. 8 h-10 h et 18 h-21 h, f. avr.-mi-mai. Cuisine française. Spéc. : bouillabaisse et pour les enfants *the Young Epicurian Cheeseburger* (le cheeseburger du jeune épicurien !).

**Polly's Pancake Parlor, P.O. Sugar Hill (☎ 823 5575), ouv. 7 h-15 h, ven. et dim. jusqu'à 19 h, f. nov.-fin avr. Crêpes, gaufres, sandwiches, quiches, soupes, saucisses.

Lincoln

**Tavern at the Mill, Box 910, Main St. (☎ 745 3603), ouv. 11 h 30-2 h du mat., ven. et sam. jusqu'à 23 h. Spéc. : poulet, steaks, fruits de mer.

Kancamagus Hwy.

**Gordi's Fish & Steakhouse, Box 611, Lincoln (☎ 745 6635), ouv. 17 h-21 h, f. Thanksgiving (4e jeu. de nov.) et 25 déc. ⛄ Spéc. : homard du Maine et autres fruits de mer.

Campings : *New Hampshire Campground Owners Association,* Box 320, Twin Mountain 03595 (☎ 603/846 5511). Cet organisme vous fournira la liste de tous les campings de la région.

Téléphones utiles : urgences (☎ 911) ● hôpital : *Memorial Hospital,* Intervale Rd, North Conway (☎ 603/356 5461).

Autocar : *Concord Trailways* (rens. ☎ 800/852 3317).

WILLIAMSBURG (VA)

ⓘ **The Williamsburg Area Convention & Visitors Bureau,** P.O. Drawer GB, 201, Penniman Rd (☎ 253 0192).

☎ 804

Hôtels

*****The Williamsburg Inn, Francis St. (☎ 229 1000 fax 220 7798), 102 ch. et des suites ▦ ✕ ♿ ⊘ ▭ ⚲ ♪ Richesse du décor. Somptueux. Beaucoup d'espace.

***Williamsburg Hospitality House, 415, Richmond Rd (☎ 229 4020 fax 220 1560), 297 ch. et des suites ▦ ♿ ⊘ ▭ ♪ Hôtel de luxe. Elégance et tradition.

***Holiday Inn Downtown & Holidome, 814, Capitol Landing Rd (☎ 229 0200 fax 220 1642), 138 ch. ✕ ♿ ▭ ♪ Style colonial. A proximité des lieux historiques de la ville.

**Days Inn East Williamsburg, 90, Old York Rd (☎ 253 6444 fax 253 0986), 210 ch. ♿ ⊘ ▭ Un luxe abordable à quelques mn de toutes les attractions de la ville.

Restaurants

****Regency Room, Francis St. (☎ 229 2141), ouv. 7 h-10 h, 12 h-14 h, et 18 h-21 h 30 ♿ Spéc. : veau cuisiné au crabe, agneau.

***Le Yaca, 1915, Pocohantas Trail, quartier de Kingsmill Village Shops (☎ 220 0741), ouv. 11 h 30-14 h et 18 h-21 h 30, f. dim. ♿ Cuisine française. Spéc. : gigot d'agneau, marquise au chocolat et une carte des vins soigneusement sélectionnée.

**Berret's Seafood Rest. & Raw Bar, 199, S. Boundary St. (☎ 565 2323), ouv. 11 h 30-21 h, f. lun., 1er jan. et 25 déc. Spéc. : crabes, crevettes, poissons frais.

**Captain George's Seafood, 5363, Richmond Rd (☎ 565 2323), ouv. 16 h 30-22 h, sam. 16 h-22 h 30, dim. 12 h-22 h 30, f. 25 déc. ♿ Spéc. : buffet de fruits de mer. Env. 70 variétés.

**King's Arms Tavern, Duke Of Gloucester St. (☎ 229 2141), ouv. 11 h 30-14 h 30 et 17 h 15-21 h 30, f. 2 jan. et 24 déc. Décor colonial dans une taverne du XVIIIe s. Spéc. : tourte au gibier, jambon de Virginie et un délicieux cidre fait maison.

Campings : Anvil Campground, 5243, Mooretown Rd (☎ 565 2300 ou 800/633 4442). Electricité, TV, minigolf, piscine, boutiques, aire de jeux ● **Brass Lantern Campsites,** 1782, Jamestown Rd (☎ 229 4320 ou 229 9089). 40 sites. Electricité, douches, laverie. Très bien situé.

Téléphones utiles : urgences (☎ 911).

Chemin de fer : Amtrak (rens. ☎ 229 8750 ou 800/872 7245).

Autocar : Greyhound/Trailways (rens. ☎ 229 1460).

Transports en commun : James City County Transit, rens. t.l.j. sf dim. et jours fériés (☎ 220 1621).

Excursions et visites guidées : Grayline of Williamsburg, tours en bus dans la région de Williamsburg (rens. ☎ 253 7930) ● **Maximum Guide Tours,** vis. guidées de Williamsburg, Jamestown, Yorktown et des plantations (rens. ☎ 565 4821).

Manifestations : Jan.-début mars. Colonial Weekends, conférences, vis. guidées (rens. ☎ 800-HISTORY) ● **Fév.-déc. Militia Muster,** exposition sur l'armée (Market Sq. Green).

Shopping : La plupart des boutiques concernant poterie, savons, bougies, brocante, vêtements, artisanat, meubles et souvenirs se trouvent à Merchant Sq. et le long de la Duke of Gloucester St.

WILMINGTON (DE)

ℹ️ **The Greater Wilmington Convention & Visitors Bureau,** 1300, Market St., suite 504 (☎ 652 4088).

☎ 302

Hôtels

★★★Best Western El Capitan, 1807, Concord Pike (☎ 656 9436 fax 656 8564), 101 ch. et des suites ✗ ♿ ▢TV dans les ch., piscine.
★★Holiday Inn North, 4000, Concord Pike (☎ 478 2222 fax 479 0850), 141 ch. 🛇 ▢ Sur 2 étages. Confort appréciable.

Restaurants

★★Bellevue in the Park, 911, Philadelphia Pike (☎ 798 7666), ouv. 17 h 30-21 h 30. Réserv. préférable. Cuisine française. Spéc. : tournedos au poivre, coquilles St-Jacques, veau Marsala.
★★Constantinou's Beef & Seafood, 1616, Delaware Ave. (☎ 652 0653), ouv. 11 h 30-1 h du mat., f. Thanksgiving (4ᵉ jeu. de nov.) et 25 déc. Ambiance musicale ven. et sam. Spécialiste des steaks et des fruits de mer.

Téléphones utiles : urgences (☎ 911).

Chemin de fer : SEPTA (rens. ☎ 215/580 7800). Liaisons ferroviaires entre Wilmington et Philadelphie ● **Amtrak,** Martin Luther King Blvd. et French St. (rens. ☎ 800/872- 7245).

Autocar : Greyhound Bus Lines, 101, N. French St. (rens. ☎ 655 6111) ● **Trailways Bus System,** 101, N. French St (rens. ☎ 652 7391).

Excursions et visites guidées : Des tours de la ville et de ses environs sont organisés par diverses agences locales : **Delaware Diversions,** 2908, Mattahoon, Arundel (rens. ☎ 999 8623) ● **4 Seasons Tours,** 1010, N. Union St., suite 6 (rens. ☎ 594 1030).

Manifestations : Dernier sam. d'avr. *Hagley's Irish Festival,* Hagley Museum. Danseurs et chanteurs d'origine irlandaise ● **Oct. *Delaware Nature Society Harvest & Craft Festival,*** Ashland Nature Center à Hockessin. Fabrication de cidre, artisanat, tours en poney pour les enfants.

WINSTON/SALEM (NC)

ℹ️ **The Winston/Salem Convention & Visitors Bureau,** P.O. Box 1408, 500, W. 5th St. (☎ 725 2361 ou 800/331 7018).

☎ 919

Hôtels

★★★Stouffer Winston Plaza, 425, N. Cherry St. (☎ 725 3500 fax 722 6475), 315 ch. et des suites ▦ ✗ ♿ 🛇 ▢ ⌨ ♪ Spacieux. Hôtel de luxe.
★★★Brookstown Inn, 200, Brookstown Ave. (☎ 725-1120 fax 773 0147), 71 ch. et des suites ♿ Charmant Bed & Breakfast dans ce qui fut l'une des premières usines textiles du Sud.
★★Hampton Inn, 5719, University Pkwy (☎ 767 9009 fax 661 0448), 117 ch. ♿ 🛇 ▢ Bon accueil. Ch. confortables.

Restaurants

★★★La Chaudière, 120, Reynolda Village (☎ 748 0269), f. lun., 1ᵉʳ jan., Thanksgiving (4ᵉ jeu. de nov.), 24 et 25 déc. Cuisine française dans un cadre élégant. Spéc. : faisan, lapin.
★★Old Salem Tavern, 736, S. Main St. (☎ 748 8585), ouv. 11 h 30-14 h et 17 h-21 h. Cuisine tchèque.

Téléphones utiles : urgences (☎ 911).

Chemin de fer : Amtrak (rens. ☎ 855 3382).

Autocar : Greyhound/Trailways (rens. ☎ 725 5692).

Index thématique
des encadrés

■ Musique

■ Vie quotidienne, société

Index

Abingdon : nom de lieu ; *Adams* : nom de personnage.